ספרי על ספר דברים

ספרי על ספר דברים

עם חלופי גרסאות והערות

מאת

אליעזר ארי׳ פינקלשטין

בהשתמשות עזבונו של

חיים שאול האראוויטץ

נדפס ראשונה
בברלין
בהוצאת האגודה התרבותית היהודית בגרמניה
מחלקה: הוצאת ספרים
ת״ש לפ״ק

מופיע שנית ע״י
בית המדרש לרבנים באמריקה
ניו־יורק, תשכ״ט

מופיע שלישית ע״י
בית המדרש לרבנים באמריקה
ניו יורק וירושלים, תשנ״ג

הקדמה להוצאה ראשונה

כאשר החילותי לפני חמש עשרה שנה להכין ההוצאה הזאת של הספרי על דברים, עלתה בדעתי לצרף לה מבוא מפורט, שבו יתוארו כתבי היד והדפוסים של הספרי, ויחסם זה לזה; מבוא שיכלול גם מפתחות שונים מפתח הפסוקים, השמות, והנושאים. מפני שנוי הזמנים וימי הפורענות, אי אפשר בשעה טרופה זו להוציא מחשבה זו אל הפועל, ומוכרח אני לקצר במקום שראוי להאריך. סקירה קצרה על הנושא ימצא המעיין במאמרי על נוסחי הספרי בספר השנה להאקדימיה האמיריקאית לחקר היהדות שנה ג׳ ע׳ 3 והלאה. מסקנותי שם צריכות תקון והוספה בפרטים אחדים. כמו שבארתי בספר השנה להאקדימיה האמורה, שנה ה׳, ע׳ 25 והלאה, נתברר שנוסח הספרי הכלול בכת״י מדרש חכמים הוא ספרדי בעיקרו ולא איטלקי. נוסח כת״י ששון (ס) שבא לידי אחרי כתבי את המאמר הוא אטלקי, ויש לו יחס קרוב לכת״י ר וק.

בני משפחתו של המנוח ר׳ חיים שאול הארוויטץ, ז״ל, היטיבו להשאיל לי, בעבור מפעלי, את החומר שעזב בכת״י שלו, המכיל מ״מ, פירושים, ושנוי נוסחאות אל הספרי על דברים. את פרושיו כִנסתי להערותי בחצי רבועים, לא העזתי לשנות בהן מאומה, רק במקומות אחדים תקנתי פה ושם, וקרוב לודאי שהמנוח בעצמו ז״ל, היה מתקן את סגנונו באותם המקומות, כדי לברר הענין. לפעמים הוספתי בציוניו מ״מ להוצאות מדעיות כדי להקל על המעיין והלומד. בהגהותיו לא יכולתי להשתמש מפני שרשם רק שנויי נוסחאות מן הילקוט, ומצאתי לנכון לעבור עליהם עוד הפעם, מפני שהיה בידי צלום מכת״י של הילקוט באקספרד, שבו לא השתמש המנוח ז״ל.

מפני הטעמים המפורטים במאמרי הנזכר, על נוסחי הספרי, בכרתי לרוב את גרסות כת״י רומי, ודחיתיו רק במקום שברור שנוסח אחר מעולה ומשובח ממנו. בחלק הספר על האזינו, וזאת הברכה, שבו חסר כת״י רומי, נתתי הבכירה לנוסח כת״י **א**, השני לו בערכו.

כבר העירו חכמים שונים, ובראשם ר׳ מאיר איש שלום, ובזמן האחרון, רי״נ אפשטיין, ור׳ שאול ליברמן, שהרבה ברייתות הנמצאות בספרי שלנו נתוספו בזמן מאוחר, ואינן מעיקר הספרי. על פי השואת הכת״י יש להכיר את הברייתות או התוספתות האלה, שמעקרן היו כתובות על הגליון, ויש מן המעתיקים שהשמיטו אותן לגמרי, ואחרים הכניסו אותן שלא במקומן. כיון שהרבה מן התוספתות האלה מובאות כבר בפירושי הראשונים, לא יכולתי להשמיטן, והדפסתי אותן באותיות קטנות. רובן יסודן במדרש דבי ר׳ ישמעאל לספר דברים, כמו שבארתי בהערותי.

נוסח הספרדי נסדר בארץ ישראל, וכמובן נכתב בכתיב ארצי־ישראלי, או ביותר דיוק בכתיב גלילי. הרבה פעמים נוספו יו״ד וו״ו לסימני קריאה, וסימן הרבים הוא לרוב נו״ן ולא מ״ם. כדי להקל על הקורא לא שמתי עין לדיוקים ויתרונות האלה. הדפסתי המלים לרוב בכתיב הרגיל, אף שמן הבחינה ולמען חקר הכתיב העברי, וגם הברת הלשון, אין לותר על תגי אותיות וקוצו של יו״ד. אולם כאמור בדעתי לפרט במבוא טיב כל כת״י וכת״י, צביונו, וסגולותיו המיוחדים. תקוה תשעשני שברצות האל עוד אזכה בעתיד הקרוב להדפיס חוברת מיוחדה, שתכיל את כל החומר הזה וגם המפתחות הנזכרים לעיל, ותקונים והגהות שלא יכולתי להכניס אל הספר, והוספות אל הספר מאת מו״ר ר׳ לוי גינצבורג, המוכנים והמצויים תחת ידו.

אודות השטה שהחזקתי בנסוח הספרי כבר נשאו ונתנו חכמים וחוקרים אחדים, שלפי דעתם אין נכון לשנות נוסח הרגיל, והוא נוסח דפוס ראשון, מפני גרסת הכת״י; ומכל שכן שאין להגיה בפנים נגד כל הגרסות המקובלות, אף במקום שיש ראיות חזקות לכך. אי אפשר לי להסכים ולהיות תמים דעה אתם מפני ששטתם מתנגדת בהחלט לנסיונות העריכה של כל הספרות הקלסית. אין השעה כשרה להכנס בפרטים, ולנמק דברי בהוכחות וראיות, אולם עוד אשוב אי״ה לשאת ולתן בענין זה, במבוא הכללי.

חובה נעימה היא לי, להודות לאלה שעזרו לי במפעלי זה. בראשם אלה שהמציאו לי צלומים מכת״י שונים, והם הספרנים ברומא, בברלין, בלונדון, באקספרד, ובקנטבריגיא. הפרופ. ר׳ אהרן פריימאנן, שהיה אז בפרנקפורט, המציא לי צלומים מפי׳ רבינו הלל על הספרי; ר׳ דוד ששון המציא לי צלומים מכת״י ס שבאוצר הספרים שלו; ר׳ דוד מגיד המציא לי צלומים מכת״י נ אשר בלנינגרד. ביחוד אני מודה לידידי, מורי ר׳ לוי גינצבורג, מורי ר׳ אלכסנדר מארקס, חברי ר׳ יצחק ריבקינד, והפרופ׳ ר׳ יצחק אלבוגן, על שעזרו לי במפעלי באופנים שונים והאירו עיני בהערות שהבאתי בשמם. כולם יעמדו על הברכה, ויזכרו לטובה.

אליעזר ארי׳ פינקלשטין   ט״ו מנחם אב, תרצ״ט.

הקדמה להוצאה שלישית

לפני שנה, בכסלו תשנ"ב, נכתב בראש "ספרא דבי רב" כרך ה', כדברים האלה: "אנו מקוים שעוד נמשיך בעתיד, אי"ה, לפרסם מתורתו של פרופ' פינקלשטין, שיאריך ימים, ולהפיצה ברבים". לצערנו לא זכינו, ובכ"ב בכסלו אותה שנה, נסתלק מאתנו פרופ' פינקלשטין ז"ל, זקן ושבע ימים.

אך אף שהוא איננו עמנו יותר, הרי תורתו מכרזת עליו ברבים, ובראשה מתנוצצת המהדורה הביקורתית של "ספרי על ספר דברים".

עם פרסומה של המהדורה, זכה פרופ' פינקלשטין ושני המאורות הגדולים בחקר התלמוד כתבו עליה ביקורות, הלא הם מהרי"ן אפשטיין (תרביץ ח, תרצ"ז) ומהר"ש ליברמן (קרית ספר יד, תרצ"ז-תרצ"ח); בסוף דבריו כתב מהר"ש ליברמן: "...והוצאה זו תתפוס אחד מן המקומות הראשיים בספרותנו".

"ספרי על ספר דברים מהדורת פינקלשטין", הוא אוד מוצל מאש — את ספור הדברים יקרא הלומד בהקדמה להוצאה הראשונה ובהקדמה להוצאה השניה, הנדפסות כאן. זכות התנאים, שבתורתם עסק כל חייו פרופ' פינקלשטין, עמדה לו, ובספר נתחבב על הלומדים. מרוב חביבותו כלה מן השוק, וזמן רב הורגש חסרונו של הספר.

במלאת שנה להסתלקותו של פרופ' פינקלשטין ז"ל, אנו שמחים לתת עתה ביד הלומדים הדפסה חדשה של "ספרי דברים", ויהיו נא שפתותיו דובבות בקבר.

כסלו תשנ"ג
ירושלים

המערכת

ספר זה יוצא לאור בתמיכת
קרן מרדכי בן ציון (מקסוויל) אבבעל

ISBN 965-456-009-7

קצורים

א = כת"י ברלין (Acc. Or. 1928, 328)

ב = כת"י אקספורד Neubauer 151

ג = קטעי הגניזה (נרשמו ג^1, ג^2, ג^3, . . . ג^6 (כפי שיבואר מפורט במבוא)

ד = דפוס ויניציה ש"ה

ה = הציטטים מן הספרי במדרש הגדול, כפי שהובאו במ"ת

ה^1 = השנוים למ"ת שהביא הופמאן בסוף הספר ע' 253 והלאה

ז = הגהות הנמצאות בגליון הספרי הנדפס עם פי' ז"א (ראדוויל תק"פ)

ט = ילקוט שמעוני

ט^1 = ילקוט כת"י אקספורד (Neubauer-Cowley 2637, Heb. b. 6)

ט^2 = ילקוט דפוס ראשון (שאלוניקא רפ"ו)

ט^3 = ילקוט על נ"ך

כ = ילקוט המכירי

כ^1, כ^2: עיין הערות ע' 18 לשורה 7

ל = כת"י לונדון (Margoliouth 341, Add 16,406)

מ = כת"י מדרש חכמים (ביד ר' אביגדור אפטוביצר בוינה)

נ = קטע ממדרש תימני על דברים, הנמצא בלנינגראד

ס = פירוש על הספרי בכת"י ששון 598

ע = פירוש ר' ידעיה הפניני כת"י (בסמינר בניו יורק Enelow Memorial Collection #148)

פ = פירוש ר' הלל כת"י בפראנקפורט מערצבאכער 97

ק = קטע הספרי בכ"י רומי (Casanata H. 2736)

ר = כת"י רומי של כל הספרי (Assemani 32)

ש = קטע מן הספרי על האזינו הנמצא בספרית לאדענבערג

א^1, ב^1, ל^1, מ^1, ק^1, ר^1 = הגהות בין השטים או על הגליון בכת"י הנזכרים. ב^1 מראה גם כן על המלואים שנוספו בכ"י ההוא ע"י מעתיק מאוחר, כמבואר בהערות

ראשי תיבות

א"א = אות אמת

אדר"נ = אבות דר' נתן (הוצ' שכטר)

ב"ר = בראשית רבא (הוצ' טעאדאר-אלבעק)

דפ"ר = דפוס ראשון

הגר"א = הגהות הגאון ר' אליהו מווילנה, נדפסו בהוצ' הספרי ווארשה, תרכ"ו

ויק"ר = ויקרא רבא

וז"ל = וזה לשונו

ז"א = פ' זרע אברהם לר' אברהם ליכטענשטיין

ז"ר = פי' זית רענן על ילקוט שמעוני

ח' = חסר

ח"ג = חלופי גרסאות

ל' = ליתא

ל"י = לשון יונית

מה"ג = מדרש הגדול

מהר"ס = פי' מהר"ר סולימאן ן' אוחנא, נדפס בשם „פי' לחכם ספרדי" בסוף ספרי, דפוס ווארשה, תרכ"ו

מ"ח = מדרש חכמים

מכילתא = (מכילתא על שמות, הוצ' ר' מאיר איש שלום; והסימן „ה-ר" מראה על הוצ' הארווויטץ—רבין)

מכילתא דרשב"י = מכילתא דר' שמעון בן יוחי (הוצ' הופמאן)

מ"ע = מאיר עין, הערותיו של ר' מאיר איש שלום על המכילתא והספרי

מ"ת = מדרש תנאים (הוצ' הופמאן)

נ' = נוסף

ס"ז = ספרי זוטא (הוצ' הארווויטץ, בסוף הוצאת הספרי שלו)

סע"ר = סדר עולם רבא

פדר"א = פרקי דר' אליעזר

פדר"כ = פסיקתא דר' כהנא (הוצ' באבער)

פ"ז = פסיקתא זוטרתא

רא"ם = פי' ר' אליהו מזרחי על רש"י

רד"ל = ר' דוד לוריא

רד"ף = ר' דוד פארדו (בפירושו על ספרי דבי רב)

ר"ה = רבינו הלל בפירושו על הספרי, כת"י

רחש"ה = ר' חיים שאול הארווויטץ

רמא"ש = ר' מאיר איש שלום

שהש"ר = שיר השירים רבא

שמו"ר = שמות רבא

ת"א = תרגום אונקלוס

תו"כ = תורת כהנים (ספרא, הוצ' ר' אייזיק הירש ווייס)

ת"י = תרגום יונתן

א.

(א א) אלה הדברים אשר דבר משה, וכי לא נתנבא משה אלא אלו
בלבד והלא הוא כתב כל התורה כולה שנאמר °ויכתב משה את התורה הזאת דברים לא
מה תלמוד לומר אלה הדברים אשר דבר משה מלמד שהיו דברי תוכחות
שנאמר °וישמן ישורון ויבעט. כיוצא בו אתה אומר °דברי עמוס אשר שם לב טו עמוס א א
היה בנוקדים מתקוע אשר חזה על ישראל בימי עוזיהו מלך יהודה
ובימי ירבעם בן יואש מלך ישראל שנתים לפני הרעש, וכי לא
נתנבא עמוס אלא על אלו בלבד והלא יותר מכל חבריו נתנבא מה תלמוד לומר

1 אלה הדברים וכו׳ עד אלו בתי דינים שלהם, מכירי עמוס ד, א, (עמו׳ 30), פ״ז: 2 כל התורה כולה, כר׳ שמעון בברייתא ב״ב ט״ו א׳, ובניגוד לר׳ יהודה האומר שלא כתב משה ח׳ פסוקים האחרונים· — הזאת, עיין בשנויי נוסחאות והקטע הנוסף שם מה׳, מובא בשם הספרי במרדכי ערבי פסחים סי׳ ק״ג, (דפוס ריווא סי׳ שמ״א) וגם בהקדמת הרמב״ם לסדר זרעים, והשוה עוד פסיקתא דר״כ וזאת הברכה. קצ״ז ע״א, מדרש תהלים ק׳ סי׳ ג׳, קצ״ג ע״ב, דברים רבה סוף וילך, מדרש פטירת משה, בבית המדרש של יעללינעק, ח״א ע׳ 122, ספר חסידים הוצ׳ פריימאנן תתתקפ״ז, עמ׳ 425, פי׳ בעלי התוספות פ׳ וילך על הכתוב לקוח את ספר התורה (דב׳ ל״א כ״ו): 3 אלה הדברים, [עיין רש״י תחלת קהלת ובמובן הדרש הזה תרגם אונקלוס „אוכח יתהון״ וכן בתרגום ירושלמי „הוכח יתהון״ ובתרגום יונתן נמצא „אילין פתגמי אוכחותא:״] — דברי תוכחות, השוה ספרי במדבר פי׳ צ״ט „אין דבר בכל מקום אלא לשון קשה״ וילקוט המכירי תהלים ק״ו י״ח, פ״א ע״ב, וראה מה שכתב הח׳ הירשברג במנחת בכורים לכבוד הרב ר׳ אריה שווארץ, ע׳ 23: 4 דברי עמוס וכו׳ עד שמעו הדבר הזה פרות הבשן, מכירי עמוס א, א, (עמ׳ 4)· — דברי עמוס, השוה קהלת רבה א, א, ג׳ נביאים על ידי שהיתה נבואתם דברי קנטרין נתלת נבואתם בעצמם ואלו הם דברי קהלת, דברי עמוס, דברי ירמיהו וכעין זה גם בקהלת זוטא שם, ובפסיקתא דר״כ פי׳ דברי ירמיהו (קי״ב ע״א) „ר׳ תנחומא ר׳ אלעזר בש״ר מאיר ור׳ מנחמא בש״ר ברכיה כל מקום שנ׳ דבר דברי דברים אלה ותוכחותיהם, כתיב אלה הדברים אשר דבר משה···· כתיב תחלת דבר ה׳ בהושע···· כתיב דברי ירמיהו״, ומובא ג״כ באיכה זוטא, הוצ׳ באבר, ע׳ 75: 6 וכי לא נתנבא אלא על אלו, כלומר וכי לא השאיר לנו עמוס נבואות אלא על ישראל, והלא ממנו נבואות גם על דמשק, פלשתים, צור, אדום, מואב ויהודה, יותר ממה שמצינו אפילו בישעיה שספרו הוא הגדול בין נביאי דורו: הושע, עמוס, ומיכה· ויש להעיר שפירושי הוא לפי גרסת כ״י א, הנמצאת ג״כ בילקוט המכירי; שאר המקורות מנסחים אלא אלו, כמו למעלה: „וכי לא נתנבא משה אלא אלו״, ולפי הגרכה האחרונה גדולה היתה תמית המבארים איך איפשר שעמוס נבא יותר מחביריו והלא ספרו קטן משל ישעיה והושע, ולכן השמיטו המלה „יותר״ אבל התקון לא הועיל כלום לישב התמוה, הז״א ואחריו רמא״ש ניסו לפרש „והלא מכל חביריו של ישראל״, לומר שאר אומות, ואיפשר שעיקר הדרש מכוון למליצת דברי ירמיהו, דברי עמוס, ששני ספריהם מתחילים בה מה שאין כן בשאר ספרי נביאים הפותחים בחזון כמו חזון ישעיהו, חזון עובדיה, או בדבר ה׳ כמו היה היה דבר ה׳ אל יחזקאל, דבר ה׳ אשר היה אל הושע, או במשא כמו המשא אשר חזה חבקוק הנביא, ועיין קהלת רבה א׳ א׳:

1 אלה הדברים] בכ״י ר מתחיל „בשם אל כביר על כבירים אחל לכתוב ספר אלה הדברים· משה כתב ספרו ופרשת בלעם איוב ירמיה כתב סיפ׳ ודברי הימים וקינות· אלה הדברים | משה] משה וגו׳ ד | נתנבא דבר ה׳ | משה] משה אל כל ישראל ה׳ | אלו] אלה ה׳, זה ד — 2 והלא] והרי ב, הוא–כולה] כל התורה כתב משה ה׳ | כל את כל ר | התורה] כל התורה ד | הזאת] <ויתנה אל הכהנים בני לוי וכי תורה אחת כתב והלא שלוש עשרה תורות כתב שתים עשרה לשנים עשר שבטים ואחת לשבטו של לוי שאם בקש אחד מן השבטים לעקור דבר אחד מן התורה יהא שבטו של לוי מוציא תורתו ומגיהה מתוכו> ה׳ — 3 מה ראב, ומה דלמטכ, וכי אם כן מה ה׳ | מלמד] אלא מלמד ה׳ | תוכחות <ומנין שהיו דברי תוכחות> ה׳ — 4 שנאמר–ויבעט] ל׳ כ, שנאמר רבדלכ, כמו שנאמר א, בפיו שנאמר מ | ויבעט] <הא מלמד שהיו דברי תוכחות> ה׳ | אתה אומר רבלדטכ, ל׳ אמ — 5 היה] היו ר | אשר חזה–מלך ישראל] ל׳ אמכה | ישראל בטל [מסורה] ירושלים דר [ת׳ השבעים] | עוזיהו] ובמסורה עזיה: — 7 עמוס רדבלטכ, ל׳ אר | על אלו אכ׳, אלו רמבלד כ׳פ, אלה ה׳ | והלא יותר אמכ, והלא רדפה׳, והרי בטל | מכל] כל ככל ה׳ל | נתנבא] מתנבא ב | מה ארמ ט, ומה דלכה׳ —

שם ד א דברי עמוס מלמד שהיו דברי תוכחות ומנין שהיו דברי תוכחות שנאמר °שמעו
הדבר הזה פרות הבשן אשר בהר שומרון העושקות דלים הרוצצות
אביונים האומרות לאדוניהם הביאה ונשתה אלו בתי דינים שלהם.
ירמיה ל ד כיוצא בו אתה אומר °ואלה הדברים אשר דבר ה׳ אל ישראל ואל יהודה׳
שם נא סד וכי לא נתנבא ירמיהו אלא אלו בלבד והלא שני ספרים כתב ירמיהו שנאמר °עד הנה
דברי ירמיהו מה תלמוד לומר ואלה הדברים מלמד שהיו דברי תוכחות ומנין
ירמיה ל ה–ז שהיו דברי תוכחות שנאמר °כי כה אמר ה׳ קול חרדה שמענו פחד ואין שלום
שאלו נא וראו אם יולד זכר מדוע ראיתי כל גבר ידיו על חלציו כיולדה
ונהפכו כל פנים לירקון הוי כי גדול היום ההוא מאין כמהו ועת
ש״ב כג א צרה היא ליעקב וממנה יושע. כיוצא בו אתה אומר °ואלה דברי דוד
שם כג ב האחרונים, וכי לא נתנבא דוד אלא אלו בלבד והלא כבר נאמר °רוח ה׳ דבר
בי ומלתו על לשוני מה תלמוד לומר ואלה דברי דוד האחרונים מלמד
שם כג ו שהיו דברי תוכחות ומנין שהיו דברי תוכחות שנאמר °ובליעל כקוץ מונד כלהם
קהלת א א כי לא ביד יקחו. כיוצא בו אתה אומר °דברי קהלת בן דוד מלך בירושלם
וכי לא נתנבא שלמה אלא אלו בלבד והלא שלשה ספרים כתב וחצי חכמתו משל היה
מה תלמוד לומר דברי קהלת מלמד שהיו דברי תוכחות ומנין שהיו דברי תוכחות
שם א ה–ז שנאמר °זורח השמש ובא השמש וגו׳ הולך אל דרום וסובב אל צפון

1 מלמד ארבט, ל׳ לדכ, אלא מלמד ה[1] | ומנין—תוכחות רב, ל׳ אמדלכיט, מנין כ[2] | שמעו ראבד [מסורה], שמעו את כמא — 3 שלהם] שלישראל· העושקות דלים הרוצצות אביונים, הא מלמד שהיו דברי תוכחות ה[1] — 4 כיוצא בו—שאין להם מתן שכר] ל׳ מ | בו] בדבר ט | אתה אומר] ל׳ א | ואלה רבדטה[1], אלה אל [פס׳ זוט׳] | ה׳ ראבה[1] [פס׳ זוט׳], ירמיה לדט | אל—ואל ראל ב, על—ועל ט[2]ד [פס׳ זוט׳] | על ישראל ויהודה ט[1] — 5 ירמיהו] ירמיה דה[1] | אלו] על אלו א, אלה ה[1] | והלא] והרי ב | ירמיהו] ל׳ ה[1] | שנאמר] ככה תשקע בבל ולא תקום מפני הרעה אשר אנכי מביא עליה ויעפו א — 6 מה ראב, ומה דטלה[1] | ואלה רלטה[1], אלה אבד | מלמד ארבט, אלא מלמד דלה[1] | ומנין —תוכחות רבטה[1], ל׳ אלד — 7 כי—ה׳ ראה[1], כה אמר ב, ל׳ לדט | שמענו] נשמע א | פחד—לירקון] ל׳ א — 9 ונהפכו—לירקון רבט, וגו׳ ל, ל׳ ד | מאין—יושע] הא מלמד שהיו דברי תוכחות ה[1], מאין כמהו בט (מסורה), ואין כמהו ר, ל׳ ד | ועת] עת ד | ועת—יושע] ל׳ א — 10 היא] ל׳ בד | בו] בדבר ט | אתה אומר] ל׳ א | דוד] דויד ר — 11 האחרונים] <מלמד שהם דברי תוכחות> ד | דוד] ל׳ ר | אלו] אלה ה[1] | והלא—נאמר] והלא כל תהלים כתב שנ׳ ה[1] — 12 ומלתו] ומלתי א | מה—האחרונים] ל׳ ה[1], מה ארבט, ומה דל | האחרונים] <וכי לא נתנבא דויד אלא אלו בלבד> ד | מלמד] אלא מלמד ה[1] — 13 שהיו] שהם ד | ומנין—תוכחות רדב, ל׳ דלאט — 14 יקחו] <כי ל׳ ביד יקחו ואיש יגע בהם ימלא ברזל ועט חנית ובאש שרף יש׳ בא׳> ר | אתה אומר] ל׳ א | מלך בירושלם] ל׳ א — 15 אלו] על אלו א. אלה ה[1] | והלא שלשה ספרים כתב וחצי חכמתו משל היה א, והלא שלשה ספרים כתב וחצי חכמתו היתה משל ט[2], ל׳ ט[1]דבר ל, והלא ג׳ ספרים כתב [פסיקתא זוט׳], והלא שלשה ספרים כתב וחצי החכמה היתה משלי שנ׳ וידבר שלשת אלפים משל (מ״א ה׳ י״ב) ה[1] — 16 מה ת״ל דברי קהלת—שנאמר ארב, ומה ת״ל דברי קהלת אלא מלמד—שנאמר ה[1], מה ת״ל דברי קהלת מלמד שהיו דברי תוכחות ט[1], אלא שהיו דברי תוכחות ומניין שהיו דברי תוכחות שנאמר ל, אלא מה ת״ל דברי קהלת מלמד שהיו דברי תוכחות שנאמר ט[2], והלא כבר נאמר ד — 17 וג׳ ר, ל׳ אדבלט | וסובב אל

1 שמעו הדבר הזה, [צ״ע אמאי לא חשיב מה שאמר קודם לזה כמו על שלשה פשעי וכו׳ ועיין לקמן פי׳ שמ״ב מביא ג״כ הפסוק „שמעו״]: 3 אלו בתי דינים שלהם, כפרי לקמן פי׳ שנ״ב ובשנויי נוסחאות שם, מ״ת דברים ל״ב א׳, (ע׳ 207), ובפסקתא זוט׳ כאן ושם: 4 ואלה הדברים [ברש״י קהלת ובילקוט שם וכן בילקוט ירמיהו, הגירסה דברי ירמיהו והגר״א הגיה בהוספת ראש הפרק: הדבר אשר היה אל ירמיהו וגו׳ ואלה הדברים אשר דבר וגו׳]· 5 וכי לא נתנבא ירמיהו. ילקוט ירמיהו, ריש סימן ל׳· – והלא שני ספרים וכו׳, לכאורה הכונה על ס׳ ירמיהו ואיכה אלא ראית הכתוב „עד הנה דברי ירמיהו״ היא ראיה לסתור בהיותה סתומה ותמוהה מה שגרם לידי ביאורים שונים והחשובים הם, [ר״ה פירש „דכתיב חורבן בבל באפי נפשיה דכתיב ויכתוב ירמיהו את כל הרעה אשר תבוא אל בבל אל ספר אחד ושאר נבואות באפי נפשיהו בהדי קינות״, ורד״ף פירש, „שני ספרים היינו מלכים וירמיה״ ולפי ביאורו הכתוב עד הנה וכו׳ כולל גם ס׳ מלכים הקודם מיד לירמיה בהתאם אל הברייתא „מלכים ואחר כך קינות״ עיין ב״ב י״ד ע״ב וקינות דהוא מן הכתובים לא חשיב והגר״א מנסח במקום שני ספרים „כל הספר״· לפי פירושי ר״ה ורד״ף קשה מה שהביא הספרי הפסוק „ואלה הדברים״ מירמיה ל׳ ולא דברי ירמיה כאשר הביא דברי עמוס, ולהגהת הגר״א אין סמך במקורות שלפנינו· ולדעתי קשה לבעל הספרי מה שמתחיל באמצע ספר ירמיהו ב „ואלה הדברים״ כאילו הנבואות הקודמות אינן בכלל דברי ה׳ אל ישראל ויהודה ביד ירמיהו: 17 וסובב אל צפון וכו׳, תוספתא ערובין פ״ו ה״ג (עמ׳

סובב סובב הולך הרוח זה הוא מורח ומערב וגו׳ כל הנחלים הולכים אל הים, כינה את הרשעים בחמה ובלבנה ובים שאין להם מתן שכר.

אל כל ישראל, אילו הוכיח מקצתם היו אלו שבשוק אומרים כך הייתם שומעים מבן עמרם ולא הייתם משיבים לו דבר כך מכך אילו היינו שם היינו משיבים לו ארבע וחמש פעמים על כל דבר ודבר. דבר אחר אל כל ישראל, מלמד שכנסם משה מגדולם ועד קטנם ואמר להם הריני מוכיחכם כל מי שיש לו תשובה יבוא ויאמר.

דבר אחר אל כל ישראל, מלמד שהיו כולם בעלי תוכחה ויכולים לעמוד בתוכחות. אמר רבי טרפון העבודה אם יש בדור הזה מי שיכול להוכיח אמר רבי אלעזר בן עזריה העבודה אם יש בדור הזה מי שיכול לקבל תוכחות אמר רבי עקיבה העבודה אם יש בדור הזה שיודע היאך מוכיחים אמר רבי יוחנן בן נורי מעיד אני עלי

144) ירו׳ שם פ״ה ה״א (כ״ה ע״ג), קהלת רבה במקומו: **1** זהו מזרח ומערב, כלומר מה שכתוב סובב סובב הולך הרוח· וכן פירש רש״י בקהלת שם: **2** כינה את הרשעים· דאשמעינן דתרי קראי ברשעים הוא דכתיב דמשמע דכתיב וזרח השמש ובא השמש ובא רשע מן העולם וכל הנחלים הולכים אל הים משמע נמי דארשעים קא משתעי קרא כל הנחלים הולכים אל הים כל הממון נכנס אל ארץ אדום וארץ אדום אינה מתמלאת דכתיב ועיני אדם לא תשבענה ועיני אדום לא תשבענה עושר, מפי׳ ר׳ הללי — ובלבנה, הגר״א הגיה ובארץ משום סופו של פסוק, „והארץ לעולם עומדת״ בלי הזכרת לבנה ואיפשר שיש כאן רק שיגרא דלישנא התלמודית לומר חמה ולבנה אעפ״י שאינה בכתוב· — שכר [רש״י קהלת שם ע״פ הספרי המשילם לתגבורת החמה שסופה שוקעת]: **3** אילו וכו׳ עד ויאמר, רש״י: **4** כך מכך, כן היא הגרסא הנכונה· ועיין לקמן פי׳ של״ז, ור״ה גורס כך וכך כמו בדפוס, ומפרש לשון שבועה, וכן נראה אלא שצ״ל כך מכך: **8** ד״א אל כל ישראל, השוה מכירי תהלים ק״ו י״ח, פ״א ע״ב, [לשון רש״י „אילו הוכיח מקצתן וכו׳ אלו היינו יושבים שם היינו משיבים אותו לכך כנסם ואמר להם הרי כולכם כאן כל מי שיש לו תשובה ישוב״ משמע דהכל דבור אחד והיתה לו גרסא אחרת] וכן השמיט רד״ף את המלים דבר אחר ולא מצאתי סמוכין להשמטה זו בכל המקורות ואולי כאן הגדה אחת שנשנה בשני סגנונים המהוים שתי ברייתות שנתחברו על ידי בעל הספרי או שנתאחדו על ידי המעתיקים כמו שאירע הרבה פעמים בספרות התלמודית: **9** א״ר טרפון וכו׳, תו״כ פ׳ קדשים פ״ד (ויקרא י״ט ט״ז) ובברייתא ערכין ט״ז ע״ב· — אמר ראב״ע וכו׳ עד לקבל תוכחות, בנוסחת הגמרא הנדפסת בערכין שם נשמט משפט שלם מן הברייתא מפאת שויון המלים כמו בנוסחי דאל של הספרי, ובכ״י מינכען שם הגירסה: „תניא א״ר טרפון תמה אני אם יש אדם בדור הזה שיכול להוכיח אם א״ל טול קיסם מבין עיניך והוא אומר לו טול קורה מבין עיניך א״ר אלעזר בן חנניה תמיהני אם יש בדור הזה שיודע להוכיח א״ל ר׳ עקיבא תמיהני אם יש בדור הזה שמקבל תוכחה״, הנה נתחלפו שם מאמרי ראב״ע ור״ע, בספרא הגירסא כמו שלפנינו שראב״ע תמה אם יש מי שיקבל תוכחה ור״ע אם יש מי שיודע להוכיח: **11** שיודע וכו׳, [לפי גרסת הילקוט צריך לפרש דר׳ טרפון אמר שאין מי שיכול להוכיח לפי שכולם חוטאים ואם אמר לו טול קסם אומר לו טול קורה ור׳ אלעזר בן עזריה אמר דאין כאן מי שיכול לקבל תוכחה כמאמר הכתוב אל תוכח לץ ורבי עקיבה אומר דליתנהו מי שיודעים להוכיח שלא ילבין פניו של חבירו וכן פי׳ ר״ה הביאו רמא״ש ועיין תו״כ קדושים פרק ד׳ ה״ט]· אמנם לדעתי הלך המחשבה של החולקים הוא: מי שיכול להוכיח משמעו מי שראוי והגון לכך מבחינת המוסר והמדות וראב״ע מטעים ביחוד תקלת הדור הפרוץ ופרוע במצבו המוסרי ואינו ראוי לתוכחה כלל, ודעת ר׳ עקיבה היא שהקלקול תלוי לא בדור ודַבָּרו אלא בעיקר בתכסיסי מוכיח־הדור, שלא למד לדעת היאך מוכיחים, להסביר דברי תוכחתו אל בני־זמנו שיתקבלו על הלב ויהיו נשמעים. — א״ר יוחנן בן

צפון סובב סובב הולך הרוח ל, וסובב אל צפון וג׳ ר, וג׳ בט, וסובב אל צפון רא, ל׳ ל — **1** סובב··· וגו׳] ל׳ ה׳ ׀ זה הוא מזרח ומערב ר, זהו—מערב בדלטפ, ל׳ א ׀ וגו׳ ר, ואומ׳ בלדט, ל׳ א — **2** הים] הים והים איננו מלא רא ׀ כינה את אבה׳, כינא את ר, כינה דלפ ׀ ובלבנה ר בלטה׳, ולבנה דא — **3** אילו] שאלו ה ׀ מקצתם] למקצתן ה ׀ היו—שבשוק רבלט [רש״י], הרי—שבשוק היו ד, אותן שבשוק א (ועל הגליון שם נוספה המלה „היו״) אותם שבשוק היו מ ׀ כך] ל׳ ב, אתם [רש״י] ׀ כך—מבן עמרם] הייתם שומעים מבן עמרם כך א — **4** מבן] דברי בן ה ׀ לו] אותו ה ׀ כך מכך ר, כך וכך דלבטה, כך מ, מכך וכך [רש״י], ל׳ א ׀ אלו היינו שם היינו אמהט [רש״י], שאלו היינו ר, האילו היינו שם היינו ב, אם היינו יושבים שם היינו דל — **5** לו ראד, אותו ה, דברים ט[1], ל׳ לבט[2] ׀ פעמים רהבלד ט[2], דברים מא, ל׳ ט[1] ׀ אל כל ישראל] ל׳ ד ׀ מלמד ר מטאב, מגיד דל — **6** שכנסם—קטנם רדבלט, שכנס משה גדוליהם וקטניהם של ישראל ה, שכנסם מגדולם ועד קטנם א ׀ ואמר] אמר ה ׀ מוכיחכם מבאט[2], מוכיחם רא דל, מוכיח אתכם ה, מוכיח לכם ט[1] — **7** ויאמר] ויומר ר — **8** אל־ישראל רמהאלט, ל׳ ב, אל כל בני ישראל ד ׀ מלמד] מגיד ל ׀ כולם] ל׳ ה ׀ תוכחה ראמבד [פס׳ זוט׳], תוכחות לה ׀ לעמוד בתוכחות רבלדט [פס׳ זוט׳], לעמוד בתוכחה מא, לקבל תוכחות ה ׀ א״ר עקיבה—ויאהבך] ל׳ ה — **9** מי שיכול להוכיח א״ר אלעזר בן עזריה—לקבל תוכחות רבטפ [מהר״ס], מי שיכול להוכיח—מי שיודע לקבל תוכחה מ, מי שיודע לקבל תוכחות ל, מי שיכול לקבל תוכחה דא — **11** שיודע רבלאט, מי שיודע מפא, יודע ד ׀ מוכיחים] מוכיחן ר ׀ בן נורי רטמ אב, ל׳ דל ׀ מעיד אני עלי ל, מעידני עלי בד, מיעוד אני עלי ר, מעיד אני מא, מעיד עלי אני ט —

שמים וארץ שיותר מחמשה פעמים נתקנתר על ידי עקיבה לפני רבן גמליאל ביבנה
שהייתי קובל עליו והיה מקנתרו וכל כך יודע אני בו שהיה מוסיף בי אהבה על כל
משלי ט ח אחת ואחת לקיים מה שנאמר ° אל תוכח לץ פן ישנאך הוכח לחכם ויאהבך.
בעבר הירדן, מלמד שהוכיחם על מה שעשו בעבר הירדן.
במדבר, מלמד שהוכיחם על מה שעשו במדבר. דבר אחר במדבר, מלמד
שהיו נוטלים בניהם ובנותיהם קטנים וזורקים לתוך חיקו של משה ואומרים לו בן עמרם
מה אנונה התקנת להם לאלו מה פרנסה התקנת להם לאלו. רבי יהודה אומר הרידהו אומר
שמות טז ג ° ויאמרו אליהם בני ישראל מי יתן מותנו ביד ה׳ בארץ מצרים. דבר
אחר במדבר, זה הכלל על כל מה שעשו במדבר.
במדבר כה א בערבה, מלמד שהוכיחם על מה שעשו בערבות מואב וכן הוא אומר ° וישב
ישראל בשטים וגו׳.
מול סוף, מלמד שהוכיחם על מה שעשו על הים שהמרו על הים והפכו עורף

1 שיותר מחמשה] שק׳ א | נתקנתר על ידי רבט, נתקנתר עלי דלמ, עלה א, נתקנתר ר״ע על ידי פ | עקיבה רב ט, רבי עקיבא דל, ר׳ עקיבא בן יוסף א, עקיבא בן יוסף מ — 2 קובל מאלט, קובלני לו ב, קובלני אני לו ר, קובלני ד | והיה רבלמדט, והייתי אט | מקנתרו] מקנתרין ל | וכל כך ראטב, כל כך ל, על כך מ, ל׳ ד | יודע ר מטבא, ויודע דל | בו] ל׳ א | על כל אחת ואחת ראמט בז, על כל פעם ופעם ל, ל׳ ד — 3 לקיים מה שנאמר אמלדט, לקיים ב, לקיים שנאמר ר — 4 בעבר הירדן רלדטה, בירדן מא | מלמד] ל׳ רמ — 5 ד״א במדבר רט מבא, ל׳ דלה — 6 מה] כל מה ה | קטנים] הקטנים ה | וזורקים רבטלדמ, ונותנין א, וזורקין אותן ה | בן עמרם] ל׳ מ — 7 אנונה רה, אמנה ב, אנונא ד ל, הנייה מ, ההנייה א, הנאה ט | התקנת] אתקינתה ה וכן בסמוך | להם לאלו רבטלדא, לאלו מה | מה פרנסה—להן לאלו] ל׳ ב | לאלו ראמהט, להם] דל | הרידהו אומר ר, הרי הוא טד לה, הרי הוא אומר אמב — 8 אליהם] להם ד | כיד—מצרים] וג׳ ר — 9 זה הכלל רדפ, הרי זה כלל ה | שהוכיחן זה הכלל א, מלמד שהוכיחן ב, שהוכיחן מ, ל׳ ל | על כל ראמ, על בלפד, ל׳ ה — 10 מלמד] מול סוף ל | שהוכיחם על מה רבטלמאפ, שהוכית על מה ד, על מה שהוכיחן ר | וכה״א ראמבלט, שנאמר ד, וכי מה עשו בערבות מואב ה — 12 מלמד] ל׳ מ | על מה שעשו על הים שהמרו על הים מ, על מה שעשו על הים

נורי, גם זה בערכין ובתו״כ שם, ובשניהם הגירסא „לקה עקיבא על ידי״, בגמרא גרסינן „שהרבה פעמים לקה עקיבא ע״י״ ובתו״כ „יותר מארבע וחמש פעמים״. ונראה שמפני כבודו של ר״ע נשתנה הלשון כאן: 1 נתקנתר, מל׳ קנתר, ל״י [illegible], לרגז ועי׳ במלונים: 2 מקנתרו, דברי קנתור מר״ג לר״ע נמצאים למכביר בספרות התלמודית ב׳ ברכות ל״ז ע״א, ותוספתא יום טוב פ״ב ה׳ י״ב (עמ׳ 204) שאמר לו ר״ג לר״ע עד מתי אתה מכניס ראשך בין המחלוקת ובר״ה כ״ב ע״א ששלח לו שמי שמעכב את הרבים מלעשות מצוה צריך נדוי ועי׳ ירו׳ שם פ״א ה״ו (נ״ז ע״א), והשוה וויס דו״ד ח״ב עמ׳ 77 ובכר בספרו אגדות התנאים משער שר׳ יוחנן נתמנה מר״ג למשגיח על התלמידים כמו שמובא לקמן פיסקא ט״ז, כדי שלא ירבו מחלוקת, ומטעם משרתו הוכרח ר׳ יוחנן לקבל על ר״ע מפעם לפעם, עי״ש ח״א עמוד 372, ובתרגום העברי של א׳ ז׳ ראבינאוויטץ, ח״ב עמ׳ 97 הערה ג׳ — וכל כך יודע אני, השוה ב״ר נ״ד ג׳ (עמ׳ 576) „א״ר יוסי בן חנינא התוכחת מביאה לידי אהבה הוכח לחכם ויאהבך״: 4 בעבר הירדן וכו׳, [מעשה פעור, במדבר שלוח מרגלים, מפי׳ ר״ה, לפי זה הפירוש קשה למטה בערבה דהיינו מעשה פעור ופי׳ רד״ף שהוכיחם על שבחרו וביכרו בעבר הירדן, ורש״י מתחיל למנות התוכחות מן במדבר וכן בת״א אוכח יתהון על דחבו במדברא, וכן באדר״נ נו״א פ׳ ל״ד (מ״ט ע״ב) חושב עשרה נסיונות ומתחיל מן במדבר, וכן נראה קצת דהא אין שום טעם להוציא מלות בעבר הירדן מפשוטן דבשלמא במדבר ואחרינא קשיא ליה דהא לא איפשר שחזר וכפל אותם הדברים בעצמם בכל המקומות על כן פירש שהוכיחם על מה שעשו באלה המקומות אבל בעבר הירדן הרי יש לפרש כפשוטו ורמב״ן פירש שדרשו כן לפי שכבר לא היו במדבר אלא בעבר הירדן על כן דרשו דהכוונה אודות המעשים שעשו במדבר וכן מפורש במ״ת וגם לפי פירוש זה אין מקום לדרוש בעבר הירדן שלא כפשוטו]: 6 בן עמרם, לשון גנאי כמו שפירש מורי ר׳ לוי גינזבורג בספרו על אגדות היהודים ח״ה עמוד 27, הערה 163: 7 מה אנונה, לשון יון הוא ענין פרנסה, מפי׳ ר״ה; וכן נכון ἀννώνα. — מה פרנסה התקנת להם, הוא גליון פירוש אנונה, רמא״ש. — ר׳ יהודה אומר, המאמר קטוע ואין לפרשו. ור״ה כתב שר״י אינו חולק על התנא קמא אלא משלים את דבריו ומביא לו כמך מן המקרא, וכן נראה דעת רמא״ש. ורד״ף פי׳ שר״י חולק על תנא קמא וסובר ששאלת לחם היתה כהוגן כי נפשם ריקה, אלא חטאו בשאלם בשר: 9 זה הכלל, פ״ז; לפי דרש זה בעבר הירדן מורה על המקום שבו דבר משה ובמדבר על המקום שבו חטאו, ואח״כ חוזר ומפרט: 10 בערבות מואב, דהיינו בבעל פעור, מפי׳ ר׳ הלל: 12 מול סוף, מחלוקת ר׳ יהודה וחכמים אם המרו שתי פעמים על ים סוף, אחת על שפתו ואחת בתוכו אם לאו. שנויה גם כן באדר״נ נו״א פל״ד (מ״ט ע״ב) והשוה מכירי תהלים ק״ו י״ח, פ״א ע״ב. — על מה שעשו על הים שהמרו על הים, לדעתי גרסה זו נתחברה משתי גרסאות, האחת נמצארת במ״ת „שהוכיחן על שהימרו על הים״ והשניה בא והיא „על מה שעשו על הים״. ובמ נתאחדו לגרסה אחת: על מה שעשו על הים שהמרו על הים״. ברבט „נתקנה הלשון כך: על מה שעשו על הים והמרו בתוך הים״. וסיוע מצאתי באדר״נ (שם) ששם הגרסא: מול סוף על שהמרו על ים סוף ר׳ יהודה אומר המרו על הים המרו בתוך הים שנאמר וימרו על ים בים סוף. —

כלפי משה שלש מסעות, רבי יהודה אומר המרו על הים והמרו בתוך הים וכן הוא
אומר °וימרו על ים בים סוף, יכול לא הוכיחם אלא בתחילת מסע, בין מסע תהלים קו ז
למסע מנין תלמוד לומר בין פארן ובין תפל. [ובין תפל ולבן] דברי
תפלות שתפלו על המן וכן הוא אומר °ונפשנו קצה בלחם הקלוקל, אמר להם במדבר כא ה
שוטים כל עצמם של מלכים אין בוררים להם אלא לחם קל שלא יהא אחד מהם גוסה
ודלריא אוחזתו אבל אתם בטובה שהיטבתי לכם בה אתם מתרעמים לפני הוי בשטות
אביכם הלבתם שאמרתי °אעשה לו עזר כנגדו, בטובה שהיטבתי לו בה נתרעם בראשית ב יח
לפני ואמר °האשה אשר נתת עמדי היא נתנה לי מן העץ ואוכל. שם ג יב

והצרות, אמר להם לא היה לכם ללמוד ממה שעשיתי למרים בחצרות אם
למרים הצדקת לא נשאתי לה פנים בדין קל וחומר לשאר בני אדם. דבר אחר ומה
מרים שלא דברה אלא באחיה הקטן ממנה כך נענשה המדבר במי שגדול ממנו על
אחת כמה וכמה. דבר אחר ומה מרים שבשדברה דבר לא שמעה כל בריה אלא
המקום בלבד כענין שנאמר °וישמע ה׳, כך נענשה המדבר בגנותו של חבירו ברבים במדבר יב ב
על אחת כמה וכמה.

והפכו עורף כלפי משה ג׳ מסעות, כמו שמפורש במכילתא מסכת ויסע פ״א (מ״ד ע״ב; ה—ר עמ׳ 152): 1 שלש מסעות, שנאמר ויסעו מפי החירות ויעברו בתוך הים (במדבר ל״ג ח׳) ויסעו ממרה ויבאו אלימה ויסעו מאלים ויחנו על ים סוף (שם) כלומר התם בזמן דעברו את הים דכתיב ויסע משה את ישראל מים סוף (שמות ט״ו כ״ב) באו למרה וממרה לאלים ומאלים למדבר סין ובמסעות דאלה מסעי כתיב דמאלים חנו על ים סוף ומים סוף למדבר סין אלא ש״מ שחזרו לאחורים שלשה מסעות דהיינו וכו׳ משום דבמדבר סין כתיב מי יתן מותנו ביד ה׳ (שמות ט״ז ג׳) הא דהפכו עורף כלפי משה וחזרו לאחוריהם ממדבר סין לאלים ומאלים למרה וממרה לים סוף ובאו (עד) [אל] מדבר סיני, מפי׳ ר״ה. — והמרו בתוך הים, [ערכין ט״ז ע״א שהיו אומרים כשם שאנו עולים מצד זה כך מצרים עלו מצד אחר אבל במדרש תנאים מפורש שהמרו בתוך הים לפי שעבר עמהם צלמו של מיכה ועיין לקמן בענין עשרה נסיונות]. — והמרו בתוך הים, כדתניא במכילתא, ר׳ יהודה אומר ע״ז עברה עמהם בים והסיעה משה באותה שעה וכו׳ (מסכת ויסע פ״א, מ״ד ע״ב; ה—ר עמ׳ 153), מפי׳ ר״ה: 2 יכול וכו׳, במאמר זה נתאחדו שני פירושים שונים לפי האחד יש לפנינו רשימת המקומות שבהם הוכיח משה את ישראל, ולכן אומר יכול שלא הוכיחם אלא בתחלת מסע, ת״ל בין פארן ובין תופל, הפירוש השני דורש כל השמות כעין חומר, ומפרש תופל ל׳ תפלות ולבן על המן שהוא כזרע גד לבן והשוה מכירי תהלים ק״ו י״ח, פ״א ע״ב. כדי להסיר הקושי הגיה הגר״א בהוספת המלים ובין תופל ולבן וכן נראה לי לנסח. אלא ששמתי ההוספה בחצי רבועים: 4 שתפלו על המן, וכן תרגם אונקלוס ובין תפל ולבן „אתפלו על מנא״ וכעין זה בת״י ובתרגום המיוחס ליונתן וגם באדר״נ נו״א פ׳ ל״ד, שם, והשוה רש״י בשם ר׳ יוחנן ופ״ז בשם רשב״י, ועוד בזכור לאברהם לר׳ אברהם [ברלינר על רש״י: 5 שלא וכו׳ עד אחזתו, איכה רבה פרשה ג׳ סי׳ ל״ט (ס״ח ע״ב). — גוסה, ל׳ הקאה בסורית. השוה הערת הח׳ לעוו למלון של קרוסס ח״ב עמוד 218, ועוד בתו״כ בהר פרק ד׳ ה״ד (ק״ז ע״ד) אוכל ולא גוסי: 6 ודלריא, מלה יונית διάρροια, עי׳ במלונו של קרוסס שם: 9 וחצרות, ואונקלוס תרגם ובחצרות ארגיזו על בישרא, וכן בתרגום ירושלמי ובת״י: 10 ומה מרים שלא דברה, תו״כ מצורע פרשה ה׳ ה״ח (ע״ג ע״א), מ״ת כ״ד ט׳ (עמ׳ 157), והשוה לקמן פיסקא רע״ה, ספרי במדבר פי׳ צ״ט (עמ׳ 98). אדר״נ נו״א פ״ט (כ׳ ע״ב), תנחומא א׳ צו, סי׳ י״ג, שם מצורע סוף סי׳ ב׳, תנחומא ב׳ מצורע סי׳ ו׳ (כ״ג ע״ב): 12 לא שמעה כל

א. על שהימרו על הים ה, על מה שעשו על הים והמרו בתוך הים רבט, על מה שעשו בים סוף והמרו בתוך הים לד | והפכו עורף כלפי משה] והפכו קדל על דברי בן עמרם ה — 1 רבי יהודה—בים סוף] ל׳ ט | על הים—בתוך הים רטבלהז, על הים—בים אמ, בתוך הים—על הים ד | וכה״א] שנאמר ה — 2 בים ל׳ רב | יכול לא הוכיחם ראבטמ, יכול שלא הוכיחם דל, אפשר שלא היה משה יכול להוכיח את ישראל ה | בין מסע לנוסע מנין רבטל, ומנין בין כל מסע למסע ה, מנין בין מסע למסע מא, מן מסע למסע מנין ד — 3 ובין תופל] <וְלבן בין פארן לתפל ובין תפל ללבן> ה | ובין—ואוכל] ל׳ ה [ועיין במ״ת] | דברי תפלות] ל׳ ט — 4 להם] <השם> מ — 5 שוטים] <אתם> ל | גוררים] יורדין ל | שלא] כדי שלא מ | אחד מהם גוסה ודלריא רט׳אפ, אחר גוסה ודלדייא ב, אחד מהם גוסרדליא ט״, גוסה דרריא ל, אחד מהם גוסס ודלריא מ, דולריא ד — 6 אתם בטובה רמאט, אתם ברוב טובה ל, אותם בטובה ב, אותה טובה ד | מתרעמים ראמבט. מתוכחים ומתרעמים ד, מתגאים ומתרעמים ל | בשטות אביכם הלכתם] כטובה שהיטבתי לאדם הראשון ד — 7 שאמרתי] <לו> ד | שהיטבתי] שנתתי ל | בה—לפני רטבז, נתרעם עלי מ, נתרעם לי עלי א, בה מתרעם לפני דל — 8 ואמר] ויאמר האדם ד | עמדי] ל׳ א [ועל הגליון עמדי] — 9 ממה שעשיתי] מה עשיתי ל | אם] אמל — 10 בדין] ל׳ ל | ד״א רבטלא, ד״א וחצרות ד, ר׳ אחא אומר מ — 11 ממנה] ל׳ ד | נענשה] במדבר ד | ממנו] הימינו ד — 12 ד״א] <וחצרות> ד | מרים] מה ר | שכשדברה דבר לא שמעה בט׳, שכשדברה דבר לא שמעתו א, שכשדברה לא שמע מ, שכשדברה דבר שלא שמע ר, כשדברה הדבר לא שמע ד, כשדברה דבר לא שמעה ל | כל בריה בר, כל בריא ר, קול ברייה ל, שום בריה מ, בריה א — 13 המקום

ודי זהב, אמר להם הא ותרה כל מה שעשיתם מעשה עגל קשה עלי מן הכל. היה רבי יהודה אומר משל למה הדבר דומה לאחד שעשה לחבירו צרות הרבה באחרונה הוסיף לו צרה אחת אמר לו הא ותרה כל מה שעשיתה לי זו קשה עלי יותר מן הכל כך אמר להם המקום לישראל הא ותרה כל מה שעשיתם מעשה עגל קשה עלי יותר מן הכל.

רבי שמעון אומר משל למה הדבר דומה לאחד שהיה מקבל חכמים ותלמידיהם והיו הכל מאשרים אותו באו גוים וקבלם באו לסטים וקבלם היו הבריות אומרים כך היא ווסתו של פלוני לקבל את הכל כך אמר משה לישראל ודי זהב למשכן ודי זהב לעגל. רבי בניה אומר עבדו ישראל עבודה זרה הרי הם חייבים כלייה יבוא זהב

שמות כה יז משכן ויכפר על זהב עגל. רבי יוסי בן חנינה אומר ועשית כפרת זהב טהור, יבא זהב כפורת ויכפר על זהב עגל. רבי יהודה אומר הריהו אומר במדבר בערבה וגו׳, אלו עשרה נסיונות שנסו אבותינו את המקום במדבר ואלו הם שנים בים שנים במים שנים במן שנים בשליו אחד בעגל ואחד במדבר פארן במרגלים, אמר לו רבי יוסי בן דורמסקית, יהודה ברבי, למה אתה מעוית עלינו את הכתובים, מעיד אני עלי שמים

אטלמ, מקום רב, הקב״ה ד | כענין רבטא, ל׳ דלמ — 1 להם] <הדבר הזה> ד | הא ותירא ה, הא יתרה רטב ל, הא יתירה זו א, יתירה זו מ, האי יתירה ד | כל מה ה, לכל מה א, לכם לכל מה ד, להן לכל ל, על כל מה מ. לכל רב | שעשיתם וכו׳ עד מן הכל] לכל מה שעשיתה לי וזו קשה עלי מן הכל ל, שעשיתם] <לפני> ה | מעשה עגל רא, במעשה העגל ד, מעשה העגל טבמ ה | מן הכל רבטדה, מכלם מא — 2 היה ר׳ יהודה אומר רמ, היה ר׳ מאיר אומר טב, היה רבי אומר ד, מושלו ה, ר׳ יהודה אומר משלו א, ר׳ יהודה אומר ז | משל] ל׳ מ | לחבירו] לו חברו ה — 3 באחרונה—אחת רדבט, ובאחרונה עשה לו אחת ה, באחרונה הוסיף לו אחת מא | הא ותירא ה, הא יתירה ארט, זאת יתירה מ, האי יתירה ד, הא יותרה ב | כל מה שעשיתה ב, לכל-לי רטד, כל מה שעשיתה לי ה, על כל מה שעשית מ, לכל מה שעשית א — 4 מן הכל] מכולן ה | להם ראמ, ל׳ הד בט | המקום ט, מקום רב, משה אמ, המקום ברוך הוא ה, הקב״ה ד | לישראל ל׳ מ | הא ותירא ה, זו יתירה א בטד, זו ותרה ר, מעשה עגל יתירה מ | כל בה, לכל רט דא, על כל מ | שעשיתם] שעשיתם לפני ה | מעשה עגל-הכל בט, ל׳ דמ, מעשה העגל—הכל ה, מעשה עגל יתר עלי מן הכל א, מעשה עגל קשו—הכל ר — 6 ר׳ שמעון אומר אבטלמ, שמעון או׳ ר, ד״א ודי זהב ר׳ יודה מושלו ה, ר׳ שמעון בן יוחי אומר ד | משל למה״ד ראבטל, משל ה, ל׳ מ | ותלמידיהם אבלטה, ותלמידים מד — 7 מאשרים] מעשרין ר | אותו] אותו ובאחרונה ה | גוים רבטלד ה, הגוים אמ, באו לסטין וקבלן ראמלה, ל׳ בדט | היו רבטאמ, והיו דלה | הבריות] הכל ה — 8 לקבל] להיות מקבל ה | משה] המקום ברוך הוא ה | וישראל רבטלדא, ל׳ המ — 9 ר׳ בניה—ויכפר על זהב העגל] ל׳ ה, בניה אמט, בנייה בל, בנאה ד, בנייא ר | רבי בניה וכו׳ עד יבא זהב משכן ויכפר מעשה עגל] ל׳ ה | ע״ז רבמל, לע״ז ד, ל׳ א, גליון א: העגל | כלייה] כלייא ר — 10 על זהב עגל באל, על זהב העגל מד, מעשה עגל ר | בן חנינה רבמה, בר׳ חנינא לד, בן חנניה א | אומר אבטלמ, אומר הרי הוא אומר ה, ל׳ ר | ועשית—ר׳ יהודה אומר אמה, ל׳ לדבהר — 11 זהב] זהבה של ה וכן בסמוך | עגל אה, העגל מ | עגל] <ר׳ יוסי בן חנניה או׳ ועשית כפורת זהב סהור יבא זהב כפורת ויכפר על זהב העגל> א — 12 את המקום רדהבאטל, הקב״ה ד, להקב״ה מ | ואלו הן רדאטמה, אילו הן ב, ל׳ ל | שנים] שתים ד [וכן בכל פעם] — 13 בשליו] בסליו ר | אחד] ואחד ד | בעגל אמה, במעשה העגל בטלדר | ואחד במרגלים] ואחד בדהר | במרגלים ד — 14 יהודה ברבי רל, לרבי יהודה ברבי

בריה, וכן בספרי במדבר פי׳ ק׳. (רמא״ש כ״ז ע״א, הארואויטץ עמ׳ 98) והשוה ס״ז עמ׳ 274: 1 הא ותרה, כן היא הגרסא הנכונה, ועיי׳ במ״ת כאן ולקמן ל״ב כ״ה (עמ׳ 197) וכעין זה בירו׳ סוכה פ״ה ה״ו (נ״ה ע״ג) ובמכי׳ דרשב״י ט״ו ט׳ (עמ׳ 65)· ופירש ר׳ דוד הופמאן דבר זה מֻתָּר ומקטין כל מה שעשיתם לי, העון הזה הוא גדול כל כך שאין האחרים נחשבים כנגדו וראויים הם לותר עליהם, עיי״ש: 4 מעשה עגל, וכת״א ועל דעבדו עגל דדהב וכן נמצא ג״כ בתרגום ירושלמי ובגין עגלא דעבדתון: 9 יבא זהב, וכן בתרגום יונתן ומשכן זמנא וארון קיימא ומאני קודשא דחמיתון [צ״ל דחפיתון] דהבא סנינא יכפר לכון על חובת עגל דהבא: 10 ר׳ יוסי בן חנינה, [ובירו׳ שקלים פ״א ה״א (מ״ה ע״ד) תנא ר׳ יוסה בן חנינא הדא מתניתא ועשית כפורת זהב טהור ובא זהב כפורת ויכפר על זהבו של עגל]: 11 ר׳ יהודה אומר, שנויה בשמו ג״כ בברייתא ערכין ט״ו ע״א ומובא מן הספרי בס׳ מוסר לר׳ יוסף ן׳ עקנין, הוצ׳ בכר, עמוד 151: 12 עשרה נסיונות, אבות פ״ה מ״ד, אדר״נ נו״א פ׳ ל״ד (מ״ט ע״ב) מ׳ תהלים צ״ה ג׳ (ר״י ע״ב)· — שנים בים, כדבריו למעלה שהמרו על הים והמרו בתוך הים: 13 א״ל ר׳ יוסי בן דורמסקית, מובא ברמב״ן על הכתוב, וכעין זה אמר לו ר׳ נחמיה לר׳ יהודה „עד מתי אתה עוקף עלינו את המקרא״ והשוה המובא בשם רשב״י במכירי תהלים ק״ו י״ח, פ״א ע״ב, וכן גם בפ״ז כאן. [ויק״ר

וארץ, שחזרנו על כל המקומות ואינם מקומות שנקראו אלא על שם מאורע וכן הוא
אומר °ויקרא שם הבאר עשק כי התעשקו עמו וגו' °ויקרא אותה שבעה. בראשית כו כ–לג

כיוצא בו דרש רבי יהודה °משא דבר ה' בארץ חדרך ודמשק מנוחתו כי זכריה ט א
לה' עין אדם וכל שבטי ישראל. זה משיח שהוא חד לאומות ורך לישראל, אמר
לו רבי יוסי בן דורמסקית, יהודה ברבי, למה אתה מעוית עלינו את הכתובים, מעיד
אני עלי שמים וארץ, שאני מדמשק ויש שם מקום ששמו חדרך, אמר לו, מה אתה
מקיים ודמשק מנוחתו, מניין שעתידה ירושלם להיות מגעת עד דמשק שנאמר
ודמשק מנוחתו, ואין מנוחתו אלא ירושלם, שנאמר °זאת מנוחתי עדי עד, תהלים קלב יד
אמר לו, מה אתה מקיים °ונבנתה עיר על תלה, אמר לו, שאין עתידה לזוז ממקומה, ירמיה ל יח
אמר לו, מה אני מקיים °ורחבה ונסבה למעלה למעלה לצלעות כי מוסב יחזקאל מא ז
הבית למעלה למעלה סביב סביב לבית על כן רחב הבית למעלה,
שעתידה ארץ ישראל להיות מרחבת ועולה מכל צדדיה כתאנה זו שצרה מלמטה
ורחבה מלמעלה ושערי ירושלם עתידים להיות מגיעים עד דמשק, וכן הוא אומר °אפך שיר השיר' ז ה
כמגדל הלבנון צופה פני דמשק, וגליות באות וחונות בתוכה שנאמר °ודמשק זכריה ט א

ל"ב סי' א']: 1 שנקראו וכו', המחלוקת היא שר' יהודה דורש המלים רק כרמזים על נסיונות ור' יוסי סובר שלמקומות ישנה קביעות גיאוגרפית ודאית ונקראו על שם איזה מאורע כמו עשק וכו' וכעין זה פי' ר"ה: 3 דרש ר' יהודה וכו', שהש"ר ז' ה', פסיקתא דר' כהנא רני עקרה קמ"ג ע"א, רש"י זכריה ט' א', ילקוט ורד"ק שם, מכירי תהלים קל"ב סי' כ"ט (קכ"ה ע"ב), והשוה עוד אדר"נ נו"א פ' ל"ה וציוניו של מורי ר' לוי גינצבורג בספרו אגדות היהודים ח"ו ע' 73 — משא וכו', ילקוט זכרי' תקע"ה: 6 אמר לו ומה אתה, מכירי זכריה ט' א' (עמ' 76): 8 ואין מנוחתו אלא ירושלם, סתם ספרי כר' שמעון ראה להלן פי' ס"ו, נחלה זו שילה מנוחה זו ירושלם.... דברי ר' שמעון וכן בתוספתא זבחים פי"ג ה"כ (עמ' 500) אי זו היא מנוחה זו שילה ונחלה זו ירושלים... ר' שמעון אומר, נחלה זו שילה, מנוחה זו ירושלים, והברייתא מובאה ג"כ בבלי שם קי"ט ע"א: 12 כתאנה זו, השוה פסיקתא רבתי פמ"א (הוצ' רמא"ש קע"ג ע"א) „לכך הוא קורא את ירושלים יפה נוף שכך היא עתידה להיות מרחבת ועולה ורחבה ונסבה למעלה למעלה":

ד, יוזה בי רב ה, ל' מא, לרבי יהודה ט, לר' יהודה ביר ב | למה רבטדל, עד מתי מא, על מה ה | מעיד אני] מעידני ר | שמים וארץ] את השמים ואת הארץ ה — 1 שחזרנו] שחיזרתי ה | על כל המקומות—מורע ר, על מקומם ואינו מקו' שנקראו על שם מורע ב, על כל המקומות ואינן מקומות אלא שנקראו על שם דהמאורע טפ, על כל מקומות ואין מקום שנקרא אלא על שם מורע ל, על כל המקומות ואין מקום שנקרא אלא על שם המאורע ד, על כל המקומות שבמקרא ואינן אלא על שום מאורע [שם המאורע מ] א מ, על כל אותן המקומות ואינן אלא על שם המקומות לענין המאורע כענין המאורע שנאמר ויקרא אותה שבעה ה | וכן הוא אמה, כן הוא רטב, מי הוא ל, כיוצא בו אתה ד — 2 עשק] <מפני מה> ה | וג'—שבעה ר, ואומר—שבעה דלאמ, ויקרא—שבעה בט, ל' ה — 3 בו רמז, בדבר אה, בו אתה אומר דבט, בו אני אומר ל | דרש ר' יהודה] ר' בניה אומר [רד"ק] | יהודה] שמלאי א — 4 זה משיח רדאמט[3] [רש"י, רד"ק], זה וזא מלך ל, זהו משיח בט, זה המשיח הב | שהוא חד רהטאב [רש"י, רד"ק], שחד ד, שהיה חד מ, שהוא ב | לאומות רהאמב [רש"י, רד"ק], לאומות העולם דלבט | אמר לו —ששמו חדרך] ל' רד"ק] — 5 בן דורמסקית יהודה בריבי ט [רש"י], בן דורמסקית ראמל, ב"ר יודה יודה בירבי ה, בן דורמסקית לר' יהודה ברבי ד, בן דורמסקית ברבי ב, דן דורמסקית יהודה ט[3] | למה אתה רבטד, עד מתי אתה מכאט[3] [רש"י], על מה ה, ל' ל | הכתובים מדלבטכה [רש"י], הפסוקים א, הכתוב ר | מעיד אני רטמאהלכ [רש"י], מעידני בדט[3] — 6 שמים וארץ ראבמטל [רש"י], את השמים ואת הארץ ה, שמים כ | ויש שם] ובו ט[3] | ששמו רטאלבמכ [רש"י], ושמו ד, ונקרא ה | אמר לו מה אתה] ומה אני ט[3] [רש"י, רד"ק] | אמר לו—והלכו עמים רבים] ל' ה — 7 מנין רדב, ל' מטאל [רש"י, רד"ק] | להיות מגערת רדבטל, [רד"ק], שמגעת מא, שתהא מגעת [רש"י] — 8 מנוחתו רדבלט[3] [רש"י], מנוחה אטמ, [רד"ק] — 9 מה רטבד, ומה למאכט[3], רד"ק] | אתה] אני ט[3]ל [רש"י, רד"ק] | עיר] העיר בד | אמר לו אטלבמ, [רד"ק, מהר"ס], ל' ר | שאין—ממקומה רבטלאמכ [רש"י], ל' ד, שאין ירושלם עתידה לזוז ממקומה [מהר"ס], אמר לו שאין עתידה לזוז ממקומה [רד"ק] — 10 מה רדבט, ומה לאמ [רד"ק] | ורחבה—רחב הבית למעלה ר, ורחבה ונסבה למעלה למעלה סביב סביב—הבית למעלה בדט, ורחבה ונסבה למעלה מ, רד"ק], ורחבה ונסבה למעלה למעלה א [ובמסורה הגירכה, „ורחבה וכו' לבית למעלה"] — 12 ארץ ישראל] ירושלם ז, [רד"ק] | להיות רבטלד, שתהא מא, [רד"ק], | שצרה מלמטה ורחבה מלמעלה אמ, רד"ק], שקצרה מלמטה ורחבה מלמעלה רלט[2], שרחבה מלמעלה וקצרה מלמטה טיט[3], שקצרה מלמטה בד — 13 עתידין להיות] ל' ל — 14 וגליות רבדטל [רד"ק], גליות מ, גלויות א —

[ישעיה ב ב–ג] מנוחתו, ואומר °והיה באחרית הימים נכון יהיה הר בית ה׳ בראש ההרים
ונשא מגבעות ונהרו אליו כל הגוים ואומר והלכו עמים רבים וגו׳.
[בראש׳ מא מג] כיוצא בו דרש רבי יהודה °וירכב אתו במרכבת המשנה אשר לו
ויקראו לפניו אברך, זה יוסף שהיה אב בחכמה ורך בשנים, אמר לו רבי יוסי
בן דורמסקית, יהודה ברבי, למה אתה מעוית עלינו את הכתובים, מעיד אני עלי שמים
וארץ שאין אברך אלא לבירכיים אבריכם [אל ברכים] שהיו הכל נכנסים ויוצאים
[שם] מתחת ידו כענין שנאמר °ונתון אותו על כל ארץ מצרים סליק פיסקא

ב.

(ב) אחד עשר יום מחורב דרך הר שעיר עד קדש ברנע, וכי אחד
עשר יום מחורב לקברות התאוה ומקברות התאוה לחצרות ומחצרות למדבר פארן
[במדבר י לג] והלא אינו אלא מהלך שלשה ימים שנאמר °ויסעו מהר ה׳ דרך שלשת ימים,
רבי יהודה אומר וכי לשלשת ימים היו ישראל מהלכים אחד עשר מסעות, והלא אינו
[מ״א יטח] אלא מהלך ארבעים יום כענין שנאמר באליהו °ויקם ויאכל וישתה וילך בכח
האכילה ההיא ארבעים יום וארבעים לילה, אחר שאמרת אי איפשר חוזר
לך לענין הראשון, אחד עשר יום, אילו זכו ישראל לאחד עשר יום היו נכנסים לארץ
אלא מתוך שקלקלו מעשיהם גלגל המקום עליהם ארבעים יום ארבעים שנה שנאמר
[במדבר יד לד] °במספר הימים אשר תרתם את הארץ ארבעים יום יום לשנה יום

1 ואומר] וכן הוא אומר מ – 2 וגו׳] ל׳ ר – 3 בו ר מטא, בדבר הב, בדבר אתה אומר ד – 4 שהיה דמא, שהוא בטלרה – 5 בן דורמסקית] בר״י ה | יהודה ברבי רדטאל, ר׳ יהודה ברבי בלים | למה רטבלד, עד מתי מהא | עלינו רהאלם, עלי טב | הכתובים אמדלדה, הכתוב רט, הכת׳ ב | מעיד–וארץ] ל׳ ה | מעיד] מיעיד ר – 6 שאין] אין ה | לבירכיים אבריכס ר, לבירכים אברינס ב, לברכים אבריכבם ט¹, לברכים אשריכם ט². לברכים אברכיס ל, לנברכים אברכם א, לברכים מד, אפרכוס ה | שהיו רדטבל | שהכל ה, עד שיהו הכל מ, עד שיהיו הכל א – 7 מתחת רמאל, תחת רהבט, [רש״י בראשית] | כענין שנ׳] לקיים מה שנאמר ה | סליק פיסקא רד, סליק פסוק ל, סליק פירקא ב, ל׳ א –

8 וכי אמהפ, וכי מהלך רבדטל – 9 יום ל׳ ר– מחורב רלמטא, היו נוסעין מחורב ה, ל׳ בד | ומחצרות למדבר פארן ה, ל׳ אמדרלבט – 10 והלא אמהל, והרי רבטד | אלא מהלך רלמהאפ, מהלך אלא בד, אלא ט– ימים] מסעות מ | שלשה–דרך] ל׳ ל – 11 ר׳ יהודה אומר] ל׳ ה | לשלשת] לשלשה ד | היו ישראל מהלכים ר טא, היו מהלכין ישראל ל, היו מהלכין מ, היו נוסעין ה, היו ישראל מהלך ב, הלכו ישראל מהלך ד | אינו] איגן ה – 12 אלא מהלך] מהלך אלא ד | כענין רבטדלאפ, כמו ה, ל׳ מ – 13 אחר – הראשון] ל׳ ל, אחר רטדה, לאחר מא, ל׳ ב | שאמרת אמ, שאמרתי בטר, שאמר ד, שלמדת ה | אי׳ שאי ה – 14 לך אברטה, בך ר, ל׳ מ | הראשון] ראשון א, אחד ה, דבר אחר אחד ראבלדט, ר״א אחד מ | אילו זכו ישראל רדבטלמ, אלא אלו זכו ישראל ה, אלו ישראל שזכו א, [ובין השטים שם: אלו ישראל שאם זכו] – 15 מעשיהם] במעשיהם ל | המקום עליהם רבלד, עליהם הקב״ה א, הקב״ה עליהם מ, המקום ב״ה עמהם ה, עליהם המקום ט | ארבעים יום ראמבטיל, כנגד אר עים יום ה, ל׳ דבטי | ארבעים שנה] ל׳ ל, במדבר ה –

3 כיוצא בו דרש ר׳ יהודה, רש״י בראשית מ״א מ״ג 4 אב בחכמה ורך בשנים, ב״ר פ׳ צ׳ (עמ׳ 1102) וראה שם בפי׳ מנחת יהודה׳ כהוספה לציוניו יש להביא ת״י על בראשית מ״ט כ״ב יחי ויתקום אבא דמלכא דרב בחוכמתא וזעיר בשנים״: 6 אלברכים, כן הגיה ר׳ דוד הופמאן בשם ר׳ נחום ברילל׳ –

8 וכי אחד, השוה ספרי במדבר פי׳ פ״ב (ע׳ 77) ומה שכתב שם הארוויטץ בהוצאתו: 9 ומחצרות למדבר פארן, כן הגיה הגר״א וכן הגרסה במדרש תנאים, לפי המסורה התלמודית והחשבון המפורט בסדר עולם (פ״ח) עולה שזמן ההליכה מחורב עד מדבר פארן הוא באמת רק שלשה ימים אלמלי היו ישראל זכאין וכדאין אלא החטאים עכבום בקברות התאוה שלשים יום ובחצרות שבעה ימים לכבוד מרים והכתוב ויסעו וכו׳ נאמר על עצם המהלך מחורב עד מדבר פארן שהוא גבול א״י, מה שמסתייע מסוף הפסוק שם וארון ברית ה׳ נוסע לפניהם דרך שלשת ימים לתור להם מנוחה ואין מנוחה אלא א״י והשוה מאמרו של מורי ר׳ אלכסנדר מארכס לסדר עולם בחלק האשכנזי של הוצאתו עמוד 21 הערה 13: 14 אחד עשר יום וכו׳, בכל המקורות חוץ ממ״ת הגרסא ד״א אחד עשר יום ואין נראה, משום שאין זה אלא תשובה קשורה למעלה׳ – אילו וכו׳, פ״ז:

לשנה, רבי יהודה אומר אילו זכו ישראל לשלשה ימים היו נכנסים לארץ, שנאמר °וארון במדבר י לג
ברית ה׳ נסע לפניהם דרך שלשת ימים לתור להם מנוחה, ואין מנוחה אלא
ארץ ישראל שנאמר °כי לא באתם עד עתה אל המנוחה ואל הנחלה אשר ה׳ דברים יב ט
אלהיך נתן לך, רבי בניה אומר אילו זכו ישראל ליום אחד היו נכנסים לארץ שנאמר °היום שמות יג ד–ה
אתם יוצאים בחדש האביב והיה כי יביאך ה׳ אלהיך אל ארץ הכנעני,
מיד. אבה יוסי בן חנן איש ינוח אומר משום אבה כהן בן דליה, אילו זכו ישראל כיון
שהעלו פרסות רגליהם מן הים היו נכנסים לארץ שנאמר °עלה רש, מיד, עלה רש דברים א כא
כאשר דבר ה׳ אלהי אבותיך לך אל תירא ואל תחת.

(ג) ויהי בארבעים שנה בעשתי עשר חדש, מלמד שהשנה שנים עשר
חדש, וכי אין אנו יודעים שהשנה שנים עשר חדש והלא כבר נאמר °בשלשה עשר אסתר ג יג
לחדש שנים עשר הוא חדש אדר, וכן הוא אומר °ולשלמה שנים עשר מ״א ד ז
נציבים על כל ישראל, ואומר °ונציב אחד אשר בארץ, איזהו אחד זה שם ד יט
חדש העבור, רבי בניה אומר וכי עד שלא עמד שלמה לא היינו יודעים שהשנה שנים
עשר חדש והלא כבר נאמר °ויאמר אליהם בן מאה ועשרים שנה אנכי דברים לא ב
היום, שאין תלמוד לומר היום מה תלמוד לומר היום, היום מלאו ימי, דבר אחר
היום מלמד שבאותו היום שלמו לו מעת לעת, ואומר °והעם עלו מן הירדן יהושע ד יט
בעשור לחדש הראשון, הא צא ומנה שלשים ושלשה יום למפרע ואתה מוצא
שהשנה שנים עשר חדש.

1 ר׳ יהודה אומר] האומר ה, — 3 ארץ ישראל מרדטב ל, ירושלם אה — 4 בנייה] בנייא ר | לארץ] <ישר׳> ל — 5 האביב רבטלד — 6 מיד א, מיד אומר מ, מיד רבלדטה, ל׳ מא | אבה יוסי—ואל תחת] ח׳ ה | יוסי בן] ל׳ ל | חנן—ינוח ה׳, חנן—מנוח א, חנן—מנוחה ר, חנן בן חנניה ב, חנניה ט, חנין ד, חנן בן יונה מל | אומר] איש מנות ר | משום—דליה] ל׳ מ | בן דליה ראב, בר דליה ה׳, בר דלוא ל, ברדלא ד — 7 שהעלו] שעלו בהד | פרסות רגליהם] פרסותיהן א | לארץ] מיד ל | עלה רש מיד] ל׳ ד — 10 וכי—שנים עשר חדש רמטא, ל׳ דלב | והלא] והרי ד — 12 ישראל] יהודה וישראל ר | איזהו אחד רט, ואיזה ד, איזהו בל, ל׳ אמ — 13 לא היינו דבט, אין אנו אמל, לא אנו ר — 15 מה אר, ומה מב טדל | ימי א, ימיו מ, ימיו מעת לעת רב, ימיי ושנותיי מעת לעת דל | דבר אחר] רבי אומר ד, ד״א היום] ל׳ א — 16 מלמד ארמ, מל׳ ב | מלאו דל, ל׳ ט, שלמו] מלאו מ — 17 בעשור אדלט (מסורה), באחד בר | צא אמט, צא מהם פ, הוצא ד, הא צא רבל, ל׳ ז | ומנה] ל׳ פ | יום אטב, ימ ם רל, ל׳ דמ | למפרע] ל׳ ל —

1 ר׳ יהודה אומר וכו׳, אולי יש להגיה רבי אומר, שאי איפשר ליחס מאמר זה לר׳ יהודה המפרש מנוחה זו שילה לקמן פי׳ ס״ו, תוספתא זבחים פי״ג ה״כ (עמ׳ 500), ובברייתא זבחים קי״ט ע״א, ועוד במ״ת הגרסה האומר סתם ולא ר׳ יהודה אומר· — לשלשה וכו׳, וכן נמצא אצל פילון, חיי משה ספר א׳, פרק כ״ט, סי׳ קס״ג, שגבול א״י מהלך שלשה ימים ממצרים: 4 ר׳ בניה וכו׳, ילקוט שמות ר״כ: 6 מיד, דורש אין והיה אלא מיד, כמו לקמן פי׳ נ״ה ורצ״ז, ובמכילתא דרשב״י עמ׳ 32, 35, 152, ובמ״ת עמ׳ 259, ובספרא חובה פרשה י׳ א׳ (י״ג א׳) בהר פרש׳ ד׳ ב׳, ומ״ת השמטות והוספות ע׳ 259, וע׳ בספרו של החכם ר׳ חנוך אלבעק Untersuchungen über die halakischen Midraschim, ע׳ 13· — איש ינוח, זו היא הגירסה הנכונה, ועיין בירו׳ כלאים פ״ב ה״ו (כ״ח ע״א) שנזכר גם שם· — בן דליה, על שם משמרו ונקרא גם כן ברדלא כמבואר במאמרו של ר׳ שמואל קליין על כ״ד משמרות, עמ׳ 12: 7 עלה רש מיד, כעין זה לקמן פי׳ י״ט: 9 שהשנה י״ב חודש, לפי שמצינו במקרא וחג האסיף בצאת השנה (שמות כ״ג ט״ז)) וסד״א דימות החמה וימות הגשמים שתי שנים מקרי, רמא״ש; ויותר נראה פירוש ז״ר וז״א שהברייתא מתנגדת אל דעת החצונים המחלקים את השנה לי״ג חדשים וגם בס׳ היובלים ובס׳ חנוך עסקו בזה; השוה הערתי ברבעון Harvard theol. Review שנה 16, עמ׳ 40: 13 העבור, כר׳ יהודה בתוספתא ב״ב פ״ב ה״י (עמ׳ 400) ובניגוד לר׳ נחמיה המפרש זה אפיטרופוס שממונה ע״י כולם· בב׳ סנהדרין י״ב ע״א ששם מובאה ג״כ ברייתא זו יש לנסח כמו כאן רבי יהודה ורבי נחמיה במקום רב יהודה ורב נחמן וכן הגרסא בדקדוקי סופרים שם· — ר׳ בניה, משיג על תנא קמא ואינו חש לפרשו ולתרצו אלא מביא סברא חדשה מנפשו, ראיה ממשה: 15 ימי, משמעו שבו ביום ימות ולפי פירוש זה אינו יום הולדתו כלל ורק לפי פירוש השני יש להבין שנשלמו ימיו באותו היום מעת לעת· ברבלד נתוספו המלים מעת לעת גם בדרשה ראשונה, מדה שבלבל את המפרשים, ור׳ בניה מביא ראיה לדבריו רק מחלק השני של הברייתא: 16 מעת לעת, תוספתא סוטה י״א ה״ז (עמ׳ 315) סע״ר פ״י (רטנר כ״א ע״א, מארכס עמ׳ 20) מ״ת עמ׳ 227, ב׳ מגילה י״ג ע״ב סוטה י״ב ע״ב קדושין ל״ח ע״א, תנחומא סוף ואתחנן, תנחומא ב׳ ח״ה ז׳ ע״א· והשוה ג״כ מכילתא ויסע פרשה ה׳, (נ״א ע״ב, ה–ר עמ׳ 172) וראה יוזיפוס (קדמוניות ספר ד׳ פרק ח׳ סי׳ מ״ט) האומר שמשה מת באחד באדר: 17 צא ומנה וכו׳, לפני ר׳ בניה, שהוא

דבר אחר ויהי בארבעים שנה, מלמד שלא הוכיחם אלא סמוך למיתה
ממי למד מיעקב שלא הוכיח את בניו אלא סמוך למיתה שנאמר ויקרא יעקב אל ברא' מט א
בניו ויאמר האספו ואגידה לכם את אשר יקרא אתכם באחרית
הימים, ראובן בכורי, וכי אין אנו יודעים שראובן בכור אלא מלמד שאמר לו שם מט ג
ראובן בני אומר לך מפני מה לא הוכחתיך כל השנים הללו כדי שלא תניחני ותלך ותדבק
בעשו אחי, ומפני ארבעה דברים אין מוכיחים את האדם אלא סמוך למיתה כדי שלא
יהא מוכיחו וחוזר ומוכיחו, ושלא יהא חבירו רואהו ומתבייש ממנו, ושלא יהא בלבו
עליו, וכדי שיפרוש ממנו בשלום שהתוכחה מביאה לידי שלום וכן אתה מוצא באברהם
שנאמר והוכיח אברהם את אבימלך, מהו אומר ויכרתו שניהם ברית. שם כא כה / שם כא כז
וכן הוא אומר ביצחק ויאמר אליהם יצחק מדוע באתם אלי ואתם שנאתם שם כו כז
אותי ותשלחוני מאתכם, מהו אומר וישלחם יצחק וילכו מאתו בשלום. שם כו לב
וכן אתה מוצא ביהושע שלא הוכיח את ישראל אלא סמוך למיתה שנאמר ואם רע יהושע כד טו
בעיניכם לעבד את ה' בחרו לכם היום את מי תעבדון, ואומר ויאמר העם שם כד כא
אל יהושע לא כי את ה' נעבד וגו' ויאמרו עדים. וכן אתה מוצא בשמואל
שלא הוכיח את ישראל אלא סמוך למיתה שנאמר הנני ענו בי נגד ה' ונגד ש"א יב ג
משיחו, ויאמרו לא עשקתנו וגו' ויאמר אליהם עד ה' בכם היום ויאמר עד. שם יב ד
וכן אתה מוצא בדוד שלא הוכיח את שלמה בנו אלא סמוך למיתה שנאמר ויקרבו מ"א ב א
ימי דוד למות ויצו את שלמה בנו לאמר אנכי הולך בדרך כל הארץ.

1 שלא הוכיחם] שלא הוכיח משה את ישראל ה | למיתה] למיתתו מ – 2 ממי] וממי מ | ויעקב] אבינו ה | הוכיח את בניו רלה [רש"י], הוכיח לבניו ד, הוכיחן טבמא | למיתה] למיתתו מ – 4 ראובן בכורי–שאמר לו ראובן אמ, אמר לו ראובן בני ה, אמר לו ראובן בכורי אתה אמר לו דט, ראובן בכורי ל, ראובן בני בר – 5 תדע אמ, אומר לך בדר, ל' הלט | השנים הללו] אותן השנים ה | הללו] האילו ל | כדי] ל' ה | ותדבק–אחי רהדבטל, ותלך אצל אחי עשו ותדבק בו מא – 6 אחי] <ללמדך שאין מוכיחין אלא סמוך למיתה> ה | ומפני] מפני ה | מוכיחים] מוכיחן ר | את האדם] ל' ה | אלא] ל' ל | כדי רטבלמד, ל' א ה – 7 יהא אמלט[2]ט, יהי ב, יהו ד, יהיו ט', ל' ר | ומוכיחו] <ושלא יהא בלבו עליו> ה | ושלא יהא רמהט א, ולא יהי ב, כדי שלא יהיה ד, וכדי שלא יהא ל | חבירו] ל' ה | ראהו] רואה א | ומתבייש] ובוש ה | ממנו] הימינו ד | ושלא–עליו ראמבל, ושלא יהא בלבך עליו ד, ושלא–עליו ושלא יהו המוכיחין מתוכחין ט, ושלא יהא בלבו עליו כלום [פס' זוט'], וכדי שלא יהא בלבו עליו [ריב"א], ושלא יהא המוכיח צריך תוכחת מגיד ה – 8 וכדי–בשלום [ריב"א ופס' זוט'], ל' רמאהדטלבפ | שהתוכחה רבטלדא [ריב"א], מגיד שהתוכחת ה, שהתוכחת [פס' זוט'], ושהתוכחה מ – 9 שנאמר] ל' א | מהו] ומהו ד, מהו–בשלום] ל' ל | מהו אומר רבט, ומהו אומר אמ, ואומר ד, ל' ה – 10 וכן] וכזאת א – 12 ואם אמה [מסורה], אם לדטבר – 13 ויאמר העם רהב, ויענו כל העם ד, ויאמרו אמ – 14 וג'] ויאמר יהושע אל העם עדים אתם בכם כי אתם בחרתם לכם את ה' לעבוד אותו א, ויאמר יהושע אל העם עדים אתם בכם כי אתם בחרתם את ה' לעבוד אותו מ | וכן אתה מוצא] ל' ל – 15 אלא] ל' ל – 16 ויאמרו] ואומר ויאמרו א – 17 שלמה רדהט, שלמה בנו אמל, ישראל רב –

מן התנאים האחרונים, היתה ברייתא עתיקה המשמשת יסוד לדבריו, וסגנונה כפי הנראה היה, „ויאמר אליהם בן מאה ועשרים שנה אנכי היום, שאין ת"ל היום מה ת"ל היום, היום מלאו ימיי, ד"א היום מלמד שבאותן היום שלמו לו מעת לעת", ע"י חבור ברייתא עתיקה זו עם הפסוק והעם עלו מן הירדן בעשור לחודש הראשון מדייק בתוספתא ובסע"ר שיום מיתת משה הוא ז' באדר, לר' בניה המקבל כמסורת בלתי מוספקת שמשה מת בשביעי לאדר אין צורך לדיוק זה ולכן מרשה הוא לעצמו לשנות סוף הברייתא בהתאם לשאלה שלפניו, ומברר ממנה שהשנה י"ב חודש: 1 מלמד וכו', רש"י, פ"ז: — סמוך למיתה, [והקשה ר"ה דא"כ בטלה מצות הוכיח תוכיח, ואיפשר דהוכיח תוכיח במי שמצא בו דבר ידוע אשר חטא וכאן מיירי במוכיח בכל ולא על עון ידוע בפרט ואין נ"ל שהרי מביא דרשה זו לטעם למה לא הוכיח יעקב את ראובן ובראובן היה חטא ידוע: 6 ומפני ד' דברים וכו', ילקוט יהושע ל"ד: 7 ושלא יהא וכו' עד והוכיח אברהם את אבימלך, מובא בפי' ריב"א כאן, נדפס עם פי' בעלי התוספות: 8 וכדי שיפרוש ממנו בשלום, כך נ"ל לנסח על פי הפסי' זוט' ותוס' ריב"א ואף שחסר בכל הדפוסים וכ"י; כי בלתי משפט זה יש רק שלשה דברים, ואין למנות המאמר „שהתוכחה מביאה לידי שלום" לאחד שאין לו ענין עם איחור התוכחה עד סמוך למיתה, וכן הגיהו מהר"ס ורמא"ש וגם הגר"א לפי עדות כ"י אחד; לפני בעל ס' הזכרון על רש"י היתה הגרסה

דבר משה אל כל ישראל, וכי לא נתנבא משה אלא אלה הדברים בלבד מנין לכל הדברות שבתורה הקלות והחמורות הגזרות שוות הכללות והפרטות הגופים והדקדוקים תלמוד לומר דבר משה ככל אשר צוה ה׳ אותו אליהם

סליק פיסקא

ג.

(ד) אחרי הכתו את סיחן, משל למלך שיצא הוא וחיילותיו למדבר אמרו לו חיילותיו תן לנו גלוסקאות חמות אמר להם אני נותן שוב אמרו לו חיילותיו תן לנו גלוסקאות חמות אמר להם הפרכוס שלו בשביל שהמלך כשר מאין לו ריחים מאין לו תנורים במדבר כך אמר משה אם מוכיח אני את ישראל תחלה עכשיו יאמרו עלי בשביל שאין בו כח להכניסנו לארץ ולהפיל סיחון ועוג לפנינו הוא מוכיחנו הוא לא עשה

כמו בכ״י שלפנינו וז״ל. „ואומרו ז״ל מפני ד׳ דברים כך שנויה בספרי אבל בדקתי בכמה נסחאות ולא מצאתי בפרטן כי אם שלשה והרביעי לא ידעתי מה הוא״. — שהתוכחה מביאה לידי שלום. השוה ב״ר נ״ד ב׳ (עמ׳ 578), „אמר ריש לקיש תוכחת מביאה לידי שלום והוכיח אברהם וגו׳״: 1 וכי וכו׳, פ״ז — אלה הדברים, כן הגרסא במ״ת אבל בשאר המקומות הג׳ עשר דברות [ופירשו הראב״ד, לפי עדות מהר״ס, ור״ה דמדכתיב דבר משה משמע דעשרת הדברות אמר להם בשעת מיתתו שכן כתיב וידבר אליהם (שמות כ׳ א׳) ורמא״ש פי׳ שמתחלת הספר עד פ׳ ראה שני דבורים האחד מתחיל ה׳ אלהינו (דברים א׳ ו׳) ומסיים בפ׳ ואתחנן ולמען תאריך ימים (שם ד׳ מ׳) והדבור השני מתחיל שם (ה׳ א׳) שמע ישראל ומסיים פחדכם ומוראכם יתן (שם י״א כ״ח) ובכל שני הדבורים הוא מזהיר ומצוה על עשרת הדברות והוה אמינא לא נתנבא משה אל י׳ דברות, ורד״ף פי׳ שקאי על עשר פרשיות שבספר דברים, ופ׳ וזאת הברכה אינו מונה שאינה אלא ברכה אי נמי נצבים וילך בחדא חשב להו ע״כ וכל זה דוחק דהעיקר כגרסת מ״ת דגרס „אלא אלה הדברים בלבד״]: 2 הקלות והחמורות, כן יש לנסח והשוה לקמן פיס׳ ש״ג וכמה קלים וחמורים, ופי׳ ש״ז אלו קלים וחמורים וגזרות שוות. — הגזרות שוות, כן הגיה הגר״א במקום המלים הזדונות והשגגות שאין להם מובן כאן. ובעל ז״א כתב „לא ידעתי מה ענין זדונות ושגגות לכאן והיה נראה לי להגיה הגזרות שוות והוא מענין הקלות והחמורות דקתני ברישא ובסיפא הכללות והפרטות אלא שלא רציתי לשלח יד להגיה מפני שגם בילקוט גרס כן״ וכתב עליו המנוח ר׳ חיים שאול הארוויטץ „ואולי יפה כוון ולפי זה צריך לגרס גם מקודם קלים וחמורים עי׳ לקמן האזינו פי׳ ש״ז על הפסוק ודם ענב״. וכן יש להגיה גם בספרי זוטא ר׳ כ״ג (עמ׳ 247) עיי״ש: 5 משל למלך וכו׳, המשל בצורתו שלפנינו אינו מובן כלל, ומורי ר׳ לוי גינצבורג העירני שיש להגיה כששבו במקום שוב; על ידי הגהה זו, ואולי גם בהשמטת כפל המלים „אמרו לו חיילותיו תן לנו גלוסקאות חמות״ בפעם השניה מתפרשים הדברים היטב. והמפרשים נדחקו מאד בפירוש המשל; ר״ה כתב „וכי היכי דאפרכוס בזמן דאמרו לו חיילותיו למלך בפעם ראשונה תן לנו גלוסקאות חמות לא הוכיחן משום דלא לימרו לית למלך גלוסקאות חמות ליתן לנו אלא נתן להם המלך והוכיחן בפעם אחרת הכי נמי אמר משה אם אוכיח את ישראל וכו׳ ור׳ דוד הופמאן הגיה „איני נותן לכם כשבאו לישוב אמרו וכו׳ שהמלך כשר אתם מטריחים עליו מאין וכו׳״, פי׳ דבמדבר לא היה מוכיחם האפרכוס בשביל שלא יאמרו מפני שאין בו כח ליתן לנו הוא מוכיחם אבל בישוב התחיל להוכיחם. והמנוח ר׳ חיים שאול הארוויטץ בכ״י שלו כתב: „ובכ״ז עדיין המשל סתום דתוכחת האיפרכוס היה להיות באופן אחר דמאי שאמר מאין לו רחים יותר נאות בפה החיילות בשביל שאין לו רחיים הוא מוכיחנו ודומה לזה״. וע׳ מה שכתב ציגלר בספרו Königsgleichnisse עמ׳ 80: 6 גלוסקאות, בלשון יון תוכא שהוא לחם נקי מן הסלת, ר״ה, [illegible] וע׳ במלונים: 8 אמר משה וכו׳, רש״י:

1 כל] בני א | כל ישראל] <שלא תאנ״ר> ט | נתנבא משה] דבר משה אל כל ישראל ה | אלה הדברים ה, עשר דברות אמרבדלטפ — 2 בלבד רלמהא, ל׳ בדט | לכל] ל׳ ר | הדברות רדטל, הדברים ה, דברות מא, הבריות ב | הקלות והחמורות רדאהלמ [פס׳ זוט׳], קלות ותמורות בט | הגזרות שוות] כן הגיהו ז״א והגר״א ועיין בהערות. והגרסאות המקובלות הן, הזדונות והשגגות אטדלבהמ, [פס׳ זוט׳], והזדונות והשגגות ר | הכללות והפרטות מא, הכללין והפרטין ה, והכללות והפרטות רב — 4 סליק פיסקא ה, י״ב א, ל׳ ר —

5 סיחון] <מלך חשבון> ד | משל למלך רתנורין במדבר כך] ח׳ מ | משל רבטדלא, משל לה״ד ד, מושלו מלה״ד ה | למלך] <בשר ודם> א | למדבר] עמו במדבר א | אמרו לו חיילותיו] ל׳ ב — 6 תן] תנו ל | גלוסקאות] קלוסקאות ה [וכן בכל הענין] | חמות] רבות ה, <שהמלך כשר אם לאו מאין לו> ר | אמר להם—גלוסקאות חמות ל׳ אט [ונמצא ברבלדה] | אני רד, איני לה | נותן] נותן לכם ד | שוב אמרו לו] חזרו ואמרו ה | חיילותיו רה, ל׳ דל — 7 חמות] ל׳ ה | הפרכוס ב, הופרכוס ר, איפרכוס לט, האיפרכוס ד, אפרכוס א, אפוטרופוס ה | שלו] ל׳ ט | בשביל] מפני ה | כשר] אתם מטריחים עליו ט׳, בשר ודם מטריחין אתם עליו ט״, כשר אם לאו רבד ל | מאין] מנין ה | רחיים] רחיות ר — 8 לו] ל׳ ר | תנורין] תנוריים ל | אם מוכיח אני רטהא, אם מוכיחני ב, מוכיחני ד, אם אוכיחנו ל | אמרו] הן אומרין ה | עלי] ל׳ ה, ישראל ל — 9 בשביל] מפני ה | שאין בו כח רב טלד, שאין בי כח א, שאינו יכול ה | להכניסנו] להכניע א | לארץ] <ישר׳> ל | הוא] ל׳ ה | ועוג] ל׳ ד | מוכיחנו רדטלבה, מוכיח אותנו מא | הוא לא לארדלבה, והוא

כן אלא לאחר שהכניסם לארץ והפיל סיחון ועוג לפניהם אחר כך הוכיחם לכך נאמר אחרי הכתו את סיחן מלך האמורי.

אשר יושב בחשבון, אילו לא היה סיחון קשה ושרוי בחשבון קשה היה שהמדינה קשה ואילו לא היתה מדינה קשה וסיחון שרוי בתוכה קשה היה שהמלך קשה, על אחת כמה וכמה שהמלך קשה והמדינה קשה.

ואת עוג מלך הבשן, אילו לא היה עוג קשה ושרוי בעשתרות קשה היה ואילו לא היתה מדינה קשה ועוג שרוי בה קשה היתה שהמלך קשה, על אחת כמה וכמה שהמלך קשה והמדינה קשה.

בעשתרות, שהיה קשה בעשתרות אדרעי זה מקום מלכות סליק פיסקא

ד.

(ה) בעבר הירדן בארץ מואב הואיל משה באר, ר׳ יהודה אומר אין
הואלה אלא התחלה שנאמר הואל נא ולין וייטב לבך, ואומר ועתה הואלת שופטים יט ו דהי״א יז כז
לברך את בית עבדך להיות לעולם לפניך. וחכמים אומרים אין הואלה
אלא שבועה שנאמר ויואל משה לשבת את האיש, ואומר ויואל שאול את שמות ב כא ש״א יד כד
העם לאמר.

לא מט – 1 אלא אהדטמ, ל׳ רבל | לאחר שהכניסם מ, מאחר שהכניסן א, לאחר שכינסן רל, כיון שהכניסן ה, לאחר שנכנסו טבד | לארץ] <ישר׳> ל | והפיל] וראה שנפל ה | לפניהם] לפניו ה | אחר כך הוכיחם אמ, אחר כן הוכיח אותן א, אחר כך הוכיחם לד, ואחר כך הוכיחם רב, התחיל מוכיחן ה | לכך א׳בדרדה | שנאמר לאמ – 3 אשר יושב בחשבון ה, היושב בחשבון ד, ל׳ רבאמל ט | לא היה סיחון] סיחון לא היה ר, סיחון לא | ושרוי ב רהטל, והיה יושב מ, שרוי ד, והיה שרוי א, רש״י] – 4 שהמדינה רבטל, [רש״ין, שהרי המדינה ד, לפי שהמדינה מ, מפני שהמדינה קשה ה | ואילו דברל, [רש״ין] או אלו ה, אילו טמא | היתה] היה א | מדינה רב טל, המדינה, ארמ חשבון ה | וסיחון שרוי] ועוג וסיחון היה קשה שרוי ל | היה רדבטל, היתה מפני ה, היתה לפי מ – 5 והמדינה דטאמה, ומדינה רבל – 6 ואת עוג וכו׳ עד קשה היתה שהמלך קשה ל׳ ל | אילו] ואילו ד | אילו אמטרב, ואלו ד, או אלו ה | קשה היה רדב, מפני שהמדינה קשה ה, לפי שעשתרות קשה היהה מ, שהמדינה קשה ט | קשה היה–וכמה שהמלך קשה והמדיגה קשה רהבטד, וכו׳ מא – 7 מדינה] עשחרות ה | בה] בתוכה ה | שהמלך קשה דב, שהמלך קשה היה ר, מפני שהמלך קשה ה | על אחת–שהמלך קשה] ל׳ ב – 8 והמדינה טה, ומדינה רבד – 9 בעשתרות שהיה קשה בעשתרות כעשתרות בלטד, בעשתרות שהיה קשה להם בעשתרות א, בעשתרות ר, שהיה קשה כעשתרות [רמב״ן], ל׳ מה | אודרעי–מלכות ארבלט, [רמב״ן], אדרעי–המלכות מ, ואדרעי–מלכות ד, ל׳ ה | סליק פיסקא רד, י״ג א | יהודה] יודה ה –

10 ר׳ יהוד׳ אומר] ל׳ ד – 11 אל׳א דהתחלה–אין הואלה ל׳ ה | וייטב] וישב ב | ועתה הואלת לברך רט, אתה הואלת אמ, ועונה הואל לברך ב, ועתה הואיל וברך (ש״ב ז׳ כ״ט) לד – 12 את בית עבדך רטבד [מסורה], את עבדך ל אמ – 13 אלא] <לשון> ט | ואומר אדל, ל׳ בטרה – 14 לאמר] <ארור העם אשר יאכל עד הערב ונקמתי מאויבי> ד –

3 אילו וכו׳, רש״י, פ״ז – אילו לא וכו׳, [דאל״כ היושב בחשבון מיותר ועיין רש״י ורמב״ן] תנחומא א׳ חוקת סי׳ כ״ג, תנחומא ב׳ שם סי׳ נ״ב (ס״ה ע״א) במדבר רבה פ׳ י״ט סי׳ י״ז ועיין עוד הערת מורי ר׳ לוי גינצבורג בספרו אגדות היהודים ח״ו עמוד 118: 4 שהמלך קשה, דהיינו גבור ביותר, מפי׳ ר״ה: 6 בעשתרות, פירש״י שהוא לשון צוקין וקושי ורמב״ן הקשה עליו זו מנין לו: 9 מקום המלכות, דאל״כ ובאדרעי מיבעיא ליה, רא״ם; ונ״ל להתאים דברי הספרי אלה עם מה שמובא בשם תני רשב״י בקהלת זוטא ג׳ א׳ ע׳ 83, „אשרי אדם שזכה למלוך במקום מלכות, להלן כתיב היושב בעשתרות וגו׳ ברם הכא כתיב מלך בירושלים״, הרי לפנינו שר״ש סובר שסיחון היה יושב בעשתרות ואדרעי היתה מקום המלכות, כלומר עיר הבירה: 11 התחלה, [וכן בספרי זוטא י״א י״א, עמ׳ 277] פ״ז, רש״י — הואל נא, [קשה איך אפשר לפרש לשון התחלה הא כבר לן שם ג׳ ימים, רד״ף; והניח בצ״ע ואולי משום שכבר גמר בדעתו ללכת הוי כאלו עכשיו התחיל] וביונתן שם מתורגם שרי שהוא ג״כ ל׳ התחלה ולדעתי נראה שאמר לו חותנו היה עמנו כאלו עכשיו באת אבל בתרגום השבעים ובפשיטא ובוולגאטא נתפרש ל׳ רצון. – ועתה וכו׳, כן הגרסה ברוב המקורות והוא לפי נוסח הכתוב בדברי הימים, אבל בש״ב ז׳ כ״ט הנוסח ועתה הואל וברך את בית עבדך, ובדל הוגה הספרי בהתאם אל הנוסח ההוא. — הואלת, וכן מתורגם ל׳ התחלה ע״י השבעים ובוולגאטא, אבל בפשיטא של דברי הימים מתורגם אתגלי, ובשמואל שרא: 13 שבועה, [שהשביע משה את ישראל, ועיין מכילתא ריש

באר את התורה הזאת לאמר, אמר להם כבר אני סמוך למיתה מי ששמע פסוק אחד ושכחו יבוא וישננו פרשה אחת ושכחה יבוא וישננה פרק אחד ושכחו יבא וישננו הלכה אחת ושכחה יבא וישננה לכך נאמר באר את התורה הזאת לאמר

סליק פיסקא

ה.

(ו) ה' אלהינו דבר אלינו בחורב לאמר, אמר להם לא מעצמי אני אומר לכם אלא מפי הקדש אני אומר לכם.

רב לכם שבת בהר הזה, אמר להם, שכר הוא לכם ישיבתכם בהר הזה עשיתם לכם את המשכן עשיתם לכם את השלחן עשיתם לכם את המנורה. דבר אחר הניה היא לכם ישיבתכם בהר הזה קבלתם עליכם את התורה מניתם עליכם שבעים זקנים מניתם עליכם שרי אלפים ושרי מאות ושרי חמשים ושרי עשרות הא הניה גדולה היא לכם ישיבתכם בהר הזה. דבר אחר רע הוא לכם ישיבתכם בהר הזה.

יתרו נ"ח ע"א, ה–ר עמוד 191, ובמ"ת נשנה הפלוגתא בשנוי] ועיין מכילתא דר"ש עמוד 169, ב' נדרים ס"ה ע"א, ירוש' שם פ"א ה"ב (ל"ז ע"א), שמות רבה פ"א סי' ל"ג, ופרשה ד' סי' ד', תנחומא א' שם סי' י"ב, תנחומא ב' שם סי' י"א, (ד' ע"א) ועי' ג"כ בסדר אליהו רבה פי' י"ז ע' 83. – ויאל, וכן נמצא בוולגאטא שם אבל באונקלוס ובתרגום יונתן צבי ל' רצון, וע' רש"י שם: **1** אמר להם וכו', [ת"י], פ"ז, והשוה לקמן פי' ט', י"ב, י"ט, כ"ה, ותו"כ שמיני פ"א ה"ח (מ"ז ע"א), והדרש מפרש המלה לאמר הצריכה להדרש לפי דברי חז"ל בכל מקום. במשנה תורה אי איפשר לפרשה כמו בשאר התורה במובן צווי להגיד לישראל שכל הספר דברי משה וכן מוכח בפי' ט' כאשר כתב רש"י שם, והקשה עליו מהר"ס מפי' י"ט וכ"ה שבשניהם לא נזכר לאמר והוא מתרץ כדרכו ולי נראה ששם דורש בעל הספרי את המלה ואומר המיותרת בפרשה שהיא כולה מפי משה, בפי' י"ב אי איפשר למצא שום סמך לדרשה זו, ובאמת חסרה היא שם בהט׳ באות אמת כתב על פי' י"ט „נראה דלא מעצמי זה שאומר הכא שנפל מהתם דרך טעות דהכא אין כתוב לאמר" עיין עוד מכילתא בא מסכת פסח (ב' ע"א, ה–ר עמו' 4), שם יתרו מסכת בחודש (ס"ד ע"א, ה–ר ע' 212) שם סוף פ' ד' (ס"ו ע"א, ה–ר ע' 219), ועוד שם סוף פ"ב (ס"ג ע"ב ע' 210), ספרי במדבר פי' ב' (רמא"ש ב' ע"א, האראוו' ע' 5), שם פי' ק"ה (רמא"ש כ"ח ע"ב, האראוו' ע' 104), שם פי' קל"ח (רמא"ש נ"ב ע"א, האראוו' 184), לקמן פי' כ"ו, משנה סוטה ח' ד', ספרי זוטא נשא ה' י"ב (ע' 233), ירו' נזיר פ"ה ה"א (נ"ג ע"ד), ב' פסחים מ"ב ע"א, יומא ד' ע"ב, תמורה ז' ע"ב, דברים רבה פ"ב סי' ד' ועיין מה שהעיר המנוח ר' חיים שאול האראוויטץ בספרי במדבר פי' ב' שם: **3** הלכה אחרת, מובא ברמב"ם בהקדמתו לס' זרעים וז"ל „וכן אמרו חכמים בספרי כל ששכח הלכה אחת יבא וישנה וכל שיש לו לפרש יבא ויפרש": **7** אמר להם וכו', פ"ז: **9** הניה היא לכם, וכן מובא בת"י ואתהני לכון עד האידנא דקבלתון ביה אורייתא ועבדתון ביה משכנא ומנוי ואקימתון רבנין עליכון: **10** הניה גדולה וכו', מובא בעקדת יצחק לפרשה זו: **11** רע הוא לכם וכו',

1 באר] י"ד באר **א** | להם] <משה> מ | כבר] הרי ה | מי] כל מי ה | ששמע] ששנה ל — **2** וישננו רדהטלד, וישנה מא | פרשה רטבאמה, מי ששמע פרשה ד, הלכה ל | וישננה טאה, וישנה מ, וישמענה רבל, וישננה וישמענה ד | פרק אחד–הלכה אחת–וישננה **א** | פרק–וישמע–וישמע ב, פרק–ויש'–ויש' ר, פרק–וישנהו–וישנה מ, פרק–וישננו–וישמענה לט, [מהר"ס], הלכה אחת ושכחה יבא וילמדנה כל מי ששמע פרק אחד ושכחו יבא וישמענו ה, ל' ד – **3** לכך] לפי כך ה | באר–לאמר אהמ, באר היטב רטרבל – **4** סליק פיסקא ד, ט"ו **א**, ל' ר –

5 אמר להם] ל' ט — **6** מפי] מפני ב | הקב"ה ר דבל, הגבורה ה, השם מ, הק' ט, הקדש **א** — **7** אמר להם] ל' ד | שכר הוא לכם–הנאה גדולה היא לכם ישיבתכם בהר הזה] הנאה גדולה יש לכם בישיבתכם בהר הזה קבלתם עליכם את התורה מניתם עליכם שבעים זקנים מניתם עליכם שרי אלפים שרי מאות שרי חמשים ושרי עשרות הנאה גדולה יש לכם בישיבתכם בהר הזה ד"א רב לכם שבת בהר הזה אמר להם שכר גדול יש לכם שישבתם בהר הזה עשיתם את המשכן רתקנתם את המנורה תקנתם את השלחן שכר לכם שישבתם בהר הזה ה — **8** עשיתם לכם את המשכן–הנאה היא לכם ישיבתכם בהר הזה] ל' ד [פס' זוט', ועיין למטה בסוף הענין] | עשיתם לכם את המשכן עשיתם לכם את השלחן] עשיתם את המשכן עשיתם את השלחן מ | עשיתם לכם את כלי מנורה גדולה] ואת המנירה ל | המנורה [מהר"ס], כלי מנורה גדולה ר, כל כלי המנורה מא, כל מנורה ב, מנורה ט | ד"א הנאה רא דטמ, גדולה בל, [מהר"ס] | עליכם ארדמ, ל' טי, לכם ט²ב | עליכם] <בו> ד — **10** מניתם אבמל, מיניתם ר, מניתי ד, מניהם עליכם שרי בטל, מניתים עליכם שרי ר | ושרי ד, שרי אמ [פס' זוט'] | עשרות] <עשיתם לכם המשכן וכלים עשיתם לכם משכן ושלחן ומנורה וכל כלי המשכן ד [פס' זוט'] | הא–בהר הזה] ל' מ – **11** לכם] ל' **א** [ונתוסף על הגליון] | ד"א רע–ישיבתכם בהר הזה ראמבטפ, אמר להם רעה גדולה היא לכם ישיבתכם בהר הזה ה, ל' לד –

פנו וסעו לכם ובאו, רע הוא הבטלה סליק פיסקא

ו.

(ו) פנו וסעו לכם ובאו, זה דרך ערד וחרמה. הר האמרי ואל כל
שכניו, זה עמון ומואב והר שעיר. בערבה, זה מישור של צוער. בהר, זה הר
המלך. בשפלה, זה שפלת לוד ושפלת דרום. ובנגב ובחוף הים, זה עזה
ואשקלון וקסרין. ארץ הכנעני, זה גבול הכנעני שנאמר °ויהי גבול הכנעני (בראשית י יט)
מצידון וגו׳.
והלבנון, אמר להם כשאתם נכנסים לארץ צריכים אתם להעמיד לכם
מלך ולבנות לכם בית הבחירה. מנין שאין לבנון אלא מלך שנאמר °בא אל הלבנון (יחזקאל יז ג)
ויקח את צמרת הארז, ואומר °החוח אשר בלבנון, ואין לבנון אלא בית המקדש (מ״ב יד ט)
שנאמר °גלעד אתה לי ראש הלבנון, ואומר °ונקף סבכי היער בברזל (ירמיה כב ו; ישעיה י לד)

1 פנו—הבטל״ה א, פנו—כי רע הוא הבטלה מ [ונראה שגם ר׳ הלל גרס כן] והוי קשה היא הבטלה ה, ל׳ רבטל ד ׀ סליק פיסקא ד, ל׳ רא — 2 זה בהדלאט, זו מ, ל׳ ר — 3 זה] זו ר, וכן בכל הענין ׀ ומואב] ומדין ה ׀ זה מישור של צוער ד, זה—יער ארלב, זה המישור של יער מ. זו יער של מישור ט — 4 בשפלה] במסורה ובשפלה ׀ לוד אמה [פס׳ זוט׳], להר ר, ל׳ בלדט [רש״י] ׀ ושפלת אמה [פס׳ זוט׳], שפילות ר, ל׳ ברטל [רש״י] ׀ עזה ואשקלון ה, אשקלון ועזה ר אמלטבד — 5 וקסרין] ועקרון ט ׀ הכנעני אה [פס׳ זוט׳], כנעני מ, כנען רדבטל ׀ שנאמר רדט, וכן הוא אומר אמ, מנין בל — 6 וג׳ אמה, וג׳ עד לשע זו קלדהי רב, עד לשע זו קלדה דט, באכה גררה עד עזה באכה סדומה ועמורה ואדמה וצבויים עד לשע זו קלדה ל — 7 כשאתם נכנסים] כשתכנסו ה ׀ לא״י רלבטב, לארץ אד מ ׀ צריכים אתם] אתם צריכים כ, צריכים] עתידים ה ׀ להעמיד] למנות ה ׀ לכם מלך רבמלאב, מלך לכם א, עליכם מלך הד — 8 הבחירה] הבירה ר ׀ מנין] ומנין ד ׀ שאין לבנון] שאין עושין לבנון ר ׀ מנין—אלא מלך] אין לבנון אלא מלכות ה — 9 ואומר אדבמל, ואת ר, ל׳ ה ׀ ואין לבנון] ד״א אין לבנון ה ׀ בית המקדש] מקדש ה — 10 ואומר] ל׳ ה —

[בת״י דורש דרשה זו עם הדרשה הראשונה „ביש לכון לאיתרתא בטורא הדין״] : — רע, פי׳ ר״ה „כלומר דרב הוא לכם משתמע די הוא לכם דרע הוא לכם שתשבו בטילין״: 2 פנו וכו׳, רש״י, פ״ז· — פנו וכו׳ עד שפלת דרום, מובא בכפתור ופרח פי״א ע׳ 276· אודות כל השמות האלה ראה מאמריו של ר׳ שמואל קליין בכתבי האוניברסיטה העברית ח״א ע׳ 1 והלאה, ובתרביץ שנה א׳, עמ׳ 4—143· — ערד וחרמה, וכן בת״י: 3 עמון ומואב והר שעיר, וכן בת״י עמון ומואב וגבלא, וגבלא הוא שעיר כמו שנמצא בת״י למעלה פסוק ב׳ דרך הר שעיר „אורח טורא דגבלא״, והשוה מאמרו של קליין בתרביץ שם עמ׳ 143· — צוער, השוה דברי קליין ב„כתבי האוניברסיטה״ ע׳ 2 הערה 3, אבל בת״י לפנינו מתורגם בערבה „במישרא דחורשא״ ובתרביץ (שם) חזר בו קליין וכתב „אפשר שהצדק את Schlatter שיער הוא המקום אשר עליו מודיע יוסיפוס (מלחמות ז׳ ו׳ ה׳) שאחרי כיבוש יהודה במלחמה הגדולה דתפו שמה הרומיים את שרידי הלוחמים והרגום [illegible] Ἰάρδης δρυμός (ביער הירדן) ובהתאמה לפירוש זה תרגם רבינו סעדיה גאון בערבה אלגורי — זה הר המלך, מכילתא בשלח ויבא עמלק פ״ב (נ״ה ע״א ה—ר 183) וראה קליין בתרביץ שם ע׳ 143, וישעיה פרס בס׳ ירושלם לזכר א׳ מ׳ לונץ עמ׳ כ״ה והלאה: 4 שפלת לוד, משנה שביעית פ״ט מ״ב והשוה קליין „כתבי האוניברסיטה״ שם עמ׳ 2· — עזה אשקלון וקסרין, נסחתי לפי גרסת מ״ת ע״פ החלטתו של קליין בכתבי האוניברסיטה שם· — עזה וכו׳, בת״י אשקלון וקסרין ואולי יש להגיה שם על פי הספרי אף שגם בהוצ׳ גנזבורגר הגרס׳ כמו שבדפוסים: 6 מצידון וכו׳, ברבטדל נוספו המלים „עד לשע זו קלדהי״ (ט קדלהי, דל קלדה)· והשמטתים בהתאמה לנוסחת אמה כי מה ענין לשע שהיא על ים המלח לגבול הצפוני המפורט כאן, ואף שגם בת״י נמצאה הגהה זו; ומכל מקום יש להעיר שהשם הנכון הוא קלרהי במקום קלדהי והיא Καλλιρρόη, ע׳ מלונו של קרויס ח״ב עמוד 550, והמאמר „לשע זו קלרוהי״ נמצא בירו׳ מגילה פ״א הי״א (ע״א ע״ב), ב״ר פל״ז י׳ (ע׳ 348), ות״י פה ובבראשית י׳ י״ט, והשוה מנחת יהודה בב״ר וגם ע׳ 309: 7 והלבנון וכו׳ עד כשלג ילבינו, מכירי ישעיה י׳ ל״ד· — להעמיד לכם מלך, [ספרי במדבר פי׳ קל״ד, עמוד 181 שורה 7 וכו׳ יהודה לקמן פי׳ ס״ז, וקנ״ה, תוספתא סנהדרין פ״ד ה״ה (ע׳ 421), ב׳ סנהדרין כ׳ ע״ב (ושם יש לנסח ר׳ יהודה במקום ר׳ יוסי)] פסיקתא דר׳ כהנא זכור (כ״ח ע״ב), פסיקתא רבתי פי׳ י״ב (נ״ג ע״א) ובשניהם מובאים דברי ר׳ יהודה ע״פ ר׳ עזריה ור׳ יהודה בר׳ סימון, מ׳ תהלים ז׳ ז׳ (ל״ד ע״א) ושם ר׳ אלעזר בשם ר׳ יהודה ב״ר אלעאי, דברים רבה פ׳ שופטים, פרשה ה׳ סי׳ י׳ (ושם אמר ר׳ יהודה בר׳ אלעאי), תנחומא א׳ כי תצא סי׳ י״א. תנחומא ב׳ שם כ״ב ע״א, „אמר ר׳ עזרי׳ ור׳ יהודה ב״ר סימון בשם ר׳ יהודה ב״ר אלעאי: 9 ואין לבנון וכו׳, מכילתא בשלח (שם), ספרי במדבר פי׳ קל״ד (ע׳ 181), לקמן פ׳ כ״ח, יומא ל״ט ע״ב, גטין נ״ו ע״ב, ב״ר פט״ו א׳ (ע׳ 135), [וע׳ ג״כ פט״ז ע׳ 143] שמו״ר ל״ה א׳, ויק״ר פ״א סי׳ ב׳, שהש״ר פ״ז פסוק ה׳, איכה רבה פ״א פסוק ה׳ (ל״ד ע״א), מ׳ תהלים ק״ד ל״ג (רכ״ב ע״ב), אדר״נ נו״א פ״ד (י״ב ע״א) נו״ב פ״ו (י׳ ע״א), שה״ש זוטא ד׳ ח׳ (עמו׳ 31) ת״י פה, ת״א ות״י לקמן ג׳ כ״ה ות״י ירמיה כ״ב ו׳:

והלבנון באדיר יפול. דבר אחר למה קורים אותו לבנון שמלבין עונותיהם של ישראל שנאמר °אם יהיו חטאיכם כשנים כשלג ילבינו. ישעיה א יח

עד הנהר הגדול נהר פרת, מלמד שרובו ותקפו כנגד ארץ ישראל. משל הדיוט אומר עבד מלך מלך הדבק לשחין וישתהן לך. דבר אחר שמפריד והולך עד שכלה במגריפה. דבר אחר נהר פרת שפורה ורב עד שעוברים אותו בספינות. הרי כל הנהרות אומרים לפרת מפני מה אין אתה משמיע קולך כדרך שקולנו הולך מרחוק אמר להם מעשי מוכיחים עלי אדם זורע בי זריעה עולה לשלשה ימים נוטע בי נטיעה עולה לשלשים יום הרי הכתוב משבחי עד הנהר הגדול נהר פרת

סליק פיסקא

ז.

(ח) ראה נתתי לפניכם את הארץ, אמר להם איני אומר לכם לא מאומד ולא משמועה אלא מה שאתם רואים בעיניכם.

באו ורשו את הארץ, אמר להם כשאתם נכנסים לארץ אין אתם צריכים כלי זיין אלא קובע דיופטין ומחלק סליק פיסקא

1 שמלבין וכו׳, לקמן פי׳ כ״ח, יומא שם בשם ר׳ יצחק בן טבלאי, ויק״ר שם בשם תני רשב״י, שהש״ר שם בשם ר׳ טביומי: 3 שרובו ותוקפו, ב״ר ט״ז א׳ (ע׳ 144, ובמ״י שם) שבועות מ״ח ע״ב: 4 לשחין וישתחן לך, כלומר הדבק לחמימות ויתחמם לך, ר״ה, וכן פירש במנחת יהודה בבראשית רבה, עיי״ש. -- שמפריד והולך, פי׳ ר״ה „שמפריד והולך להשקות את הגנות והשדות עד שכלה מתוך שמגרפים אותו במגרפה אילך ואילך להשקותם" וע׳ במנחת יהודה ב״ר שם: 5 שפורה, ברכות נ״ט ע״ב, בכורות נ״ה ע״ב, ב״ר שם: 6 הרי כל וכו׳, ב״ר שם, קהלת רבה, י׳ י״ד (פ׳ אם ישך), ועיין במנחת יהודה ב״ר שם: 7 אמר להם וכו׳, רש״י, פ״ז:

10 לא מאומד, דורש את המלה ראה, וכן לקמן פי׳ י״ט ראה נתן ה׳ א׳ לפניך את הארץ, אינו אומר לכם וכו׳ והשוה מכילתא דרשב״י י״ט ד׳ (ע׳ 94), ושם כ׳ כ״ב (ע׳ 114), ועיין במכילתא יתרו מסכת בחודש פ״ב (ס״ב ע״ב, ה–ר 205): 12 אין אתם צריכים וכו׳, וכן בת״י לא תצטרכון למיטול זיינא עולו ואחסינו ית ארעא וקבעו בה דפטייא ופלגוה: 13 דיופטין, ל׳ יוני διαβήτης, צירקל בל״א וכ״כ החכם לעוו במלונו של קרוסס ח״ב ע׳ 201, וע׳ קרוסס, ארכעא־לאגי, ה״א ע׳ 303, ות״ב, ע׳ 388· ור״ה פי׳ כני שמאים משוין את החלקים ומחלקים דיו בל׳ יון שנים, פטרון בל׳ לעז שמאין (כן הובא ברמא״ש ובכ״י פ שלפני משובש):

1 קורים אותו רבדאב, קורא אותו ט, נקרא שמה ל | שמלבין רהבלב, שהוא מלבין ד, על שם שמלבין מ, שהלבין א, על שם שהוא מלבין ט | ענותיהם של] עונות ר -- 3 עד] י״ו עד א | עד הנהר עד כוף הפסקא] ח׳ ט | מלמד אמ, משל ר, מגיד ה, ל׳ בר | שרובו] שרוב פ, ל׳ דבלט2 | משל הדיוט אלט2פ, משל ההדיוט ד, משל להדיוט בר, מכאן משל הדיוט ה, משל הדיוט הוא מ -- 4 מלך] כמלך א | הדבק–לך ר, דבק לשחין וישחן ליה ד, ידבק לשחור וישתחון לך ל, הדבק לשחין וישתחוו לך [מהר״ס], ידבק לשחין וישתחו לך ב, רהדבק לשחין וישחון ט2, הדבק לשחין ישתחן אמ, הדבק לשחוור וישתחוו לך דפא | ד״א] ד״א נהר פרת ד | שמפריד–שכלה במגריפה ט2פ [וכן בב״ר] שמכריז והולך עד שכולה במגרפה ר, שמפרין והולכין עד שכולה במגריפה מא, שמפרה והולך עד שכולה מגריפה לגרפו ד, שמפרא והולך עד שכולה במגריפה ב, שמתפרת והולך עד שהוא כולה במגריפה ה, שמפרה והולך עד שיכולה במגרפה ל, [ובא נוסף בין השטים אחרי המלים שמפרין והולכין <העוברים בה>] שמפרה והולך עד שכולם ופותקין אותו במגריפה [א״א] -- 5 נהר פרת] ל׳ אמב | שפורה ורבה רמ, שפרה ורבה בלדט, שפורה ורובה א, שמפרה והולך ה | בספינות] בספינה מ -- 6 הנהרות מהדטב, נהרות ארל | אין אתה–הולך למרחוק [עד מרחוק מ, מרחוק ר] מטדי, קולינו הולך למרחוק ואת הולך ואין את משמיע קולך ה, אין קולך נשמע כדרך שקולן של כל הנהרות נשמעין [פס׳ זוט׳], אי את משמיע קולך כדרך שקולנו הולך מרחוק בל, משמיע קולך כדרך–למרחוק א | קולך] קול מ — 7 מוכיחים עלי] מודיעין אותי ה, [ב״ר] | אדם זורע בי זריעה אמ, [פס׳ זוט׳], אדם זורע בי ירק ה, [ב״ר], זורעים בי [עלי ד] זריעה רבטלד | עולה] יעלה ה | נוטע אהמ, [פס׳ זוט׳], נוטעין רדבטל | הרי הכתוב–בספינה] ל׳ ט2 | הרי רבד, לפיכך לה, ועוד מ, ועוד הרי א | נהר פרת מהא, מלמד שפורה ורובה עד שמהלכין בו בספינה ר, מלמד שפרה ורבה עד שעוברים אותו בספינות בדל -- 9 סליק פיסקא ד, פ׳ ר, י״ז א —

10 מאומד] מאומר ר -- 11 משמועה] מן שמועה ר | מה שאתם אמהבט2, [פס׳ זוט׳], כשאתם ר, כשאתם נכנסין לארץ אתם ל -- 12 מה שאמר–אמר להם] ל׳ ד | כשאתם נכנסים] כשם שאתם נכנסין ד | אין רדהבט2ל, אי מא | צריכים] נכנסין א 13 כלין] בכלי א | אלא] לא ט2, ולא [א״א] | קובע רמבט2לא, הריני קובע לכם ה, קבוע פ | דיופטין ומחלק

ח.

אשר נשבע ה׳ לאבותיכם, מה תלמוד לומר לאברהם ליצחק וליעקב
חבקוק ג ט אם לענין שבועות אבות הרי כבר נאמר °שבועות מטות אומר סלה, מה תלמוד
לומר לאברהם ליצחק וליעקב כדיי אברהם בעצמו כדיי יצחק בעצמו כדיי יעקב
בעצמו. משל למלך שנתן לעבדו שדה אחת במתנה לא נתנה לו אלא כמות שהיא עמד
העבד ההוא והשביחה ואמר מה בידי לא נתנה לי אלא כמות שהיא חזר ונטעה כרם
ואמר מה בידי לא נתנה לי אלא כמות שהיא כך כשנתן הקדוש ברוך הוא לאברהם אבינו
בראש׳ יג יז את הארץ לא נתנה לו אלא כמות שהיא שנאמר °קום התהלך בארץ לארכה
שם כא לג ולרחבה כי לך אתננה, עמד אברהם והשביחה שנאמר °ויטע אשל בבאר
שם כו יב שבע, עמד יצחק והשביחה שנאמר °ויזרע יצחק בארץ ההיא וימצא בשנה
שם לג יט ההיא מאה שערים, עמד יעקב והשביחה שנאמר °ויקן את חלקת השדה.
לתת להם, אלו באי הארץ, ולזרעם, אלו בניהם, אחריהם, אלו שכבשו
מ״ב יד כה דוד וירבעם וכן הוא אומר °הוא השיב את גבול ישראל מלבוא חמת וגו׳
רבי אומר לתת להם, אלו עולי בבל, ולזרעם, אלו בניהם, אחריהם, אלו ימות
המשיח סליק פיסקא

ט.

(ט) ואומר אליכם בעת ההיא לאמר, אמר להם משה לישראל לא
מעצמי אני אומר לכם אלא מפי הקדש.

אבדל, דיופיטין ומחליק רט[2], דיופיטא ומחלק ה, דיופרטין ומחליק מ [ראב״ד מובא במהר״ס] | סליק פיסקא ד, ל׳ רא
1 מה–ויעקב] ל׳ ה | מה] שאין ד — 2 אם ארמט[2] [א״א], כדי אני ד, אם תאמר ה, כדיי אם בל | הרי כבר נאמר רדבאמ, והלא כבר נאמר ה, הא כתיב ט[2]ל | תוספתא פ | מה רבא, ומה דהמ, אלא מה ט[2]ל — 3 כדיין אלא כדאי הוא ה | בעצמו] בפני עצמו ה, וכן בכל הענין | יעקב] יצחק א — 4 משל] מושלו משל לה״ד ה | למלך] ומלך בשר ודם א | במתנה] מתנה ה | לא ארמבט[2], ולא דלה | נתנה] כתבה ט[2] | שהיא] שהוא א | עמד העבד—אלא כמות שהיא] ל׳ ט[2]א — 5 ההוא] ל׳ דה | בידי] אעשה ה | חזר ונטע כרם ואמר] ל׳ ה — 6 ואמר] אמר ד | לא] שלא ה | כך — כמות שהיא] כך הקב״ה כשנתן את הארץ לאברהם אבינו מתנה נתנה לו כמות שהיא ה — 7 כמות] ל׳ ב | התהלך] לך ד — 8 אברהם] <אבינו> ה וכן בסמוך יעקב אבינו | שנאמר—יצחק והשביחה] ל׳ ב — 11 אלו באי הארץ] אלו עולי מצרים ה [וכן הביא רבינו בחיי בשם דברים רבה] | בניהם] באי הארץ ה [וכן הביא רבינו בחיי בשם דברים רבה] | אלו שכבשו רדב, מה שכבש א המ [פס׳ זוט׳], אילו שכבש ט[2]ל — 12 וירבעם ל׳ [פס׳ זוט׳] <בן יואש> ה | וכן הוא אומר] שנאמר ה — 13 ר״א רה [פס׳ זוט׳], ד״א דמט[2]א, ל׳ בל | עולי בבל—בניהם] עולי מדבר ולזרעם אלו עולי בבל [פס׳ זוט׳] | אלו ימות ארמה [פס׳ זוט׳], לימות רבל — 14 סליק פיסקא ד, פי׳ ר, י״ת א —
15 אליכם מדבלט, אליהם א, לכם ר | משה לישראל רבט[2]ל, משה ד, ל׳ המא — 16 אלא מפי הקדש דבט[2].

2 אם לענין וכו׳, לדעתי הקושי הוא למה מפרט שמות אברהם יצחק ויעקב אם להגיד שלכל אחד מהם נשבע הקב״ה הלא כבר נאמר שבועות מטות אומר סלה כלומר שהשבועה קיימת לעולם (השוה ת״י ורש״י על הכתוב שם), וא״כ מדוע הוצרך להכפיל דברו ליצחק וליעקב; ור׳ דוד הופמאן מבכר בפירושו של רד״ף, ולדעתי הקושי הוא הלא ידוע שאבות הם אברהם יצחק ויעקב ואם כן למה הוצרך לפרטם? ואין לתרץ שבלי הזכרת שמותיהם, היה מקום לחשוב שאבותיכם האמורים כאן הם השבטים ולא אברהם יצחק ויעקב שהרי כבר נאמר שבועות מטות אומר סלה, משמע שהשבטים קרואים מטות ולא אבות והמנות ר׳ חיים שאול הורוביץ העיר על פירוש זה בכ״י שלו. „ויש לפקפק על פירוש זה חדא דלשון לענין שבועות דהאבות לא משמע כפירוש זה ועוד יש להשיב מתוספתא דסוף מעשר שני (ע׳ 97), דשם מפרש „לאבותינו הכל בזכות השבטים שנ׳ שבועות מטות אומר סלה״ ועיין ס״ז ע׳ 291 ורמא״ש לא פירש מאומה אלא ציין שמות רבה פ׳ מ״ד: 4 משל למלך וכו׳, השוה ציגלר Königsgleichnisse ע׳ 245: 8 עמד אברהם וכו׳, ולכן הוצרך להכפיל שבועתו לכל אחד כדי לקיים להם גם את השבח שהשביחו: 11 באי הארץ, [במ״ת הגרסה להם אלו עולי מצרים, ולזרעם אלו באי הארץ, אחריהם, מה וכו׳ וכן הביא ר׳ בחיי בשם אלה הדברים רבה]: 13 אלו עולי בבל וכו׳, פירש בעל ז״א שחולקים לענין הלכה אם קדושה ראשונה של עולי מצרים קדשה לעתיד לבא או רק מה שקדשו עולי בבל הוא קדוש גם עכשיו וכן נראה לי, ורבי לטעמו שהתיר את בית שאן בהתאם אל המאמר „הרבה כרכים כבשום עולי מצרים ולא כבשום עולי בבל״ (חולין ז׳ ע״א, ע״ש). — עולי בבל, [בפ״ז גורס אלו עולי מדבר, ולזרעם אלו עולי בבל, אחריהם אלו ימות המשיח אבל במ״ת כלפנינו]:
15 לא מעצמי, רש״י, פ״ז, למעלה פי׳ ה׳ ובציונים שם. [מלת לאמר דריש, רש״י וכן מהר״ס, ועיין רד״ף שרוצה לומר דדייק מדכתיב אליכם ולא לכם״]:

לא אוכל לבדי שאת אתכם, איפשר שלא היה משה יכול לדון את ישראל
אדם שהוציאם ממצרים וקרע להם את הים והוריד להם את המן והגיז להם את השליו
ועשה להם נסים וגבורות ולא היה יכול לדונם אלא כך אמר להם ה׳ אלהיכם הרבה
אתכם על גבי דייניכם, וכן שלמה אומר ונתת לעבדך לב שמע לשפוט את מ״א ג ט
עמך, איפשר שלא היה שלמה יכול לדון את ישראל אדם שנאמר בו וה׳ נתן חכמה שם ה כו
לשלמה, ואומר ותרב חכמת שלמה מחכמת כל בני קדם ומכל חכמת שם ה י—יא
מצרים ויחכם מכל האדם מאיתן האזרחי והימן וכלכל ודרדע בני מחול
ויהי שמו בכל הגוים סביב, ולא היה יכול לדונם אלא כך אמר להם איני כשאר
כל הדיינים מלך בשר ודם יושב על בימה שלו דן להריגה לחניקה לשריפה ולסקילה
ואין בכך כלום ואם חייב ליטול סלע נוטל שנים שנים נוטל שלשה דינר נוטל מנה
איני כן אלא אם חייבתי ממון נפשות אני נתבע וכן הוא אומר אל תגזל דל כי דל משלי כב כב
הוא ואל תדכא עני בשער כי ה׳ יריב ריבם וקבע את קובעיהם נפש

סליק פיסקא

1 איפשר וכו׳, רש״י. פ״ז, ילקוט מלכים קע״ג: 2 אדם וכו׳, הסגנון הזה נמצא גם למטה פיס׳ של״ז: 3 הרבה אתכם, [וכן דברים רבה פ״א סי׳ ח׳; לשון רש״י „הגדיל והרים אתכם על דייניכם נטל את העונש מכם ונתנו על הדיינים וכן אמר שלמה וכו׳״, משמע שהבין המאמר כמו שהובא במ״ת אבל המלים נטל את העונש וכו׳ לא הבנתי]: 4 ונתת לעבדך וכו׳ עד קובעיהם נפש, מכירי משלי כ״ב כ״ב (ל״ג ע״א)· וילקוט שמעוני מלכים א׳ קע״ג: 9 מלך בשר ודם, הגר״א מגיה דיין כנעני בהתאם לכתיב כשאר כל הדיינים ולא מלכים, ועוד גם שלמה מלך בש״ ודם· — בימה, בלשון יון הוא המקום שהטעות שלהם שם קורין אותו בימה βῆμα, מפי׳ ר״ה· — דן וכו׳, העירני מורי ר׳ לוי גינזבורג שברשע החייב מיתה ולא בנקי כפים הספרי מדבר, ואומר שמלך אומות העולם דן מי שנתחייב מיתה לאיזו מיתה שירצה ואינו צריך לשקול אם חייב מיתה זו או זו; ואח״כ מוסיף ואם חייב לשלם כסף מעט יכול לקנוסו הרבה וגם בזה אינו מוזהר· — להריגה וכו׳, אי איפשר להחליט אם בנוסח העקרי של הספרי היה הסדר כר״ש או כחכמים החולקים עליו במשנה סנהדרין ז׳ א׳, ואולי לא היו נזכרים כל הארבע מיתות: 11 איני כן, אני נענש על עוות הדין של ממון כאלו דנתי נקי כפים למות· — נתבע, כן יש לנסח ע״פ מ״ת והגהה בין השטים בכ״י א, וברש״י ובספרי של הגר״א גורס „הוא תובע״, והשוה תו״כ קדושים פ״ג ה״ז (פ״ח ע״ג):

אלא מפי הקב״ה ל [פס׳ זוט׳], ל׳ המא, אלא מפי הגבורה אני אומר ד — 1 משה יכול בלט[2] [רש״י], יכול משה ד | לדון את ישראל רדמבטא, רש״י, [פס׳ זוט׳], לדונן ה, לדון ישר׳ ל — 2 השליו] שלו ר, השליו והעלה להם את הבאר ט[3]ה — 3 נסים] כמה נסים ה [פס׳ זוט׳] | וגבורות ט[3]רדמבלא, ונפלאות ה, ל׳ [פס׳ זוט׳] | ולא רדבט, לא מהאל [רש״י], | לדונם רדט[2]לה, לדון ב, לדון אותם ט[3], לדון את ישראל אמ | כך] ל׳ ה | ה׳ א׳ הרבה אתכם— אלא כך אמר להם] ל׳ ל | הרבה] ריבה ה — 4 שלמה אומר] אמר שלמה א — 5 עמך] ואומר כי מי יוכל לשפוט את עמך הכבד הזה (שם) ד | שלא היה שלמה אמה, לשלמה שלא היה רבב, שלמה לא היה דט[3], שלמה שלא היה ט[2] | לדון את ישראל] לדונן ה | אדם שנאמר בו ה, כן הוא אומר בו רב, וכן הוא אומר אמ [ובין השטים מוגה בא „והלא״ במקום „וכן״], הלא הוא אומר ט[2], והלא הוא אומר ב, שנאמר בו ד, הרי הוא אומר ט[3] | וה׳— לשלמה אמכ, ויתן ה׳—לשלמה רבט[2]ט[3], ל׳ הד — 8 ולא] לא ה | לדונם רבטדה, לדון את ישראל אמט[3] | להם] שלמה ט[3] | איני רדטבלכ, אני איני מאה — 9 כל רבלטדה, ל׳ מא | הדיינים אמדלכב, הדייאנין ר, דיינין ט, הדיינים של אומות העולם ט[3] | מלך ב״ו רדה בט[2]א, ממלכי ב״ו מ, דיין כנעני כ, דיין של אומות העולם ט[3] | להריגה לחניקה לשרפה ולסקילה רבט[2]ט[3], להריגה לחניקה ולסקלה ולשרפה ל, להריגה ולחניקה ולשריפה ולסקילה רדד, ליהרג לחנק לשרפה מ, להריגה דן לסקילה דן לצליבה ה, להרג לחנק לשריפה ולסקילה א — 10 ואין בכך כלום ארבדכפ, אין בכך כלום ט[2]ט[3]ל, ל׳ ה | ואם חייב—נוטל מנה] ל׳ ט[3], ואם חייב בד, אבל אני אם חייבתי א רמט[2]ט[3], אבל אני אם חוייבתי ל, אבל אם חייב ב, אם חייב ה, אבל אני חייבתי פ, אני אם חייבתי ממון שלא כדין [רש״י] | ליטול] ל׳ ה | נוטל רבלכאד, יטול ה, ונוטל ט[2] (בכל הענין), נוטל שנים] ואם חייב ליטול ד | שלשה] ואם חייב ליטול יטול ד — 11 איני כן אלא אם חייבתי פ, אינו כן אלא אם חייבתי ט[2], ואם אינו כן אם חייבתי א, ואינו כן אלא אם חייבתו ר, אלא אם חייבתי מ, ואינך כן אלא אם חייבתה ב, אתה אינו כך אלא אם חייבתי ד, אבל אני איני כן אלא אם חייבתי ה, אני איני כך אלא אם חייבתי כ | אני נתבע א[2], אני תובעך ארבלכפ, השם תובע ממני מפ, אני נתבע בכך הוא תובע מידי ה, הוא תובעני ט[2], אתה תובע ד, אני נתבע [רש״י] | וכן אדבט[2]ה, כן רב, כך ל — 13 סליק פיסקא ד, י״ט א, ל׳ ר —

י.

(י) והנכם היום ככוכבי השמים לרב, הרי אתם קיימים כיום. מיכן
תהלים קמ יד אמרו שבע כתות של צדיקים בגן עדן זו למעלה מזו, ראשונה °אך צדיקים יודו
שם סה ה לשמך ישבו ישרים את פניך, שניה °אשרי תבחר ותקרב ישכון
שם פד ה שם טו א חצריך, שלישית °אשרי יושבי ביתך, רביעית °ה׳ מי יגור באהלך, חמישית
שם שם כד ג שם °מי ישכן בהר קדשך, ששית °מי יעלה בהר ה׳, שביעית °ומי יקום
במקום קדשו.

ר׳ שמעון בן יוחי אומר, לשבע שמחות פניהם של צדיקים דומים לעתיד לבוא
לחמה ללבנה לרקיע ולכוכבים ולברקים לשושנים ולמנורת בית המקדש, לחמה מנין
שופטים ה לא שה״ש ו י שנאמר °ואהביו כצאת השמש בגבורתו, ללבנה מנין שנאמר °יפה כלבנה,
דניאל יב ג שם לרקיע °והמשכילים יזהירו כזוהר הרקיע, לכוכבים °ומצדיקי הרבים
נחום ב ה תהלים מה א ככוכבים, לברקים °כברקים ירוצצו, לשושנים °למנצח על ששנים, למנורת
זכריה ד ג בית המקדש שנאמר °ושנים זיתים עליה אחד מימין הגלה ואחד על שמאלה

סליק פיסקא

1 הרין] ל׳ ר — 2 שבע] שלש ד | מזו] למעלה מזו ר | ראשונה—שנייה וכו׳ ארבלה, כת ראשונה—כת שנייה ד [וכן בכל הענין], הראשונה—השניה—השלישית וכו׳ ה, ט², ראשונה] <אר׳> א — 3 אשרי—חצריך] אשרי יושבי ביתך ה — 4 חצריך] חצריך בחרתי הסתופף בבית אלהי מדור באהלי רשע (תהלים פ״ד י״א) ד | אשרי יושבי ביתך] אשרי תבחר ותקרב ישכון חצרך ה | מי מהדט [מסורה], ומי ראבל [פשיטא] — 6 קדשו] ככוכבי השמים לרוב ה | ומי רלבה [מסורה] | מי דאמ — 7 יוחי] מנסיא ה | לשבע—דומים] שבע כתות של צדיקים עתידין להקביל פני השכינה לעתיד לבא ויהיו פניהם דומות ה | דומים רבט² לב, ראויים ד, דומות אמ [פס׳ זוט׳] — 8 ללבנה רבהכ, וללבנה דאמלבי | ולכוכבים ולברקים רמדבט², לברקים לכוכבים ה, לככבים ולמזלות ולברקים ל, ולכוכבים לברקים אכי, לכוכבים ולברקים ב² | לשושנים רהכי, ולשושנים אמלדבכ² | ולמנורת בית המקדש רמדבכי, למנורה שעומדת בבית המקדש ה, ולמנורות בבית המקדש ט², ולמנורות בית המקדש לא | לחמה—יפה כלבנה אמה [פס׳ זוט׳], לחמה ולבנה מנין ת״ל והיה אור הלבנה כאור החמה ואור החמה יהיה שבעתים כאור שבעת הימים ואומר יפה כלבנה ברה כחמה כ, לחמה וללבנה מניין שנאמר יפה כלבנה ברה כחמה רדבט²לד — 10 לרקיע רבט²ל, לרקיע מנין המ, לרקיע שנאמר כ [פס׳ זוט׳], לרקיע מנין שנאמר דא [וכן בכל הענין] | לכוכבים—ככוכבים] ל׳ ד — 11 על שושנים אמהרבלטכי, על שושנים לבני קרח ד, אל שושנים / דות לאסף מזמור כ² | למנורת בית המקדש רד כבט² [פס׳ זוט׳], למנורה המ, למנורות בית המלך ל, למנורות א — 12 שנאמר רמבלט²ה, מנין שנאמר דא — 13 סליק פיסקא ד, פ׳ ר, כ״א א —

1 כיום, דכי היכי היום הוי תמיד בעולם ואינו כלה אף אתם קיימים שלא תכלו מן העולם, מפי׳ ר״ה [ואי אפשר לפרשו כפשוטו שלא היו אלא ששים רבוא, רש״י]: 2 שבע כתות, פ״ז, לקמן פי׳ מ״ז, מכירי תהלים ט״ו ד׳, מדרש תהלים י״א ו׳ (נ״א ע״א), שם ט״ז י״ב (ס״ב ע״ב), פסיקתא דר׳ כהנא ולקחתם לכם, (קע״ט ע״ב), ויק״ר פרשה ל׳ סי׳ ב׳, והשוה הערת מורי ר׳ לוי גינזבורג בספרו אגדות היהודים ח״ה עמ׳ 30 ועמ׳ 113. — כתות של צדיקים וכו׳, [מדכתיב היום סתם דהיינו כל יום ויום הרי הם שבעה ימי בראשית, רד״פ. ויותר נראה לפרש על פי מה שנאמר בדברים רבה פ״א סי׳ ד׳ למה ברך אותם בכוכבים מה הכוכבים הללו מעלות על גבי מעלות כך הן ישראל וכו׳ והכונה על שבעה כוכבי לכת שהן למעלה זה מזה ועל זה מכוון מכאן אמרו]: 4 חצריך, כל כתה וכתה מרוחקת יותר מזיו השכינה; הראשונה יושבת פני המלך, השניה שוכנת בחצרו כלו׳ר מתמדת שם, השלישית יושבת בביתו אבל רק לפרקים וכן כולם. ומה שנוסף בד אחרי חצריך „בחרתי הסתופף וכו׳״ יש להשמיט ע״פ שאר המקורות כי מה ענין כת שניה להסתופף מרחוק והלא היא שוכנת בחצר: 7 ר׳ שמעון בן יוחי וכו׳ עד ושנים זיתים עליה, ילקוט שופטים נ״ט, מכירי נחום ב׳ ה׳ (מסומן כ¹), ושם תהלים פ׳ א׳, כ״א ע״א (מסומן כ²), פ״ז: — לשבע שמחות, לקמן פי׳ מ״ז, ויק״ר אמור פרשה ל׳, פסיקתא דר׳ כהנא ולקחתם קע״ט ע״ב, מדרש תהלים י״א ו׳ (נ״א ע״א), שם ט״ז י״ב (ס״ב ע״ב). ובירו׳ חגיגה פ״ב ה״א (ע״ז ע״א) איתא „ואריא כמ״ד שובע שמחות את פניך שבע כתות של צדיקים לעתיד לבא״ והשוה במדבר רבה פ׳ ט״ו סי׳ י״א „אל תהי קורא שובע אלא שבע״. ועיין עוד פסיקתא רבתי ל״ז (קס״ג ע״א), וב׳ ב״ב ע״ה ע״א, ובבמדבר רבה פ׳ כ״א סי׳ כ״ב: 11 כברקים ירוצצו, ויק״ר פ׳ י״ט סי׳ ג׳: 12 ושנים זיתים עליה וכו׳, לקמן פיסקא מ״ז מובא במקום כתוב זה הפסוק ויהי כזית הודו ולפי דעתי שניהם דרושים; הפסוק ושנים זיתים מוכיח על הדמיון בין מנורת בית המקדש לזית, והפסוק ויהי כזית הודו מלמד שהצדיקים נמשלים לזית, לומר למנורת בית המקדש; ואולי יש לנסח בשני המקומות „שנאמר ויהי כזית הודו ואומר ושנים זיתים וכו׳״:

יא.

(יא) ה׳ אלהי אבותיכם יוסף עליכם ככם אלף פעמים, אמרו לו
רבינו משה, אי אפשנו שתברכנו המקום הבטיח את אברהם אבינו °כי ברך אברכך בראשית כב יז
והרבה ארבה את זרעך ככוכבי השמים וכחול, ואתה נותן קצבה לברכתינו
משל למלך שהיו לו נכסים הרבה והיה לו בן קטן והיה צריך לצאת למדינת הים אמר
אם אני מניח נכסי ביד בני הוא עומד ומבזבזם אלא הריני ממנה לו אפיטרופס עד
שיגדיל משהגדיל הבן ההוא אמר לו לאפיטרופס תן לי כסף וזהב שהניח לי אבא בידך
עמד ונתן לו משלו כדי פרנסתו התחיל אותו הבן מיצר אמר לו הרי כל כסף וזהב
שהניח לי אבא בידך אמר לו כל מה שנתתי לך לא נתתי לך אלא משלי אבל מה
שהניח לך אביך הריהו שמור כך אמר להם משה לישראל ה׳ אלהי אבותיכם
יוסף עליכם ככם אלף פעמים זו משלי ושלכם ויברך אתכם כאשר דבר
לכם כחול ימים וכצמחי אדמה וכדגי הים וככוכבי השמים לרוב סליק פיסקא

יב.

(יב) איכה אשא לבדי טרחכם, מלמד שהיו טרחנים היה אחד מהם רואה

2 אי אפשני וכו׳, ספרי במדבר פי׳ פ״ד, רש״י: 4 משל למלך, השוה ציגלר Königsgleichnisse ע׳ 428 וכעין משל זה בדברים רבה ג׳ ד׳: 10 זו משלי, וכן בת״י יוסף עליכון כוותכון אלף זמנין מטול ברכתי דא ויברך יתכון בלא סכומא היכמא דמליל לכון: 11 וכצמחי וכו׳, מכיל׳ דברים ומ״ת לקמן י״ג י״ח (ע׳ 69, 71)· — וכצמחי האדמה, וכן במקרא רבבה כצמח השדה נתתיך (יחזק׳ ט״ז ז׳) והשוה הערת הארא וויץ בספרי במדבר שם· — וכדגי הים, כוונתו על ברכת יעקב לבני יוסף וידגו לרוב (בראׄ׳ מ״ח י״ז):
12 איכה וכו׳, ברוב המקורות נוסף, „אמר להם לא מעצמי אני אומר לכם אלא מפי הקדש אני אומר לכם״,

1 לו] ישראל למשה ה — 2 רבינו משה] משה רבינו א | אי אפשנו רמדבט[2]א [פס׳ זוט׳], אי אפשר לנו ד, אפשנו ל | שתברכנו רד ט[2]ל, שתברך אותנו אמ, בברכותך [פס׳ זוט׳], שתברכנו אנו מובטחים על ברכות הרבה ה | המקום רבהט[2]ל, הקב״ה דמא, והבטיח את אברהם אבינו רבד, אומר לאבינו אברהם ד, הבטיחנו והבטיח אברהם אבינו מא, הבטיח את אבותינו ואמר [אמר ל] להם ט[2]ל | כי··· וכחול ה, והרביתי את זרעך ככוכבי השמים ושמתי את זרעך כעפר הארץ רבטלדאמ — 3 נותן] נתת ה | לברכתנו] <אי אפשנו שתברכנו> אמ, <אמר להם אני בשר ודם אני יש לי קצבה ונתתי קצבה לברכותי ה׳ אלהיכם הרבה אתכם ה׳ אלהי אבותיכם] יוכף [עליכם] ככם אלף פעמים אמרו לו המקום לא נתן קצבה לברכתינו אמר להן זו משלי ושלו שמורה לכם ויברך אתכם כאשר דבר לכם כדגי הים וכחול ימים וככוכבי השמים וכצמחי האדמה> ה — 4 משל] מושלו מלה״ד ה, משל למה הדבר דומה [פס׳ זוט׳] | למלך] <בשר ודם> מא | הרבה רדבלט[2]ה, מרובים אמ [פס׳ זוט׳] | צריך לצאת] יוצא לו ה | למדינת] ממדינת ר | אמר] זמר המלך ה — 5 נכסי רב, את נכסי הדלט[2], נכסים מרובים אמ | ביד] בפני ה | הוא רדבלט[2], הרי הוא מא, עכשיו הוא ה | עומד ומבזבזם] עמד ומבזבז אב מט[2]ל, עומד ומבזבז אותם ד, עומד עליהן ומבזבזן ה | לו אמט[2], לה ר, ל׳ דבל, עליהן ה | אפיטרופס—לאפיטרופס ר, אפיטרופס—לאפיטרופא ר, אפיטרופא—לאפיטרופא דב, אפוטרופא—לאפוטרופס ל, אפטרופוס א, אפוטרופוס מ, אפטורפים ה | עד שיגדל רבדלט, עד שיגדיל מא, כשיגדיל הוא נותן לו ה — 6 משהגדיל ארדלט[2]ב, כשהגדיל מ, כיון שגדל ה | הבן ההוא רדבלט[2], בנו של מלך הלך לו הבן אצל אמות אפוטרופוס ה, הבן הלך אצל אפוטרופוס אמ, לאפיטרופס רדבלט[2], ל׳ אמה | כסף וזהב] כל מה ה | לי] ל׳ ה — 7 עמד] נטל ה | פרנסתו] פרנסה א | התחיל—אבה בידך] ל׳ ד | אותו הבן רל, לאתו הבן ב, אותו בן ט[2] (א״א), הבן ההוא א, הבן מה | מיצר ראבלט[2], ומיצר מ, בוכה ה | אמר לו רל, ואמר אה, אמר מט[2]ב [א״א] | הרי] ל׳ מ | כסף וזהב רבט[2]ל [א״א], הכסף מא, מה ה — 8 שהניח לי] שהגיח ה | כל—משלי] משלי נתתי לך ה | מה מאהדט[2]ב, כל מה רל — 9 שהניח לך ראדמב, שהניח לה | הריהו ר, הרי הוא בדט[2]ל, הרי הם אב, ל׳ ה | שמור רבט[2]ל, שמורים מא, מונחין כמות שהן ה, שמור לך ד | יהם רדאמבל, ל׳ הט[2] | משה] ל׳ כ[2] | לישראל] ל׳ ה | אלהי אבותיכם] אלהיכם ד — 10 פעמים] פעמי פעמים ה | זו משלי רהט[2]בלד, ל׳ מ, משלי א | ושלכם רבט[2]ל, ל׳ ה, יש לכם ד, שלכם שמורה לכם מא, [ובין השטים נוסף בא „אבל״] | ויברך—לכם] ל׳ מ — 11 כחול—לרוב] ל׳ ה | ימים רדבט[2]ל, וכעפר מ, הים א [פס׳ זוט׳] | סליק פיסקא ד, פי׳ ר, כ״ב א —

12 לבדי] באמרלזב ובפס׳ זוט׳ נוסף כאן: <אמר להם לא מעצמי אני אומר לכם אלא מפי הקב״ה [ר הקדש]

שני נוצח בדין אומר יש לי עדים להביא יש לי ראיות להביא למחר אני דן מוסיף אני עליכם דיינים לכך נאמר ט ר ח כ ם מלמד שהיו טרחנים.

ו מ ש א כ ם, מלמד שהיו אפיקורוסים הקדים משה לצאת אמרו מה ראה בן עמרם לצאת שמא אינו שפוי בתוך ביתו איחר לצאת אמרו מה ראה בן עמרם שלא לצאת מה אתם סבורים יושב ויועץ עליכם עצות ומחשב עליכם מחשבות קשות· וחמורות משל בית און כענין שנאמר [10]ואון בן פלת בני ראובן, לכך נאמר ו מ ש א כ ם (במדבר טז א) מלמד שהיו אפיקורוסים.

אני אומר לכם·> בך הגרסה: אמר להם לא מעצמי אני אומר לכם· אמנם בהט חסר לגמרי | טרחנים אמהבלט. טורחנים רד | היה] הא כיצד היה ה | רואה] ל׳ א — 1 שני נוצח ר, שנוצח בל, שנוצח חברו ד, שניצח א, חברו שנוצח מ, עצמו ניצוח ה, שכנגדו נוצח ט¹, שכנגדו שנוצח ט², שלא נצח [פס׳ זוט׳], את בעל דינו נוצח [רש״י] | אומר] ואומר ה | ראיות] ראייה ה | להביא] ל׳ ד | דן] בא ה | מוסיף אני רדל [רש״י], ומוסיף אני מא [פס׳ זוט׳], מוספני בט, ומוסיף ה — 2 נאמר] <איכה אשא לבדי מה ת״ל> ה | טרתכם] <ומשאכם וריבכם טרחכם> ד | טרחנים] סורחנים ד — 3 ושמאכם אמה, משאכם רבט לד | אפיקורוסים ט, אפיקרסים רבל, אפיקריסין א, אפיקורסים ד, אפקירסיין מ, אפיקוריסין הא כיצד ה — 4 שמא אינו דבלטהפ, שמא אין רא, שאין מ | ביתו] ל׳ ר | איחר] איחר משה א | לצאת—בן עמרם] ל׳ מ | שלא] ל׳ ט² — 5 סבורים] <שאכל ושתה וישן לו אלא ה | יושב] הוא המא | ו י ו ע ץ רדבהטל [רש״י], ומיעץ> מא | ומחשב רדמלט¹אב, וחושב ה [רש״י], מחשב ט² | מחשבות עצות] <רעות> ה | ק״ו—רוננים] ל׳ מ | ק ש ו ת ו ח מ ו ר ו ת] זו היא גרסת מורי ר׳ לוי גינזבורג וכן נראה לי לנסח והגרסאות המקובלות הן, קל וחומר אם היה אט, קל וחומר אם היו זה, קל וחו׳ אם היה ר, קל וחומר דב ל, ק״ו אם היה משל בית און א [ושם משוך קו תוך המלים האלה] — 6 און] <שם> ה | שנאמר] ל׳ ט¹ | ראובן ה, בידוע [ביותר א] שאשתו יועצתו רבדא, בידוע שאשתו שואלתו ויועצתו מ, בידוע שאשתו יועצתו ושואלתו ל | לכך נאמר] הא מה ת״ל ה —

ולדעתי יש להשמיט ע״פ הט ועוד מה ענין משפט זה כאן, האם קשה לו כביכול לשאת הטרחות והריבות של ישראל? ורש״י מפרש „זו שאמרתי לכם לא מעצמי וכו׳״ ולפי דברי מהר״ס הכונה על התוכחות המתחילות בזה, וז״ל „אעפ״י שאני מתחיל להוכיח אתכם איני עושה מעצמי אלא מפי הקב״ה הוא דבר לי להוכיח אתכם״, ורד״ף חלק עליו: 1 מ ו ס י ף א נ י, וכתב הרמב״ן על זה „והדין הזה לא ידעתי אותו שיהא בעל | דין יכול להוסיף דיינים יותר על שלשה בדיני ממונות וכל שכן לאחר שטען בפניהם וראה שחברו נוצח בדין שאלו קבל עליו קרוב או פסול יכול לחזור בו עד לאחר גמר דין אבל שלשה הכשרים לדון אינו יכול לחזור בו ושמא נלמוד מכאן שיכול אדם לומר שני דיינים אני בורר לי ותברור אתה שנים אחרים והם יבררו עוד אחד ויהא הדין נגמר בחמשה או ביותר״· והמפרשים לא בררו הדבר יותר· ומצאתי סמוכין לדין זה של הרמב״ן בתוספתא סנהדרין פ״ו ה״ד (ע׳ 424), „לעולם מוסיפים הדיינים עד שיגמר הדין לעולם מביא עדיותיו וראיותיו לבירת דין עד שיגמר הדין״. מסמיכת הענינים יש ללמד שהוספת הדיינים האמורה כאן היא מעין מציאת עדים חדשים ותלויה בבעל דין ואינה באה בסיבת „אחד אומר אינו יודע״, כאשר פירש ר׳ דוד פארדו בספרו „חסדי דוד״ שם, ולפי פירושו קשה מה שנאמר ל ע ו ל ם מ ו ס י פ י ם והלא אין מוסיפים אלא עד שבעים ואחד, אבל לפי דברינו אין קושי כלל, ל ע ו ל ם כלומר עד שיגמר הדין יכול בעל דין לומר מוסיף אני עליכם דיינים· עוד צריך להעיר שהמספרים המפורטים במשנה ראשונה של סנהדרין דיני ממונות בשלשה וכו׳ הם מספרים מינימליים, וכל מה שמוסיפים עליהם הרי זה טוב ומשובח וכן כתב הרמב״ם בה׳ סנהדרין פ״ב הי״ג, מובא בטור ושו״ע חו״מ סי׳ ג׳ סעי׳ ד׳, ובזמן קדום היו רגילים בבתי דינים של שבעה אף לדיני ממונות לפי עדות יוסיפוס בקדמוניות ספר ד׳ פרק ח׳ סי׳ י״ד, וכן מזכרת המשנה „שבעה טובי העיר״, וכן נראה ג״כ ממה שמסופר „במעשי השליחים״ ו׳ ג׳· ובזה מובן המחלוקת בין התנאים במספר הדיינים, שאין בזה משום „פוק חזי היך עמא דבר״· וראה מה שהעירותי על הענין בספרי „שלטון-עצמי של היהודים״ ע׳ 153, וע׳ 156 הערה 2 וע״פ דין זה יש לפרש דברי הירושלמי בסנהדרין פ״ג הי״א כ״ב ע״ד ואין כאן המקום להאריך: 3 א פ י ק ו ר ו ס י ם, היינו חצופין איזהו אפיקורוס זה המבזה תלמידי חכמים (סנהדרין צ״ט ע״ב) דהון מחפצי ומבזי את משה רבינו ע״ה, מפי׳ ר״ה, וכן פירשו בירושלמי סנהדרין פ״י ה״א (כ״ז ע״ד) „האפיקורוס ר׳ יוחנן ור׳ לעזר חד אמר כהן דאמר אהן ספרא וחרנא אמר כהן דאמר אילין רבנין״· הרי שגם בא״י שהיה ידוע שורש הפילולוגי של השם אפיקורוס השתמשו בו למבזה תלמידי חכמים וכן נראה מובנו במאמר זה· אמנם לפני מסדרי ת״י היתה גרסה אחרת בספרי ששם מתורגם ט ר ח כ ם „טרחת אפקרסותכון״ ו מ ש א כ ם מתורגם ״ודמחשלין עלי בישתא״: 4 ש פ ו י, ב„אות אמת״ הביא לו חבר מן התרגום לפסוק ו ה נ ה א י נ נ ו ע מ ו (בראשית ל״א ב׳) ת״י „והא ליתינון שפיין לקיבליה״ וציין על הערוך ערך שף ב׳, ולא כר״ה המפרש ל׳ ריקון והביא ראיה מגטין ע״ג ע״א „זיל שפי ליה״ ולאמתו של דבר יש לפרש גם שם „העמידה לפניו בשופי ושקט״, וע׳ פי׳ רש״י שם: 5 ק ש ו ת ו ח מ ו ר ו ת, כך הגיה מורי ר׳ לוי גינזבורג ולפי סברתו היה כתוב כאן מתחלה „ק״ו״ וטעו הסופרים בפתרון ראשי תיבות אלה ועיין בשנוי נוסחאות; ועוד מפרש שאון בן פלת נזכר כאן מפני שהוא סמל העולה והאי־צדק לפי בעלי האגדה, השוה גנזי קדם ח״ד ע׳ 52 „כל כהן הולך אחרי מחלוקת וחולק על דברי חבורה בידוע שאינו מזרע אהרן אלא מבני און פלת״· ואולי יש להשמיט כל המשפט „כענין שנאמר״ ו„און בן פלת בני ראובן״ כפירוש מוטעה על המלה א ו ן שנכנס מן הגליון אל תוך הספר ולפי זה הכונה העקרית בשם בית און היא על מצרים כמו שנאמר פ ו ט י פ ר ע כ ה ן א ו ן; מה שנמצא בכ״י אחדים „ק״ו אם היה משל בית און״ אין זו אלא הגהה מאוחרת ומה שנמצא בכל המקורות חוץ ממ״ת „בידוע [א ביותר] שאשתו יועצתו״ היא ג״כ הגהה מוטעת ממי שחשב שיש לקשר את המאמר הזה עם הסיפור בב׳ סנהדרין ק״ט ע״ב שאשתו של און הצילתו ואין שום יחס ביניהם והמנוח ר׳ חיים שאול הארוויטץ

ו ר י ב כ ם, מלמד שהיו רוננים היה אחד מהם מוציא סלע בשביל ליטול שנים
שנים בשביל ליטול שלשה לכך נאמר ו ר י ב כ ם מלמד שהיו רוננים.

(דבר אחר ט ר ח כ ם ו מ ש א כ ם ו ר י ב כ ם׳ אם הקדים משה לצאת אומרים מה ראה בן עמרם שמהר לצאת ובניו ובני ביתו מלקטים הגס שבמן איחר לצאת אומרים אכל ושתה וישן׳ הלך משה באמצע אומרים מבקש לעמוד מפניו הלך לצדדים אומרים מצוה היה לנו מעמידת זקן והוא מבקש לעקרה ממנו אמר להם משה הלכתי באמצע לא יצאתי ידיכם הלכתי לצדדים לא יצאתי ידיכם) סליק פיסקא

יג.

(יג) ה ב ו ל כ ם, אין הבו אלא עצה שנאמר °הבו לכם עצה מה נעשה, ש״ב טז כ
°הבה נתחכמה לו. שמות א י

א נ ש י ם, וכי עלתה על דעתנו נשים מה תלמוד לומר א נ ש י ם בחתיכה ובפסיפס, א נ ש י ם ותיקים וכשרים.

העיר ״ק״ו אם וכו״. דאשתו של און בן פלת הצילתו, סנהדרין ק״ט ע״ב, ועדיין הדבר צריך ברור כי במ״ת הגי׳ אם היו משל און בן פלת״: 1 ר ו נ נ י ם, הגר״א הגיה ר ו ג נ י ם, כמו שנמצא ברש״י דפוס, ו ר ו נ ג י ם פי׳ בעלי מחלוקת׳ ור״ה גורס ד י י נ י ם ומפרש בעלי דינים ובעלי מחלוקת, וכת״י ו מ י ל י ר י נ נ י כ ו ן, (כן הגרסה הנכונה בהוצ׳ גינזבורג) ד מ פ ק י ן ס ל ע ל א פ ו ק ת ר י, ואפשר שגם ת״א ופשיטא נתכוונו לפירוש זה שתרגמו וריבכם ״ודינכון״׳ — מ ו צ י א ס ל ע, [וכת״י אבל מ״ת גורס איפכא מ נ ה ב ש ב י ל ש י ט ו ל ס ל ע וכו׳ וזה נראה יותר]: 3 ד ״ א וכו׳, מה שנדפס באותיות קטנות ובחצי עגולים נמצא רק באמה וחסר בכל שאר המקורות רבלטדפ. ועדיין צריך בירור אם הוא מעיקר הספרי: — א ם ה ק ד י ם וכו׳, כעין זה ירו׳ בכורים פ״ג ה״ג (ס״ה ע״ג), שם שקלים פ״ה ה״ג (מ״ט ע״א), וב׳ מסנהדרין ק״י ע״א: 6 מ צ ו ה ה י ה ל נ ו וכו׳, השוה דברי ר׳ יוסי בן זבידא במדבר רבה פ׳ ט״ו סי׳ י״ז ותנחומא א׳ בהעלותך סי׳ י״א, תנחומא ב׳ שם סי׳ כ׳ (כ״ח ע״א):

8 א י ן וכו׳, פ״ז׳ — א ל א ע צ ה, וכן פי׳ רד״ק בס׳ השרשים ש׳ יהב וגם בפירושו לבראשית י״א ג׳: 10 ו כ י וכר, רש״י — ב ח ת י כ ה ו ב פ ס י פ ס, כך יש לנסח על פי ה והשוה ספרי במדבר צ״ב (רמא״ש כ״ה ע״ב, האראוויטץ ע׳ 92), וס״ז שם ע׳ 271, והעיר ר׳ דוד הופמאן במ״ת ואיתא באדר״נ פ׳ כ״ח אבן פסיפס כיצד רתלמיד ששונה מדרש הלכות ואגדות ותוספתות וכו׳ וזו היא אבן פסיפס שיש לה ארבע פיות מארבע רוחותיה (ועיי״ש הערות שעכטער, מ״ג ע״ב)׳ ולפי זה נראה כי פסיפס הוא כינוי לת״ח שמראה פנים מכל צד ובקי בכל התורה כולה אולם לשון חתיכה קשה לפרש ואיתא במה״ג פ׳ ואתחנן וז״ל פ נ י ם ב פ נ י ם רשב״ל אומר לחתיכה של פסיפס שהיא מראה פנים מכל פנים כך פ נ י ם ב פ נ י ם ד ב ר ה׳ ע מ כ ם ויש עוד במה״ג על הפסוק ו ל מ ד ת ם א ו ת ם ו ש מ ר ת ם ל ע ש ו ת: למה הוא דומה לכוס שיש בו פסיפס, וכתוב שם על הגליון ״קאעד״ והוא כנראה בית מושב ובסיס שהכסא יושב עליו, ובמדרש איכה ב׳ א׳ (מ״ט ע״ב עיי״ש בהערות) גרסינן ורבנן אמרי חתוכין ופסיפס, ובערוך ע׳ פספס א׳ גרס ״התיבה״ במקום חתיכה, ולפ״ז אפשר דפסיפס הוראתה כאן אבן שכל אחד מהבוררים כותב עליו שם האיש אשר נבחר ממנו לאיזה משרה ψηφος בל״י (כמו שטימעצטטיל בל״א) וצ״ל התיבה בפסיפס כלומר התיבה שכל אחד כותב על פסיכס שלו, ובספרי שלנו הגירסא משובשת מכל וכל״ ונ״ל כדבריו אלא שיש לפרש פסיפס אבן של mosaik כמו שכ׳ קרוסס במלונו ח״ב ע׳ 2—471׳ ועיין עוד בספר השנה לר״נ ברילל שנה א׳ ע׳ 180׳ וכן יש לפרש באדר״נ שם כוס שיש בו פסיפס׳ ות״ח הוא איש המצויין ומחותך מכל צד בחכמה ובציור כאבן של פסיפס וזה שאמרו א נ ש י ם ב ח ת י כ ה ו ב פ ס י פ ס. ואולי צ״ל בחתיכה כפסיפס, וע׳ מה

1 וריבכם מלמד שהיו אמדהט, וריבכם שהיו ר, שהיו בל, והיו ד | רוננים ל, רוגנים [רש״י] ט׳, (והשוה השנוים ב״זכור לאברהם״ על רש״י), דיננין א, רינגין ר, דיננים הא כיצד ה, מרננין ט [א״א], רגזנים וריבכם ד, דיינים ב | מהם רהמטלא, ל׳ דב | סלע—שלשה] מנה בשביל שיטול סלע סלע בשביל שיטול דינר ה – 2 לכך נאמר] הא מה ת״ל ה | רוננים דלט², רינגין ר, דונגין מ, דיננים הא, רוגנים [רש״י] ט׳, דיינין ב – 3 ד ב ר א ח ר וכו׳ עד י ד י כ ם, עיין בהערות | אם מא, ל׳ ה | אומרים א, אומר מ, אמרו ה – 4 מה ראה—שמהר א, מהר בן עמרם מ, ראו בן עמרם שהקדים ה | ובניו—שבמן אמ, ללקוט את הגס הגס ה – 5 אומרים—וישן אמ, אמרו ראו בן עמרם שאכל ושתה וישן לו ה | משה אמ, ל׳ ה | אומרים א, אומר מ, אמרו ראו בן עמרם ה | מבקש לעמוד מפניו אמ, מהלך באמצע ה – 6 אומרים אמ, אמרו ה | מצוה—ממנו אמ, ראו בן עמרם מהלך לצדדין כדי שלא נעמוד מפניו מצוה קלה שבידינו הוא מבקש לעקור ממנו ואיזו זו עמידת זקן ה – 7 משה—הלכתי לצדדים לא יצאתי ידיכם א, משה—ידיכם מצדדין לא יצאת ידיכם מ, עשיתי כך וכך ולא קיבלתם עליכם עשיתי כך וכך ולא קיבלתם עליכם הבו לכם אנשים חכמים ונבונים וידועים לשבטיכם וכו׳ ה | סליק פיסקא ד, פי׳ ר, כ״ג א –

8 אלא עצה] אלא נעשה ד | שנאמר] כענין שנאמר ויאמר אבשלום אל אחיתפל ה | עצה רה | רא״ם | וכן במסורה; דבר עצה דמא, דבר ועצה בטל | נעשה מהא (מסורה). תעשי ר, תעשו | רא״ם | ל׳ בדטל – 9 הבה—לו] ל׳ ה – 10 מה רמטאב, ומה לד, הא מה ה | אנשים בחתיכה—וכשרים] כן הגרסה בד ה, ובשאר הנסחאות יש שנוים הרבה, ואלה הם: ורתיקים כסיפים אר, ותיקים כסופים דלבט, ותיקים כסופים כטופס מ –

חכמים, זו ששאל אריוס את רבי יוסי, אמר לו אי זה הוא חכם אמר לו המקיים תלמודו או אינו אלא נבון אמר לו כבר נאמר נבונים, מה בין חכם לנבון, חכם דומה לשולחני עשיר כשמביאים לו לראות רואה וכשאין מביאים לו לראות מוציא משלו ורואה, נבון דומה לשולחני עני כשמביאים לו לראות רואה כשאין מביאין לו לראות יושב ותוהה.

וידועים לשבטיכם, שיהיו ידועים לכם הרי שנתעטף בטליתו ובא וישב לפני איני יודע מאיזה שבט הוא אבל אתם מכירים אותו שאתם גדלתם ביניהם לכך נאמר וידועים לשבטיכם שיהו ידועים לכם. רבן שמעון בן גמליאל אומר אין כל ישיבה וישיבה יושבת עד שהבריות מרננות אחריה ואומרות מה ראה איש פלוני לישב ומה ראה איש פלוני שלא לישב לכך נאמר וידועים לשבטיכם שיהיו ידועים לכם.

1 אריוס] ארווס ה | המקיים רמדבטא, כל המקיים ה, זה המקיים ל — 2 תלמודו רדהלט, את תלמודו בו מ, את תלמודו א, תלמיד ב, תלמודו אתה אומר תלמודו ד, תלמודו אתה אומר המקיים תלמודו [א״א] | או] אמר לו והלא ה | כבר רמאבטל, הרי כבר ד, והלא כבר ה | נבונים] <אמר לו> ה | לנבון] <אמר לו> חכם דומה] חכמים דומים ד — 3 לשולחני] <פי׳ צריפא המברר זהב> ר | כשמביאים לו מטלא [ח״ת], שמביאים לו רב, שמביאים ד, שאם הביאו לו ה | וכשאין–רואה רט׳, כשאין מביאין מוציא משלו ורואה א, ואם לאו מוציא משלו ורואה ה, כשאין מביאין לו יושב ותוהא בט׳ [רש״י, ח״ת], כשאין מביאין יושב ותוהא ד, וכשאין מביאין לו לראות יושב ותוהא מ, וכשמביאין לו לראות רואה משלו ורואה ל — 4 נבון דומה–יושב ותוהה] ל׳ ב | נבון] ונבון ה | עני ארט להמד [רש״י], תגר עשיר [ח״ת], ובספר הזכרון על רש״י כתוב כאן, „בכל נסחאות ספרי דבי רב וגם בפירוש הראב״ד ז״ל על הספרי נבון דומה לשלחני עני והוא הנכון״ | כשמביאים לו לראות רואה] ל׳ ד | כשמביאים לו רמט א [ח״ת], שאם הביאו ה, שמביאים לו ל | וכשאין מביאין לו לראות מטדא, כשאין–לו ר [ח״ת], ואם לאו ה | מוציא משלו–כשאין מביאין לו] ל׳ ל — 5 יושב ותוהה ארדהט״ל, מביא משלו ורואה ד, מוציא משלו ורואה מ ט׳, מחזר ומביא משלו [רש״י], רואה משלו וחוזר ורואה [ח״ת] — 6 שיהיו רדדהבטא, שיהו הם מ, שיהו ל, שאיני א | לכם] <לפי שאתם מכירין אותן שהרי גדלתם ביניהם> ה | שנתעטף ראמטלה, שמתעטף בד | וישב] ויושב א — 7 איני] ואיני ה | מאיזה] <מקום הוא ומאיזה> ד | אותו רדבטלה, אותם מא | שאתם גדלתם ברדלמא, שהרי אתם גדלתם ה, שגדלתם ט | ביניהם רמאדה, אותו טדלב [רש״י] — 8 שיהיו אר, שיהיו דהמט, שהיו בל | לכם אמדהט״ד, ל׳ רטיבל | אין כל–ואומרות] כל היושב בישיבה הבריות אומרות עליו ה | אין אמל [א״א], בין ר, כן אין ט, בין אין ב, כא׳ אין ל, אין כאן כ, ל׳ ד — 9 עד שהבריות] עד שיהיו הבריות ד | אחריה אמ, אחריו רבלטדבפ | ואומרות] ואומרים ד | איש פלוני אמהרדכל, פלוני במפ — 10 לישב–איש פלוני] ל׳ א | לישב] מלישב ל | ומה ראה] ל׳ מ | ומה] מה ה | איש פלוני רדמהכל, פלוני במפ | לכך–לכם] ל׳ ה — 11 לכם] <ר׳ שמעון

שהעיר הארוויטץ בספרי במדבר שם וגם בס״ז שם, שהביא דעת החכם לעוו בזה· בהערה למכילתא בשלח פ״ה (ל״ב ע״א הערה ל״ג) מדמה רמא״ש המלה כסופים שם לכאן, ואין נראה כלל ששם כסופים מלה של בזיון, וכאן בטוי של כבוד: 11 עמ׳ הקו׳ ותיקים וכו׳, פ״ז: 1 זו ששאל וכו׳ עד יושב ותוהה, רש״י, פ״ז, ומובא בחותם תכנית לר׳ אברהם בדרשי, ש׳ חכם, עמוד 128· — אריוס, נזכר עוד הפעם בתוספתא ב״מ פ״ג ה״יא (ע׳ 376) ושם „א״ר יוסי שאל אריוס לחכמים״· — המקיים תלמודו, ומובן מאליו שנבון הוא בעל סברא ישרה, המבין מדעתו לחתוך את הדין· וכת״י זמנו לכון גוברין חכימין וסוכלתנין מרעיונהון: 2 חכם דומה וכו׳, זו היא הגיר׳ הנכונה והקדומה ולפיה חכם שהוא סיני עדיף מנבון שהוא עוקר הרים (ע׳ בבלי סוף הוריות) וזהו שאמר חכם דומה לשלחני עשיר שהוא מרא דחטי ויש לו אוצרות של ברייתות הלכות ואגדות ואף אם אין מביאים לו שאלות וקושיות יכול להביא משלו· ונבון דומה לשלחני עני שצריך לסמוך על המביאים לו אע״פ שכאשר שואלים אותו יכול לתרץ בחריפות ובהבנה· והסופרים הגיהו ע״פ מה שמצאו בערובין ק׳ ע״ב ובהרבה מקומות שנבון גדול מחכם ולא חשו שיש כאן חלוק בין מסורת הבבלית והארצי־ישראלית, שבא״י הוקירו יותר ערך המלומד והמסודר ובבבל החשיבו והעריכו את החריפות והפלפול· ועיין תרביץ שנה ג׳ ספר ב׳ עמוד 198: 5 ותוהה, היינו חרדים כדגרסינן בפ״ק דנדרים „כשהן תוהין נודרין״ (עיי״ש ט׳ ע״ב, ובנוסחאותינו הג׳ נוזרין, וכן בכ״י מינכען, אבל גירסת התוספות שם, והערוך ע׳ תה, היא כזו של ר״ה נודרין) היינו כשהן חרדים דכתיב ויחרד יצחק חרדה (בראׄ כ״ז ל״ג) ומתרגמי׳ ותוה יצחק תוהא, מפי׳ ר״ה; ולדעתי תוהה מל׳ תהות, בושה; יושב ובוש שאין לו שואלים, וכעין זה בב״ר פ״ב בבן זומא שמצאו ר׳ יהושע יושב ותוהה: 6 שיהיו וכו׳, רש״י: 8 רבן שמעון–לכם, מכירי תהלים מ״ט, קל״ה ע״א, וראה ספרי במדבר פי׳ צ״ב (ע׳ 93) והשוה ס״ז ע׳ 271: 9 ישיבה, אולי הכונה על בתי הדין מל׳ להושיב דיינים וראה בספרי במדבר פי׳ נ״ב (ע׳ 54) „ואין ישוב אלא בתי דינים״· — אחריה, כך יש לנסח על פי הסגנון שלפנינו ברוב המקורות וכן הגרסה בכ״י אמ ותמוה הוא שברוב כ״י הגרסה אחריו ואיפשר שיש בזה זכר מסגנון קדום של ברייתא זו שנשתמר עדיין במ״ת „כל היושב בישיבה הבריות מרננות אחריו״ ור״ה פירש אחריו היינו אחר כל אחד מבני הישיבה: 11 לכם, במ״ת וילקוט

ואשימם בראשיכם. יכול אם מניתם אתם אותם ממונים ואם לאו אינם ממונים תלמוד לומר ואשימם בראשיכם אם מיניתים הרי הם ממונים אם לאו אינם ממונים, יכול אם גדלתם אתם אותם הרי הם גדולים ואם לאו אינם גדולים תלמוד לומר ואשימם בראשיכם אם גדלתים הרי הם גדולים ואם לאו אינם גדולים.

דבר אחר אם שמרתם את דבריכם הרי ראשיכם שמורים ואם לאו אין ראשיכם שמורים.

דבר אחר אל תהי קורא ואשימם בראשיכם אלא ואשמם בראשיכם מלמד שאשמותיהם של ישראל תלויים בראשי דייניהם וכן הוא אומר °בן אדם צופה נתתיך לבית ישראל ושמעת מפי דבר והזהרת אותם ממני באמרי לרשע וגו׳ ואתה כי הזהרת רשע וגו׳ סליק פיסקא

יחזק׳ לג ז–ט

יד.

ותענו אתי ותאמרו טוב הדבר אשר דברת לעשות. היה לכם לומר רבינו משה ממי נאה ללמוד תורה ממך או מתלמידך או מתלמיד תלמידך לא ממך שנצטערת עליה כענין שנאמר °ויהי שם עם ה׳ ארבעים יום וארבעים לילה, °ואשב בהר ארבעים יום וגו׳, אלא יודע אני מה שתחת עקבי רגליכם הייתם אומרים עכשיו הוא ממנה עלינו דיינים שמונים אלף חסר פרוטרוט ואם אין אני בני ואם אין

שמות לד כח; דברים ט ט

המכירי מובא כאן מאמר מוזר מאד וראה בשנויי נוסחאות ואולי המאמר מעיקר הספרי ומפני זרותו השמיטוהו רוב המעתיקים: 2 אם מניתים, וזה בניגוד לדברי יוסיפוס בקדמוניות ספר ג׳ פרק ד׳ סימן א׳ שלפיו נבחרו הדיינים ע״י העם והשוה מה שהעיר בזה מורי ר׳ לוי גינזבורג בספרו אגדות היהודים ע׳ 28, הערה 164: 5 דבריכם, כלומר מנהיגיכם דהיינו פרנסי הדור, ר״ה: 7 מלמד וכו׳, דברים רבה פ״א סי׳ ח׳ ורש״י ולפי שניהם כתוב ואשמם חסר אבל לפי המסורה כתיב מלא: 8 בראשי דייניהם, משום דלא מוכחי להו, ר״ה. וכן כתב רש״י:

11 היה וכו׳, מובא במגן אבות לרשב״ץ דוראן פ״ד י״ח, ס״ג ע״ב: 15 שמונים אלף, אין ספק שזוהי הגירסה הנכונה, ולא שהם מונים כמו שנמצא בכל המקורות חוץ מה,נ, והכי גרסינן בסוף פ״ק דסנהדרין „ת״ר ושמת עליהם שרי אלפים שרי מאות שרי חמשים ושרי עשרות, שרי אלפים שש מאות שרי מאות ששת אלפים שרי חמשים שנים עשר אלף שרי עשרות ששת ריבוא נמצא דייני ישראל שבעת רבוא ושמונת אלפים ושש מאות" וכעין זה בירוש׳ סנהדרין פ״א ה״ג (י״ט ע״ג) ושם פ״י ה״ב (כ״ח ד׳) ותנחומא משפטים ו׳ וכתב ר״ה כאן אחר שהביא הברייתא מן הבבלי „והכי נמי איבעיא לידה למתני ממנה עליכם שהן מונין שבעת רבוא ותשעת אלפים חסר פרוטרוט דהיינו חסר ד׳ מאות דהוין פרוטרוט דאלף

בן אלעזר אומר אין לך כל ישיבה וישיבה שאין ממנה לגיהנם אבל ישיבה האחרונה כולה לגיהנם שנ׳ כי יראה חכמים ימותו (תהלים מ״א י״א)> ה, <רש״א אין ישיבה שאין ממנה לגיהנם ישיבה אחרונה כלה לגיהנם שנאמר כי יראה חכמים ימותו יחד כסיל ובער יאבדו וגו׳ קרבם ברתימו לעולם משכנותם לדור אחרון קראו בשמותם עלי אדמות> כ — 1 אתם רדבטלפ, ל׳ מהא | אתם–ממונים רטבל, אתם אותם הם ממונים ד, אותם הרי הן ממונים ה, אותם יהיו ממונים מא, אותם ממונים פ | ואם] אם ר — 2 ת״ל–אינם ממונים] ל׳ מא | אם מיניתים ט[1], אם מיניתם רט[2]. הא אם מיניתם ה, אם אני ממנה אותם ד, אם אני ממנם ל, אם אני מניתם ב — 3 אינם ממונים] <דבר אחר> ה | גידלתם אתם אותם ר, גידלתם אתם ב, גדלתם אותם טדלאמ, גדרתם אותם ה | הרי הם גדולים] הן גדורין ה | ואם] אם ר | ת״ל–אינם גדולים] ל׳ א | הרי הם רבלטד, יהיו מא — 4 אם גדלתים הרי הם–גדולים רמ, ל׳ דהבטל — 5 דבריכם] דבריהם ד | הרי] ל׳ ה | ואם אם א | לאו] לא שימרתם את עצמיכם ד | אין ראשיכם שמורים רדלאמה, אינם שמורים בט — 7 ד״א–ואשמם בראשיכם אמפ [ס׳ הזכרון], ל׳ רדהלבט — 8 שאשמותיהם אמדל [רש״י], שאשמם ה, שאשימיהם רטב. שאשמיהם פ | תלוים] תלוי ה | בראשי דייניהן] בפרנסיהן ה | וכה״א] כענין שנ׳ ה — 9 באמרי] ואומר באמרי א — 10 סליק פיסקא ד, פי׳ ר, כ״ד א —

11 לעשות] <אמר להם> ה | לומר] <לאו> ה — 12 רבינו משה רדהדלבט[1], משה רבינו אמט[2] | ממי] וממי ה | או מתלמיד תלמידך רמהטבא, או מתלמידי תלמידך ד, ל׳ ל | לא רמהטבא, ולא ד, לאו ל — 13 עליה רבטאמה, עליהם ד | <מם יום> ל | כענין רדבטל, כמו ה, ל׳ מא — 14 ואשב–וג׳ רבמהל, ואומר ואשב–מ׳ יום א, ל׳ דט | בהר מה לא [מסורה], שם רב | אלא] לא ה | שתחת רמדבטל, יש תחת הנ׳ | עקבי רדמבטל, עקובות הנ׳, ל׳ א | הייתם] אלא הייתם ל — 15 עכשו רמדבטלא, למחר הנ׳ | עלינו] עליכם נ׳ | שמונים נ׳ה [ט גליון], שהם שמונת רבוא ב, שהן

בני בן בני ואנו מביאים לו דורון והוא נושא לנו פנים בדין לכך נאמר ותענו אותי כשהייתי מתעצל בדברים הייתם אומרים יעשה הדבר במהרה סליק פיסקא

טו.

(טו) ואקח את ראשי שבטיכם אנשים חכמים וגו׳, ואצוה את שפטיכם. משכתים בדברים אמרתי להם אשריכם על מי אתם באים להתמנות על בני אברהם יצחק ויעקב בני אדם שנקראו אחים ורעים כרם חמדה ונחלה צאן מרעית וכל לשון חיבה.

אנשים חכמים וידועים, זו אחת משבע מדות שאמר לו יתרו למשה הלך ולא מצא אלא שלשה אנשים חכמים וידועים.

ואתן אותם ראשים עליכם, שיהו מכובדים עליכם ראשים במקח ראשים

מונין רבטדלא ׀ אלף חסר פרוטרוט רבלדטה, אלף פרוטרוט ל, אלא חסר פרוטרוט א, ל׳ מ ׀ ואם אין אני בני ואם אין בני בן בני מ, ואם אין—בא בן בני א, אם לאו [נ׳ לא] אני בני אם לא בני בן בני נ״ה, אם אני בני אם אין אני בן בני ר, אם אינו בני הרי הוא בן בני ואם אינו ב, אם אין בן בני בט, אם אינו בא ל, אם אינו שומע ד — 1 ואנו רמהג׳, ואני אב, אנו דלט ׀ לו] ל׳ ט ׀ מביאים—נושא] מוליכים להם הוריות [נ׳ דוריות, והן נושאין לנו פנים בדין הג׳, והוא נושא] והם נושאים נ״ה ׀ פנים בדין רטבלדהג׳, פנים א, ל׳ מ ׀ נאמר] ל׳ ה — 2 כשהייתי רמדבטלא, כל מה שהייתי הג׳ ׀ בדברים] ל׳ ד [רש״י] ׀ אומרים] <לי> הג׳ ׀ הדבר רמ הג׳א, דבר ט, ל׳ דבל [רש״י] ׀ במהרה רבטלא, מהרה דמהג׳ ׀ סליק פסקא ד, ל׳ ר, י״ב נ׳, כ״ה א —

4 משכתים ארדמה [רש״י, פס׳ זוט׳], משבתכם ב, משבאתם ל ׀ בדברים] <בתחלה> הג׳ ׀ להם מרדאט, לכם בל, להם דברי שבח הג׳ ׀ אשריכם—על בני] אשריכם שנתמניתם על הציבור אשריכם למי אתם באים לשמש בשררה לבני הג׳ ׀ אתם באים ארמלטה [פס׳ זוט׳], באתם דב — 5 בני אדם רדאטבהג׳ [פס׳ זוט׳], ל׳ מ, בני ל ׀ אחים רמדבטלא [פס׳ זוט׳], בנים אחים נ״ה ׀ כרם חמדה ונחלה ארמטב, חבל נחלתו ד, ל׳ נ״ה, כרם נחלה וחמדה ל, כרם חמד נחלת צבי [פס׳ זוט׳], חלק ונחלה [רש״י] ׀ מרעית ארטיל [פס׳ זוט׳], מרעיתי הג׳ט², מרעיתו ד, מרעיתן ב — 6 וכל מרטלאב [פס׳ זוט׳], לכל ד, בכל ה ׀ חיבה] של חיבה הנ׳ — 7 זו אחת אמלהג׳ [רא״ם], זו אחד ר, זה אחד דט¹, אחת ט², זו אם ב ׀ לו רדטיב ל [רא״ם], ל׳ אמהג׳ט² ׀ הלך רדטבל, והלך אמ [רא״ם], והלך ובקש הג׳ — 8 אנשים] אנשי ה ׀ חכמים רמדבל אג׳, חיל חכמים ה, <נבונים> ט ׀ וידועים] <י״ג> נ׳ — 9 ואתן—עליכם אמהג׳ [פס׳ זוט׳], ל׳ רבדלט ׀ שיהו רטלא, שיהיו דמהב ׀ ראשים במקח—בכניסה רב׳, ראשים במקרא ובמשנה במקח וממכר [ובממכר נ׳] בכניסה נ״ה, ראשון במקח ראשון בממכר ראשון במשא ובמתן [ומתן מ] ראשון בכניסה מא, ראשיכם במקח ראשיכם בממכר ראשיכם במשא ובמתן ראשיכם בכניסה ל, ראשיכם במקח ראשיכם במכר ראשיכם במשא במתן ראשיכם בכניסה ד, ראשיכם במקח ראשיכם בממכר ראשיכם במשא ומתן ראשיכם

וכיון דהוי כל הני דיינין מרובים אם אין אני דיין יהא בני וכו׳ אית דמפרשי דכתיב בספרים שהן מונין אלף חסר פרוטרוט דהיינו דיינין שאין בקיאין בחשבון בין אלף לאלף חסר פרוטרוט ואנו [בב״י ואינו] מטעין אותם בחשבון ולא סלקא דעתן דאי הכי מאי אם אין [אני] בני״:

4 משכתים וכו׳, רש״י, פ״ז, וכן ת״י ואורכתנון במליא, ובספרי במדבר פי׳ צ״ב (שם) „קחם בדברים, תחילה אמור להם דברי שבח אשריכם שנתמניתם״ ובכמה מקומות דורש לקח במובן זה, השוה מכילתא בשלח מסכתא ויהי פ״א (כ״ז ע״א, ה–ר ע׳ 88), מכילתא דמלואים צו ב. לקמן פ׳ ש״ה, ב״ר ט״ז ה׳ (ע׳ 148) ושם מ״ה ג׳ (ע׳ 449), במדבר רבה ריש פ׳ קרח (י״ח א׳), קהלת רבה י׳ י׳) והשוה מה שכתב בזה ר׳ חנוך אלבעק בס׳ Untersuchungen über die halakischen Midraschim ע׳ 5: 5 שנקראו אחים ורעים, מפ׳ ר״ה דכהיב למען אחי ורעי אדברנא שלום בך (תהלים קכ״ב ח׳), כרם דכתיב כי כרם ה׳ צבאות (ישעי׳ ה׳ ז׳) צאן מרעיתו דכתיב ואתנה צאני צאן מרעיתי (יחזק׳ ל״ד ל״א) וכל לשון חבה מפרש להו באגדת שיר השירים רשבעים שמות נקראו ישראל בכור נער רך ויחיד כדאיתא התם: 7 זו אחת, רש״י, פ״ז, כלומר נבונים שאינה נזכרת וכן פי׳ רש״י, ות״י ודברית ית רישי שבטיכון... גוברין חכימין ומרי מנדעא וסוכלתנין כרעיינהון לא השכחית, וכעין זה בפס׳ זוט׳ — משבע מדות, מ״ת י״ח א׳ (ע׳ 95), דברים רבה פ״א סי׳ ז׳, ומובא ברמב״ם ה׳ סנהדר׳ פ״ב ה״ז, ואלו הן שבע המדות אנשי חיל, יראי אלהים, אנשי אמת, שונאי בצע, המפורטות בפר׳ יתרו; חכמים, נבונים, וידועים הנזכרים בפרשה זו, אלה של פ׳ יתרו הן מידות מוסריות, ושל פרשה זו הן מידות שכליות: 8 ולא מצא אלא, השוה דברים רבה שם, ב׳ ערובין ק׳ ע״ב, אותיות דר״ע י״ט, וע׳ גינזבורג „אגדות היהודים״, ח״ו עמ׳ 28 הערה 164. — שלשה, המפרשים נחלקו ולא באו לידי החלט בפתרון המספר הזה, השוה רא״ם, וס׳ זכרון, ורד״ף. ולדעתי הדבר פשוט וקל, בפ׳ יתרו נאמר שמשה בחר מכל ישראל אנשי חיל (שמות י״ח כ״ד) משמע שבעלי מעלות המוסר האחרות לא מצא, ועכשיו אומר שלקח אנשים חכמים וידועים, ואילו נבונים לא אשכח הרי משבע המדות האמורות לא היו בהם אלא שלשה אנשי חיל, חכמים, וידועים: 9 שיהו וכו׳, פ״ז, רש״י — ראשים, השוה ב״ב כ״ב ע״א מעשי דרב דימי מנהרדעא ובבמדבר רבה פ׳ ט״ו סי׳ י״ז „ואתן

בממכר ראשים במשא ומתן ראשים בכניסה ויציאה נכנס ראשון ויוצא אחרון לכך נאמר ואתן אותם ראשים עליכם שיהו מכובדים עליכם.

שרי אלפים, שאם היו אלף תשע מאות ותשעים ותשעה אינו נתפס אלא שר אלף. שרי מאות, שאם היו מאה ותשעים ותשעה אינו נתפס אלא שר מאה. שרי חמשים, שאם היו חמשים וארבעים ותשעה אינו נתפס אלא שר חמשים. שרי עשרות, שאם היו תשעה עשר אינו נתפס אלא שר עשרה.

ושוטרים, אלו הלוים המכים ברצועה כענין שנאמר ושוטרים הלוים דהי״ב יט יא
לפניכם, ואומר והלוים מחשים לכל העם לאמר הסו סליק פיסקא נחמיה ח יא

טז.

(טז) ואצוה את שפטיכם בעת ההיא לאמר שמע בין אחיכם ושפטתם צדק, אמרתי להם היו מתונים בדין שאם בא דין לפניך פעם שתים ושלש אל תאמר כבר בא דין זה לפני ושניתיו ושלשתיו אלא היו מתונים בדין וכך היו אנשי כנסת הגדולה אומרים היו מתונים בדין והעמידו תלמידים הרבה ועשו סייג לתורה.

אותם ראשים עליכם, מיכן את למד שתנהוג בו מנהג נשיאות לעמוד מפניו וכו׳״: 1 נכנס, רש״י גורס נכנס אחרון ויוצא ראשון והמפרשים נלאו לתרץ גרסה מוטעת זו והשוה ברכות מ״ג ע״ב שגנאי לת״ח ליכנס לבית המדרש באחרונה, וכעין זה בדרך ארץ זוטא פ״ו, ובבמדבר רבה שם „להקדימו לכל אדם בכניסה ויציאה״, וע׳ רד״ף שם. — ראשון, כך יש לנסח על פי גהא ואעפ״י שבשאר הנסחאות הג׳ יוצא אחרון, ובזה סרה קושית המפרשים: 3 אינו נתפס אלא וכו׳, ע״י טעות נשתרבבו כאן ברוב הנסחאות (חוץ מהג׳) המלים חסר אחד מה שגרם לערבוביה גדולה בפתרון המאמר: 5 ארבעים, כך יש להגיה:

10 אמרתי להם הוו מתונים בדין וכו׳, עד הוו מתונים בדין, כגן אבות לרשב״ץ פ״א מ״א, לקח טוב לר׳ משה נאגארה, רש״י: 11 בא דין וכו׳, מובא במ׳ ויטרי סי׳ תכ״ד עמ׳ 464: — וכך היו, אבות פ״א מ״א, אדר״נ נו״א פ״א, עמ׳ 2, מכילתא מס׳ פסח פ״ו (ו׳

בכניסה ט — 1 נכנס ראשון ויוצא אחרון] נכנס אחרון ויוצא ראשון [רש״י] | אחרון רמרבטלה׳ [ועל הגליון נ״א ראשון] ראשון הג׳א | לכך–עליכם] ל׳ ה — 2 שיהו מכובדים עליכם] ל׳ ל — 3 שאם היו רדמבטלא, אם יש ג׳, אם יש שם ה (וכן בכל הענין) | אלף רמטבלא, אלא ד, אלף <או> ג׳ה | תשע מאות ותשעים ותשעה דמהג׳, תשע מאות צ׳ ט׳ ר, תשע מאות תשעים ותשעה לטב, ט׳ מאות צ׳ ט׳ א | אינו נתפס אלא ג׳ה, חסר אחד נתפס אטדל, חסר אלף נתפס ר, חסר אחד היה נתפס מ, חסר נתפס ב | שר אלף אבמרטדל [א״א], שרי אלף ג׳ה — 4 שרי מאות–שר עשרה] משרי מאות וכמו כן שרי חמשים ושרי עשרות ד | שאם היו רמלבט, אם יש שם הג׳, שאם היה א | מאה ותשעים ותשעה לט, מאה צ״ט מ, מאה או תשעים ותשעה ה, ק׳ צ׳ ט׳ ר, מאה תשעים ותשעה ב | אינו נתפס אלא ג׳ה, חסיר אחד נתפס רבלט, חסר אחד היה נתפס אמ | שר מאה אמ, שרי מאות ג׳ה, שר מאות רבלט | שרי חמשים–אלא שר עשרה וכמו כן שרי חמשים ושרי עשרות בלט — 5 שאם היו ראמ, אם יש שם הג׳ | חמשים וארבעים ותשעה כן יש לגרוס לפי דעתי; ואמנם הגרסות המקובלות הן: נ׳ מ׳ ט׳ ר, מ׳ ט׳ א, חמשים מ, חמשים או ארבעים ותשעה הג׳ | אינו נתפס אלא ה ג׳, חסר אחד היה נתפס מא, חסר אחד נתפס ר | שר רמא, שרי ג׳ה — 6 שאם היו רמא, אם יש שם הג׳ | תשעה עשר רא, עשרה תשעה מ, עשרה או תשעה הג׳ | אינו נתפס אלא הג׳, חסר אחד נתפס ר, היה נתפס מא | שר] שרי ג׳ה — 7 הלוים רג׳ה, לוים מא, ל׳ דבטל | ושוטרים הלוים לפניכם ר [מסורה], ושטרי הלוים לפניכם אטדמ, ושוטרי הלוים לפנים ל, ושוט׳ הלוים לפ׳ ב, ל׳ הג׳ — 8 ואומר רדבלאמ, ל׳ הג׳ | לכל העם–הסו רלה, לכל העם טג׳ב, לכל העם לאמר הסו היום קדש אל תעצבו אמ, לב העם ד | סליק פיסקא ד, פרשה ג׳, כ״ו א, ל׳ ר —

10 אמרתי דרבטלמא [מג׳ אב׳], אמר ג׳ה | להם] ל׳ א (ונוסף בין השטים) | היו רג׳מב, הוו דהטלא [מג׳ אב׳] | שאם–ושלש רא [מג׳ אב׳], שאם בא לפניך דין–ושלש מ, שאם בא דין לפניכם פעם ושתים שלש ב, שאם בא דין לפניכם פעם ושתים ושלש ט, שאם בא דין לפניך פעם אחת שתים ושלש ד [רש״י], שאם בא דין לפניכם פעמים ושלש ל, ל׳ ג׳ ה — 11 אל תאמר כבר בא ראמבדט׳ [מג׳ אב׳], אל תאמרו כבר בא ט׳ל, שלא יאמרו הואיל ובא ג׳, שלא תאמר הואיל ובא ה | לפני] <פעם שתים ושלש> ה | ושיניתיו רדבטלאמ [מג׳ אב׳], כבר שיניתיו ג׳ה | היו רג׳במ, הוו דטלא [מג׳ אב׳], ל׳ ה | וכך דא [מג׳ אב׳], כך רבטל, וכן ג׳הם | היו] ל׳ ה | אנשי רמהטבלא [מג׳ אב׳], ל׳ ג׳ד — 12 אומרים רבטלאמר, אמרו ה, אמרו ג׳ דברים ג׳, כותבין [מג׳ אב׳] | היו ר ג׳מהטב, הוו דלא [מג׳ אב׳] | והעמידו–לתורה רד להג׳, ועשו סיג לתורה בט, וכו׳ א, ל׳ מ [מג׳ אב׳] —

בעת ההיא לאמר, לשעבר הייתם ברשות עצמכם עכשיו הרי אתם עבדים משועבדים לצבור. מעשה ברבי יוחנן בן נורי וברבי אלעזר חסמא שהושיבכם רבן גמליאל בישיבה ולא הרגישו בהם התלמידים לעתותי ערב הלכו וישבו להם אצל התלמידים וכך היתה מדתו של רבן גמליאל כשהיה נכנס ואומר שאלו בידוע שאין שם קנתור כשהיה נכנס ולא.היה אומר שאלו בידוע שיש שם קנתור נכנס ומצא את רבי יוחנן בן נורי ואת רבי אלעזר חסמא שישבו להם אצל התלמידים אמר להם יוחנן בן נורי ואלעזר חסמא הרעתם׳ לצבור שאי אתם מבקשים לעשות שררה על הצבור לשעבר הייתם ברשות עצמכם מכאן ואילך הרי אתם עבדים משועבדים לצבור.

שמע בין אחיכם, כך היתה מדתו של רבי ישמעאל כשהיו באים אצלו לדין לפניו אחד ישראל ואחד גוי אם בדיני ישראל היה מזכה את ישראל ואם בדיני אומות העולם היה מזכה את ישראל אמר מה אכפת לי לא כך אמרה תורה שמע בין

1 בעת ההיא לאמר רמבלטד, כ״ז בעת ההיא א, בעת ההיא לאמר אמר להם ה, ד״א ואצוה אמר להם ג׳ | הייתם ג׳האפ, עומדים דט, אומ׳ רבל, משועבדים מ, וכן היה כתוב בא אלא שקו משוך תוך המלה | הרי] ל׳ ג׳ | עבדים ארג׳ה, עבדיו ב, ל׳ דמט, עצמיכם עבדים ל | משועבדים] עובדים פ — 2 מעשה—משועבדים לצבור] ל׳ מ | בר׳ יוחנן בן נורי ובר״א חסמא ראטבל, בר׳ אלעזר חסמא ור׳ יוחנן בן נורי ג׳ה, ב׳ר יוחנן בן נורי ור׳ אלעזר בן חסמא ד | שהושיבם רטלאהג׳, שהושי׳ ב, שהושיבו ד — 3 לעתותי אג׳ה, לעת רבטלד, ולעת ד | הלכו רד בטלאפ, באו ג׳ה | להם אג׳ה, ל׳ רבטלדפ | וכך אה, כך רבטלדג — 4 כשהיה רדבטלא, כל זמן שהיה ג׳ ה | ואומר שאלו רדבלאפ, והיה אומר להם שאלו ג׳ה, ואדם שאלו ט¹, שאלו ט² | בידוע רדבלאטפ, היו יודעין ג׳ה וכן בסמוך | כשהיה נכנס—קנתור] ל׳ ב | כשהיה רד לט, וכל זמן שהיה ג׳ה, וכשהיה א — 5 ולא היה אומר שאלו] ומצא ולא היה אדם שואלו ט׳ | אומר] <להם> ג׳ ה | שם] ל׳ ה, אבל נמצא בה׳ | נכנס—התלמידים] כיון שנכנס רבן גמליאל ג׳ה — 6 חסמא] בן חסמא ד וכן בכל הענין | יוחנן—ואלעזר רבט, ר׳ יוחנן—ור׳ אלעזר ד ל, ר׳ יוחנן בן נורי א, אלעזר חסמא ויוחנן בן נורי ה, אלעזר חסמא···· ג׳ — 7 הרעתם לצבור—הצבור] כנ״ל להגיה; ובכל המקורות חוץ מה הג׳ הודעתם—לצבור ובה הורעתם, וזו גרסת ה: „עכשיו הורעתם את עצמכם שאין אתם באים לשמש בשררה לצבור״ | שאי אתם ר, שאין אתם אז, שאתם בלדט | שררה טא, סררה רל, שררות ד, סררות ב — 8 מכאן ואילך] עכשיו ה | עבדים משועבדים הא, משועבדים רבטלפ, עבדים ומשועבדים ד — 9 שמוע] כ״ח שמוע א | היתה מידתו] היה במדתו ד | כשהיו באים אצלו ר, כשהיו שנים באים אצלו טבד, אם באו שנים ה, בזמן ששנים באו מ, בזמן ששנים באין א, כשהיו שנים באין ל — 10 לפניו] ל׳ ד | אחד ישראל ואחד גוי רלא, אחד גוי ואחד יש׳ טבהד, אחד לישראל ואחד לגוי מ | אם בדיני ישראל—רשב״ג אומר אינו צריך] ל׳ ד ל | אם רמאב, אם באו לדון ה, אם יכול לזכות את ישראל ט¹, אם לא יכול לזכות את ישראל ט² | בדיני ישראל היה מזכה את ישראל] בדיני ישראל מ | היה מזכה את ישראל אמר מה איכפת לי—היה דן בדיני א:מות] היה דן בדיני אומות העולם ב | אם בדיני או״ה—ישראל] ואם באו לדון בדיני א:״ה היה מזכה את הגוי ה — 11 העולם] ל׳ א | לא כך—אחיכם ראט, שמוע בין אחיכם

ע״ב, ה—ר ע׳ 18): 1 בעת ההיא, להכי בעת ההיא דמשמע בעדת ההיא שמיניתים שופטים ליתא כי היכי דתהויין בזמן עבר, לשעבר עד נתמניתם הייתם ברשות עצמכם עכשו הרי אתם עבדים, מפי׳ ר״ה, וכן פירש רש״י. — לשעבר, רש״י, פ״ז, לקח טוב; כאן מוצא הגר״א מקור לחיוב הדיין הממונה לרבים לישב בדין הבא לפניו ושלא לסרב, עיין הערתו לשו״ע חו״מ סי׳ ב׳ ס״ק ב׳, וברמב״ם ה׳ סנהדרין פ׳ כ״ב ה״א ועוד בתשובות מהר״ם בר ברוך דפוס פראג, סימן תרס״ו, במרדכי ריש סנהדרין, ובתקנות הקהלות בספרי „שלטון—עצמי של היהודים״ ע׳ 178: 2 מעשה וכו׳, בהוריות י׳ ע״א מסופר הסיבה להתמנות החכמים ע״י רבן גמליאל ששבחם ר׳ יהושע בן חנניה לפניו, במקום ר׳ יוחנן בן נורי הגרסה שם ר׳ יוחנן בן גודגדא; אבל נוסחת הספרי עיקר שר׳ יוחנן בן גודגדא היה זקן מר׳ יהושע והיה ממונה במקדש (תוספתא שקלים פ״ב הי״ד ע׳ 177, ב׳ ערכין י״א ע״ב) ולא היה חבר לר׳ אלעזר חסמא הקטן מר״ע תלמידו של ר׳ יהושע (ויק״ר פ׳ כ״ג) אמנם ר׳ יוחנן בן נורי היה חבר לר״ע ותלמיד חבר לר׳ יהושע (ב׳ ערובין מ״א ע״א, אהלות פי״ד מ״ג) והיה עני מאד עד שיצא עם הנמושות ללקוט פאה (ירושלמי פאה פ״ח ה״א, כ׳ ע״ד), אמנם ר׳ זאב יעבץ מבכר גרסת הגמרא בן גודגדא ועיין בספרו תולדות ישראל ח״ו ע׳ 283. — בר׳ יוחנן וכו׳, מובא בסדר יוחסין עמוד 41, ערך ר׳ יוחנן בן גודגדה: 5 קנתור, מל״י κώθων ועי׳ לעיל פי׳ א׳ „נתקנתר על ידי עקיבה״: 7 הרעותם, גרסה זו יוצאת משויון גרסת מ״ת הורעתם את עצמכם, עם שאר הנסחאות הודעתם לצבור, ופתרון המאמר הוא: עשיתם עול ורעה לצבור במה שמשכתם ידיכם מן השררה המוטלת עליכם. המעתיקים שלא הבינו כוונת הספרי שבשו את דבריו זה בכה וזה בכה: 9 כך היתה, מכילתא דרשב״י כ״ג, ו׳ (ע׳ 155) ב״ק קי״ג ע״א ושם חולק ר״ע על ר״י, והשוה עוד ירו׳ ב״ק פ״ד ה״ג, ד׳ ע״ב, „ר׳ אבהו בשם ר׳ יוחנן אמר כדיניהן״ וראה מה שהעיר שם הח׳ ר׳ ישראל לוי. — ר׳ ישמעאל, היה לאומי נלהב, תוספתא סוטה פ׳ ט״ו ה״י (ע׳ 322) שם חולין פ״ב ה׳ כ״ג (ע׳ 503) ב׳ ב״ב ס׳ ע״ב, שם ע״ז כ״ז ע״ב, ובודאי מפני קנאתו הלאומית נהרג עם ר׳ שמעון חברו גם קודם ר״ע ולפני התגברות גזרות השמד:

אחיכם, רבן שמעון בן גמליאל אומר אינו צריך אם בא לדון בדיני ישראל היה דן בדיני ישראל בדיני אומות היה דן בדיני אומות.

ושפטתם צדק, צדיק בצדקו תובע ומביא ראיות, משל זה עוטף בטליתו וזה א׳מר שלי היא, זה חורש בפרתו וזה אומר שלי היא, זה מחזיק בתוך שדהו וזה אומר שלי הוא, זה יושב בתוך ביתו וזה אומר שלי הוא, לכך נאמר ושפטתם צדק צדיק בצדקו תובע ומביא ראיות.

בין איש, להוציא את הקטן, מכאן אמרו אין דנים יתומים.

בין איש ובין אחיו, אין לי אלא בין איש לאיש בין איש לאשה בין אשה לאיש בין אומה למשפחה בין משפחה לחברתה מניין תלמוד לומר בין איש ובין אחיו מכל מקום.

ובין גרו, זה שאוגר עליו דברים אמר לו חרשת תלם בתוך שדי והוא אומר לא חרשתי המית שורך את שורי והוא אומר לא המית המית שורך את עבדי והוא אומר לא המית לכך נאמר ובין גרו זה שאוגר עליו דברים. דבר אחר ובין גרו זה שכנו, דבר אחר זה שושבינו, דבר אחר זה תותבו סליק פיסקא

יז.

(יז) לא תכירו פנים במשפט, זה הממונה להושיב דיינים שמא תאמר איש

1 — ה אחיכם בין שמוע אלא תורה אמרה שלא ,מ כתיב אינו צ-ריך] לא היה צריך אלא ה | בא] באו ה | לדין ר מה, לדון דא | היה דן בדיני ישראל] דן ל, דנן כדיני ישראל ה׳, דנן בדיני ישראל ה — 2 היה דן] דנן ה | בדיני רה, כדיני ה׳, ואם בדיני ד, אם בדיני מא | אומות רא, אומות העולם מדהל [וכן למטה] <שלא אמרה תורה אלא ושפטתם צדק> ה — 3 צדיק בצדקו רתובע ומביא ראיות רמדב, צדיק בצדקתו תובע מביא ראיות טלא, לעולם הצדיק בצדקתו והתובע יביא ראייה ה | משל רמ הט׳, משלי א, ל׳ דל, <שאף> ט׳, <שאם> ב | עוטף רדבטל, עטוף מאה | בטליתו] <זה אומר שלי היא> ד — 4 שלי] שלו ר | זה תורש בפרתו וזה אומר שלי היא] ל׳ מאה | זה חורש ר, החורש ב, וזה חורש לדט, וזה] זה א | זה מחזיק בתוך שדה-ו - זה יושב בתוך ביתו וזה אומר שלי הוא ר, זה מחזיק בתוך שדהו [בשדהו ט²], וזה אומר שלי הוא בט, זה יושב בתוך ביתו וזה אומר שלי הוא ד, זה יושב בתוך ביתו [בביתו מל] וזה אומר שלי הוא זה מחזיק ברתוך שדהו וזה אומר שלי הוא מא ל, זה יושב בתוך ביתו וזה אומר שלי הוא זה חורש בפרתו וזה אומר שלי הוא זה מחזיק בתוך שדהו וזה אומר שלי הוא ה — 5 לכך נאמר] ל׳ ה | צדיק–ראיות] על כולן הוא אומר התובע יביא ראייה ה — 6 ומביא רדבמ, מביא טלא — 7 בין איש לאיש אהמפ, ל׳ רדב | בין איש לאחיו ט, בין איש בין אחיו ל | בין איש לאשה רדדהטלפ, ובין איש לאשה א, ל׳ מ | בין איש לאשתו ד — 9 בין משפחה] ובין משפחה א — 11 שאוגר עליו] שהוא אוגר אחריו ה | תלם] ל׳ ד | בתוך שדי מהא, בתוך שלי בדטל, שלי ר — 12 לא חרשתי] <הוא אומר> ד | המית שורך את שורי והוא אומר לא המית אמהרטל, המית שורך את שורי ב, ל׳ ד — 13 לכך נאמר ארדבטל, הא מה ת״ל ה, לכך אומר מ | זה–דברים ארדבטל, ל׳ מ, זה שהוא אוגר אחריו דברים ה | ד״א–שכנו] ל׳ מא — 14 ד״א] ל׳ ה | ד״א] <ובין גרו> דל, <ובין גר> א | תותבו רמהטא, חותנו דבל, [פי׳ הדר אצלו> מ | סליק פיסקא ד, ל׳ אר —

15 להושיב–אושיבנו] להשיב–אשיבנו ר [וכן בכל הענין] | שמא] שלא פ | איש פלוני נאה אושיבנו דיין] ל׳ ל —

3 רתובע וכו׳, כלומר המוציא מחברו עליו הראיה, ב׳ ב״ק מ״ו ע״א. בספר „שי למורה״ לכבוד ר׳ משה שטיינ־ שניידר, הציע ר׳ יהודה אריה בלוי להגיה כאן רתובעו מביא במקום תובע ומביא ואין נראה לי: 7 אין דנים, תוספתא תרומות פ״א הי״א (ע׳ 26) ושם ב״ב פ״ח הט״ו (ע׳ 410) „אין דנין לחוב ולזכות להכניס ולהוציא יתומין״, ב״ק פ״ד מ״ה וב׳ ב״ק ל״ט ע״א וירוש׳ שם וכן במכילתא משפטים מסכתא דנזיקין פ׳ י״ב (פ״ח ע״א, ה—ר ע׳ 290) ומכילתא דרשב״י כ״א ל״ה ע׳ 135, „שור איש להוציא את הקטן״ והשוה רמב״ם הל׳ נחלות פי״א ה״ז וראב״ד שם: 10 מכל מקום, דכל ישראל אחים נינהו, ר״ה: 11 זה וכו׳, רש״י, פ״ז — שאוגר, היינו שכונס כדכתיב אוגר בקיץ בן משכיל (משלי י׳ ה׳), ר״ה ובת״י ובין מאן דמאגר מילי דינין, והשוה במדבר רבה פ״כ סי׳ ג׳ „אין ויגר אלא ל׳ אסיפה״: 14 שכנו, כדכתיב ומגררת ביתה (שמות ג׳ כ״ב), ר״ה, וכן בסנהדרין ז׳ ע״ב „ובין גרו, אפילו בין בית לעליה״ — תותבו, הגר״א גורס תושבו וכן מתורגם בפשיטא תותביה, והוא תרגום של תושב:

15 זה הממונה וכו׳, מובא ברמב״ם ס׳ המצות לאוין רפ״ד, וביד ה׳ סנהדרין פ״ג ה״ח, ובסמ״ג ל״ת קצ״ד, בס׳

פלוני נאה אושיבנו דיין איש פלוני גבור אושיבנו דיין איש פלוני קרובי אושיבנו דיין איש פלוני הלווני ממון [הליניסטון] אושיבנו דיין נמצא מזכה את החייב ומחייב את הזכיי לא מפני שהוא רשע אלא מפני שאינו יודע מעלה עליו כאלו הכיר פנים בדין.

כקטן כגדל תשמעון, שמא תאמר הואיל ועני זה עשיר זה מצווה לפרנסו אזכנו ונמצא מתפרנס בנקיות תלמוד לומר כקטן כגדל תשמעון.

דבר אחר כקטן כגדל תשמעון, שמא תאמר היאך אני פוגם כבודו של עשיר זה בשביל דינר אזכנו ולכשיצא לחוץ אני אומר לו תן לו שאתה חייב תלמוד לומר כקטן כגדול תשמעון.

לא תגורו מפני איש, שאם באים שנים לפניך עד שלא תשמע לדבריהם אתה רשיי לשתוק משתשמע לדבריהם אי אתה רשיי לשתוק וכן הוא אומר °פוטר מים ראשית מדון ולפני התגלע הריב נטוש, עד שלא נתגלה הדין אתה רשיי לשתוק משנתגלה הדין אי אתה רשיי לשתוק, שמעת את הדין ואי אתה משלי יז יד

1 דיין] <איש פלוני יודע בכל לשון> ה | דיין] בדיין ל [וכן בכל הענין] | גבור אושיבנו דיין] <איש פלוני עשיר אושיבנו דיין> ה | איש פלוני קרובי אושיבנו דיין] ל׳ ר | קרובי] יודע בכל לשון [ריב״ש] — 2 הליניסטון] כן הגיה רד״ה בהערה למ״ת כאן, והגרסאות המקובלות הן: הלווני ממון רדבל, [ריב״ש] הלווני מעות ט, זְמַנֵי מ, זמנני א, אנגליס מינס ה [ובמה״ג שם „פי׳ יודע חכמת יונית״] | אושיבנו] ואושיבנו ל | דיין אמה [רש״י] <איש פלוני יודע בכל לשון> רבלדט [רמב״ם יד ה׳, כפתור ופרח] | נמצא רמהבטלא, נמציא ד, ונמצא פ — 3 אלא] ולא ד | שאינו] שאין רה | יודע <לדון> ה | מעלה עליו ראדבט, ומעלה אני עליך ה, מעלה אני עליו מ, מעלה [ומעלה, ריב״ש] עליו הכת׳ ל [ריב״ש] | הכיר פנים בדין רמדא, הכרת פנים במשפט ה, מכיר פנים בדין ט, מכיר פנים במשפט ל, הכרת פנים בדין הי — 4 תשמעון] <הא כיצד באו שנים לפניך לדין אחד עני ואחד עשיר> ה | שמא] שלא ה | תאמר דטלאמה, תומר רב | הואיל ועני—מצוה לפרנסו ר, הואיל ועני זה זה עשיר לפרנסו ב, הואיל וזה עני וזה עשיר זה מצוה [והמצוה ל] לפרנסו דטל, זה עני וזה עשיר מצוה לפרנסו מ, זה עני וזה עשיר זה מצוה לפרנסו א, עני הוא זה הואיל ואני ועשיר זה חייבין לפרנסו ה [רמב״ם] — 5 אזכנו ר דלטב, ואזכנו ה, אזכה אותו מא | מתפרנס מדהא, יפרנסו ר, מפרנסו בטל | ת״ל] לכך נאמר ה — 6 ד״א—תשמעון ראמהד, ד״א טל, ל׳ ב | תשמעון] <באו שנים לפניך לדין אחד עני ואחד עשיר> ה | שמא] שלא ה [רש״י] — 7 זה] ל׳ א | בשביל דינר רמדבל [רש״י] בשביל שחייב לו דינר ה, בשביל דינו ט, בשביל דינך זה א | ולכשיצא לדטהא, ולכיוצא ב. וכשיצא מ, וכשיוצא [רש״י] | לחוץ רמהאל [רש״י], חוץ דבט | אני אומר רדה, אר׳ אני א, אומר דמבטל [רש״י] | לו תן לו אברמט² [רש״י], ליתן לו רדטי | שאתה רדאמטל, מה שאתה ה, שאינו ב | חייב] <לו> טא — 9 לא תגורו—ומנאץ את יוצרו] ח׳ ה | לא—איש רבטדל, ד״א כקטון כגדול א, ד״א מ, ל׳ ר | שאם באים שנים רבלדט, שאם בא שנים מא | לפניך אמ, לדון לפניך ר, לדין לפניך דבל | לדבריהם רא, דבריהן מ, את דבריהם דבטל — 10 משתשמע לדבריהם [דבריהם מטא, מהר״ס], אי אתה רשאי לשתוק רמבטא [מהר״ס], משתשמע דבריהם משנתגלה לך הדין אי אתה רשאי לשתוק ט², ל׳ ד ל | וכן הוא אומר—עד שלא נתגלה הדין [הריב מ] אתה רשאי לשתוק [לנוטשו מ] מא, ל׳ רבטלד — 12 משנתגלה הדין

החנוך סימן תי״ד, ובכפתור ופרח פי״ב, עמוד 325 ובשו״ת ריב״ש סי׳ רע״א (קושטא ש״ו): 2 הליניסטון, כן הגיה ר׳ דוד הופמאן במ״ת, וסרה קושית רד״ף, ואולי המשפט „איש פלוני יודע בכל לשון״ הנמצא ברבטלד וחסר בה מא מעיקרו פירוש על הגליון אל המלה הליניסטון: 4 כקטן כגדל תשמעון וכו׳, מפרש תשמעון כמו „תדין״ או „תשפוט״ וכן בתרגום השבעים [illegible]: 6 שמא תאמר, תורת כהנים שם׳ — זה וכו׳, רש״י, פ״ז׳ — שמא וכו׳, פ״ז, רש״י — שמא תאמר וכו׳, תו״כ פ׳ קדושים פ״ט ע״א, ומשם מובא ברמב״ם ה׳ סנהדרין פ״כ ה״ד, ובמגדל עוז שם ועי׳ מכיל׳ דרשב״י כ״ג ג׳ (ע׳ 154). — הואיל ועני, מפרש גדול וקטן איש גדול ואיש קטן וכן בתרגום השבעים ובפשיטא ובוולגאטא, אבל בת״י מילי זעירא כמילי רבא, וכן בת״א מילי זעירא כרבא, וזהו בהתאם לדרשתו של ריש לקיש „לומר לך שיהא חביב עליך דין של פרוטה כדין של מנה (סנהדרין ח׳ ע״א)״: 9 לא תגורו וכו׳ עד את יוצרו, חסר במ״ת ונראה שנוסף מגליון ואינו מעיקר הספרי ומפני זה אין המאמר שאחריו פותח ב„דבר אחר״ כרגיל בשתי דרשות על פסוק אחד, ומפני סבה זו עלו בו ג״כ הרבה שבושים שהיה כתוב מתחילתו על הגליון במקום מצומצם באותיות קטנות. — שאם באים וכו׳, תוספתא סנהדרין פ״א ה״ז (עמ׳ 415) בשם ר׳ יהודה בן לקיש וכן בשמו בירוש׳ שם פ״א ה״א (י״ח ע״ב) ובב׳ שם ו׳ ע״ב ושם צריך לומר „יהודה בן לקיש״ במקום ריש לקיש, (וכ״ה לנכון ברי״ף ורא״ש ובשאלתות) תנחומא א׳ משפטים ו׳, והשוה דברי ר׳ שמעון בן מנסיא המובאים במקורות הנזכרים אבל בספרי מעורבבים הם עם מאמר ר׳ יהודה בן לקיש: 12 משנתגלה וכו׳, וכן בת״י ומדשמעתון מיליהון לית אפשר לכון דלא למדנהון (פ׳ ט״ז). — שמעת את הדין, עד כאן מדבר בחיוב הדיין לשבת על המשפט, ועכשיו ברשותו לדון בפשרה תחת דין תורה וכן הוא בבבלי וירו׳ ובתוספתא שם לדברי ר׳ שמעון בן מנסיא:

יודע לזכות את הזכיי ולחייב את החייב אתה רשיי לשתוק שנאמר ⁰ואלה (זכריה ח טז)
הדברים אשר תעשו דברו אמת איש לרעהו אמת ומשפט שלום·
איזה הוא שלום שיש בו משפט אמת הוי אומר זה ביצוע· רבן שמעון בן גמליאל
אומר המעלה את הקטן למקום גדול והגדול למקום קטן זה ביצוע· וחכמים אומרים
כל המבצע הרי זה חוטא שנאמר ⁰ובוצע ברך נאץ ה׳ נמצא זה משבח את (תהלים י ג)
הדיין וזה מנאץ את יוצרו·

לא תגורו מפני איש, שמא תאמר מתירא אני מפלוני שמא יהרוג את בני
או שמא ידליק את גדישי או שמא יקצץ את נטיעותי תלמוד לומר לא תגורו מפני
איש כי המשפט לאלהים הוא וכן יהושפט אומר ⁰ויאמר אל השופטים (דהי״ב יט ו)
ראו מה אתם עשים כי לא לאדם תשפטו כי לה׳.

והדבר אשר יקשה מכם, אמר לו הקדוש ברוך הוא למשה אתה דן דין
קשה, חייך שאני מודיעך שאי אתה דן דין קשה אני מביא עליך דין שתלמיד תלמידך

---

3 איזה הוא שלום וכו׳, כל זה בתוספתא, בירושלמי ובבבלי שם· — זה ביצוע, ובת״י על הפסוק ושפטתם צדק, ותדונון דינא בקשוט ופשרות שלמא· — רשב״ג וכו׳ עד נאץ ה׳, מכירי תהלים י׳ ט׳ (ל״א ע״א): 4 המעלה וכו׳, כלומר שהממנה דיינים ומושיב הקטן במקום גדול הוא גורם לביצוע במקום הדין, שהדיין אינו יודע לפסוק ע״פ התורה ומוכרח לסמוך על הפשרה· — וחכמים אומרים וכו׳, כעין זה בשם ר׳ אליעזר בר׳ יוסי הגלילי בתוספתא, ובבבלי, ובירוש׳ שם: 5 כל המבצע וכו׳, כל מחלוקת זו מתבארת היטב לאור המאורעות שאירעו בזמן החולקים שחיו כולם בשלהי השמד· אז נאסר בוודאי לדון בדיני ישראל, וגם הומתו רוב הדיינים המוסמכים עד שהוכרחו בעלי הדין לפנות אל הדיוטות לפשר ביניהם עד שהפשרה נעשתה למנהג קבוע ורגיל, וכאשר בטלו הגזורות התנגדו החכמים אל המנהג שנראה להם כחלול התורה ובטול המשפט העברי ואמנם דעה אחרת היא זו של ר׳ אלעזר המודעי שחי לפני תקופת השמד הסובר· „יראי האלהים אלו שעושים פשרה בדין״ (מכילתא יתרו מסכת עמלק פ״ב, ס׳ ע״א, ה–ר 198)· — משבח את הדיין, ההוא דלוקח ממון חברו בחנם וזה מנאץ את יוצרו היינו דנלקח ממנו ממונו בחנם דמשמע קרא הכי כל הבוצע ומברך, מפי׳ ר״ה: 11 אמר לו הב״ה, רש״י, פ״ז, מכי׳ דר״ש י״ח כ״ו (ע׳ 91), סנהדר׳ ח׳ ע״א, תנחומא א׳ פינחס סי׳ ח׳, תנחומא ב׳ מקץ סי׳ ר׳ צ״ו ע״ב, שם פינחס סי׳ ט׳ ע״ז ע״א, קהלת רבה ח׳ י״ז, אגדת בראשית סי׳ ס״ט ע׳ 137, מדרש שמואל י״ד ע׳ 88, והשוה במדבר רבה פ׳ כ״א סי׳ י״ב· המאמר מובא ג״כ ברש״י ש״א ט״ז ז׳, וברד״ק שם ט׳ י״ט בלי ציון על הספרי ובציון לספרי בילקוט ש״א ק״ח אבל מן הסגנון מוכח שנעתק שמה מן התנחומא: 12 שתלמיד תלמידך, לא נתברר מי היה, ברוב המקורות הנוסח: „שתנוקות של בית רבן יודעים אותה״, אמנם בתנחומא ב׳ פ׳ מקץ הג׳ „שהנשים יודעות״ וכן הגיה הגר״א בספרי, ואין הגרסאות האלה מתקבלות כי איך ידעו תנוקות של בית רבן דין נחלות קודם שנאמר למשה, והלא אי איפשר שיעמדו על זה מדעתם וגם הגרסה „הנשים יודעות״, המכוונת לבנות צלפחד יש בה קושי הלא הן שאלו ולא ידעו את ההלכה? ולכן נראה לי שגרסת הספרי היא הקדומה והנכונה, וכונתה על אלעזר הכהן הנזכר שם יחד עם משה, ותעמדנה לפני משה ולפני אלעזר הכהן (במדבר כ״ז ב׳), ואלעזר תלמידו של אהרן שהוא תלמידו של משה ואעפ״י שחז״ל פירשו שבאו לפני אלעזר והוא הביאן אל משה משמע שאלעזר לא היתה נהירא ליה ההלכה אין בזה ראיה לסתור כי אולי היתה להם אגדה יותר עתיקה שאלעזר ידע את ההלכה ורק מפני כבודו של משה

א. משנתגלה לך הדין רבל, משיתגלה לך הדין רט, משנתגלה הריב מ | לשתוק] לנוטשו מ | ואי] ואין ד — 1 יודע] להיכן ד | את] ל׳ ד — 2 דברו—שלום דל, ואומ׳ אמת ומשפט שלום שפטו בשעריכם מ, ואו׳ אמת ומשפט א, דברו אמת וג׳ בר, דברו אמת ט | לרעהו] ובמקרא, את רעהו — 3 איזה הוא שלום] ל׳ ד | שלום בטלד, דין מא, ל׳ ר — 4 והגדול רבטלכ, וגדול ד, ואת הגדול מא | זה רמבא, זהו דל — 5 הרי זה חוטא רכ פ, זהו חוטא מ, זה חוטא א, הרי זה מנאץ דבטל | את הדיין וזה מנאץ פרמא, את הדיינים ומנאץ ד, את הדיינין וזה מנאץ טב, את הדין וזה מנאץ ל — 7 לא תגורו רטלבה, ל״א לא תגורו א, ד״א לא תגורו ד | שמא רמאדבל, שלא ה, או שמא ט | תאמר מהטדלא, תומר רב | מתירא אני מפלוני ראה [רא״ם], מפלוני אני ירא מ, מתירא אני מפני פלוני ט, מתירא אני מפני איש פלוני ד, מתירא אני את האיש פלוני ל, מתירא אני מאיש פלוני [רמב״ם סה״מ, מג׳ עוז, חנוך], מתיירא אני את איש פלוני [ס׳ חסידים] | יהרוג ל׳ א [ובין השטים נוסף „יכה״] יהרגני או יהרוג אחד מבני ביתי [חנוך], יהרגני או שמא יהרוג את בני ביתי [מג׳ עוז] — 8 או רבלדטה [חנוך], ל׳ מ א, [רמב״ם סה״מ, מג׳ עוז, ס׳ חסידים] | או רדבטלה [חנוך, מג׳ עוז, רמב״ם סה״מ] ל׳ מא [ס׳ חסידים] | יקצץ אמדהטיל [רמב״ם סה״מ, מג׳ עוז, [ס׳ חסידים] מקצץ בט², יקצוץ רד [חנוך] | ת״ל] לכך נאמר ה — 9 כי המשפט—הוא מא, ומפני [מפני ה] מה טעמו של דבר מגיד כי המשפט לאלהים הוא ה, ל׳ רבדטל | יהושפט אומר ר הא, ביהושפט אומר ב, ביהושפט הוא אומר ד טל, יהושפט אמר כן מ, <לדיינין שהושיב בערי יהודה> ה | אל השופטים מה [מסורה], לשופטים רבדלא — 10 ראו] דעו ר | לה׳] אם לה׳ ד, אלף לה׳ ב, <ואומר אלהים נצב בעדת אל, בקרב אלהים ישפוט (תהל׳ פ״ב א׳) ואומר כי אלהי משפט ה׳ (ישעיה ל׳ י״ח)> ה — 11 והדבר אשר יקשה—ואל גבה קומתו כי מאסתיהו] ח׳ ה | למשה ארבדטל [רא״ם] משה מ, למשה משה [מ׳ שמואל] — 12 שאני בדטל [רא״ם], שני ר, אני מא | שאי רבטב,

יכול לשמעו ואתה אי אתה יכול לשמעו ואיזה זה דינן של בנות צלפחד, וכן הוא אומר
במדבר כז ה ש"א ט יח-יט ויקרב משה את משפטן לפני ה', כיוצא בו אתה אומר ויגש שאול את
שמואל בתוך השער וגו' ויען שמואל את שאול ויאמר אנכי הראה,
אמר לו הקדוש ברוך הוא אתה הוא רואה, אני מודיעך שאי אתה רואה, אימתי הודיעו
שם טז א בשעה שאמר לו מלא קרנך שמן ולך אשלחך אל ישי בית הלחמי כי
שם טז ו ראיתי בבניו לי מלך, מהו אומר ויהי בבואם וירא את אליאב ויאמר
שם טז ז אך נגד ה' משיחו, אמר לו הקדוש ברוך הוא לא אמרת אנכי הרואה, אל תביט
אל מראהו ואל גבה קומתו כי מאסתיהו סליק פיסקא

יח.

(יח) ואצוה אתכם בעת ההיא לאמר את כל הדברים אשר תעשון, אלו עשרה דברים שבין דיני ממונות לדיני נפשות.

(יט) ונסע מחורב ונלך את כל המדבר הגדול והנורא ההוא, בני אדם שראו נחשים כקורות ועקרבים כקשתות סרוחים ומושלכים לפניהם, עליהם הוא

שאין אלך [רא"ם] ׀ אני רבט [רא"ם, מ' שמואל], שאני דל, ל' מא ׀ מביא עליך רבטדל, אביא לפניך מ א [רא"ם, מ' שמואל] ׀ דין רמבטלא [א"א], דבר [רא"כ], <קשה> ד — 1 לשומעו ארמל [רא"ם, מ' שמואל], לשמוע דבט ׀ ואתה אי אתה ר, ואי אתה בטמ [רא"ם], ואין אתה ד, ואי אתה דן ל, ואין את [מ' שמואל], ואתה אין אתה א — 2 לפני ה' מהבטל] <כיוצא בו ואלישע וה' העלים ממני בשביל שא'> ר, [ובמ למטה בסוף הפיסקא] ׀ כיוצא בו אתה רמטלא, וכן הוא ד, כיוצא אתה ב — 4 אתה] שמואל אתה א ׀ הוא רואה רבטמלא, הרואה ה, רואה ד [מ' שמואל] ׀ אני רמבט [מ' שמואל], חייך שאני ד [רש"י], אף אני ה, חייב אני ל ׀ מודיעך] אראך ה, מראך [מ' שמואל] ׀ שאי רמבלא, שאין דט [מ' שמואל] ׀ אימתי הודיעו רמאטל, ואימתי הודיע לו ד, ואימתי הראהו ה, אימתי הראהו [מ' שמואל] ל' ב — 7 אמר] ואמר א ׀ לו] ל' ט ׀ הקב"ה ארדמהל, הק' בט ׀ לא רמבד, לא כך ה, לא אם ל, ל' ט¹ ׀ אנכי המא, שאני רבט¹ל ׀ הרואה אמדה, רואה רבטל, <אמר לי הקב"ה> ד — 8 מאסתיהו] <כיוצא בו באלישע וה' העלים ממני בשביל שאמר ומה לעשות לך> מ, וכן בר למעלה אחר המלים „את משפטן לפני ה'" ׀ סליק פיסקא ד, ל' ר, ל"ב א — 10 תעשון מ (מסורה), תעשו א, תע' ה ׀ עשרה דברים אמה, עשרת הדברים בדטל [רש"י], י' דברות ר, הדברים פ, עשרת הדברות ל — 11 ונסע ד, פ' ונסע ר, ל"ג ונסע א ׀ ההוא] <אמר להן המקום עליכם הוא גדול ונורא> ה — 12 נחשים] נחשים ועקרבים א ׀ כקורות] <בית

שתק ורד"ף ובעל ז"א פירשו שיש ללמוד ההלכה מדין ייבום ע' ב"ב קי"ט ע"ב: 2 כיוצא בו וכו', בר נוספה אגדה כזו גם על אלישע שנעלם ממנו ענין השונמית עיי' שנו' נוסח', והמעשה מובא באגדת בראשית ס"ט (ע' 138). — ויגש שאול וכו', תנחומא ב' מקץ צ"ו ע"א, אגדת בראשית סי' ס"ט ע' 137, מדרש שמואל סי' י"ד עמוד 88, (ר' יהושע דסכנין בשם ר' לוי) ועיין בס' אגדות היהודים ה"ו ע' 248, הערה 19, ובספר חסידים הוצאת פריימאן סי' תתר"ד ע' 248:

10 עשרה, סנהדרין פ"ד מ"א, לפי נוסח המשנה בבבלי ובירושלמי וכ"י פארמא ובודאפעסט ומתניתא דבני מערבא, הוצ' לעווע. אמנם במשנה ד' נאפולי ובכל ההוצאות המבוססות עליה נפרטו רק תשע הבדלות בין ממונות לנפשות, לפי המשנה בתלמוד הסעיף התשיעי הוא, „דיני ממונות הטמאות והטהרות מתחילים מן הגדול, דיני נפשות מתחילים כן הצד", בהוצאת נאפולי חסרות לגמרי המלים דיני ממונות ולכן לפי הוצאה זו אין כאן הבדל בין דיני ממונות לדיני נפשות ובשניהם מתחילים מן הצד; באופן אחר היה מפרש דיני ממונות כמו בכל מקום שהוא מזכיר את ההבדל שביניהם. מורי ר' לוי גינזבורג מעיר שגירסה זו בדפוס נאפולי היא גם הנוסחא העקרית בירושלמי, שבה יש ליישב המאמר (שם סנהדרין ה"ט, כ"ב ע"ב) „אנן תנינן תשע", ועל סמך שתי גרסאות אלה יש ליישב את הקושיא המסובכה בבבלי (ל"ו ע"ב) „הא ט' הוו, הא עשרה קתני" שבמתיבתא אחת שנו תשע הבדלות בין ממונות לנפשות ובמתיבתא שניה שנו עשר. אולי יש לראות המקור לשנוי-הנוסח במסורת בית-דין של רבי „שאני מניינא דבי רבי דכלהו מני'נייהו מן הצד הוו מתחלי, בני ארץ ישראל קבלו נוסח המשנה כמו שסדרה רבי וכמנהגו, ובני בבל החזיקוהו בצורה עתיקה. — אלו עשרה דברים, רש"י. פ"ז, וכן ת"י ופקדית יתכון בעידנא ההיא ית כל עשרא פתגמיא דתעבדון בינֵי דיני ממונא לדיני נפשתא: 11 בני אדם וכו', לשון תמיהה וכי לבני אדם שראו דברים זרים נכבשים לפניהם, אומר שהמדבר היה נורא, אלא ודאי שהבטחה היא זו כשם שנכבשו כל הדברים האלה כן יכבשו גם האויבים שעליהם הם באים, ורא"ם פירש בניחותא וז"ל „כבר תירצו בספרי ואמרו שראו נחשים כקורות ועקרבים כקשתות סרוחים ומושלכים לפניהם ועליהם הוא אומר המדבר הגדול והנורא פי' שהיו יראים מפני הנחשים והעקרבים שראו נחשים כקורות ועקרבים כקשתות סרוחין ומושלכין לפניהם מחמת הענן ההולך לפניהם"; ועיין ברש"י ובפ"ז: 12 נחשים כקורות וכו', וכן בת"י חיוין ככשורין ועקרבין כקשתין סריין רמיין לקובליכון. וכן במכילתא ויסע פ"א (מ"ד ע"ב, ה–ר 153) „מדבר

אומר את כל המדבר הגדול והנורא ההוא, והלא דברים קל וחומר ומה דברים שאינם הימירין כבשתים לפניהם דברים שהם הימירין על אחת כמה וכמה לכך נאמר ונסע מחורב סליק פיסקא

יט.

(כ) ואומר אליכם, אמר להם לא מעצמי אני אומר לכם אלא מפי הקדש אני אומר לכם.

באתם עד הר האמורי אשר ה׳ אלהינו נותן לנו. משל למלך שמסר את בנו לפידגוג והיה מחזרו ומראה אותו ואומר לו כל הגפנים האלו שלך כל הזיתים האלו שלך משיגע להראותו אמר לו כל מה שאתה רואה שלך הוא כך כל ארבעים שנה שהיו ישראל במדבר היה משה אומר להם °כי ה׳ אלהיך מביאך אל ארץ טובה ארץ נחלי מים עינות ותהומות יוצאים בבקעה ובהר, כיון שבאו לארץ אמר להם באתם עד הר האמורי אשר ה׳ אלהיך נותן לך, אם תאמרו לא הגיע זמן הגיע זמן ראה נתן ה׳ אלהיך לפניך את הארץ, איני אומר לכם לא מאומד ולא משמועה אלא מה שאתם רואים בעיניכם, עלה רש מיד, עלה רש כאשר דבר ה׳ אלהי אבותיך לך סליק פיסקא

דברים ח ז

שור הוא מדבר כוב אמרו עליו על מדבר כוב שהיה שמונה מאות פרסה על שמונה מאות פרסה כלו מלא נחשים ועקרבים״, וכעין זה במכילתא דר״ש ע׳ 72 וספרי במדבר פי׳ פ״ג (כ״ב ע״א, הורו׳ עמ׳ 79), בשמות רבה כ״ד ד׳ „ולא עוד אלא שהיו הנחשים והשרפים רובצים בפניהם כדי שלא יתבהלו ישראל מהן״. תנח׳ א׳ שם סי׳ י״ח, תנח׳ ב׳ סי׳ י״ז (ל״ב ע״א) „א״ר יוסי היה שם נחשים כקורות בית הבד ועקרבים כמלא הזרת״: 2 שאינם הימירין, כך נ״ל להגיה, ופי׳ הימירין בייתים מל׳ יוני ἥμερον, וראה במלון של קרוסס ע׳ אימירון ח״ב ע׳ 35, ובב״ר ע״ז ג׳ „לאלך שהיה לו כלב אגריון ואריה אימירון״, ועיין במנחת יהודה שם. ופי׳ המאמר כאן, ומה דברים שאינם טבעיים כנחשים ועקרבים האלה כבשתים לפניכם דברים טבעיים כאנשים על אחת כמה וכמה ובכ״י אחדים נשתבש הימירון „להמורין״, [ופי׳ ר״ה „שהיו מוחלפין משאר בריות״] והוצרכו להגיה שהם במקום שאינם. ובד הגרסה חמורים ופירשו המבארים „קשה״, ואין זה משמעות חמורים בענין כזה: 4 אמר להם וכו׳, פ״ז, למעלה פי׳ ה׳, ס, י״ב ולקמן פי׳ כ״ה והשוה הערתי ריש פי׳ ה׳: 6 משל למלך וכו׳, השוה ציגלר Königsgleichnisse ע׳ 423: 12 איני אומר וכו׳, פ״ז, למעלה פי׳ ז׳:

רהבד> ט ׀ ועקרבים] ל׳ א ׀ כקשתות רדטמ [רש״י, פס׳ זוט׳], כקשרות ב, וכקשתות א, ל׳ פ. כעשתות ה ׀ סרוחים רמדבטא, שרופים ה, ל׳ ל ׀ לפניהם] אחרי הענן ל ׀ עליהם] ל׳ ה — 1 והלא דברים ק״ו—ונסע מחורב] ל׳ ה ׀ והלא רמדטבא, והרי ל, והלא כבר נאמר ד — 2 שאינם—שהם] בכל המקורות הגרסה שהן—שאינן והגהתי על פי הסברא כמבואר במקורות ׀ הימירין ר, הימורין ב, חמורים דמטא, המורין פ [מהר״ס], אומירין [ט גליון], אמורין ל [וכן למטה] ׀ לכך נאמר ונסע מחורב] ל׳ מ — 3 סליק פיסקא ד, פ׳ ר, ל׳ א —

4 אליכם] להם א ׀ אמר להם] <משה> ד ׀ הקדש ר, הק׳ בט, הקב״ה דמהא, הגבורה [פס׳ זוט׳], הקדוש ל — 5 אני אומר לכם] ל׳ מ [פס׳ זוט׳], — 6 באתם עד הר האמורי—נותן לנו] ראה נתן ה׳ אלהיך לפניך את הארץ עלה רש אמר להן איני אומר לכם מאומד ומשמועה אלא עלה רש כל מה שאתם רואים בעיניכם הרי הוא שלכם ה [וע׳ בשאר הנסחאות בסוף הפסקא] ׀ למלך] למלך בשר ודם ל — 7 לפידגוג אמ, לפידגוג אחד רבטדל, לפדגוגו ה ׀ והיה דהמא, היה רבטל ׀ מחזרו ומראה אותו מרבטדא, פדגוג מראה אותו ה, מחזרו ל ׀ ואומר לו] <בני> ה ׀ כל הגפנים האלו מא, כל גפנים האלו רבט, כל הגפנים הללו דל, כל הכרמים האלו ה ׀ שלך רבלמא, שלך הם דה, ל׳ ט ׀ כל הזיתים האלו ה, כל הזיתים הללו ד, כל זיתים הללו ר, כל הכרמים הללו ל, כל הכרמים כל הזיתים האלו מ, כל הכרמים האלו כל הזיתים האלו א, וכל כרמים הללו שלך וכל זיתים הללו ט, וכל הכרמים וכל הזיתים הללו ד — 8 שלך ראבטל, שלך הם דמה ׀ משיגע להראותו] כיון שנתיגע ממראה אותו ה ׀ אמר לו] א״ר איני יודע מה אומר לך אלא ה ׀ מה מהראט, ל׳ רבל ׀ כך—במדבר ה, כל מ׳ שנה שהיו ישראל במדבר מא, כך ישראל בזמן שהיו ישראל במדבר מ׳ שנה ר, כן ישראל כל זמן שהיו במדבר מ׳ שנה ל, כך ישראל בזמן שהיו במדבר מ׳ שנה בד, כך ישראל כשהיו במדבר מ׳ שנה ט — 10 טובה] <ורחבה> ד, <וג׳> ר ׀ שבאו לארץ] שהגיעו לחחומי ארץ ישראל ה ׀ שבאו] שראו ר — 11 באתם עד הר—איני אומר לכם לא מאומד ולא] ל׳ ל ׀ באתב—נותן לך] איני יודע מה להראותכם אלא כל מה שאתם רואים שלכם הוא ה ׀ אם רבטדהא, ואם דמ ׀ תאמרו] תומרו ר — 12 לא הגיע רמאט, ועדין לא הגיע ד, לא הגידתן ב, שלא הגיע ה ׀ הגיע זמן ראז, ל׳ דבט, ודאי הגיע מ, אלא הגיע זמן ה ׀ ראה—סליק פיסקא] ל׳ ה [ועיין לעיל ריש הפסקא] ׀ נתן ה׳ אלהיך לפניך רמטב, נתן לך ה׳ אלהיך ד, נתן ה׳ אלהיך לך את הארץ א ׀ איני] אני ד ׀ לכם רמא, ל׳ דבט — 13 מאומד רבטאד [פס׳ זוט׳], מאומד הדעת מ ׀ עלה רש מיד רבדט [פס׳ זוט׳], ל׳ מלא — 14 ה׳—לך] דברי א ׀ סליק פיסקא ד, פ׳ ר, ל״ה א —

כ.

דברים ה כ (כב) ותקרבון אלי כלכם ותאמרו, בערבוביא להלן הוא אומר ותקרבון אלי כל ראשי שבטיכם וזקניכם, ילדים מכבדים את הזקנים זקנים מכבדים את הראשים וכאן הוא אומר ותקרבון אלי כלכם, ותאמרו בערבוביא ילדים דוחפים את הזקנים זקנים דוחפים את הראשים.

ותאמרו נשלחה אנשים לפנינו ויחפרו לנו את הארץ, אמר רבי שמעון עלובים בני אדם שכך בקשו להם מרגלים, אמר להם אם כשהייתם בארץ ערבה ושוחה לא בקשתם לכם מרגלים עכשיו שאתם נכנסים לארץ טובה ורחבה לארץ זבת חלב ודבש בקשתם לכם מרגלים.

וישיבו אתנו דבר, באיזה לשון הם מדברים. את הדרך אשר נעלה בה, אין לך דרך שאין בה עקמות אין לך דרך שאין בה כמנות אין לך דרך שאין בה פרשות. ואת הערים אשר נבוא אליהם, לידע באיזה דרך אנו באים עליהם

סליק פיסקא

כא.

(כג) וייטב בעיני הדבר, בעיני היה טוב ולא בעיני מקום. אם בעיניו היה טוב למה נכתב עם דברי תוכחות משל לאחד שאמר לחבירו מכור אתה לי חמורך זה אמר לו הן, נותן אתה לי לנסיון, אמר לו הן, בא אתה ואני אראך כמה נושא בהר

1 בעירבוביא—מכבדים את הראשים] ר׳ ישמעאל אומר למה נאמר לפי שהוא אומר הקהילו אלי את כל זקני שבטיכם (דברים ל״א כ״ח) לשעבר הילדים מכבדין את הראשים והראשים מכבדים את חזקנים ה | להלן רבטא מ, ולהלן לד [רש״י] — 2 כל בטלמהד, כלכם ר, את כל א | זקינים] ל׳ א — 3 וכאן דטמ, וכן רבאל, אבל כאן ה | הוא אומר] ל׳ ה | ילדים—הראשים] הילדים דוחפים את הראשים והראשים את הזקנים ה, הילדים דוחפים את הראשים והראשים דוחפים את חזקנים ה׳ — 5 אמר ר׳ שמעון—בקשתכם לכם מרגלים] ח׳ ט [ועי״ש], אמר ר׳ שמעון] ר׳ שמעון בן יוחאי אומר ה — 6 עלובים בני אדם דמהלא, עלו מבני אדם ר, עלו בני אדם עלו בין ב | אמר להם מדב, ל׳ רל, אמר להן המקום ה | אם כשהייתם—לכם מרגלים] ל׳ ל | אם] מה אם ה | כשהייתם] בשעה שהייתם ה — 7 ושוחה] <בארץ ציה וצלמות> מא | טובה—חלב ודבש] לארץ מלאה כל טוב ארץ חטה ושעורה ה — 8 בקשתם רדטבהל, אתם מבקשים מא — 9 דבר] <לידע> מא | באיזה] <לכם> ר — 10 אין לך דרך שאין בה עקמות] ל׳ ל | עקמות רבה, עקומוית טמ, עקמימות א [רמב״ן], עקמומיות ד | אין—אין] ואין—ואין ד | כמנות רבטמהלא, מקומות ד, כמניות פ — 11 פרשות] פרישות ט׳ | אליהם רמהלא [מסורה], עליהם בט, להם ד | לידע] ל׳ ה | דרך] ל׳ ל | באים עליהם רדטבל, נבא עליהן אמ, נכנסין לארץ ישראל ה | עליהם] <המסולתים שבכם> ב — 12 סליק פיסקא ד, פ׳ ר, ל״ו א —

13 בעיני היה טוב אמה [פס׳ זוט׳], בעיני טוב רבטל, ל׳ ד, בעיני [רש״י] | ולא רדבטל [פס׳ זוט׳], אבל לא מ, ולא היה טוב ה, לא היה טוב א | מקום רלא, המקום במטה [פס׳ זוט׳], הקב״ה ד | אם רטבהלא, ואם דמ | בעיניו מ דטהלא, בעיני רב, בעיני משה [רש״י וא״א] | היה] הוא ה — 14 עם] על ד | דברי תוכחות רדלטבה, התוכחות מא | משל] משלו מלה״ד ה | לאחד] לאדם ד [רש״י] | מכור] מוכר ה | אתה ראה, ל׳ מדבטל | חמורך רמדהל, את חמורך בטא — 15 הן מא, הין רדבטלה [וכן בסמוך] | נותן—אמר לו הן רבטדל, אמר לו אתה נותן לי בנסיון אמר לו הן מ, ל׳ הא | אתה רמדטבל, ל׳ הא | ואני אראך רמדבטל, ואני מראך ה, ואראך א | כמה] כמה הוא ד —

1 בערבוביא, רש״י, פ״ז, וכן בת״י, והשוה ספרי במדבר קל״ו (רמא״ש נ״א ע״א, הארואויטץ 182) וסדר אליהו רבה פי׳ כ״ז, ע׳ 144: 5 א״ר שמעון וכו׳, ספרי במדבר פ״ב (רמא״ש כ״א ע״ב, הארואויטץ 79): 6 עלובים וכו׳, השוה לקמן פי׳ כ״ג: 10 כמנורת, אורבים, וכפי׳ ר״ה מצודין, ובב״ר פ׳ ל״ג ב׳ (עמ׳ 303) ובנה עליה מצודים גדולים (קהלת ט׳ י״ד) עקמן וכמנן: 11 פרשורת, כמו פרשת דרכים, ז״ר:

13 בעיני וכו׳, פ״ז, רש״י: 14 משל לאחד וכו׳, השוה במדבר רבה שלח ט״ז ו׳ ותנחומא ב׳ שלח ז׳ (ל״ג ע״א) „אמר הקב״ה אם מעכב אני עליהם והם אומרים לא טובה הארץ וכו׳:

כמה נושא בבקעה, כיון שראה שאין מעכבו כלום אמר אוי לי דומה זה שאין מעכב עלי אלא בשביל לשאת את מעותי לכך נאמר וייטב בעיני הדבר.

ואקח מכם שנים עשר אנשים, מן הברורים שבכם מן המסולתים שבכם.

איש אחד לשבט, מה אני צריך והלא כבר נאמר ואקח מכם שנים עשר אנשים מגיד שלא היה שבט לוי עמהם סליק פיסקא

כב.

(כד) ויפנו ויעלו ההרה, מגיד שדרך מרגלים לעלות בהר וכן רחב אומרת לשלוחי יהושע °ההרה לכו פן יפגעו בכם הרודפים, מגיד ששרת עליה רוח הקדש שאילו לא שרת עליה רוח הקדש מאין היתה יודעת שעתידים לחזור לאחר שלשה ימים אלא מלמד ששרת עליה רוח הקדש. (יהושע ב טז)

ויבאו עד נחל אשכל, מלמד שנקרא על שם סופו, כיוצא בו אתה אומר °ויבא אל הר האלהים חרבה, מגיד שנקרא על שם סופו. (שמות ג א)

וירגלו אותה, מלמד שהלכו בה ארבעה אומנים שתי וערב סליק פיסקא

כג.

(כה) ויקחו בידם מפרי הארץ, אמר רבי שמעון עלובים בני אדם שכך נטלו בידם כאדם שנוטל באיסר תאנים באיסר ענבים כך נטלו בידם.

ויורידו אלינו, מגיד שארץ כנען גבוהה מכל הארצות כענין שנאמר °עלה נעלה וירשנו אתה כי יכול נוכל לה, °ויעלו ויתרו את הארץ, °ויעלו בנגב, °ויעלו ממצרים. (במדבר יג ל; שם יג כא; שם יג כב; בראש׳ מה כה)

1 כמה נושא בבקעה רמבטהא, וכמה הוא נושא בבקעה ד, כמה יוצא בבקעה ל | אמר–מעותי אמ, אמר–מעותיו ה, אמר דומה שאין מעכב עלי פ, אלא בשביל מעותיו ר, לא בשביל לתת לשאת את מעותיו ב, אלא בשביל לשאת את מעותיו ט, אמ׳ לא בשביל לשאת את מעותיו ד, לא בשביל לשאת את מעותיו ל, אמר אין זה מבקש אלא בשביל לשאת מעותיו ז [מהר״ס] — 3 ואקח] ל״ז ואקח א | הברורין] הברבורין ל | שבכם] שלכם א — 4 והלא כבר נאמר המא, לומר ד. ל׳ בטלר — 5 מגיד] מגיד הכתוב ד | היה] <שם> א | שבט לוי] שבטו של לוי ל | סליק פיסקא ד, פי׳ ר, ל״ח א —

6 ויפנו ויעלו ההרה אמדה, ויפנו ויעלו ההרה מגיד שנקרא על שם סופו כיוצא בו אתה אומר ויבא אל [ל: עד] הר האלהים חורבה רבל, ויפנו ויעלו ההרה שנקרא על שם סופו ט | מגיד] מגיד הכתוב ד | אומרת רטבא, אמרה דמל, אומר ה — 7 מגיד רמהא, מלמד דבטל — 8 שאלו לא שרת עליה רוח הקדש] ל׳ ד | מאין אמה [רד״ק], מנין דבטל | לאחר שלשה] לשלשת ה — 9 אלא מלמד–רוח הקדש] ל׳ ט — 10 עד אמדהל [מסורה], אל רכט | מלמד רטכדל, מגיד אהמ [רש״י] | כיוצא בו–שם סופו] ל׳ מ — 11 ויבא אל הר האלהים רהבא [מסורה], ויבאו עד הר אלהים דלט — 12 אומנים] אמנים ד [אומנים פי׳ ארבע פאות תרגו׳ ירושלמי מפאת שדך אומנא אחריא מ] | סליק פיסקא ד, ל״ט א, ל׳ ר —

13 עלובין מדלאט, עלו מן ר, עלו בכין ב, עלובין הן ה | שכך נטלו רטכדל, שנטלו מהא — 14 באיסר] כאיסר ד — 15 מגיד] מגיד הכתוב ד | כנען ארמבלהט, ישראל ד [רש״י] — 16 ויעלו בנגב רמהא, ל׳ דבט ל — 17 ויעלו

1 אמר אוי לי וכו׳, תחת שהיה לו לומר „טול מעותיך״ כיון שאינו מעכבו, התחיל מתרעם עליו כאלו היה מעכב אותו וחפץ להערימו כן נ״ל לפרש על פי הנסחאות שלפנינו. ומה שפירשו בזה מהר״ס ורד״ף אין נראה לי: 3 הברורים, רש״י, וכת״י גוברין ברירין, והשוה ספרי במדבר פי׳ צ״ב (רמא״ש כ״ה ע״ב, הארואוויטץ עמ׳ 93) וכן בבמדבר רבה שלח סימן ג׳, תנחומא א׳ שם ד׳, תנחומא ב׳ שם (ע׳ 64) וכן פי׳ רש״י במדבר י״ג ג׳ ריש שלח, „אנשים, כל אנשים שבמקרא ל׳ חשיבות ואותה שעה כשרים היו״: 5 מגיד וכו׳, רש״י: 6 מגיד וכו׳, פ״ז: 7 ששרת עליה וכו׳, מובא ברש״י ורד״ק יהושע שם: 9 מלמד וכו׳, רש״י: 10 על שם סופו, וכן כתובות י׳ ע״ב „אלא דעתידא הכא נמי דעתידא״. והשוה פי׳ רש״י שמות שם, שנקרא הר אלהים מפני סופו ולא כפירוש בעל ז״א ששמו חורב ניתן לו בעבור העתיד: 12 מלמד וכו׳, רש״י:

13 עלובים וכו׳, השוה למעלה פי׳ כ׳: 15 גבוהה, רש״י, לקמן פי׳ ל״ז, וקנ״ב, מכילתא דרשב״י ד׳ ח׳ (עמ׳

וישיבו אותנו דבר ויאמרו טובה הארץ אשר ה׳ אלהינו נתן לנו, וכי לטובתה אמרו והלא לא אמרו אלא לרעתה, מי אמר טובתה יהושע וכלב אף על פי כן ולא אביתם לעלות ותמרו את פי ה׳ אלהיכם סליק פיסקא

כד.

(כז) ותרגנו באהליכם ותאמרו בשנאת, מלמד שהיו יושבים בתוך
משלי כו כב משכניהם ואומרים דברים כמתלהמים שנאמר °דברי נרגן כמתלהמים, אבל
שם סכין ירדה מן השמים ובקעה את כריסם שנאמר °והם ירדו חדרי בטן.

דבר אחר מלמד שהיו יושבים בתוך משכניהם ומבכים כמת להם נוטלים את בניהם ואומרים להם אוי לכם דוויים אוי לכם סגופים, למחר יהו הורגים מכם יהו שובים מכם יהו צולבים מכם על הצלוב נוטלים את בנותיהם ואומרים להן אוי לכן דוויות אוי לכן סגופות למחר יהו הורגים מכן יהו שובים מכן יהו מעמידים מכן בקלון.

מלאכי א ב בשנאת ה׳ אתנו, איפשר שהמקום שונא את ישראל והלא כבר נאמר °אהבתי
אתכם אמר ה׳, אלא הם ששונאים את המקום משל הדיוט אומר מה דבלבך על רחמך מה דבלביה עלך.

יהושע ז ט לתת אותנו ביד האמורי להשמידנו, כענין שנאמר °וישמעו הכנעני
וכל ישבי הארץ ונסבו עלינו והכריתו את שמינו מן הארץ ומה תעשה לשמך הגדול סליק פיסקא

כה.

(כח) אנה אנחנו עלים אחינו המסו את לבבינו לאמר, אמרו לו

ממצרים] ל׳ ל | ויעלו–ויעלו] ואו׳ ויעלו–ואו׳ ויעלו ד | ממצרים] <ויבואו ארצה כנען> ד [ובמקרא ויבאו ארץ כנען] — 2 וכי לטובתה אמרו ארמדה [רא״ם], וכי לטובה אמרו זה בט, וכן לא לטובתה אמרו ל | אמר טובתה רדאמבטה, אמרו טובה ל, אמרו טובתה [רא״ם] | אעפ״כ] ואעפ״כ א — 3 סליק פיסקא ד, ל׳ ר, מ׳ א —

4 בתוך משכניהם רבטהא, בתוך משכנותיהם ד, במשכניהם מ, לרתוך משכניהם ל — 5 ואומרים] והיו אומ׳ ל | כמתלהמים מאטל, כמרתלהמים וכנרגנים ה, כמתלהמים ומתרגנים כמתלהמים ד, כמתלהמים והמתרגנים מתלהמים רב — 7 ד״א רבטמהא, ד״א ותרגנו באהליכם ד [פס׳ זוט׳], ל׳ ל | מלמד] ל׳ ה | בתוך משכניתם רבטל, בתוך משכנותיהם ד, במשכניהם מהא, באהליהם [פס׳ זוט׳] | ומבכים אמה, בוכים ומבכים רבטל, ובוכין ד, בוכין [פס׳ זוט׳] | כמת להם רבטלה, כמתלהמים דמא, ל׳ [פס׳ זוט׳] | נוטלין] ונוטלין ד — 8 להם] ל׳ א | אוי לכם דווים רמה, אוי לדהם דווין א, אי לכם דווים לד [פס׳ זוט׳], ל׳ בט | אוי רבט מהא, אי דל | יהו הורגים מכם יהו שובים מכם רמהא, יהיו הורגים מהם ושובין מהם ד, יהו הורגין מכם למחר יהו שובין מכלם ל, ל׳ בט. יהו הורגין אתכם יהי שובין מכם [פס׳ זוט׳] — 9 יהו צולבים מכם–ואומרים להן אוי לכן דוויות למחר יהו הורגים מכן יהו שובים מכן הט, יהו צולבים מכם–אומרים להן אוי לכם דוות אוי לכם סגופות למחר יהו הורגין מכן ושובים בלר, יהו צולבין מכם היו נוטלות בנותיהן ואומרין להן אוי להם דויות שגופות למחר יהו הורגין מהן [פס׳ זוט׳], ל׳ אד מ — 10 יהו שובים] ושובים ר | יהו מעמידים המא, ומעמידים רדבטל, מעמידין [פס׳ זוט׳] | מכן רדהט׳בלמא. אותם ד, לכם ט׳, את ידם [פס׳ זוט׳] — 11 שהמקום רבטל, שהקב״ה דמא, המקום ה | והלא מטלא, הלא ה, ל׳ רב, והרי ד — 12 אלא רמדבטל [פס׳ זוט׳], הלא הא | ששונאים רטבלהא [פס׳ זוט׳], שונאים דמ | המקום] הקב״ה ד | הדיוט] להדיוט א | אומר רבטלא [פס׳ זוט׳], הוא ד, אמר ה׳. ל׳ מה | מה אמבלדט, מא ה, ל׳ ר | דבליבך] די בליבך ר — 13 עלך] על זו ב — 16 סליק פיסקא ד, פי׳ ר, מ״א א —

168), קדושין ס״ט ע״ב, סנהדרין פ״ז ע״א, זבחים נ״ד ע״ב ולקמן פי׳ שנ״ו „מלמד שא״י היא תוקפה של עולם״: 2 יהושע וכלב. וכן בת״י:

4 מלמד וכו׳, פ״ז: 7 נוטלים את בניהם וכו׳, וכן בת״י והשוה הערת מורי ר׳ לוי גינזבורג בספרו אגדות היהודים ח״ו ע׳ 96, הערה 532: 10 בקלון, ר״ה: 12 מה דבלבך וכו׳, רש״י, פ״ז, ומובא בתנחומא ב׳ הוספה לפרש׳ שלח סי׳ י״ט מ״ב ע״ב בשם ר׳ יוסי ב״ר חנינה „שהיה שונה אותה בשם ר׳ ישמעאל״:

רבינו משה, אילו מבני אדם אחרים היינו שומעים דברים הללו לא היינו מאמינים אלא מבני אדם שבנינו בניהם ובנותינו בנותיהם.

עם גדול, מלמד שהיו גבוהים בקומה. ורב, מלמד שהיו מרובים באוכלוסים.

ערים גדולות ובצורות בשמים, רבן שמעון בן גמליאל אומר דברו כתובים לשון הביי שנאמר °שמע ישראל אתה עבר היום את הירדן, אבל מה (דברים ט א)
שאמר המקום לאברהם אבינו °והרביתי את זרעך ככוכבי השמים, °ושמתי (בראש׳ כו ד; שם יג טז)
את זרעך כעפר הארץ, אינם דברי הביי.

וגם בני ענקים ראינו שם, מלמד שראו שם ענקים על גבי ענקים כענין שנאמר °לכן ענקתמו גאוה. (תהלים עג ו)

(כט–ל) ואמר אלכם, אמר להם לא מעצמי אני אימר לכם אלא מפי הקדש אני אומר לכם.

לא תערצון ולא תיראון מהם, מפני מה כי ה׳ אלהיכם ההולך לפניכם, אמר להם מי שעשה לכם נסים במצרים וכל הנסים האלו הוא עתיד לעשות לכם נסים בכניסתכם לארץ. ככל אשר עשה אתכם במצרים לעיניכם, אם אין אתם מאמינים להבא האמינו לשעבר סליק פיסקא

17 ע׳ הקר׳ אמרו וכו׳, פ״ז: 3 ורב, לכאורה כן נוסח הכתוב לפי הספרי, ותרגום השבעים, אונקלוס, ות״י אמנם המסורה, הפשיטא והוולגאטא גורסים ורם, ואולי יש להגיה בספרי „עם גדול מלמד שהיו מרובים באוכלוסין. ורם מלמד שהיו גבוהים בקומה״, והשוה לקמן פי׳ נ׳ „גדולים בקומה ועצומים בכח״, ובת״י שם עם גדול „עם חסין״: 4 רשב״ג וכו׳, פ״ז, רש״י: 5 הביי, ל׳ גוזמא, ועדיין לא נתברר מוצאה· והשוה חולין צ׳ ע״ב, תמיד כ״ט ע״א „אמר ר׳ אמי דברה תורה לשון הבאי (כן יש לנסח גם בחולין, ע׳ בדק׳ סופ׳ שם) דברו נביאים לשון הבאי דברו חכמים לשון הבאי״: 6 והרביתי את זרעך, כן נוכח כל המקורות, ותמוה שהכתוב ההוא נאמר ביצחק ולא באברהם ופירשו המבארים שכפל ליצחק מה שהבטיח לאברהם ואולי יש לגרס במקום הכתוב הזה את הפסוק „והרבה ארבה את זרעך ככוכבי השמים״ שנאמר לאברהם (בראש׳ כ״ב י״ז): 8 ענקים על גבי ענקים, שנאמר בני ענקים, במקום בני ענק (במדבר י״ג ל״ג) ובפס׳ זוט׳ הגרסה „ענקים שהיו מעונקים בגאוה כענין שנ׳ לכן ענקתמו גאוה״· וזה לשון רד״ף „כתב מהר״ס נ״א ענק על גבי ענק, פי׳ רבינו הלל הקטן שהיו מוליכים בצואר היה נראה להם ענק ע״כ, והעתיקו מהרא״ן אבל בפי׳ רבינו הלל שבידי לא נמצא כן ודיוקו נראה מדכתיב וגם בני ענקים וכו׳ דהול״ל ענקים מהו בני אלא קמ״ל דאפילו הבנים הקטנים שהיו נושאים אותם הגדולים בצואריהם היו נראים להם כמו ענקים״· וגם בטופס של פי׳ ר״ה שבידי, כ״י פ, חסר המובא בשמו ע״י מהר״ס: 10 לא מעצמי, השוה למעלה פי׳ ה׳, ט׳, י״ב, י״ט: 14 אם אין אתם מאמינים וכו׳, מכילתא דרשב״י י״ב י״ב (ע׳ 13): 15 סליק פיסקא, בקטע מן הגניזה לפני נשאר מפיסקא זו רק שורה אחת והיא „ובעולם הבא ככל אשר [עשה] אתכם במצרים לעיניכם״ ושורה זו לא נמצאה לא בה ולא בשאר המקורות ואינו יודע להשלים החסרון:

1 רבינו משה רבטה, משה רבינו אדל, משה מ | אילו] אמ׳ לו ב — 2 מבני אדם רטדבלה, מדברי א, מדברי בני אדם מ | היינו רדבטהל [פס׳ זוט׳], אנו מ א | לא היינו רבטדלה [פס׳ זוט׳], אין אנו מא | אלא] אלא אנו שומעים מ | מבני בדטהא, בבני ר, מפני ל, מדברי בני מ — 3 ורב רבטלד, ורם אמה | באוכלוסים רמטלהא, באוכלוסיהן בד — 4 דברו כתובים לשון ר טבה, דברי כתובים לשון ל, דברה תורה בלשון ד, אף כתובים דברי מא — 5 הביי רבל, הבאי אמטדה | אבל] אלא ל — 6 המקום רט²בל, הקב״ה דמהא, הק׳ ט¹ | לאברהם אבינו] לאבינו ר — 7 אינם דברי רמא, אינו דבר דבט, אינו דברי לה — 8 בני ענקים אמבל, בני ענק רה, ענקים ד | מלמד שראו שם] ל׳ מ | ענקים על גבי ענקים בהמדאט, ענק על גבי ענק ר [מהר״ס], ענקים ל | כענין רדבטהל, ל׳ מא — 10 ואומר] מ״ב ואומר א | אמר להם רבמדהל, ל׳ מ | הקדש רבט, הקב״ה דמא, קדוש ה, הקדושה ל — 11 אני אומר לכם רבטדה, ל׳ מלא — 13 שעשה] עשה ד | וכל רבטמדל, ומי שעשה לכם כל הא | הוא עתיד לעשות ר, עתיד לעשות רבל, שעתיד לעשות ט, עתיד הוא לעשות ה, הוא יעשה מא — 14 בכניסתכם רבהמטא, כשאתם נכנסים ד, בכניסתן ל | לעיניכם] לעיניך א | אין] אי ר | האמינו] אתם מאמינים ל | סליק פיסקא ד, ס׳ פ׳ ר, סליק פירקא ב, סליק פסוק ל, פרש׳ ז׳ ג, ל׳ א —

פרשת ואתחנן.

כו.

משלי יח כג (ג, כג) ואתחנן אל ה׳ בעת ההיא לאמר, זהו שאמר הכתוב [0]תחנונים ידבר רש ועשיר יענה עזות. שני פרנסים טובים עמדו להם לישראל משה ודוד מלך ישראל. משה אמר לפני הקדוש ברוך הוא. רבונו של עולם. עבירה שעברתי תכתב אחרי שלא יהו הבריות אומרים דומה שזייף משה בתורה או שאמר דבר שלא נצטוה משל למלך שגזר ואמר כל מי שאוכל פגי שביעית יהיו מחזרים אתו בקנפון הלכה אשה אחת בת טובים לקטה ואכלה פגי שביעית והיו מחזרים אותה בקנפון אמרה לו בבקשה ממך אדוני המלך הודיע סרחוני שלא יהו בני המדינה אומרים דומה שנמצא בה דבר נאוף או שנמצא בה דבר כשפים

2 טובים] גדולים נ | לישראל] ליהושע ל | ודוד מלך ישראל רבלטדה, ודוד מלך ישראל והיו יכולין לתלות את העולם [העולם כ] במעשיהם הטובים ולא בקשו מן המקום אלא מתנת חנם כמ, ודוד מלך ישראל ואין יכולין לתלות את העולם במעשיהן הטובים ולא בקשו מן דהמקום ליתן להם אלא חנם א, ודוד מלך ישראל והיו יכולין לתלות לעולם במעשיהם הטובים נ, ודוד והיו יכולים לתלות במעשיהם הטובים ולא בקשו מן המקום אלא חנם [ס׳ הזכרון] — 3 משה אמר לפני הקב״ה ה, משה אמר להקב״ה ד, אמר משה לפני הק׳ טבל, אמר משה לפני המקום כר, משה אמר מ, אמר לפני המק׳ נ, אמ׳ משה לפני הקב״ה א | עברה שעברתי ארמהבטלכ, עברה עברתי ד, העברה שעברתי נ | אחרין] לאחורי נ — 4 הבריות אומרים מכ, הבריות אומ׳ רבלה, הבריות אומרות דא, ישראל אומ׳ נ | דומה רדהבטל, ל׳ מכ | שזייף] שמא זייף נ | משל רמבטדלכא, מושלו מלה״ד הנ [ויק״ר: ר׳ יהודה משלו משל] — 5 כל] על ד | שאוכל רבכלט, שאכל מהטיא, שיאכל ד, שילקוט נ [ויק״ר שילקוט ויאכל] | פגי שביעית רמטבלכ, פגי שביעיות ד, מפגי שביעית ה, מפגי שביעי נ [ויק״ר: מפירות שביעית] | יהיו מחזרים—שנ׳ השמרת לבך אל עבדי איוב יהושע לא קרא] חסר בכ״י ב ובמקומו נרתוסף עלה בכתב אחר וציינתי את השנוים ממנו בי׳ | מחזרים ראבי, מחזירים מדהגלכ [כן בסמוך] | בקנפון אמ, בקונפון ל, בקומפין בי׳ט, בקופון כ, בקמפון ה [ויק״ר], בקיפון ר, בעקיפים ד, ל׳ נ [וכן בסמוך] | הלכה —בקנפון] ל׳ א | אחת] ל׳ מ | טובים רמהבטדלכ [ויק״ר], טובים וגדולים נ — 6 ליקטה רהדבטכ, ל׳ מ, וליקטה גל [ויק״ר] | ואכלה פגי שביעית] מפגי שביעי ואכלה נ [ויק״ר: ואכלה מפירות שביעית] | לו] לך ד | בבקשה ממך אדוני המלך גא [ויק״ר], אדוני המלך בבקשה ממך מה, בבקשה ממך המלך ר דבלטכ | הודיע סרחוני רדבלטכ, הודיע סורחני אה, הודע את סרחוני מ, תלי את הפגים הללו בצוארך נ [ויק״ר] — 7 שלא יהו בני המדינה אומרים דומה אהלבי׳ט [א״א], שלא | בני המקום—דומה כ, שלא—בני המלך—דומה ד, שלא—בני מדינה—דומה ר, כדי שלא יאמרו עלי מ, שלא יהו עמא דין סבורין לומ׳ דומה נ [ויק״ר: כדי שלא יהו הבריות אומרות דומה לנו] |

1 זהו שאמר הכתוב וכו׳, סנהדרין מ״ד ע״א „תחנונים ידבר רש זה משה ועשיר יענה עזות זה יהושע״, ובדברים רבה כאן (פ״ב סי׳ ד׳) „א״ר תנחומא תחנונים ידבר רש זה משה שבא אצל בוראו בתחנונים ועשיר יענה עזות עשירו של עולם זה הקב״ה״: 2 שני פרנסים טובים וכו׳ עד והרע בעיניך עשיתי, לפי דעתי אין המאמר הזה מעיקר הספרי שאין לו כל קשר עם מה שלפניו ושלאחריו, ועיקר הדרש מתחיל למטה, ורק מפני שויון המלים שני פרנסים טובים נשתרבב המאמר הזה כאן ובנוסחי גאמכ נגרר אחר דוד מלך ישראל המשפט הבא למטה, „והיו יכולים לתלות את העולם במעשיהם הטובים״ שהוא שלא במקומו ומזה הוספת ראיה שהמאמר המתחיל „משה אמר לפני הקב״ה״ אינו מעיקרו של הספרי. — שני פרנסים וכו׳, ספרי במדבר פי׳ קל״ז (ע׳ 183), יומא פ״ו ע״ב, והשוה ס״ז כ״ז י״ד (עמוד 319), סנהדרין ק״ז ע״א, דברים רבה פ״ב סי׳ י׳ ותנחומא א׳ חוקת סי׳ י׳ תנחומא ב׳ שם ומובא במכירי משלי סי׳ ל״ב (ס״א ע״א), שם י״ח כ״ג (ד׳ ע״א), ובספר הזכרון על רש״י: 4 שזייף משה בתורה, בכר בספרו Traditionsliteratur ע׳ 50 מגיה „שזייף משה התורה״, ואין צורך. — משל למלך וכו׳, ויקרא רבה פ׳ ל״א בשם ר׳ יהודה, דברים רבה פ״ב סי׳ ר׳ בשם ר׳ שמואל, ובסגנון אחר ספרי במדבר פי׳ קל״ז, יומא פ״ו ע״ב, במדבר רבה חקת י״ט י״ב, והשוה ציגלר Königsgleichnisse ע׳ 121 ושם מפורש המשל היטב: 5 בקנפון, במדרש חכמים כ״י (מ) „מפרש שדה ששוחקים בו מלכים ובלשון יוני שמו קמפון״ והיא κάμπος (בל״ר Arena) ע׳ במילון של קרוסס ח״ב ע׳ 510. ורמא״ש פירש

הם רואים פגים תלוים בצוארי ויודעים שבשבילם אני מחזרת כך אמר משה לפני המקום עבירה
שעברתי תכתב אחרי אמר לו הקדוש ברוך הוא הריני כותבה שלא היתה אלא על המים שנאמר
°כאשר מריתם פי וגו׳ רבי שמעון אומר משל למלך שהיה מהלך בדרך ובנו עמו בקרוכין במדבר כז יד
שלו הגיע למקום צר נהפכה קרוכין שלו על בנו נסמת עינו נקטעה ידו נשברה רגלו׳ כשהיה
המלך מגיע לאותו מקום אומר כאן נזק בני כאן נסמת עינו כאן נקטעה ידו כאן נשברה רגלו
אף כך המקום מזכיר שלש פעמים מי מריבה מי מריבה מי מריבה לומר כאן הרגתי
את מרים כאן הרגתי את אהרן כאן הרגתי את משה וכן הוא אומר °נשמטו בידי סלע תהלים קמא
שופטיהם׳ דוד אמר לפני המקום עבירה שעברתי לא תכתב אחרי אמר לו המקום לא שוה

בשם ר׳ הלל „בל״י איפודרומון שכל העם מתכנסין שם״, ובפי׳ ר״ה שלפני חסר: 1 הם רואים וכו׳, בויק״ר הסגנון ברור יותר „והיתה צווחת ואומרת בבקשה ממך אדוני המלך תלה את הפגין הללו בצוארי כדי שלא יהיו הבריות אומרות דומה לנו שנמצא בה דבר של ערוה או דבר של כשפים אלא מתוך שרואים את הפגים בצוארי הם יודעים וכו׳״, ובספרי נרמז רק המעשה הידוע, והמעתיקים שבשו המקורות בחפצם למלא החסרון: 2 תכתב אחרי, השוה מאמר ר׳ אלעזר המודעי בספרי במדבר פי׳ קל״ז עמ׳ 184, „בוא וראה כמה צדיקים חביבים לפני הקב״ה שבכל מקום שמזכיר מיתתם שם מזכיר סירחונם״ ולדוגמא מביא מיתתם של בני אהרן שבכל מקום נזכר עונם והמאמר נכפל בפסיקתא דר״כ אחרי מות, קע״ב ע״ב, בויק״ר שם, ובבמדבר רבה פ״ב ס׳ כ״ד: 3 ר׳ שמעון אומר וכו׳, ויק״ר פ׳ ל״א שם והשוה במדבר רבה י״ט י״ד ומאמר זה של ר״ש אין לו ענין כאן אלא נמשך הנה עם הפסוק כאשר מריתם פי, כדרך הספר הזה, והדרש מובא במכירי תהלים קמ״א ר׳ (קל״ז ע״א) ונעלם המקור מן העורך שהעיר על הציון „ספרי״ שהוא בטעות, וגם רש״י רמז בתהלים שם על מאמר זה, וז״ל „ורבותינו בנרייתא בספרי דרשוהו במשה ואהרן שמתו על יד הסלע״: 4 קרוכין, מלשון יון καρρούχιον וע׳ במלונים׳ במדרש חכמים (מ) הוסיף כאן „פי׳ הערוך בלשון לעז קרוכה״ וכ״ה לפנינו בערוך ע׳ קרכין, ע׳ ערוך השלם, ח״ז קצ״ט ע״א: 6 כאן הרגתי את מרים, וכתב הז״ר ונראה דס״ל דאין מוקדם ומאוחר בתורה ומעשה

שנמצא—ניאוף ארדהטב״ל, דבר ניאוף נמצא בה מ, שמא נמצא בי דבר ניאוף ג, שמצא—ניאוף כ [ויק״ר: שנמצא בה דבר של ערוה] | או שנמצא בה רדהמב״ט״לב, או שמא נמצא בי ג, או ט׳ [ויק״ר: או דבר] | דבר כשפים רדהב׳ נטלא, דבר כשוף ד, מעשה כשפים מ, דברי כשפים כ [ויק״ר: של כשפים] — 1 הם רואים פגים—שבשבילם אני מחזרת [מתחזרת ה] אה, הם—יודעין שבשבילם אני מחזרת ר, ואם יהו [היו ט׳] רואים—יודעים שבשבילם אני מחזרת ט, והיו רואים—יודעים שבשבילם אני מחזרת ב׳, אילא תלי את הפגים הללו בצוארי ויהו יודעים שבשבילן אני מחזרת נ, צוה המלך לתלות פגים בצוארה מ, ואם הם רואים—יודעים שבשבילם אני מחזרת ל, כשהם רואים פגי שביעית תלוים בצואר יודעים שבשבילם אני מחזרת ד, מתוך כך רואים—שבשביל כך אני מחזרת כ | לפני המקום רדהב׳ט״לכ, לפני הקב״ה דא, לפני המקום רבוני נ, לפני הק׳ ט׳, רבונו של עולם מ — 2 תכתב אחרי] תכתב אחרי של״א יהו ישראל אומ׳ דומה שזייף משה את התורה או שמא אמר דבר של״א נצטוה נ | הקב״ה רמדנטלכא, המקום הב׳ | הריני רמהדטלאכ, חייך שאני ג [ויק״ר], אני ב׳ | שלא—המים] ואינה אילא במים נ — 3 פי] את פי א | וג׳ רא, במי מריבה מ, במי מריבת העדה כ, במדבר צין הכ. במי מריבה במדבר סין במריבת העדה ד, המה מי מריבה ג, ל׳ טב״ל | משל—שופטיהם] ח׳ בילקוט המכירי במשלי, ומובא בילקוט המכירי תהלים והבאתי השנוים ע״פ המקור ההוא, משל דרמב״טלכא, מלה״ד ה, משלו משל למה הדבר דומה נ [ויק״ר] | למלך] למלך בשר ודם ה | שהיה מהלך—עמו ג [ויק״ר], שהיה מהלך בדרך ובא בנו עמו א, שהיה מהלך ובנו עמו רטלכ, שהיה מהלך הוא ובנו עמו ב, שמהלך ובנו עמו בדרך ומהלכים ד, שהיה מהלך בדרך ובא בנו מ, שהיה מהלך במדברה | בקרוכין שלו ב׳ט׳, בקריכון שלו ר, ובקריבון כ, בקרוניו שלו לט׳, בקריבון שלו מ, בקרובין שלא ה, על קרובים שלו ג, בקרוני ד, על קרוכין [ויק״ר], בקרובין שלו אה׳ — 4 הגיע רהגטלכ, הגיעה הקרוכין ב׳, כיון שהגיע אמ, עד שהגיע ד [ויק״ר: כיון שהגיעו] | צר] צר יפה ה [והגיה רד״ה: שיפה, כלומר חלק] | נהפכה רמהגבטכ, ונהפכה ד, נהפכו א, ל׳ ל | קרוכין ב׳ט׳ [והשנוים כמו שלמעלה בסמוך] | נסמת עינו] ל׳ ה | ידו] רגלו ד (וכן בסמוך) | נשברה רגלו—נקטעה ידו ל׳ ל | רגלו] ידו ד (וכן בסמוך) | כשהיה] כל זמן שהיה נ [ויק״ר: כיון שהיה] — 5 המלך מהגבא, מלך ר, ל׳ דט, מהלך בדרך א | מקום] המק׳ נ | אומר רדהמב״טכ, אומר אוי לי נ, היה אומר א, מזכיר שלשה פעמים או שנים ואומר ד [ויק״ר היה מזכיר ואומר אוי לי] | כאן—כאן—כאן מהטכ, כן—כן—כן—כן ר, שכן נתזק—כן מתסמת—כן—כן נ, כאן נהפכה קרוכין על בני כאן—עיני בני כאן—כאן ב׳, כאן ניזק בני ניסמת עינו נקטעה רגלו נשברה ידו ד, כאן ניסמרת עינו כאן נשברה רגלו א — 6 אף כך רמדהטב׳, כך נ, אף כאן לכא | המקום רגדב״כ, הקב״ה מהא, הק׳ ט, ל׳ ל | כאן הרגתי את מרים רגהט״ל, ל׳ דב׳ [רש״י], כאן הרגתי מרים מא, לומר לך כאן הרגתי למרים כ — 7 כאן—כאן רב״טלאהמ, כך—כך ד, כן—כן נ — 8 שופטיהם] <ושמעו אמרי כי נעמו> א | דוד] דוד המלך ד | המקום רבמהלכ, הקב״ה דמט׳, המקום רבוני נ, הק׳ ט׳ | עבירה שעברתי אב׳הנטלד, עבירה עברתי מ, עבירה שעברתי לפניך ד, עבירה ר | אמר לו המקום כדלט׳ב׳ג, אמר הקב״ה רמא, אמר לו ה, אמר לו הקב״ה ט׳ | לא—שלא יהו גא, לא שוה לך די שלא יהיו מ, לא שוה לך כלום שיהו ד, אי איפשר שלא יהוא ה —

לך שיהו הבריות אומרים בשביל שאהבו מחל לו. משל לאחד שלוה מן המלך אלף כורים חטים
בשנה היו הכל אומרים איפשר שזה יכול לעמוד באלף כורים חטים בשנה ואינו ממשכנו המלך
אלא כתב לו אפוכי. פעם אחת שייר ולא שקל לו כלום נכנס המלך לביתו ונטל בניו ובנותיו
והעמידם על אבן המכר באותה שעה ידעו הכל שלא שייר בידו כלום אף כל פורעניות שהיו באות
על דוד היו מכופלות שנאמר °ואת הכבשה ישלם ארבעתים. רבי חנינה אומר ש"ב יב ו
ארבעתים ששה עשר אף נתן הנביא בא והוכיחו על אותו מעשה שעשה. דוד אמר °חטאתי שם יב יג
לה'. מה אמר לו °גם ה' העביר חטאתך לא תמות. ואומר °לך לבדך חטאתי והרע שם / תהלים נא ו
בעיניך עשיתי.

שני פרנסים טובים עמדו להם לישראל משה ודוד מלך ישראל והיו יכולים לתלות את העולם במעשיהם הטובים ולא בקשו מן המקום שיתן להם אלא חנם והלא דברים קל וחומר ומה אלו שיכולים לתלות את העולם במעשיהם הטובים לא בקשו מלפני הקדוש ברוך הוא שיתן להם אלא חנם מי שאינו אחד מאלף אלפי אלפים ורבי

1 הבריות אומ' רמהגאכ, הבריות אומרות ב׳דט, אומרי' הבריות ט[1], הבריות שוות אומ' ל | שאהבו] שהיה אוהבו ג | מחל לו רמדבטלא, מוחל לו כ, מחל לו וכה"א לך לבדך חטאתי מפני מה למען תצדק בדברך ה, וכן הוא אומ' לך לבדך חטאתי ג | משל רמדבטלא, מושלו מלה"ד ה, ר' יהודה או' משלו משל לה"ד ג | שלוה] ששכר ג | מן המלך] ל' ט[2] | כורים חטים רב׳טלאה, כורים חטה דמ, כור חטים ג — 2 באלף כורים חטים בשנה אה, באלף כורים חטה בשנה מ, באלף כור חטים בשנה ג, באלף כורים רטל, באלף כורים אילו ד, באלף ב[1] | ואינו ממשכנו המלך אלא א[1], אינו אלא משכנו המלך רב׳טל. אינו אלא שהמלך משכנו ג, אינו אלא משכנו לו המלך ה, ואינו ממשכנו אלא מ, אלא משכנו המלך ד, אינו ממשכנו המלך א — 3 כתב מא, וכתב רדב׳טלה, וכותב ג | אפוכי גב׳טילה, אפיכי רמ, אפוכי ה, אפרכי ד', אפטי ט[2], אפיני א | שייר ולא שקל רמא, שיגר ולא שייר ד, שיירו ולא שקל הג, שייר ולא שקלו ט[2], שייר ולא כתב ט׳ב[1], שיגר ולא שקל ל | נכנס המלך לביתו ר ב׳טל, נכנס—לתוך ביתו אמה, מה עשה המלך נכנס לתוך ביתו ג | ונטל רדב׳ט[2]ל, נטל מהט׳א, ונטל את כל כלי ביתו ג — 4 המכר] הלקח ב[1] | הכל אמה, ל' רב׳דטל | שלא ש׳יר אמה, שאין רבטלר | אף] כך ה — 5 רבי חנינה—ארבעתים] ל' ט | חנינה] חנניה ד — 6 ארבעתים ששה עשר מד, ארבעתן ר, ארבעת עשרה ה, ארבעתן ששה עשר לב[1], ששה עשר ט, ארבעתן שש עשרה א | אותו] ל' ב | אמר חטאתי] וא' חטאתי ר — 7 מה אמר לו ר, ונתן אמר לו ד, אמ' נתן הנביא מ, מה נתן הנביא אומר [אמר א] לו אה, נתן מה אמר לי ל. ונתן מה אמר לו ב׳ט[2], ונתן אמר לו ט[1], | לא רהא [מסורה], ולא דמב׳לט | לך] לו לך א — 9 שני רדב׳טל, ומה שני מ, אלו שני ה, ב' שני א | עמדו רדהב׳טא, הללו שעמדו מ, היו ל | להם] ל' ב[2] | משה—ישראל רדב׳לאל׳מה, משה רבינו—ישראל ט — 10 את העולם מהא, את העב' ר, את העברות ד, העברות ט, את העבירה ב׳ל [וע' למטה בסמוך] | ולא רדהט[2] ב׳א, לא מט׳ל | מן רדט׳ל, מלפני מהב[1], מאת א, לפני ט | המקום] הקב"ה א | שיתן] ליתן ל | אלא] ל' א | חנם רדהד טלא, מתנת חנם מב[1] | והלא דברים ק"ו—אלא חנם] ל' מט[1], והלא דברים רדהט[2]ב[1], זה הדבר ד, והלא הדברים א, והרי דברים ל — 11 ומה] ל' א | את העולם רדהא, את העברה דטל, ל' ב[1] | לא רדהט[2], ולא דב׳לט׳א — 12 מלפני הקב"ה

מרים היה אח"כ, רמא"ש: 1 שלוה וכו', פירוש בשנה אחת לוה מן המלך אלף כורים חטה, ורמא"ש פי' בשם ר"ה „שלוה מן המלך מעות שיתן לו אלף כורים לשנה" וכתב על זה „ואולי גירסה אחרת היתה לו", אמנם בכ"י ר"ה שלפני ליתא אבל איתא במהר"ס, וע' ציגלר Königsgleichnisse ע' 251: 2 ואינו ממשכנו המלך אלא, כך הוגה בכ"י א בין השטים, וכן מוכח משויון נוסחי אומ, ואולי יש להגיה עוד ואינו ממשכנו אינו אלא שהמלך כתב וכו', ובמובן זה הגיה גם הגר"א „אלא מחל לו המלך וכתב", והנסחאות המשובשות הטעו את המפרשים, ע"פ נוסח ה „אינו אלא משכנו לו המלך" פירש ר' דוד הופמאן „הניח החטים☐ אצלו כמו משכון" ואינני מבין מה ענין זה אל המשל ורד"ף פירש משכנו מל' שכן וקרוב וז"ל „אלא ודאי משכנו המלך כלו' המלך קרוב לו שמשכנו אצלו ובשביל שאוהבו כתב לו אפוכי כן נר' דצריך לומר, מל' מחילה". וכן פי' באהלי יהודה, ועוד כתב רד"ף „וראיתי למהרא"ן שפירש על המשל שהיו אומרים אפשר שהמלך האמין בו להלוות לו כ"כ מעות אלא ודאי שנטל המלך משכון ממנו וכתב לו אפוכי, פי' שטר, וכשראו שכשלא נתן מכר בניו ידעו שלא היה ביד המלך כלום שאם היה לו היה לו ליפרע מהמשכון ע"ש ואע"ג דלשון משכנו דייק הכי לפע"ד אינו נראה דא"כ אין המשל דומה לנמשל": 3 אפוכי, מל"י ἀποχή „מחילה" כמו שהעיר ר' דוד הופמאן ולא כפירוש ר' שמואל קרוסס במלונו ח"ב עמ' 100, ע' אפוכי ב' — שייר, האיש ולא שקל למלך כלום: 4 שלא שייר בידו כלום, שהמלך לא מחל לו כלום אלא בכל שנה שלם הכל משלם, רד"ה: 5 מכופלות, הילד, אמנון, תמר, אבשלום כמו שמובא ביומא כ"ב ע"ב — ר' חנינה וכו', השוה ילקוט שמואל קמ"ח „א"ר יהודה בר חנינא אמר לו הקב"ה לדוד אתה נאפת אחת ט"ז נואפות לך, אתה רצחת אחד ט"ז נרצחים לך, ארבעתים ארבעה על ארבעה הם ט"ז: 10 חנם, דורש ואתחנן והשוה ספרי במדבר פי' מ"א (ע' 45) „ויחוניך

רבבות מתלמידי תלמידיהם על אחת כמה וכמה שלא יבקש מלפני הקדוש ברוך הוא שיתן לו אלא חנם.

דבר אחר ואתחנן אל ה׳, עשרה לשונות נקראת תפלה זעקה שועה נאקה
שנאמר °ויהי בימים הרבים ההם וימת מלך מצרים ויאנחו בני ישראל שמו׳ ב כג־כד
מן העבודה ויזעקו ותעל שועתם, וישמע אלהים את נאקתם, נקראת
בצר וקריאה שנאמר °בצר לי אקרא ה׳, נקראת רנה ופגיעה שנאמר °ואתה אל ש״ב כב ז / ירמיה ז טו
תתפלל בעד העם הזה ואל תשא בעדם רנה ותפלה ואל תפגע בי,
נקראת נפול שנאמר °ואתנפל לפני ה׳, נקראת פלול שנאמר °ואתפלל אל ה׳, דברים ט כה / שם ט כו
נקראת עתירה שנאמר °ויעתר יצחק לה׳ לנכח אשתו, נקראת עמידה שנאמר בראש׳ כה כא

יחנך במתנת חנם״: 3 עשרה לשונות, דברים רבה ריש פ״ב, תנחומא א׳ ואתחנן סי׳ ג׳, תנחומא ב׳ שם סי׳ ג׳ (ה׳ ע״א), ומובא ברש״י לפי גירסת רבלטד שבדה בכרתי מנוים לאחד כל המנחים הנזכרים בכתוב יחד, וזהו פרטם: א׳, תפלה; ב, זעקה, שועה, נאקה; ג, בצר, קריאה; ד, רינה פגיעה; ה, ניפול, ו, פילול, ז, עתירה; ח, עמידה ט, חלוי; י, תחינה. במ מובאים פסוקים מיוחדים למנחים אחדים של רשימה זו, ואחרים נשמטים, וחשבונו הוא: א, זעקה, שועה: ב, נאקה; ג, בצר; ד, קריאה; ה, רינה, פגיעה, ו, ניפול, ז, עתירה; ח, עמידה; ט, פילול; י, תחינה. אמנם באה הובאו רק עשרה מנחים והם, זעקה, שועה, נאקה (אנקה ה) בצר, קריאה, רינה, פגיעה, ניפול, פילול, תחינה. (ה מוציא בצר ומכניס תפלה וכעין זה בדברים רבה, התנחומא גורס „הרבה שמות נקראת התפלה״). בתנחומא א׳ מונה רק תשעה, ובתנחומא ב׳ מונה שנים עשר, ומקור שניהם לכאורה הספרי ונכללים ברשימתם מנחים כמו עתירה, עמידה, חלוי, החסרים בהא ודב״ר, וכן היתה גרסת מהרא״ן, לפי עדות רד״ף, שכתב „מ״כ תפלה לא ממנינא הוא דהיינו פלול, צעקה ושועה חדא חשוב להו וכן רינה ופגיעה חדא, ותעל שועתם לויצעקו קאי כמו שחוזר, וישמע אלהים את נאקתם לויאנחו. וכן ביצור וקריאה חדא חשיב להו״, ורד״ף שהיתה לפניו רק נוסחת ד תמה על מהרא״ן וז״ל „ולא הבנתי דבריו דא״כ בצרי להו מעשרה ועוד בצור מאן דכר שמיה הכא״, ורמא״ש מפרש עשרה לשונות כלומר הרבה לשונות והשוה ירוש׳ ברכות פ״ד ה״א (ז׳ ע״א) „אין עמידה אלא תפלה, אין שיחה אלא תפלה, אין פגיעה אלא תפילה״, והציונים האחרים שאביא להלן, ובפ״ז הגירסה „שבעה שמות לתפלה תהלה שועה שיחה פגיעה עמידה רנה בקשה״: 6 בצר, לפירוש זה בצר ל׳ תפלה לא מצאתי חבר, ברש״י תהלים ק״ו מ״ד המשפט „בצר מתוך תפלה״ הוא טעות סופר, מקור המאמר מדרש תהלים ק״ו ט׳ (רכ״ט ע״א) „א״ר אלעזר אין ישראל נגאלין אלא מתוך ה׳ דברים מתוך צרה מתוך תפלה וכו׳ מתוך צרה שנ׳ וירא בצר להם מתוך תפלה שנ׳ בשמעי את רנתם וכו׳״, וכעין זה בירו׳ תענית פ״א ה״א (ס״ג ע״ד) ודברים רבה פ״ב סי׳ כ״ג, ופסיקתא רבתי שובה ישראל (קפ״ד ע״ב). ובנוסח הרגיל של רש״י נשתבש תחלת המאמר ויש להגיה בהתאם למ׳ תהלים, וע׳ הערת ר׳ שלמה באבער במ׳ תהלים. — ופגיעה, אין פגיעה אלא תפלה, מכילתא בשלח ויהי פ״ב (כ״ח ע״א, ה—ר 92) מכילתא דרשב״י י״ד י׳ ע׳ 45, ב׳ ברכות כ״ו ע״ב, תענית ז׳ ע״ב, סוטה י״ד ע״א, סנהדרין צ״ה ע״ב, בראשית רבה ס״ח י״א ע׳ 778, במדבר רבה פ״ב סי׳ א׳, תנחומא א׳ סי׳ ט (וע׳ ג״כ שם חיי שרה סי׳ ה ותנחומא ב׳ מקץ סי׳ י״א צ״ח ע״ב) תנחומא ב׳ ויצא סי׳ ד׳ ע״ג ע״ב, מדרש תהלים נ״ה סי׳ ב׳ קמ״ו ע״ב, אגדרת בראשית פ׳ מ״ו ע׳ 93, וע׳ עוד מ׳ משלי פ׳ כ״ב סי׳ כ״ח מ״ז ע״א: 8 נפול, ת״י דברים ט׳ י״ח וכ״ה: 9 עמידה, ואין עמידה אלא תפלה, מכילתא, מכילתא דרשב״י, ירוש׳ ברכות וב׳ ברכות שם, וגם ו׳ ע״ב, בראשית רבה, במדבר רבה, תנחומא

רדהטבי, מן המקום דל, מאת הקב״ה א | אלא] ל׳ א | מאלף—ורבי [ומרבי ה] רבבות רהדביל, מני אלף מ, מאלפי אלפים ורבי רבבות ט, מאלפי אלפים ומרבוא רבי הרבבות א — 1 מתלמידי תלמידיהם מהא, מתלמידי תלמידיהון ה, מתלמידיהם רטדל, ל׳ בי | הקב״ה רטא, המקום דהביל — 2 חנם] חנם לכך נאמר תחנונים ידבר רש זה דוד מלך ישראל ועשיר יענה עזות זה משה ה — 3 ד״א רדביטל, ל׳ ה, ואתחנן אל ה׳ במיני חנונים מ, ג׳ ואתחנן א | עשרה רמדביטא, בעשרה הל, שנים עשרה [א״א] | זעקה שועה נאקה רבלט, נקרית זעקה שועה נאקה נקראה בצר וקריאה רנה ופגיעה ניפול פלול תחנה נקראת זיקה שועה ונאקה א, נקראת זעקה שועה אנקה ה, זעקה שועה שנ׳ ויהי בימים הרבים ההם וגו׳ ויזעקו ותעל שועתם אל האלקים נאקה מ, זעקה שועה נאקה צרה רינה ופגיעה ניפול ופילול עתירה ועמידה חילול חנון זעקה במצרי׳ ד, שועה צעקה נאקה רנה פגיעה ביצור קריאה ניפול ופילול ותחנונים שועה צעקה שנאמר ויאנחו בני ישראל מן העבודה ויזעקו וג׳ נאקה דכתיב [רבה] — 5 נקראת בצר וקריאה שנאמר לט, נקרית בצר וקריות ר, בצר קריאה שנ׳ ב, קרייה שנ׳ ה, צרה מנין ד, בצור וקריאה דכתיב [רבה], בצר שנ׳ בצר להם בשומעו את (תה׳ ק״ו מ״ד) קריאה שנ׳ מ, נקרית בצר וקריאה או׳ וירא בצר להם בשמעו את רנתם מנין שנ׳ א — 6 נקראת רינה ופגיעה שנאמר רלהט, רינה ופגיעה שנ׳ מב, רינה מנין ד, רינה ופגיעה דכתיב [רבה], נקרית רנה ופגיעה מנין שנאמר א — 7 ואל תפגע בי בימה, וג׳ ראטל, פגיעה מניין אל תפגע בי ד — 8 נקראת ניפול שנ׳ הא, נקראת ניפול ר, ניפול שנ׳ מ, ונקראת נפילה שנ׳ בי, נקראת נפילה שנ׳ לט, ניפול מניין שנ׳ ד, ניפול דכתיב [רבה] | לפני ה׳] <בראשונה> ד | נקראת פלול שנאמר רא, ונקרא׳ פלול שנ׳ בי, נקראת פלול ל, נקראת תפלה ופלול שנ׳ ה, פלול מנין ד, פלול שנאמר ט, ל׳ מ, פלול דכתיב [רבה] — 9 נקראת עתירה— ויחל משה וגו׳] ל׳ אה [רבה] | נקראת עתירה שנ׳ ל, נקראת עתירה רט, עתירה שנ׳ מ, ונקרא׳ עתירה שנ׳ בי, עתירה מנין ד | נקראת עמידה שנ׳ לט, נקראת עמידה ר, ונקרא׳ עמידה שנ׳ בי, עמידה שנ׳ מ, עמידה מנין ד —

תהלים קו ל שמות לב יא °ויעמד פנחס ויפלל וגו׳, נקראת חילוי שנאמר °ויחל משה וגו׳, נקראת תחנה
שנאמר ואתחנן אל ה׳.

בעת ההיא לאמר, משל לבני מדינה שהיו מבקשים מלפני המלך שיעשה את מדינתם קלוניא פעם אחת היו לו שני אויבים ונפלו לפניו אמרו הרי שעה שנבקש בה מלפני המלך שיעשה את מדינתנו קלוניא כך משה היה מבקש מלפני הקדוש ברוך הוא שיכנס לארץ כיון שראה שנפלו סיחון ועוג לפניו אמר הרי שעה שאבקש בה מלפני הקדוש ברוך הוא שאכנס לארץ לכך נאמר בעת ההיא.

לאמר, זה אחד מן הדברים שאמר משה לפני המקום הודיעני אם אתה עושה
שם יז ד לי אם אי אתה עושה לי, אמר לו הקדוש ברוך הוא אני עושה, °ויצעק משה אל ה׳
לאמר מה אעשה לעם הזה׳ שאין תלמוד לומר לאמר ומה תלמוד לומר לאמר׳ אמר
שם ו יב לו הודיעני אם נופל אני בידם אם לאו׳ כיוצא בו אתה אומר °וידבר משה לפני ה׳,
שאין תלמוד לומר לאמר ומה תלמוד לומר לאמר אמר לו הודיעני אם אתה גואלם
במדבר יב יג אם לאו. כיוצא בו אתה אומר °ויצעק משה אל ה׳ לאמר אל נא רפא׳ שאין תלמוד

1 נקראת חילוי שנאמר ויחל משה רלטבי, חלול מנין ויחל משה ד, פלול שנ׳ ואתפלל אל ה׳ מ | נקראת תחינה שנאמר רבילטא, חינון מנין ד, תחינה מ, תחינה שנ׳ה, ותחנונים דכתיב [רבה] — 3 בעת] ד, בעת א | משל] מושלו מלה״ד | מדינה] המדינה א | שהיו מבקשין מהא, שמבקשים רדטל, שבקשו בי | מלפני רדהלא, לפני מט, מאת ד, מן בי | את מדינתם מהא, מדינתן רלטי, מדינתו ביטי, מדינה ד — 4 קלוניא מהא, קליניא רד, קלניא בילט, [מ <פי׳ מכס>] | ונפלו] ויפלו ד | שעה] זו שעה מ | שנבקש בה רדהלט²א, שנבקש מביט, שבקשנו ד — 5 מלפני המלך] מלפניו ט | מדינתנו] מדינתם א | היה מבקש מהא, מבקש רדטביל | הקב״ה רדא, המקום מהט²ביל, הק׳ טי — 6 לארץ] לארץ ישר׳ בי | שראה] ל׳ ה | שנפלו סיחון ועוג לפניו] סיחון ועוג שנפלו מ | בה אמה, ל׳ רדביטל — 7 מלפני הקב״ה א, מלפני המקום ה, ל׳ רמדטביל | ההיא] היא ד״א בעת ההיא בשעה שנתחלקה הארץ לבני גד ולבני ראובן שנ׳ ואת הארץ הזאת ירשנו בעת ההיא מ — 8 לאמר—אם אכנס לארץ אם לאו] ח׳ ט | לאמר רמהבי, ה׳ לאמר א, ל׳ ד ל | המקום רבילדה, הקב״ה מא | אתה עושה לי רהבי לד, תעשה לי מ, עושה אתה לי א — 9 אם אי—לי ר, אם אי—עמי ה, ואם אין—לי א, אם אין—לי ד, אם לאו מ, אם אי אתה עושה בי, ל׳ ל | אם אי אתה עושה—אני עושה] ל׳ [רא״ם] | אמר] ואמר ה | הקב״ה אמ, המקום ה, ל׳ רדביל | אני עושה] כן אעשה מ | ויצעק] הפסוקים מובאים בסדר הזה ברביד ובראם, אמנם באמ הסדר הוא שמות ו׳ י״ב, שמות י״ז ד׳, במדבר כ״ז ט״ו והדרש על במדבר י״ב י״ג חסר׳ בה מובא רק הדרש על שמות ו׳ י״ב׳ בל הסדר שמות י״ז ד׳, במדבר י״ב י״ג, שמות ו׳ י״ב, במדבר י״ב י״ג | ויצעק—נופל בידם ואם לאו כיוצא בו אתה אומר] ל׳ ה | ויצעק מא [מסורה], וידבר רדבי [רא״ם], ויאמר ל [במא מובאה דרשה זו אחר הודיעני אם אתה גואלם אם לאו, ולכן מתחלת „כיוצא בו אתה אומר״] — 10 שאין ת״ל—מה לומר לאמר רבידל, ל׳ מא — 11 נופל אני אר [רא״ם], אני נופל מביל, אפול ד | בידם] <אם אתה גואלך> ל | אם בימאל, ואם רד | כיוצא בו אתה אומר לד, כיוצא בו אומר ר, כיוצא בו בי, [באמה ל׳, מפני שלפי סדרם זו הדרשה הראשונה] | לפני אמהדל [מסורה], אל רבי — 12 ומה—לומר] ל׳ למ | ומה] מה א | אמר לו] אלא בי | אם] ואם ר [וכן בסמוך] — 13 כיוצא בו—אם אתה מרפא אותה אם לאו] ל׳ אמ ה | אתה אומר רלד, ל׳ בי [רא״ם] | שאין—ומה ת״ל לאמר] ל׳ ד —

א׳ מקץ, מדרש תהלים שם׳ ועיין עוד בראשית רבה פ״ס סי׳ י״ד ע׳ 654, ב׳ ע״ז ז׳ ע״ב, ופדר״א פ׳ ט״ז, מ׳ תהלים ק״ב סי׳ ב׳ רט״ו ע״ב, ת״י דברים י׳ ו׳: 3 משל וכו׳, השוה ציגלר Königsgleichnisse עמ׳ 48 ולפי דבריו כך אירע בקיסר סיווירוס שהכריע שני אויביו ולזכר הנצחון העמיד מדינות אחדות, וביניהן צור ושומרון, במדרגת קולוניא שהייתה כנראה שלטון נוח יותר לאזרחיה: 4 קלוניא מל״י κολωνία ול״ר colonia: 8 זה וכו׳, לאמר משמע אמור לי אם תעשה בעבורי, ועיין רש״י ופ״ז ולמעלה ריש פיסקא ה׳ (ע׳ 13) והערתי והציונים שם׳ — אחד מן הדברים וכו׳, ספרי במדבר פי׳ ק״ה (ע׳ 104) וקל״ח (ע׳ 184) וס״ז כ״ז ט״ז (ע׳ 320)׳ מקור המאמר הוא דברי ראב״ע בספרי שם, שבארבעה מקומות דרש לאמר ל׳ „השיבני דבר״, והם שמות י׳ י״ב, במדבר י״ב י״ג, שם כ״ז ט״ז, והכתוב הזה, רש״י מעתיק כאן „זה אחד מג׳ מקומות״ אמנם בפי׳ לבמדבר י״ב י״ג מביא מן הספרי שם בשם ראב״ע ארבעה מקומות, בספר הזכרון הגיה ברש״י כאן, „זה אחד מן המקומות״ ורא״ם מעתיק את הספרי ולפי גרסתו כמו ברבילד יש חמש דוגמאות ואיפשר שנוסח הספרי לפני רש״י היה קטוע וחסר שהרי אף באמ נמנות ג׳ דוגמאות חוץ מזו של ואתחנן: 9 ויצעק וכו׳ עד אם נופל אני בידם אם לאו, נראה שמאמר זה נוסף מגליון שחסר במ״ת וגם באמ אין מקומו כאן, ועוד שאינו נכלל בארבעה פסוקים שהיה ראב״ע דורשם: 11 כיוצא בו וכו׳ עד פרנסים אם לאו, שני המאמרים אינם, לפי דעתי, מעיקר הספרי; הדרש הראשון חסר באמה והשני חסר בה, אעפ״י שנמצא באמ: 12 הודיעני וכו׳, ספרי במדבר פי׳ קל״ד (ע׳ 180), דברים רבה ב׳ ד׳ בשם ר״ע:

לומר לאמר ומה תלמוד לומר לאמר הודיעני׳ אם אתה מרפא אותה ואם לאו׳ כיוצא בו
אתה אומר °וידבר משה אל ה׳ לאמר יפקד ה׳ שאין תלמוד לומר לאמר ומה תלמוד שם כז טו–טז
לומר לאמר אמר לו הודיעני אם אתה ממנה עליהם פרנסים אם לאו אף כאן אתה אומר
בעת ההיא לאמר שאין תלמוד לומר לאמר ומה תלמוד לומר לאמר אמר לו
הודיעני אם אכנס לארץ אם לאו.

(כד) ה׳, כל מקום שנאמר ה׳ זו מדת רחמים שנאמר °ה׳ ה׳ אל רחום וחנון, כל שם לד ו
מקום שנאמר אלהים זו מדת הדין שנאמר °עד האלהים יבוא דבר שניהם, שם כב ח
ואומר °אלהים לא תקלל סליק פיסקא שם כב כז

כז.

אתה החלות, אתה התרת לי נדרי בשעה שאמרת לי °לך והוצא את עמי שם ג י
בני ישראל ממצרים, אמרתי לפניך איני יכול שכבר נשבעתי ליתרו שאיני זז
מאצלו שנאמר °ויואל משה לשבת את האיש, ואין הואלה אלא שבועה שנאמר שם ב כא
°ויואל שאול את העם. ש״א יד כד

דבר אחר אתה החלות. אתה פתחת לי פתח שאעמוד ואתפלל לפניך על
בניך בשעה שסרחו במעשה העגל שנאמר °הרף ממני ואשמידם, וכי משה תפוס דברים ט יד

---

1 הודיעני רלד, א״ל הודיעני [רא״ם], אלא הודיעני ב¹ | אותה בלד, לה ל, ל׳ ר — 2 אתה אומר רדלא [רא״ם], ל׳ בימ | שאין–ת״ל לאמר רדב¹, שאין ת״ל לאמר ל, ל׳ אמ — 3 אמר לו רדא, אלא אמ׳ לפניו ל, אלא ב¹, ל׳ מ | אף כאן מב׳א, אף כן ר, כך דל | אתה אומר—ומה ת״ל רב׳לד | לאמר אמ | אמר לו רהא, אלא ב¹, ל׳ ד מ, אלא אמר לו ל — 5 אם לאו] אם איני נכנס ה | לאו] <פ׳> ר — 6 ה׳ ארל [רא״ם], ה׳ אלהים מהטב¹ [פס׳ זוט׳], ל׳ ד | כל] בכל א | זו רדל, פס׳ זוט׳ [רא״ם, רמב״ן], הרי זו אמה, ל׳ בימ [ב״ר], וכן בסמוך | שנאמר רמדט ב׳לא, ל׳ ה [ב״ר], כענין [פס׳ זוט׳] — 7 שנאמר רדט ב׳ל [רא״ם, ס׳ הזכרון], ל׳ מהא [ב״ר], כענין [פס׳ זוט׳] | שנ׳ עד האלהים—לא תקלל] שנ׳ אלהים לא תקלל ואומר עד האלהים יבא דבר שניהם ב¹, שנ׳ אלהים לא תקלל [פס׳ זוט׳] — 8 ואומר אדלט [רא״ם, ס׳ הזכרון], ל׳ ר מה | לא תקלל] <אלהים שופט צדיק (תהלים ז׳ י״ב)> ה —

9 לין] ל׳ ל | לך, קו משוך תוך המלה בא, ובמסורה הנוסחה ועתה לכה ואשלחך אל פרעה | עמי מטל ב¹ וכן בא, בין השטים [מסורה], ל׳ רהדא — 10 ממצרים אמהל [מסורה], מארץ מצרים רדטב¹ — 11 מאצלו מאצלך ר | ואין–שנאמר רהדטב׳ל, וכתי׳ מ, וכתו׳ א — 13 אתה החילות רהדלב׳ט, ל׳ מא | ואתפלל] ומתפלל ד — 14 בשעה–העגל אמהדט, בשעת–העגל ב¹, בשעה סרחו לפניך במעשה העגל ל, בשעה שסרחו לפניך במעשי עגל ר | תפוס היה בקדש ה, היה תפוס בקדש רטל, היה

6 כל מקום וכו׳, פ״ז, ב״ר ל״ג ג׳ (ע׳ 308), שם ע״ג ג׳ (ע׳ 847), מ׳ תהלים נ״ו ג׳ קמ״ז ע״ב, ונרמז על דרשה זו במכילתא דרשב״י וארא, (ע׳ 4), בשלח ט״ז (ע׳ 63), ב׳ ברכות ס׳ ע״ב, ירוש׳ שם פ״ט ה״ז י״ד ע״ב, ב״ר י״ב ט״ו (ע׳ 113), שם כ״א ג׳ (ע׳ 202), שמות רבה ג׳ ו׳, מ׳ תהלים ק״א א׳ רי״ד ע״א, והשוה פילון אודות אברהם כ״ד קכ״א והוא מכיר את ההבדל במובן השמות אלא שמפרש להפך ה׳ לשון אדנות ומלכות, ואלהים ל׳ רחמים, ועיין על זה מרמורשטיין בספרו The Old Rabbinic Doctrine of God ח״א ע׳ 46, ובספר אגדות היהודים למורי ר׳ לוי גינזבורג ח״ה ע׳ 4, הערה 6, וע׳ 185 הערה 46: 7 זו מדת הדין, לכאורה נוסח הכתוב לפי בעל הדרש הוא „ה׳ אלהים״ אבל במסורה הנוסח אדני ה׳, ולפי גרסתו מפרש הספרי ההבדל בין שני השמות׳ וכעין זה בספרי במדבר פי׳ קל״ד ע׳ 180, אלא ששם דורש על פי הקרי: „אדוני, אדון אתה לכל באי העולם; אלהים, בדין בראת את העולם״, וכגרסת הספרי היתה, כנראה, גם ג׳ השבעים, שתרגמו κύριε ὁ θεός כדרכם בכל מקום שנאמר ה׳ אלהים, אמנם את אדני ה׳ מתרגמים או κύριε μου κύριε או κύριε κύριε (כמו בשופטים ו׳ י״ג) או Δέσποτα κύριε כמו בברא׳ ט״ו ב׳ וח׳, או κύριε βασιλεῦ τῶν θεῶν כמו לקמן דברים ט׳ כ״ו׳ אמנם בפשיטא ובוולגאטא ובת״א ובת״י הגרסה כמו במסורה: 8 ואומר אלהים לא תקלל, לפי פירוש ר׳ ישמעאל הסובר שאלהים שם הוא חול ופירושו דיינים, אבל ר״ע חולק וסובר שהוא קודש, סנהדרין ס״ו ע״א ובירו׳ שם פ״ז ה״י (כ״ה ע״א) וכן יש לנסח במכילתא משפטים, מסכתא דכספא פ׳ י״ט, (צ״ז ע״א, ה–ר ע׳ 317), וראב״י סובר כר״ע במכילתא דרשב״י כ״ב כ״ז (ע׳ 152):

9 אתה התרת וכו׳, מכילתא דר״ש שמות ד׳ י״ח ע׳ 169, שמות רבה ד׳ ד׳, תנחומא א׳ שמות כ׳, תנחומא ב׳ שם י״ח (ה׳ ע״ב): 10 שאינו זז מאצלו, במקומות המצויינים ועוד בירו׳ נדרים פ״א ה״ב ל״ז ע״א, ב׳ נדרים ס״ה ע״א, שמות רבה פ״א סי׳ ל״ג, תנחומא א׳ שם סי׳ י״ב, תנחומא ב׳ שם סי׳ י״א ד׳ ע״א, וכן נתרגם בוולגאטא שם אבל במכילתא ריש יתרו (נ״ח ע״א ה–ר 191) איתא שנשבע לתת בכורו לע״ז: 11 ואין הואלה אלא שבועה, למעלה פי׳ ד׳ ובציונים שם: 13 אתה פתחת לי פתח וכו׳, רש״י, ופ״ז, וע׳ ב׳ ברכות ל״ב ע״א וספרי במדבר קל״ד ע׳ 180: 14 תפוס היה וכו׳, ברכות ל״ב ע״א, שמות רבה מ״ב ט׳, דברים רבה ג׳ ט״ו:

היה בקדש אלא כך אמר לפניו, רבונו של עולם, אתה פתחת לי פתח שאעמוד ואתפלל על בניך ועמדתי והתפללתי עליהם ושמעת תפלתי וסלחת לעוונם הייתי סבור שאני עמהם בתפלה והם לא התפללו עלי והלא דברים קל וחומר אם תפלת יחיד על הרבים כך נשמעת, תפלת הרבים על היחיד על אחת כמה וכמה.

להראות את עבדך, יש שקראו עצמם עבדים והקדוש ברוך הוא קראם
עבדים ויש שקראו עצמם עבדים והקדוש ברוך הוא לא קראם עבדים ויש שלא קראו
בראשית יח ג עצמם עבדים והקדוש ברוך הוא קראם עבדים, אברהם קרא עצמו עבד שנאמר °אל
שם כו כד נא תעבר מעל עבדך, והקדוש ברוך הוא קראו עבד שנאמר °בעבור אברהם
שם לב יא עבדי, יעקב קרא עצמו עבד שנאמר °קטונתי מכל החסדים ומכל האמת
ישעיה מא ח אשר עשית את עבדך, והמקום קראו עבד שנאמר °ואתה ישראל עבדי. משה
קרא עצמו עבד שנאמר להראות את עבדך והקדוש ברוך הוא קראו עבד שנאמר
במדבר יב ז °לא כן עבדי משה, דוד קרא עצמו עבד שנאמר °אני עבדך בן אמתך, והקדוש
תהל׳ קטז טז
מ״ב יט לד ברוך הוא קראו עבד שנאמר °וגנותי על העיר הזאת להושיעה למעני ולמען
יחזק׳ לז כה דוד עבדי, °ודוד עבדי נשיא להם לעולם. ישעיה קרא עצמו עבד שנאמר
ישעיה מט ה °ועתה כה אמר ה׳ יוצרי מבטן לעבד לו, והקדוש ברוך הוא קראו עבד
שם כ ג שנאמר °כאשר הלך עבדי ישעיהו ערום ויחף, שמואל קרא עצמו עבד
ש״א ג י שנאמר °ויאמר שמואל דבר כי שומע עבדך, והקדוש ברוך הוא לא קראו
שופטים טו יח עבד, שמשון קרא עצמו עבד שנאמר °אתה נתת ביד עבדך את התשועה
מ״א ג ט הגדולה, והקדוש ברוך הוא לא קראו עבד, שלמה קרא עצמו עבד שנאמר °ונתת
לעבדך לב שומע, והקדוש ברוך הוא לא קראו עבד אלא תלאו בדוד אביו שנאמר

תופס בהקב״ה מ, תופס היה בהקב״ה ד, היה תפוס בהקב״ה בי, היה בקדש א [ובין השטים נוסף המלה „תופס״] — 1 כך אמר לפניו—עולם רדבי׳א,! כך אמר משה לפניו—עולם ה, ל׳ מט, כך אמר לפניו ל | אתה—בניך] ל׳ ט — 2 על בניך] עליהם ה | ועמדתי—וסלחת לעוונם רדהל, עמדתי—לעוונם דטבי, ל׳ מא | הייתי מה ב׳לא — 3 והלא מהדטבי׳א, והרי רל — 4 כך נשמעת—על היחיד] ל׳ ל | הרבים רדהדטא, רבים מבי | וכמה] במ נוסף כאן מאמר לקוח מספרי במדבר קל״ד· — 5 להראות] ח׳ להראות א | יש שקראו אהכטיביל. יש שקוראין מ, וכששקראו ר, ישראל שקראו ד, שיש טי | והקב״ה רמדרכט לא, והמקום הבי [וכן בסמוך] | קראם רכטבל, קרא אותם ה, קורא אותם מא [וכן בסמוך] — 6 שקראו] שקוראין מ [וכן בסמוך] | והקב״ה לא קראם רדבטל, המקום לא קרא אותם ה, ואין הקב״ה קורא אותם מ, והמקום לא קראן בי, ולא קראן הקב״ה א | ויש] יש ר — 7 והקב״ה מהדכטלא, והמקום רבי — 8 קראו] קרא אותו ה | בעבור אברהם עבדי רבי׳ל דטב, והרביתי את זרעך בעבור אברהם עבדי ה — 10 והמקום רמהבי, והקב״ה ארבטל | ואתה ישראל עבדי רמהכא [פס׳ זוט׳] [מסורה], ואתה עבדי יעקב דל, עבדי יעקב ט, אל תירא עבדי יעקב בי׳טי — 11 שנאמר רמהכטלא, ל׳ דבי׳טי — 12 לא—משה אמהכל [פס׳ זוט׳], לא—משה בכל ר, משה עבדי בי׳ט, משה עבדי מת (יהושע א׳ ב׳) ד, לא—משה משה עבדי מת טי | אני] אנכי א [והוגה לנכון בכתב אחר] | והקב״ה רמדרבטלא, והמקום הבי — 13 שנאמר—ולמען דוד עבדי ר, שנאמר למעני ולמען דוד עבדי ל, שנאמר למען דוד עבדי (מ״א י״א י״ג) דטבי, ל׳ אמהכ [פס׳ זוט׳] — 14 ודוד—לעולם ארמהכטל [פס׳ זוט׳], ל׳ דבי — 15 ועתה—ה׳] ל׳ דטב | ועתה כה אמ, כה רדה | והקב״ה רמדרכטלא, והמקום הבי — 16 שמואל—שמשון—שלמה] כן הסדר בדטלבי׳כה, במא הסדר שלמה—שמואל—שמשון, בר נזכרים רק שמשון ושל׳מה — 17 שנאמר—והקב״ה לא קראו עבד] ל׳ ד | שמואל האמ (מסורה), ל׳ ר | ויאמר—עבדך] ונתת ביד עבדך ל | והקב״ה אט׳כמל, והק׳ ר, והמקום הבי — 18 אתה נתת ארכל [מסורה], ואתה נתת רט, אתה נתת בי עשית טי — 19 שנ׳—והקב״ה לא קראו עבד] והקב״ה לא קראו עבד שנ׳ ונתת לעבדך לב שומע א — 20 שומע] לשמוע ד | והקב״ה דמכטי׳ל, והק׳ רטי, והמקום הבי | אלא תלאו בדוד אביו הדכבל, אלא תלאו בדוד ר, ל׳ אמט [פס׳ זוט׳]· [ונראה שגם בטופס הספרי של ר׳ הלל היתה הגרסה כמו בכ״י ר שכתב בפירושו „ה״ג בשוחר טוב במזמור למנצח לעבד ה׳

3 אם תפלת וכו׳, [השוה מכיל׳ משפטים פ׳ י״ח צ״ה ע״ב, ה—ר 314] ומכילתא דרשב״י שם כ״ב כ״ג, ע׳ 151: 5 יש שקראו וכו׳, פ״ז, ילקוט יהושע ד׳ ר׳ י״ז, מכירי ישעי׳ כ׳ ג׳, שם עמוס ג׳ ז׳, שם חגי ב׳ כ״ג, ותהלים קט״ז מ״א ובמ׳ תהלים י״ח ד׳ (ס״ח ע״ב), והשוה אדר״נ נו״ב פרק

°למען דוד עבדי, איוב לא קרא עצמו עבד והקדוש ברוך הוא קראו עבד שנאמר מ"א יא יג
°השמת לבך אל עבדי איוב, יהושע לא קרא עצמו עבד והקדוש ברוך הוא קראו איוב ב ג
עבד °וימת יהושע בן נון עבד ה׳, כלב לא קרא עצמו עבד והקדוש ברוך הוא יהושע כד כט
קראו עבד שנאמר °ועבדי כלב, אליקים לא קרא עצמו עבד והקדוש ברוך הוא קראו במדבר יד כד
עבד שנאמר °וקראתי לעבדי לאליקים, זרובבל לא קרא עצמו עבד והקדוש ישעיה כב כ
ברוך הוא קראו עבד שנאמר °ביום ההוא נאום ה׳ אלהים אקחך זרובבל חגי ב כג
בן שאלתיאל עבדי נאם ה׳ ושמתיך כחותם כי בך בחרתי נאם ה׳,
דניאל לא קרא עצמו עבד והקדוש ברוך הוא קראו עבד שנאמר °דניאל עבד אלהא דניאל ו כא
חייא, חנניה מישאל ועזריה לא קראו עצמם עבדים והקדוש ברוך הוא קראם עבדים
שנאמר °שדרך מישך ועבד נגו עבדוהי די אלהא עלאה פוקו ואתו, שם ג כו
נביאים הראשונים לא קראו עצמם עבדים והקדוש ברוך הוא קראם עבדים שנאמר °כי עמוס ג ז
לא יעשה ה׳ אלהים דבר כי אם גלה סודו אל עבדיו הנביאים.

את גדלך, זה בנין אב לכל גדלך שבתורה.

ואת ידך החזקה, אלו עשר מכות שהביא הקדוש ברוך הוא על המצרים
במצרים שנאמר בהם °נטה את ידך. שמות ה א

אשר מי אל בשמים ובארץ, שלא כמדת בשר ודם מדת הקדוש ברוך הוא, מדת בשר ודם אפרכוס יושב על אפרכיא שלו מתירא הוא מן סנקתידרום שלו

מ"ג (ס"א ע"א): 1 איוב וכו׳, לכאורה סובר איוב בימי משה היה (ב"ב ט"ו ע"א) שמקדימו ליהושע ומה שבכר שמואל לשמשון מפני, שלדעת התנא, היו בני דור אחד, והחשוב ביניהם קודם למנין וכן מזכיר את זרובבל לפני דניאל: 13 זה בנין אב וכו׳, המבארים פירשו על פי ספרי במדבר פי׳ קל"ד „את גדלך זו מדת טובך", ומכאן, לפי באורם, בנין אב לכל גודל האמור בתורה ביחס להקב"ה שהוא מדת הטוב ולי נראה יותר שכונת האמור שהוא בנין אב בכל מקום לגודל רוחני ולא גופני: 14 אלו עשר מכות, מכילתא דרשב"י י"ג ג׳ (ע׳ 32): 16 שלא כמדת וכו׳, רש"י, ופ"ז, והשוה ציגלר Königsgleichnisse ע׳ 155. — בשר ודם וכו׳, מכילתא ויבא עמלק פ"ב (נ"ה ע"א, ה—ר 182), ספרי במדבר שם בסגנון אחר ומשם במכירי ישעי׳ מ"ד כ"ב: 17 אפרכוס יושב על אפרכיא שלו, ל׳ יון הוא, ר"ה, ἔπαρχος, פי׳ המושל והמדינה שלו ועי׳ במלונים. — סנקתדרוס, פי׳ ר"ה „ל׳ יון הוא היינו השרים היושבים עמו בבירת המשפט", συγκάθεδρος ועי׳ במלונים, ובספרו של ציגלר שם:

לדוד שלמה קרא לעצמו עבד דכתיב ונתת לעבדך לב שומע והקב"ה לא קראו עבד ותו לא מידי דכתיב הכא [ת]לאו בדוד אביו"] — 1 למען דוד עבדי ד, למען דוד עבדי בי, שנ׳ וגנותי על העיר הזאת להושיעה למעני ולמען דוד עבדי (מ"א י"ט ל"ד) הבל, שנ׳ וגנותי על העיר הזאת ר, ל׳ אמט [פס׳ זוט׳] | והקב"ה אמדבטיל, והק׳ ר טי, והמקום הבי | קראו ארמדכטביל, קרא אותו ה, קרא ב [וכן בכל פעם בב למטה] — 2 אל עבדי] בעבדי ב | והקב"ה רדמכטלא, והמקום ה, והק׳ ב — 3 והקב"ה אדמבטל, והמק׳ רה, והק׳ ב — 4 והקב"ה אמדכטיל, והק׳ רטיב, והמקום ה — 5 עצמו עבד—קראו] ל׳ ב | והקב"ה ארמבטיל, והק׳ רטי, והמקום ה — 6 ביום ההוא— נאם ה׳ ר, והיה ביום ההוא אקחך זרובבל בן שאלתיאל עבדי א, והיה ביום ההוא אקח זרובבל בן שאלתיאל עבדי מה, ביום ההוא אקחך זרובבל בן שאלתיאל עבדי ל, זרובבל בן שלתיאל עבדי דט, בן שלתיאל עבדי ב, אקחך זרובבל בן שאלתיאל עבדי כ, [ביום ההוא נאם ה׳ צבאות אקחך זרבבל בן שאלתיאל עברי נאם ה׳ ושמתיך כחותם כי בך בחרתי נאם ה׳ צבאות; מסורה] — 8 והקב"ה רמכטילא, והמקום דמ, והק׳ טיב — 9 והקב"ה] והק׳ ב — 10 שנאמר שדרך—קראן עבדים] ל׳ מכ [פס׳ זוט׳] | עלאה האי (מסורה), קיימא ר, חייא דלטי, ל׳ בטא — 11 והקב"ה רמדטילא, והמקום ה, והק׳ בטי | שנאמר רלדאמהכ, ל׳ טב — 12 הנביאים] מ מוסיף כאן מאמר לקוח מספרי במדבר פי׳ קל"ד (עמוד 180) — 13 גדלך] גדולה ה | שבתורה, במ יש כאן הוספה מספרי במדבר פיס׳ קל"ד (ע׳ 180) — 14 אלו] זה ר | הקב"ה רדמאט, המקום ב"ה ה, הק׳ ב, המקום ל — 15 במצרים] ל׳ ט | שנ׳ בהם—ידך רמהא, שנ׳ נטה ידך דבט, שנ׳ נטה את ידך ל | ידך] במ גם כאן יש הוספה מספרי על במדבר פי׳ קל"ד (שם) — 16 שלא—הקב"ה רדטיל, שלא—הק׳ בטי, שלא כמדת הקב"ה מדת בשר ודם מא, אמר לפניו רבוני אתה מדתך שלא כמדת בשר ודם ה — 17 מדת ב"ו רדבטל, ב"ו הא, ל׳ מ | אפרכוס לדטפ, אפרקוס ר, אפריקוס הב, אפריקיס א, אפריקי מ | אפרכיא א, אפרכייא מפ, הפרכיא בדט, האפרכיא ר, הפרכיה ה, איפרכיא ל | סנקתידרוס ה, סנקתדריאון ר, סקנתודרים ר, סנקתדורון ב, סנקתדריין מט, סנקתדירין א, קסתנדרין פ [גליון א: פי׳ שרים היועצים ויושבים עם המלך בקתדריון. ובמ הוסיף <פי׳ יועצים>] | שלו שלא—סנקתדריאון] ל׳ ב

שלא יחזירנו אתה שאין לך סנקתידרוס מפני מה אין אתה מוחל לי. מלך בשר ודם יושב על בימה שלו מתירא הוא מפני דיתוכוס שלו שלא יחזירנו אתה שאין לך דיתוכוס מפני מה אין אתה מוחל לי.

אשר יעשה כמעשיך במצרים, וכגבורותיך על הים. דבר אחר כמעשיך במצרים, וכגבורותיך על הירדן.

כח.

(כה) אעברה נא ואראה, איפשר שהיה משה מבקש מלפני המקום שיכנס לארץ והלא כבר נאמר כי לא תעבור את הירדן הזה, משל למלך שהיו לו שני עבדים וגזר על אחד מהם שלא לשתות יין שלשים יום אמר מה גזר עלי שלא לשתות יין שלשים יום איני טועמו אפילו שנה אחת אפילו שתי שנים וכל כך למה כדי לפיג דברי רבו חזר וגזר על השני שלא לשתות יין שלשים יום אמר איפשר שאני יכול להיות בלא יין אפילו שעה אחת וכל כך למה כדי לחבב דברי רבו כך משה היה מחבב דברי המקום ומבקש מלפניו שיכנס לארץ לכך נאמר אעברה נא ואראה.

ההר הטוב הזה והלבנון, הכל קראו אותו הר, אברהם קראו הר שנאמר

1 יחזירנו] יחזירוהו מ | סנקתידרוס ה, סנסתדורין ר, סקנתדורים ד, סנקתדרין מט¹, סנקתרין ט², סניקתדורין ל, סנקדתרין א | אין רמדהבטא, אי דל — 2 דיתוכוס ר, דיתיכוס ב. ריתיכוס ד, דיותכוס ה, דיותיקוס מ, דיוסטין א, דותיכוס ט, רתיקוס ל, דאיהו כוש פ | דיתוכוס] כן נראה לגרס כמו למעלה, ובמקורות הנוסח דיתיכוס ר ב, דותיכוס ט, רתיכוס ל, דיותיכו׳ א, ריתיכוס ד, דיותיכוס ה, דיותיקוס מ — 3 אין אתה אמהטל, אתה אין ר, אי אתה דב | לי] מ מוסיף גם כאן מאמר מספרי במדבר פי׳ קל״ד (שם) — 4 אשר יעשה] <אשר יעשה כמעשיך וכגבורותיך על הים ד״א> מא, [ובין השטים נוסף בא המלה „במצרים״ אחר „כמעשיך״] | במצרים] ל׳ א | ד״א–הירדן] ל׳ א — 5 במצרים רמדטל, על הים ה, בים ב | הירדן] נחלי ארנון מ [וכן נמצא בספרי במדבר קל״ד, ע׳ 181] — 6 אעברה ד, פי׳ אעברה ר, י׳ אעברה א | שהיה] ל׳ ט | משה] ל׳ ר — 7 והלא כבר נאמר] ל׳ ר | משל] מושלו מלה״ד ה | למלך רמדלא, למלך בשר ודם הטב — 8 וגזר] גזר ה | שלשים] כל שלשים ל | שלא לשתות יין שלשים יום רמהלא, שלא אשתה יין [ד עד] שלשים יום בטד — 9 איני טועמו רדבט, אין אני טועמו אמ, אינו טועמו ה, ל׳ ל | אפילו ארמבטל, ואפילו רה | למה כדי רטל, כדי דב, למה בשביל מהא | לפיג, כן יש להגיה ועיין בהערות, כל המקורות גורסים לפוג חוץ מפ, שנוסחו לפגום, ונראה שט״ס בכ״י שלפנינו שהרי לפי פירוש ר״ה היתה גרסתו לפוג ועי׳ בהערות — 10 דברי] את דברי ד | איפשר] אי אפשר מל | שאני יכול לחיות אה, שאוכל להיות מ, אנכי להיות ל, אני יכול היות ר, אני יכול חיות ב, אני לחיות ד, אני יכול לחיות ט — 11 למה כדי רטל, כדי דב, למה בשביל מהא | דברי רבו] את רבו ד — 12 מחבב–ומבקש הדבט, מבקש מן הקב״ה ומחבב ומבקש ר, מחבב דברי הקב״ה ומבקש מא, מחבב דברי הקדוש ומבקש ל | לכך נאמר–ואראה] ל׳ מ [ובכ״י מ מוסיף כאן עוד הפעם מאמר מספרי במדבר קל״ד: אעברה נא ואראה אין נא אלא לשון בקשה ואראה זה הירדן וזהו שר׳ יהודה אומר ארץ כנען היא טובה ולא נחלת בני גד ובני ראובן] — 13 ההר–והלבנון] ההר הטוב זו ירושלם והלבנון זה בית המקדש ד | ההר] י״א ההר א | אברהם קראו הר מדבטכ, אברהם קרא אותו הר הא, ל׳

2 בימה, בל״י βῆμα וע׳ למעלה פי׳ ט׳ — דיתוכוס, מל״י διάδοχος, כלומר ממל״א מקומו, וע׳ במלונו של קרוסס. וציגלר בספרו שם פי׳ מן המלה δοῦκας עיי״ש: 4 כמעשיך במצרים וכגבורותיך על הים, פ״ז, ספרי במדבר קל״ד שם, מבילתא שם, לפי רוב הנסחאות, ועיין עוד בציוניו של מורי ר׳ לוי גינזבורג בספרו אגדות היהודים ח״ו ע׳ 148: 5 הירדן, [וצ״ע ירדן היאך שייך גבי משה ופי׳ במ״ע דהיינו מלחמת סיחון ועוג ויותר נראה דקאי על נחלי ארנון] וכן גורס בהדיא במ, בא השמיט את כל המשפט, מפני קושיא זו: 7 והלא כבר נאמר, [כלו׳ בפרשת פנחס כ״ז י״ב עלה אל הר העברים (מפי׳ רמא״ש), ובפ״ז הגרסה, והלא כבר אמר לו לכן לא תביאו את הקהל הזה (במדבר כ׳ י״ב), וזה יותר נכון אבל גם במ״ת הגרסה כבפנים ורד״ף הגיה ע״פ הפ״ז] אבל בכל שאר המקורות הנוסח „והכ״נ כי לא תעבור וכו׳״. — משל למלך וכו׳, השוה ציגלר Königsgleichnisse עמוד 240: 9 לפיג, כן יש לגרס אעפ״י שבכל המקורות הג׳ לפוג בויו ולפיג הוא כמו להפיג, ופירושו לקרר ולהחליש מן השורש פוג כמו ויפג לבו (בראׄ מ״ה כ״ו), נפוגותי ונדכיתי (תהלים ל״ח ט׳); וחז״ל נשתמשו בבנין הפעיל הרבה „פחד קשה יין מפיגו״ (ב״ב י׳ ע״ב), ור״ה פי׳ „כדי להסיר דברי רבו שאינו חושש בו כדגרסינן בפסחים בסוף כל שעה (מ׳ ע״ב). מים שאין מפיגין טעמן אסור שאר משקין שהן מפיגין טעמן לא כל שכן; הסירי את יינך, הלא תפיגין ית חמריך״: 13 הכל קראו וכו׳, ילקוט ישעיה רנ״ח, שם תהלים תרצ״ז, מכירי ישעי׳ ב׳ א׳ (ע׳ 20), ובתוספתא ברכות פ״ז ה״א (ע׳ 14),

°אשר יאמר היום בהר ה׳ יראה, משה קראו הר שנאמר ההר הטוב הזה, דוד בראש׳ כב יד
קראו הר שנאמר °מי יעלה בהר ה׳, ישעיה קראו הר שנאמר °והיה באחרית תהלים כד ג / ישעיה ב ב
הימים נכון יהיה הר בית ה׳, גוים קראו אותו הר שנאמר °והלכו עמים שם ב ג
רבים ואמרו לכו ונעלה אל הר ה׳.
והלבנון, מנין שאין לבנון אלא מקדש שנאמר °גלעד אתה לי ראש ירמיה כב ו
הלבנון, ואומר °ונקף סבכי היער בברזל והלבנון באדיר יפול, ולמה ישעיה י לד
נקרא שמו לבנון שמלבין עונותיהם של ישראל שנאמר °אם יהיו חטאיכם כשנים שם א יח
כשלג ילבינו סליק פיסקא

כט.

(כו) ויתעבר ה׳ בי למענכם ולא שמע אלי, רבי אליעזר אומר נתמלא עלי חימה רבי יהושע אומר כאשה שאינה יכולה לשוח מפני עוברה. למענכם, בשבילכם נעשה לי כך. ולא שמע אלי, ולא קבל תפלתי.

ויאמר ה׳ אלי רב לך, אמר לו משה אדם נודר לאין הולך לא אצל רבו

„טובה זו ירושלים וכה״א ההר הטוב הזה״ וכעין זה בס״ז בהעלותך ו׳ ל״ב „הטוב זה בית המקדש שנ׳ ההר הטוב הזה והלבנון״ ובספרי במדבר פי׳ קל״ד שם „ההר הטוב זו ירושלים״ ואולי יש לנסח כן במכילתא בשלח, מסכת עמלק פ״ב נ״ה ע״א, ה–ר ע׳ 183, תחת „הר המלך״, ובמדות סופרים הגיה שם כעין זה „הר המוריה״· בת״י כאן „טוורא טבא דנן דביה מתבניא קרתא דירושלים״ והשוה תוספתא ברכות פ״א ה׳ ט״ו (ע׳ 3) „כשהוא שלם קרוי הר״· — אברהם קראו הר, פסחים פ״ח ע״א, פסיקתא רבתי פי׳ ל״ט קס״ה ע״ב, מ׳ תהלים פ״א ב׳ קפ״ג ע״א: 2 ישעיה קראו הר, [רד״ף הגיה „ישעיה קראו הר שנ׳ וברא ה׳ על כל מכון הר ציון וכו׳ (ד׳ ה׳) ואומר והביאו את כל אחיכם וכו׳ על הר קדשי ירושלם (ס״ו כ׳), מיכה קראו הר „שנ׳ והיה באחרית הימים וכו׳ (מיכה ד׳ א׳) ולא הבינותי דבריו] ואמנם רד״ף עצמו פירש דבריו ואגב חריפתא נעלם ממנו לפי שעה מקור הפסוק הזה נכון יהיה וכו׳ בישעי׳ וכתב „וברור הוא דהך קרא דוהיה באחרית הימים לאו בנבואת ישעיה כתוב אלא במיכה ותמיהני בין על מוהר״ס ובין על מהרא״ן שלא הרגישו בזה״: 5 מנין שאין לבנון אלא מקדש, [בספרי במדבר פיס׳ קל״ד ע׳ 181, למעלה פיס׳ ו׳] ועיין בציונים שם ואונקלוס תרגם ובית מקדשא וכן יונתן וטוור ליבנן דביה עתיד למשרי שכינתא:

9 נתמלא עלי חימה, רש״י ופ״ז, וכן סתם בספרי במדבר פי׳ קל״ה (עמוד 181), ובתנחומא ב׳ ואתחנן הוספה א׳ מובא מחלוקת זו בשם ר׳ יהודה ור׳ נחמיה ושם יש להגיה לשוח במקום לשבת: 10 כאשה שאינה יכולה לשוח, [כך לא רצה להטות אוזן לי, רד״ף] וז״א פירש „ר״ל שבאמת לא נתמלא עליו חימה אלא שלא היה יכול לבטל הגזירה מפני השבועה ועיי׳ משנה ברכות ד׳ ד׳ „ר׳ יהושע אומר המהלך במקום סכנה מתפלל תפלה קצרה אומר הושע ה׳ את עמך את שארית ישראל בכל פרשת העבור יהיו צרכיהם לפניך״, ובירו׳ שם (ח׳ ע״ב) פירשו העבור ל׳ „עובר לפני התיבה״ או „עובר בדרך״ אמנם בבבלי „אמר רב חסדא אמר מר עוקבא אפילו בשעה שאתה מתמלא עליהם עברה כאשה עוברה יהיו כל צרכיהם לפניך״. ואולי יש קשר בין דברי רב חסדא והברייתא לפנינו: 11 בשבילכם, [ספרי במדבר שם, מכילתא בשלח ויבא עמלק פ״ב (רמא״ש נ״ה ע״א, ה–ר ע׳ 183) ומובא ברא״ם והשוה רש״י ופ״ז]· — ולא קבל תפלתי, ספרי במדבר שם, ויונתן תרגם ולא קבל צלותי: 12 אמר לו וכו׳ עד רבך,

ר, אברהם קראו אותו הר ל — 1 משה–הטוב הזה מרא כ, משה קרא אותו–הטוב הזה ה, ל׳ טלבד | דוד–ה׳ רמטא, דוד קראו הר ההר שנ׳ הטוב ל, דוד קרא אותו הר–ה׳ ה, ל׳ דב — 3 קראו אותו] קראוהו ט | עמים רמהא [ישעיה] גוים כדבל [מיכה] — 5 מנין שאין לבנון–מקדש א, ומנין–מקדש ד, מנ׳–אלא בית המקדש מ, והלבנון זה בית המקדש רדבלט | שנאמר רהמטלא, ל׳ דב | אתה] אמ׳ ד — 6 ואומר–יפול רלאה, ונאמר–יפול מ, ל׳ ה, ואומר והלבנון באדיר יפול דכט — 7 נקרא שמו ר הדבטל [פס׳ זוט׳], קורין אותו מ, קוראין אותו א | שמלבין רדבטל [פס׳ זוט׳], על שמלבין ה, על שם שמלבין מא | ישראל] ישראל כשלג ה — 8 סליק פיסקא ד, פי׳ ר, י״ב א —

10 עלי אמהטפ [פס׳ זוט׳], עליו רדבל | חימה רדטבלפ, עברה ה, חמה כאשה עוברה מ [פס׳ זוט׳], וז״ל ר״ה: „נתמלא עלי חימה דמשמע ויתעבר לשון עובר, כאשה עוברה וכו׳, ויתעבר משמע לשון עובר״, ואין להכריע מדבריו אם היתה גרסתו כזו של מ ופס׳ זוט׳ אם לאו] | כאשה רמדבטל, כאשה זו הא | מפני] מפני את ב | למענכם–כך ראדבטל [רא״ם], ויתעבר ה׳ בי יכל מפני עברות שהיו בידי ת״ל למענכם–כך ה, ד״א ויתעבר ה׳ בי כאדם שאומר ויתעבר בי פלוני, נתמלא עלי חמה· למענכם אתם גרמתם לי וכה״א ויקציפו על מי מריבה וירע למשה בעבורם מ [והוא לקוח מספרי במדבר פי׳ קל״ה] — 11 ולא רדה מטלא, לא דב | תפלתי] מ מוסיף גם כאן משפט מספרי במדבר קל״ה <ר׳ נתן אומר הן אל כביר, אין המקום מואס תפלת הרבים אבל כאן ולא שמע אלי ולא קבל תפלתי> — 12 אמר לו משה אדם רמבטא, אמר לו

שיתיר לו נדרו מה עליך לשמוע דברי רבך. דבר אחר ויאמר ה׳ אלי רב לך
אמר לו משה דוגמא אתה עשוי לדיינים שיאמרו מה משה שהוא חכם חכמים גדול
במדבר כ י גדולים לא נשא לו פנים על ידי שאמר ⁰שמעו נא המורים נגזרה גזרה שלא יכנס
לארץ המענים את הדין והמעותים את הדין על אחת כמה וכמה. ומה משה שנאמר לו
רב לך אל תוסף לא נמנע מלבקש רחמים מלפני הקדוש ברוך הוא שאר בני אדם על אחת
מ״ב כ א כמה וכמה ומה חזקיה שנאמר לו ⁰צו לביתך כי מת אתה ולא תחיה לא נמנע מלבקש
רחמים שהיה דורש אפילו חרב חדה על צוארו של אדם אל ימנע עצמו מן הרחמים שנאמר
ישעיה לח ב ⁰ויסב חזקיהו פניו אל הקיר ויתפלל, שאר ישראל על אחת כמה וכמה. דבר אחר
ויאמר ה׳ אלי רב לך, אמר לו משה הרבה לך בידי לעולם הבא כאדם שאומר
לחבירו הרבה לך בידי אל תביישני. דבר אחר ויאמר ה׳ אלי רב לך, כאדם
שאומר לחבירו עיבר פלוני דרך על פלוני.

למשה אדם [רא״ם], אמר לו המקום למשה אדם ה, משל לאדם ר. אדם ל | לאין] להיכן ל [רא״ם] | לא ריבמטי׳ הא [רא״ם], לו דל, ל׳ רט׳, לו לא [א״א] | אצל רבו] אצל רבו הולך ר — 1 מה] ומה ה — 2, משה מהא, ל׳ רדטבל | עשוי מהא, עושה רדטבלפ | לדיינים] לדייאנין ר | שיאמרו רדטבל, יאמרו מהא | שהוא חכם— גדולים הא, חכם—גדולים במטל, חכם—של גדולים ר, חכם גדול ד — 3 לו רדהבל, לו הקב״ה מא | ידי] ידו ה [ובהי ידי] | נגזרה גזרה בטא, וגזרה גזרה ר, נגזרה עליו גזרה הל, ונגזרה גזרה עליו מ — 4 המענים את הדין] המענין ט | ומה משה וכו׳, מאמר זה נוסף מגליון כנראה ממה שחסר בדהא, ועוד שבדטלב מקומו כאן, אבל ברמ הועתק לקמן אחר המלים דרך על פלוני, וכן נראה גם גרסת ר״ה, שמפרשו שם | ומה משה שנאמר לו רב לך אל תוסף רד, ואעפ״י כן מ, שנ׳ רב לך אל תוסף ב, ומשה שנ׳ לו רב לך אל תוסף ל, תוספת ומה משה שאמר לו [רב לך] פ — 5 מלפני הקב״ה רמ, מלפני המקום דט״ל, לפני הק׳ ט², מלפני הק׳ ב | בני אדם בטדל, כל אדם מ, ישראל ר | על אחת כמה וכמה רדבל, לא כל שכן למדנו אפילו חרב מונחת על צוארו של אדם אל ימנע עצמו מן הרחמים מ — 6 ומה חזקיה—כמה וכמה] וכן מצינו בחזקיהו שאמ׳ לו ישעיהו צו לביתך ולא נמנע לבקש רחמים מ | ומה] והלא דברים קל וחמר ומה ט² | מלבקש רחמים ר, מלבקש רחמים מלפני המקום דל, מלבקש—מלפני הק׳ ט״ב, מלבקש—הב״ה ט², מלבכש רחמים לפני המקום ט³ — 7 חדה רדט״ט״ב, מונחת חדה ט², ל׳ ל — 8 וכמה] מ מוסיף פה <ד״א רב לך אמר לו משה רב לך בדבר הזה שאין מניחין את הצדיקים לבא לידי עבירה חמורה מכאן היה ר׳ ישמעאל אומר משל הדיוט לפום גמלא שיחנא ד״א רב לך אמ׳ לו משה הרבה עמלת הרבה יגעת צא ונח לקץ הימין אמ׳ לו אם לאו אכנס כהדיוט אמ׳ לו רב לך ואין המלך נכנס כהדיוט אמ׳ לו אם לאו אעשה תלמיד ליהושע אמר לו אין הרב נעשה תלמיד לתלמידו אמר לו אם לאו אכנס דרך אויר או דרך חלל אמ׳ לו שמה לא תבא אמ׳ לו עצמותי יעברו את הירדן אמר לו כי לא תעבור וכי המת יכול לעבור אלא אמר לו משה אף עצמותיך לא יעברו את הירדן> והמאמר לקוח מספרי במדבר פי׳ קל״ה (שם) — 9 א״ל משה] ל׳ מ | הרבה] הרבי ר | שאומר] שהוא אומר א — 10 הרבה לך בידי—שאומר לחבירו] ל׳ א | ד״א ויאמר—דרך על פלוני] ל׳ מ — 11 עיבר ה, עובר רדבל, עיברו פ, עבר א | דרך על רלהפא, על דרך דב, על הדרך ט —

מובא ברא״ם כאן: נדרו, ולי אין רב שאלך אצלו; המאמר מה עליך וכו׳ הוא דבור אחר. ואולי יש להוסיף לפניו ד״א, וכן פירש רד״ף והמנוח ר׳ חיים שאול הארוויטץ העיר בכ״י שלו „ואפשר דהוא כמו דאיתא בפ״ז ד״א רב לך הואיל ואין רבך מודה לך אל תוסף דבר אלי, ובמ״ע פירש אדם שנודר הולך אצל רבו ואם ימצא רבו שאין להתיר נדרו הוא שומע לרבו ונדרו קיים אף אתה רב לך ושמע לי, וכל זה דוחק״, ועוד כתב „ואפשר דצ״ל מה עליך לשמוע דברי רבך אבל לי אין רבי ויותר נראה שהם שני דבורים״: 2 דוגמא, מל״י δεῖγμα כמו שהובא במלונים, ופירושו „אות וראיה״ ור״ה פירש „דמשמע רב אתה בדבר הזה שילמדו הדיינין שיאמרו וכו׳״ — מה משה וכו׳, ספרי במדבר שם: 4 ומה משה וכו׳ עד שאר ישראל על אחת כמה וכמה, ברייתא זו נוספה אל מקורות אחדים מגליון וחסרה בדהא: בדלטב מקומה משונה מבראפ וזה עוד סימן להוספה כמבואר במבוא ובכ״י ר״ה היה כתוב לפניה תוספת, והוא מפרש „כלומר תוספת שאינו מן הענין״: 6 ומה חזקיה וכו׳, ילקוט מלכים רמ״ב: 7 שהיה דורש וכו׳, ברכות י׳ ע״א וכעין זה ירו׳ סנהדרין פ״י ה״ב כ״ח ע״ג, קהלת רבה פ״ה סי׳ ו׳, סדר אליהו רבה פ״ח ע׳ 46, והשוה פ״ז על הכתוב אעברה נא: — אפילו חרב חדה וכו׳, פי׳ ר״ה „דכתיב הן יקטלני לו איחל״ (איוב י״ג ט״ו), וזהו על פי הבבלי ברכות שם: 9 לעולם הבא, רש״י, ספרי במדבר שם: — כאדם וכו׳, זה פירוש חדש, ואולי יש להוסיף ד״א לפניו והמנוח ר׳ חיים שאול הארוויטץ פירש „אל תביישני על ידי שאתה מבקש ממני ואיני עושה לך רצונך והוא כענין שאמרו במ״ת „הרב כמה קשה והתלמיד כמה סרבן״ אבל בספרי במדבר ע׳ 181 אינו מסיים כך אלא בפשיטות דהרבה שמור לו לעוה״ב״: 11 עיבר וכו׳, דהיינו שלא כשורה עשה פלוני עם פלוני דמשמע עבר פלוני דרך המוסר והתרבות על פלוני ועשה עמו שלא כשורה, מפי׳ ר״ה; והשוה סנהדרין ל״א ע״ב „ירמיה אחי העביר עלי את הדרך״ ונראה שדורש ויתעבר שהקב״ה התנהג עמי כאלו עשיתי עמו שלא כשורה והעברתי עליו את

(כז) אל תוסף דבר אלי, עלה ראש הפסגה, מיכן היה ר׳ אליעזר בן
יעקב אומר יפה תפלה אחת יתר ממאה מעשים טובים שבכל מעשיו של משה לא
נאמר לו עלה ובדבר זה נאמר לו עלה. מיכן אמרו העומדים בחוצה לארץ הופכים
פניהם כנגד ארץ ישראל ומתפללים שנאמר [10]והתפללו אליך דרך ארצם, מ״א ח מח
העומדים בארץ ישראל הופכים פניהם כנגד ירושלם ומתפללים שנאמר [10]והתפללו דה״ב ו לד
אליך דרך העיר, העומדים בירושלם הופכים פניהם כנגד בית המקדש ומתפללים
שנאמר [10]והתפללו אל הבית הזה, העומדים בבית המקדש מכוונים את לבם כנגד שם ו לב
בית קדשי הקדשים ומתפללים שנאמר [10]והתפללו אל המקום הזה, נמצאו עומדים שם ו כו
בצפון הופכים פניהם לדרום בדרום הופכים פניהם לצפון במזרח פניהם למערב
במערב פניהם למזרח נמצאו כל ישראל מתפללים למקום אחד.

הדרך. ואולי יש להגיה במקום „ויאמר ה׳ אלי רב לך״, „וירתעבר״ והמנוח ר׳ חיים שאול הארוויטץ כתב בכ״י שלו, „עיבר פלוני וכו׳ שעושה שלא כשורה ורב לך היינו יהושע ואינו רשאי ליכנס בגדרו, רד״ף, ובאמת במ״ת איתא גם כן הדרש רב לך יש לך רב ומנו יהושע, אבל הלשון כאדם אינו מוכח כפירוש הזה רק דממלת רב לך דרשו דעושה שלא כשורה״: 1 מיכן וכו׳, ברכות ל״ב ע״ב בשם ר׳ אלעזר בסגנון שונה מעט, וגם בתנחומא א׳ ריש כי תבא ושם בתנחומא ב׳ כ״ג ע״א, ועיין בהערת החכם ר׳ שלמה באבער: 3 מיכן, אולי יש להוסיף מקודם הפסוק ימה וצפונה וכו׳ כמו במ״ת וכהגהת הגר״א ולפי זה יש למצא ראיה להלכה זו במה שמקדים ימה לשאר הרוחות ויותר נראה שלמד ממשה עצמו העומד בתפלה ומביט אל צד הירדן העובר בינו ובין א״י, כמו שנ׳ „כי לא תעבור את הירדן הזה״ — העומדים וכו׳, תוספתא ברכות פ״ג הט״ו ע׳ 7, ירו׳ שם פ״ד ה״ה ח׳ ע״ב, בבלי שם ל׳ ע״א, שהש״ר ד׳ ד׳ ויש להעיר שבתוספתא ובבבלי גרסינן בכל הבבות מכוונים את לבם אבל בירו׳ הגרסה בכולם הופכים את פניהם, לפי דעתי יש להבין גרסת הספרי הופכים פניהם בשלש בבות הראשונות מפני שלעומדים ברחוק מקום אי אפשר לכוון את מקום המקדש אלא הופכים פניהם לרוח הארץ או העיר. אמנם העומד בפנים בבית המקדש ורואה את קה״ק לפניו יכול לכוון לנגדו, ולכן גורס בבבא האחרונה „מכוונים את לבם כנגד קה״ק״: 4 שנ׳ והתפללו וכו׳, כתב ר״ה „וקשיא לי אני הלל בר אלי׳ כתוב קרא לקרא דלעיל תני מכאן אמרו וגו׳ דמשמע מדכתיב עלה ראש הפסגה והכא תני שנאמר והתפללו אליך דרך ארצם״ והעיר עליו רמא״ש „ולי נראה דר״ל דאף שלמה למדו מכאן״ ואינני יודע זו מנין לו, הרי ברייתא זו הכלולה בספרי מובאה גם בתוספתא ובתלמוד כמשנה חצונית המבוססת רק על תפלת שלמה ולכן נראה שבעל הספרי קבל מרבותיו ברייתא עתיקה זו שהיתה קבועה ושגורה וסמכה לתפלתו של משה ולא שנה בה כלום, אף שנראה כמיותר לתלות ההלכה במשה ולהביא אחרי כן ראיה משלמה, ומורי ר׳ אלכסנדר מארכס מעירני שבכל מקום שנאמר במדרשי תנאים מכאן אמרו הכונה אל ברייתא או משנה קבועה ומקובלת. וכעין זה לקמן פי׳ ל״ו „כתב שלם מיכן אמרו וכו׳״: 5 כנגד ירושלם, על המנהג הזה כבר נרמז בתפלת שלמה (מ״א ח׳ כ״ח), דניאל י׳ ו׳, בספר טוביה ג׳ י״א, בספר האפוקריפי עזרא ד׳ ד׳ נ״ח. ובניגוד לקבלה זו השוה בבלי ב״ב כ״ה ע״א ובפרט מה שמובא בתוספות שם ד״ה לכל, „כל הני אמוראי לית להו הא דתניא בברכות שחייב אדם להתפלל נגד ירושלם״. והשוה עוד ירו׳ ברכות פ״ד ה״א (ז׳ ע״א): 7 לבם, אולי מזכיר כאן הלב מפני שהמתפלל פניו למטה ולא בגובה נגד ההיכל, (ירו׳ ברכות פ״ב ה״ח, ח׳ ע״ג): 8 עומדים בצפון וכו׳, גם בתוספתא וירושלמי שהם

1 אל תוסף] י״ג אל תוסף א — 2 יפה תפלה אחת רמהא, יפה שעה אחת בתפלה דמבל | יתר ממאה מעשים טובים ה, ממאה מעשים טובים מא [תנחומא], יתר ממעשים טובים ר דטב, ממעשיהם טובים ל | שבכל ה, שמכל ט, שבשביל כל ר, שכל ראמלב | מעשיו] מעשים טובים ה — 3 ובדבר זה רט, ובדבר הזה מלא, וכן ב, וכאן ד, ובתפלה ה | לו] ל ר וכן בסמוך | אמרו רדטהמאפ, ל׳ ב, היה ר׳ אליעזר בן יעקב אומ׳ ל | העומדים ר, כל העומדים ל — 4 פניהם] את פניהם א וכן בכל הענין | ארצם] העיר הזאת א — 5 העומדים בארץ ישראל—כנגד ירושלם ארלבמ ה, והעומדים—כלפי ירושלם ט, העומדים בא״י הופכים פניהם כנגד בית המקדש ומתפללים שנ׳ והתפללו אליך דרך ארצם העומדים בא״י הופכים פניהם כנגד ירושלם ד | ומתפללים רמבהאמ, ש׳ דל [וכן בסמוך] — 6 אליך—ומתפללים שנ׳ והתפלל] ל׳ ט[1] | והתפללו אליך דרך העיר מא [מסורה], והתפללו אל העיר הזאת הדט[1] לר, והתפלל אל העיר ב | העומדים] בל, והעומדים ט — 7 והתפללו רטלהא [מסורה], ויתפלל דב, והתפללו אליך מ, והתפלל ד | בבית המקדש] במקדש ט | את לבם] לבם ד — 8 בירת] ל׳ א | והתפללו אמטה [מסורה], ויתפללו רל, והתפלל ד, ויתפלל ב | נמצאו] ל׳ ל | נמצאו—פניהם למזרח] ל׳ ט | עומדים] העומדים ה [וכן בכל הענין] — 9 הופכים פניהם לדרום אמה, ופניהם בדרום ר, פניהם לדרום דבל [שהש״ר, תוספתא] | בדרום אמה בד, לדרום ר, ל׳ ל | הופכים אמה, ל׳ רבדל [שהש״ר, תוספתא] וכן בכל הענין | למערב מהבלא, במערב רד — 10 במערב] למערב א | למקום אמהטיל [תוספתא, שהש״ר], אל מקום רדמב | אחד] מ מוסיף <ד״א אל תוסף אמר הקב״ה למשה בדבר הזה אל תבקש ממני אבל בדברים אחרים גזור עלי ואני אעשה משל למה הדבר דומה למלך שגזר על בנו גזרה קשה היה הבן ההוא מבקש מאביו ואמר לו אביו בדבר הזה אל תבקש ממני ובדבר אחר גזור עלי ואני אעשה כך אמר הקב״ה למשה בדבר הזה אל תבקש ממני אבל בדבר אחר גזור עלי ואעשה שנאמר ותגזר אומר ויקם לך אמר לו אם לאו הראיני נא אמר לו בדבר הזה עלה ראש הפסגה וראה בעיניך מגיד הכתוב שהראה השם למשה את הרחוק בקרוב ואת שאינו

ורא ה בעיניך. משל למלך שגזר על בנו שלא יכנס לבית לינה שלו נכנס לפתח פלטורין שלו משכו ודבר עמו נכנס לפתח טריקלין שלו משכו ודבר עמו כיון שבא לכנס לקיטון אמר לו מיכן ואילך את אסור כך אמר משה לפני הקדוש ברוך הוא כל עצמי איני משוך מארץ ישראל אלא מלא הירדן הזה מלא חבל של חמשים אמה אמר לו וראה בעיניך כי לא תעבור.

דברים לא ז (כח) וצו את יהושע, אין צוואה אלא זירוז שנאמר °ויקרא משה ליהושע ויאמר אליו לעיני כל ישראל חזק ואמץ, חזק בתורה ואמץ במעשים טובים.

כי הוא יעבר לפני העם הזה, אם עובר לפניהם עוברים ואם לאו אינם עוברים. והוא ינחיל אותם, אם מנחילם נוחלים ואם לאו אינם נוחלים וכן אתה
יהושע ז ה מוצא כשהלכו לעשות מלחמה בעי נפלו מהם כשלשים וששה צדיקים שנאמר °ויכו
שם ז ו מהם אנשי העי כשלשים וששה איש וירדפום, °ויקרע יהושע
שם ז ז שמלותיו ויפל על פניו ארצה לפני ארון ה׳ עד הערב, °ויאמר יהושע
שם ז ח אהה ה׳ אלהים למה העברת העביר, °בי אדני מה אומר אחרי אשר
שם ז י הפך, °ויאמר ה׳ אל יהושע קום לך למה זה אתה נופל על פניך, לא כך אמרתי למשה רבך מתחילה אם עובר לפניהם עוברים ואם לאו אינם עוברים אם מנחילם נוחלים ואם לאו אינם נוחלים שלחתם ולא הלכת אחריהם סליק פיסקא

גלוי כגלוי ואת כל שקרוי ארץ ישראל שנאמר ויראהו ה׳ את כל הארץ ואת כל נפתלי וגו׳ ואת הנגב וגו׳ ויאמר ד׳ה׳ אליו זאת הארץ ר׳ עקיבא אומר מגיד הכתו׳ שהראה הקב״ה למשה כל חדרי ארץ ישראל כשלחן ערוך שנ׳ ויראהו ה׳ את כל הארץ ר׳ אליעזר אומר נתן כח בעיניו של משה וראה מסוף העולם ועד סופו וכן אתה מוצא בצדיקים שרואים מסוף העולם ועד סופו שנ׳ מלך ביופיו תחזינה עיניך נמצאת אומר שתי ראיות הן אחת ראיה של נחת ואחת ראייה של צער באברהם הוא אומר שא נא עיניך וראה זו ראיה של נחת במשה הוא אומר עלה ראש הפסגה זו ראיה של צער נמצאת אומר שתי קריבות הן אחת קריבה לשם שמים ואחת קריבה שאינה לשם שמים ותקרבון ותעמדון זו קריבה לשם שמים ותקרבון אלי זו קריבה שאינה לשם שמים> וכל המאמר לקוח מן הספרי במדבר פי׳ קל״ה — 1 וראה] י״ד וראה א | משל למלך] מושלו משל לה״ד למלך בשר ודם ה | שלו רטבלדה, ל׳ מא — 2 פלטורין] פלטין ט | ודבר מה, ומדבר ראדטבל | נכנס לפתח טרקלין—עמו] ל׳ ט²בל | לפתח טרקלין אמה, לטרקלין רדט¹ | ודבר עמו אמה, ומדבר עמו רדט¹ — 3 לכנס הטדבלא, ל׳ רמ | אסור] אסור ליכנס ל | אמר משה אמטלה, משה אמר רדב | הקב״ה רמפא, המקום ה, המקום רבונו של עולם ד, הק׳ רבש״ע ט¹, הב״ה רבש״ע ט²ל, מקום ר׳ של עול׳ ב — 4 עצמי] עצמו א |

מקורות ארצי-ישראליים מתחלת הברייתא העומדים בצפון, שלפי הנראה נתחברה ברייתא זו בגליל לצפון ירושלים, אבל בבבלי הגרסה העומדים במזרח שבבל למזרח א״י: 1 משל וכו׳, מכילתא בשלח ויבא עמלק פ״ב (נ״ה ע״א ה–ר 182), ספרי במדבר קל״ד 179, ועיין ציגלר Königsgleichnisse עמוד 401: 2 פלטורין, בל״י πραετώριον כלומר בירה: — טריקלין, בל״י τρικλίνιον חדר האוכל: 3 לקיטון, בל״י κοιτών חדר משכב, הנקרא למעלה בית לינה: 6 אין צוואה וכו׳, ספרי במדבר פי׳ א׳ (ע׳ י׳), בשם ר׳ יהודה בן בתירה, במדבר רבה ז׳ ו׳ אמנם בברייתא דר׳ ישמעאל מדת בנין אב משני כתובים (רמא״ש עמוד 16) איתא „הצד השוה שבהם שהם בצו מיד ולדורות״: שני הפרושים נתחברו לאחד בתו״כ ריש צו, „אין צואה אלא זירוז מיד ולדורות״, וכן שם אמור פ׳ י״ג (ויקר׳ כ״ד ב׳), ובקדושין כ״ט ע״א: 7 חזק בתורה וכו׳, ברכות כ״ב ע״ב: 8 אם עובר וכו׳, רש״י, פ״ז, ילקוט יהושע י״ז: 10 צדיקים, דורש איש ל׳ צדיק כמו למעלה פי׳ ו׳ כ״א: וכן פירש רב נחמן בסנהדרין מ״ד ע״א „בא וחבטן לפני המקום אמר על אלה יהרגו רובה של סנהדרין, וכן בירו׳ סוטה פ״ז ה״ה (כ״ב ע״א), והשוה ב״ב קכ״א ע״ב, ויק״ר פ׳ י״א ופתיחתא לאסתר רבה בסופה: 14 לא כך אמרתי וכו׳, ע׳ בסנהדרין שם „אתה גרמת להם״ אבל רש״י פי׳ שם באופן אחר: 16 ולא הלכת, כן יש לנסח

מלא הירדן רדבמל, הירדן ט, מלוא הירדן ה, מלא תעבור את הירדן הזה א | מלא חבל] אלא חבל ט¹ | חמשים] שלשים ל | אמר לו רהדטבל, אמר לו הקב״ה מא — 6 וצו מהלט², פי׳ וצו ר, ט״ו וצו א, ויצו בדט¹ | צוואה ה, צווי רדבלט, צו פ, צוואה בכל מקום אמ | ליהושע] להושע בן נון ד — 7 במעשים] במעשיהם ל — 8 עובר רמהטא, אתה עובר ד, עבר ב, עובר את ל | עוברים] הן עוברין ל | אינם רהמבט¹א, אין דלט² — 9 אינם הבטא, אין רמדל | אתה] הוא א — 10 לעשות מלחמה] למלחמה ל | צדיקים] איש צדיקים ד — 11 העי] עי ר | וירדפום] צדיקים א — 14 ויאמר] ואו׳ ויאמר א — 15 מתחילה מדהבט¹, בתחילה ל, ל׳ רט² | אינם רמהא, אין טדבל [וכן בסמוך] | אם מנחילם] אמנחילם ד — 16 שלחתם

ל.

(כט) ונשב בגיא, אמר להם מי גרם לנו שנשב בגיא מעשים רעים שעשינו בפעור, דבר אחר אמר להם ראו כמה ביניכם לביני שכמה תפלות וכמה בקשות וכמה תחנונים עשיתי ונגזרה עלי גזרה שלא אכנס לארץ אבל אתם הכעסתם לפניו ארבעים שנה במדבר שנאמר °ארבעים שנה אקוט בדור, ולא עוד אלא שגדולים שבכם משתחוים לפעור וימינו פשוטה לקבל שבים. תהלים צה י

(ד, א) ועתה ישראל שמע אל החקים, הרי אתם חדשים כבר מחול לשעבר

סליק פיסקא

לא.

(ו, ד) שמע ישראל ה׳ אלהינו ה׳ אחד, למה נאמר לפי שנאמר °דבר אל בני ישראל, דבר אל בני אברהם דבר אל בני יצחק אין כתוב כאן אלא דבר אל בני ישראל זכה אבינו יעקב שיאמר דבור לבניו לפי שהיה אבינו יעקב מפחד כל ימיו ואומר אוי לי שמא תצא ממני פסולת כדרך שיצאת מאבותי אברהם יצא ממנו שמות כה ב

על פי הט ורש״י וכן הגיה הגר״א וכן גורס רד״ק שכתב בפירושו ליהושע ז׳ ה׳ „ויש דרש כי הקב״ה אמר ליהושע אתה תנחיל כשאתה עמהם אבל כאן לא היה עמהם״. ולפי הגרסה והלכת הפירוש שהיה לו ליהושע ללכת עמהם והוא הלך אחריהם, והשוה ספרי במדבר פי׳ קל״ט (ע׳ 185):

1 ונשב בגיא וכו׳ עד מחול לשעבר, פ״ז, מכירי תהלים צ״ה ט״ז (נ״ה ע״ב). — מי גרם לנו וכו׳, כעין זה בת״י כאן „ושרינן בחולתא בכיין על חובינן דאזדווגנן לפלחי טעוות פעור״: 2 שכמה תפלות וכו׳, השוה ספרי במדבר קל״ו ע׳ 183: 5 וימינו פשוטה וכו׳, כלומר לקבל שנאמר ועתה ישראל שמע אל החוקים משמע ימין הקב״ה פשוטה לקבל ולהכי סמיך ליה ועתה ישראל אתם חדשים כאלו לא חטאתם דכבר מחול לשעבר דהיינו מחול הוא על מה שעשיתם לשעבר, מפי׳ ר׳ הלל:

8 למה נאמר, פי׳ למה מזכיר דוקא ישראל בכל מקום, ז״ר: 11 שמא תצא ממני פסולת וכו׳, ת״י בראשית ל״ה כ״ב „ושמע ישראל ובאיש ליה ואמר ווי דילמא נפיק ממני פסילא היכמא דינפק מן אברהם ישמעאל ומן אבא עשו״ וכן בתרגום ירושלמי בראי מ״ט ע״ב „ענא אבונן יעקב ואמר להון אברהם אבוי דאבא קם מיניה פסול ישמעאל וכל בני קטורה ויצחק אבא קם מניה פסול עשו אחי״, וכעין זה בפסקתא רבתי פ׳ ל״ט קס״ה ע״ב „ראה

רדהא, שילחת אותם מ, ואתה שלחתם דט, ואתה שלחתם ב, ואתם השלחתם ל, ואתה שלחת ט׳ | ולא הלכת טה [ונראה שכן היתה גרסת רש״י ג״כ], והלכת א [ובין השטים נוסף המלה „ולא״], והלכת רמדבל | אחריהם] עמהם ט׳, מ מוסיף <ד״א וצו את יהושע צוהו על דברי תלמוד ר׳ נתן אומר צוהו על הגבעונין ר׳ אומר צוהו על המשאות ועל הטרחות ועל הריבות· כי הוא יעבור לפני העם הזה, מגיד שאין שני פרנסים עומדים לדור, והוא ינחיל אותם, מגיד שאין יהושע נפטר מן העולם עד שמנחיל לישראל את הארץ, אשר תראה, מגיד שרואה [צ״ל שראה] משה בעיניו מה שלא הלך יהושע ברגליו> וכולו מספרי במדבר פי׳ קל״ו | סליק פיסקא ד, פי׳ ר, י״ו א —

1 לנו ראמהדב, לכם טל | מעשים רעים שעשינו הדלבכ [פס׳ זוט׳], מעשים רעים שעשיתם בפעור מט, בשביל מעשים רעים שבפעור ר, מעשים הרעים שעשיתם בפעור א — 2 ד״א] ל׳ מ | אמר להם רמאבלכט, אמר להם משה לישראל ה, א״ל ונשב בגיא מול בית פעור ד | ביניכם לביני רהדבלכט, ביני וביניכם מ, ביני לביניכם א | שכמה מ, שהרבה כמה א [ובין השטים „שהרבה וכמה״], שאני כמה ה, הרבה כמה דטלב, הרביתי כמה ר, כמה ז | וכמה בקשות וכמה תחנונים] ל׳ ד — 3 עשיתי א מה, בקשתי דבטל, שפכתי כ, ל׳ ר | גזרה רבכא, גזירות ד, ל׳ מהלט | אכנס רהדבלטכ, ליכנס מא | לארץ] לארץ ישראל מ | ארבעים שנה רהמאד, כמה פעמים ט, ל׳ בל — 4 במדבר אמ ה, ל׳ רדבטל | שגדולים מדבלטא, הגדולים ר, גדולים כ — 5 לפעור] לבעל פעור ט | וימינו אמהכ, וימין רבלפ, וימין שלו ד, וימין הק׳ ט׳, וימין הב״ה ט׳ | פשוטה] ל׳ א | שבים ארדלכ, אתכם ה, ל׳ מבטפ, מ מוסיף כאן עוד מאמר מספרי במדבר פי׳ קל״ו <אמ׳ ר׳ יהודה בן בבא בשלשה מקומות באו ישראל לידי עבירה חמורה אמר להם המקום עשו תשובה ואני מקבל כיוצא בו אתה מוצא שאומ׳ ויקרא שם המקום מסה ומריבה מהו אומר ויאמר אם שמוע תשמע ובתבערה ובמסה מהו אומר ועתה ישראל מה ה׳ אלהיך שואל מעמך ואף כאן אומ׳ ונשב בגיא מהו אומ׳ ועתה ישראל שמע אל החקים> | ועתה מהדא, שנאמר ועתה רכלבט׳א [א״א] — 7 סליק פיסקא רד, י״ז א —

8 שנאמר] שהוא אומ׳ ל | דבר—בני יצחק מהל, דבר אל בני אברהם אל בני יצחק א, אל בני אברהם אל בני יצחק רקב, אל בני אברהם ויצחק ויעקב ד, דבר אל בני אברהם ויצחק ט, דבר אל בני אברהם יצחק ויעקב ד — 9 אין כתוב מא, אין כתיב ה, לא נאמר רדבטל | כאן מהא, כן רק, ל׳ דבטל — 10 אבינו יעקב מהא, יעקב אבינו רקבטדל, יעקב

בראש׳ כא ט ישמעאל שעבד עבודה זרה שנאמר °ותרא שרה את בן הגר המצרית, שהיה עובד עבודה
זרה דברי רבי עקיבה, רבי שמעון בן יוחיי אומר ארבעה דברים היה רבי עקיבה דורש ואני
דורשם ודברי נראים מדבריו הרי הוא אומר ותרא שרה את בן הגר המצרית שעבד
עבודה זרה ואני אומר לא היו צרים אלא לענין שדות וכרמים שכשבאו לחלוק היה ישמעאל
שם כא י אומר לו אני נוטל שני חלקים שאני בכור וכן שרה אמרה לאברהם °גרש האמה הזאת
במדבר יא כב ואת בנה וגו׳ ודברי אני רואה מדבריו כיוצא בו אתה אומר °הצאן ובקר ישחט להם
שם ומצא להם אם את כל דגי הים יאסף להם. שווה להם דברי רבי עקיבה ואני אומר אפילו
שם יא כג אתה מכניס להם כל צאן ובקר שבעולם סופם לרנן אחריך השיבה אותו רוח הקודש °עתה
יחזקאל לג כד תראה היקרך דברי אם לא. ודברי אני רואה מדבריו. כיוצא בו אתה אומר °בן אדם
יושבי החרבות האלה על אדמת ישראל אומרים לאמר אחד היה אברהם
ויירש את הארץ ואנחנו רבים לנו נתנה הארץ למורשה. והרי דברים קל וחומר
ומה אברהם שלא עבד אלא אלוה אחד ירש את הארץ אנו שעובדים אלוהות הרבה אינו דין
שנירש את הארץ ואני אומר ומה אברהם שלא נצטווה אלא מצוה יחידית ירש את הארץ אנו
שם לג כה שנצטווינו מצוות הרבה אינו דין שנירש את הארץ ומה נביא משיבם על כך °כה אמר ה׳ על
הדם תאכלו ועיניכם תשאו אל גילוליכם ודם תשפכו והארץ תירשו

פ | דבור] הדבור ד, הדבר פ | אבינו יעקב אמה, יעקב אבינו רקלפ, יעקב דבט — 11 עמ׳ הקו׳ פסולת הדבטל, פסולות ר, פסלת א, פסילות ק, פסלות מ | שיצאת רקה, שיצא דמטלא, שיצת ב — 1 שעבד ע״ז] מה שנדפס באותיות קטנות חסר בה, וגם במ חסר כל המאמר מ„דברי ר״ע" ועד סופו. וכל המאמר נמצא בארקבלדפ וכבר היה בספרי של רבינו נסים ושל בעל הערוך ושניהם מביאים אותו. וגם בספרי של בעל ילקוט שמעוני היה המאמר אלא שהשמיטו ומלא את החסרון ממקור אחר | ישמעאל שעבד ארמ, ישמעאל ישמעאל עבד ק, ישמעאל יצחק יצא ממנו עשו אחי ישמעאל עבד ד, ישמעאל יצחק יצא ממנו עשו ישמעאל עבד בטל | המצרית שהיה עובד ע״ז] ל׳ ט | שהיה עובד אמ, שעבד דבל, מלמד שעבד ק, מלמד שעובד ר — 2 דברי ר״ע–שעבד ע״ז] ל׳ ל | דורש] דורשן ב | ואני דורשם רקא, ואף אני דורשם ב [ערוך], ואין אני דורשם כמותו ד — 4 לא היו צרים א רקפ, שלא בין צרים [ערוך], לא לענין הזו צריך בד, לא אומ׳ לענין הזו צריך ל | שדות וכרמים] שררות ד | שכשבאו רקבא [ערוך], וכשבאו ד, כשבאו ל | לחלוק ר קלא, לחלק בד [ערוך] — 5 לו ארק [ערוך], לא בד, לך ל | חלקים] <ואתה אחד> א | וכן] לכן ד | לאברהם] ל׳ ד | גרש–בנה וגו׳ א, גרש–בנה ל, גרש את האמה ק, גרש את בן ר, גרש ב — 6 ודברי אני רואה רדבל, ורואה אני דברי ק [ערוך], ודברי רואה אני א — 7 שווה להם רקא, ל׳ בדל [ערוך] | אם–שווה להם] ל׳ א | שווה להם] ל׳ ד | דברי] ל׳ א ונוסף בין השטים — 8 אתה] ל׳ ד | סופם] סופך ב | לרנן אפ [ערוך, דפוס], לדון רקדבל [כ״י ערוך, ע׳ ערוך השלם של ד״ר קאהוט ע׳ ארבע] | השיבה אותו ארקב, השיבתו ד, השיבו ל, השיבהו [ערוך] — 9 ודברי אני רואה ראלד, דברי רואה אני ב, ורואה אני דברי ק | כיוצא] י״ת כיוצא א — 10 אומרים] ל׳ ד — 11 והרי רקלא, והלא בד [ערוך] — 12 אברהם] אדם א | אלוהות הרבה רבדא [ערוך], לאלוהות הרבה ק, אלוהות ל — 13 מצוה יחידית [רד״ק, תוספתא], מצוות יחידות רק [ערוך], מצות יחידיות א׳, יחידיות א, מצוה אחת דבל [רש״י] — 14 אינו–את הארץ] לנו נתנה הארץ למורשה א | את הארץ רבד [ערוך], הארץ ק, ל׳ ל | משיבם אקדל [ערוך, רש״י, רד״ק], מושיבן רב | על כך רקל [ערוך], על כן דב, לכן א | ה׳ רקבלד [ערוך], אדוני ה׳ [מסורה], ה׳ אלהיכם א — 15 אל רקדב, על א ל | גילוליכם] גילולי

שעמד מאברהם פסולת ישמעאל ובני קטורה מיצחק פסולת עשו ואלופי אדום": 1 שעבד ע״ז וכו׳ עד ועשו יום שמועה כיום שרפה ודברי אני רואה מדבריו, נראה שכל המאמר נשתרבב אל הספרי שהרי חסר בהמ ועוד שהוא מפסיק את קשר הענין. וכבר נוסף אל הספרי עוד מלפני זמנו של רבינו חננאל המביא אותו בפירושו לראש השנה י״ח ע״ב וכן הביאו בעל הערוך, ערך ארבע; כל המאמר נמצא בתוספתא סוטה פ״ו ה״ו (ע׳ 304) בשנוים הרבה ומשם מובא בילקוט כאן, וקטעים מן הברייתא מובאים בתלמודים ובמדרשים כמו שאציין למטה. — שהיה עובד וכו׳, תוספתא שם, ופ״ה ה׳ י״ב ע׳ 302, ב״ר פ׳ נ״ג סי׳ י״א ע׳ 568 בשם ר׳ ישמעאל, שמות רבה פ״א, תנחומא א׳ שם, אגדת בראשית ל״ז ע׳ 73, ת״י בראשית כ״א ט׳ ותרגום ירושלמי שם, ובב״ר שם דורש צחוק ל׳ גלוי עריות: 4 צרים, כלו׳ מצרים, מפי׳ ר״ה; כלומר מריבים זה עם זה, ל׳ צר ואויב. — אלא לענין, לא מסתבר כדתני דרש באו לחלק דהא לא באו לחלק אלא הכי גרסי׳ בב״ר אין לשון שחוק אלא לשון ירושה שכשנולד יצחק אבינו היו כולם שמחים אמר להם ישמעאל שוטים אני בכור ואני נוטל פי שנים, מפי׳ ר״ה; ורד״ף כתב „ואמנם מ״ש כאן כשבאו לחלק כו׳ לאו דוקא לחלק דהא בחיי אביהם לא ירתי אלא כלו׳ כשהיו מדברים על ענין הירושה כיצד תתחלק וכשימות אביהם". ויותר נראה מה שכתב ב„ספרי חיים" לחלוק ל׳ מחלוקת: 6 הצאן ובקר וכו׳, ספרי במדבר פי׳ צ״ה ע׳ 95, והשוה ס״ז ע׳ 272: 7 שווה להם, יהיה די ומספיק להם, ובספרי במדבר „ספיקין הן להן", ובתוספתא שם „ומי מספק להם": 13 ומה אברהם וכו׳, רש״י ורד״ק

עמדתם על חרבכם עשיתם תועיבה ואיש את אשת רעהו טמא והארץ תירשו, ודברי רואה אני מדבריו כיוצא בו אתה אומר °כה אמר ה׳ צום הרביעי וצום [זכריה ח יט] החמישי וצום השביעי וצום העשירי. צום הרביעי זה שבעה עשר בתמוז שבו הובקעה העיר ולמה נקרא שמו רביעי שהוא חדש רביעי. צום החמישי זה תשעה באב שבו חרב הבית בראשונה ובשניה ולמה נקרא שמו חמישי שהוא חדש חמישי. צום השביעי זה שלשה בתשרי שבו נהרג גדליה בן אחיקם ומי הרגו ישמעאל בן נתניה ללמדך שקשה מיתתם של צדיקים לפני הקדוש ברוך הוא כחורבן בית המקדש ולמה נקרא שמו צום השביעי שהוא חדש שביעי. צום העשירי זה עשרה בטבת שבו סמך מלך בבל על ירושלם שנאמר °ויהי [יחזק׳ כד א ב] דבר ה׳ אלי בשנה התשיעית בחודש העשירי בעשור לחודש לאמר בן אדם כתוב לך את שם היום את עצם היום הזה סמך מלך בבל על ירושלם. ואני אומר צום העשירי הוא יום החמישי אלא שביהודה מתענים על המעשה ובגולה על השמועה שנאמר °ויהי בשתים עשרה שנה בעשירי בחמשה לחודש לגלותינו בא אלי [שם לג כא] הפליט וגו׳ ושמעו ועשו יום שמועה כיום שרפה ודברי רואה אני מדבריו. אברהם יצא

יחזקאל שם: 2 צום הרביעי, תוספתא סוטה שם, ב׳ ר״ה י״ח ע״ב, ירושלמי תענית פ״ד ה״ח (ס״ח ע״ג): 3 שבעה עשר בתמוז, וכן בתוספתא ובירושלמי תענית שם, וגם בב׳ ר״ה י״ח ע״ב הגרסה כן לפי כ״י מינכען וא״פ וגם בכמה ראשונים המפורטים בדקדוקי סופרים אבל בנדפס הגרסה בבבלי „זה ט׳ בת־מוז״ וזוהי גרסת התוספות ג״כ, עיי״ש בד״ה זה תשעה בתמוז, לפי תענית פ״ד מ״ו „בשבעה עשר בתמוז נשתברו הלוחות ובטל התמיד והובקעה העיר״ ובגמרא נתבאר שאין במסורה זו ניגוד אל המקרא בחודש הרביעי בתשעה לחודש הובקעה העיר מפני „שכאן בראשונה וכאן בשניה״, וכן מפורש בסע״ר פ״ל (ע״ה ע״א), אבל בירו׳ שם „א״ר תנחום חנילאי קלקול חשבונות יש כאן״: 5 צום השביעי וכו׳ עד כחורבן בית המקדש, מכירי זכריה ח׳ י״ט (ע׳ 73): 6 שלשה בתשרי, וכן המסורת לפי מגילת תענית וסע״ר וכל נוסחי הברייתא, אמנם הט״ז באו״ח סי׳ תקמ״ט מעתיק מב״י הסומך על רבינו ירוחם שבראש השנה נהרג גדליהו ומפני המועד דחו את הצום לשלשה בתשרי אבל לא מצאתי לדבריו סמוכים במסורת הראשונים; להפך, מן הגמרא ר״ה י״ט ע״א מוכח שגם בהיותם נוהגים רק יום אחד ר״ה צמו ביום ג׳ לתשרי ולא ביום ב׳, לפי דעתי מקור רבינו ירוחם הוא פירוש ר׳ אברהם אבן עזרא לזכריה ח׳ י״ח וז״ל „ואין שום כתוב כי רע בא על ישראל בחדש השביעי רק דבר גדליה וכתוב ויהי בחדש השביעי ובעבור שלא הזכיר ימי החדש יתכן להיות בתחלת החדש בחדש הלבנה כמו חדש ושבת (ישעיה א׳ י״ג) בחודש השלישי לצאת בני ישראל (שמות י״ט א׳) ···אם כן נהרג גדליה בראש השנה על כן קבעוהו ביום השלישי או קבלו ככה מפי האבות הקדושים״, ומה שלראב״ע ספק נעשה ודאי לרד״ק „גדליה נהרג בראש חודש השביעי ולפי שהוא יום טוב קבעו התענית למחרתו (זכריה ז׳ ה׳) וגם בירמיה מ״א א׳ הוסיף הרד״ק לפרש „ויהי בחדש השביעי כמו מחר חדש (ש״א כ׳ י״ח), ובר״ה נהרג שהוא י״ט״, והדברים האלה הם בניגוד גמור למסורת התלמודית ותמוה הוא שרבינו ירוחם ור׳ יוסף קארו ובעל הט״ז לא חשו לזה· — ללמדך וכו׳, השוה איכה רבה א׳ ט׳ (ל״ז ע״א) „קשה הוא סלוקן של צדיקים לפני הקב״ה ממאה חסר שתים תוכחות שבמשנה תורה ומחורבן בית המקדש״, וירוש׳ יומא פ״א ה״א (ל״ח ע״א) „ללמדך שמיתתן של צדיקים קשה לפני הקב״ה כשיבור הלוחות״. והשוה הערת מורי ר׳ לוי גינזבורג בספרו אגדות היהודים ח״ו ע׳ 75: 8 עשרה בטבת וכו׳, וכן בכתבי הקראים הנדפסים ע״י ר׳ יעקב מאנן ברבעון האנגלי החדש שנה י״ב ע׳ 466 והלאה, ואולי גם ר״ש מודה שבגולה צמים בעשירי בטבת ואינו

בית ישראל ק | ודם—טמא והארץ תירשו] וגו׳ ק | ודם א [מסורה], והדם רדבל | והארץ תירשו אל [מסורה], ל׳ רדב — 1 חרבכם אר [ערוך, מסורה], דרכיכם דל, דרכם ב | עשירתם] ועשיתם ד [ובמסורה, עשיתן] | את] אל ר | טמא רדל, א׳ טמ׳ ב, טמא בנדה א [טמאתם: מסורה] | והארץ תירשו רקבל, ל׳ ד, והארץ תירשו כה תאמר אליהם כה אמר ה׳ אל׳הים חי אני אם לא אשר בחרבות בחרב יפולו ואשר על פני השדה א — 2 ודברי—מדבריו א, ורואה אני את דברי מדברי ר׳ עקיבה רב לד, ורואה אני דברי מדבריו ק | ה׳ ארקדבל [ערוך], ה׳ צבאות [מסורה] | צום אבדל, ל׳ רק — 3 שבו הובקעה העיר] ל׳ א — 4 הובקעה ביקל [ערוך], הוקבעה ר, הובקע ד, הוקעה ב | שמו דלרק, ל׳ בא | חדש רביעי] רביעי לחדשים ל | שבו—ובשנייה] ל׳ א — 5 הבית] בית המקדש ד | שהוא חדש חמישי ארד [ערוך], שהוא בחודש החמישי ק, שהוא צום החמישי ב, שהוא חודש החמישי ל — 6 ללמדך] ללמד ק — 7 הקב״ה] דהק׳ ב | בית המקדש] הבירה ל | ולמה—חדש שביעי א, ל׳ רקבלד [ערוך] — 10 את עצם רקב [ערוך, מסורה], ואת עצם אדל | על ירושלם] ל׳ ל | על רקדב [ערוך], אל [מסורה] — 11 יום החמישי—על השמועה] יום חמישי שבו באתה שמועה לגלה שהוכתה העיר ק, חמשה בטבת שבאתה השמועה בגולה הוכתה העיר פ, חמשה בטבת יום שבאת שמועה לגולה [ירו׳] | יום ראבי, צום בדל [ערוך] | מתענים] היו מתענין א | ובגולה רלאפ [ערוך], ובגליל דב [ירו׳: ובגליות] — 12 בשתים עשרה רבד, בי״ב א [ובמסורה, בשתי] — 13 וגו׳ אדלב, מירושלם ק, ל׳ ר | ושמעו] ל׳ ק | רואה אני רקב, אני רואה אדל [ערוך] | מדבריו] מדבריו שאני אומר על ראשון ראשון ועל אחרון אחרון פ | אברהם] אמר יעקב אבינו

ממנו ישמעאל יצחק יצא ממנו עשו אבל אני לא תצא ממני פסולת כדרך שיצאת
בראש׳ כח כ מאבותי וכן הוא אומר °וידר יעקב נדר לאמר, עלת על לב שהיה יעקב אבינו
שם אומר °ונתן לי לחם לאכול ובגד ללבוש והיה ה׳ לי לאלהים, אם לאו אינו לי
שם כח כא לאלהים, תלמוד לומר °ושבתי בשלום אל בית אבי והיה ה׳ לי לאלהים מכל מקום,
מה תלמוד לומר והיה ה׳ לי לאלהים שייחל שמו עלי שלא תצא ממני פסולת
שם לה כב מתחלה עד סוף, וכן הוא אומר °ויהי בשכן ישראל בארץ ההיא וילך ראובן
וישכב את בלהה פלגש אביו וישמע ישראל, כיון ששמע יעקב כן נזדעזע
אמר אוי לי שמא אירע פסולת בבניי עד שנתבשר מפי הקדש שעשה ראובן תשובה
שם שנאמר °ויהיו בני יעקב שנים עשר, והלא בידוע ששנים עשר הם אלא שנתבשר
מפי הקדוש ברוך הוא שעשה ראובן תשובה. ללמדך שהיה ראובן מתענה כל ימיו
שם לז כה שנאמר °וישבו לאכל לחם, וכי עלת על לב שהיו אחים יושבים ואוכלים לחם
ואחיהם הגדול אינו עמהם אלא ללמדך שהיה מתענה כל ימיו עד שבא משה וקבלו
דברים לג ו בתשובה שנאמר °יחי ראובן ואל ימות, וכן אתה מוצא כשהיה יעקב אבינו נפטר
בראׁ׳ מט א־ח מן העולם קרא להם לבניו והוכיחם כל אחד ואחד בפני עצמו שנאמר °ויקרא יעקב

אברהם ט, י״ט אברהם א — 1 תצא דמהבלא, יצו ק ר, מתירא שלא יצא ר׳ | פסולת רדקבטלה, פסלות מ, פסול א | כדרך—מאבותי] ל׳ ט | שיצאת קה, שיצת רב, שיצאו דמט, שיצא לא — 2 וכן קדמטלא, כן רה, כך ב | עלת רקדבלא, וכי עלת הט, וכי עולה מ | על] ל׳ ל | שהיה] שיהיה ד | אבינו רקדהבטל, ל׳ מא — 3 ונתן] אם תתן א | והיה ה׳ לי רקדבטל, הוא לי ה, הוא יהיה לו מ, הוא א | אם לאו—לאלהים ד, ואם אינו לו לאלקי׳ אלא ושברתי בשלום אל בית אבי והיה ה׳ לי לאלקים מ, ואם לאו אינו לאלהים ושבתי בשלום אל בית אבי והיה ה׳ לי לאלהים א, ואם לאו אין אלהים ת״ל ושבתי בשלום רק [מהר״ס], ת״ל ושבתי בשלום ב, כביכול אם לאו אין לי לאלהים ת״ל ושבתי בשלום אל בית אבי ט, אם לאו אין ת״ל ושבתי בשלום ל, ל׳ ד — 5 מה] ומה א | שייחל ר, שיחל קל, שיחול דטאפ, אלא שייחל הא, שיחל מ, שווה ב | תצא דהמבטלא, יצא רק — 6 בארץ ההיא—וישמע ישראל מא, בטח ר, וג׳ בל, בארץ ההיא ט, ל׳ דה — 7 יעקב רקדהבטפ, ישראל מ, יעקב אבינו ל, ל׳ א | כן ארמהדבט׳, כך ק, מעשה ראובן ר׳, ל׳ ט׳ל — 8 אמר רמהט, ואמר דבלאפ | אוי לי] אוי ט | שמא אירע רקמהבטלא, שאירע ר׳, שאירע לי ד | פסולת בבניי רקהדבטל, פיסול בזרעי מ, פסול בזרעי א | מפי הקדש רקט, מפי המקום ד, מפי הקב״ה אמהל, מפני הקודש ב | שעשה ראובן תשובה א רקבטמהפ, שחזר ראובן בתשובה ד, שהיה ראובן מענה (!) כל ימיו וקבלו בתשובה ל — 9 והלא—הם] ל׳ ט׳ | בידוע] ידוע מ | ששנים עשר הם רקדהבל, שהם שנים עשר מ ט׳א | אלא—ראובן תשובה רקדהבל, אלא שכולם שוו בצדק מא, אלא שנתבשר שעשה תשובה ט — 10 ללמדך] וללמדך ה — 11 שנ׳—ללמדך] ל׳ דבלט | וכי—לחם] ל׳ רק [ונמצא על הגליון בק] | עלת הק׳, עלתה א, עולה מ | אחים אמ, אחיו ה ק׳ | לחם הק׳, ל׳ אמ — 12 אלא אמהק׳, ל׳ רק | שהיה מתענה כל ימיו רק, שהיה מתענה מא, שהיה ראובן מתענה כל ימיו הד, ל׳ בטל <על אותו מעשה> ד | עד שבא משה] ל׳ ל — 13 בתשובה] ל׳ ט | כשהיה יעקב אבינו נפטר רקט, כשבא יעקב אבינו ליפטר מא, כשנפטר יעקב אבינו דל, כשהיה יעקב נפטר ה, שהיה יעקב אבינו ב, כשהיה נפטר יעקב ז — 14 קרא] קורא א | להם רדהבל, ל׳ קמטא | כל] לכל ט | שנאמר ויקרא יעקב—בפני עצמו רקהבל [מהר״ס], שנאמר ויקרא

חולק אלא אודות מנהג ארץ ישראל: 4 מכל מקום, כלומר אין והיה ה׳ לי לאלהים מסקנת הנדר, שאין כאן נדר כלל, אלא כך אמר יעקב אם יהיה אלהים עמדי וכו׳ ושבתי בשלום אל בית אבי אידע שהיחל שמי עלי; ובעל ז״א מגיה בהשמטת המלים מכל מקום ואין נראה לי צורך שהרי נמצאים בכל המקורות ור״ה פירש באופן אחר וז״ל „ושבתי בשלום אל בית אבי והיה ה׳ לי לאלהים דמשמע בין כך ובין כך והיה ה׳ לי לאלהים שיחול שמו עלי משמע דקאמר יעקב אם יהיה אלהים עמדי ושמרני בדרך הזה אשר אנכי הולך ונתן לי לחם לאכול ושבתי בשלום אל בית אבי והיה ה׳ לי לאלהים שיחול שמו עלי שלא יצא ממני פסולת אז והאבן הזאת אשר שמתי מצבה וכו׳ וע׳ תוספתא ע״ז פ״ד (ה׳) ה״ה, ע׳ 466: 5 שייחל שמו עלי, רש״י בראשית שם, והשוה למטה פי׳ ל״ב: 8 אוי לי וכו׳, השוה מה שציינתי למעלה עמ׳ 49, שורה 11: 10 שהיה ראובן מתענה, בראשית רבה פ׳ פ״ד י״ט (ע׳ 1023), במדבר רבה פ״ב סי׳ י״ח, פסקתא דר״כ שובה קנ״ט ע״א, פסקתא רבתי כ״ג ע״א, ת״י בראשית ל״ז כ״ט וגם בצוואות השבטים צוואת ראובן א׳ י׳: 12 שבא משה וקבלו וכו׳, פסקתא דר׳ כהנא פ׳ שקלים ט״ו ע״ב „רמז שהוא עתיד לקרב ראשון של שבטים ואי זה הוא זה ראובן שנ׳ יחי ראובן ואל ימות״, ומובא גם בתנחומא א׳ כי תשא סי׳ ז׳ והשוה לקמן פי׳ שמ״ז וביחוד במ״ת שם, ע׳ 213: 14 קרא להם לבניו וכו׳, ב׳ פסחים נ״ו ע״א, ב״ר פ׳ צ״ח סי׳ ג׳ (ע׳ 1252), ובפ׳ צ״ו (שטה חדשה) ע׳ 1201, פסיקתא רבתי פס׳ כ״א ק״ה ע״ב, תנחומא א׳ ויחי סי׳ ח׳, תנחומא ב׳ שם סי׳ ט׳ ק״ט ע״א, אגדת בראשית פ׳ פ״א, ע׳ 155, דברים רבה פ״ב סי׳ ל״ה, ת׳ ירושלמי בראשית מ״ט ב׳ וכאן, ות״י כאן, ומובא ג״כ

אל בניו, ראובן בכורי אתה, שמעון ולוי אחים, יהודה אתה יודוך אחיך, מאחר שהוכיחם כל אחד ואחד בפני עצמו חזר וקראם כולם כאחד אמר להם שמא יש בלבבכם מחלוקת על מי שאמר והיה העולם אמרו לו שמע ישראל אבינו כשם שאין בלבך מחלוקת כך אין בלבנו מחלוקת על מי שאמר והיה העולם אלא ה׳ אלהינו ה׳ אחד ועל כן הוא אומר °וישתחו ישראל על ראש המטה, וכי על בראשית מז לא
ראש המטה השתחווה אלא שהודה ושבח שלא יצא ממנו פסולת. ויש אומרים וישתחו ישראל על ראש המטה, שעשה ראובן תשובה, דבר אחר שאמר ברוך שם כבוד מלכותו לעולם ועד אמר לו הקדוש ברוך הוא יעקב הרי שהיית מתאווה כל ימיך שיהו בניך משכימים ומעריבים וקורים קריית שמע.

[שמע ישראל], מיכן אמרו הקורא קריית שמע ולא השמיע לאזנו לא יצא.

ה׳ אלהינו, למה נאמר והלא כבר נאמר ה׳ אחד, מה תלמוד לומר אלהינו עלינו החל שמו ביותר. כיוצא בו °שלש פעמים בשנה יראה כל זכורך את שמות לד כג
פני האדון ה׳ אלהי ישראל, מה אני צריך והלא כבר נאמר את פני האדון ה׳, מה תלמוד לומר אלהי ישראל, על ישראל החל שמו ביותר. כיוצא בו °כה ירמיה לב יד

ברמב״ם הלכות ק״ש פ״א ה״ד, והשוה הערת מורי ר׳ לוי גינזבורג בספרו אגדות היהודים ח״ה ע׳ 366: 1 יהודה אתה יודוך וכו׳ עד ואעידה בך אלהים אלהיך אנכי, מכירי תהלים מ״ט כ״א (קל״ז ע״ב): 6 שלא יצא ממנו פסולת, השוה הציונים למעלה, ותו״כ בחוקותי פרק ח׳ ה״ו (קי״ב ע״ג), ויק״ר שם פ׳ ל״ו סי׳ ה׳: 10 שמע ישראל, הגר״א ורמא״ש הגיהו בהוספת המלים האלה ועל ידי זה אין צורך לפירוש המפולפל והמסובך של בעל ז״א — מיכן אמרו, כר׳ יוסי בברכות פ״ב מ״ג ובניגוד לת״ק שם ועיי׳ בבבלי ובירוש׳ שם; לפי ברייתא בבבלי מצריך ר׳ יהודה בשם ר׳ אלעזר בן עזריה להשמיע לאוזן ור״מ חולק עליו, וסתם מתניתין ר׳ מאיר; ההלכה כאן מובאה ממשנתו של ר׳ יוסי או ממשנה קדומה לזו של רבי׳ — לא יצא, זו היא בלי ספק, הגרסה הנכונה; באלה המקורות שמנסחים יצא „נתקנה״ הברייתא בהתאם אל דעת ת״ק במשנה ברכות שם, וכן פי׳ רד״ף וז״ל „ודריש מלשון שמע השמע לאזנך כו׳ וכמאן דסבר הכי בש״ס דברכות דהיינו ר״י ולא כת״ק דסבירא ליה שאם לא השמיע לאזנו יצא ודרש שמע בכל לשון שאתה שומע״; ור״ה פירש „מכאן אמרו הקורא, מדכתיב שמע ישראל אמרו הקורא את השמע וכו׳ דהיינו כר׳ יוסי בפרק היה קורא בתורה הקורא את שמע ולא השמיע לאזנו לא יצא דשמע משמע השמע לאזנך מה שאתה מוציא״. ואין ספק שזוהי ההלכה הקדומה שהרי ר׳ יהודה מעיד עליה בשם ר׳ אלעזר בן עזריה, רק בימי רדיפות אדריינוס הוכרחו להנמיך את הקול בקריאת שמע כמו שמוסר ר׳ מאיר בתוספתא ברכות פ״ב הי״ג ע׳ 4, „פעם אחת היינו יושבים לפני ר״ע והיינו קוראין את שמע ולא היינו משמיעים לאזנינו מפני קסדור אחד שהיה עומד על הפתח״, המנהג שנתהוה בימי הסכנה, נתקבל ע״י אחדים מאלו שהורגלו בו, ור׳ מאיר ביניהם, להלכה: 11 ה׳ אלהינו למה נאמר, פי׳ דכיון דה׳ אחד א״כ פשיטא שהוא אלהינו שהרי אין עוד מלבדו לכך דריש דה״ק אע״פ שהוא אחד כלומר מלך על כל הארץ מ״מ עלינו הוחל שמו ביותר, רד״ף: 12 עלינו וכו׳ עד עליך הוחל שמי ביותר, מכילתא משפטים מסכתא דכספא פ״כ (ק״ב ע״א) בשנוים רבים, מכילתא דרשב״י כ׳ ב׳ (ע׳ 103, ובהשמטות ע׳ 176), ושם ל״ד כ״ג (ע׳ 164), והשוה לקמן פי׳ שי״ט. — כיוצא בו וכו׳, מכילתא דרשב״י ל״ד כ״ג, עמ׳ 164: 14 שמו ביותר, כוונת

—ואחר—עצמו מ, שנאמר ויקרא—ומאחר—עצמו א, ל׳ דט — 2 חזר] וחזר ד | וקראם] וקרא אותם ד | כאחד רמקבטד, בבת אחת ל, ל׳ א | אמר להם רקדהבא, ואמר מ, אמר טל — 3 יש רקבטלב, יש לכם ד, יש ביניכם ה, יש בכם מא | בלבבכם רקבטב, בלבכם לד, ל׳ מהא | אמרו לו—והיה העולם] ל׳ ב | לו] ל׳ א | שמע ישראל אבינו רפ, ישראל אבינו אמ, שמענו ד, שמע ישראל דה׳ אלהינו ה׳ אחד קה, שמע ישראל ט, שמע ישראל ה׳ א׳ ה׳ אחד שמע ישראל אבינו ב, ל׳ ל — 4 מחלוקת] <על מי שאמר והיה העולם> בז | על—העולם רדלטק, ל׳ מהאכ — 5 ועל כן רק׳, וכן ק׳, ועליה מאבכ, ועליו ה, ועל זה ד. ועליהם טל | המטה] המטה שעשה תשובה ה | וכי על ראש—על ראש המטה] ל׳ ב | וכי על ראש המטה השתחווה] וכי יעקב משתחוה על ראש המטה ה — 6 שהודה ושבח רקהדבטל, נתן שבח והודאה להקב״ה מא׳, שבח והודאה להקב״ה א | וי״א—שעשה ראובן תשובה רקדבטל, וי״א על שעשה ראובן תשובה הא, ל׳ מ — 8 הקב״ה רלקאמהדכ, הק׳ בט | יעקב רקהלכא, ליעקב בדט, ל׳ מ | הרי—ימיך] שהייתה מתאוה כל ימיך נתון לך ה — 9 משכימים ומעריבים רקדלבמאהכ, מעריבין ומשכימין ט׳, מעריבין ט׳ — 10 שמע ישראל] כן הוסיפו ר״ה ורד״ף ורמא״ש וכנ״ל שיש לגרס אע״פ שחסר בכל המקורות, שהרי אין לדרש הזה שום קשר עם האגדה הקודמת | מיכן אמרו—יצא] ח׳ ה | הקורא קריית ארמל, הקורא את דבטכפ, הקורא ק | לא יצא רקבטלפ, יצא אמד, יצא שנאמר שמע ישראל כ — 11 והלא כבר נאמר—עלינו] ל׳ כ | מה רקמבט] ומה דהל — 12 החל מהא, היחל רקדבכל [וכן בכל הענין], מחל ט׳, ייחד ט׳ | כיוצא בו טאמה, כיוצא בו אתה אומר רקלדט — 13 מה מהטא, ומה רקדבכל | צריך] צריך לומ׳ ט | והלא] והרי ק — 14 מה ת״ל אמב, ומה ת״ל ה, מה ת״ל ה׳ קרט, ומה ת״ל ה׳ ל, ל׳ ד | על

שם לב כז אמר ה׳ צבאות אלהי ישראל, מה אני צריך והלא ככר נאמר °אני ה׳ אלהי
כל בשר הממני יפלא כל דבר, מה תלמוד לומר אלהי ישראל, על ישראל
תהלים נ ז החל שמו ביותר. כיוצא בו אתה אומר °שמעה עמי ואדברה ישראל ואעידה
בך אלהים אלהיך אנכי, עליך הוחל שמי ביותר.

דבר אחר ה׳ אלהינו עלינו ה׳ אחד על כל באי העולם, ה׳ אלהינו בעולם
זכריה יד ט הזה ה׳ אחד לעולם הבא וכן הוא אומר °והיה ה׳ למלך על כל הארץ ביום
ההוא יהיה ה׳ אחד ושמו אחד סליק פיסקא

לב.

(ה) ואהבת את ה׳ אלהיך, עשה מאהבה, הפריש בין העושה מאהבה
דברים י כ לעושה מיראה, העושה מאהבה שכרו כפול ומכופל. לפי שהוא אומר °את ה׳ אלהיך
תירא ואותו תעבוד, יש לך אדם שהוא מתירא מחברו, כשהוא מצריכו מניחו
והולך לו, אבל אתה עשה מאהבה שאין לך אהבה במקום יראה ויראה במקום אהבה
אלא במדת מקום בלבד.

דבר אחר ואהבת את ה׳ אלהיך, אהבהו על הבריות כאברהם אביך כענין
בראשית יב ה שנאמר °ואת הנפש אשר עשו בחרן, והלא אם מתכנסים כל באי העולם לבראות
יתוש אחד ולהכנים בו נשמה אינם יכולים אלא מלמד שהיה אברהם אבינו מגיירם
ומכניסם תחת כנפי השכינה.

ישראל דמהטבלא. עלינו רק | כיוצא בו—על ישראל החל שמו ביותר אמה, כיוצא בו אתה אומר—הוחל שמו ביותר רק, ל׳ דבטל — 3 כיוצא בו אמהטל, כיוצא בו אתה אומר ב, כיוצא בדבר אתה אומר ד, כן הוא אומר ר, וכן הוא אומר ק, וכן כיוצא בו פ — 4 עליך הוחל שמי רקהב, הוחל שמי עליך ד, הוחל שמי מ, עליך ייחד שמו ט, על ישראל הוחל שמו ל, על ישראל החל שמו א — 5 ה׳ אלהינו עלינו ה, ה׳ אלהינו רקמדבלא, ל׳ ט — 6 לעולם] בעולם ר — 7 סליק פיסקא רד, ל׳ א —

8 הפריש רקב, הפריש הכתוב ד, הפרש יש א, הפרש מ הטל [ס׳ יראים ב׳], והפרש יש [ס׳ יראים א׳] — 9 לעושה] להעושה ד | העושה מאהבה שכרו רקמטבא [ס׳ יראים], שהעושה מאהבה שכרו ה, מאהבה שכרו ד, העושה שכרו ל | ומכופל רמטבלא [ס׳ יראים], ומוכפל קה — 10 אדם] ל׳ ק וס׳ יראים א׳ | שהוא מתירא אמה, כשהוא מתיירא ד, שמתיירא רבטלק, מתירא [א״א]. מתיירא [ס׳ יראים א׳] | כשהוא] וכשהוא [א״א] | מצריכו רקאהטבל, מטריחו ד, מטריח עליו [רש״י], מצריכו ואינו מצריכו מ, ל׳ [ס׳ יראים], מעריכו פ, מערים [כ״י ר״ה של רמא״ש] — 11 אבל רקמהטבא [ס׳ יראים], אלא דל | אתה ל׳ [ס׳ יראים] | עשה רקמהא, עושה בדלט, העושה [ס׳ יראים] | שאין] ואין [ס׳ יראים] — 12 מקום בלבד רבל, הקב״ה בלבד אמד [ר״ף], המקום בלבד קט [ס׳ יראים], המקום ה — 13 אהבהו אמהטדבל [רמב״ם], אוהבהו ר [רוקח], האהיבהו ק [יראים] | על ארקמהטל [יראים, רמב״ם, רוקח], על כל דב — 14 שנאמר אמהט [רמב״ם רוקח], כענין שנאמר רקבדל [יראים] | אם] אין א | מתכנסים] מתכנשים ד | באי העולם רקהטבלא׳, העולם מא [יראים] | לבראות קדמטא׳, לברות רדהבל, לביאת א — 15 ולהכניס בו נשמה מהדבלא, להכניס נשמה ר, ולהכניס נשמה בו ק, ולזרוק בו נשמה ט | יכולים רקמהטבלא, יכולים לבראותו ומה ת״ל ואת

המאמר מפורש באופן מצוין ע״י החכם י׳ עלבוגן בספרו Religionsanschauungen עמוד 56. — כיוצא בו וכו׳, מכילתא דרשב״י כ׳ ב׳ ע׳ 103:

8 עשה מאהבה וכו׳ עד מיצוי הנפש, ספר יראים דפוסים הרגילים סי׳ ב׳ ובהוצ׳ שיף סי׳ ת״ד וכן בהקדמה לרוקח שער אהבת השם. — הפריש וכו׳, מכי׳ דרשב״י כ׳ ו׳ (ע׳ 106): 10 מצריכו, כן הגרסה ברוב המקורות וכן היתה גרסת ר״ה שפי׳ „שמתיירא מחברו משום דצריך למלאת חפצו ובתר הכי מניחו והולך לו״ אבל בכ״י פ הגרסה מעריכו ורמא״ש מעתיק מטופס של פי׳ ר״ה שלפניו מערים: 11 שאין לך וכו׳, מובא בהגהות הר״ף סמ״ק יום ראשון: 12 במדת מקום, כלומר ביחס האדם אל המקום, שאין בריה היכולה להשפיע אימה ואהבה בבת אחת. — בלבד, הר״ף בהגהותיו לסמ״ק יום ראשון מעתיק בשם הספרי פ׳ ואתחנן, „כתיב ואהבת וכתיב עבד את ה׳ ביראה (תה׳ ב׳ י״א) ומשני ה״ק אם באת למרוד דע שאתה ירא ואין ירא מורד, ואם באת לשנוא דע שאתה אוהב ואין אוהב שונא לאהובו״ ובודאי כונתו אל פיסקא זו וכעין זה במ״ת כאן, ובשאר המקורות ליתא, וכעין זה בירו׳ ברכות פ״ט ה״ז (י״ד ע״ב), ושם סוטה פ״ה ה״ז (כ׳ ע״ג): 13 אהבהו, יש לנקד אִהֲבֵהוּ בבנין פיעל, וליתרון ההבנה כתבוהו סופרים אחדים בהפעיל האהיבהו. — אהבהו על הבריות, מובא ברמב״ם ס׳ המצות עשין ג׳ הוצ׳ העליר ע׳ 25, וברבינו בחיי כאן, וכעין זה ביומא פ״ו ע״א: 14 והלא אם מתכנסים וכו׳, אדר״נ נו״א פי״ב, נו״ב פ׳ כ״ו (כ״ז ע״א), ובירוש׳ סנהדרין סוף פ״ז

בכל לבבך, בשני יצריך ביצר טוב וביצר רע, דבר אחר בכל לבבך בכל
לב בך, שלא יהיה לבך חלוק על המקום. ובכל נפשך, אפילו הוא נוטל את נפשך
וכן הוא אומר °כי עליך הורגנו כל היום נחשבנו כצאן טבחה, רבי שמעון תהלים מד כג
בן מנסיא אומר וכי היאך איפשר לו לאדם ליהרג בכל יום אלא מעלה הקדוש ברוך
הוא על הצדיקים כאילו הם נהרגים בכל יום.

שמעון בן עזיי אומר בכל נפשך, אהבהו עד מצוי נפש. רבי אליעזר אומר אם נאמר בכל נפשך למה נאמר בכל מאדך ואם נאמר בכל מאדך למה נאמר בכל נפשך, יש לך אדם שגופו חביב עליו מממונו לכך נאמר בכל נפשך ויש לך אדם שממונו חביב עליו מגופו לכך נאמר בכל מאודך.

רבי עקיבה אומר אם נאמר בכל נפשך קל וחומר בכל מאודך, מה תלמוד
לומר בכל מאודך, בכל מדה ומדה שהוא מודד לך בין במדת הטוב ובין במדת
פורענות, וכן דוד אומר °כוס ישועות אשא ובשם ה׳ אקרא, °צרה ויגון שם קטז יג / שם קטז ג–ד

(כ״ה ע״ד) מיוחס לר׳ אלעזר בשם ר׳ יוסי בן זמרא, וכן בב״ר פ׳ ל״ט סי׳ י״ד (עמ׳ 378), ופ׳ פ״ד סי׳ ד׳ (עמוד 1004), ובפסיקתא רבתי פס׳ מ״ג (קפ״א ע״א) מיוחס לר׳ אלעזר בן פדת בשם ר׳ יוסי בן זמרא, ובתנחומא א׳ לך לך סי׳ י״ב לר׳ אלכסנדרי, ובשיר השירים רבה פ׳ לריח שמניך טובים סימן ג׳ בלי שם המוסר. ועיין בתרגומים לבראשית שם וב׳ סנהדרין צ״ט ע״ב, והשוה עוד ציוניו של מורי ר׳ לוי גינזבורג בספרו אגדות היהודים ח״ה ע׳ 215: 1 בשני יצריך וכו׳. ת״י כאן, ברכות פ״ט מ״ה סתמא, תוספתא שם פ״ז ה״ז ע׳ 15 בשם ר׳ מאיר, והשוה ירו׳ שם פ״ט ה״ו י״ד ע״ב: 2 חלוק על המקום. השוה למעלה פי׳ ל״א „שמא יש בלבבכם מחלוקת על מי שאמר והיה העולם״ ור״ה פי׳ דתימא ח״ו שתי רשויות הן וכן פי׳ הראב״ד הביאו בס׳ הזכרון על רש״י ורד״ף כתב שאין נראה לו אלא שלא תחלוק להרהר על מדותיו ובעל אהלי יהודה פירש „מסתפק באמונה ח״ו״ והשוה מכילתא בשלח מסכתא דויהי פ״א (כ״ו ע״א, ה—ר ע׳ 85). — אפילו הוא נוטל את נפשך, משנה ותוספתא שם, בבלי ס״א ע״ב, ות״י „ואפילו נסיב ית נפשכון״, ומורי ר׳ לוי גינזבורג בספרו Eine unbekannte jüdische Sekte מעיר על צוואות י״ב שבטים, צוואת דן ה׳ ג׳, ששם היתה הגרסה המקורית ואהבו את ה׳ בכל חייכם, ופירושו אפילו אתם צריכים לאבד את חייכם בעבודתו ובאהבתו: 4 אלא מעלה וכו׳ עד בכל יום, נשמט בהרבה מקומות מפני דמיון המלים, בט נוסף במקום המשפט החסר „אלא זו מילה״, וכן הגיהו הגר״א ובעל אהלי יהודה; בס׳ יראים וברוקח נשמט כל המאמר של ר׳ שמעון בן מנסיא, שהיה בלתי מובן להם מפאת חסרונו וקטועו: 6 ר׳ אליעזר וכו׳, ברכות ס״א ע״ב, פסחים כ״ה ע״א, יומא פ״ב ע״א, סנהדרין ע״ד ע״א: 8 שגופו חביב וכו׳, לא בסכנת נפשות אלא בטרחת הגוף בניגוד לחסרון כיס, וכעין זה פירש הגר״א בספרו שנות אליהו ברכות שם, והשוה הערת הנצי״ב על שאלתות פ׳ קדושים סי׳ ק״א. — ממונו, מפרש בכל מאדך בכל ממונך, כמובא בברכות פ״ט מ״ה וכן תרגם אונקלוס „ובכל נכסך״, בתרגום יונתן „ובכל ממונכון״, בפשיטא „ומן כלה קנינך״. אבל השבעים מתרגמים כמו „בכל כוחך״ καὶ ἐξ ὅλης τῆς δυνάμεώς σου וכן בוולגאטא Et ex tota fortitudine tua: 10 ר׳ עקיבה וכו׳ עד שהוא מודד וכו׳, ספר הזכרון. — אם נאמר וכו׳, ברכות פ״ט מ״ה סתמא, ותוספתא שם פ״ז ה״א (ע׳ 14) „בכל דין שדנך בין במידת טוב בין במידת הפורענות״ מכילתא מס׳ בחודש (ע״ב ע״ב ה—ר 239), ירו׳ ברכות פ״ט ה״ז י״ד ע״ב וב׳ שם ס״א ע״ב והשוה עוד מס׳ שמחות פ״ח ובציונים המובאים למטה: 12 וכן דוד אומר וכו׳, מכילתא שם ותנחומא יתרו סי׳ ט״ז והשוה ירו׳ ובבלי ברכות שם, ויק״ר פ׳ כ״ד סי׳ ב׳, מדרש תהלים נ״ו ג׳ (קמ״ח ע״א), שם ק״א א׳ (רי״ד ע״א):

הנפש אשר עשו בחרן ד | שהיה—מגיירם] שגיירן [רוקח], שהיה מלמדם אבינו אברהם [ס׳ יראים, שיף], שהיה אברהם אבינו מלמדם [ס׳ יראים א׳] | אברהם אבינו מקטבא, אבינו אברהם רלא, אברהם ה — 1 יצריך קמהטלא׳ [ס׳ יראים], יצרך רב [רוקח], צריך א | וביצר] ויצר ד | בכל לב בך ר מא, ל׳ דהטבל [ס׳ יראים, רוקח], בכל לב כדי ק — 2 חלוק רקדטבל [רש״י, יראים, רוקח], חולק מהא | על המקום רקט׳בלמה [רש״י], עליך ט׳ [יראים], עם המקום א, על הקב״ה [רוקח] | ובכל מהטאבד [רוקח, יראים], בכל קלר | אפילו] ואפלו ה — 3 וכן מדקהטלא, כן רב | ר״ש בן מנסיא אומר—נהרגים בכל יום] ל׳ [ס׳ יראים, רוקח] | ר׳ שמעון בן מנסיא] ר׳ מנסיא ל — 4 היאך ר קמהדא, ל׳ דל | אלא מעלה—בכל יום מק׳, אלא—בצדיקים—יום א, אלא מעלה המקום—בכל יום הפ [רד״ף בשם הראב״ד], ל׳ רקבלד, אלא זו מילה ט [א״א] — 6 שמעון רקמדטבלה, שמואל ה, ל׳ א | אהבהו מהטלא [רוקח, ס׳ יראים], אהבו רבק | עד קמהטלא [רוקח, ס׳ יראים], על ר, ל׳ ב | מצוי רקבטלדמה [רוקח, יראים], מיצר א, איצר ט׳ | נפש רקמט׳בא, הנפש דהט׳ל [רוקח, ס׳ יראים] | ר׳ אליעזר רקמהלא, ר׳ אליעזר בן יעקב דטב — 8 יש לך מבל, אלא יש לך רקט, אם יש לך הא | שגופו חביב עליו מממונו—שממונו חביב עליו מגופו לכך נאמר בכל מאדך] שממונו חביב מגופו [א׳: עליו מגופו] לכך נאמר בכל מאדך ואם יש לך אדם שגופו חביב עליו מממונו לכך נאמר בכל נפשך א | עליו] לו ט׳ | ויש קט בל, יש ר | ויש לך אדם שממונו] ממונו ה — 9 מגופו] יותר מגופו ק — 10 ר״ע—מה ת״ל] ל׳ ב | עקיבה] יעקב ד | מה [ומה ה] ת״ל בכל מאודך רמהא, ולמה נאמר בכל מאודך ק, ל׳ דלט — 11 בכל] אלא בכל ט | לך] לו א | בין במידת—פורענות רטל, בין—הפורענות בא, הוי מודה לו בין לטוב ובין לחילופו ק, הוי מודה לו בכל מאד מאד בין במדת הטוב בין במדת פורענות ה, בכל הוי מודה לו במאד מאד [פס׳ זוט׳] — 12 וכן דוד אומר רקהטל, דוד אמ׳ מ, וכן דוד הוא אומר רבא | אומר רקה, אמ׳ אמ,

אמצא ובשם ה׳ אקרא, וכן איוב אומר °ה׳ נתן וה׳ לקח יהי שם ה׳ מבורך, איוב א כא
על מדת הטוב קל וחומר על מדת פורענות מה אשתו אומרת לו °עודך מחזיק שם ב ט
בתומתך ברך אלהים ומת, ומה אמר לה °כדבר אחת הנבלות תדברי שם ב י
גם את הטוב נקבל מאת האלהים ואת הרע לא נקבל. אנשי דור המבול
היו כעורים בטובה וכשבאת עליהם פורענות קבלוה בעל כרחם, והלא דברים קל
וחומר, אם מי שכעור בטובה נאה בפורענות, אנו שנאים בטובה לא נהא נאים בפורענות
והוא שאמר לה כדבר אחת הנבלות תדברי. ועוד יהא אדם שמח ביסורים יותר
מן הטובה שאילו אדם בטובה כל ימיו אינו נמחל לו מעון שבידו ובמה נמחל לו
ביסורים. רבי אליעזר בן יעקב אומר הרי הוא אומר °כי את אשר יאהב ה׳ יוכיח משלי ג יב
וכאב את בן ירצה, מי גרם לבן שירצה לאב הוי אומר אלו יסורים. רבי מאיר
אומר הרי הוא אומר °וידעת עם לבבך כי כאשר ייסר איש את בנו ה׳ דברים ח ה
אלהיך מיסרך, אתה ולבך יודעים מעשים שעשית ויסורים שהבאתי עליך שלא
כנגד מעשיך שעשית הבאתי עליך. רבי יוסי ברבי יהודה אומר חביבים יסורים ששמו
של מקום חל על מי שיסורים באים עליו שנאמר ה׳ אלהיך מיסרך. רבי נתן ברבי

הוא אומר בדלט — 2 על מדת הטוב רקהטבל, על מדת הטוב מבורך מא, ל׳ ד | ק״ו—פורענות] ועל מדת פורענות א, ועל מדרת פורענות מבורך א׳ | פורענות] הפורענות ד — 3 ברך מקה, מה אמר לה ברך ר, וכו׳ א, ל׳ טבל | ומה רקט, מה מבלא, ל׳ ר, מהו ה — 4 דור המבול מדא, מבול רדהטב, המבול קל — 5 פורענות מטיבל, דהפורענורת הט״א, מידת פורענות ר, מידרת פורעניות ק | בעל כרחם דל, על כורחם רקמהטב [במה״ג הגי׳ בכל מקום „בעל כרהן״ בה״א], ל׳ א; רק מוסיפים <אנשי סדום היו כעורים בטובה וכשבאת עליהם פורענות קיבלוה בעל כורחן>. ד מוסיף <והלא דברים ק״ו אנשי סדום ועמורה—קבלוה אותם בעל כורחם>. ב מוסיף <אנשי המ[בול] כע[ורים] ור[עים] בט[ובה] וכשבאת עליהן פורענות קיבלוה על כורחן> | והלא אמהב, והרי רקדל, ועוד ט — 6 אם רקמהבל. ומה אם דטא | שכעור מבל, שכעורין רק, שהוא כעור ד, שעכור מא, שכוער ה | נאה בפורענות] כשבאת עליהם פורענות נאה להם מ | אנו שנאים רקמהטל, כל שכן מי שנאה בטוב ב, כל שכן מי שהוא נאה ד, שונאים א, שהיינו נאים א, לא יהא נאין א, לא נאים ר, נאה ד, לא נתנאה ק, ל׳ ב, אינו נאין ל — 7 והוא [ה זהו] שאמר לה רקהטבל, וזהו שאמר לה א, וזהו שאמר לה איוב מ, ל׳ ד | שמח בייסורים ארמהטבד [פס׳ זוט׳], שמח באיסורין ק׳, שמח בפורענות ק, נאה ביסורין ל — 8 מן הטובה] מבטובה ט | אינו רק, לא מא, אין דקטבל | מעון שבידו רקא, מעון שבידו כלום ה, שום מעון שבידו מ, עון שבידו דטב [פס׳ זוט׳], מטובה שבידו ל | ובמה נמחל לו בייסורין מה, במה [בי ממה] נמחל לו אלו ייסורין רב, ובמה נמחל לו בייסורין נמחל לו ד, ובמה נמחל לו עון בייסורין ק, וממה נמחל לו בייסורין ט, ממה נמחל לו מן הייסורין ל, ובמה ימחל לו בייסורין א — 9 ר׳ אליעזר בן יעקב מהטבלא, ר׳ אליעזר רק — 10 שירצה רקמלא, שיתרצה הט, שמרצה ב | אלו ייסורין ר מטבל, יסורין שיסרו ק, זה יסורין הא | ר׳ מאיר אומר—וישבהו לירושלם למלכותו הא חביבים ייסורים] ל׳ ה | מאיר] ל׳ א — 11 אומר] ל׳ אר — 12 אתה רקטלא, כלומר אתה מ, ל׳ ב | ולבך] ולבבך א | יודעים] ל׳ א [ובין השטים „דער״] | מעשים] המעשים ד | ויסורים] והיסורין ד | שהבאתי] שהבאת א, שהבאתי א׳ — 13 כנגד מעשיך רקטבל, כנגד מעשיך שעשית ד, כמעשיך מא | עליך רק, עליך ייסורים טבא, לך דל [ועל גליון א נמצא: נ״ל שצ״ל שכמעשיך הבאתי עליך ייסורין] | ייסורים] יסורים לפני המקום ד | ששמו] שכבודו ד — 14 מקום רדב, הקב״ה מט״לא [פס׳ זוט׳], הק׳ ט׳ | ר׳ נתן—מייסרך] ח׳ ט | ברבי קמבאדט, בן רל —

3 ומה אמר לה וכו׳, מכילתא שם בראשית רבה פ׳ י״ט סי׳ י״ב (ע׳ 181), והשוה הערת מורי ר׳ לוי גינזבורג בספרו אגדות היהודים ח״ה ע׳ 387: 4 אנשי דור המבול וכו׳, מכילתא שם, לקמן פי׳ מ״ג, במדבר רבה פ׳ כ״א סי׳ כ״ג: 6 אנו שנאים וכו׳, מכילתא שם, ב״ר י״ט י״ב (ע׳ 181): 7 ועוד יהא אדם וכו׳, מכילתא ותנחומא שם: 9 ראב״י וכו׳, מכילתא ותנחומא שם, ומדרש תהלים צ״ד ב׳ (ר״ט ע״ב) ומובא בשם הספרי במנורת המאור רצ״ח בסגנון זה. „ר״א בן יעקב אומר כל זמן שאדם שרוי בשלווה אין מתכפרין לו מעוונותיו כלום וע״י הייסורין הוא מתרצה לפני המקום שנ׳ כי את אשר יאהב ה׳ יוכיח״, והשוה מ״ת לקמן י״ח י״ג (ע׳ 111): 10 מי גרם וכו׳, השוה מ״ת ה׳ ט׳ (ע׳ 21), שם כ״ה ג׳ (ע׳ 164), מכילתא בחדש סוף פ״ו (ס״ח ע״ב, ה—ר ע׳ 227): 12 אתה ולבך וכו׳, מכילתא שם (חסר בהוצ׳ רמא״ש וע׳ בהוצאת ה—ר שנתמלא החסרון מכ״י) ותנחומא שם, מדרש תהלים צ״ד סי׳ ב׳ (ר״ט ע״א), דברים רבה פ״ב סי׳ י״ט: 13 ר׳ יוסי בר׳ יהודה וכו׳, מכילתא שם, מדרש תהלים שם: 14 חל על מי וכו׳, השוה מ״ת לקמן י״ח ז׳ (ע׳ 109), וכ״ו ג׳ (ע׳ 109). — ר׳ נתן ב״ר יוסף, במכילתא שם בשם ר׳

יוסף אומר כשם שברית כרותה לארץ כך ברית כרותה ליסורים שנאמר ה׳ אלהיך
מיסרך, ואומר °כי ה׳ אלהיך מביאך אל ארץ טובה. רבי שמעון בן יוחי אומר, שם ח ז
חביבים יסורים ששלש מתנות טובות נתנו להם לישראל שאומות העולם מתאוים להן
ולא נתנו להם אלא על ידי יסורים ואלו הם תורה וארץ ישראל והעולם הבא, תורה
מנין °לדעת חכמה ומוסר, ואומר °אשרי הגבר אשר תיסרנו יה ומתורתך משלי א ב / תהלים צד יב
תלמדנו. ארץ ישראל מנין °ה׳ אלהיך מיסרך כי ה׳ אלהיך מביאך אל דברים ח ז
ארץ טובה. העולם הבא מנין °כי נר מצוה ותורה אור ודרך חיים תוכחות משלי ו כג
מוסר, איזה הוא דרך שמביאה האדם לעולם הבא הוי אומר אלו יסורים. רבי נחמיה
אומר, חביבים יסורים שכשם שקרבנות מרצים כך יסורים מרצים, בקרבנות הוא אומר
°ונרצה לו לכפר עליו, ביסורים הוא אומר °והם ירצו את עונם, ועוד שיסורים ויקרא א ד / שם כו מג
מרצים יותר מן הקרבנות, שהקרבנות בממון ויסורים בגוף, וכן הוא אומר °עור בעד איוב ב ד
עור וכל אשר לאיש יתן בעד נפשו. וכבר היה רבי אליעזר חולה ונכנסו רבי
טרפון ורבי יהושע ורבי אלעזר בן עזריה ורבי עקיבה לבקרו, אמר לו רבי טרפון,
רבי, חביב אתה לישראל מגלגל חמה, שגלגל חמה מאיר בעולם הזה ואתה הארת
בעולם הזה ובעולם הבא, אמר לו רבי יהושע, רבי, חביב אתה לישראל ממתן גשמים,
שגשמים נותנים חיים בעולם הזה ואתה נתתה בעולם הזה ובעולם הבא, אמר לו רבי

יונתן. מדרש תהלים בשם ר׳ נתן בר׳ יוסי: 1 ליסורים, כלומר למי שייסורין באין עליו, מפי׳ ר״ה: 2 ואומר, ר״ה גורס וסמיך ליה, ומפ׳ דאקשינהו להדדי לאשמעינן שכשם שברית וכו׳ — רשב״י וכו׳, מכילתא שם ברכות ה׳ ע״א, שמות רבה פ״א פי׳ א׳, תנחומא שמות סי׳ א׳, מדרש תהלים צ״ד שם; והשוה ג״כ איגרת אריסטיה פ׳ ל״א קי״ב קט״ז: 6 מיסרך כי וכו׳, דורש סמוכים, ובאמפ מפרש בהדיא „וסמיך ליה כי ה׳ אלהיך וכו׳, ופירש ר״ה דמשמע ע״י יסורין מביאך אל ארץ טובה״: 7 העולם הבא, ב״ר פ״ט סי׳ ח׳ (ע׳ 72). „איזו דרך מביאה ארת האדם לחיי העוה״ב הוי אומר זו מידת ייסורין״ — ודרך חיים וכו׳ עד אלא יסורים, בפירוש משלי לאבן נחמיאש ו׳ כ״ד עמ׳ 32: 8 ר׳ נחמיה וכו׳, מכילתא ותנחומא שם, ובמדרש תהלים שם בשם ר׳ נתן: 12 וכבר היה וכו׳, מכילתא מסכתא דבחדש יתרו פ״י שם, סנהדרין ק״א ע״א — וכבר היה וכו׳, לפי עדות רמא״ש נרשם מאמר זה בטופסו של פי׳ ר״ה תוספת, וכתב ר״ה „תוספת שאינו מן הענין אלא אגב דתני יסורין תני נמי האי״, בכ״י פ של פי׳ ר״ה נתקדם משפט זה למאמר „איזהו דרך וכו׳״ וטעיות סופר כזה נמצאות הרבה בכ״י ההוא וגם במכילתא נמצא המאמר בהמשך זה רק במקורות אחדים ועדיין הדבר צריך בירור: 13 א״ל ר׳ טרפון, הקדימו את ר׳ טרפון שהיה כהן, מפי׳ רד״ף; ואחריו ר׳ יהושע שהיה כבר זקן, ואולי אירע מעשה זה קודם שנתמנה ראב״ע לנשיאות והשוה סנהדרין ס״ח ע״א: 14 חביב אתה וכו׳, למאמר זה

1 יוסף רקבאדט, יוסי מל | כשם רקבדלט, חביבין ייסורין שכשם אמ | שברית רקל, שהברית מדבטא | ברית] הברית מ — 2 ואומר] וסמיך ליה פ — 3 מתנות טובות רקמטב א, מתנות דל | נתנו] נתן הקב״ה ד | שאומות—ולא ניתנו להם] ל׳ ב — 4 נתנו להם רקמט, נתנוהו לישראל ד, נתנו להם לישראל ל — 5 מנין רקטב, מניין שנאמר דלאט | ואומר מט, שנ׳ ק, ל׳ בלרא — 6 כי קרבל, וסמיך ליה כי אמפ, ואומר דט | מביאך אל ארץ טובה מטדבל, מביאך אל ארץ טובה <וכן הוא אומר ובו תדבקון (דברים י״ג ה׳) אפעלפי שהוא מביא עליכם ייסורין ובו תדבקון וכן הוא אומר והם תכו לרגליך (שם ל״ג ג׳) אפעלפי שהם לוקין אינן זזין [ק׳ אינן זזין מתורתיך]> רק — 7 מנין רקטבל, מנין שנאמר דקיא, מנין ת״ל מ — 8 אי זה הוא רקמטב, איזו היא א [נחמיאש], איזהו דל | דרך] דבר טי | שמביאה רקמבלא [נחמיאש], שמביא ד, שהוא מביא ט | האדם מא, את אדם רק, את האדם טל [נחמיאש], את האור ב, אור ד | לעולם הבא] לחיי העולם ל | אלו רקטבל [נחמיאש], זה מדא | נחמיה בטידל [מכילתא], נחוניה מא, יוסי רק, נחמן טי — 9 יסורים] הייסורים מ | שקרבנות רקדטבל, שהקרבנות מא — 10 והם ירצו קמדטב, והסירם ר, הסירות ל | שייסורין רקה, שהיסורים מלדא, היסורין ט — 11 מן הקרבנות רקבטמא, מהקרבנות ד, מקרבנות ל | שהקרבנות בממון מטא, שקרבנות בממון ב, שהקרבנות בממונו ד, שקרבן בממון רקל | וייסורים רקבלאד, והייסורים מט | וכן] כן ב — 12 ונכנסו מדאט, ונכנס בקר, נכנס ל — 13 ור״ע לבקרו רקדלט, לבקרו ור״ע עמהם מא, לבקרו ב | אמר לו ר׳ טרפון] נענה ר׳ טרפון ואמר ד — 14 רבי] ל׳ א | מגלגל רקמבא, יותר מגלגל דלט | שגלגל חמה מאיר מדבטא, שחמה מאירה ר, שחמה ק, שגלגל חמה מאירה ל | הארת רקבטא, מאיר דל, הארת לישראל מ — 15 בעולם] לעולם ד | ובעולם רקמטל, ולעולם בדא | אמר לו ר״י—ואתה נתתה בעוה״ז ובעולם הבא] ל׳ קט [ובט נמצאים דברי ר״י אחרי דברי ראב״ע, והעתקתי את השנוים פה] | אמר לו ר״י] נענה ר״י ואמר ד | רבי רלבא, ל׳ מט | לישראל] ל׳ ל | ממתן רמטיל [א״א], כמתן ד, מיום ב, מימי טי — 16 שגשמים ר, שהגשמים דטל,

אלעזר בן עזריה, רבי, חביב אתה לישראל מאב ואם, שאב ואם מביאים לעולם הזה
ואתה הבאת בעולם הזה ולעולם הבא. אמר לו רבי עקיבה, רבי, חביבים יסורים, אמר
להם רבי אליעזר לתלמידיו סמכוני ישב לו רבי אליעזר אמר לו אמור עקיבה אמר לו
דהי״ב לג א הרי הוא אומר °בן שתים עשרה שנה מנשה במלכו, וחמשים וחמש שנה
משלי כה א מלך בירושלם, ואומר °גם אלה משלי שלמה אשר העתיקו אנשי חזקיה מלך
יהודה, וכי עלת על לב שחזקיהו למד תורה לכל ישראל ולמנשה בנו לא למד תורה,
דהי״ב לג י־יג אלא כל תלמוד שלמדו וכל עמל שעמל בו לא הועיל לו אלא יסורים שנאמר °וידבר
ה׳ אל מנשה ואל עמו ולא הקשיבו ויבא ה׳ עליהם את שרי הצבא
אשר למלך אשור וילכדו את מנשה בחוחים ויאסרוהו בנחושתים
ויוליכוהו בבלה, וכהצר לו חלה את פני ה׳ אלהיו ויכנע מאד מלפני
אלהי אבותיו ויתפלל אליו ויעתר לו וישיבהו לירושלם למלכותו,
הא חביבים יסורים. רבי מאיר אומר הרי הוא אומר ואהבת את ה׳ אלהיך בכל
ישעיה מא ח לבבך, אהבהו בכל לבבך כאברהם אביך כענין שנאמר °ואתה ישראל עבדי יעקב
אשר בחרתיך זרע אברהם אהבי. ובכל נפשך, כיצחק שעקד עצמו על גבי
בראשית כב י המזבח כענין שנאמר °וישלח אברהם את ידו ויקח את המאכלת. בכל

שמתן גשמים מא, גשמים ב | נתתה רב, נתת חיים מא, נתתה להם חיים ד, ל׳ טל | ובעולם מטלא, ולעולם רב ד — 1 רבי רמדא, לרבי ד, ל׳ קטל | מביאים לעולם הזה א, מביאין דהעולם הזה ר, מביאין בעולם הזה ק, מביאין האדם בעולם הזה מ, מביאין את האדם לעולם [ל בעולם] הזה לד, מביאים חיים בעולם הזה בט[1], מביאין חיים לאדם בעולם הזה ט[1] — 2 הבאת רמבלא, מביא אותנו ד, הבאתנו ק, ל׳ ט | בעולם רקמבטל, לעולם ד א | ולעולם רקבא, ובעולם מטל | אמר לו ר״ע רקמב טל, נענה ר״ע ואמר לו ד אמ״ר עקיבא א | ר׳ חביבים רקטלא, ר׳ חביבים הם מ, חביבין ב | אמר להם ר״א—אמור עקיבא] אמ׳ סמכוני ואשמע דברי עקיב׳ אמ׳ לו מנין לך ב, סמכוני ואשמע דברי ר״ע ז — 3 אליעזר] אלעזר ר | אמור עקיבה רקל, ר׳ עקיבא אמור מ, עקיבא אמור טא | אמר לו רקמבל, ואמר לו מ, א״ר עקיבא ט — 4 עשרה] ועשר׳ ר — 5 ואומר מטבדלא, ואמ׳ ק ר | משלין] דברי משלי ר — 6 עלת על לב רקבטא, עלה על לב מ, עלה על לבו פ, עלה על דעתך ל, עלתה על דעתך ד | למד תורה לכל ישראל מבטלא, לומד לכל ישראל תורה ר, לומד תורה לישראל ד, לכל ישראל לומד תורה ק | למד קמבטאפ, לימדו רל — 7 תלמוד רקד טל, תורה מא | לו] לו כלום ט | אלא רקדבטל, ומה הועיל לו מא | ייסורים בד, הייסורין רקטל, אלו ייסורין מא — 8 ויבא—בבלה] ל׳ א | את שרי רקמד, כל שרי בל — 10 ויכנע מאד—אבותיו ד [מסורה, ת׳ השבעים, פשיטא], ויכנע מלפני ה׳ אלהיו רקמב, ויכנע מלפני אלקיו ל, ויכנע מלפני ה׳ אלהיו א, ל׳ ט — 11 ויתפלל—למלכותו] וידע מנשה כי ה׳ הוא האלהים א | ויתפלל] ויפן ד — 12 הא חביבים רקמבלא, הא למדנו שחביבים ט[1], הא מלמדנו שחביבים ט[1]. חביבים ד | רבי] כ״ז רבי א — 13 אהבהו] אוהביהו ד | לבבך קדמהא, לבך רבטל | אביך רקמהבא, אבינו דל, ל׳ ט | כענין שנאמר] שנאמר בו ט | ואתה—אהבי] כנ״ל להשלים ואע״פ שבכל המקורות מובא רק חלק מן הפסוק ואלה הגרסאות: ואתה ישראל עבדי מרא, זרע אברהם אהבי ה, ואתה ישראל עבדי וגו׳ ק, ואת׳ יש׳ ב, אברהם אוהבי ט, כי ידעתיו למען אשר יצוה את בניו ואת ביתו אחריו לכך נאמר ואהבת את ה׳ אלהיך בכל לבבך ובכל נפשך ד, שמע אל החקים ל — 14 ובכל נפשך הד, בכל לבבך מ, בכל נפשך ר | עצמו] בנו ל — 15 המזבח רקהטלא, מזבח מב | כענין—המאכלת רמהבטלא, ל׳

נרמז בדרך כלל ביוחסין ע׳ 34 וז״ל „וכן אמר בספרי טוב אתה לישראל מהשמש וגשמים ואב ואם״: 1 מאב ואם, השוה משנה ב״מ, ב, י״א: 6 שחזקיהו למד תורה וכו׳ למטה פי׳ ל״ד „וכן אתה מוצא בחזקיהו מלך יהודה שלמד כל התורה לישראל״. והשוה סנהדרין צ״ד ע״ב. תו״כ שמיני, מכילתא דמלואים ה׳ כ״ט (מ״ה ע״ב) וציוניו של מורי ר׳ לוי גינזבורג בספרו אגדות היהודים ח״ו ע׳ 361: 7 לא הועיל לו וכו׳, סנהדרין פרק חלק מ״ב, בבלי ק״ג ע״א, ירוש׳ כ״ח ע״ג, סע״ר פ׳ כ״ד (נ״ג ע״ב) ועיין בהערה שם, ויק״ר פ״ל ס׳ ג׳, במד״ר ריש פ׳ י״ד, דברים רבה פ״ב סי׳ י״ג, פסיקתא דר״כ שובה (קס״ב ע״א), אדר״נ נו״א פ׳ ל״ו (נ״ד ע״ב), ובספר ברוך ב׳ ס״ד ט׳ וס״ח א׳: 13 כאברהם אביך וכו׳, השוה מ״ת ה׳ י׳ (ע׳ 21), מכי׳ יתרו מסכת בחודש, (ס״ח ע״ב ה—ר 227): 14 שעקד עצמו וכו׳, השוה תרגום ירוש׳ ויקרא כ״ב כ״ז „למדכרא זכותיה דשייה דעקד גרמיה על גבי מדבחא״. אבל בתרגום המיוחס ליונתן שם „דאתעקיד על גבי מדבחא״ ואין מאמר זה בניגוד אל הכתוב ויעקד את יצחק בנו כי כוונתו ודאי אל האגדה המפורסמת המובאה בתנחומא וירא סי׳ כ״ג „א״ל אבא אסרני ידי ורגלי מפני שהנפש חצופה היא וכו׳״ ובת״י ברא׳ כ״ב ט׳ מבוארת יותר „ואמר יצחק לאבוי כפת יתי יאות דלא נפרכיס מן צערא דנפשי״, והשוה עוד ויק״ר פ״ב סי׳ ח׳ על הכתוב אדם כי יקריב ובספר Judaism, להח׳ G. F. Moore ח״א ע׳ 539:

מאדך, הוי מודה לו כיעקב אביך שנאמר °קטנתי מכל החסדים ומכל האמת שם לב יא
אשר עשית את עבדך כי במקלי עברתי את הירדן הזה ועתה הייתי לשני מחנות סליק פיסקא

לג.

(ו) והיו הדברים האלה אשר אנכי מצוך היום על לבבך, רבי אומר למה נאמר, לפי שנאמר ואהבת את ה׳ אלהיך בכל לבבך, איני יודע כיצד אוהבים את המקום תלמוד לומר והיו הדברים האלה אשר אנכי מצוך היום על לבבך, תן הדברים האלה על לבך שמתוך כך אתה מכיר את מי שאמר והיה העולם ומדבק בדרכיו.

אשר אנכי מצוך היום, שלא יהו בעיניך כדיוטגמא ישנה שאין אדם סופנה אלא כדיוטגמא חדשה שהכל רצים לקרותה.

על לבבך, מיכן היה רבי יאשיה אומר, צריך אדם להשביע את יצרו, שכן
אתה מוצא בכל מקום שהצדיקים משביעים את יצרם. באברהם הוא אומר °הרימותי בראשית יד כב–כג

1 רבי אומר וכו׳ עד ומדבק בדרכיו, מובא בס׳ הזכרון: 5 לפי שנאמר וכו׳ עד והיה העולם, רמב״ם ס׳ המצורת עשין ג׳ (י״ג ע״א), ספר החנוך ואתחנן מצוה תי״ז, ובכתר תורה ג׳: 7 שמתוך כך וכו׳, לקמן פי׳ מ״ט „רצונך שתכיר מי שאמר והיה העולם למוד הגדה שמתוך כך אתה מכיר את הקב״ה ומדבק בדרכיו״, ועיין ברמב״ם ה׳ יסודי התורה פ״ב ה״ב ובראב״ם כאן: 9 שלא יהו וכו׳, פסיקתא דר״כ פס׳ בחדש השלישי ק״ב ע״א „א״ר אלעזר שלא יהו דברי תורה בעיניך כפרוזדגמא ישנה אלא כפרוזדגמא חדשה שהכל רצים לקרותה״, וע׳ עוד דברי בן עזאי שם ק״ה ע״א ובילקוט המכירי משלי כ״ב כ׳, ל״א ע״א, בשם התנחומא והשוה בבלי ברכות ס״ג ע״ב „ללמדך שחביבה תורה על לומדיה בכל יום ויום כיום שנתנה מהר סיני״. — כדיוטגמא, διάταγμα, כפי׳ ר״ה „ל׳ יוני הוא, ל׳ אזהרה וציווי״. — סופנה, מביט עליה בכבוד וביראה ועיי׳ ערוך השלם ע׳ ספן ג׳. ור״ה גורס צופנה (פ צפונה) ומפרש „שאין אדם מביטה ורואה משום דשמעה מקמי הכי ולא חש להסתכל בה ולקרותה״ ומביא ראיה מכתובות ע״ב ע״א ואין כל בריה צופנה, ובנוסחאותינו הגרסה שם ג״כ סופנה: 11 מכאן וכו׳, לא נתברר היטב קשר הדרש עם הפסוק, ר״ה ומהר״ס מפרשים „על לבבך בשני יצריך. שצריך להשביע את יצרו הרע״, והקשה רד״ף עליהם שאין צורך להשביע את שני יצרים רק יצר הרע; ולפי דעתו על לבבך לגמרי מיותר שכבר נאמר בכל לבבך ולכן יש לדורשו להשביע יצר הרע, וגם להשביע יצר הטוב לדבר מצוה כמאמר רב גידל בנדרים ח׳ ע״ב „מנין שנשבעים לקיים את המצוה״. ויותר נראים דברי המנוח ר׳ חיים שאול הארוויטץ בהערותיו כ״י, והוא הגיה בהוספת המלה האלה, וג׳ האלה על לבבך, ולפירושו דורש התנא האֵלה כמו הָאָלָה או הוּאָלה שצריך להשביע את יצרו. והעיר הרב ז״ל שכעין דרשה זו מצינו לר׳ יאשיה במכילתא שמות בא פ״ט (י׳ ע״א, ה–ר 33) שדורש מצות כמו מצוות, וכן ופסחתי כמו ופסעתי מכילתא שם פ״ז, (ח׳ ע״ב ה–ר 25) וע׳ שבת ל״ג ע״א „ואם באלה לא תוסרו לי אל תקרי באֵלה אלא בָאָלה״: 12 בכל מקום שהצדיקים וכו׳, [השוה ד״ר יוסי „שלשה הם שתקף יצרם עליהם ונשבעו״ ויקרא רבה פ׳ כ״ג סי׳ י״א, רות רבה פ״י סי׳ ד׳, וראה עוד בספרי במדבר פי׳ פ״ח ע׳ 88, מדרש רבה בהעלותך פ׳ ט״ו סי׳ ט״ז, תנחומא א׳ שם סי׳

ד, לישתט לפני קונו ק | בכל רמקבטא, ובכל לד — 1 אביך רק, כענין דב, ל׳ אמטל | שנאמר רקבדטל, שנאמר בו מא — 3 סליק פיסקא דקר, כ״ח א —

4 רבי אומר למה נאמר ארהב, ר׳ מאיר אומר למה נאמר לה, למה נאמר ר״א מק, למה נאמר ט, למה נאמר למה ד, רבי אומר והיו הדברים האלה למה נאמר [ס׳ הזכרון] — 5 לפי שנאמר רמקהבא, לפי שהוא אומר ד [ס׳ הזכרון], ל׳ ל | שנאמר] <בו קטנתי מכל החסדים> א | כיצד רקמבטלא [ס׳ הזכרון], באיזה צד ד, באיצד ה | כיצד–המקום] ל׳ [ס׳ הזכרון] — 6 אוהבים הד, אוהב אמבלה [רמב״ם], עובד ואוהב רק, לאהוב ט, אוהב אדם [חנוך], האדם אוהב א׳ | את המקום אמה ב [רמב״ם, חנוך], המקום רקלפ, את הקב״ה ד, ל׳ ט — 7 תן–ליבך] ל׳ [רמב״ם, כתר תורה, הנוך] | תן] והיו ד | לבך רקמהטל, לבבך בדא [ס׳ הזכרון] | שמתוך] מתוך ט | מכיר] אוהב ב | | מי שאמר והיה העולם] קונך ק — 8 ומדבק רקבדלט, ותדבק אמ, ומתדבק [ס׳ הזכרון] — 9 שלא] חבב מצות הללו שלא ב | בעיניך] ל׳ ב | כדיוטגמא אמהבלפ, כדיוטוגמא רק, כדיוגטמא ק׳, כדיטוגמא ט | ישנה] <פי׳ צואה ישנה> מ | אדם סופנה רקמהלד, הכל סופנין אותה ט, מופנה א, צופנה פ, אתה סופנה ה׳ [ועל הגליון „נ״א שאין אדם״] בדפוס וויניציא הג׳ סופנה, וכן ג״כ בדפוסי המבורג ומינקאוויץ, אלא שבדפוס מינקאוויץ נתקלקל הנון ואין נכר כראוי ורמא״ש החליפו בריש וגרס סופרה. ובס׳ הזכרון מובא „ויש גורסי׳ צופנה בצד״י ופירושה צופה ומביט בה לפי שכבר שמעה״ | סופנה <פי׳ חושבה> מ — 10 אלא כדיוטגמא חדשה אמהבל, אלא כדיוטוגמא חדשה רק, בחדשה ד, כחדשה [א״א] | רצים רקהבטל, רצים אחריה מא | לקרותה ה, לקראתה רקבדטל, לקריאתה מא — 11 אדם] ל׳ ד | שכן רקבטל, וכן מהא, שכך ד — 12 בכל מקום שהצדיקים משביעים אמה, בכל מקום הצדיקים משביעים

ידי אל ה׳ אל עליון קונה שמים וארץ אם מחוט ועד שרוך נעל ואם
רות ג יג אקח מכל אשר לך, בכועז הוא אומר גואלתיך אנכי חי ה׳ שכבי עד
ש״א כו י הבוקר, בדוד הוא אומר ויאמר דוד חי ה׳ כי אם ה׳ יגפנו או יומו יבוא
מ״ב ה טז ומת או במלחמה ירד ונספה, באלישע הוא אומר חי ה׳ אשר עמדתי
לפניו אם אקח, וכשם שהצדיקים משביעים את יצרם שלא לעשות, כך הרשעים
שם ה כ משביעים את יצרם לעשות שנאמר חי ה׳ כי אם רצתי אחריו ולקחתי מאתו
מאומה סליק פיסקא

לד.

(ז) ושננתם לבניך, שיהו מחודדים בתוך פיך, שכשאדם שואלך דבר לא
משלי ז ד תהא מגמגם בו אלא תהא אומרו לו מיד וכן הוא אומר אמור לחכמה אחותי
שם ז ג את ומודע לבינה תקרא, ואומר קשרם על אצבעותיך כתבם על לוח
תהלים מה ו לבך, ואומר חציך שנונים, מה שכר לזה עמים תחתיך יפלו בלב אויבי
שם קכז ד המלך, ואומר כחצים ביד גבור כן בני הנעורים, מה נאמר בהם אשרי
שם קכז ה הגבר אשר מלא את אשפתו מהם לא יבושו כי ידברו את אויבים בשער.
שמות יג ב דבר אחר ושננתם לבניך, אלו בשנון ואין קדש לי כל בכור, והיה
שם יג יא במדבר טו לז כי יביאך בשנון, שהיה בדין אם ויאמר, שאינו בקשירה הרי הוא בשנון קדש
לי, והיה כי יביאך, שהם בקשירה אינו דין שיהו בשנון תלמוד לומר ושננתם
אלו בשנון ואין קדש לי, והיה כי יביאך בשנון, ועדיין אני אומר אם ויאמר
שקדמוהו מצות אחרות הרי הוא בשנון, עשר הדברות שלא קדמום מצות אחרות אינו

ר, בכל הצדיקים שהשביעו בר, בכל הצדיקים שבכל מקום השביעו—בכל הצדיקים שמשביעין ט, בצדיקים שמשביעין ל | באברהם הוא אומר—וכשם שהצדיקים] ל׳ רק | הוא אומר] אומר מ — 4 אשר עמדתי—חי ה׳] ל׳ ד — 5 וכשם—מאומה] ל׳ ב | כך רמהדטא [א״א], כן כך ל, כך שכ׳ חי ה׳ שכבי עד הבקר ק — 6 לעשות רקמטא [א״א], לעשות כמו שנאמר בגחזי ה, ל׳ ל | מאתו] מידו טל — 7 סליק פיסקא קד, כ״ט א, פי׳ ר —

8 ושננתם—את אויבים בשער] ח׳ ט | מחודדים רקמה באפ [רש״י], מסודרים דל | בתוך פיך רקמבא, בתוך פיו ל, בפיך ה, לתוך פיך ד [כ״ה בכל הדפוסים ורמא״ש העתיק בתוך פיך] | שכשאדם רקהבל, כשאדם מא, כשהאדם [נחמיאש] | שואלך] שואל שואלך ד | דבר רקלד [נחמיאש], דבר לומר המא, ל׳ ב | לא—בו רקהמא, אל תגמגם בם ד, אל תגמגם בו ב, אל תהא מגמגם ל, אל תהא מגמגם בו [נחמיאש] — 9 תהא אומרו רקמהלא, אמור לו בר, אומרו [נחמיאש] | וכן מקדהלא, כן בר — 11 לזה] יש לך לזה ד — 12 מה נאמר בהם מה, ומה—בהם א, מה נא׳ בו רק, מה נא׳ בל, ואומר ד — 14 ד״א—ואין עשר הדברות בשנון] ח׳ מ | ד״א רקדבלה, ד״א א, ל׳ ט׳ | ואין] ל׳ ל | בכור] בשינון א — 15 בשנון] אינו בשינון לי | שהיה] שהיו א | אם] ומה אם ד | שאינו—הוא בשנון ארקדהל פ, בשינון שאינו בקישור ב, בשינון שאינו בקשירה ט, שאינו בקשירה הרי הוא בשינון שאינו בקשירה ד — 16 שהם רקהב טאפ, ל׳ ל, שישנן ד | בקשירה] בקישור ב [וכן בכל הענין] — 17 קדש לי] בשינון א׳ | אם ויאמר רקהאפ, ויאמר בדט ל — 18 שקדמוהו רקבטלפ, שהקדימוהו הא, שקדמוה ד | הוא הט״א, הם רקד, ל׳ בפ | עשר הדברות ה, עשרת הדברות

י׳, תנחומא ב׳ שם סי׳ י״ט כ״ז ע״ב, מדרש תהלים ר׳ ב׳ ל״ב ע״א, וילקוט שמואל קל״ז, ועיין סנהדרין י״ט ע״ב, ופדר״א פי׳ ל״ט, ובמנחת יהודה לב״ר פ׳ פ״ז ע׳ 1073:

8 שיהו וכו׳, [קדושין ל׳ ע״א, סנהדרין ז׳ ע״ב]. — שכשאדם וכו׳ עד מיד, בפי׳ אבן נחמיאש על משלי ז׳ ד׳, ע׳ 35: 9 אמור לחכמה וכו׳, סנהדרין ז׳ ע״ב, שבת קמ״ה ע״ב, „אם ברור לך הדבר כאחותך שהיא אסורה לך וכו׳״: 14 אלו, [כלומר שמע, והיה אם שמוע, דכתיב גביה ג״כ בשכבך ובקומך ודורש דכתיב ושננתם ולא ושננת, מפי׳ רד״פ. — בשנון, כלומר שיאמר אותם בפיו בכל יום, ר״ה ומהר״ס. ורד״ף פירש שיאמרם שתי פעמים בכל יום, ולפירושו אתיא כמאן דאמר שצריך להזכיר יציאת מצרים בלילות שהרי לפי ברייתא זו ויאמר ג״כ בשנון ועי׳ משנה ברכות סוף פ״א: 15 ויאמר, כלומר פ׳ ציצית, במדבר ט״ו ל״ז והלאה: 18 עשר הדברות, [שאלה זו אינה שאלה של חדוד בעלמא אלא דיעה זו מצאה לה מהלכים דהרי במקדש באמת היו אומרים אותם ואף בגבולים בקשו לקרותם כן ברכות י״ב ע״א, רתמיד פ״ה ה״א]. והשוה דברי הח׳ י׳ עלבוגען בספרו Der jüdische Gottesdienst עמוד 242. — שלא קדמום וכו׳, התנא סובר שפרש׳ מרה ודיני פסח דורות וקדש, והיה כי יביאך לאחר מתן תורה נאמרו ואין מוקדם ומאוחר בתורה, השוה מאיר עין להלן פי׳ ל״ה הערה

דין שיהו בשנון, אמרת קל וחומר הוא, אם קדש לי כל בכור, והיה כי יביאך שהם בקשירה אינם בשנון, עשר הדברות שאינם בקשירה אינו דין שלא יהו בשנון, הרי ויאמר יוכיח לעשר הדברות שאף על פי שאינם בקשירה שיהו בשנון תלמוד לומר ושננתם לבניך אלו בשנון ואין עשר הדברות בשנון.

לבניך, אלו תלמידיך, וכן אתה מוצא בכל מקום שהתלמידים קרויים בנים
שנאמר ויצאו בני הנביאים אשר בבית אל אל אלישע, וכי בני נביאים היו מ״ב ב ג
והלא תלמידים היו, אלא מיכן לתלמידים שקרויים בנים, וכן הוא אומר ויגשו בני שם ב ה
הנביאים אשר ביריחו אל אלישע, וכי בני נביאים היו והלא תלמידים היו
אלא שהתלמידים קרויים בנים, וכן אתה מוצא בחזקיהו מלך יהודה שלמד כל התורה
לישראל וקראם בנים שנאמר בני אתה אל תשלו, וכשם שהתלמידים קרויים בנים דהי״ב כט יא
כך הרב קרוי אב שנאמר ואלישע ראה והוא מצעק אבי אבי רכב ישראל מ״ב ב יב
ופרשיו ולא ראהו עוד, ואומר ואלישע חלה את חליו אשר ימות בו שם יג יד
וירד אליו מלך ישראל ויבך ויפל על פניו ויאמר אבי אבי רכב
ישראל ופרשיו.

ודברת בם, עשם עיקר ואל תעשם טפלה, שלא יהא משאך ומתנך אלא בהם, שלא תערב בהם דברים אחרים כפלוני, שמא תאמר למדתי חכמת ישראל אלך

א׳ וגמה שציין שם: 2 שהם בקשירה, שהרי בשניהם נזכרה מצות תפלין: 5 אלו תלמידיך, לפי דברי רמב״ם יש ערך הלכותי לדרשה זו וז״ל „ושננתם לבניך, מפי השמועה למדו בניך אלו תלמידיך שהתלמידים קרוים בנים שנ׳ ויצאו בני הנביאים אם כן למה נצטוה על בנו ועל בן בנו להקדים בנו לבן בנו ובן בנו לבן חבירו (ה׳ ת״ת פ״א ה״ב), וגם בס׳ המצות עשין י״א (י״ד ע״ב) הביא ברייתא זו וע׳ בהגהות הגר״א יו״ד סי׳ רמ״ה ס״ק ה׳ — שהתלמידים קרוים בנים, [ילקוט מלכים רכ״ד סנהדרין י״ט ע״ב, ירו׳ שם פ״י ה״ב (כ״ח ע״ב) ב״ר מ״א סי׳ ב׳ (ע׳ 402): 6 שנאמר וכו׳ עד ופרשיו, ילקוט מלכים רכ״ד: 9 שלמד כל התורה לישראל, ראה למעלה פי׳ ל״ב „וכי עלתה על לב שחזקיהו למד תורה לכל ישראל ולמנשה בנו לא למד וכו׳״: 15 עשם עיקר וכו׳ לקח טוב, והשוה יומא י״ט ע״ב „ר׳ אחא אומר עשה אותם קבע ואל תעשם עראי״. — עשם עיקר וכו׳ עד לעוה״ב, תו״כ אחרי פרק י״ג ה׳ י״א (פ״ו ע״א), ילקוט משלי תתקל״ז: 16 שלא תערב בהם וכו׳ עד ואין לזרים אתך, ילקוט משלי שם תתקל״ז. — כפלוני, לדעת ר׳ דויד הופמאן רמז „על

רקל [וכן בכל הענין], עשרת דברות ב | קדמום] הקדימום ה — 1 אמרת] אם אמרת ה, וכן בסמוך | הוא רקהל, ומה ד, ח׳ א — 2 שהם] שהוא ה | אינם רקטבא, אינו דל | בשינון] בשינון ת״ל ושננתם לבניך ד — 3 הרי ויאמר—ואין עשר הדברות בשנון] אמרת הרי ויאמר [<יוכיח ה׳>] שאינו בקשירה והרי הוא בשינון והוא אביא לעשר הדברות אע״פ שאינן בקשירה שיהוא בשינון ה, הרי ויאמר יוכיח שאינו בקישור והרי הוא בשינון והוא יוכיח לעשר׳ דיברות שאע״פ שאינן בקישור הרי הן בשינון ב, הרי ויאמר יוכיח שאינו בקשירה והרי הוא בשינון והוא יוכיח לעשרת הדברות וכו׳ פ | הרי] ל׳ ל | יוכיח] והוא יוכיח א | הדברות] דברות א | שיהו דלא, יהו רק, הוא ט — 4 אלו בשנון—בשנון] ל׳ ט׳ | הדברות] דברות בא — 5 לבניך] ל״א לבניך א | תלמידיך] תלמידך רל | שהתלמידים האטד [רמב״ם], שתלמידים רקמבל | קרויים] הם קרוין ט׳, קרואים א — 6 שנאמר ארקמה [רמב״ם], שנאמר בנים אתם לה׳ אלהיכם (דברים י״ד א׳) ואומר [ואומר ל׳ בל] בטדל [רש״י] | בני נביאים היו רמ, בני הנביאים הם קה, בני הנביאים היו בטדלא — 7 והלא הרבטלא, אלא רק | אלא—בנים] ל׳ ט | לתלמידים שקרוים רקבלא, לתלמידים שהם קרוים הד, שהתלמידים קרויין מ | וכה״א—קרויים בנים] נמצא ברקמאהבט וחסר בדלה | וכה״א אמט, ואומר רק, ל׳ ב | ויגשו רקטבא׳, ויצאו אמ — 8 אל אלישע—שהתלמידים קרויים בנים] ל׳ ט | בני נביאים רקמט׳, בני הנביאים בא — 9 שהתלמידים—בנים ק, שתלמידים—בנים ר, לתלמידים שקרויין בנים בט׳, מכאן שהתלמידים קרויין בנים מא | בנים] <כיוצא בו וחמשים איש מבני הנביאים הלכו ויעמדו מנגד> ה | ביחזקיהו] חזקיהו ט | מלך יהודה] ל׳ ה | כל התורה רק, כל התורה כולה בדל, תורה הט, את התורה מא — 10 לישראל] לכל ישראל ט | שהתלמידים הגלדבא, שתלמידים רק — 11 מצעק] צועק ט | רכב—עוד] ל׳ א — 12 ופרשיו—רכב ישראל ופרשיו] ל׳ מ | ואומר] ל׳ ב | אשר—אבי אבי] ל׳ א — 13 וירד רקבל [מסורה, ת׳ השבעים, פשיטא], ויבא ד | מלך ישראל רקבטדל, [יואש מלך ישראל, מסורה, ת׳ השבעים, פשיטא] | ויפל רקבדל [ל׳ מסורה, ת׳ השבעים, פשיטא] — 15 יהא רקמהטלא, יהיה ד, תהא ב | אלא] ל׳ א — 16 בהם] עליהם ד | תערב בהם] תערבם עם ה׳ | תערב—אחרים] תתערב בהם ד״א כפלוני א | דברים אחרים כפלוני רדהבטי [וכן הגרסה גם בתו״כ אחרי לפי המובא במה״ג כ״י של הספריה של הסימינר בנויורק], דברים אחרים בפלוגתא ט׳, דברים אחרים קולט׳

ויקרא יח ד ואלמד חכמת האומות תלמוד לומר °ללכת בהם, ולא ליפטר מתוכם וכן הוא אומר
משלי ה יז °יהיו לך לבדך ואין לזרים אתך, ואומר °בהתהלכך תנחה אותך
שם ו כב בשכבך תשמר עליך והקיצות היא תשיחך, בהתהלכך תנחה אותך, בעולם הזה, בשכבך תשמר עליך, בשעת מיתה, והקיצות, בימות המשיח, היא תשיחך, לעולם הבא.

ובשכבך, יכול אפילו שכב בחצי היום תלמוד לומר ובקומך, יכול אפילו עמד בחצי הלילה תלמוד לומר בשבתך בביתך ובלכתך בדרך, דרך ארץ דברה תורה. וכבר היה רבי ישמעאל מוטה ודורש ורבי אלעזר בן עזריה זקוף, הגיע זמן קריית שמע נזקף רבי ישמעאל והטה רבי אלעזר בן עזריה, אמר לו רבי ישמעאל, מה זה אלעזר, אמר לו, ישמעאל אחי, אמרו לאחד, מפני מה זקנך מגודל, אמר להם יהי כנגד המשחיתים, אמר לו, אתה הטיתה כדברי בית שמיי ואני נזקפתי כדברי בית

[א״א], דבר אחר פי׳ חכמות חצוניות מ | שמא רקמהבא, שלא לדט | למדתי רקמבט׳לאה[1], למדת ה, למדתני ט[2], חכמת ישראל] חכמה מישראל ט[3] | אלך רמהטלא, ואלך ק, אלא ב — 1 ואלמד רקמט, אלמד ה, ואלמוד בדלא | חכמת] חכמות ל | האומות רקהבטל, אומות א, אומות העולם מד, יונית וחכמת האומות ט[3] | מתוכם] מהם ט | וכן הוא אומר] בשבתך בביתך אפילו כשתעמוד יחידי בביתך וכן הוא אומר מ — 2 ואומר רקהמא, בשברתך בביתיך ובלכתך בדרך ד, ל׳ בטל | אותך] אותם לא וכן בסמוך — 4 בשעת] זו שעת ה | בימות המשיח רמאב [נחמיאש], לימורת המשיח קלד, לעתיד לבא [רמב״ן], ל׳ ה — 6 ובשכבך] ל״א ובשכבך א | ת״ל—בחצי הלילה] ל׳ ד — 7 הלילה אהמקלפ [רש״י, רא״ם, מהר״ס הביאו הרד״ף, וכן בז״א בשם נ״א], לילה ר, היום טב [וכן הגיה הגר״א] — 8 דברה תורה רקבטלפ [רש״י, מזרחי], דברה התורה ה, למדה תורה מא, דברה תורה כלשון בני אדם ד | וכבר] ל״ג וכבר א | וכבר היה—ובבקר יעמדו] ח׳ ה [ובמקומו הביא הברייתא מן הגמרא] | היה] ל׳ א | ר׳ ישמעאל] ר׳ שמעון ד | מוטה ודורש רקמבטל, מטה ודורש א, דורש ד, אומר מוטה פ | זקוף] זוקף ד — 9 נזקף] זקף א | רבי אלעזר] לר׳ אלעזר ק | אמר] ואמר ד | ישמעאל] ל׳ ל — 10 אמרו לאחד קמא, אמר לאחד ר, אומר לאחד ט[2] [ירו׳], אומ׳ לאחד ב, אומרים לאחד ט[1] [תוספתא], אמור לאחד ל, אמרו משל לאחד א[1], משל לאחד שאומרים לו ד [וכן גרסת הברייתא בבבלי לפי כ״י מינכען, עיי׳ בדקדוקי סופרים] | אמר להם רקמבטא, אמר ל, והוא אומר להם ד — 11 יהי מ, והא טא[1], יהיה בל, ל׳ רקא

אלישע בן אבויה שנקרא אחר ועל זה מורה דברים אחרים״ והשוה דברי ר׳ שמעון בן מנסיא לקמן פ׳ מ״ח, „ואל תשתה מים עכורים ותימשך עם המינים״: 1 חכמת אר״ה, ע׳ בתוספתא ע״ז פ״א ה״כ (ע׳ 461), „שאלו את ר׳ יהושע מהו שילמד אדם את בנו ספר יווני״, והשוה ירוש׳ פאה פ״א ה״א (ט״ו ע״ג), וסוטה פ״ט ה׳ ט״ז (כ״ד ע״ג) ומדרש תהלים פ״א סי׳ י״ז ח׳ ע״ב ובג׳ מקומות הללו הג׳ חכמת יוונית [ועי׳ ג״כ ב׳ מנחות צ״ט ע״ב „שאל בן דמא בן אחותו של ר׳ ישמעאל את ר׳ ישמעאל כגון אני שלמדתי כל התורה כולה מהו ללמוד חכמת יוונית״, ויומא י״ט ע״ב]: 2 יהיו לך וכו׳, [ילקוט משלי תתקל״ז]. — בהתהלכך וכו׳, [סוטה כ״א ע״א, ילקוט משלי תתקל״ח, אבות פ״ו, בראשית רבה סוף פ׳ ל״ה (ע׳ 333), סדר אליהו זוטא פ״יז (נדפס ע״י רמא״ש בהוצאתו בנספחים לסדר א״ז פרקי דרך ארץ פ״ב, ע׳ 221) ועיין מ׳ חסרות ויתרות ת״ב תקס״א] סוטה כ״א ע״א, מדרש משלי ב׳ י״א (כ״ה ע״ב) שם ו׳ כ׳ (כ״ח ע״ב), מ׳ תהלים א׳ י״א (י׳ ע״א), אדר״נ נו״ב פל״ה (מ׳ ע״ב); בפרק קנין תורה, ובאדר״נ נו״ב הג׳ „והקיצות היא תשיחך לעולם הבא״, בסדר אליהו זוטא הג׳ „והקיצות היא תשיחך זה העוה״ב״, בכל שאר המקורות חוץ מזו שלפנינו הג׳ „והקיצות היא תשיחך לעת״יד לבא״ ורק בספרי כאן יש הבדל בין ימות המשיח ולעת״יד לבא, „והקיצות לימות המשיח היא תשיחך לעולם הבא״, והמאמר מובא מן הספרי ברמב״ן תורת האדם שער הגמול וכן בפירוש אבן נחמיאש על משלי ו׳ כ״ב: 6 ובשכבך יכול וכו׳ עד דברה תורה, מובא ברא״ם ובלקח טוב. — יכול, ע׳ ת״י וברכות פ״א מ״ד. — בחצי היום, [מדלא כתיב בשכיבה אלא בשכבך משמע בכל שעה שתשכב]. — ת״ל ובקומך, [אם חייב לקרות ק״ש גם כשישכב ביום היה לו לומר מתחל״ה ובקומך, אלא על כרחך בשכבך פירושו בתחלת הלילה והוא שכיבה קודם לקימה, ועדיין יש לומר דאפילו קרא ק״ש בלילה אם קם בחצי הלילה יש לו לקרא ק״ש פעם שניה ת״ל בשכבך וכו׳]: 8 וכבר וכו׳, תוספתא ברכות פ״א ה״ד, ב׳ ברכות י״א ע״א, ירו׳ ברכות פ״א ה״ו ג׳ ע״ב, לפי נוסח התוספתא וספרי ובבלי היה המאורע בק״ש של ערבית אבל לפי נוסח ירושלמי „אתה נזקפת כדברי ב״ש״ היה בק״ש של שחרית; לפי כל המקורות ראב״ע הוא המבכר דברי ב״ש בזה, והשוה משנה ברכות פ״א שגם ר׳ טרפון נטה אחריהם בהלכה זו. — ודורש, [ליתא בברכות וכ׳ רד״ף שכן נראה דאין דרך לדרוש מוטה] ובכל כתבי היד הגרסה מוטה ודורש: 10 אמרו לאחד וכו׳, כלומר אני החמרתי על עצמי להטות, כדי לצאת כדברי ב״ש, שב״ה מתירים לכל אדם לקרות כדרכו בין זקוף בין מוטה ואתה הטרחת לזקוף כדי לעבור על דברי ב״ש; וענה אותו שנוהג כב״ה בין לקולא בין לחומרא וכעין זה פירשו בתוספות המיוחסות לר״י החסיד, ברכות י״א ע״א, אמנם השוה תוספתא עדויות פ״ב ה״ג (ע׳ 457). — מפני מה זקנך מגודל, וכן הנוסח גם בתוספתא ובירושלמי, משמע שהיה דרכם לספר את הזקן, אבל בבבל היה המנהג בזקן ארוך, ולכן נשתנה נוכח הברייתא לפי הבבלי בהשמטת המלים מפני מה, ורש״י הוציא את המשל ממובנו העקרי עוד יותר בהיותו מפרש „משל שלך דומה לאחד שאומרים לו זקנך נאה ומגודל והוא אמר להם הואיל וקלסתם אותו אף הוא יהיה נתון לתער ולמספרים שאביא עליו ואשחיתנו״, והשוה דברי החכם שמואל קרוסס בספרו

הלל. דבר אחר שלא יקבע הדבר חובה שבית שמיי אומרים בערב כל אדם יטו ויקראו ובבוקר יעמדו סליק פיסקא

לה.

(ח) וקשרתם, אלו בקשירה ואין °ויאמר בקשירה, שהיה בדין אם °קדש במדבר טו לז שמות יג ב
לי, °והיה כי יביאך, שאינם בשנון הרי הם בקשירה, ויאמר, שהוא בשנון אינו שם יג יא
דין שיהא בקשירה, תלמוד לומר וקשרתם אלו בקשירה ואין ויאמר בקשירה. עדיין אני אומר אם קדש לי, והיה כי יביאך, שקדמום מצות אחרות הרי הם בקשירה, עשר הדברות שלא קדמום מצות אחרות, אינו דין שיהו בקשירה, אמרת קל והומר הוא, אם ויאמר שהוא בשנון אינו בקשירה, עשר הדברות שאינם בשנון, אינו דין שלא יהו בקשירה, הרי קדש לי, והיה כי יביאך יוכיחו, שאינם בשנון והרי הם בקשירה והם יוכיחו לעשר דברות, שאף על פי שאינם בשנון שיהו בקשירה תלמוד לומר וקשרתם, אלו בקשירה ואין עשר דברות בקשירה.

וקשרתם לאות על ידך, כרך אחד של ארבע טוטפות, שהיה בדין, הואיל ואמרה תורה, תן תפילין ביד ותן תפילין בראש, מה בראש ארבע טוטפות אף ביד ארבע טוטפות תלמוד לומר וקשרתם לאות על ידך כרך אחד של ארבע טוטפות. או כשם שביד כרך אחד אף של ראש כרך אחד, תלמוד לומר והיו לטוטפת טוטפת טוטפות הרי ארבע טוטפות אמורות. או יעשה ארבעה כיסים של ארבע

Archäologie ח״א ע׳ 194 וע׳ 648: 1 שב״ש אומרים וכו׳, ברכות פ״א מ״ג:
3 אלו בקשירה, כלומר שמע, והיה אם שמוע, דכתיב בהו קשירה וקדש לי, והיה כי יביאך, דכתיב בהו והיה לאות על ידיך דאיתנהו בקשירה דתפילין מפי׳ ר״ה: 7 שלא קדמום וכו׳, השוה למעלה פי׳ ל״ד, ע׳ 60: 12 כרך אחד וכו׳, דהיינו שיכתוב ארבע פרשיות שמע, והיה, קדש, והיה כי יביאך בעור אחד ומניחו בבית אחד בעור אחד מפי׳ ר״ה׳ — כרך אחד וכו׳, מכילתא מס׳ דפסחא פ׳ י״ז (כ״א ע״א ה–ר ע׳ 66), והשוה מכילתא דר״ש התם י״ג ט׳ (ע׳ 34), ובי׳ סנהדרין ד׳ ע״ב, זבחים ל״ז ע״ב, מנחות ל״ד ע״ב: 15 ת״ל והיו לטוטפות וכו׳, עיין רש״י ותוספות בסנהדרין שם, ובהערת המנוח ר׳ חיים שאול האראוויטץ למכילתא שם, ור״ה פירש כאן „דשני טוטפות חסרין וחד טוטפות מלא, דג׳ טוטפות כתיבי, חד בוהיה כי יביאך, וחד בשמע, וחד בוהיה אם שמוע, תרי כתיבי טטפת חסרין וחד טוטפת מלא דטטפת טטפת תרי וטוטפת תרי הרי ד׳ טוטפות״: 16 או יעשה וכו׳, דהיינו דיניח ארבע עורות דכתיב בהו ארבע פרשיות בארבע כיסין כל פרשה ופרשה באפי נפשה מפי׳ ר״ה ; כיון שאמרת

1 ד״א–חובה] שמא יראו התלמידים ויקבעו הלכה כבית שמאי מ, שמא יראו התלמידים ויקבעו הלכה לדורות א | הדבר] ל׳ ק | כל אדם יטו קבטד, כל יטו ר, יטו כל אדם ל — 2 ויקראו מט, ויקרו רדקבל | יעמדו מלט², יעמדו ויקראו ט¹, יעמודו א, יעמדו וכו׳ נותני׳ ר, כול׳ מתני׳ ק, יעמודו שנ׳ בשכבך ובקומך ובי׳ ד״היל׳ או׳ כל אדם קורין כדרכן שכ׳ ובלכתך בדרך אם כן מה ת״ל [למה נאמר ד] בשכבך ובקומך בשעה [שבני ד] שדרך בני אדם שוכבין ובשעה [שבני ד] שדרך בני אדם עומדין בד | סליק פיסקא ד, ל׳ רק, ל״ד א —

3 וקשרתם—עשר דיברות בקשירה] ח׳ מ | ואין ק הדא, אין רבטל [וכן למטה] | ויאמר] ל׳ ל | אם] ומה אם ד — 4 שהוא] שהם ד — 5 וקשרתם] ל׳ ר — 6 עדיין קבטל, עד אין ר, ועדיין הא | אם הטלא, אין ר, והרי ד, ל׳ קב — 7 בקשירה] <ויאמר שהוא בשינון אינו דין שיהא בקשירה ת״ל וקשרתם אלו בקשירה ואין ויאמר בקשירה ועדיין אני אומר אם קדש לי והיה כי יביאך ה׳ שקדמום מצות אחרות הרי הן בקשירה> א | עשר דיברות רקהא, עשרת הדברות דלט, עשרת דיבר׳ ב [וכן בסמוך] — 8 הוא רבהטל, ל׳ קדאט | בשינון קיבהטדלא, בקשירה רק [וכן בסמוך] — 9 הרי רקבטלא, והרי ד, אמרת הרי ה | יוכיחו רקבלאט, יוכיח ד, ל׳ ה | בשינון קיהבטלא, בקשירח רק — 10 והם יוכיחו—בקשירה] יכול עשרת הדברות –יהו בקשירה ד, ל׳ ק | והם] הם א | לעשר דברות רא, לעשרת הדברות הטל, לעשרת דיברות ב | שאינם] כשאינן ב | בשינון הדבטל, בקשירה ר | בקשירה] בקישור ב — 11 ואין עשר דברות ק, אין עשרת דיברות בא, אין עשר דיברות ר, ואין עשרת הדברות דל, אין עשרת הדברות ט, עשר הדברות ה — 12 וקשרתם] ל״ה וקשרתם א — 13 ותן תפילין קהד, תן תפילים אר, תן תפילין מבטל | מה] מהם ק | בראש מהבלד, ראש קר, של ראש ט, ביד א | ביד] של יד ט, בראש א — 14 ת״ל –לטוטפת טוטפת] ל׳ לד | כרך אחד–חול] ח׳ ט — 15 כשם] מה ב | שביד כרך אחד] שביד כרך ר | אף אמהב, אף כך רק — 16 טוטפות אמורות רמהא, טוטפות ק, ל׳ בד | יעשה מה, יעשם ארבק, נעשה ד, עשם ל, יעשו פ —

שמות יג ט טוטפות, תלמוד לומר °ולזכרון בין עיניך, כיס אחד של ארבע טוטפות. על ידך, בגובה שביד, אתה אומר בגובה שביד או על ידך כמשמעו, הדין נותן, הואיל ואמרה תורה תן תפילין בראש תן תפילין ביד, מה בראש בגובה שבראש, אף ביד בגובה שביד. רבי אליעזר אומר, על ידך, בגובה של יד, אתה אומר בגובה של יד או על ידך כמשמעו תלמוד לומר והיה לך לאות על ידך, לך לאות ולא לאחרים לאות. רבי יצחק אומר, בגובה שביד, אתה אומר בגובה שביד או על ידך כמשמעו תלמוד לומר והיו הדברים האלה על לבבך, דבר שכנגד לבך, ואיזה זה גובה שביד.

על ידך, זה שמאל, אתה אומר זה שמאל או אינו אלא ימין, אף על פי שאין ישעיה מח יג שופטים ה כו ראיה לדבר זכר לדבר °אף ידי יסדה ארץ וימיני טפחה שמים, ואומר °ידה ליתד תשלחנה וימינה להלמות עמלים והלמה סיסרא מחקה ראשו ומחצה וחלפה רקתו, הא אין ידך האמור בכל מקום אלא שמאל. רבי נתן אומר, וקשרתם וכתבתם, מה כתיבה בימין אף קשירה בימין. רבי יוסי החרום אומר, בראשית מח יז מצינו שאף ימין קרויה יד שנאמר °וירא יוסף כי ישית אביו יד ימינו על ראש אפרים וירע בעיניו ויתמוך יד אביו להסיר אותה מעל ראש אפרים על ראש מנשה, אם כן מה תלמוד לומר על ידך, להביא את הגדם שיהא נותן בימין.

1 ולזכרון בין עיניך [כן הגיהו ר״ה ורמא״ש ע״פ המכילתא והברייתא בב׳ מנחות ל״ד ע״ב וכן נ״ל אע״פ שבכל המקורות הג׳ וקשרתם לאות על ידך] | כיס] וכיס ה — 2 בגובה] בגבוה ה, [וכן בסמוך] | שביד רב, של יד קדמלא | אחת —שביד] ל׳ מ | שביד רב, של יד דקלא | או על ידך ר קהבלא, או אינו אלא מ, או אינו אלא על ידיך ד | הדין המא, והדין רקבלד — 3 בראש—ביד רקמא, ביד רתפיל׳ בראש בל, ביד ותן תפילין בראש ד, בראש ותן תפילין ביד קה | בראש] ה, מה תפילין שבראש ד | בגובה שבראש בדלא, בגבוה שבראש ר, בגובה של ראש ק, בגובה הראש מ, בגבוה שבראש ה | ביד] תפילין שביד ד — 4 בגובה שביד בלדא, בגבוה שביד ר, בגובה של יד ק, בגבוה שביד ה, בגובה היד מ | ר״א אומר על ידך בגובה של יד] ל׳ ב | על ידך מד, ל׳ רקלא | של יד] שביד א | אתה אומר בגובה של יד ד, אתה אומר בגובה שביד ב, ואתה אומר בגבוה שביד רא, א״ה בגובה של יד ק, אתה אומר בגבוה של יד ה, ל׳ מ, אתה אומר בגובה של ביד ל — 5 או על ידך כמשמעו רקהבא, או אינו אלא כמשמעו מ, או על יד ממש ל, או אינו אלא על ידך ממש ד | לך לאות המדבלא, לאות רק — 6 שביד—או] ל׳ א | אומר] אומר על ידך ד | בגובה שביד רמב, של יד ק, בגובה של יד דל, בגובה שביד ה | א״א בגובה שביד קב, א״א בגבוה שביד רה, ל׳ מ, א״א בגובה של יד לד, א״א בגובה א | או על ידך רה׳ב, או אינו על ידך אלא מ, או אינו אלא על ידך לד, על ידך ק, אתה או על ידך ה — 7 שכנגד] שהוא כנגד א | ואיזה זה זה ארקבל, ואי זהו זה מ, ואיזה זה ד, איזה זה ה — 8 גובה שביד מקבדלא, גבוה שביד רה — 9 על ידך] ד״א על ידך ד | שמאל] שמאול ר [וכן בסמוך] | אתה אומר זה שמאל רהלדבא, ל׳ קמ | אפעלפי רקמבדא, שאעפ״י ל, אמרת אעפ״י ה | שאין] אין ד — 10 אף—ואומר אמה, ל׳ רקבלד — 12 הא אין] הא למדת שאין ד | יד ד [מכילתא], ידך רקמהלב | אלא] אינו אלא א — 13 ר׳ יוסי החרום אומר] כנ״ל לנסח ע״פ שויון המקורות כאן וכ״ה בברייתא בבבלי שם לפי גרסת שטמ״ק ורש״י, אבל בדפוס ובכ״י מינכען הג׳ שמה החורם׳ במכילתא הגרס׳ „אבא יוסי החרם אומר״, בנוסחי הספרי נמצאות גרסות אלו: ר׳ יוסי החירום אומר ל, ר׳ יוסי אומר הידים ב, אחרים אומ׳ א, אחרים אמרו מ, ר׳ יוסי אומר רקהד — 16 את הגדם דה [מכילתא], את הגידים רקל, את מ, הגירים ב, הגידין א — 17 שיהא רהלד, שהוא קמא, שיהיה ב —

שצריכים פרשיות להיות נבדלות בשל ראש כל אחת בכרך שלה, אולי צריך ג״כ כסים נפרדים לגמרי: 1 רת״ל ולזכרון בין עיניך, זו היא נוסחת הברייתא במכילתא ובבבלי וכן הגיהו ר״ה והגר״א בספרי וכן יש לנסח, ופי׳ ר״ה „זכרון אחד אמרתי לך ולא שנים ושלשה זכרונות״: 2 בגובה שביד וכו׳ עד דבר שכנגד לבך, מכילתא שם, מנחות ל״ז ע״ב, וכעין זה במכילתא דר״ש י״ג ט׳ ע׳ 33, והשוה ג״כ רתנחומא בא סי׳ י״ד, מסכת תפילין ה״י (הוצ׳ היגער, בשבע מסכתות קטנות ע׳ מ״ח). — בגובה שביד, וכן בת״י להלן י״א י״ח „על רום ידכון שמאליתא״ ובשמות י״ג ט׳ „תפלת ידא בגובהא דשמאלך״: 9 זה שמאל וכו׳ עד שיהא נותן בימין, מכילתא ומנחות שם, והשוה מכילתא דר״ש שם, ומ״ת לקמן כ״ד י״ב (ע׳ 168). — שמאל, וכן בת״י „על ידך דשמאלא״, ולהלן י״א י״ח „לאת על רום ידכון שמאליתא״, ובשמות י״ג ט׳ „בגובהא דשמאלך״, ושם י״ג ט׳ „על יד שמאלך״, והשוה הערת מורי ר׳ לוי גינזבורג בספרו אגדות היהודים ח״ה ע׳ 64: 10 אף ידי, וכן פירש רד״ק שם „וזכר היד שהוא השמאל״, וגם ידה ליתד פי׳ בשם אביו „ידה שמאלה״: 13 מה כתיבה וכו׳, מסכת תפילין שם:

וקשרתם לאות על ידך והיו לטוטפות בין עיניך, כל זמן שליד ביד תן שלראש בראש, מיכן אמרו כשנותן תפילין נותן שליד תחילה ואחר כך שלראש, כשחולץ חולץ של ראש תחילה ואחר כך של יד.

בין עיניך, בגובה שבראש, אתה אומר בגובה שבראש או בין עיניך כמשמעו, הדין נותן הואיל ואמרה תורה, תן תפילין ביד תן תפילין בראש, מה ביד בגובה שביד, אף בראש בגובה שבראש. רבי יהודה אומר, הואיל ואמרה תורה, תן תפילין ביד תן תפילין בראש, מה ביד מקום שראוי ליטמא בנגע אחד, אף בראש מקום שראוי ליטמא בנגע אחד סליק פיסקא

לו.

(ט) וכתבתם, כתב שלם, מיכן אמרו, כתב לאלפים עינים ולעינים אלפים, לביתים כפים ולכפים ביתים, לגמלים צדים ולצדים גמלים, לדלתים רישים לרישים דלתים, להיהים חיתים לחיתים היהים, לווים יודים ליודים ווים, לזיינים נונים לנונים זיינים, לטיתים פיפים לפיפים טיתים, לכפופים פשוטים לפשוטים כפופים, למימים סמכים לסמכים מימים, לסתומים פתוחים לפתוחים סתומים, כתב לפרשה סתומה

1 כל זמן וכו׳ עד ואח״כ של יד, מכילתא ומס׳ תפלין שם והשוה מכי׳ דר״ש י״ג ט״ז ע׳ 37, תנחומא בא סי׳ י״ד, ובגמרא בציונים המובאים למטה: 2 מיכן אמרו וכו׳, מנחות ל״ו ע״א מכילתא דרשב״י, מסכת תפילין שם, בירו׳ חגיגה פ״ב ה״ב (ע״ז ע״ד) מסופר שחסיד אחד נענש על שהקדים פעם אחת תפילין של ראש לשל יד, ועי׳ בוש״י סנהדרין מ״ד ע״ב ד״ה דבעיא מכסא: 4 בגובה שבראש וכו׳ עד בנגע אחד, מכילתא שם, מנחות ל״ז ע״ב, מס׳ תפלין ה״י והשוה מכילתא דרשב״י י״ג ט׳ (ע׳ 33) וכן ת״י כאן „ויהיון לתפילין על מוקדך כלו קביל על עינך״, ולקמן י״א י״ח „ויהון לתפילין קבל מוקדיכון בין עיניכון״ ובשמות י״ג ט׳ מפורש עוד יותר „ולדוכרן חקיק ומפרש על תפלת רישא קביעה כל קביל עינך בגובהא לרישך״ ושם פ׳ ט״ז „ולתפילין בין ריסי עינך״:

9 וכתבתם וכו׳ עד הרי אלו יגנזו, שבת ק״ג ע״ב, והשוה מס׳ מזוזה פ״א ועי׳ מנחות ל״ד ע״א „וכתבתם כתיבה תמה״: — כתב שלם, [כתב תם דהיינו כתב שלם, ר״ה, ועיין מסכת תפילין ה״ב (הוצ׳ היגער ע׳ מ״ב), שבת ק״ג ע״ב] ועיין עוד במסכת מזוזה ה״ג (הוצ׳ היגער, ע׳ ל״ז)· — מיכן אמרו וכו׳, בספר תורה ולא במזוזה דנה ברייתא זו כמבורר מסופה „כתב לפרשה סתומה פתוחה, לפתוחה סתומה וכו׳״, ומסדר הספרי מצא לה אסמכתא בפסוק זה ולכן חברה לכאן והשוה הערתי למעלה פי׳ כ״ט ע׳ 47, על הברייתא „מכאן אמרו העומדים וכו׳״, ור״ה פירש „האי כוליה אספר תורה קאי דאית פרשיות פתוחות וסתומות דאי אמזוזה קאי הי נינהו פתוחה והי נינהו סתומה? כולה שתי פרשיות היא דכתיב בה שמע, והיה אם שמוע, ותדע דאספר תורה קאי דקתני או שכתב שירה דדינה אריח על גבי לבינה ולבינה על גבי אריח כיוצא בה דכתיב ספר תורה אלא אי אמרת אמזוזה קא מיירי מאי שירה בתוכה דקתני או שכתב שירה כיוצא בה אלא שמע מינה אספר תורה קאי והכי גרסי נמי בפרק הקומץ בהלכתא דשתי פרשיות של מזוזה עשעה כשירה או שירה כמותה פסולה וקאמר כי תנייה ההיא בספר תורה״: 11 לווים יודים וליודים ווים, [וכ״ה בגמרא שם אבל במס׳

2 תן של ראש דהכלא, של ראש רקמ | תפילין] ל׳ ק — 3 כשחולץ רקלב, וכשהוא חולץ דהמא | של ראש] את של ראש ד | ואח״כ רקמלבא, ואח״כ חולץ דה — 4 בגובה] בגבוה ה | שבראש רמהבא, של ראש דקל | אתה אומר—או רבלא, או אינו אלא דמ, אתה אומר בגובה של ראש או ק, אתה—בגבוה שבראש או ה — 5 כמשמעו מהבדלא, כמשמעו תל׳ לומ׳ רק | והדין רק ברלא׳, הדין מהא | תפילין] תפלה א | ביד—בראש] בראש—בזרוע ל | תן רקמבא, ותן דהל — 6 בגובה שביד—תן רתפילין בראש מה ביד אה, ל׳ רקבלדמ | בגובה א, בגבוה ה [וכן בסמוך] — 7 שראוי] שהוא ראוי ד [וכן בסמוך] | אף בראש—בנגע אחד] ל׳ ב — 8 בנגע אחד [מ: פי׳ שער צהוב ובין העינים יש בו תורת עור בשר ותורת עור הראש לטמא בצהוב ובלבן] | סליק פיסקא אק, פ׳ ר, ל״ו א —

9 כתב שלם] שתהא כתיבה תמה ה | ולעינים] או לעינין ה, לעינין ב — 10 לביתים] לביבין ר | ולכפים ר קמ, לכפים הבל | ביתים] ביבין ר | לגמלים—גמלים] לגמין—גימין ה | צדים לצדים רקהבל, צדקים ולצדקים מד, צדין ולצדין א | רישים לרישים קמהלב, ראשים ולראשים ר, רישים ולרישים דא — 11 להיהים—היהים] להיים—היים א | לחיתים] ולחיתים קדמבא [וכן למטה בכל הענין] | לזיינים—זיינים קבדלא, לזיין—זיין ר, לווין —ווין מ — 12 פיפים ולפיפים קמדה, פיתין ולפיתין ר, פיתין לפיתין ב, פ׳ין לפתין ל, פיין ולפיים א — 13 כתב לפרשה—לפתוחה סתומה] ל׳ מ | כתב לפרשה רקהלאמ, פרשה בר | סתומה פתוחה רדבל, פתוחה סתומה קהא —

פתוחה לפתוחה סתומה, כתב שלא בדיו או שכתב שירה כיוצא בה או שכתב את האזכרות בזהב הרי אלו יגנזו.

וכתבתם, שומע אני על גבי אבנים, הרי אתה דן, נאמר כאן כתב ונאמר להלן
°כתב, מה כתב האמור להלן על גבי אבנים אף כתב האמור כאן על גבי אבנים, דברים כז ח
או כלך לדרך זו נאמר כאן כתב ונאמר להלן °כתב, מה כתב האמור להלן על במדבר ה כג
הספר בדיו אף כתב האמור כאן על הספר בדיו, אתה דן בלשון הזה ואני אדון בלשון שבעל דין חולק, נאמר כאן כתב ונאמר להלן כתב, מה כתב האמור להלן על גבי אבנים אף כתב האמור כאן על גבי אבנים, אמרת הפרש, אלמוד דבר מדבר ואדון דבר מדבר, אלמוד דבר שהוא מנהג לדורות מדבר שהוא מנהג לדורות ולא אלמוד דבר שהוא מנהג לדורות מדבר שאינו אלא לשעה, נאמר כאן כתב ונאמר להלן כתב מה כתב האמור להלן על הספר בדיו אף כתב האמור כאן על הספר בדיו.
אף על פי שאין ראיה לדבר זכר לדבר °ויאמר להם ברוך מפיו יקרא אלי ירמיה לו יח
את כל הדברים האלה ואני כותב על הספר בדיו.

על מזוזות, שומע אני שתי מזוזות תלמוד לומר בשניה מזוזות, רבוי

1 לפתוחה ר, לפתוחות ל, פתוחה דב, ולסתומה קהא | סתומה רדב, פתוחה קהא, סתומות ל | כתב רקבלא, כתבה ד, או שכתב ה | בדיו רקבילהמ, כדין בדא | שכתב שירה רקמבלא, שכתבה כשורה או שירה שכתבה ד, שכתב כשירה או שכתב את השירה ה | או] אמ׳ ר | שכתב רקבלא, שכתב בה ד, שכתב שלא בדיו או שכתב ה, שכתב בזהב מ — 2 האזכרות] הזכירות ר | בזהב] ל׳ מא | יגנזו רקלמהא, יגניזו בד — 3 וכתבתם] ל״ח וכתבתם א | הרי אתה] הריני ק | כתב] כתיבה בה [וכן בכל הענין] — 4 כתב האמור רלקמא, ל׳ דב, כתיבה האמ׳ ה | כתב האמור כאן רקמא, כן ב, כאן לד, כתיבה האמ׳ כאן ה — 5 או כלך לדרך זו רקבלא, הולכך לך לדרך הזו ד, או נאמר מ, הולכה לך לדרך הזו ה¹ | כתב האמור רקלאפ, ל׳ דב, כתיבה האמ׳ ה — 6 בדיו רק מהבא, ובדיו לד | על הספר בדיו רקמהא, על ספר בדיו ב, בספר ובדיו ד, על הספר ובדיו ל [ובא מוסיף עוד <אף כאן כתב על הספר בדיו>] | אתה דן—כאן על גבי אבנים] ל׳ מ | אתה רקהבל, הרי אתה א, אף אתה ד | ואני קהאד, אני רלפ, ל׳ ב | אדון דבלאפ, אדין רקה — 7 שבעל דין רבק, שבעל הדין פ, שבית דין לד, של בעל הבית ה, שבעל הבית א — 8 אף—אבנים] ל׳ ל | כתב האמור כאן רקא, כאן ד, כתיבה האמ׳ כאן ה, כתיבה האמורה כן ב | הפרש הלדא, הפריש ר, דין הפריש ב, ל׳ מ | אלמד אמה, אלמוד רקלבד | ואדון ל דא, אדין רב, ואדין קה — 9 מנהג רקב, נוהג אמל ד [וכן בסמוך] | מדבר שהוא מנהג לדורות ולא אלמד דבר שהוא מנהג לדורות ד, ואל אלמד דבר שהוא מנהג לדורות א, מדבר שהוא נוהג לדורות ואל אלמד דבר שהוא מנהג לדורות מ, מדבר שהוא נוהג לדורות ואל אלמוד דבר שהוא נוהג לדורות לב, מדבר שהוא נוהג לדורות ואין דנים דבר שהוא נוהג לדורות ד, ל׳ רק — 10 שאינו מהא, שאינו נוהג קלד, שאינו מנהג רב | לשעה] כשעבר ב | ונאמר להלן כתב] ל׳ ב — 11 בדיו רקמהב, ובדיו לדא [וכן בסמוך] — 12 אף על פי רקה, ואע״פי מדלבא — 14 על] ל״ט על א | שתי מזוזות רקמלא, שתי מזוזות ביתך ד, מיעוט מזוזות שתים ה, שתים ב | ת״ל—דברי ר׳ ישמעאל] כשהוא אומ׳ בפרשה שנייה מזוזות שאין

תפילין שם ווין זיינין ווין]: 2 בזהב, [מסכת סופרים פ״א ה״ט], ועיין בספר שבע מסכתות קטנות, לר׳ מיכאל היגער, ע׳ פ״ב: 3 וכתבתם וכו׳ עד ואני כותב על הספר בדיו, מנחות ל״ד ע״א: 5 או כלך לדרך זו וכו׳, פי׳ ר״ה „ואי קשיא לי דבכל מקום דתני או כלך לדרך זו לא מיתוקמא אלא כדינא דרישא והא מוקמינן כדין או כלך לדרך זו וכמדומה אני דטעות הוא דכתיב בספרים דהא בהקומץ רבה גרסי׳ לה הכי וכתבתם יכול יכתבנה על גבי אבנים, ודין הוא נאמר כאן כתיבה ונאמר להלן כתיבה מה להלן על הספר אף כאן על הספר או כלך לדרך זו נאמר כאן כתיבה ונאמר להלן כתיבה מה להלן על האבנים אף כאן על האבנים״· — ונאמר להלן כתב, פירשו ר״ה ורמא״ש דכתיב והיה בעברכם את הירדן וג׳ וכתבת על האבנים (דברי׳ כ״ז ד׳ וח׳)· — מה כתב האמור להלן, גבי סוטה מפי׳ ר״ה; ועיין ברש״י ותוס׳ מנחות ל״ד ע״א ובספרי במדבר פי׳ ט״ז (ע׳ 21) וברכות ט״ו ע״ב. רמא״ש· — על הספר בדיו, וכן רת״י להלן י״א כ׳ „ותכתבונון במגלתא על מזוזיין״: 14 שומע אני וכו׳ עד שיפרוט לך הכתוב שתי מזוזות, מנחות שם, וע׳ במדרש משלי ח׳ ל״ד (ל׳ ע״ב), „ר׳ לוי אומר שתי מזוזות מזוזה אחת מכאן ומזוזה אחת מכאן״; ונראה שלא נתכוין ר׳ לוי אלא למדת הסידות ולא להלכה לכל אדם ושם מסיים במדרש „וחכמים אומרים הלכה כדברי ר׳ ישמעאל למה שאם אדם עושה שתי מזוזות אינו יודע איזו עיקר ואיזהו טפל״ משמע שגם ר׳ לוי מודה שהשניה טפלה והשוה הערת ר׳ אברהם ברלינר בספרו „זכור לאברהם״ ע׳ 368· — בשניה, כלומר בפ׳ שניה, והיה אם שמוע· — רבוי אחר רבוי למעט, בשם ר׳ ישמעאל מ״ת ט״ז ט׳ (ע׳ 93) כ״ה ב׳ (ע׳ 163), ספרי במדבר פי׳ קכ״ד (ע׳ 155), ובשם ר׳ עקיבא תו״כ צו פ׳ י״א (ל״ד ע״ד), בשם ר׳ אליעזר בן יעקב שם ויקרא נדבה פרשה י׳ ה״ו

אחר רבוי למעט, דברי רבי ישמעאל. רבי יצחק אומר, אין צריך, הרי הוא אומר ׳ולקחו מן הדם ונתנו על שתי המזוזות ועל המשקוף, זה בנה אב, כל (שמות יב ז) מקום שנאמר מזוזות, הרי בכלל אחת עד שיפרוט לך הכתוב שתי מזוזות. ביתך, על ימין בכניסה, אתה אומר על ימין בכניסה או על ימין ביציאה תלמוד לומר על מזוזות ביתך, על ביאתך, על ימין בכניסה.

ובשעריך, שומע אני שערי בתים והלולים והרפת ומתבן ובית הבקר ובית האוצרות ובית העצים ואוצרות יין ואוצרות תבואה ואוצרות שמן במשמע תלמוד לומר ביתך, מה ביתך בית דירה אף שעריך בית דירה, שומע אני אף שערי בסילקאות ודמסאות ומרחצאות במשמע תלמוד לומר ביתך, מה ביתך מקום כבוד ובית דירה אף שעריך מקום כבוד ובית דירה, שומע אני אף שערי מקדש במשמע, תלמוד לומר ביתך, מה ביתך חול אף מקדש חול. מיכן אמרו הלשכות פתוחות לקדש, קדש, פתוחות לחול, חול. חביבים ישראל שסבבם הכתוב במצות, תפילין בראשיהם

(י׳ ע״ד, רמא״ש ע׳ 103), וסתמא שם פ״י ה״ז (ט׳ ע״ד, רמא״ש ע׳ 93) ומכילתא דרשב״י כ״א ו׳ (ע׳ 121) ירוש׳ מגילה פ״ד ה״ד (ע״ה ע״ב) בשם ר׳ יהודה ב״ק מ״ה ע״ב, פסחים כ״ג ע״א. לפי דעת רמא״ש בהערה לתו״כ ע׳ 93, „מייסד המדה הוא ר״ע... ור׳ ישמעאל לא קבלה במדותיו״, והרי לפנינו שר׳ ישמעאל השתמש במדה זו עוד יותר מר״ע ותמוהה היא הערת ר׳ דוד הופמאן למ״ת ע׳ 163 „דברי ר׳ ישמעאל אלו לא מצאתי בשום מקום״. ברייתא של ל״ב מדות דר״א בנו של ריה״ג (מדה ב׳) חולקת על מדה זו וסוברת רבוי אחר רבוי לרבות: 4 על ימין בכניסה, וכן תרגם יונתן „על סיפי ביתך ובתרעך מימינה במעלך״, ועי׳ מנחות ל״ד ע״א: 6 שומע אני וכו׳, יומא י״א ע״א, והשוה מסכת מזוזה ה״ד (ע׳ ל״ז). — והלולים, של תרנגולים. — והרפת, היינו בית אבוס של בהמה, מפי׳ ר״ה: 8 בסילקאות, מל״י βασιλική פי׳ בית המלך או בית אחר מפואר וכן פי׳ ר״ה ל״י היינו שקורין בתרגום ירושלמי נמוסיכון והשוה ע״ז ט״ז ב׳ „א״ר יוחנן ג׳ בסילקאות הן של מלכי עע״ז ושל מרחצאות ושל אוצרות״ ועיין בספר Archäologie להח׳ ר׳ שמואל קרוסס, ע׳ 218: 9 ודמסאות, מל״י δημόσια, מין בתי מרחץ, השוה עבודה זרה פ״א מ״ג „בונים עמהם דימוסיאות ומרחצאות״, (כן הג׳ בירוש׳ ובמשניות ד׳ נאפולי ובערוך ע׳ דימוס וע׳ בדק׳ סופ׳ שם ובתוספות ע״ז ט״ז ע״ב ד״ה „בימוסיאות״). — ומרחצאות, מסכת מזוזה ה״ה (ל״ח ע״ב): 10 אף שערי מקדש, השוה ירו׳ יומא פ״א ה״א (ל״ח ע״ג): 11 מיכן אמרו הלשכות, מעשר שני פ״ג מ״ח, פסחים פ״ו ע״א, יומא כ״ה ע״א, זבחים נ״ו ע״א, ירוש׳ מעשר שני פ״ג ה״ז (נ״ד ע״ב), תו״כ צו פרשה ב׳ הי״א (ל״א ע״א): 12 חביבים ישראל וכו׳, תוספתא סוף ברכות בשם ר׳ מאיר, ירוש׳ שם, ב׳ מנחות מ״ג ע״ב, מסכת תפילין ה׳ כ״א (ע׳ מ״ט), מדרש תהלים ו׳ א׳ (ע׳ 58) ומשם ראיה לרמא״ש שהמזמור המרומז כאן הוא מזמור

ת״ל הוי רבוי אחר רבוי ואין רבוי אחר רבוי אלא למעט מיעט הכתוב למזוזה אחת דברי ר׳ ישמעאל ה, אפי׳ שאין ת״ל בשנייה מזוזות ריבוי ואין ריבוי אחר ריבוי אלא למעט דברי ר׳ ישמעאל ב | בשניה—הרי הוא אומר] ל׳ מ | בשגיה] שתי א | רבוי אחר ריבוי לדפא, ריבה אחר רק, הוי רבוי אחר רבוי ה — 1 יצחק רקבדא, עקיבה הל [וכן במנחות שם] | אין רקב, אינו לדהא — 2 ולקחו—ועל המשקוף] על המשקוף ועל שתי המזוזות שאין ת״ל שתי ומה ת״ל שתי ה | זה בהלדא [סמ״ג], ל׳ רקמפ | בנה רקלבא [סמ״ג], בנין מה, ובנה פ | כל רקהלב, בכל מאד [סמ״ג] — 3 הרי בכלל אחת א, היא בכלל אחת מ, הרי כאן אחת ה, הן בכלל שתים רקבל, אין בכלל שתים ד, אינו בכלל שתים [סמ״ג] | שתי מזוזות רקמלא [סמ״ג], שתים הב | ביתיך—לחול חול] ח׳ ה | ביתך מבדלפ, על ידך רק, ביתיך א — 4 על ימין] ימין ק | בכניסה] ובכניסה ד | אתה [ר: ואתה] אומר על [מהר״ס: של] ימין בכניסה או רקלא [מהר״ס], או אינו אלא דמז | על ימין] ל׳ מ — 5 על ביאתך על ימין א, על ביאתך דרך ימין ק, על ביאת ימין מ, על ביאת של ימין ב, על ביאתך של ימין לד, על דרך ביאתך על ימין א׳, ביאתך של ימין ז — 6 ומתבן] בכל הנוסחאות נוסף כאן „ובית התבן ובית הבקר״ ונ״ל שאינם אלא פירושים למתבן ורפת ולכן מחקתי אותם. בב׳ יומא שם מובא ברייתא שנמנים בה לחיוב מזוזה „רפת ולולין ומתבן ואוצרות יין ואוצרות שמן״ הרי לפנינו שאין לחשוב מתבן ובית התבן, או רפת ובית הבקר לשני דברים ועיין ג״כ בב׳ פסחים „ורפת בקר ולולין ומתבן ואוצרות יין ואוצרות שמן אין צריכין בדיקה״ — 7 תבואה—שמן רק במל, שמן—תבואה ד, תבן—שמן א — 8 בית דירה אף שעריך בית דירה אז, מקום כבוד ובית דירה במשמע אף שעריך מקום כבוד ובית דירה ר, בית דירה ובמקום כבוד אף שעריך בית דירה ובמקום כבוד מ, מקום כבוד ובית דירה במשמע ד בקל | אף רקמלא, אפילו דב | בסילקאות ד, בסליקאות פ, סילאות ר, סילקאות ריקמלבא — 9 ודמסאות כנ״ל להגיה וע׳ בהערות; בא הגרס׳ ובימסאות, בפ וגימסאות ובכל שאר המקורות ובמסאות | ובית דירה] ל׳ ז וכן בסמוך — 10 אף—ובית דירה] ל׳ א ובין השטים „אף כל שהוא מקום כבוד וּבית״ | שעריך מקום] שערי בית ד | מקדש רקמלא, המקדש ב, בית המקדש דז — 11 מקדש רקמא, שעריך בלד | פתוחות רקבא, הפתוחות מל, שהם פתוחות ד | לקדש—לחול חול רמא, לקדש קדש לחול חול קב, לקודש תוכן קודש—תוכן חול דל — 12 חביבים] מ׳ חביבין א | שסבבם] שם אמן ר |

תהלי' קיט קסד ותפילין בזרועותיהם, מזוזה בפתחיהם ציצית בבגדיהם, ועליהם אמר דוד [1]שבע ביום
הללתיך על משפטי צדקך, נכנס למרחץ ראה עצמו ערום אמר, אוי לי שאני
שם יב א ערום מן המצות, נסתכל במילה התחיל סודר עליה את השבח שנאמר [2]למנצח על
השמינית מזמור לדוד. משל למלך בשר ודם שאמר לאשתו הוי מתקשטת
בכל תכשיטיך, כדי שתהא רצויה לי, כך אמר להם הקדוש ברוך הוא לישראל, בני,
שה״ש ו ד היו מצויינים במצות, כדי שתהיו רצויים לי, וכן הוא אומר [3]יפה את רעיתי
כתרצה, יפה את כשאת רצויה לי סליק פיסקא

הכתוב רקמהדא. הקב״ה טדל | בראשיהם—בזרועותיהם] בראש—בזרוע ד, בראשיהון—בזרועותיהון ז — 1 מזוזה לפתחיהם] ל׳ טל | בפתחיהם מהאר, לפיתחיהם רקב | ציצית בבגדיהם מט²א, ציצית בבגדיהן מזוזה בפתחיהן ט¹, ציצית בבגדיהן מזוזה בפתחיהן ציצית על ארבע כנפות טלית ל, ציצית על ארבע כנפות כסותך ד, ארבע כנפות טלית רב, ארבע ציציות על כנפי בגדיהן ק, וארבע ציציות בטליותיהם ה, ארבע כנפות תלויות בציצית פ — 2 ראה רהבט, וראה מקלדא | עצמו רקבמהטל. את עצמו ד, אותו או עצמו א | לי] ל׳ ט — 3 מן] בכל א | נסתכל רקמהבטא, נסתכל דוד ד, כיון שנסתכל ל | התחיל] והתחיל דז | סודר עליה רקהבלזא, לסדר עליה מ, עליה סידר ד | את השבח רהבא, שבח קדטל, השבח מ | למנצח—לדוד רבאד, למנצח על השמינית קט, למנצח בנגינות על השמינית ה, למנצח על השמינית על מילה שניתנה בשמינית ל — 4 משל] מושלו מלה״ד ה | בשר ודם] ל׳ א | הוי מתקשטת רקהטל, הוי מתקשטי ד, הרי מתקשטי ב, התקשטי מא, הוי מקושטת ט¹ — 5 בכל תכשיטיך ד, בכל תכשיטה ר, בכל תכשיטין קה, כל תכשיטיך מא, התכשיטים ב, בכל מיני תכשיטים טל | שתהא—לי] שתהיי לי רצויה א | להם] ל׳ טלא | בני היו אמה, היו רבט, היו קדל — 6 לי] לפני ט | וכן קהמטלא, כן רב, וכך ד | את] ל׳ א — 7 כשאת אמה, שאת רקבד, לי את ט, לי שאת ל | סליק פיסקא דרק, מ״א א —

ו׳ למנצח בנגינות על השמינית, ולא מזמור י״ב: 3 סודר עליה את השבח, בבבלי שם מטעים שרק אחר שיצא מן המרחץ חבר את המזמור; ולפי גרסת הספרי נראה שקרא את המילה מצוה שמינית לאותן שבע כלומר ר׳ תפלין של יד ושל ראש ומזוזה וד׳ ציציות ובגמרא שם אמרו „על מילה שנתנה בשמינית״: 4 משל למלך, לקמן סוף פי׳ מ״ג:

פרשת עקב.

לז.

והיה עקב. (יא י) כי הארץ אשר אתה בא שמה לרשתה, הרי זו נאמרה הפסה לישראל בשעה שיצאו ממצרים, שהיו אומרים שמא לא נכנס לארץ יפה כזו, אמר להם המקום, כי הארץ אשר אתה בא שמה לרשתה לא כארץ מצרים, מגיד שארץ ישראל משובחת ממנה. בשבח ארץ ישראל הכתוב מדבר או בשבח ארץ מצרים תלמוד לומר [a]וחברון שבע שנים נבנתה לפני צוען מצרים, צוען מה היה, מקום מלכות וכן הוא אומר [b]כי היו בצוען שריו וגו׳, חברון מה היתה, פסולת של ארץ ישראל שנאמר [c]ממרא קרית הארבע היא חברון, והרי דברים קל וחומר, אם חברון פסולת ארץ ישראל, הרי היא משובחת בשבח ארץ מצרים שמשובחת מכל הארצות. קל וחומר לשבחה של ארץ ישראל. ואם תאמר לא מי שבנה את זו בנה את זו, תלמוד לומר [d]ובני חם כוש ומצרים ופוט וכנען, חם לפי שבנה את זו בנה את זו, איפשר שבנה את הכעור ואחר כך

[a] במדבר יג כב
[b] ישעיה ל ד
[c] בראשית לה כז
[d] שם י ו

1 כי הארץ וכו׳ עד סוף הפיסקא. חסר בילקוט כאן ומובא בפ׳ שלח רמז תשמ״ג: 2 הפסה, להפיס דעתן של ישראל, מהערת ר׳ דוד הופמאן למ״ת: 4 שארץ ישראל משובחת וכו׳ עד לא אמר גנייה של ארץ ישראל ק״ו לשבחה של ארץ ישראל, ילקוט משלי תתקמ״ג בשנוי סדר המאמרים: 5 ת״ל וחברון, כתובות קי״ב ע״א „ואין לך טרשים בכל א״י יותר מחברון דהוו קברי בה שכבי״, סוטה ל״ד ע״א, במדבר רבה פ׳ שלח ט״ז י״ג, תנחומא א׳ שם סי׳ ח׳, תנחומא ב׳ סי׳ י״ד, ל״ד ע״א· — לפני צוען מצרים, דבנה חברון ברישא ומפסולת דאשתייר מחברון בנה צוען מצרים, מפי׳ ר״ה: 8 הרי היא וכו׳, ילקוט משלי תתקמ״ג: 9 שמשובחת מכל הארצות, דכתיב כגן ה׳ כארץ מצרים (ברא׳ י״ג י׳), מפי׳ ר״ה: 11 חם לפי שבנה וכו׳, ומצרים נקראת ארץ חם (תה׳ ק״ה כ״ג) ולכן יש לשער שהוא בנה מקום מלכות שלה· — בנה את זו, כיון שבנה צוען לבנו הגדול מצרים ודאי בנה חברון לבנו הקטן כנען, ועוד ששני הערים נזכרים בפסוק אחד, ומה ראה הכתוב ליחדם אם לא שנבנו

1 והיה עקב–שמה] כי הארץ אשר אתה בא שמה סדר והיה עקב א | כי הארץ] כתיב כי הארץ ט | הרי— הפסה ה, הרי—הפסא ר, הרי זה נאמר הפסה ט², הרי זה הפסה ט¹, הרי זאת הפרשה נאמרה מ, הרי פרשה זו נאמרה ד, הרי זו נאמרה הפרש׳ ב, הרי זו פרשה נאמרה לא — 2 בשעה שיצאו ארמהט²בל, בשעה שיצאו ישראל ד, כשיצאו ט¹ | שמא] ל׳ ר | לא נכנס] אין אנו נכנסין ל — 3 כזו רבדא, כזאת מט, לפי כך ה, מזו ל | אמר] ואמר ר | המקום רדהט²בל, הקב״ה אמד, הק׳ ט¹ — 4 מגיד רדהטבאפ, מגיד הכתוב ד, ל׳ מ, בשבח ארץ ישר׳ הכת׳ מדבר או בשבח ארץ מצרים הכת׳ מדבר מגיד ל | ישראל רטבדלפ, כנען מהא | ממנה רמהטיב״א, הימינה דט², מארץ מצרים פ | בשבח רדהטלאפ, ובשבח מ, אתה אומר בשבח לד, בשבח ארץ ישראל הכתוב מדבר אתה אומר בשבח ב | או בשבח–שהתורה בארץ ישראל] ח׳ ה | או ר טבלא, או אינו אלא מד — 6 צוען מה היה מא, מה היה רטבפ, מפני מה שהיתה ד, ומה היתה צוען ל | מלכות רדפ, מלכים שלהם מא, מלכות של ארץ מצרים צוען טב, מלכות שלהן ל | וכן טילא, כן רטיב, שכן מ, שכך ד — 7 חברון רא, וחברון לדמ, ל׳ טב | של ארץ אטדבל, לארץ מ ר | ישראל רמלאר, ישראל חברון טב — 8 והרי דברים ק״ו רלד, והלא–ק״ו מטא, והלא דין הוא ב | אם רלד, ומה מא, ומה אם טב | ישראל] ל׳ ל | ארץ טבלדא, לארץ ר, של ארץ מ | הרי היא טבדל, הרי ר, היא והיא מ, היא א — 9 בשבח ארץ רא, מארץ מ, ממשובחת של ד, משבחה של טב, משבעה בארץ ל, משבח ארץ פ | מצרים] משובחת ל | שמשובחת רטבל, שהיא משובחת מדא | הארצות] ארצות ל | של ארץ] שבארץ א — 10 ואם מטדל, אם רא, ל׳ ב | ת״ל—חם לפי שבנה את זו בנה את זו] ל׳ ב | ת״ל] שנ׳ ר — 11 לפי רלטדא, ל׳ מז | את זו—את זו רטא, זו—גם את זו מ, זו–זו לד | איפשר] ואיפשר מ | שבנה] בנה ל —

בנה את הנאה אלא בנה את הנאה ואחר כך בנה את הכעור, משל לאדם שבנה שני
טרקלינים אחד נאה ואחד כעור׳ אין בונה את הכעור ואחר כך בונה את הנאה אלא בונה את
הנאה ואחר כך בונה את הכעור׳ שפסולתו של ראשון מכניס בשני׳ הא לפי שהיתה חברון
משובחת ממנה היא נבנת תחילה, וכן אתה מוצא בדרכי מקום, שכל מי שחביב קודם
את חבירו, תורה לפי שחביבה מכל נבראת קודם לכל שנאמר ה׳ קנני ראשית (משלי ח כב)
דרכו קדם מפעליו מאז, ואומר מעולם נסכתי מראש מקדמי ארץ, בית (שם ח כג)
המקדש לפי שחביב מכל, נברא לפני כל, שנאמר כסא כבוד מרום מראשון (ירמיה יז יב)
מקום מקדשנו, ארץ ישראל שחביבה מכל נבראת לפני כל, שנאמר עד לא (משלי ח כו)
עשה ארץ וחוצות, (ארץ אלו שאר ארצות, וחוצות אלו מדברות, תבל זו ארץ
ישראל) רבי שמעון בן יוחי אומר תבל זו ארץ ישראל שנאמר משחקת בתבל (שם ח לא)
ארצו, למה נקרא שמה תבל, שהיא מתובלת בכל, שכל הארצות יש בזו מה שאין
בזו ויש בזו מה שאין בזו אבל ארץ ישראל אינה חסרה כלום, שנאמר לא תחסר (דברים ח ט)
כל בה. דבר אחר ארץ, אלו שאר ארצות, וחוצות, אלו מדברות, תבל, זו ארץ
ישראל, למה נקרא שמה תבל על שם תבל שבתוכה, איזהו תבל שבתוכה זו תורה

1 אלא בנה] אלא אדם בונה מ | בנה את טבא, בנה ר ד, את מ, בונה את ל | משל לאדם—את הכעור ארלט, ל׳ מדבט׳ | שני טא, שתי ר, ל׳ ל — 2 טרקלינים א, טריקלין ר, טרקלין לט | כעור—נאה רל, נאה—כעור ט א | אין רא, אינו טל | בונה את הכעור רא, הכעור ט, את הכעור ל — 3 מכניס רמבא, בונה ט, חביב ד, מכונה אחד משבעה ל | הא—תחלה] שהיא פסולת של ראשון לפי שחביב ומשובח ממנה בנה תחלה ט׳ | שהיתה חברון] שחברון ד — 4 ממנה היא נבנת איר, היא נבנית מ, מצוען לפיכך נבנית טב, ממצרים לכך נבנרתה ל, ממצרים לפיכך נבנתה ד, ממנה היא נתנה א | מוצא] ל׳ ר | מקום רב, המקום טדל, הקב״ה מא | מי] מה מ | שחביב בט, שחביב עליו ר, שהוא חביב מדא, שחביב מחבירו ל | קודם רמבלא, קדם ט, הוא קודם ד, נברא קודם ט׳ — 5 את חבירו] ל׳ מא, לחברו ט׳ | שחביבה] שהיא חביבה ד | קודם לכל רבד, לפני כל מא, קודם הכל ט, קודם כל ל, ראשון לכל ט׳ — 6 בית] זה בית ד — 7 שחביב רבט, שהיה חביב ד, שחביבה ל, שהוא חביב מא | לפני כל טבד, כל לפני כל ר, לפנים מא, קודם כל ל, קודם לכל ט׳ | שנאמר] ל׳ ט — 8 שחביבה רבטל, שהיתה חביבה ד, לפי שהיא חביבה מדא | לפני כל רמ, קודם לכל בטד, קודם כל ל, לפנים מכל א — 9 ארץ אלו שאר ארצות] ל׳ א | אלו מלד, ל׳ רטב, זו [נחמיאש] | תבל זו] תבל אמ׳ זו ב — 10 ר׳ שמעון—ארצו] ל׳ [נחמיאש] | בן יוחי] ל׳ מא | ארץ ישראל לדט, ארצו רמאבט׳ — 11 למה] ולמה מט׳ | שמה תבל רמבלאט׳, תבל ט, תבל שמה ד | שהיא] על שם שהיא ב | בכל] מכל ארצות לט׳ — 12 ויש בזו מה שאין בזו] ל׳ ט | אינה מד בלט׳, אין ראט — 13 ד״א—למה נקרא שמה] ל׳ ט, ד״א למה נקרא שמה תבל ט׳ | ד״א] מ״ב ד״א א — 14 למה ר בל, ולמה מדאט | תבל שבתוכה רבאט׳, תבלין שבתוכה

ע״י איש אחד? 1 משל לאדם וכו׳ עד מכניס בשני, אולי נוסף כל זה מגליון שהרי חסר במב כרגיל בהוספות לספרי אבל איננו ברור שאולי נשמט ע״י דמיון המלים, והשוה רש״י ופ״ז: 2 טרקלינים, ל׳ בירה וע׳ למעלה פי׳ כ״ט: 5 תורה וכו׳, פסחים נ״ד ע״א, נדרים ל״ט ע״ב, ב״ר פ״א סי׳ ד׳ (ע׳ 6), מדרש תהלים צ׳ י״ב (ע׳ 391), שם צ״ג ג׳ (ע׳ 414), פדר״א פ״ג (ע׳ ברד״ל שם) סדר אליהו רבה ל״א (ע׳ 160), תנחומא ב׳ נשא י״ט (ע׳ 34), תנחומא א׳ שם סי׳ י״א מדרש משלי פ״ח (ל׳ ע״א) ומובא בכוזרי מאמר ג׳ סי׳ ע״ג, ובפי׳ רד״ק ישעי׳ כ״ב י״א. בכל המקורות נמנים בין הדברים הקודמים לבריאת העולם תורה ובית המקדש וארץ ישראל נזכרה בספרי; בכוזרי מונה ירושלים במקום בית המקדש ורד״ק הביא את המאמר בסגנון הכוזרי ואולי העתיק ממנו ובפי׳ לירמיה י״ז י״ב מנה רד״ק את בית המקדש לאחד משבעה הדברים הקודמים: 6 בית המקדש וכו׳ עד לא תחסר כל בה, מכילתא דרשב״י ד׳ ח׳ (ע׳ 168). — בית המקדש, יומא נ״ד ע״ב, „למה נקרא שמו אבן שתיה שממנו הושתת העולם״: 8 ארץ ישראל, סדר אליהו זוטא פ״ב (ע׳ 173), „זו שכרה של א״י שעמד הקב״ה בתוכה וברא את כל הארצות כולן״, והשוה תענית י׳ ע״א „א״י נבראת תחלה וכל העולם כולו נברא לבסוף״ והשוה הערת מורי ר׳ לוי גינזבורג בספרו אגדות היהודים ח״ה ע׳ 14: 9 ארץ וכו׳ עד לא תחסר כל בה, מובא בפי׳ אבן נחמיאש, משלי ח׳ כ״ו. — ארץ וכו׳, מה ששמתי בחצי עגולים נראה לי שיש להשמיט אעפ״י שנמצא בכל המקורות משום שנכפל בסמוך מלה במלה בד״ה דבר אחר, וכאן אין לו שום הבנה שהרי ר״ש ג״כ אומר, „תבל זו ארץ ישראל״ והשוה פ״ז. — חוצות אלו מדברות, וכן בתרגום השבעים שם Χώρας καὶ ἀοίκητους, ארץ מיושבת ובלתי מיושבת. — זו ארץ ישראל, רש״י בפירושו למשלי שם גורס „וראש עפרות תבל, אדם הראשון״ ואולי יש להגיה כן אבל בכ״י ודפוסים שלפני לא מצאתי סמוכים לנוסח זה והנראה בעיני בפירוש המאמר כתבתי למעלה, והשוה הערת מורי ר׳ לוי גינזבורג, למחזור ינאי, הוצאת מורי ר׳ ישראל דאווידזאן ע׳ 49: 10 רשב״י וכו׳, ילקוט משלי תתקמ״ג: 11 מתובלת בכל, השוה אדר״נ נו״א פרק ל״ז (נ״ה ע״ב), ונו״ב פרק מ״ג (ס׳ ע״א): 12 אינה חסרה, ברכות ל״ו ע״ב: 14 תבל שבתוכה, השוה

שנאמר °בגוים אין תורה, מיכן שהתורה בארץ ישראל וכן אתה מוצא בסנחריב איכה ב ט
כשבא לפתות את ישראל מה אמר להם °עד בואי ולקחתי אתכם אל ארץ מ״ב יח לב
כארצכם, אל ארץ יפה מארצכם אין כתוב כאן אלא אל ארץ כארצכם, והלא
דברים קל וחומר, אם מי שבא לומר שבחה של ארצו לא אמר גנייה של ארץ ישראל
קל וחומר לשבחה של ארץ ישראל. רבי שמעון בן יוחי אומר, שוטה היה זה ולא
היה יודע לפתות, משל לאדם שהלך לישא אשה, אמר לה, אביך מלך ואני מלך,
אביך עשיר ואני עשיר, אביך מאכילך בשר ודגים ומשקך יין ישן ואני מאכילך
בשר ודגים ומשקך יין ישן אין זה פתוי, כיצד אומר לה, אביך הדיוט ואני מלך אביך
עני ואני עשיר אביך מאכילך ירק וקטנית ואני מאכילך בשר ודגים אביך משקך יין
חדש ואני משקך יין ישן אביך מוליכך למרחץ ברגלך ואני מוליכך בגלנטיקא. והלא
דברים קל וחומר, אם מי שבא לומר שבחה של ארצו לא אמר גנייה של ארץ ישראל
קל וחומר לשבחה של ארץ ישראל.

הרי הוא אומר °צידונים יקראו לחרמון שריון והאמרי יקראו לו דברים ג ט
שניר ובמקום אחר הוא אומר °ועד הר שיאון הוא חרמון, נמצא קרוי ארבעה שם ד מח
שמות, וכי מה צורך לבאי העולם לכך, אלא שהיו ארבע מלכיות מתכתשות עליו, זו
אומרת יקרא על שמי ווו אומרת יקרא על שמי והלא דברים קל וחומר, אם פסולת

קדושין ל׳ ע״ב „בני בראתי יצר הרע ובראתי לו תורה תבלין״: 1 מיכן שהתורה וכו׳, קדושין מ״ט ע״ב „עשרה קבין חכמה ירדו לעולם ט׳ נטלה א״י״, אסתר רבה סוף פ״א, „עשרה חלקים של תורה בעולם תשעה בא״י״ ועוד ויק״ר פ׳ ל״ד סי׳ ז׳, מדרש תהלים ק״ה א׳ (רכ״ד ע״ב), ועוד דוגמאות מובאות במפתח התלמוד לר׳ מיכאל גוטמאן כרך ג׳ חלק שני, א״י במדרש ותלמוד ל״ב ע״ב והלאה· — וכן וכו׳, פ״ז: 5 רשב״י וכו׳, רש״י ישעיה ל״ו י״ז, ילקוט מלכים רל״ח, והשוה סנהדרין צ״ד ע״א, אדר״נ נו״ב פ״כ (כ״ב ע״א): 8 הדיוט, מל״י ἰδιώτης, אדם פשוט, איש פרטי: 10 בגלגטיקא, פירשוהו מל״ר Lectica, והיא מטה שנושאים בה נשים ובל״א Sänfte, ובאנגלית Litter: 13 צדונים יקראו וכו׳, פ״ז, רש״י דברים ג׳ ט׳, ואולי היה חסר בנוסח הספרי של רמב״ן שהעיר על המאמר שם „לשון רש״י מדברי אגדה״, וכן חסרים כל המאמרים האלה במה, וגם בשאר המקורות אין להם קשר עם הקודם להם, רק שבדל הוגה במקום הרי הוא אומר „כיוצא בו״: 15 זו אומרת וכו׳, חולין ס׳ ע״ב: 16 פסולת הרי ישראל, שחרמון מפורסם בגבהו אבל

לד, שבתוכה תבלין מ | איזהו—שבר־תוכה] ל׳ ט, ונמצא בט׳ | איזהו בד, אי זה זה ר, ואיזה זה ט׳, ואי זהו מ א, ואילו ל | תבל רמבא, תבלין לד | תבל שבתוכה] ל׳ ט׳ | זו] הוי אומר זו ל — 1 מיכן שהתורה רלבדט׳, והיכן היא התורה מ, והיכן היא רתורה א | וכן] מ״ג וכן א — 2 מה רלבדט, ל׳ מא | להם] ל׳ ה — 3 כתוב רד א, כתיב מהט, כת׳ בל | והלא טדלבמהא, והרי ר — 4 אם] ומה אם ל | לומר] לספר ל | אמר] סיפר ל | גנייה ר, גנאה ה, גנותה דמא, גנות טב, בגנותה ל | של] על ט — 5 לשבחה] שבחו ל | ולא] שלא ד — 6 משל] משל למה הדבר דומה לט׳ | לאדם] אדם אמ | שהלך רבטד, שהולך ל, הולך מהא | אמר לה רבטלד, מה אומר לה מאה, מה אומר לך א | אביך מלך ואני מלך] ל׳ ט, ונמצא בט׳ — 7 אביך מאכילך—ואני—ומשקך יין ישן רטל, אביך מאכילך—ומשקך יין ואני—יין ט׳, אביך מאכילך—ואני אאכילך בשר ודגים ואשקך יין ישן ב, אביך מאכילך בשר דגים—ואני מאכילך בשר דגים ואשקך יין ישן ד, אביך מאכילך בשר ודגים ואני מאכילך בשר ודגים אביך משקך יין ישן ואני משקך יין ישן מא, אביך מאכילך בשר ואני מאכילך בשר אביך משקך יין ישן ואני משקך יין ישן ה — 8 אין רמהלא, ואין טדב | כיצד רטל, כאיזה צד ה, כיצד פיתוי ד, אלא כיצד מאט׳ — 9 ירק וקטנית) מכאן ועד פי׳ נ״ד (פ׳ ראה) חסר בכ״י ב, ונראה שבכ״י שממנו הועתק היו חסרים דפים אחדים ולא הרגיש בזה המעתיק, וכתב „ואני עשיר אביך מאכילך הגלילי או׳ מי לחשך אמרה תורה״ | אביך משקך—יין ישן רמהא, ומשקך יין ישן טל, ל׳ ד — 10 למרחץ ברג׳ רל, ברגלך למרחץ מה, למרחץ ברגל ד, ברגל ט, ברגליך א, בקרון ט׳ | ואני מוליכך] ואני ל | בגלגטיקא ר, בגלגטיקה ה, בגלוגדקא מ, בגלונדקא א, בגלטקא ט׳, בגלונדקא ט׳, בגלוגיקא ט׳, בגלגוטיקא ד, בגלודקיא ל | והלא דברים ק״ו ר, ל׳ ד — 11 אם רמטא, ומה אם הלד | לא אמר—לשבחה של ארץ ישראל] וכו׳ ל | לא אמר] אלא לומ׳ א, לא אמר א׳ | גנייה ר, גנאה ד, גנותה מדט, גנות א — 13 הרי הוא—עה״ס ש׳ 10 ק״ו לשבחה של ארץ ישראל] ל׳ מ | הרי הוא—וכו׳ עד סוף הפיסקא] ל׳ ה | הרי הוא ר, והרי הוא א, מעתה הרי הוא ט, כיוצא בו אתה ל, כיוצא בו ד, מעתה כיוצא בו [א״א] — 14 ועד] עד דא | קרוי] ל׳ ט׳ — 15 צורך] היה צריך א | העולם רדטל, הארץ א, עולם לפ | לכך רפ, בכך לדאט | ארבע מלכיות] ל׳ א | מתכתשות א, מתכחשות רד, מתכשתות ט׳, מתרחשות ט׳, מכתשות ל, וג׳ רש״י נראה שהיתה ג״כ מתרחשות שהוא מבאר בפי׳ לדברים ג׳ ט׳ שהיו ד׳ מלכיות מתפארות בכך זו אומרת על שמי יקרא וזו אומרת על שמי יקרא | עליו] ל׳ ד — 16 אם רלא, ומה אם ט, ל׳ ד

הרי ישראל ארבע מלכיות מתכתשות עליה קל וחומר לשבחה של ארץ ישראל. כיוצא
יהושע טו מט שם טו טו בו אתה אומר ודנה וקרית סנה היא דביר, ובמקום אחר הוא אומר ושם
דביר לפנים קרית ספר, נמצאת קרויה שלשה שמות, וכי מה צורך לבאי העולם
בכך אלא שהיו שלש מלכיות מתכתשות עליה זו אומרת תקרא על שמי וזו אומרת
תקרא על שמי, והלא דברים קל וחומר, אם פסולת ערי ישראל ארבע מלכיות מתכתשות
דברים לב מט עליה קל וחומר לשבחה של ארץ ישראל. כיוצא בו אתה אומר עלה אל הר
שם ג כז העברים הזה הר נבו, ובמקום אחר הוא אומר עלה ראש הפסגה, נמצא קרוי
שלשה שמות, וכי מה צורך לבאי העולם בכך אלא שהיו שלש מלכיות מתכתשות
עליו זו אומרת יקרא על שמי וזו אומרת יקרא על שמי, והלא דברים קל וחומר,
אם פסולת הרי ארץ ישראל שלש מלכיות מתכתשות עליו קל וחומר לשבחה של
ארץ ישראל.

ירמיה ג יט הרי הוא אומר ואתן לך ארץ חמדה נחלת צבי צבאות גוים, ארץ
שעשויה חוילאות חוילאות למלכים ולשלטונים, שכל מלך ושלטון שלא קנה בארץ
ישראל אומר לא עשיתי כלום. רבי יהודה אומר, וכי אחד ושלשים מלך שהיו לשעבר
כולם היו בארץ ישראל אלא כדרך שעושים ברומי עכשו שכל מלך ושלטון שלא קנה
ברומי אומר לא עשיתי כלום כך כל מלך ושלטון שלא קנה פלטירות וחוילאות בארץ
ישראל אומר לא עשיתי כלום. נחלת צבי, מה צבי זה קל ברגליו מכל בהמה וחיה

1 הרי רא, ארץ טלד | מתכתשות, כן יש להגיה כמו שהוא לנכון למעלה בכ״י א׳ וכאן נשתבשו המקורות ואלה נסחאותיהם: מתכחשות רד, מתכשתות א [וכן למטה], מתכחשות ט׳, מתרחשות ט², מכתשות ל [וכן למטה] | ישראל] א מוסיף פה את המאמר השני להלן „כיוצא בו א״א עלה אל הר העברים וכו׳, ואח״כ מביאו עוד הפעם במקומו — 2 ודנה] דנה ר — 3 העולם רלט³, עולם דאט — 4 אלא שהיו—של ארץ ישראל] כו׳ כדלעיל ל | מתכתשות, כנ״ל להגיה כמו למעלה — 5 אם ר, ומה אט³, ומה אם ד | פסולת] פסול ט | ארבע] ל׳ ט — 6 עליה] עליו א — 8 שלשה רלטא. שתי ד | שלש טלד, ארבע רא — 9 עליו] עליהן ל, עליה ר | זו אומרת—מתכתשות עליו] ל׳ לד — 10 אם] ומה א | לשבחה של דטלא, לשבח ר — 12 הרי הוא אומר] מ״ד כיוצא בו אתה אומר א | ארץ] ארץ חמדה ארץ ד — 13 חוילאות חוילאות ר, תולאות חולאות ד, חוליתות ט³, חוילאות חילאות חילאות אמ, חיילות חיילות ל | למלכים] ל׳ ט³ | ולשלטונים רט³מל, ושלטונים ט³, ושולטונים ד, ושלתטים א, לשלוטים ט³ | ושלטון] ושולטון ד — 14 אומר רא, היה אומ׳ ל, ל׳ ט, חולאות אומר ד, חלאות אומר מ | עשיתי] עשה ט | מלך רלדא, מלכים טמ — 15 כולם—ושלטון שלא קנה] ל׳ ל | היו] מ׳, חוץ ד | קנה] קנה פלטיאות וחולאות ד — 16 אומר] ל׳ ט³ | עשיתי] עשה לט³ | כך] ל׳ ד | פלטירות רא, פלטיראות מ, פלטורית דט, פלטריאות לט³ | וחוילאות רטד, וחולואות א, וחיילות ל, וחוליאות ט³ — 17 אומר] ל׳ מלט³ | עשיתי] עשה מלט³ | נחלת] מ״ה נחלת א | מכל בהמה וחיה] ל׳ א —

לא בפירותיו: 1 כיוצא בו וכו׳, פ״ז, ילקוט יהושע כ״ד: 3 שלשה שמות, כן יש להגיה שאין כאן אלא שלשה שמות וכן למטה נסחתי שלש מלכיות אעפ״י שבכל המקורות הנוסחה ארבע, ורד״ף מונה דנה לאחד מארבע השמות ומפרש „דנה היינו סנה היינו דביר הרי ג׳ שמות וקרית כפר הרי ארבע״ אמנם העיר עוד „לא ידענא מנ״ל דפשטא דמלתא משמע שדנה עיר בפני עצמה ואולי דטעות סופר הוא וצ״ל ג׳ שמות וכן ג׳ מלכיות״: 5 פסולת ערי ישראל, שהרי עכסה אמרה לכלב הבא לי ברכה כי ארץ הנגב נתתני (שופטים א׳ ט״ו), מפי׳ רד״ף: 7 קרוי שלשה שמות, לקמן פי׳ של״ח נפרטים ארבעה שמות שלשה הנזכרים כאן ונוסף עליהם הר ההר, וע׳ במ״ת שם ול״ד א׳ (ע׳ 223): 10 פסולת הרי, והר נבו הוא כעבר הירדן שאינו זבת הלב ודרש (בכורים פ״א מ״י): 12 הרי הוא אומר וכו׳ עד כך א״י גבוהה מכל הארצות, ילקוט משלי תתקמ״ג׳ — הרי הוא אומר וכו׳ עד סוף הפיסקא, חסר במ״ת ונראה שגם זה אינו מעיקר הספרי אבל ממה שנמצא במ׳ יש לשער כי נוסף בזמן קדום׳ — נחלת צבי וכו׳ עד לא עשיתי כלום, מכילתא דרשב״י ד׳ ח׳ (ע׳ 168): 13 חוילאות, מל׳ רומי Villa, נוה׳ — שכל מלך וכו׳, ב״ר סוף פ׳ פ״ה (ע׳ 1030), ופ׳ נ״ג (ע׳ 567), תנחומא א׳ משפטים סי׳ י״ז, ראה סי׳ ח׳, תנחו׳ ב׳ משפטים סי׳ י׳ (מ״ד ע״א), שלח הוספה סי׳ ט״ז (ע׳ 82), שמות רבה ל״ב ב׳, מדרש תהלים ה׳ א׳ (כ״ו ע״א): 14 ר׳ יהודה אומר וכו׳, ילקוט יהושע כ״ב: 15 כולם היו וכו׳, לקמן פי׳ שנ״ג, רש״י דברים ל״ג י״ז, וכעין זה בילקוט ירמיה רע״א, תנחומא ראה כוף סי׳ ח׳, משפטים סי׳ י״ז, תנחומא ב׳ משפטים סי׳ י׳ (מ״ד ע״א), וע׳ ג״כ שמות רבה ב׳: 16 פלטירות, מל״י [illegible], בירה: 17 נחלת צבי מה צבי וכו׳ עד שגבוה מכל משובח מכל, מכילתא דרשב״י ד׳ ח׳ (ע׳ 168) וע׳ בפ״ז׳ — מה צבי וכו׳ עד משובחת מכל, מכירי ישעיה ה׳ א׳ — קל ברגליו וכו׳, כתובות קי״ב ע״א, שמות רבה ל״ב ב׳,

כך פירות ארץ ישראל קלים לבוא מכל פירות ארצות, דבר אחר מה צבי זה כשאתה מפשיטו אין עורו מחזיק את בשרו כך ארץ ישראל אין מהזקת פירותיה בשעה שישראל עושים את התורה, מה צבי זה קל לאכל מכל בהמה והיה כך פירות ארץ ישראל קלים לאכל מכל הארצות, אי קלים לא יהו שמנים תלמוד לומר °ארץ זבת חלב ודבש, שמנים כחלב ומתוקים כדבש וכן הוא אומר °אשירה נא לידידי שירת דודי לכרמו כרם היה לידידי בקרן בן שמן, מה שור זה אין בו גבוה מקרניו כך ארץ ישראל גבוהה בכל הארצות או מה שור זה אין בו פסולת מקרניו כך ארץ ישראל פסולה מכל הארצות תלמוד לומר בקרן בן שמן, שמנה היא ארץ ישראל, ללמדך שגבוה מחבירו משובח מחבירו, ארץ ישראל לפי שגבוהה מכל משובחת מכל שנאמר °עלה נעלה וירשנו אותה, °ויעלו ויתורו את הארץ, °ויעלו בנגב °ויעלו ממצרים. בית המקדש שגבוה מכל משובח מכל שנאמר °וקמת ועלית אל המקום, ואומר °והלכו עמים רבים ואמרו לכו ונעלה אל הר בית ה׳, ואומר °כי יש יום קראו נוצרים וגו׳ סליק פיסקא

דברים יא ט; ישעיה ה א; במדבר יג ל; שם שם כא; שם שם כב; בראשית מה כה; דברים יז ח; ישעיה ב ג; ירמיה לא ה

לח.

לא כארץ מצרים היא, ארץ מצרים שותה מן הנמוך וארץ ישראל שותה מן הגבוה, ארץ מצרים נמוך שותה, גבוה אין שותה, ארץ ישראל נמוך וגבוה שותה. ארץ מצרים נמוך שותה ואחר כך גבוה, ארץ ישראל שותה נמוך וגבוה כאחת. ארץ מצרים גלוי שותה, שאינו גלוי אינו שותה ארץ ישראל גלוי ושאינו גלוי שותה. ארץ מצרים שותה ואחר כך נזרעת ארץ ישראל שותה ונזרעת נזרעת ושותה שותה בכל יום ונזרעת בכל

תנחומא ב׳ שלח הוספה סי׳ ט״ז (ע׳ 82), ושם משפטים סי׳ י׳ (ע׳ 86): 1 כשאתה מפשיטו וכו׳, כתובות, ושמות רבה, ותנחומא א׳ משפטים שם, תנחומא א׳ ראה סי׳ ח׳, תנחומא ב׳ משפטים שם, שהש״ר סוף פ״א: 3 קלים לאכל לקמן פי׳ שט״ז: 6 מה שור וכו׳, ילקוט ישעיה רס״ח, רד״ק ות״י שם: 7 א״י גבוהה, לעיל פי׳ כ״ג (ע׳ 33), לקמן פי׳ קנ״ב, קדושין ס״ט ע״ב, סנהדרין פ״ז ע״ב, זבחים נ״ד ע״ב, והשוה לקמן פיסקא שנ״ו ומכילתא דרשב״י ד׳ ח׳ (ע׳ 168, שורה 12): 11 בית המקדש וכו׳, לקמן פי׳ קנ״ב, קדושין, סנהדרין, וזבחים שם, ירוש׳ סנהדרין פי״א ה״ד (ל׳ ע״א):

14 ארץ מצרים וכו׳, רש״י, פ״ז׳ — ארץ מצרים שותה מן הנמוך, דהיינו נילוס ארץ ישראל שותה מן הגבוה דהיינו מי גשמים דכתיב למטר השמים תשתה (מטר) [מים], כפי׳ ר״ה: 17 שותה ואח״כ נזרעת, פי׳ שאם היו זורעין קודם עלית הנהר היה הנהר שוטף את הזרעים, ולכן מחכים עד שיעלה נילוס אבל א״י יכולים לזורעה קודם ירידת המטר וגם אחרי כן:

1 כך] וכן א | ארצות ר, הארצות אמכט׳, שאר ארצות ט, של שאר ארצות לד | ד״א] ל׳ מ — 2 עורו] עורר ל | ארץ ישראל אין] אין א״י א | אין] אינה לד כט׳ — 3 מה רטמכא, ומה לד | זה] ל׳ טל | לאכל] לאוכלו מ | מכל רטד, מכל פירות מלכא — 4 הארצות] שבארצות ל | אי קלים כ, או קלים רד, יכול כשהן קלין אמ, אי קלים יכול ט, אתה אומר קלין ל, אי פירותיה קלים יכול ט׳ | לא) ולא לב — 5 וכן לטמכ, כן ר, כך ד, מ״ו וכן א — 6 אין בו—מקרניו] גבוה כתיפו מכל איבריו ל | גבוה] גובה מ | מקרניו מטד, מכתיפיו רא, מכתפו כ — 7 או] אי טיט׳לכא | אין בו פסולת מקרניו ר, אין בו פסולת מקרנו כ, אין פסולת בו יותר מקרניו מ, אין בו פסול מקרניו ט, אינו פכול מקרניו ל, פסול מכל קרניו ד, אין בו פסולת ומקרין א, אין בו פסולת אלא מקרניו ט׳ | ארץ ישראל] ל׳ מ — 8 ללמדך— משובח מחבירו רטכ, ואמר קרן ללמדך שכל מי שגבוה מחברו משובח מחברו מא, ללמדך שגבוהה מחברותיה ל — 9 לפי רלמכא, ל׳ טד — 13 וגו׳] בהר אפרים קומו נעלה ציון אל ה׳ אלהינו ד —

14 לא כארץ] מ״ז לא כארץ א | מן הנמוך] ממייה ט׳, מימיה ט׳ | וארץ מהא, ארץ רטלד | מן הגבוה] מי גשמים ט — 15 ארץ מצרים נמוך—שותה נמוך וגבוה ר, ארץ ישראל שותה נמוך וגבוה ארץ מצרים נמוך שותה גבוה אינו שותה ט ד, ארץ מצרים נמוך שותה גבוה אינו שותה ארץ ישראל גבוה ונמוך שותה [מא שותה כאחד] ארץ מצרים נמוך שותה ואחר כך גבוה ארץ ישראל גבוה עם נמוך שותה [ה: שותה כאחת] אמה, ארץ ישראל שותה נמוך וגבוה כאחת ארץ מצרים נמוך שותה גבוה אינו שותה ל | כאחת] הוספתי על פי ה ועיין בהערה הקודמת — 17 שאינו מהטא, שאין רל | אינו] אין ר | גלוי ושאינו גלוי שותה] שותה גלוי ושאינו גלוי טל | ושאינו] ושאין ד | מצרים] ישראל ל [וכן למטה בסמוך] — 18 א״י] א״י

יום. ארץ מצרים אם אתה עמל בה בפסל ובקרדום ונותן שנת עינך עליה ואם לאו אין בכך כלום אבל ארץ ישראל אינה כן אלא הם ישנים על מטותיהם והמקום מוריד להם גשמים. משל למלך שהיה מהלך בדרך וראה בן טובים אחד ומסר לו עבד אחד לשמשו, שוב ראה בן טובים אחר מעודן ומפונק ועסוק בפעולה ומכירו ואת אבותיו, אמר גזרה שאני עושה בידי ומאכילו. כך כל הארצות נתנו להן שמשים לשמשן, מצרים שותה מן הנילוס, בבל שותה מן הנהרות אבל ארץ ישראל אינה כן אלא הם ישנים על מטותיהם והמקום מוריד להם גשמים, וללמדך שלא כדרכי בשר ודם דרכי מקום. בשר ודם קונה לו עבדים שהם זנים ומפרנסים אותו אבל מי שאמר והיה העולם קונה לו עבדים שיהא הוא זן ומפרנסם. וכבר היו רבי אליעזר ורבי יהושע ורבי צדוק מסובים בבית משתה בנו של רבן גמליאל, מזג רבן גמליאל את הכוס לרבי אליעזר ולא רצה לטלו נטלו רבי יהושע, אמר לו רבי אליעזר, מה זה יהושע, בדין שאנו מסובים וגמליאל ברבי עומד ומשמשנו, אמר לו רבי יהושע, הנח לו וישמש, אברהם גדול

אינו כן אלא א | שותה ונזרעת נזרעת ושותה] נזרעת ושותה שותה ונזרעת טל | שותה מהדא, ושותה ר, ארץ ישראל שותה טל | ונזרעת בכל יום] ארץ ישראל ונזרעת ד — 1 מצרים] מצרים אינה נזרעת ט | אם] ל׳ ל | אתה רמהאפ, אינו דל | בפסל] בספל פ, בפסיל ה | ובקרדום רלמהא, וקורדום ד, וקרדום פ | ונותן רמהא, ונודד טדל | עינך רמה, עיניך א, עיניו ד, עינו טל | ואם לאו אין בכך כלום רא, ואם לאו אין בידך כלום ה [ה׳ על הגליון], יש בכך כלום ואם לאו אין בכך כלום מ, ואם לאו אין לו בה כלום ט, אין לו בה כלום לב — 2 אבל א״י רדה, ארץ ישראל אמטל | אלא] ל׳ ה | והמקום רדהלד, והקב״ה מא, והק׳ ט׳, והב״ה ט² — 3 למלך] למלך בשר ודם ה | מהלך] הולך ל | וראה מהא, ראה רטלד | אחד רמהדא, אחד מהלך אחריו ט, מהלך אחריו ל | ומסר] מסר טל | אחד] ל׳ מ — 4 לשמשו] לשמור ה [לשמשו ה׳] | אחר ד, אחד רדלטמא | ומפונק] ומפונק מסר לו שני עבדים לשמשו שוב ראה בן טובים אחר מעודן ומפונק ה | ועסוק רהט, ועוסק דמלא | ומכירו ואת הא, ומכירו ארת ר, ומכיר אותו ואת מ, ומכירים לו ולאבותיו ט, ומכירים את ד, ומכירו לו ולאבותיו ל, ומכירו הוא ה¹ — 5 גזירה שאני רהדא, גזירה אני ל, גזירה שאין אתה ט, אני מ | בידי רמלדאה¹, בידים ה, בידך ט | ומאכילו רמהא, ומאכילך לד, ואני מאכילך ט | הארצות] הארץ ר | נתנו מדטא, ניתנו רל, נותנין ה — 6 מן הנילוס רמטדא, מן נילוס ה, מי נילוס ל | בבל] ובבל ד | הנהרות] הנהר ד | אבל רמהא, יובל ד, ל׳ טל | ארץ] וארץ ל — 7 והמקום רמהלא, והקב״ה ד, והק׳ ט, והב״ה ט² | וללמדך רלדא, ללמדך מהט | כדרכי ב״ו דרכי מקום ר, כמדת בשר ודם דרכי המקום ה, שלא כמדת הקב״ה מדת בשר ודם מא, כדרכי ב״ו דרכי המקום ד, שלא כמדת בשר ודם מדת הק׳ טל, כמדת בשר ודם מדת המקום ה¹ — 8 בשר ודם קונה] קונה א, דרכי בשר ודם קונה ה | עבדים—ומפרנסים] עבד שיהא הוא זנו ומפרנסו ט² | שהם מהא, שיהיו רד | מי—העולם] הקב״ה ט | קונה לו רלטהד, קנה מא — 9 עבדים] עבד טל | הוא זן ר, זנן מא, זן הל, זנו ט, הוא זנן א¹, ל׳ ה¹ | ומפרנסם רמהא, ומפרנס אותם ד, ומפרנסו ט, מפרנס אותו ל, מפרנס אותן ה¹ | וכבר] מ״ח וכבר א | היו א טל, היה רדהדמ | יהושע] שמעון מ — 10 מסובים] שהיו מסובין ר | משתה בנו] המשתה מבנו מ, משתה על ה | בנו—לכל אחד ואחד גמליאל ברבי לא ישמשנו] ח׳ ט | רבן גמליאל] רשב״ג א | את הכוס אמה, כוס רדל — 11 לטלו נטלו אמ ה [ספר מוסר], לנטלו נטלו ר, לקבלו קיבל ד, לקבל וקיבלו ל | זה] ל׳ ר | בדין שאנו אר [ספר מוסר], בדין הוא שאנו ה, דין הוא שאנו מ, שאנו ד, אנו ל — 12 וגמליאל ברבי א, ורבן גמליאל רמלד, ורבן גמליאל ביר׳ ה | עומד ומשמשנו אר מה [ספר מוסר], עומד ומשמש ד, משמשינו ל | אברהם] שהרי אבינו אברהם מ, שאברהם א, אברהם אבינו [ספר מוסר] —

1 ארץ מצרים אם אתה עמל וכו׳ עד הוא זן ומפרנס אותך, מכי׳ דרשב״י ד׳ י״ז (ע׳ 169). — אם אתה עמל בה, דהיינו שחופרין כדי להעביר המים ממקום למקום, מפי׳ ר״ה׳ — ונותן שנת עינך עליה, המאמר סתום ומקוצר כדרך בסגנון העברי; משמעו כאן אם כן תעשה ומלאכתך תהא נעשית על ידך תאכל לשובע לחמך, והרבה דוגמאות לשונות כאלה נמצאות בתורה ונביאים וכדי להשלים את המאמר „תקנו" מדעתם המעתיקים ושבשו רוב כ״י: 3 משל למלך וכו׳, השוה ציגלר Königsgleichnisse עמוד 169 והלאה: 4 ועסוק בפעולה, פי׳ הז״א בעבודת המלך, כלומר ולכן היה יותר חביב על המלך: 6 הנהרות, פרת וחדקל אולי לא רצה התנא הארצי ישראלי לפרטם מפני שלא היה בריא לו יחוסם אל הישוב בבבל ועוד שחושב פרת לנהר א״י: 9 וכבר וכו׳ עד לא ישמשנו, פ״ז, ספר מוסר לר׳ יוסף אבן עקנין, עמ׳ 111, מכילתא יתרו, מסכת עמלק פ״א (נ״ט ע״א, ה—ר 195), מכילתא דרשב״י י״ח י״ב (ע׳ 88), קדושין ל״ב ע״ב; במדרש משלי כ״א ב׳ (ל״א ע״ב) מסופר באופן אחר „מעשה בר״ג שהיו הזקנים מסובין אצלו והיה טבי עומד ומשמשו אמר ראב״ע אי לך כנען שחייבת לבניך בין הצדיקים ובין הרשעים בדין הוא שיהא טבי מסב ואני משמשו א״ר ישמעאל מצינו גדול מזה אברהם גדול העולם וכו׳ אמר להם ר״ג הנחתם כבודו של ממ״ה הקב״ה ואתם עסוקים בכבודו של בשר ודם הקב״ה ברא עולמו וכו׳" ואולי שני מאורעות היו:

העולם שמש מלאכי שרת וכסבור שהם ערביים עובדי עבודה זרה שנאמר °וישא בראשית יח ב
עיניו וירא והנה שלשה אנשים, והלא דברים קל וחומר, ומה אברהם גדול
העולם שמש מלאכי שרת וכסבור שהם ערביים עובדי עבודה זרה, גמליאל ברבי לא
ישמשנו, אמר להם רבי צדוק הנחתם כבוד מקום ואתם עסוקים בכבוד בשר ודם, אם
מי שאמר והיה העולם משיב רוחות ומעלה ענגים ומוריד גשמים ומגדל צמחים ועורך
שולחן לכל אחד ואחד, גמליאל ברבי לא ישמשנו.

אתה אומר לכך בא הכתוב או לפי שארץ מצרים פסולת כל הארצות הקישה
הכתוב לארץ ישראל תלמוד לומר °כגן ה׳ כארץ מצרים, כגן ה׳, באילנות, בראשית יג י
כארץ מצרים, בזרעים. או אינו מקישה אלא למגונה שבה, תלמוד לומר °אשר ויקרא יח ג
ישבתם בה, מקום שישבתם בו שנאמר °במיטב הארץ, או אינו מקישה אלא בראשית מז ו
לשעת גנותה תלמוד לומר אשר יצאתם משם, כשהייתם שם היתה מתברכת
בשבילכם ולא עכשיו שאין ברכה עליה כדרך שהייתם אתם שם. וכן אתה מוצא
בכל מקום שהצדיקים הולכים, ברכה באת לרגלם יצחק ירד לגרר ברכה באת לרגליו,
שנאמר °ויזרע יצחק, ירד יעקב אצל לבן ברכה באת לרגליו, שנאמר °נחשתי שם כו יב / שם ל כז
ויברכני ה׳ בגללך, ירד יוסף אצל פוטיפר ברכה באת לרגליו שנאמר °ויברך שם לט ה
ה׳ את בית המצרי בגלל יוסף, ירד יעקב אצל פרעה ברכה באת לרגליו שנאמר
°ויברך יעקב את פרעה, במה ברכו שנמנעו ממנו שני רעב שנאמר °ועתה אל שם מז י / שם ב כא

1 ערביים, ב״מ פ״ו ע״ב, ב״ר מ״ח ט׳ (ע׳ 486): 7 לכך, כלומ׳ לשבח א״י: 8 באילנות, ב״ר מ׳ ז׳ (ע׳ 394), רש״י בראשית י״ג י׳, תרגום יונתן שם: 12 ולא עכשיו וכו׳, בהשמטות והוספות למ״ת סוף ואתחנן (עמו׳ 260): 13 בכל מקום שהצדיקים, ילקוט ש״ב, קמ״ג, ב״ר ע״ג ח׳ (ע׳ 852), שם פ״ו ו׳ (ע׳ 1058), אגדת בראשית פ׳ מ״ב (ע׳ 85), ברכות מ״ב ע״א „רתכף לתלמיד חכם ברכה״. תוספתא סוטה פ״י ה״א (ע׳ 313) „בזמן שהצדיק בא לעולם טובה באה לעולם״ ועיין סנהדרין קי״ג ע״ב ול״ט ע״ב. והשוה הערת מורי ר׳ לוי גינזבורג בספרו אגדות היהודים ח״ה ע׳ 300. — יצחק ירד לגרר, תוספתא וב״ר שם: 14 ירד יעקב וכו׳, תוספתא שם ה״ז, ב״ר שם, אדר״נ נו״ב פרק י״א (י״ד ע״א) ואגדת בראשית שם: 15 ירד יוסף וכו׳, תוספתא, וב״ר, ואגדת בראשית, ואדר״נ שם: 17 ויברך וכו׳ עד נסתלקו מן העולם נסתלקה ברכה מן העולם, רמב״ן בראשית מ״ז י״ח. — במה ברכו, תוספתא שם ה״ט, בראשית רבה פ׳ פ״ד סי׳ ו׳ (ע׳ 1008) פ׳ פ״ט סי׳ ט׳ (ע׳ 1098) תנחומא ב׳ נשא כ״ו (כ׳ ע״א), תנחומא נשא כ״ו, במדבר רבה י״ב ב׳, אגדת בראשית פ׳ מ״ב (ע׳ 85) מובא שברכו שיעלה נילוס לרגליו. — שנ׳

1 מלאכי] למלאכי מא | שרת רה, השרת אמלד | שהם ערביים] ערביים הם מא | עע״ז] ועובדי ע״ז א — 2 והנה שלשה אנשים מהלא, והנה גמלים באים ר, ל׳ ד | והלא דברים ק״ו—עע״ז גמליאל ברבי לא ישמשנו] ל׳ ל | ומה מהא, ומה אם ר, ל׳ ד — 3 מלאכי—שהם] ל׳ ה | מלאכי שרת ר, מלאכי השרת מא, למלאכי השרת ד | שהם] ל׳ א | גמליאל ברבי רא, וגמליאל מ, רבן גמליאל ברבי [ביר׳ ה] דה — 4 צדוק] יצחק ד | הנחתם כבוד מקום] כבוד מקום הנחתם ל | מקום רמא, המקום דהל | אם ר מלא, מה אם ה, ל׳ ד — 5 ענגים רמהא [ספר מוסר], נשיאים ועננים דל | גשמים] הגשם ל — 6 לכל] לפני כל ל | גמליאל—ישמשנו] ואנו לא יהא משמשינו ל | ברבי] ביר׳ ה — 7 בא הכתוב או ה, בא או א, בא הכתוב לומר לא כארץ מצרים היא מ, בא אומר ט, הוא אומר רטד | שארץ מצרים] שמצרים מ, שאמ׳ מצרים א | מצרים] יש׳ ר | פסולת] פסול ט | כל] מכל ל | הקישה הלא, היקשה ר, והיקישה מ, הקישו ט — 8 הכתוב] ל׳ ט | באילנות—בזרעים רמהא, לאילנות—לזרעים ד, לאילנות לזריעה טל — 9 אלא למגונה טה [א״א], אלא למגונה ולמשובח מאד, לגאונה ולמשובח ר, ומגונה ולמשובחת ל | שבה] ארץ ישראל ל — 10 מקום שישבתם בו] ל׳ א | שישבתם] שישיבתכם ט | בו] בה מט | שנאמר] וכתיב ט | הארץ רטדל, הארץ בארץ רעמסס ה, הארץ מקום אשר ישבתם בה מא | או] ל׳ ר | אינו] אינה א — 11 גנותה טדלפ, גנאתה רה, גנותה ולמשובח שבה מא | מתברכת בשבילכם] בשבילכם מתברכת ד — 12 ברכה] ברכות ל | שהייתם] ל׳ ט² | אתם רהה, ל׳ אמטל | וכן] מ״ט וכן א — 13 שהצדיקים טדהמלא, שצדיקים ר | ברכה באת הט, ברכה באה רמא, באה ברכה ד, ברכות באות ל | יצחק ירד—בגלל יוסף] ל׳ ה | ברכה באת לרגליו ר, ברכה באת לרגלו מ, באת ברכה לרגליו טל, באה ברכה לגרר ד, ירדה ברכה ט³ | יצחק ירד] ירד יצחק טל | באת] ירדה ד — 14 שנאמר רטדל, שנאמר ויברך ה׳ אותך לרגלי (בראשית ל׳ ל׳) ואומר אמ — 15 פוטיפר] פוטיפרע ד | ברכה באת לרגליו ר ד, באת ברכה לרגלו אמט, באת ברכה לרגליו ל — 16 ירד] הרי כשירד יעקב למצרים] ה | ברכה באת רט, ירדה ברכה ד, באת ברכה מלאה | לרגליו רל, לרגלו מדטאה — 17 שנמנעו רמהטא, שנמנע ד [רמב״ן], שמנע ל | ממנו] ל׳ א | רעב ר,

תיראו אנכי אכלכל אתכם, מה כלכול האמור להלן בשני רעבון הכתוב מדבר אף
כלכול האמור כאן בשני רעבון הכתוב מדבר. רבי שמעון בן יוחי אומר, אין זה קדוש
השם, שדברי צדיקים קיימים בחייהם ובטלים לאחר מיתתם. אמר רבי אלעזר ברבי שמעון
רואה אני את דברי רבי יוסי מדברי אבה, שזה הוא קדוש השם, שכל זמן שהצדיקים
בעולם ברכה בעולם, נסתלקו צדיקים מן העולם נסתלקה ברכה מן העולם. וכן אתה מוצא
בארון האלהים שירד לבית עובד אדום הגתי ונתברך בשבילו שנאמר ⁰ויגד למלך דוד ש״ב ו יב
לאמר ברך ה׳ את בית עובד אדום ואת כל אשר לו בעבור ארון האלהים,
והלא דברים קל וחומר, ומה ארון שלא נעשה לא לשכר ולא להפסד אלא לשברי
לוחות שבו, נתברך בשבילו, קל וחומר לצדיקים שבעבורם נברא העולם. אבותינו
באו לארץ באת ברכה לרגלם, שנאמר ⁰ובתים מלאים כל טוב אשר לא דברים ו יא
מלאת ובורות חצובים אשר לא חצבת. רבי שמעון בן יוחי אומר, והלא
בידוע שלא מלאתה, שעכשו באת לארץ, ובורות הצובים אשר לא חצבת, והלא
בידוע שלא חצבת, שעכשו באת לארץ, ⁰כרמים וזיתים אשר לא נטעת, והלא שם
בידוע שלא נטעת, שעכשו באת לארץ, מה הלמוד לומר מלאת, חצבת, נטעת,
זכיתך היא שגרמה. וכן אתה מוצא שכל ארבעים שנה שהיו ישראל במדבר, היו אנשי
הארץ בונים בתים וחופרים בורות שיחים ומערות נוטעים שדות וכרמים וכל עץ מאכל,

רעבון הטל, הרעב ואע״פ כן נשלמו אחר מיתתו מ, רעב אעפ״כ שלמו אחרי מיתתו א, הרעב אעפ״כ שלמו אחר מיתתו [רמב״ן] — 1 מה רמהא [רמב״ן], ואומר וכלכלתי אותך שם מה טד, וכלכלתי אותך שם ל | בשני רעבון הכתוב מדבר] שני רעבון ל | אף כלכול—הכתוב מדבר] ל׳ ד — 2 בשני] שני ל | ר׳ שמעון בן יוחי—כדרך שהייתם אתם שם] ל׳ ה | ר׳ שמעון בן יוחי אומר] אמר רשב״י טל — 3 בחייהם] בחייהון ר | מיתתם] מיתה ל — 4 את] ל׳ ר | שזה הוא מטלא, שזה רד [רמב״ן] | שכל] כל ל | שהצדיקים] שצדיקים רא — 5 נסתלקו צדיקים מן העולם] אין הצדיקים בעולם ל | צדיקים] הצדיקים א | וכן אתה מוצא —שבעבורם נברא העולם, מובא בה״ג ע׳ 260 | וכן] ג׳ וכן א — 6 הגתי] ל׳ ל | ויגד—ארון האלהים] ויברך ה׳ את בית עובד אדום ואת כל ביתו (ש״ב ו׳ י״א) — 7 האלהים] ה׳ ר — 8 והלא] והרי ל — 9 לוחות שבו] הלוחות ל | לצדיקים] הצדיקים ל — 10 באת ברכה לרגלם] ברכה באה לנגדן ר — 11 ר׳ שמעון בן יוחי—וימצאו אותה מלאה ברכה, חסר בה׳ כאן ומובא שם בהשמטות ומלואים סוף ואתחנן ע׳ 259 וציינתי השנוים פה | והלא [הלא מ] בידוע שלא מלאתה שעכשו באת לארץ רמאה״, הרי הוא אומר אשר לא מלאת עכשיו באת לארץ ל, והרי ד | והלא —שלא חצבת] ל׳ ל — 12 בידוע] בור ד — 13 שלא חצבת שעכשו באת לארץ] בורות אשר לא חצבת [א״א], אשר לא חצבת ד | והלא בידוע שלא נטעת רמאה״, ל׳ ד ל — 14 מלאת חצבת נטעת] אשר לא נטעת אלא ל — 15 זכותך היא שגרמה] שזכותך היא גרמה ה״ | וכן] ב״א וכן א | ארבעים] ל׳ ר | אנשי הארץ אמה״, אנשי א״י ר דט, הכנענים ל — 16 וחופרים בורות שיחים ומערות] ל׳ ל | בה ות רדטה״, בורין מ, ל׳ א | שיחים ומערות] ל׳ ה״ | שיחים מא, ושיחין רדט | נוטעים] וזורעין ל, ונוטעין ה״ | שדות וכרמים] כרמים ושדות ה״ —

ועתה אל תיראו, המאמר מובא רק ברמז קל כדרך הספרי בחלק האגדי השוה למעלה פי׳ כ״ו (ע׳ 37) משל האשה שאכלה פגי שביעית ובתוספתא מובא בשלמותו „עד שלא ירד יעקב למצרים היה רעב במצרים משירד מהו אומר הא לכם זרע וזרעתם ר׳ יוסי אומר כיון שמת יעקב חזר לירשנו שנ׳ ועתה אל תיראו אנכי אכלכל אתכם ולהלן הוא אומר וכלכלתי אותך שם״, הנה שסתם הספרי כאן הוא כר׳ יוסי: מתוך כך מובן לקמן מה שאמר ר׳ אלעזר ב״ר שמעון „רואה אני את דברי ר׳ יוסי מדברי אבה״: 5 וכן אתה מוצא וכו׳, ברכות מ״ב ע״א, ס״ג ע״ב, שהש״ר פ׳ סמכוני באשישות, במדבר רבה פ״ד סי׳ כ׳, ירושלמי יבמות פ״ד הי״ב (ו׳ ע״ב), השמטות והוספות למ״ת סוף ואתחנן ע׳ 260, אדר״נ שם: 8 ומה ארון וכו׳, ילקוט שמואל קמ״ג עיי״ש, אדר״נ שם. — אלא לשברי לוחות, זהו לפי דעת ר׳ יהודה בן לקיש ששני ארונות היו, תוכפתא סוטה פ״ז הי״ח (ע׳ 308), ירו׳ שקלים פ״ו ה״א מ״ט ע״ג, ושם סוטה פ״ח ה״ג כ״ב ע״ב, ברייתא דמלאכת המשכן פ״ו, ספרי זוטא בהעלותך י׳ ל״ג ע׳ 266. ובניגוד לזה ברכות ח׳ ע״ב. ב״ב י״ד ע״ב, מנחות צ״ט ע״ב „לוחות ושברי לוחות מונחים בארון״. וכן דרש ר׳ יוסי לפני אנשי אושא שהארון עם לוחות השלמים ירד לבית עובד אדום (שהש״ר פ״ב פ׳ סמכוני באשישות), וכן בברכות ס״ג ע״ב בשם ר׳ אליעזר בנו של ריה״ג והשוה הערות רמא״ש כאן, והמנוח ר׳ חיים שאול הארוויטץ בספרי במדבר פי׳ פ״ב ע׳ 78: 9 קל וחומר לצדיקים וכו׳, לקמן פי׳ מ״ז, שבת ל׳ ע״ב, ויק״ר פ׳ ל״ו סי׳ ד׳, רש״י ברא׳ א׳ א׳ לפי גרסת מהר״ל בגור אריה, אבל בזכור לאברהם גורס, „ובשביל ישראל שנקראו ראשית״: 11 רשב״י וכו׳ עד וימצאו אותה מלאה ברכה, השמטות והוספות למ״ת סוף ואתחנן עמ׳ 259: 15 שכל ארבעים שנה, השוה מכילתא פתיחתא דויהי בשלח

כדי שיבואו אבותינו לארץ וימצאו אותה מלאה ברכה. או לפי שברכה זו עליהם יכול יהו אוכלים ושבעים תלמוד לומר ואכלת ושבעת (שם), אתה אוכל ושובע והם מונעים מנשיהם מבניהם ומבנותיהם, כדי שיבואו אבותינו לארץ וימצאו אותה מלאה ברכה, זו היא שאמרנו אשר יצאתם משם, כשהייתם שם היתה מתברכת בשבילכם ולא עכשיו שאין ברכה עליה כדרך שהייתם אתם שם. אתה אומר לכך בא הכתוב או להקיש ביאתה של זו לביאתה של זו, ארץ מצרים הייתם עליה מניין שנים שמטים ויובלות, יכול אף בארץ כנען כן תלמוד לומר לרשתה, לרשתה אתם באים לא להיות עליה מניין שנים שמטים ויובלות, אלא הפרש בין ביאתה של זו לביאתה של זו, ביאת ארץ מצרים רשות ביאת ארץ ישראל חובה. ארץ מצרים בין שעושים רצונו של מקום ובין שאין עושים רצונו של מקום הרי לכם ארץ מצרים, ארץ ישראל אינו כן, אם אתם עושים רצונו של מקום הרי לכם ארץ כנען ואם לאו הרי אתם גולים מעליה וכן הוא אומר ולא תקיא הארץ אתכם בטמאכם אותה (ויקרא יח כח) סליק פיסקא לט.

(יא) והארץ אשר אתם עוברים שמה לרשתה ארץ הרים ובקעות, בשבח ארץ ישראל הכתוב מדבר, אתה אומר כן או בגנות ארץ ישראל הכתוב מדבר שמזכיר בה הרים תלמוד לומר ובקעות, מה בקעות לשבח אף הרים לשבח ועוד שניתן טעם בהר טעם בבקעה, שפירות ההר קלים ופירות הבקעה שמנים. רבי שמעון בן יוחי אומר, כשהיא בקעה עושה בית כור, כשהוא הר הרי הוא עושה

(כ״ג ע״ב ה–ר ע׳ 76) מכילתא דרשב״י י״ג י״ז (ע׳ 38), שמות רבה פ״כ סי׳ ט״ו בשם ר׳ יוחנן, תנחומא א׳ ראה סי׳ ז׳, קהלת רבה ג׳ י״ד: **1** יכול יהו אוכלים ושבעים, כלומר כל ארבעים שנה שהיו ישראל במדבר היו אנשי ארץ כנען אוכלין ושבעין מהנהו שדות וכרמים דהוו נוטעין ת״ל וכו׳, מפי׳ ר״ה: **4** כשהייתם וכו׳, פ״ז: **5** שאין ברכה עליה, סוטה פ״ט מי״ב „מיום שחרב בית המקדש נוטל טעם הפירות״, תנחומא א׳ פ׳ תצוה סוף סי׳ י״ג, תנחומא ב׳ שם סי׳ י׳ (נ״א ע״ב), ועיין עוד ירו׳ פאה פ״ז ה״ג (כ׳ ע״א), סוטה פ״א ה״ח י״ז ע״ב, ופ״ט הי״ד כ״ד ע״ב, פסיקתא דר״כ דברי ירמיהו קי״ד ע״א, וב״ב כ״ה ע״ב, פדר״א סוף כ׳ ל״ד. – או להקיש, כן היא הגרסה בכ״י ל ובילקוט, וכן הגיה ר׳ דוד הופמאן במ״ת, עיי״ש: **6** מניין שנים וכו׳, כלומר זמן קצוב של ר״י שנה שהם כך וכך יובלות כך וכך שמיטים וכך וכך שנים ובכל המקורות חוץ מכ״י ר נשתבש המאמר ורובם גורסים הייתם עליה מונים שמיטים וכו׳ ונלאו המבארים לפרשה· ר״ה וראב״ד מפרשים הייתם מונים שנים וכו׳ עד הקץ ור׳ דוד הופמאן הגיה במ״ת ע״פ ד „ארץ מצרים לא הייתם עליה מונים שנים שמיטים ויובלות״ ופירש שבארץ מצרים לא קיימתם מצות שמיטה ויובל ובא״י תקיימו אותה וזכר מצוות אלו לדוגמא לכל המצוות התלויות בארץ״ ולפי נוסח כ״י ר אין צורך לכל הדחוקים האלה:
17 רשב״י וכו׳, בפירוש המיוחס לרש״י ב״ר פ׳ כ״ג:

1 אבותינו] ישראל ל | וימצאו] ומצאו ר | מלאה] מלוייה ר | ברכה] ברכות ה׳ | או לפי–עד סוף הפסקא] ל׳ מ — **2** יהו אה׳, היו רדטל | והם] הם ר — **3** מנשיהם–ומבנותיהם ר, את עצמם ונשיהן ובניהן ובנותיהן ט, מעצמם מבניהם ומנשיהם ומבנותיהם ד, מעצמן ומנשיהן ומבנותיהן ל, מבניהם מבנותיהם א, מעשיהן בניהן ובנותיהן ה׳ | אבותינו] ל׳ ל | מלאה] מלוייה ר | זו היא] וזוהי ל — **4** ולא] ל׳ א — **5** עכשיו] כעכשיו ד | ברכה–אתם שם] אתם עליה לט | אתם שם] ל׳ א | שם] ל׳ ר | אתה] נ״ב אתה א | או טל, ל׳ רדאה — **6** ביאתה ארדה, יציאתה לט | לביאתה דלטהא, בביאתה ר, לביאה ד | ארץ מצרים] ל׳ א | ארץ] מה ארץ ד | הייתם–שנים ר, הייתם עליה מונין ה, לא הייתם עליה טלד, הייתם מונים עליה א | שנים רהא, ל׳ דלט — **7** בארץ אה, ביאת ארץ רדט ל | לרשתה אתם רהא, לרשת אתם ל, לרשת אותה ד, לרשת אותם ט | לא–שנים ר, ולהיות מונים ט, לא להיות מונין עליה הא, ולהיות מונים עליה דל — **8** שנים] ל׳ לד | הפרש אל, הפריש דרטה — **9** שעושים רהא, עושים טדל — **10** ובין רהא, בין לדט | רצונו של מקום] ל׳ ה | אינו] אינה לט — **11** אתם] ל׳ א | ואם] אם ל | הרי] הא א | הרי אתם] אתם אלט — **12** סליק פיסקא ד, פ׳ ר, ל׳ א —

13 שמה] בה ד — **14** ובקעות] וגבעו׳ ד | בשבח–אתה אומר כן מא, ל׳ רדלטה | או] ל׳ ל | בגנות] בגנותה של טל — **15** הכתוב רהמלא, הוא ד, ל׳ ט | בה] לה ל — **16** שנותן] שנותנה טל | טעם בהר טעם בבקעה רטל, טעם בהר וטעם בבקעה ה, טעם–ונותן טעם בבקעה מ, טעם–נותן טעם בבקעה א, טעם בהר כטעם בבקעה פ, טעם בבקעה ד, טעם בהר כנותן טעם בבקעה ז | שפירות ההר רטלד, פירות של הרים מא, פירות הר ה | קלים] הם קלים ד | ופירות הבקעה רלד, ושל בקעה מה, של בקעה א, ופירות בקעה ט׳, ופירות בבקעה ט׳ — **17** כשהיא] כשהוא אומר ל | עושה ר, הוא עושה מא,

בית כור מן הצפון בית כור מן הדרום בית כור מן המזרח בית כור מן המערב בית (יחזקאל ה ה) כור מלמעלה ונמצא חמשה מכופלות שנאמר °כה אמר ה' אלהים זאת ירושלם בתוך הגוים שמתיה וסביבותיה ארצות, ובמקום אחר קורא אותה ארץ, כיצד יתקיימו שני כתובים הללו, ארץ שיש בה מיני ארצות הרבה, בית האדמה, בית החולות, בית העפר. דבר אחר ארץ הרים ובקעות, מגיד שלא שוו טעם פירות הר לטעם פירות בקעה ולא טעם פירות בקעה לטעם פירות הר, אין לי אלא שלא שוו טעם פירות הר לטעם פירות בקעה ולא טעם פירות בקעה לטעם פירות הר, מנין שלא שוו טעם פירות הר זה לטעם פירות הר אחר ולא טעם פירות בקעה זו לטעם פירות בקעה אחרת תלמוד לומר ארץ הרים ובקעות, הרים, הרים הרבה, בקעות, בקעות הרבה. רבי שמעון בן יוחי אומר, שתים עשר ארצות נתנו כנגד שנים עשר שבטי ישראל ולא שוו טעם פירות שבטו של זה לטעם פירות שבטו של זה ולא טעם פירות שבטו של זה לטעם פירות שבטו של זה ואלו הם כי הארץ אשר אתה בא שמה לרשתה, והארץ אשר אתם עברים שמה לרשתה, ארץ (דברים ח ז) הרים ובקעות, ארץ אשר ה' אלהיך דורש אותה, °כי ה' אלהיך מביאך (שם; שם ח ח) אל ארץ טובה, °ארץ נחלי מים, °ארץ חטה ושעורה, °ארץ זית שמן (שם; שם ח ט) ודבש, °ארץ אשר לא במסכנות, °ארץ אשר אבניה ברזל, °על הארץ (שם; שם ח י) הטובה אשר נתן לך, ארץ זבת חלב ודבש, הרי שתים עשר ארצות נתנו כנגד שנים עשר שבטי ישראל ולא שוו טעם פירות שבטו של זה לטעם פירות שבטו של

הרי היא עושה הלד, הרי עושה ט | כשהוא אלטד, כשהיא ה, כשהי ר, כשהוא אומ' ל | הר רטדל, בהר מהא | הרי היא עושה הטדלמא, עושה ר — 1 בית כור מן הצפון אמ ה, בית כור מן המזרח טל, בית כור בצפון ד, ל' ר | בית כור מן הדרום—מןהמזרח—מן המערב ר, ובית כור מן הדרום ובית —המזרח ובית מן המערב מה, בית כור בדרום—במזרח— במערב ד, בית כור מן המערב בית כור מן הדרום בית כור מן הצפון טל, בית כור מדרום—ממזרח—ממערב א | בית] ובית טה — 2 מלמעלה] מלמעלה בית כור מלמטה ד | ונמצא אמה, נמצא רדט, נמצאת לפ | מכופלות רדט, מוכפלות ה, מוכפלת פ, מקופלות ל, מכפלות א | ה] ה' א' ר [ובמסורה: אדוני ה'] — 3 ובמקום—ד"א] ל' מ | ובמקום] במקום א — 4 כתובים] כתבים ר | הללו הי̇זלט, ל' ארדה | האדמה ראהז. ארצות ד, הארץ טל — 5 החולות הטדלא, החלית ר, חולשתה פ | העפר] עפר א | ד"א] נ"ד ד"א א | מגיד] מלמד מ — 6 הר—בקעה] ההר—הבקעה מ וכן בסמוך | לטעם פירות בקעה ולא טעם פירות בקעה] וטעם בקעה ט¹, ל' ט² | אין לי—בקעה לטעם פירות הר] ל' ה, אין לי אלא שלא שוו טעם הר בקעה ל | אין לי] ל' א — 7 טעם פירות—לטעם פירות הר אחר] אלו לאלו א | מנין רמלא, ומנין הדט — 8 טעם פירות הר זה—בקעה אחרת] טעם הר והר טעם בקעה ובקעה טל | הר זה מהא, הר ד, בקעה ר | הר אחר ה, הר זה מא, בקעה ד, הר ר [א"א] | ולא טעם מהא, ולטעם ר, וטעם ד | בקעה זו מהא, בקעה ד, הר ר — 9 בקעה אחרת ה, בקעה זו מא, בקעה ר [א"א], הר ד | ת"ל] שנאמר מא | הרים הרים הרבה בקעות בקעות הרבה] הרים הרבה בקעות הרבה א — 10 נתנו] ל' מ — 11 שבטי ישראל] שבטים טל | טעם] לטעם ר | פירות שבטו של רדה, פירות ארצו של ד, פירות שבט אמט, ל' ל וכן בסמוך | לטעם] כטעם ד | ולא טעם—לטעם פירות שבטו של זה ר, ולא טעם פירות של זה לטעם פירות של זה ד, ל' מהט לא — 12 ואלו הם רהטלד, הרי הוא אומר אמ | כי הארץ אשר אתה בא—והארץ אשר אתם עוברים שמה לרשתה מא [א"א], כי הארץ אשר אתה עובר—והארץ—לרשתה הטר, כי הארץ אשר אתה עובר שמה לרשתה ל, כי הארץ אשר אתם עוברים שמה לרשתה ד — 13 ארץ הרים ובקעות] ל' מ — 15 ארץ נחלי מים הטדל, ל' רמא — 16 ארץ אשר לא—חלב ודבש] ארץ נחלי מים מ | ברזל] ברזל ארץ נ[חלי מ]ים ר — 17 ארץ זבת חלב ודבש אהד, ל' רטל, <ארץ נחלי מים> א | הרי] אלו מא | ארצות] ל' ר | נתנו] ל' טל — 18 שבטי ישראל רמהטא, שבטים לד | טעם] ל' ה [ונמצא בה?] | שבטו של] שבט

2 ונמצא וכו', רש"י: 3 ובמקום אחר וכו', הפסוק וסביבותיה ארצות נדרש כאן מפנים ומאחור· למעלה ראיה „לחמש מכופלות" ובסמוך כחומר לדרש חדש להקשות קרא על קרא, נאמר וסביבותיה ארצות, נקראת ארץ ישראל בלשון רבים, ובהרבה מקומות נקראת ארץ בלשון יחיד: 4 בית האדמה, ע' קרוסס Archäologie ח"ב ע' 539, הערה 73· — בית החולות, ר"ה גורס בירת חולשתה ומפרש „היינו קרקע שעפר וחול שמוציאים ממנו זכוכית": 5 בית העפר, היינו דליכא התם סלעים וטרשים אלא עפר דהוי כולה כדתנן בב"ב (ז' א') האומר לחבירו בית כור עפר אני מוכר לך היו שם בקעות עמוקים עשרה טפחים או סלעים גבוהים עשרה אין נמדדין עמה, מפי' ר"הי — מגיד וכו', פ"ז: 12 ואלו הם, י"ב

זה ולא טעם פירות שבטו של זה לטעם פירות שבטו של זה, תלמוד לומר ארץ
הרים ובקעות, הרים, הרים הרבה, בקעות, בקעות הרבה. רבי יוסי בן המשולם
אומר, מנין אתה אומר, שכשם שנותן מטעמים בארץ כך נותן מטעמים בים תלמוד
לומר °ולמקוה המים קרא ימים, והלא ים אחד הוא שנאמר °יקוו המים בראשית א ט / שם א י
מתחת השמים אל מקום אחד, מה תלמוד לומר ולמקוה המים קרא
ימים, מגיד שלא שוה טעם דג העולה מעכו לטעם דג העולה מצידון ולא העולה
מצידון לעולה מפמיים.

לפי שעפרו של הר קל ושל בקעה שמן יכול יהיו מים גורשים את העפר למקום
בקעה ותהא בקעה מחוסרת מים תלמוד לומר ארץ הרים ובקעות, הר לפי מה
שהוא ובקעה לפי מה שהיא, וכן הוא אומר °שאלו מה׳ מטר בעת מלקוש, או זכריה י א
לפי שארץ ישראל מכופלת בהרים יהא גלוי שותה, שאין גלוי אין שותה תלמוד לומר
למטר השמים תשתה מים, גלוי ושאין גלוי שותה, וכן הוא אומר °אף ברי איוב לז יא
יטריח עב יפיץ ענן אורו, ואומר °והוא מסבות מתהפך, שיהו עננים מקיפות שם לז יב
אותה ומשקות אותה מכל רוח, או לפי ששותה מי גשמים אבל אינו שותה מי שלוחים,
תלמוד לומר למטר השמים תשתה מים, כשהוא אומר מים אף מי שלוחים
שותה וכן הוא אומר °כי ה׳ אלהיך מביאך אל ארץ טובה ארץ נחלי מים, דברים ח ז
או לפי ששותה מי שלוחים אבל אינה שותה מי שלגים תלמוד לומר למטר השמים
תשתה מים, כשהוא אומר מים אף מי שלגים שותה וכן הוא אומר °כי כאשר ישעיה נה י

פעמים נזכרה ארץ בפרשה זו: **4 והלא ים אחד הוא**, ב״ר ח׳ ה׳ (עמו׳ 38) והשוה מקואות פ״ה מ״ד, ופרה פ״ח מ״ח „לא נאמר ימים אלא שיש בו מיני ימים הרבה״ והשוה הערת מורי ר׳ לוי גינזבורג בספרו אגדות היהודים ח״ה ע׳ 27: **7 מפמייס**, Πανέας הסמוכה על הירדן, השוה קרוסס במלונו ה״א ע׳ 91, ע׳ אכספמיא׳ ועיי׳ במנחת יהודה ב״ר שם, ובמ״ע על מכילתא בחודש פ״ה ס״ו ע״ב הערה י״ב ובזה נתרץ קושית רד״ף וז״א „מה ענין אספמיא שהיא ספרד לעכו שהיא בא״י? **8 גורשים** וכו׳, מלשון ויגרשו מימיו רפש וטיט (ישעיה נ״ז כ) ופירושו המים בירדם דרך מדרון יתערבו בעפר הקל של ההר ותהפך הבקעה לאגמי בצה ותחסר ברכת המים למקום, כן הגיהו המבארים ובתוכם הגר״א, ור׳ דוד הופמאן במ״ת: **10 מלקוש**, דורש סוף הפסוק ומטר גשם יתן להם לאיש עשב בשדה, בבלי תענית ט׳ ע״ב, וירו׳ פ״ג ה״ב ס״ו ע״ג: **13 עננים מקיפות** וכו׳, רש״י שם בשם אגדת עקב: **14 מי שלוחים**, המים הנגררים ביאורים מן הנהר וכן פי׳ ר״ה „הם מי מערות שנשלחים לחוץ ומשקים את השדות כדגרסינן התם (ב״ב צ״ט ע״ב) פרק המוכר פירות בהלכתא דמי שיש לו גינה וכו׳, אמר שמואל אמה ב׳ית השלחין אני מוכר נותן לה שתי אמות לתוכה אמה מכאן ואמה מכאן לאגפיה״: **17 מי שלגים**, שהם מעולים על מי גשמים, השוה תענית ג׳ ע״ב: **18 כשהוא אומר**,

אל ב״פ | — 1 ולא טעם—לטעם פירות שבטו של זה] ל׳ לא <ומנין לכל שבט ושבט> ה — 2 הרים הרים הרבה—הרבה] הרים הרבה בקעות הרבה ל | רבי] נ״ה ר׳ א | בן המשולם אמהטל, בן משולם ר, המשולם ד — 3 שכשם דמ טלא, כשם רה | שנותן רדא, שהיו ה, שניתנו טל | בארץ] לארץ ר | נותן מטעמים] ניתן ה, ניתנו טל — 4 והלא—קרא ימים] ל׳ ט | והלא רמהא, והרי לד | הוא שנאמר] ל׳ ל — 6 מגיד מטדלא, מקיש רה | שוה] שוו ד | דג העולה] דג השולה ה, שכולה ה | לטעם דג העולה טדל, לעולה ר, לטעם העולה מ, לטעם דג השולה ה, לדג א | מצידון] מצור ד | ולא העולה מצידון לעולה מפמייס ט, ולא—מאספמיא ד, לעולה מאספמיא ר, ולעולה מאספמיא ה, ולא לעולה מאספמיא מ, ולא העולה מצור לטעם מפמייס ל, ולא לדג העולה מאספמיא א — 8 לפי אמה, או לפי רטדל | יכול יהיו—מחוסרת מים] ל׳ ל | גורשים רמדט, גודשים אה — 9 הר] הרים ט | מה שהוא מה לא, משהו רד, מה שהן ט — 10 ובקעה רמה, בקעה ד, ובקעות טלא | מה שהיא מה, משה׳ ר, משהו ד, מה שהן טא, מה שהוא ל | וכן אמהלט, כן רד — 11 מכופלת] מקופלת ל, מוכפלת ה[1] | שאין גלוי אין שותה] ל׳ ל | שאין—אין רלד, ושאין—אינו ה, ושאינו—אינו מטא — 12 ושאין] ואינו ל, ושאינו ה | וכן] כן ר — 13 יטריח] יסריח א | ואומר אמה, וגו׳ רסל, ל׳ ד | שיהו עננים ר, שיהיו עננים מ, שהיו עננים הר, שעננים ט[1], שהעננים טל, שיהוא — 14 מכל] לכל מ | או] נ״ו או א | שלוחים רה, שלחום מדא, נחלים ט, שילות ל, נחלים [א״א, וכן בסמוך] — 15 ת״ל למטר השמים—אף מי שלוחים שותה מהא, ל׳ רטדל | שלוחים] <ושלגים> ה[1] — 16 וה״א אמהל, ובזה הוא אומר ר, ת״ל טד — 17 שלוחים ר, שלחים מהאר, שילות ל, נחלים ט | אבל אינו שותה מי שלגים] אבל אינו שותה מי נחלים ת״ל ארץ נחלי מים וגו׳ או לפי ששותה מי נחלים אבל אינו שותה מי שלגים ל | למטר—וכן הוא אומר כי] ל׳ ט — 18 כשהוא אומר מים

(איוב לז ו) ירד הגשם והשלג מן השמים, ואומר °כי לשלג יאמר הוי ארץ, או לפי ששותה מי שלגים אבל אינה שותה מי טללים תלמוד לומר למטר השמים תשתה מים, כשהוא אומר מים, אף מי טללים שותה, דבר אחר, מה גשמים לברכה אף (בראשי׳ כז כח; דברים לב ב) טללים לברכה וכן הוא אומר °ויתן לך האלהים מטל השמים, ואומר °יערוף (הושע יד ו; מיכה ה ו) כמטר לקחי, ואומר °אהיה כטל לישראל, ואומר °והיה שארית יעקב כטל מאת ה׳ סליק פיסקא

מ.

(יב) ארץ אשר ה׳ אלהיך דורש אותה. וכי אותה בלבד הוא דורש והלא (איוב לח כו; שם לח כז) כל הארצות הוא דורש שנאמר °להמטיר על ארץ לא איש, °להשביע שואה ומשואה, ומה תלמוד לומר ארץ אשר ה׳ אלהיך דורש אותה, כביכול אין דורש אלא אותה ובשביל דרישה שדורשה, דורש כל הארצות עמה. כיוצא בו אתה (תהל׳ קכא ד) אומר °הנה לא ינום ולא ישן שומר ישראל, וכי ישראל בלבד הוא שומר והלא (איוב יב י) הוא שומר את הכל שנאמר °אשר בידו נפש כל חי ורוח כל בשר איש, ומה תלמוד לומר שומר ישראל, כביכול שאינו שומר אלא ישראל ובשביל שמירה (מ״א ט ג) ששומרם, שומר את הכל עמהם. כיוצא בו אתה אומר °והיו עיני ולבי שם (זכריה ד י) כל הימים, והלא כבר נאמר °עיני ה׳ המה משוטטים בכל הארץ, ואומר (משלי טו ג) °בכל מקום עיני ה׳ צופות רעים וטובים, ומה תלמוד לומר והיו עיני (תהלים כט ח) ולבי שם כל הימים, כביכול אין עיני ולבי אלא שם. כיוצא בו אתה אומר °קול ה׳ יחיל מדבר, יחיל ה׳ מדבר קדש, מה תלמוד לומר, זה ביותר.

אף מי שלגים] ל׳ ל | כשהוא אומר—שלגים] ל׳ ל | שותה אמה, ל׳ רדל | וכן הוא אומר] כשאו׳ ר — 1 הוי רדמט, הוה אהל, הוא [מסורה] — 2 אינה טדל, אין רמהא — 3 כשהוא אומר מים] ל׳ ד | שותה אמהטל, תשתה רד | ד״א] <למטר השמים תשתה מים> | גשמים רמהא, הגשמים לט, מי גשמים ד — 4 טללים] הטללים ט | וכן הוא אומר] כשהו׳ אומ׳ ר — 5 ואומר והיה] והיה ר — 6 כטל—ה׳ ה, ל׳ רמא, בגוים בקרב עמים רבים כטל מאת ה׳ ד, [ובמסורה, בקרב עמים רבים כטל מאת ה׳] | סליק פיסקא ד, סליק פסוק ל, ס׳ פ׳ ר, ל׳ א —

7 וכי] רבי אומר וכי ד | והלא—הוא דורש] ל׳ לה [ונמצא בה״] — 8 הארצות רדט, הארץ אמ | להשביע—ומשואה רמא, ואומר להשביע—ומשואה הטל, ל׳ ד — 9 ומה דאמה, מה רטל | כביכול מדלאטכ, כויכול רה [וכן בסמוך] — 10 אלא] ל׳ לב | ובשביל] כנ״ל לנסח, ואלה הנסחאות שבמקורות: בשביל ר, בשכר ה, ובשכר אכטרמל | שדורשה] שהוא דורשה ד | כל] את כל ר | בו ראמדהכ, בדבר טל | אתה אומר] ל׳ מ — 11 וכי—שומר] ל׳ טי — 12 ומה] מה א — 13 כביכול—ישראל] ל׳ טל | ישראל] לישראל מא | ובשביל] כן נראה לנסח בשויון אל המאמרים למעלה, אבל הגרסות המקובלות הן, ובשכר דמאט׳, בשכר רדהטל | שמירה] ל׳ מאט׳ — 14 ששומרם מהלאט׳, שהוא שומרם רטד | את הכל] הכל ר | בו] מארה, בדבר טלד | אתה אומר] ל׳ מ | עיני] עיני המה ד — 15 והלא] וכי שם בלבד הם והלא ד | כבר] ל׳ טל | המה] ל׳ ד | משוטטים הד [מסורה], משוטט׳ ר, משוטטו׳ ט׳, משוטטות ט׳ט׳מלא | ואומר—כל הימים] ל׳ ט — 16 בכל] כל ד | ומה המלא, מה רט׳. אלא מה ד — 17 אין עיני ולבי ל, שאין עיני ולבי רט, שאינן ד, שאין עיניו ולבו מה, שאין לבו ועינו א | אלא שם] אלא שם ובשכר שהם שם הם בכל מקום ד | בו] בדבר ד | אתה אומר] ל׳ מל — 18 מה ת״ל—ביותר ר

כלומר ליכתוב השמים ולשתוק מאי מים אף מי שלגים וכן הוא אומר כי כאשר ירד הגשם והשלג מן השמים דמשמע דבמקום דאיכא גשם היינו מטר איכא נמי שלג, מפי׳ ר״ה: 3 אף מי טללים, דמרוביא דקרא דכתיב מים יתירא קאמר אף מי טללים דשותה ארץ ישראל מהם, מפי׳ ר״ה — אף טללים לברכה, משום דאיכא דלאו לברכה כדגרסינן בריש פירקין דתעניות (ג׳ ע״א) בטל וברוחות לא חייבו חכמים להזכיר ומפרש טעמא לפי שאין נעצרין ופריך התם ומאחר דלא מעצר אלידהו למה ליה לאשתבועי לגבי טל ומהדר הכי קאמר אפילו טל דברכה לא אתי מכלל דאיכא לאו דברכה, מפי׳ ר״ה: 4 יערוף וכו׳, סוף הכתוב דורש „תזל כטל אמרתי״:

7 ארץ וכו׳, ילקוט מלכים קצ״ד וקצ״ה, רש״י: 9 כביכול אין דורש וכו׳ עד שומר את הכל עמהם, מכירי תהלים קכ״א (קי״ז ע״א): 10 ובשביל דרישה וכו׳, תענית י׳ ע״א: 13 ובשביל שמירה וכו׳, כן יש להגיה אעפ״י שבכל המקורות הגרסה בשכר כי מה ענין שכר כאן: ובשביל שמירה ששומרם, כעין זה בזהר פ׳ תרומה „כמה זכאין אינון ישראל דהקב״ה אתרעי בהו וקריב לון לגביה מכל עמי׳ ובגיניהון דישראל יהיב מזונה ושבעה לכל עלמא ואלמלא ישראל לא יהיב קב״ה מזונא לעלמא״, ובירו׳ שביעית פ״ד ה״ג (ל״ה ע״ב) „מה ישראל אומרים להם ברכנו אתכם בשם ה׳ לא דייכם כל הברכות הבאות לעולם בשבילינו וכו׳״ ועיי״ש עוד סוף פ״ה (ל״ו ע״א): 18 זה ביותר, פי׳ שמדבר קדש בפרט

דורש אותה, נתנה לדרישה להפריש ממנה חלה תרומה ומעשרות או אף
שאר ארצות נתנו לדרישה תלמוד לומר אותה, אותה נתנה לדרישה ולא שאר ארצות
נתנו לדרישה.

דבר אחר דורש אותה, מגיד שנתנה בשכר דרישה שנאמר °ולמדתם דברים יא יט
אותם את בניכם לדבר בם, וגו׳ °למען ירבו ימיכם וימי בניכם, ואומר שם יא כא
°יתן להם ארצות גוים וגו׳, בעבור ישמרו חקיו וגו׳. תהלים קה מד–מה

תמיד עיני ה׳ אלהיך בה, כתוב אחד אומר תמיד עיני ה׳ אלהיך בה,
וכתוב אחד אומר °המביט לארץ ותרעד יגע בהרים ויעשנו, כיצד יתקיימו שם קד לב
שני כתובים הללו, כשישראל עושים רצונו של מקום תמיד עיני ה׳ אלהיך בה
ואינם ניזוקים, וכשאין ישראל עושים רצונו של מקום המביט לארץ ותרעד. לענין
טובה הוא אומר תמיד עיני ה׳ אלהיך בה, לענין רעה הוא אומר המביט לארץ
ותרעד, לענין טובה כיצד, היו רשעים בראש השנה ונגזרו עליהם גשמים מועטים
וחזרו בהם, להוסיף עליהם אי אפשר אלא תמיד עיני ה׳ אלהיך בה, מורידם
בזמנם ומשלח בהם את הברכה ומורידם על הארץ כשהיא צריכה להם, לענין רעה
כיצד, הרי שהיו צדיקים בראש השנה ונגזרו עליהם גשמים מרובים וחזרו בהם, לפחות
מהם אי אפשר אלא המביט לארץ ותרעד, מורידם שלא בזמנם ושולח בהם את

חל יותר מכל המדברות, מהר״ס; והשוה מדה כ״ג של ל״ב מדות דר׳ אלעזר בנו של ריה״ג, „וכי קדש בלבד יחול והלא כל המדבריות יחול אם כן למה נאמר קדש להוכיח על המדבריות האלו שחלו, ולמה פרט אותו לבדו שהוא התקיף שבהם״: 1 להפריש מסנה וכו׳, [לפיכך צריך דרישה עד היכן גבול ארץ ישראל, ז״ר׳ אבל לפי פי׳ זה קשה להבין מה שנאמר אחר כך „או אף שאר ארצות וכו׳״ ורד״ף פי׳, נתנה לדרישה בקשר עם הכתוב למטר השמים וכו׳, כלומר שהקב״ה דורש אם אתה מוציא תרומות ומעשרות כראוי ואם לא שמים נעצרים]: 4 שנתנה, [כצ״ל ופי׳ שנתנה בשכר מדרש התורה] וכן בבמדבר רבה פ׳ כ״ג סי׳ ד׳ „לפי שנחלקה הארץ לי״ב שבטים... בנעימים בזכות התורה שנ׳ כי נעים וכו׳״: 7 כתוב אחד אומר וכו׳ עד מנעו מכם את הגשמים, מבירי תהלים ק״ד (ע״ו ע״ב), פ״ז, וראשית המאמר מובא בילקוט שמעוני תהלים תתס״בי — תמיד עיני וכו׳, דמשמע דהבטה הוייא לטובה וכתוב אחד אומר המביט לארץ ותרעד דמשמע הבטה לרעה, מפי׳ ר״ה: 9 כשישראל וכו׳, ר״ה י״ז ע״ב, וירו׳ שם פ״א ה״ג נ״ז ע״ב בשם תנא רשב״י, וירו׳ ברכות פ״ט ה״ג (י״ג ע״ג): 10 לענין טובה הוא אומר תמיד וכו׳, וכן ת״י כאן ארעא דה׳ אלהך תבע יתה בממריה לאוטבותא: 13 להוסיף וכו׳, כר״מ הכובר אדם נדון על הכל בר״ה וגזר דינו נחתם ביום הכפורים ובניגוד לר׳ יהודה האומר שחתימת כל ענין וענין בזמנו, בפסח על התבואה בעצרת על פירות האילן וכו׳, ר״ה י״ב ע״א, ירו׳ שם פ״א נ״ז ע״א, ותוספתא פ״א הי״ג (ע׳ 210), וע׳ בס׳ היובלים י״ב ט״ז, בבלי ברכות י״ח ע״ב, אדר״נ פ״ג ע׳ 16, ומה שהעירותי ברבעון Harvard Theological Review שנה ט״ז ע׳ 45, ושנה כ״ב ע׳ 200:

1 — הטפ, ומה–ביותר מא, מה–זה וזה ביותר ל, ל׳ד — דורש] נ״ח דורש א | חלה] חלות מ | תרומה דטה, ותרומה ר, תרומות מלא | או רמהאפ, או יכול דטל — 2 לדרישה] לדרוש ד | נתנה] נתנו א — 3 לדרישה] ל׳ מ — 4 ד״א] ל׳ מ | מגיד] מגיד הכתוב ד | שנתנה רמטא, שנתנה לישראל ה, שנדרשת לד | שנאמר] וכן הוא אומר מא — 5 וג׳ רטל, ואומר דה, ל׳ מא — 7 תמיד] נ״ט תמיד א | כתוב אחד אומר אטהמפב, כה״א ר, ל׳ דל | אחד אומר] ל׳ מא | כיצד–הללו] ל׳ ט | יתקיימו] נתקיימו הא — 9 כרתובים הללו הטלדכ, הכתובי׳ מ, כתובים רא | כשישראל] כשהן ה, שישראל ל — 10 וכשאין דהטלמ, וכשאינן א, כשאין רלכ | ישראל] ל׳ טלה | לענין טובה הוא אומר–המביט לארץ ותרעד] כרמהטא, ל׳ לד — 11 רעה] הרעה ה׳ | הוא] גם כן מ | המביט–ותרעד] תמיד עיני ה׳ אלהיך בה מא — 12 לענין טובה כיצד רמהטא כ, וכן לענין מדה טובה כאיזה צד ד, וכן לעיניין מדת טובה הא כיצד ל | היו רשעים ארמט, הרי שהיו ישראל רשעים ה, היו ישראל רשעים ד, הרי שלא עשו ישראל תשובה ל, היו הרשעים כ | ונגזרו רמאדלכ, וגזרו טה — 13 בהם] בתשובה מא | איפשר] איפשר שכבר נגזרה גזרה דה | תמיד–בה רטמאכ, הקב״ה דה, תמיד–בה הקב״ה ל — 14 בזמנם–ותרעד מורידם] ל׳ ר, ונתקן על הגליון | בזמנם] שלא בזמנם ל | ומשלח–ומורידם אמה, ושולח בהם ברכה ומורידן טר׳, ושולח בהם ברכה והורידה לארץ כ, ל׳ לד | כשהיא צריכה מהא, שצר כה כטל, בשעה שהיא צריכה ד | להם] להן והן יורדין על הצמחים ועל האילנות ועל הזרעים ה | לענין] ולענין ה, וכן לעיניין ל | רעה] מדת פורענות ל, הרעה ה׳ — 15 הרי שהיו רדהט, הרי שהיו ישראל ד, היו ישראל מ, היו לאכ | צדיקים] צדיקים גמורים ד, הצדיקים ל | ונגזרו עליהם אמדלכ, ופסקו להם ה, וגזרו עליהם ט | גשמים] ל׳ א | וחזרו בהם מהאכ, וחזרו בהם לסוף טד, וסרחו להן ט, ולבסוף סרחו ל — 16 אי איפשר] אי אפשר שכבר נגזרה גזרה ד | המביט לארץ ותרעד כ, תמיד עיני–בה טאמ, הקב״ה לדה, ל׳ ר׳ | שלא בזמנם ושולח בהם את המארה

(איוב כד יט) המארה ומורידם על הארץ שאינה צריכה להם לימים ולמדברות שנאמר °ציה גם חום יגזלו מימי שלג שאול חטאו, מעשים שעשיתם עמדי בימות החמה שלא הפרשתם תרומה ומעשרות מנעו מכם את הגשמים.

מראשית השנה ועד אחרית שנה, מגיד שמראשית השנה נגזרו עליה כמה גשמים כמה טללים, כמה חמה תורח עליה, כמה רוחות נושבות עליה. דבר אחר מראשית השנה אני אברך אתכם במשא ומתן, בבנין ובנטיעה, באירוסים ובנשואים ובכל מה שאתם שולחים בו את ידיכם אני אברך אתכם. דבר אחר מראשית השנה ועד אחרית שנה, וכי יש פירות בשדה מתחלת השנה ועד סופה אלא הם ברשותי ליתן בהם ברכה בבית, כשם שאני נותן בהם ברכה בשדה, שנאמר (דברים כח ח) °יצו ה' אתך את הברכה באסמיך ובכל משלח ידיך, ואומר (חגי ב יט) °העוד הזרע במגורה ועד הגפן והתאנה והרמון ועץ הזית לא נשא מן היום הזה אברך, מנין אף באוצר שנאמר (דברים כח ג) °ברוך אתה בעיר וברוך אתה בשדה, מנין אף בעיסה שנאמר (שם כח ה) °ברוך טנאך ומשארתך, מנין אף בכניסה וביציאה שנאמר (שם כח ו) °ברוך אתה בבואך וברוך אתה בצאתך, מנין אף באכילה ובשביעה תלמוד לומר (שם ח י) °ואכלת ושבעת וברכת, מנין אף כשירדו לתוך מעיך תלמוד לומר (שמות כג כה) °והסירותי מחלה מקרבך, הם ברשותי ליתן בהם ברכה בבית, כשם שאני נותן בהם ברכה בשדה לא כינה ורקבובית בפירות ולא יין מחמיץ ולא שמן מבאיש או

ומורידם על ארץ [הארץ לט] רטלכ, שלא בזמנם של הארץ ד, על הארץ מהא — 1 שאינה צריכה להם רטכ, בשעה שאינם צריכה להם ד, כשאין צריכין להם מא, בזמן שאין צריכה להם ה, בשעה שאינה צריכה להם ל | לימים ולמדברות ארטלכ, ולימים ולמדברות מ, למדברות ולימים ד, והן הולכים ליערים ולמדברות ולימים ולנהרות ה — 2 שאול] ש"א א | שעשיתם עמדי רד, שעשית עמי כט¹, שעשיתם עמי ט²מהא, שעשיתם ל — 3 תרומה רטהא כ, תרומות דמל | ומעשרות] ומעשר ט | מנעו רדהב [א"א], ל' ד, הם מנעו טמלא | את הגשמים רמהדאב. הגשמים ט, הגשמים בימות הגשמים ל — 4 מראשית] ס' מראשית א | שנה טלא [מסורה], השנה דהמד | מגיד אמל, מגיד הכתוב רטדה | שמראשית רמאד, שמראש לטה | נגזרו] נגזר מלא | עליה רטמדהא, עליהם ד, עליה מה באחרית השנה ל — 5 כמה טללים רמהלד, כמה טללים ירדו עליה ט, וכמה טללים א | תזרח ארמדהט, יתירה ד, זורחת ל | כמה] וכמה אה — 6 מראשית השנה ר טד, מראשית השנה מראשית השנה מ, מראש השנה ד, בראש השנה ה, בראש השנה ל | אני] ל' ט | ומתן רדהטמ, ובמתן לד א — 7 ובכל] וכל ר | מה] מקום ל | שולחים] משולחין ר | בו את אמדהט', בו ט², ביאת ר, ל' לד | אני] ל' ט | ד"א] ל' מ — 8 אחרית שנה טאה, אחרית השנה דמר | יש] ל' ט | ועד סופה רמהא, ועד סוף ט, עד סוף השנה ד, ועד סוף שנה ל — 9 הם ברשותי ראמדהט, ברשותי הוא ד, ברשותי הן ל | כשם—בשדה] כמו בשדה ל | בהם ברכה טדה, ברכה רמא, ל' ד — 11 ועד—אברך] ל' רדהט | ועד הגפן ד [מסורה], והגכן מאל — 12 מנין] ומניין ד | באוצר רטדהא, באוצרות דמ, בעיר ל | מנין] ומנין ד — 13 בכניסה וביציאה] ביציאות וביאות ל | שנאמר] ל' ה, ת"ל ט | מנין] ומניין דל — 14 ברוך—ובשביעה ת"ל] ל' ט² | באכילה ובשביעה מא, אכילה ושביעה ר, באכילה ובשבעון ה, באכילה טלד — 15 כשירדו לתוך מעיך מה, כשירדו לתוך מעיו ר, כשירד בתוך מעיו ד, כשירד לתוך מעין ט²א, כשירדו לתוך בני מעין ל — 16 הם ברשותי] ברשותי הן ל | ליתן בהם] לתת להם א | ברכה בבית מהא, ברכה רטדל | שאני נותן בהם ט'מהא, שאני נותן רל, שאני נותן להם ד, שניתן בהם ט² — 17 לא כינה א, ולא כינה רמדה, ולא כנימה ד, לא כנימה טל | ורקבובית מדה טד, ורקביבות רט, ולא רקבובית לד, ורקבנית א | בפירות א | בפירות אמהטל, פירות ר, תיכנס בפירות ד | ולא] לא ה | מבאיש

2 שלא הפרשתם וכו', תענית ז' ע"ב „א"ר חסדא אין הגשמים נעצרים אלא בשביל ביטול תרומות ומעשרות שנ' ציה גם חום יגזלו וכו' מאי משמע תנא דבי ר' ישמעאל בשביל דברים שצויתי אתכם בימות החמה ולא עשיתם יגזלו מכם מימי שלג בימות הגשמים": 10 באסמיך, אולי ערבוב כתובים כאן, שלכאורה פסוק ברוך אתה בעיר מתאים יותר לברכת הבית, ויצו ה' אתך את הברכה באסמיך לברכת האוצר. ולפי הנוסח המקובל פ' ר"ה „באסמיך היינו פירות שבבית, מנין באוצר הן ברשות הקב"ה ליתן בהן ברכה ת"ל ברוך אתה בעיר וברוך אתה בשדה דקא מברך דאיכא בעיר בין בבתים בין באוצרות", ורד"ף פי' „ולא בלבד במה שבבית למחייתו אלא אפילו במה שכונס באוצרות למכור בעיר לעלמא וז"ש ברוך אתה בעיר": 15 לתוך מעיך, תו"כ ריש פ' בחוקותי פסוק ואכלתם לחמכם לשובע פרק א' ה"ז (קי"א ע"א) „אין צ"ל שיהא אדם אוכל הרבה ושבע אלא אוכל קמעא והוא מתברך במעיו":

לפי שמדת טובה מרובה ממדת פורענות יכול לא יהו ברשותי ליתן בהם מארה בבית
כשם שאני נותן בהם מארה בשדה תלמוד לומר והבאתם הבית ונפחתי בו, חגי א ט
ואומר ישלח ה׳ בך את המארה את המהומה ואת המגערת, מנין אף באוצר דברים כח כ
תלמוד לומר ארור אתה בעיר וגו׳, מנין אף בעיסה תלמוד לומר ארור טנאך שם כח טז / שם כח יז
ומשארתך, מנין אף בכניסה וביציאה תלמוד לומר ארור אתה בבואך וארור שם כח יט
אתה בצאתך, מנין אף באכילה ובשביעה תלמוד לומר ואכלתם ולא תשבעו, ויקרא כו כו
מנין לכשירדו לתוך מעיים תלמוד לומר וישחך בקרבך, הם ברשותי ליתן בהם מיכה ו יד
מארה בבית כשם שאני נותן בהם מארה בשדה, כינה ורקבובית בפירות ויין מחמיץ
ושמן מבאיש.

רבי שמעון בן יוחי אומר, משל למלך בשר ודם שהיו לו בנים ועבדים הרבה
והיו נזונים ומתפרנסים מתחת ידו ומפתחות של אוצר בידו, כשהם עושים רצונו הוא
פותח את האוצר והם אוכלים ושבעים, וכשאין עושים רצונו הוא נועל את האוצר והם
מתים ברעב. כך ישראל כשעושים רצונו של מקום יפתח ה׳ לך את אוצרו דברים כח יב
הטוב את השמים, וכשאינם עושים רצונו מה הוא אומר וחרה אף ה׳ בכם שם יא יז
ועצר את השמים ולא יהיה מטר.

רבי שמעון בן יוחי אומר, ככר ומקל ירדו כרוכים מן השמים, אמר להם, אם
עשיתם את התורה הרי ככר לאכל ואם לאו הרי מקל ללקות בו, היכן פירושו של

1 שמדת טובה מרובה, תוספתא סוטה פ״ד ה״א (ע׳ 298), מכילתא בא פ״ז (ז׳ ע״ב וח׳ ע״א, ה—ר 24), שם בשלח מסכת ויסע פ״ג (מ״ט ע״א ה—ר 166), שם משפטים פ׳ י״ח (צ״ה ע״ב, ה—ר ע׳ 314), שם פ״כ (ק׳ ע״א, ה—ר 328), מכילתא דרשב״י י״ד ד׳ (ע׳ 42), ט״ז י״ד (ע׳ 77), כ״ב כ״ג (ע׳ 151), תו״כ חובה פרשה י״ב ה״י (כ״ז ע״א), כפרי במדבר פי׳ ח׳ (ע׳ 15), פי׳ ט״ו (ע׳ 20), פי׳ י״ח (ע׳ 22), פי׳ קט״ו (ע׳ 127), מ״ת ה׳ ט׳ (ע׳ 21) כ״ד י״ח (ע׳ 160), שם כ״ב (ע׳ 162), ל״ב ל״ב (ע׳ 200), אדר״נ נו״א פ״ל (מ״ה ע״א), בבלי סנהדרין ק׳ ע״א, יומא ע״ו ע״א, סוטה י״א ע״א ותוס׳ שם ד״ה לעולם, ירו׳ סוטה פ״ג ה״ג (י״ח ע״ד) והשוה עוד מכילתא יתרו, מסכת בחדש פ״ז (ס״ח ע״ב, ה״ר ע׳ 227), מכילתא דרשב״י שם כ׳ ו׳ (ע׳ 106). — מרובה ממדת פורענות, דבמדה טובה הוא אומר ועושה חסד לאלפים דהיינו אלפים דורות ובמדת פורענות הוא אומר פוקד עון אבות על בנים על שלשים ועל רבעים דהיינו עד ארבעה דורות, מפי׳ ר״ה: 7 וישחך בקרבך, ת״י „ויהי לך למרע במעך״ וכן פי׳ רש״י והוסיף עוד „וכן מפרש אותו בספרי מנין אף בתוך המעים ת״ל וישחך בקרבך בפרשת והיה עקב במדרש תמיד עיני ה׳ אלהיך״: 10 רשב״י אומר וכו׳, השוה ציגלר Königsgleichnisse ע׳ 194 המאיר את המשל הזה מעובדות אחדות מחיי הרומאים. — רשב״י אומר וכו׳, [ילקוט ישעיה שפ״ט], ויק״ר פ׳ ל״ה בשם הני רשב״י, ובשם הספרי בעקדת יצחק פ׳ עקב, ובערוך ע׳ סייף:

רמהא, מבאיש ולא דבש מדביש לדט | או] או אינו אלא ד — 1 שמדת רלהא. שמידה מדט | יכול—ברשותי] אין יכול להיות ברשותי ה | יהו רטל, יהיו מ, יהיה ד, והיו א | ליתן בהם] לתת להם א — 2 שאני נותן בהם אדה, שאני נותן רטמל | בהם מאריה בשדה] בשדה בהן מ | מארה] ל׳ אט | ת״ל] שנ׳ ה | הבית רהטל [מסורה], אל הבית דמא | ונפחתי בו רמאהל [מסורה], והיפחתם אותו ד, והפחתי ט — 3 מנין רטהלא, ומנין דה — 4 תלמוד לומר אמהדט, ל׳ רל | מנין] ומניין ד [וכן בכל הענין]. | ת״ל] ל׳ ר — 6 ת״ל — ואכלתם ולא תשבעו מנין] ל׳ א | ובשביעה רט, ל׳ דטל, ובשבעון ה, ושביעה מ | ת״ל המ, ל׳ דר | ואכלתם טד, שנ׳ ואכלתם ר, ת״ל ואכלתם טמהל — 7 לכשירדו להוך ד, כשירדו בתוך רט, כשירד בתוך ט, משירדו לתוך מ, כשירדו לתוך ה א, שלא ירדו לתוך ל | מעיים רמא, מעיך ה, מעיו דל ט | וישחך בקרבך ראמ [מסורה], וישחך מקרבך טלד, וחליים רעים ונאמנים (דברים כ״ח נ״ט) ה | ליתן בהם] לתת א — 8 נותן בהם מארה רמה, נותן בהן ט, נותן לד, מסיים בהם מארה א | כינה רמהא, כנימה ט, ל׳ ל ד | ורקבובית] ורקבנית א — 9 מבאיש רמהא, מבאיש ודבש מדביש טד, מדביש ל — 10 רבי] ס״ב רבי א | משל] מושלו מלה״ד ה, אומר מושלו מלה״ד הי | למלך בשר ודם המא, למלך רטלד — 11 והיו] והם מא | ניזונים] מזנין א | מתחת ידו] משלו מ | ומפתחות] ומפתח ד | בידו] ל׳ ר — 12 את האוצר] ל׳ ל | ושביעים] ושובעים א | רצונו] רצונו של מקום ד | הוא נועל רמטלא, נועל ד (נוטל) [נועל] ה | את] ל׳ דט׳ — 13 כשעושים—מטר] כשאין עושין רצונו של מקום מהו אומר וחרה—השמים וכשהן עושין רצונו מהו אומר יפתח—השמים ה | כשעושים רמטא, כשהם עושים דל | של מקום] של מקום מהו אומר ט — 14 וכשאינם רל, וכשאין דטמא | מה הוא אומר רט, של מקום דמ, של מקום מהו אומ׳ ל, ל׳ א — 16 אמר להם ראהטל [עקדת יצחק], א״ל הקב״ה לישראל ד, אמרו להם מ — 17 עשיתם] תעשו ד | היכן רטא [עקדת יצחק], והיכן לד, והיכן הוא מ, היכן הוא

ישעיה א יט דבר °אם תאבו ושמעתם טוב הארץ תאכלו ואם תמאנו ומריתם חרב
תאכלו כי פי ה׳ דבר. רבי אלעזר המודעי אומר, ספר וסייף ירדו כרוכים מן
השמים, אמר להם, אם עשיתם את התורה הכתובה בזה, הרי אתם ניצולים מזה, ואם
בראשית ג כד לאו הרי אתם לוקים בו. היכן פירושו של דבר °ויגרש את האדם וישכן מקדם
לגן עדן את הכרובים ואת להט החרב המתהפכת לשמור את דרך
עץ החיים סליק פיסקא

מא.

דברים ה א (יג) והיה אם שמע תשמעו אל מצותי, למה נאמר, לפי שנאמר °ולמדתם
אותם ושמרתם לעשותם, שומע אני שלא נתחייבו בתלמוד עד שנתחייבו במעשה
תלמוד לומר והיה אם שמע תשמעו אל מצותי, מגיד שמיד נתחייבו בתלמוד,
ואין לי אלא מצות עד שלא נכנסו ישראל לארץ כגון בכורות וקרבנות ומעשר בהמה,
מצות משנכנסו ישראל לארץ כגון העומר והחלה ושתי הלחם ולחם הפנים מנין תלמוד
לומר והיה אם שמע תשמעו אל מצותי, לרבות שאר מצות. אין לי אלא עד
שלא כבשו וישבו משכבשו וישבו כגון לקט שכחה ופיאה ומעשרות ותרומה שמטים
ויובלות מניין תלמוד לומר והיה אם שמע תשמעו אל מצותי, להוסיף עליהם
מצות אחרות.

ולמדתם אותם ושמרתם לעשותם, מגיד שמעשה תלוי בתלמוד ואין

ה – 1 דבר] <הרי הוא אומר> ד | תמאנו] לא תאבו מ – 2 פי] ל׳ ד | כי–דבר] אתכם מ | המודעי] ל׳ ד א | ספר וסייף] הספר והסייף ל – 3 התורה הכתובה בזה רטד [עקדת יצחק], מה שכתוב בזה מה, התורה הכתובה ל, ומה שכתוב בה א | הרי רהטלא [עקדת יצחק], ל׳ מד | ניצולים] מוצלין ה – 4 הרי מהלד, ל׳ רטא [עקדת יצחק] | בו] בזה מא | היכן רט [עקדת יצחק], והיכן דמהלא | פירושו של דבר ארמהדל, פירושו ט׳, פירושי׳ ט׳ | ויגרש] הרי הוא אומ׳ ויגרש ד – 6 סליק פסקא ד, מבראשית ועד הכא צ״א בריאתא ר, ס״ג א –
7 שנאמר רקהטמא, שהוא אומר לדפ [מוסר] –
8 שלא רקדאהפמ [מוסר], לא טל | עד שנתחייבו– נתחייבו בתלמוד טמהלדפ, ל׳ רק | ת״ל] שנ׳ ה׳ | מגיד מהא, מגיד הכתוב טלד [מוסר] – 10 ואין רמה [מוסר], אין דקלטא | מצות רקהטאפ [מוס׳], מצוות שנוהגות ד, מצות שנתחייבו מ, מצות שנצטוו ל | עד] שעד א | ישראל רקטא, ל׳ דלפמה [מוסר] | לארץ] ל׳ א | בכורות וקרבנות] קרבנות ובכורות א | ומעשר] ומעשרות ד – 11 מצות רקהאט [מוסר], מצות נוהגות ד, מצות שנתחייבו מה׳, ל׳ ל | משנכנסו לדמה [מוסר], שנכנסו ישראל ר קפ, שמשנכנסו ישראל א | לארץ] ל׳ ט׳ | מנין] ל׳ ל –
12 לרבות–אל מצותי] ל׳ ק [מוסר] | לרבות שאר מצות רטלדה׳, להביא שאר מצות מא, ל׳ ה | אין–אחרות] אין לי אלא מצות אחרות להוסיף עליו ל | אלא ראמ, אלא מצות ט, אלא שאר מצוות הלד | עד רהדלמ, שעד טא – 13 כיבשו וישבו טהמלא [א״א], כבישו וישבו ר, כיבשו ד | משכיבשו] משכיבישו ר | ומעשרות ותרומה רד, תרומות ומעשרות ט׳מלא, תרומ׳ ומעשרות ט׳, תרומ׳ ומעשרות ד | שמטין ויובלות הטלא, שמיטים ויובלים רמ, שמיטה ויובלות ד – 14 להוסיף טמהא [מוסר וא״א], אין לי להוסיף רקד | עליהם] עליו ד – 16 ולמדתם] לכך נאמר ולמדתם ה | מגיד רקהמלאב [מוסר], מגיד הכתוב ד, מלמד ט | שמעשה רקטהמא

2 ר׳ אלעזר המודעי וכו׳, [ויקרא רבה שם דברים פ״ד סי׳ א׳ בשם ר׳ אלעזר, בערוך ע׳ סייף, ילקוט ישעיה שם] ועקדת יצחק כאן; ומדברים רבה הובא במכירי ישעיה שם, ושם נרמז על הספרי, ובסגנון שונה מובא במחזור ויטרי עמוד 54, „א״ר אלעזר תורה וחרב ירדו כרוכין מן השמים״: 4 ויגרש וכו׳, באופן אלגורי כזה מפורש הכתוב בתרגום ירושלמי ובמיוחס ליונתן, ולפיהם נמשלה התורה בעץ החיים ושכר מצות בכרובים והעונש בלהט החרב, וע׳ ב״ר, וגם פילון בספרו אודות הכרובים פ״ח סי׳ כ״ה׳
7 והיה אם וכו׳ עד ויתן להם ארצות גוים ועמל לאומים ירשו, ס׳ מוסר לר׳ יוסף אבן עקנין, ע׳ 4, ועוד הפעם ע׳ 92: 10 ואין ל״י, אלא לחייבם בלמוד מצוות המוטלות עליהם אף לפני כניסתם לארץ, מנין לחייבם גם במדבר בלמוד אותן המצות שטרם נתחייבו בהן׳ – בכורות, שבהם נתחייבו אף קודם הקמת המשכן: 11 והחלה, [עיין תוספתא מנחות פ״ו ה״כ (ע׳ 521), ואשמעינן הכתוב דמיד נתחייבו בלמוד אלה המצות קודם ביאת הארץ ת״ל והיה אם שמוע תשמעו וילפינן מכפל המלים, והמחלקה השלישית לקט שכחה ופיאה ילפינן מן אל מצותי]׳ – ושתי הלחם, כרבי שמעון הסובר שמיד בגלגל הקריבו פסחים וחובות שזמנן קבוע, זבחים קי״ז ע״א, מפי׳ רד״ף׳ – לחם הפנים, דתני הכא משבשתא היא דהא כתיב ויערך ערך לחם לפני ה׳ (שמות מ׳ כ״ג) דהיינו משהוקם המשכן איחייבו בלחם הפנים, מפי׳ ר״ה, וכן מהר״ס לא גרס לה, ונראה שאשגרא דלישנא הוא: 16 מגיד שמעשה וכו׳, רוקח ה׳ חסידות ש׳ התורה,

תלמוד תלוי במעשה וכן מצינו שענש על התלמוד יותר מן המעשה שנאמר °שמעו דבר ה׳ בית ישראל כי ריב לה׳ עם יושבי הארץ כי אין אמת ואין חסד ואין דעת אלהים בארץ, אין אמת, אין דברי אמת נאמרים שנאמר °אמת קנה ואל תמכור ואין חסד אין דברי חסד נאמרים שנאמר °חסדך ה׳ מלאה הארץ ואין דעת אין דברי דעת נאמרים שנאמר °נדמו עמי מבלי הדעת כי אתה הדעת מאסת ואומר °לכן כאכול קש לשון אש וחשש להבה ירפה וכי יש לך קש שהוא אוכל אש אלא קש זה הוא עשו הרשע שכל זמן שישראל מרפים ידיהם מן המצות שולט בהם ואומר °מי האיש החכם ויבן את זאת ואשר דבר פי ה׳ אליו ויגידה על מה אבדה הארץ נצתה כמדבר מבלי עובר, ויאמר ה׳ על עזבם את תורתי אשר נתתי לפניהם ולא שמעו בקולי ולא הלכו בה ואומר °כה אמר ה׳ על שלשה פשעי יהודה ועל ארבעה לא אשיבנו על מאסם את תורת ה׳ וחוקיו לא שמרו. וכבר היו רבי טרפון ורבי עקיבה ורבי יוסי הגלילי מסובים בבית ערים בלוד נשאלה שאלה זו לפניהם מי גדול תלמוד או מעשה אמר ר׳ טרפון גדול מעשה ר׳ עקיבה אומר גדול תלמוד ענו כולם ואמרו גדול תלמוד שהתלמוד מביא לידי מעשה רבי יוסי הגלילי אומר גדול תלמוד שקודם לחלה ארבעים שנה ולמעשרות חמשים וארבע ולשמטים ששים ואחת וליובלות מאה ושלש וכשם שענש על התלמוד יותר מן

הושע ד א / משלי כג כג / תהלים קיט כד / הושע ד ו / ישעיה ה כד / ירמיה ט יא־יב / עמוס ב ד

מכירי הושע ד׳ א׳, הוצ׳ הח׳ גרינופ, ברבעון האנגלי שנה ט״ו ע׳ 164: 1 וכן מצינו וכו׳. פ״ז: 3 אין דברי אמת, איכה רבה פתיחה ב׳, פסיקתא דר״כ איכה (קכ״א ע״א) והשוה ירו׳ ר״ה פ״ד ה״ז (נ״ט ע״א): 7 אלא קש וכו׳, איכה רבה, ופסיקתא שם, רד״ק ישעי׳ ה׳ כ״ד: 8 מן המצות, [נ״ל דצ״ל מן התורה ועיין איכה רבתי פתיחה ב׳]: 13 וכבר היו, מכילתא דרשב״י י״ט י״ז (ע׳ 100), קדושין מ׳ ע״ב, ירו׳ פסחים פ״ג ה״ז ל׳ ע״ב, חגיגה פ״א ה״ז ע״ו ע״ג, שהש״ר ב׳ י״ד, והשוה ב׳ ב״ק י״ז ע״א. — עריס, כן הגרסה במכי׳ דרשב״י אמנם בבבלי בעליית בית נתזה, בירוש׳ בעליית בית ארים, ובשהש״ר בבית עליית ערים ועיין מה שכתבו בזה פרופ׳ י׳ נ׳ אפשטיין ופרופ׳ שמואל קליין בתרביץ שנה א׳ ספר ב׳ ע׳ 133: 15 ר׳ יוסי הגלילי וכו׳ עד יהא בעיניו כשומע מפי חכם, ספר חסידים, הוצ׳ מקיצי נרדמים, עמוד 189:

כ [מוסר], שהמעשה דל | ואין הקדלאמכ [מוסר], אין רט | וכן] ס״ד וכן א — 2 בית ישראל הרק, בית יעקב לאמדט [ובמקרא, בני ישראל] | כי ריב] וגו׳ וריב מ | עם יושבי הארץ זהט (מסורה). עם יעקב ועם ישראל יתוכח ד, ל׳ רק, עם יהודה וגו׳ ל, וגו׳ א — 3 אין דברי אמת נאמרים] אלא דברי תורה, ס׳ מוסר | נאמרים שנאמר רה, מטאכ, נאמר כאן אמת ונאמר להלן אמת שנאמר ד, שנאמר ק, נאמרים בו אמת שנאמר ל — 4 ואין—הארץ ר, אין—הארץ אמהל, ואין חסד אין דברי חסד שנאמר חסדך—הארץ ק, שנאמר חסדך ה׳ מלאה הארץ ואין חסד אין דברי חסד נאמרי׳ ד, אין חסד אין דברי חסד נאמרין שנ׳ חסד ה׳ מלאה הארץ ט, אין דברי חסד נאמרים] אלא דברי תורה שהיא אמת והיא חסד, ס׳ מוסר — 5 אין דברי דעת] ל׳ ל | נאמרים שנאמר רטמהאל [מוסר], שנאמר דק — 7 וכי—שולט בהם] ל׳ ה | שהוא אוכל ראקהד, שאוכל ט מ [מוסר], שהוא לשון ל | אש] את האש ר | הרשע רקלא, ל׳ מטד [מוסר] — 8 שישראל מרפים טדמל [מוסר], שמרפין יעקב ר, שמרפין בית יעקב ק, שמרפין א | ידיהם] ידיהן ישראל א | שולט רקטמא [מוסר], הוא שולט לד | האיש החכם—זאת מדהא [מסורה], חכם ויבן את זאת רקטל, חכם ויבן זאת ד, מי האיש החכם ויבן אלה [מוסר] — 11 יהודה] ישראל א — 13 וכבר] ס״ה וכבר א | היו האמ [מוסר], היה רקלד | ור״ע וריה״ג מה [מוסר ע׳ 92], וריה״ג ור״ע רלדט [מוסר ע׳ 4] וריה״ג ק, ור״ע ור׳ יוסי א | עריס בלוד רקלה, ערוד ד, שערים בלוד ט, ערים בלוד מא, עדייה בלוד [מוסר], תריס בלוד ה׳, [ועל הגליון נ״א עריס] | נשאלה שאלה זו לפניהם א, ונשאלה—לפניהם מ, ונשאלה שאלה זאת לפניהן ה, נשאלה שאלה זו בפניהם טל [מוסר], נשאלו שאלה ר, נשאלה שאלה זו ק, נשאלו ד — 14 מעשה] מעשה גדול ט | אמר ר׳ טרפון—גדול תלמוד רה, אמר ר׳ טרפון מעשה גדול אמר ר׳ עקיבא תלמוד גדול מ, א״ר טרפון מעשה גדול ור׳ עקיבא אומר תלמוד גדול ט, א״ר טרפון גדול מעשה א״ר עקיבה גדול תלמוד ק, א״ר טרפון גדול מעשה א״ר עקיבא גדול תלמוד תורה ל, ר׳ טרפון או׳ מעשה גדול ר׳ עקיבא אומר תלמוד גדול א, ל׳ ד — 15 ענו כולם ואמרו רקה [מוסר], נענו כולם ואמרו אמלד, ל׳ ט | גדול תלמוד] תלמוד גדול ד, גדול תלמוד תורה ל — 16 שקודם רקהא, שהתלמוד ארקטמה [מוסר], תלמוד גדול קודם טד, שהתלמוד קדם ל, שקדם מ [מוסר, חסידים] | ארבעים] בארבעים ה | חמשים וארבע] ל׳ מ | וחמשים] בחמשים ה | וארבע] וארבע שנה ד — 17 ולשמיטים ששים ואחת רק [חסידים], ולשמיטים בששים ואחת ה, ולשמיטין ששים

המעשה כך נתן שכר על התלמוד יותר מן המעשה שנאמר ולמדתם אותם את
תהלים קה מד–מה בניכם לדבר בם מהו אומר °למען ירבו ימיכם וימי בניכם ואומר °ויתן
להם ארצות גוים ועמל לאומים יירשו בעבור ישמרו חקיו וגו׳.
אשר אנכי מצוה אתכם היום, מנין אתה אומר שאם שמע אדם דבר מפי
קטן שבישראל יהא בעיניו כשומע מפי חכם תלמוד לומר אשר אנכי מצוה אתכם,
קהלת יב יא ולא כשומע מפי חכם אלא כשומע מפי חכמים שנאמר °דברי חכמים כדרבונות
מה דרבן זה מכוין את הפרה לתלמיה להביא חיים לבעליה כך דברי תורה מכוונים
דעתו של אדם לדעת המקום, ולא כשומע מפי חכמים אלא כשומע מפי סנהדרין
במדבר יא טז שנאמר בעלי אסופות ואין אסופות אלא סנהדרין שנאמר °אספה לי שבעים
קהלת יב יא איש מזקני ישראל ולא כשומע מפי סנהדרין אלא כשומע מפי משה שנאמר °נתנו
ישעיה סג יא מרועה אחד ואומר °ויזכור ימי עולם משה עמו ולא כשומע מפי משה אלא כשומע
תהלים פ ב מפי הגבורה שנאמר נתנו מרועה אחד, ואומר °רועה ישראל האזינה נוהג כצאן
דברים ו ד יוסף יושב הכרובים הופיעה ואומר °שמע ישראל ה׳ אלהינו ה׳ אחד.
שה״ש ז ה הרי הוא אומר °עיניך ברכות בחשבון על שער בת רבים עיניך אלו זקנים

ואחד ל, ול־שמיטים ס״א א, ולשמיטים מ, ולשמיטים אחד וששים [מוסר], ל׳ ד | מאה ושלש ארטל [מוסר], מאה ושלשים ד, ק״א ק, ק״ב [חסידים], במאה ושלש ה, ל׳ מ | וכשם שענש] וכשענש ענש ד — 1 כך–שנ׳] ללמדך שהתלמוד יתר מן המעשה ה׳ [ועל הגליון נ״א כך נותן שכר על התלמוד] | נתן ד, נותן ראמה | יותר] ל׳ א — 2 מהו אומר] ואמר ד | ואומר] ל׳ ט — 3 וג׳ ר, ל׳ ד, למה ה — 4 אשר] ס״ו אשר א | מנין] ומניין ד | אדם] ל׳ ד — 5 שבישראל] ל׳ ד | יהא בעיניו] ל׳ ד | חכם] גדול ט (וכן בסמוך) | ת״ל רקטא, שנ׳ הל | ת״ל אשר–מפי חכמים] ל׳ מד — 6 ולא כשומע הט, ולא הושמע ר | ולא השומע לקא | מפי חכם אלא] ל׳ ל | אלא הטא, ל׳ רק | חכמים] חכם ל — 7 את הפרה מלטדאה, ל׳ ר, פרה ק | לתלמיה] לתלמה ה | חיים לבעליה ה, לבעלים רק, חיים בעולם א, חיים לעולם לטדמה׳ | דברי תורה רקמלד, דברי חכמים א, דברי תורה ודברי חכמים ה — 8 לדעת המקום ארדה, לדעת המקום ק, לדעת את המקום מ, מדרכי מיתה לדרכי חיים דטל | ולא כשומע הטא, ולא השומע רקל, ולא עוד אלא השומע מ, ועוד השומע ד | חכמים רקמהא, חכם דטל | אלא ה, ל׳ רקאמלד ט | סנהדרין לה, סנהדרי רקמא, סנהדרים טד [וכן בסמוך] — 9 ואין] אין ק | אסופות] אסופה ל | שנאמר] <בעלי אספות ונא׳> א — 10 ולא כשומע הט, ולא השומע רלא, שומע ק, משומע דט׳, ולא עוד אלא השומע מ | אלא כשומע הט, כשומע רט׳קלדמא | מפי משה] ממשה ר — 11 ואומר–עמו] ל׳ ה | אומר מטדלא, ל׳ ר ק | עמו] עבדו מ״ל, בד נוסף <איה המעלם מים את רועה צאנו ואיה השם בקרבו את רוח קדשו, בל נוסף <וגו׳ את רועה צאנו וגו׳> | ולא כשומע טה, ולא השומע ארקל, ולא עוד השומע ד, ולא עוד אלא השומע מ | אלא כשומע טה, כשומע רקמלאד — 12 הגבורה רקה, הקב״ה לדמא, הק׳ ט׳, הב״ה ט׳ | ואומר המלטד, ל׳ רקא | ואומר–אחד רקה טא [א״א] — 13 שמע ישראל ד, מאחר שנ׳ שמע–אחד מ, וגו׳ שמע ישראל ה׳ אלקינו ה׳ אחד ל — 14 הרי הוא רקטמהא, ועוד הרי הוא ד, הריהו ל | זקנים רקהא, הזקנים מטדל —

3 בעבור ישמרו חקיו, ושמירה זו משנה (לקמן פי׳ נ״ח), והשוה למעלה פי׳ מ׳ (ע׳ 81), ועיי״ע ירו׳ ברכות פ״א ה״ט (ג׳ ע״ד): 4 שאם שמע וכו׳, פ״ז [במדבר רבה פ׳ י״ד סי׳ ד׳, כל הענין עד זכרו תורת משה עבדי, וכעין זה בירו׳ סנהדרין פ״י ה״א כ״ח ע״א, ובקהלת רבה פ׳ י״ב, ובילקוט שם] ומובא ברוקח ה׳ חסידות ש׳ קבלת חכמים: 5 ת״ל אשר אנכי מצוה אתכם, [במתנות כהונה על במדבר רבה שם פי׳ שהתנא דורש אם שמוע תשמעו כלומר אם תשמע מפי אחר גרוע ממני יהיה בעיניך כאלו שמעת מפי], ולדעתי נראה יותר שדורש אשר אני מצוה אתכם כלומר אף שאתם שומעים מפי הרב של דורכם היא כאילו שמעתם ממני: 6 דברי חכמים, ועל דברי קהלת נאמרו דברים אלו: 7 מה דרבן זה וכו׳, חלק ממדרש ראב״ע תוספתא סוטה ז׳ י״א (ע׳ 307), ב׳ חגיגה ג׳ ע״ב, אדר״נ נו״א פי״ח (עמוד 68), תנחומא בהעלותך סי׳ ט״ו, פסיקתא רבתי פ״ג (ז׳ ע״ב), ומובא כאן בשיגרא אגב הכתוב כדרך הספרי: 8 ולא כשומע וכו׳, ילקוט קהלת תתקפ״ט: 9 שנאמר אספה. ובזה נרמז על הכנהדרין לפי מדרש רבותינו, ע׳ ספרי שם, ותוספתא סוטה ז׳ י״א (ע׳ 307): 11 אלא כשומע מפי הגבורה שנ׳ נתנו מרועה אחד, השוה תוספתא סוטה שם, תנחומא ב׳ בשלח סי׳ י״ט (ל״ג ע״א), מכילתא דרשב״י י״ט ט׳ (96): 12 ואומר רועה ישראל, משמע רועה זה הקב״ה, ותימא הלא נדרש למעלה שרועה זה משה? ונראה שאותו הפסוק רועה אחד נדרש בשתי פנים ונקרא בשתי הטעמות, לומר רועה למשה ואחד להקב״ה; ולפי זה אולי יש למחוק המשפט ואומר עד הופיעה, ומביא ראיה נכונה משמע ישראל שאחד זה הקב״ה: 14 הרי הוא אומר, הוספה הנמצאה בכל המקורות והיא מעין אלו שבפיסקא הקודמת, המתחילות ג״כ בהרי הוא אומר, וכיון שמדבר בסנהדרין מביא עוד דרשה בהם. — עיניך וכו׳ עד הנה אנכי שולח, ילקוט שה״ש תתקצ״ב. — עיניך אלו זקנים, השוה שהש״ר א׳ ט״ו „עיניך הם סנהדרין שהם עינים לעדה” ותנחומא תצוה סי׳

המתמנים על הצבור וכן הוא אומר °כי נסך עליכם ה׳ רוח תרדמה ויעצם את ישעיה כט י
עיניכם, ברכות מה ברכה זו אין אדם יודע מה שבתוכה כך אין אדם עומד על
דברי חכמים, בחשבון בחשבונות שנגמרים בעצה ובמחשבה היכן נגמרים בבתי
מדרשות, על שער בת רבים, מה הוא אומר °אפך כמגדל הלבנון צופה שה״ש ז ה
פני דמשק אם עשיתם את התורה קוו לאליהו שאמרתי לו °לך שוב לדרכך מ״א יט טו
מדברה דמשק ואומר °זכרו תורת משה עבדי וגו׳ °הנה אנכי שולח וגו׳ מלאכי ג כב—כד
°והשיב וגו׳.

לאהבה את ה׳ אלהיכם, שמא תאמר הריני למד תורה בשביל שאעשיר
בשביל שאקרא רבי בשביל שאקבל שכר לעולם הבא תלמוד לומר לאהבה את
ה׳ אלהיכם, כל שאתם עושים לא תהו עושים אלא מאהבה.

ולעבדו, זה תלמוד אתה אומר זה תלמוד או אינו אלא עבודה הרי הוא אומר
°ויקח ה׳ אלהים את האדם ויניחהו בגן עדן לעבדה ולשמרה וכי מה עבודה בראשית ב טו
לשעבר ומה שמירה לשעבר הא למדת לעבדה זה תלמוד ולשמרה אלו מצות
וכשם שעבודת מזבח קרויה עבודה כך תלמוד קרוי עבודה, דבר אחר ולעבדו זו

ח׳ ואגדת בראשית מ״א: 2 על דברי חכמים, שה״ש זוטא ז׳ ה׳ (עמ׳ 38) „עיניך ברכות בחשבון אלו החכמים כשהם מתכנסים לעצה ואין אדם יודע מה הם יועצים והדבר נודע לרבים״: 4 שער בת רבים, כלומר אלו בתי מדרשות· — מה הוא אומר, כן הגיה הגר״א והגרסה המקובלת היא וכן הוא אומר, עיין בשנויי נוסחאות, ואי איפשר להעמידה· התנא הולך ומסיים דרשתו על הכתוב ואינו מביא ראיה לדבריו מפסוק אחר כמשמעת וכן הוא אומר, ואולי יש לפתור ר״ת וה״א „ועוד הוא אומר״, ולא יהיה צורך בהגהה: 8 שמא תאמר וכו׳, רש״י, פ״ז [נדרים ס״ב ע״א] ומובא מן הספרי בפי׳ המשניות לרמב״ם פ׳ חלק, הקדמה לי״ג עקרים, וברמב״ן דברים ו׳ ה׳, מנורת המאור סי׳ רס״ה, בפי׳ אבן נחמיאש משלי ד׳ ו׳, ובהקדמה לרוקח שער אהבת השם, ובאבודרהם סדר תפלת שהרית של חול, ובבית הבחירה לר׳ מנחם מאירי על אבות פ״א מ״ב: 11 ולעבדו זה תלמוד וכו׳ עד תכון תפלתי וכו׳, ספר יראים סי׳ י״ד (ובהוצ׳ שיף סי׳ ת״ו), רמב״ן בהשגות על ס׳ המצות עשין ה׳: 12 וכי מה עבודה לשעבר, הא לפני הקללה לא היה צורך בעבודה ובזיעת אפים ור״ה הקשה מב״ר לעבדה אלו הקרבנות, ולא ירדתי לסוף דעתו, שודאי התנא בא לפרש עבודה באופן אחר מב״ר ושניהם משתדלים לבאר לעבדה ולשמרה בהתאם להמשך הסיפור של אדם הראשון שלא היה צריך לעבודה ולשמירה: 13 זה תלמוד ולשמרה אלו מצות, השוה אדר״נ נו״ב פ׳ כ״א (כ״ב ע״ב), פדר״א פרק י״ב [בראשית רבה ט״ז ו׳ (עמוד 149), ושלהי מנחות] ועיין הערת מורי ר׳ לוי גינזבורג בספרו אגדות היהודים ח״ה ע׳ 92, ובפי׳ הנסתר לרד״ק בראשית על הכתוב, נדפס בצירוף להוצאתי של פי׳ רד״ק על ישעיה, ע׳ 54: 14 ולעבדו זו תפלה וכו׳,

1 וכן—עיניכם] שנ׳ והי׳ה אם מעיני העדה ט³ | וכן הוא אומר קמדלהא, כן הוא אומר ר, ואומר ט | עליכם ה׳ קט׳ה [מסורה], עליכם ר, ה׳ עליכם ט³, ה׳ עליכם דמ, ה׳ ל, ה׳ אלהיך א | את עיניכם רדהק [מסורה], עיניהם אמט¹, עיניהם מראות לד, עיניכם ט — 2 ברכה] הברכה ה | זו רקטלא, זאת דמ, ל׳ ה | יודע] ל׳ ל | שבתוכה רקטמלא, בתוכה ד הט³ | עומד] יודע לעמוד ט, יכול לעמוד ט³ — 3 שנגמרים רקטה, שגומרין לד, שהן נגמרין מא | ובמחשבה מדמא, ומחשבה רקל, ובחשבון ה | היכן רקטמדהא, והיכן ל, והם ד | בבתי מדרשות—רבים] בשער בת רבים בבתי מדרשות ט³ — 4 מה הוא אומר] כן נראה להגיה והגרסות המקובלות הן, וכן הוא אומר דטקלמא, כה״א ר, וה״א ה, ל׳ ט³ — 5 אם הטד, ל׳ רקמל אט³ | עשיתם] עשית ד | קוו לאליהו רהטלמא, קווה לאליהו ד, קחל אליהו ק | שאמרתי לו רקטלד, שאמר לו מט³, שנ׳ בו ה, שנ׳ לו א — 6 הנה—וגו׳ ר, ואומ׳ הנה אנכי שולח לכם את אליהו הנביא מ, הנה אנכי שולח לכם את אליה קט³, הנני [הנה אנכי ד׳] שולח לכם את אליהו הנביא ה, ואומ׳ הנה אנכי שולח לכם את אליה הנביא טא, ואומ׳ הנה אנכי שולח מלאך וגו׳ ל, הנה אנכי שולח לכם את אליהו הנביא לפני בוא יום ה׳ ד — 7 והשיב וגו׳ ר, והשיב לב אבות על בנים קה, ואומ׳ והשיב לב אבות על בנים וגו׳ מא, ל׳ ט, לא תכה אותו וגו׳ ל, והשיב לב אבות על בנים ולב בנים על אבותם ד — 8 שמא] שלא א | הריני למד] הרי למדתי ד | שאעשיר אמה, שאתעשר ק, שאהא עשיר טל [רוקח], שאהיה עשיר רד [רמב״ם, מנורת המאור, ן׳ נחמיאש], ל׳ [רמב״ן] — 9 בשביל ובשביל ד (ב״פ) | רבי] חכם <בשביל שאשב בישיבה> [רמב״ן] | שאקבל שכר] שאזכה ק, שאאריך ימים [רמב״ן] | לעולם הבא] ל׳ ד, בעולם הבא [ן׳ נחמיאש], לעולם הבא בשביל שאשב בישיבה בשביל שאאריך ימים [רוקח] — 10 כל רקהטלא, כל מה מד | תהו עושים אהל, תעשו רקטד [רמב״ם, ן׳ נחמיאש], תהיו עושים מ — 11 אתה אומר זה תלמוד רקטלד [יראים], ל׳ מא | עבודה רקמהטא, עבודה ממש לד [יראים] | הרי הוא] כשהוא ד — 12 וכי מה עבודה—ומה שמירה א קמד, וכי מה עבודה—מה שמירה ר, מה שמירה—אף עבודה טל, וכי יש עבודה—ויש שמירה ה, וכי מה עבודה עבד ומה שמירה שמר [יראים] — 13 לעבדה הטמלא³, לעבודה רדא, עבודה ק, ולשמרה [יראים] — 14 כך תלמוד] כן עבודת תלמוד ל | קרוי]

תפלה אתה אומר זו תפלה או אינו אלא עבודה תלמוד לומר בכל לבבכם ובכל
נפשכם וכי יש עבודה בלב הא מה תלמוד לומר ולעבדו זו תפלה וכן דוד
אומר °תכון תפלתי קטורת לפניך משאת כפי מנחת ערב ואומר °ודניאל תהלים קמא ב / דניאל ו יא
כדי ידע די רשים כתבא על לביתיה וגו׳ ואומר °וכמקרביה לגבא שם ו כא
לדניאל בקל עציב זעק ענא מלכא ואמר לדניאל דניאל עבד אלהא
חייא אלהך די אנת פלח ליה בתדירא היכל לשיזבותך מן אריותא
וכי יש פולחן בבבל הא מה תלמוד לומר ולעבדו זו תפלה וכשם שעבודת מזבח
קרויה עבודה כך תפלה קרויה עבודה. רבי אליעזר בן יעקב אומר ולעבדו בכל
לבבכם ובכל נפשכם הרי זו אזהרה לכהנים שלא יהא לבם חולק בשעת עבודה.
דבר אחר מה תלמוד לומר בכל לבבכם ובכל נפשכם והלא כבר נאמר °בכל דברים ו ה
לבבך ובכל נפשך להלן ליחיד כאן לציבור להלן לתלמוד כאן למעשה. הואיל
ושמעת עשה עשיתם מה שעליכם אף אני אעשה מה שעלי ונתתי מטר ארצכם
בעתו סליק פיסקא

מב.

(יד) ונתתי, אני לא על ידי מלאך ולא על ידי שליח. מטר ארצכם, ולא

1 — קרויה ד | ולעבדו טה, ולעובדו רקמלא, לעובדו ד — 1 אתה אומר—ולעבדו זו תפלה] ל׳ ט, אתה אומר זו תפלה אר קהל, זו תפילה דמ | בכל לבבכם ובכל נפ׳ המא, בכל לב׳ ובכ׳ נפ׳ ר, בכל לבבך ובכל נפשך ובכל מאודך לד, בכל לבבך ובכל נפשך ק — 2 יש רקהמ, יש לך דט ל | מה ת״ל רקטדלה, למדת מא | וכן דוד אומר רקטהמ, וכן בדוד הוא אומר ד, וכן דוד הוא אומר לא — 4 כדי רמהקט׳ (מסורה), כד דט׳ל, ל׳ א | וגו׳ ר, וכוין פתיחין ליה בעיליתיה נגד ירושלם וזימנין תלתא ביומא הוה בריך על ברכוהי ומודי קדם אלהיא כל קבל דהוה עבידי מקדמת דנא ד, וכוין פתיחין ליה בעיליתיה נגד ירושלם וזימנין תלתא ביומא בעא בעותיה ט, וכוין פתיחין ליה בעיליתיה נגד ירושלם וזימנין תלתא ביומא הוה מברך על בירכוהי ומצלי ומודי קדם אלהיה ל. ל׳ א מה — 5 ענא—מן אריותא ד, וגו׳ רמק, ענא—לשיזבותך ה, ענא ואמר אלהא חיא—בתדירא הוא ישזבינך ט, ענה מלכא ואמר לדניאל עבד אלקא חייא אלקך דאנת פלח ליה בתדירה ל, ל׳ א — 7 פולחן הדקטמ, שלחן ר, עבודה ל | בבבל דמהקיטא, בלב רק, בזו ל | הא רקהלד, אלא מא | וכשם רקמלא, כשם דטה | מזבח] מקדש ל — 8 רבין] ד״א ולעבדו בכל לבבכם ר׳ ה | ולעבדו—נפשכם] ל׳ מ — 9 הרי זו אזהרה—ובכל נפשכם] ל׳ רק | שלא] ולעבדו בכל נפשכם שלא מ | יהא] יהיה ד | לבם] אחד מהם אי | חולק הא, חלק מ, מבוהל ט, מהרהר ד, גס ל — 11 להלן ליחיד כאן לציבור] כאן לציבור ולהלן ליחיד מא | להלן רטהל, כאן ד | ליחיד הטלד, יחיד רק | לציבור] ציבור ק | להלן רקהמל, כאן ט״דא, וכאן ט׳ | כאן] ולהלן א — 12 עשה] בר נוסף <פ׳>; ובק נוסף <סל׳ פס׳> | עשיתם] שעשייתן ל | שעליכם] שעליכם לעשות מ | אעשה מה שעלי רטלדהא, ל׳ ק, אעשה מה שעלי לעשות מ — 13 סליק פיסקא ד, ל׳ רקא —
14 לא—מלאך רטדמהא, ולא המלאך ק, ולא מלאך ל | לא—שליח] ל׳ ט׳ | ולא] לא ר | שליח] השליח ד —

רמב״ם עשין ה׳, בתוספות המיוחסות לר׳ יהודה החסיד ברכות ל׳ ע״ב ועיין בתוספות ברכות ל״א ע״ב ד״ה במקום, רש״י, ופ״ז: 1 אלא עבודה, כלומר עבודת מזבח: 2 וכי יש עבודה בלב וכו׳, ירוש׳ ברכות פ״ד ה״א ז׳ ע״א, תענית ב׳ ע״א, מדרש תהלים ס״ו קנ״ז ע״ב, מדרש שמואל ב׳ י׳ (כ״ה ע״ב), וע׳ מה שכתב ר״י אלבוגען בספרו Der jüdische Gottesdienst, ע׳ 4, ועיין ג״כ במאנאטס־שריפט נ״ה ע׳ 705: 3 תכון תפלתי קטורת, הרי שמשוה תפלה לקרבנות: 7 וכי יש וכו׳, רש״י — וכשם שעבודת מזבח וכו׳, מסקנת הברייתא היא: 8 ראב״י אומר וכו׳, רמב״ן בהשגות לספר המצות עשין ה׳: 9 חולק, דהיינו שלא יזבח הזבח לשם זבח אחר או לשם בעלים אחרים שלא ישחטוהו אלא לשם אותו הזבח כדתנן „לשם ששה דברים הזבח נזבח לשם-זובח וכו׳ (זבחים פ״ד מ״ו)” ולהלן דכתיב את ה׳ אלהיך בכל לבבך ללמוד שלא יהא לבך חלוק על המקום (ע׳ למעלה פי׳ ל״א) מפי׳ ר״ה: 11 להלן לתלמוד וכו׳, [הוא כמו ד״א, מפי׳ רד״ף]: 12 עשיתם וכו׳, רש״י, ופ״ז והשוה לקמן סוף פי׳ ש״ב עשינו מה שגזרת וכו׳:

14 לא ע״י מלאך, הגדת ליל פסח, „ועברתי בארץ מצרים, אני ולא מלאך”, מכילתא בא פ״ז (ז׳ ע״ב, ה–ר 23) שם פ׳ י״ג (י״ג ע״ב, ה–ר 43), לקמן פי׳ שכ״ה, מ״ת כ״ו ח׳ (ע׳ 173)· — ולא מטר וכו׳, [דהוה ע״י שליח, תענית ב׳ ע״א וי׳ ע״א, וכדי שלא תקשה מתענית ב׳ ע״א ג׳ מפתחות לא נמסרו ביד שליח ואחד מהם מפתח של גשמים תירץ רד״ף דהתם קאמר לא נמסרו לשליח להיות לעולם ממונה עליהם אבל לשעה נמסר לשליח להשקות שאר ארצות אבל א״י לעולם ע״י השם] ועיין בתוספות תענית שם ד״ה שלשה· — ולא מטר וכו׳, תו״כ ריש בחוקותי,

מטר כל הארצות כן הוא אומר °הנותן מטר על פני ארץ ושולח מים על איוב ה י
פני חוצות רבי נתן אומר בעתו מלילי שבת ללילי שבת כדרך שירדו בימי שלמצו
המלכה וכל כך למה רבי אומר כדי שלא ליתן פתחון פה לבאי העולם לומר הרי שכר
כל המצות אלא °אם בחוקותי תלכו ונתתי גשמיכם בעתם והיה אם ויקרא כו ג־ד
שמוע תשמעו אל מצותי, ונתתי מטר ארצכם בעתו יורה ומלקוש.
ומנין שנתנה ברכה אחת לישראל שכל הברכות כלולות בה תלמוד לומר °אוהב קהלת ה ט
כסף לא ישבע כסף ומי אוהב בהמון לא תבואה ואומר °ויתרון ארץ שם ה ח
בכל היא מלך לשדה נעבד מלך זה שולט באוצרות של כסף וזהב ואינו משועבד
אלא ליוצא מן השדה הא למדת שנתנה ברכה אחת לישראל שכל הברכות כלולות בה.

יורה, שיורד ומורה את הבריות להכנים פרותיהם ולהטיח גגותיהם ולעשות
כל צרכיהם. דבר אחר יורה שמתכוין לארץ ואינו יורד בזעף. דבר אחר יורה
שיורד ומרוה את הארץ ומשקה עד התהום וכן הוא אומר °תלמיה רוה נחת גדודיה תהלים סה יא
יורה במרחשון ומלקוש בניסן אתה אומר יורה במרחשון ומלקוש בניסן או יורה
בתשרי ומלקוש באייר תלמוד לומר בעתו יורה במרחשון ומלקוש בניסן וכן הוא
אומר °והורדתי הגשם בעתו וגו׳ או מה יורה משיר פרות שוטף זרעים שוטף יחזקאל לד כו

ויק״ר ל״ה סי׳ י״א, תענית י׳ ע״א: 1 הנותן וכו׳, לארץ כלומר לא״י הוא נותן מטר בעצמו, ולחוצות שהן שאר ארצות שולח ע״י שליח וכן בתרגום שם „דיהב מטרא על אפי ארעא דישראל ומשדר מיא על אפי מחוזי עממיא״ וכן פי׳ רש״י שם, והשוה למעלה פי׳ ל״ז ע׳ 70, „ארץ אלו שאר ארצות וחוצות אלו מדברות״: 2 ר׳ נרתן וכו׳, פ״ז, רש״י [תו״כ בחוקותי פ״א ה״א, והיינו בכל לילי שבת לפי שבלאו הכי אינן יוצאין לחוץ ועיין תענית כ״ג ע״א דשם איתא דבימי שמעון בן שטח ירדו בלילי רביעיות ובלילי שבתות, ויק״ר פ׳ ל״ה סי׳ י״א]. — שלמצו, לפי דברי החכם ר׳ שמואל קרוסס במלונו זו היא הצורה העברית של השם *Σαλάμψω*. בתענית כ״ג ע״א חסר שם המלכה אבל בעלי התוספות (שבת ט״ז ע״ב, ד״ה דאמר) גורסים גם שם „שמעון בן שטח ושל ציון המלכה״: 3 וכל כך למה, למה נותן גשמים בעתם כשעושין רצונו של מקום שלא ליתן פתחון פה לכל באי עולם אם מקיימין המצות ואין הגשמים בעתם יאמרו הרי כל המצות שעשינו רצון המקום ואין העולם מתקיים אלא ונתתי גשמיכם בעתם, מהר״ס; ואולי יש להגיה במקום הרי „איה״: 7 לא תבואה, כפירוש רש״י וקהלת רבה, ומי אוהב בהמון במכון, לא תבואה, שאינו אוסף לו פירות, גם זה הבל: 8 מלך זה וכו׳, קהלת רבה שם והרבה מאמרים במובן זה נמצאים בספרות התלמודית השוה ירוש׳ שקלים פ״ח ה״א א״ר חנין „והיה חייך תלואים לך מנגד זה שהוא לוקח חטים לשנה״ ובויקרא רבה כ״ב א׳ „כל מי שהומה ומהמה אחר הממון וקרקע אין לו מה הנאה יש לו״ ועיין ברש״י קהלת שם, ובספרו של גולאק, לחקר תולדות המשפט העברי בתקופת התלמוד, ח״א ע׳ 23: 10 יורה וכו׳ עד כל צרכיהם, [תענית ז׳ ע״א] והשוה רש״י ופ״ז: 11 שמתכוין וכו׳ עד בזעף, רש״י תענית שם ד״ה שיורד: 12 שיורד וכו׳ עד גדודיה, תענית שם: 13 יורה וכו׳ עד ת״ל בעתו, שם ה׳ ע״א, ו׳ ע״א — יורה במרחשון, כרבי מאיר בויק״ר ל״ה סי׳ י״ב ובניגוד לר׳ יוסי האומר יורה בכסלו ובתרגום יונתן „בכיר במרחשון ולקיש בניסן״: 15 או מה יורה

1 מטר כל הארצות טל, כמטר כל הארצות רדהמק, מטר ארצות ד, כמטכל ארצות א | וכן] כן ר — 2 רבי נתן אומר בעתו] אי זה הוא עתו הי׳ [ונתקן כמו בספרי שלפנינו] | נרתן] יונתן ל | מלילי שבת] בלילי שבת ט | ללילי שבת אהמלד, לשבת רק, ל׳ ט | שלמצו המלכה רדהק [הי׳ גליון], הילני המלכה לד, הורדוס המלך שהיו עסוקין בבנין הבית ט, שלנציה המלכה אמ, שלמינו הי׳ — 3 רבי אומר רקמהל, ל׳ טדא | כדי] ל׳ מא | שלא] ל׳ ר | לומר] ל׳ ל׳ | שכר] ל׳ א — 4 המצות מדטהלא, מצוות רק | תלכו] <ואם את משפטי תשמורו ועשיתם אותם> ד — 6 ומניין רקלדט״ה, מנין ט״מא | הברכות מהל א, ברכות רקט, הכללות ד — 8 מלך זה שולט לד, מלך שכל ברכות זה ששולט ר, מלך שבכל ברכות זה ששולט ק, במלך זה ששולט ה, מלך זה ששולט ט, מלך זה שהוא אוהב ושולט מא | באוצרות] האוצרות א, על האוצרות א׳ | וזהב רטהמ, ושל זהב לדקא | משועבד] משתעבד ט — 9 מן השדה] מן השדה שנ׳ מלך לשדה נעבד ה | הא למדת] הלמדת ד | אחת קהמא, אמ׳ ר, ל׳ דטל | הברכות קדמהלא, ברכות רט — 10 שיורד ומורה קה דטל, שיורד ומיורה ר, שיורה מא | את רקטהמל, ל׳ אר | פירותיהם קהדטמלא, פירותם רק | ולהטיח רקה ר, ולטוח מא, ולהטיל ט׳, להטיח ל | גגותיהם הדט״מ א, גגותם רק, גנותיהם ט׳, גניהן ל — 11 צרכיהם אמ ה, צורכם רקטדל | שמתכוין—בזעף] ל׳ ה | שמתכוין ר טלד, שיורד בנחת ק, שיורד כמתכוין מ, שיורד במתכוין א | ואינו רקאמ, ואין דטל | בזעף רקטדא, בזעם מל — 12 שיורד רקהל, שמורה טד, שיורה מא | תהום] התהום מ | וכן] כן ר | תלמיה—נחת גדודיה יורה במרחשון מלקוש בניסן] ל׳ ל | רוה—גדודיה] רויה וגו׳ ר — 13 אתה—בניסן] ל׳ טמא | יורה במרחשון—והורדתי הגשם בעתו או] ל׳ ה | ואו] או אינו אלא ט — 14 ת״ל בעתו] תל׳ לומ׳ בעתו ת״ל בעתו ר | במרחשון] ל׳ מא | בניסן] ל׳ מא | וכן] כן ר — 15 הגשם]

גרנות תלמוד לומר מלקוש מה מלקוש לברכה אף יורה לברכה, או מה מלקוש
מפיל בתים ועוקר אילנות ומעלה סקאין תלמוד לומר יורה מה יורה לברכה אף
מלקוש לברכה וכן הוא אומר °ובני ציון גילו ושמחו בה׳ אלהיכם כי נתן יואל ב כג
לכם את המורה לצדקה.

ואספת דגנך תירושך ויצהריך, דגנך מלא תירושך מלא יצהרך
מלא אתה אומר דגנך מלא תירשך מלא יצהרך מלא או ואספת דגנך
תירושך ויצהרך מפני מיעוט הפירות תלמוד לומר °והשיג לכם דיש את ויקרא כו ה
בציר מקיש דיש לבציר מה בציר משאתה מתחיל בו אי אתה יכול להניחו אף דיש
משאתה מתחיל בו אי אתה יכול להניחו. דבר אחר שיהא חורש בשעת קציר וקוצר
בשעת חריש וכן איוב אומר °וטל ילין בקצירי. דבר אחר ואספת דגנך, למה איוב כט יט
נאמר לפי שנאמר °לא ימוש ספר התורה הזה מפיך שומע אני כמשמעו תלמוד יהושע א ח
לומר ואספת וגו׳ דרך ארץ דברה תורה דברי רבי ישמעאל רבי שמעון בן יוחי אומר
אין לדבר סוף קוצר בשעת קציר חורש בשעת חריש דש בשעת שרב זורה בשעת
הרוח אימתי אדם למד תורה אלא כשישראל עושים רצונו של מקום מלאכתם נעשית
על ידי אחרים שנאמר °ועמדו זרים ורעו צאנכם וגו׳ וכשאינם עושים רצון ישעיה סא ה
המקום מלאכתם נעשית על ידי עצמם ולא עוד אלא שמלאכת אחרים נעשה על ידם
שנאמר °ועבדת את אויביך וגו׳. דברים כח מח

גשם א | וגו׳ ר, ל׳ דקטאמ | או רקטה, אי מדא | מה] ל׳ ה, מהו ל | משיר רקטמהא, שמשיר לד | פירות רקמהא, הפירות ד, את הפירות ל | שוטף רקטמהא, ושוטף לד | זרעים רקמהא, הזרעים ד, את הזרעים טל | שוטף גרנות מ הא, וגרנות רק, ואת הגרנות טדל <אף מלקוש כך> א׳ — 1 מלקוש] ומלקוש ד | או רקטדהל, אי מא | מה] ל׳ ט׳ ל — 2 מפיל] שמפיל ט | ועוקר אמדהטיל, עוקר רקט׳ ד | סקאין ק, סקין ה, סקוי ר, סקי ד, סקיי ט, סקאי סקי מ, סקן ל, סקאי סקיי א, <אף יורה כך> א׳ — 3 וכן הוא אומר] כה״א ר — 4 לצדקה] <ויורד לכם גשם יורה ומלקוש בראשון> ד [ובמקרא מורה ומלקוש] — 5 דגנך—יצהרך מלא] מלא תירושך מלא יצהרך מ | מלא] ממלא ל (ג״פ) | יצהרך] ויצהרך אה — 6 אתה אומר—יצהרך מלא ה, אתה אומר מלא דגנך מלא תירושך מלא יצהרך א, ל׳ רקטדמל | או] או אינו מ — 7 מפני מיעוט רקה, ממעיט לד, ממעוט ט, מיעט מא, ממיעוט [א״א] | הפירות] הפירות הללו מא — 8 משאתה] מה שאתה א | אי] ל׳ ד | יכול] רשאי ד — 9 קציר ארקטדה, הקציר מ, קצירה ל, בציר ה׳ | וקוצר] ובוצר ה׳ — 10 חריש רקטדהא, החריש מ, חרישה ל | ד״א—שנאמר ועבדת את אויביך] ח׳ ט, ובמקומו מובא הברייתא בסגנון שיש לה בב׳ ברכות ל״ה ע״ב | ד״א המאדל, ל׳ רק — 11 שנאמר רקהמא, שהוא אומר דל — 12 דרך—תורה] נהוג בהם מנהג ד״א ה | דברה רקלד, למדה מא | דברי] רשאי להניחו דברי ד — 13 אין—חריש] אם כן שאדם זורע בשעת זריעה וחורש בשעת חרישה וקוצר בשעת קצירה ה | חורש] וחורש ד | דש] ודש ה | זורה] וזורה ה — 14 אימתי—תורה] תורה מה תהא עליה ה | אדם] ל׳ ד | כשישראל—המקום] כל זמן שישראל עסוקין בתורה ה | רצונו של מקום רקמלא, רצון המקום ר [וכן בסמוך] | נעשית—אחרים] ע״י אחרים נעשית ד | נעשית] נעשה ר — 15 כשאינם רק, וכשאין לדא | וכשאינם—המקום] ובזמן שאין ישראל עסוקין בתורה ה — 16 נעשית על ידי

וכו׳ עד אף מלקוש לברכה, תענית שם. — שוטף גרנות, [כן היתה הגרסה גם בתענית שם אבל רש״י ד״ה משיר, מחקה וכתב דגרנות במרחשון ליכא, ואם תאמר דאם כן לא הוה ברכה תירץ ברש״י שם דדילמא הכי קאמר ואם לאו ונתתי וכו׳]: 2 סקאין, דכתיב יירש הצלצל ומתרגמינן „סקאה״, מפי׳ ר״ה: 5 מלא, [מדלא כתיב דגן משמע לכל חד וחד מה שצריך לו ברוח]: 7 מפני מיעוט הפירות, כלומר לא תצטרך לטרוח באסיפת הדגן מפני מיעוטו לקבץ כל שבולת ושבולת, אלא מפני השפע, כן גורסים ומפרשים ר״ה ורמא״ש והמבארים האחרים בכרו בגרסת ד „ממעיט הפירות״, ופירשו באופנים זרים: 8 אי אתה יכול להניחו, [אלא צוברו ומניחו בחביות דלא ליעפשו הענבים וליזלו לאיבוד, מפירוש ר״ה]: 9 להניחו, [משום דהוי טפי ואי מנח ליה פגע ביה בציר בתריה ואזיל לאיבוד, מפי׳ ר״ה והשוה תו״כ ריש פ׳ בחוקותי על הכתוב והשיג לכם דיש את בציר „שתהו עסוקים בדיש עד שיגיע בציר״]. — שיהא חורש וכו׳, [כלומר שתהא הארץ עושה פירות כל השנה, רמא״ש]: 10 וטל ילין בקצירי, כלומר הטל הצריך לזריעה ילין בקציר שלי, ומפרש קצירי כמשמעו הרגיל חריש וקציר ולא מלשון קציר וסעיף כרוב המפרשים וכן בתרגום „וטלא יבית בחצדי״ וכעין זה בתרגום השבעים ובשאר התרגומים העתיקים: 12 דרך ארץ דברה וכו׳ עד על ידם, [ברכות ל״ה ע״ב] ילקוט תהלים סי׳ תרט״ו: 13 אין לדבר סוף, כלומר אין לדבר מלאכתו סוף, מפי׳ ר״ה; ור׳ שמעון לטעמו, השוה ירו׳ ברכות פ״א ה״ה (ג׳ ע״א), ומכילתא בשלח מסכת ויסע פ״ב (מ״ז ע״ב, ה—ר 161): 14 אלא כשישראל עושים רצונו וכו׳, [השוה מכילתא

דבר אחר ואספת דגנך תירושך ויצהריך, שתהא ארץ ישראל מלאה דגן תירוש ויצהר וכל הארצות דובאות למלאות אותה כסף וזהב כענין שנאמר °וילקט יוסף את כל הכסף (בראשית מז יד) ואומר °וכימיך דבאיך שיהיו כל הארצות דובאות כסף וזהב לארץ ישראל. (דברים לג כה)

דבר אחר דגנך כמשמעו, תירשך זה היין כענין שנאמר °כה אמר ה׳ כאשר ימצא התירוש וגו׳, (ישעיה סה ח) יצהרך זה השמן כענין שנאמר °והשיקו היקבים תירוש ויצהר. (יואל ב כד) דבר אחר דגנך לך, תירושך לך, יצהרך לך, לא כענין שנאמר °והיה אם זרע ישראל ועלה מדין ועמלק ובני קדם ועלו עליו (שופטים ו ג) אלא כענין שנאמר נשבע ה׳ בימינו ובזרוע עזו אם אתן את דגנך עוד מאכל וגו׳ °כי מאספיו יאכלוהו והללו את ה׳ ומקבציו ישתוהו בחצרות קדשי (ישעיה סב ט) סליק פיסקא

מג.

(טו) ונתתי עשב בשדך לבהמתך, שלא תהא מצטער למדברות אתה אומר שלא תהא מצטער למדברות או אינו אלא ונתתי עשב בשדך לבהמתך כמשמעו תלמוד לומר ואכלת ושבעת הא מה אני מקיים ונתתי עשב בשדך לבהמתך שלא תהא מצטער למדברות רבי יהודה בן בבא אומר ונתתי עשב

כי תשא פ״א (ק״ד ע״א)] מכילתא דרשב״י ל״א ט״ו (ע׳ 161), ושם ל״ה ב׳ (ע׳ 165): 2 וכל הארצות דובאות וכו׳, [לקמן פי׳ שנ״ה, תו״כ ריש בחוקותי] ויקרא רבה פ׳ ל״ה, ופי׳ ר״ה „זבות כסף וזהב דמשמע הכי כל ימיך דבואות לך דהיינו דבואות כסף וזהב״: 5 זה היין, ירו׳ מעשר שני פ״ב ה״א (נ״ג ע״א), שם יומא פ״ח ה״ג (מ״ה ע״א):

33 ונתתי עשב וכו׳, בימי התנאים כבר נאסר כידוע לגדל בהמה דקה בישובי ארץ ישראל (ב״ק פ״ז מ״ז) מפני השחתת התבואה והשדות של אחרים. והרועה שבימים קדמונים מתחלת היות ישראל לעם עד אמצע ימי בית ראשון היה סמל החסידות והיושר בהיות הרועים צור מחצבתו של ישראל הקדמון כמוכח מתוך מעשה הבל, האבות, השבטים, משה ודוד שכולם היו רועי צאן (והשוה ירמיה ל״ה ז׳, המשבח את בני רכב על מאסם בישוב ובכרמים, והושע י״ב י׳ עוד אושיבך באהלים כימי מועד), ירד מעמדו במשך הזמן, ובעיקר בימי בית שני עד כדי להפסל לעדות, והועמד במדרגה אחת עם הגזלן והחמסן. לכן בהשתנות המצב הכלכלי, ועמו גם ערכו של הרועה, השתדלו התנאים לפרש ונתתי עשב בשדך לבהמתך בהתאמה לדעותיהם. ת״ק מפרש שיהיה העשב בשפע עד שלא יצטרכו למנוע הבהמות מלרעות בישוב ולהרחיקם למדברות, ר׳ יהודה בן בבא מפרש הברכה בעולם הזה מפני שהוא התיר לגדל בהמה דקה (תוספתא ב״ק ח׳ י״ג ע׳ 362). רשב״י מפרש הכתוב כדרכו לענין הנפלאות שבימות המשיח. — למדברות, [ויהיה העשב גם כן ראוי למאכל אדם אלא שלא ירצה להצטער ויתננו גם כן למאכל בהמה; או אינו אלא כמשמעו ולא יהיה ראוי למאכל תלמוד לומר ואכלת, ז״ר; ורא״ם פירש או אינו אלא שיהיה לשדך עשב רב כמו העשב הראוי לבהמתך ת״ל ואכלת ושבעת פי׳ ומסתמא יש בו עשב רב; ורד״ף פירש שלא תצטער כשאתה רוצה לאכול בשר לילך למדברות למקום מרעה; ואי אפשר לפרש שלא יחסר לבהמות מזונם דאם כן אין נמשך לזה ואכלת ושבעת; ורש״י ופ״ז מעתיקים בקצור ומרא״ם משמע שהיה גורס דברי ר׳ יהודה או ר׳ יהודה אומר; ומכל אלה הפירושים יותר נראה דה״ק דאין הכוונה שיצמח עשב בשדה אלא שלא יצטרך להוליכה למקום רחוק אלא יהיה לו לתת לבהמתו בשדה או אינו אלא שיצמח בשדה אם כן מאי ואכלת ושבעת ועל כרחך שיהיה לו ממה שיקצור (או ממקום קרוב) לתת לבהמה בשדה]:

עצמם אמל, נעשה על ידי עצמן רק, נעשית על ידי עצמו שנ׳ ואספת דג׳ ותי׳ ויצ׳ ה, על ידי עצמם נעשית ד | ידם] ידי עצמן ל — 2 תירוש רטאה, ותירוש דקלמ | דובאות הדט״ל, דואבות רק, באות ט״מא | כענין רקלהט״א [א״א], ל׳ דט״מ — 3 שיהיו רקמהטל, מגיד שיהו ד, שירדו א | דובאות טדלה, דואבות רקמ, ל׳ א | וזהב] ל׳ מא — 4 לא״י] לישראל ט — 5 דגנך רקלמה, דגן טר, דגנך תירושך ויצהרך א | תירושך רקלמאט, תירוש ד, ותירושך ה | היין מהטדלא, דבאך היין רק | כה אמר—כעניין שנאמר] ל׳ ד — 6 כענין רקטלדמ, ל׳ הא — 7 ד״א—יצהרך לך אמה, ל׳ רקטלד | לא רטלמאה, ולא קד — 8 והיה אם זרע—כענין שנאמר] ל׳ א | ועלו] וחנו ועלו ד — 10 וגו׳ רק, ואומר מהל, ל׳ ד — 11 סליק פיסקא דק, פיסקא א, פי׳ ר —

12 ונתתי—לבהמתך ארקטמה, ונתתי—לבהמתך הא מה אני מקיים ונתתי עשב בשדך לבהמתך ד, הא מה אני מקיים ונתתי—לבהמתך ל | תהא מצטער] תצטער ה | אתה —למדברות] ל׳ ט — 13 שלא תהא מצטער למדברות רק ה, כן דמל, שלא תהא מצטער להוליכה למדברות [רא״ם] | אינו אלא] ל׳ ה | אלא] ל׳ ל — 14 כמשמעו] כשמועו ה — 15 שלא רקטמהא, למה נאמר שלא דל | רתהא מצטער רקמהלא [רא״ם], תצטרך ט׳, תהא מצטרך ט׳, רצה מצטער ד | למדברות] להוליכה למדברות [רא״ם] |

בשדך לבהמתך בין התחומים ר׳ שמעון בן יוחי אומר ונתתי עשב בשדך
לבהמתך שתהא גווז ומשליך לפני בהמתך כל ימות הגשמים ואתה מונע ידך ממנה
קודם לקציר שלשים יום והיא עושה ואינה פוחתת מדגנה רבי אומר ונתתי עשב
בשדך לבהמתך זה פשתן וכן הוא אומר °מצמיח חציר לבהמה ועשב (תהלים קד יד)
לעבודת האדם להוציא לחם מן הארץ.

ואכלת ושבעת, סימן טוב לאדם כשבהמתו אוכלת ושבעה וכן הוא אומר
°יודע צדיק נפש בהמתו. דבר אחר ואכלת ושבעת כשבהמתך אוכלת (משלי יב י)
ושבעה עובדת בכח האדמה שנאמר °ורב תבואות בכוח שור. דבר אחר (שם יד ד)
ואכלת ושבעת מן הולדות אף על פי שאין ראיה לדבר זכר לדבר °ובאו ורננו (ירמיה לא יא)
במרום ציון ונהרו אל טוב ה׳ על דגן ועל תירוש ועל יצהר סליק פיסקא

(טז) ואכלת ושבעת, השמרו לכם פן יפתה לבבכם, אמר להם הזהרו
שמא תמרדו במקום שאין אדם מורד במקום אלא מתוך שובע שנאמר °פן תאכל (דברים ח יב–יג)
ושבעת ובתים טובים תבנה וישבת, ובקרך וצאנך ירביון וכסף
וזהב ירבה לך מהו אומר °ורם לבבך ושכחת את ה׳ אלהיך כיוצא בו אתה (שם ח יד)
אומר כי אביאנו אל האדמה אשר נשבעתי לאבותיו זבת חלב ודבש
מהו אומר °ופנה אל אלהים אחרים כיוצא בו אתה אומר °וישב העם לאכול (שם לא כ; שמות לב ו)
ושתה מהו אומר °עשו להם עגל מסכה וכן אתה מוצא באנשי דור המבול שלא (שם לב ח)
מרדו במקום אלא מתוך שובע מה נאמר בהם °בתיהם שלום מפחד וגו׳ שורו (איוב כא ט–יג)
עבר וגו׳ ישלחו כצאן עויליהם וגו׳ יבלו בטוב ימיהם וגו׳ היא גרמה להם
°ויאמרו לאל סור ממנו, מה שדי כי נעבדנו וגו׳ אמרו טפה אחת של גשמים (שם יד–טו)

בבא] אבא ה — 1 בין רקטמהא, מן לד | בין התחומים] <פי׳ בין תחומי שדות ובין המצרים> מ | ר׳ שמעון–לבהמתך] ל׳ ד — 2 בהמתך] הבהמה א — 3 ר״א רק הלז [פס׳ זוט׳], ד״א דטמ — 4 זה פשתן–ד״א ואכלת ושבעת] ל׳ מ | וכן הוא אומר דלטמהא, כה״א רק — 6 כשבהמתו רקד, כשתהא בהמתו מהא, שבהמתו ל | ושביעה] ושובעת ד | וכן–ושבעה] ל׳ ק | וכן הוא אומר] כע׳ האמ׳ ר — 7 ד״א המלאר, ל׳ רט [א״א] — 8 ושבעה רמטלא, ושובעת דה | בכח האדמה רקדט, האדמה בכח מא, את האדמה בכוח ה, בכח את האדמה ל | שנאמר רקמהלא, וכן הוא אומר טד | ורב] ורוב א — 9 אף רקדהמלא, ואף טד | ובאו רקדהא, שנ׳ ובאו לטדמ — 10 ונהרו–אדם מורד במקום אלא] ל׳ א | סליק פיסקא] ל׳ ד, סל׳ פס׳ ק, פ׳ ר —

12 שמא רקדהט׳, שלא לד, פן ט׳, לכם שמא מ | במקום] בהקב״ה ד | מורד במקום רקדהטל, מורד בהקב״ה ד, מורד מ | שובע רקמדהא, שביעה דטל — 14 אומר רקדהטמא, אומר אחריו לד | כיוצא–אלהים אחרים] ל׳ ל | בו טדהמא, בדבר רק — 16 מהו אומר אמ, ל׳ הרקדט | בו קלטמהא, בדבר רד | אתה אומר] ל׳ מ — 17 ושתה מד, וש׳ הר, ל׳ א [ובמסורה וש ת ו] | מהו אומר–עגל מסכה] ל׳ ר | וכן אתה מוצא קדהטימלא, וכן ד, כי׳ בד׳ את׳ אר׳ וכן את מוצא ר, כן אתה מוצא ט׳ | באנשי דור רקדהטל, בדור מא — 18 מרדו במקום ה, מרדו בהקב״ה מא, מרדו רקטלד | שובע רקמדהא, שביעה דטל | מה נאמר] שנאמר ד — 19 היא רקטלד, והיא מהא — 20 אמרו] אם ט |

1 ר׳ שמעון וכו׳, [רש״י ופ״ז]: 3 רבי אומר, לרבי היה עסק גדול בפשתן, השוה ירו׳ מעשר שני פ״ה ה״ת נ״ה ע״ד, (ושם יש לנסח רבי במקום רב): 4 זה פשתן, [שהאדם מעבד אותו ועיין פ״ז, ופי׳ רד״ף דה״ק דאף אם תזרע שדך פשתן שהוא ראוי לבהמה קצת אם אחר כך תזרע תבואה ואכלת ושבעת אף שדרך הפשתן להכחיש השדה]: 6 סימן טוב וכו׳ עד ורב תבואות בכח שור, ילקוט משלי תתקמ״ח. – סימן טוב וכו׳, המשך הכתובים מפרש את התמוה ונתתי עשב בשדך לבהמתך, ואכלת ושבעת, כאילו יצטרך האדם לאכול העשב הראוי לבהמה, ואומר יודע צדיק וכו׳ שהצדיק שמח כשבהמתו אוכלת ושבעה כאילו הוא אכל בעצמו לשובע: 9 זכר לדבר, דורש סוף הפסוק ועל בני צאן ובקר דהיינו יולדות, מפי׳ ר״ה: 11 אמר להם וכו׳, פ״ז, רש״י: 12 שאין אדם מורד וכו׳, [לקמן פי׳ שי״ח, ברכות ל״ב ע״א] ירושלמי סוף יומא, והשוה בראשית רבה ל״ח ז׳ ומנחת יהודה שם: 16 וישב העם וכו׳, לקמן פי׳ שי״ח, ספרי במדבר פי׳ קל״א, שמות רבה פ׳ מ״א סי׳ י״א, תנחומא ב׳ כי תשא סי׳ י״ג (נ״ז ע״א) בבלי ברכות ל״ב ע״א: 18 מה נאמר בהם וכו׳, לקמן פי׳ שי״ח, סנהדרין ק״ח ע״א, תוספתא סוטה פ״ג ה״ו (עמוד 296), מכילתא שירה פ״ב (ל״ה ע״ב ה–ר ע׳ 121), מכילתא דר״ש ט״ו א׳ (ע׳ 58), בראשית רבה כ״ו ה׳ (ע׳ 248 וע׳ 251) שם ל״ו א׳ (ע׳ 334) ויקרא רבה פ״ה סי׳ א׳, פסיקתא דר״כ אחרי מות (קס״ט ע״ב),

היא אין אנו צריכים לו °ואיד יעלה מן הארץ אמר להם המקום בטובה שהיטבתי בראשית ב ו
לכם בה אתם מתגאים לפני בה אני נפרע מכם °ויהי הגשם על הארץ ארבעים שם ז יב
יום וארבעים לילה רבי יוסי בן דורמסקית אומר הם נתנו עיניהם עליונה ותחתונה
כדי לעשות תאותם אף המקום פתח עליהם מעיינות עליונים ותחתונים כדי לאבדם
שנאמר °ביום הזה נבקעו כל מעיינות תהום רבה וארובות השמים שם
נפתחו וכן אתה מוצא באנשי מגדל שלא מרדו במקום אלא מתוך שובע מה נאמר
בהם °ויהי כל הארץ שפה אחת ודברים אחדים ויהי בנסעם מקדם שם יא א–ב
וימצאו בקעה בארץ שנער וישבו שם ואין ישיבה האמורה כאן אלא אכילה
ושתיה כענין שנאמר °וישב העם לאכול ושתה ויקומו לצחק היא גרמה להם שמות לב ו
שאמרו °הבה נבנה לנו עיר וגו׳ מה נאמר בהם °ויפץ ה׳ אותם משם וכן אתה בראשית יא ד / שם יא ח
מוצא באנשי סדום שלא מרדו במקום אלא מתוך שובע מה נאמר בהם °ארץ ממנה איוב כח ה–ח
יצא לחם, מקום ספיר אבניה, נתיב לא ידעו עיט, לא הדריכוהו בני
שחץ וגו׳ אמרו אנשי סדום הרי מזון אצלינו הרי כסף וזהב אצלינו נעמוד ונשכח תורת
הרגל מארצנו אמר להם המקום בטובה שהיטבתי לכם אתם מבקשים לשכח תורת
הרגל מביניכם אני משכח אתכם מן העולם מה נאמר בהם °פרץ נחל מעם גר שם כח ד

תנחומא א׳ בשלח סי׳ י״ב, והשוה ציוניו של מורי ר׳ לוי גינזבורג בספרו אגדות היהודים ח״ה ע׳ 173 הערה 15, וע׳ 237 הערה 155. — בתיהם שלום וכו׳, רש״י שם: 3 ר׳ יוסי בן דורמסקית וכו׳, מכילתא שירה שם ותנחומא א׳ בשלח שם אבל בתוספתא סוטה פ״ג ה״ז (עמוד 296) הגרסה, „ר׳ יוסי בן דורמסקית אומר הן לא נתגאו אלא בגלגל עין שדומה למים אף הקב״ה לא נפרע מהם אלא במים״, ובסגנון ההוא מובא גם בבראשית רבה ל״ב ז׳ ע׳ 294), ובשם ר׳ יוסי גם סנהדרין ק״ח ע״א. — עיניהם עליונה וכו׳, עין העליונה היא עין האדם רואה והתחתונה היינו לב האדם דהלב נמי רואה דכתיב ולבי ראה הרבה (קהל״ת א׳ ט״ז) דעין רואה ומתאוה והוא מהרהר אחר העבירה, מפירוש ר״ה; ומהר״ס מביא את הפירוש הזה בשם הראב״ד ומוסיף עוד שיש מפרשים תחתונה היינו ערוה, וכעין זה נראה פירוש הגר״א שהגיה „נתנו עיניהם עליונה בתחתונה״ וכן מביא ר׳ דוד פארדו בשם מהרא״ן: 6 אלא מתוך שובע, תוספתא שם, בראשית רבה ל״ח ז׳ (ע׳ 356), והשוה מה שהעיר מורי ר׳ לוי גינזבורג בספרו אגדות היהודים ח״ה ע׳ 204 הערה 90: 8 ואין ישיבה האמורה כאן, ספרי במדבר פיסקא קל״א (ה—ר 169), „אין ישיבה בכל מקום כי אם קלקלה״, וכן בתנחומא ב׳ כי תשא סי׳ י״ג (נ״ז ע״א), ובשמות רבה פ׳ מ״א סי׳ י״א, אמנם בסנהדרין ק״ו ע״א בשם ר׳ יוחנן, „כל מקום שנאמר וישב אינו אלא לשון צער״, ובאותו סגנון מובא בתנחומא א׳ וישב ס״א והשוה עוד פדר״א פ׳ מ״ז „רבי אומר כל ישיבה שישבו ישראל במדבר עשו להם גלולים״, וראה מה שהעיר הירשברג במנחת בכורים לכבוד ר׳ אריה שווארץ ע׳ 18: 11 באנשי סדום, השוה פילון בספרו אודות אברהם פ׳ כ״ו סי׳ קל״ד והציונים שלמעלה, מכילתא שירה, תוספתא סוטה, סנהדרין, פדר״כ פ׳ אחרי מות, תנחומא א׳ בשלח, ובתרגום על איוב המובא בספר מעין גנים (איוב כ״ח ד׳) „תרגום אחר, ארעא דסדום דמינה הוא נפק לחמא

טיפה—הארץ] כלום צריכין אנו לו אלא לטיפה של גשמים הרי לנו מעינות ונהרות שאנו משקין ארצינו בהן ק | של הם דלא, ל׳ רט — 1 היא אין] ל׳ ל, אין א | המקום רקטה, הקב״ה דמלא | שהיטבתי אדהמ, שהטיבותי ק, שהיטבותי ר, שהשפעתי טל — 2 בה] ל׳ ד | לפני] ל׳ ר | אני נפרע ר קמטלא, אפרע ה, אני אפרע ד — 3 הם נתנו] הן נתתי ל | עיניהם] את עינם ה | עליונה ותחתונה לר, בעליונה ובתחתונה ק, העליונה בתחתונה ט, העליונה על עינם התחתונה ה, עליונים ותחתונים מ, עליונה והתחתונה א | כדין] בשביל ה | אף] אף כך מ | המקום הטיל, המקום רק, הק ט¹, הקב״ה מא | עליהם רקטמ¹א, להם דמה, ל׳ ל | עליונים ותחתונים רקמהדא, עליונים בתחתונים ט², עליונים כתחתונים ט³, העליונים והתחתונים ל — 6 באנשי מגדל רקטלה, באנשי המגדל ד, בדור הפלגה מ, בדור המגדל א | במקום רט, בהקב״ה דמא, במקום ק, ל׳ הל | שובע רקמהא, שביעה דטל | מה נאמר בהם רק, שנאמר לד טמהא — 8 ואין רדה, אין לטמא | כאן טרמדהלא, כן רק — 9 כענין שנאמר רמא, שנ׳ לדקטה | ושתה אמד, וש׳ הר, [ובמסורה ושתו, והשוה למעלה] | היא רקהדט, והיא מלא — 10 שאמרו דלאיט¹, שיאמרו ה, ל׳ רקמט²א | בהם] ל׳ מ | משם אמה, משם על פני האדמה ד, ויחדלו ר — 11 במקום] כן נראה לנסח בהתאם אל הסגנון למעלה, והגרסות המקובלות הן, בהקב״ה אמ, ל׳ רקטלהד | שובע רקטהמא, שביעה דל | מה נאמר בהם מה, שנאמר רקלדא — 13 אנשי] ל׳ ד | הרי כסף וזהב אצלינו רקטל, וכסף וזהב אצלינו מא, וכסף וזהב אצלינו אבנים טובות ומרגליות יוצאות מארצנו ה, ל׳ ר — 14 הרגל רקטלאמ, רגל דה | מארצנו רקהמא, מבינינו ד, מאצלנו טל | המקום] ל׳ מ, הקב״ה א | בטובה רטלמהא, בטובות ד, בשביל טובה ק | שהיטבתי רקטלדא, שהשפעתי מה | אתם רקטהלד, בה אתם מא | תורת הרגל] רגל מא — 15 מביניכם הטלדא, מבניכם ר, מכם ק, מבתיכם מ | אתכם] אתכם מדידכם ה [וכתב ה״ר דוד האפמן שצ״ל מדורכם, והיא

איוב יב ה-ו לפיד בוז וגו' ישליו אוהלים לשודדים ובטוחות למרגיזי אל היא
שם נרמה להם לאשר הביא אלוה בידו וכן הוא אומר חי אני נאום ה' אלהים
יחזקאל טז מח–נ אם עשתה סדם, הנה זה היה עון סדם אחותך וגו' כל כך יד עני ואביון
בראשית יג י לא החזיקה ותגבהינה כיוצא בו אתה אומר כי כלה משקה מהו אומר
שם יט לג ותשקין את אביהם יין ומאין היה להן יין במערה אלא שנזדמן להן לשעה וכן
יואל ד יח הוא אומר והיה ביום ההוא יטפו ההרים עסיס אם כך נתן למכעיסיו קל
אסתר א ו וחומר לעושי רצונו. ר' מאיר אומר הרי הוא אומר חור כרפס ותכלת וכי מה בא
הכתוב ללמדנו עושרו של אחשורוש אלא אם כך נתן למכעיסיו קל וחומר לעושי רצונו. וכבר היו רבן גמליאל ורבי יהושע ורבי אלעזר בן עזריה ורבי עקיבה נכנסים לרומי שמעו קול המיה של מדינה מפיטיולים עד מאה ועשרים מיל התחילו הם בוכים ורבי עקיבה מצחק אמרו לו עקיבה מפני מה אנו בוכים ואתה מצחק אמר להם אתם למה בכיתם אמרו לו ולא נבכה שהגוים עובדי עבודה זרה מזבחים לאלילים ומשתחוים לעצבים יושבים בטח שלוה ושאנן ובית הדום רגליו של אלהינו היה לשריפת אש ומדור לחיות

נוסחא אחריתא תחת „אתכם"] — 1 לשודדים—בידו אמ, לשודדים—עד אשר הביא אלוה בידו ה, לשודדים ובטוחות למרגיזי אל לאשר הביא אלוה בידו ד, לשודדים וגו' ל, וגו' רק — 3 סדם רל, סדום אחותך היא ובנותיה כאשר עשית היא ובנותיך ד, סדם אחו' ק, סדום אתותך טמ, סדום אחותך וגו' מ, סדום אחותך כחצי חטאתך ה | וגו' רק, גאון שבעת לחם ושלות השקט היה לה ובנותיה טד, גאון שבעת לחם ה, ל' מלא | כל כך רקמא, וכל כך למה טל, וכל כך ה, ל' ד | ויד] יד א — 4 ותגבהינה ר, ותהגבהינה ותעשינה תועיבה לפני ואסיר אתהן כאשר ראיתי ד, ל' קט, ותגבהינה ותעשינה תועבה לפני מא, ואומ' ה | אתה אומר] ל' מא | כי] וישא לוט את עיניו וירא את כל ככר הירדן כי ד | כי כלה משקה] ל' מ | מהו אומר ה, ואומר ד, וגו' ל. ל' רקאמ — 5 יין רקהא, יין בלילה ההוא ד, יין בלילה הוא ט, יין וגו' מל | ומאין ה, וכי מאין רקטדלמא | היה רקמהלא, ל' דט | שנזדמן] נזדמן ה | לשעה רקטמא, יין לשעה לד, לשעה כמעין דוגמא של עולם הבא ה | וכן הוא אומר] כה"א ר — 6 כך רקל, כן טדהמא | נתן רקמהלא, נתן הקב"ה דט | למכעיסיו] למכעיסין ה — 7 ר' מאיר אומר וכו'] מאמר זה נמצא במהא וחסר ברקדטל. ומסופק אני אם הוא מעיקר הספרי ולכן הדפסתי אותו באותיות קטנות | ר' מאיר אה, וכן ר' מאיר מ | הריהו אומר אמ, ל' ה — 8 הכתוב א ה, ל' מ | אלא אי, ל' אמה | כך מא, כן ה | נתן מה, יתן א — 9 היו ה, היה רקלדמאט | ור' יהושע ור' אלעזר בן עזריה רקלדמה, ור' אלעזר בן עזריה ור' יהושע טי, ור' אלעזר ור' יהושע טי, ור' יהושע בן עזריה א | שמעו] ושמעו הל — 10 קול המיה קדה, קול הומייה רמ, קול המונה ט, כל המונה ל, קול הומיה א | של מדינה מפיטיוליס מהא, של מיפטייליס רק, רומי ט, של מפלטיאן ל, של מיפטילון ד | ועשרים] ועשר א — 11 מצחק] משחק א | אמרו—מצחק רקמ הא, אמרו לו עקביא מפני מה אנו ואתה מצחק ל, ל' דט | עקיבה] ר' עקיבה הא | מצחק] משחק א | אמר להם] א"ל ר"ע ד | אתם רקד, ל' ט, ואתם מה לא — 12 אמרו לו] ל' א | ולא רקמהלא, לא דט | מזבחים לאלילים רקטד, זובחים לאלילים מא, זובחים לאלוהיהן ה, מזבחי לאלילים ל | ומשתחוים לדמהא, משתחוים רקט | לעצבים] לעצביהן ה — 13 בטח שלוה ושאנן רקט, בטח ושליוים מא, בטח ושליו ושאנן ל, בטח ושאנן ושלוה ה, בשלוה ושאנן ד | רגליו של מט, רגלי קה, רגלו של רא, של רגליו של ל | אלהינו] הקב"ה א, אלקינו מ | היה מלא, יהא רט, יהיה ד, ל' ק, נעשה ה | ומדור] ל' ל —

ועל רחבת אתרא וכו'" וכעין זה פירש רש"י שם: 4 כי כלה משקה וכו', וזה הביא אותם לידי תקלה שהשכירו את אביהן: 5 ומאין היה להן יין במערה וכו', מכילתא שם, ב"ר נ"א ז' (בשם ר' יודא ב"ר סימון) ושם הנוסחא „נעשה להם כמין דגמא שלעולם הבא", וכעין זה הגרסה במ"ת לפנינו, אבל במכילתא הנוסח כמו בספרי, ועיין עוד בב"ר פר' מ' (מ"א) ז' ע' 394, ונזיר כ"ג ע"א והשוה הערת מורי ר' לוי גינזבורג בספרו אגדות היהודים ח"ה ע' 243. — ומאין וכו', על ידי שיגרא צרף מסדר הספרי את הדרשה לכתוב המובא אף על פי שאינה מעיקר דבריו ולכאורה גם סותרת אותם. הברייתא מוצאת עילת מרד האדם וחטאו בשובע ולפיה שרש החטא של בנות לוט הוא ברבוי היין ושפע הארצי, יוצא ששאלת „ומאין היה להם יין במערה?" מיותרת היא, וכיון שמזכיר בעל הספרי „אם כך נתן למכעיסיו" הולך ומונה מאמרים אחדים שיש להם שתוף־רעיון זה: 6 אם כך נתן למכעיסיו וכו', כנראה יוצר הפתגם ר"ע כמו שמוכח למטה, ומובא גם בקשר למאורע אחר בב"ר פרשה ס"ה סי' כ"ב (ע' 743), ובצורה אחרת בנדרים נ' ע"ב: 7 ר' מאיר אומר וכו', עיין בשנויי גרסאות והשוה אסת"ר רבה ג' ט' „ד"א גם ושתי המלכה עשתה משתה נשים מה ראה הכתוב לפרסם סעודתה של ושתי ר' יהושע בן קרחה אומר להודיעך לאיזה שלוה אסתר נכנסת אמר ר' מאיר אם כן למכעיסיו קל וחומר לעושי רצונו": 8 וכבר היו, מכות כ"ד ע"א, איכה רבה פ"ה על הפסוק על הר ציון ששמם וכו' רות זוטא א' ח' (ע' 48), ועל ענין המאמר עיין ברעווי הצרפתי שנה ל"ג עמ' קצ"ה: 10 מפיטיולים, היא העיר Puteoli, נמל

השדה אמר להם אף אני לכך צחקתי אם כך נתן למכעיסיו קל וחומר לעושי רצונו. שוב פעם אחת היו עולים לירושלם הגיעו לצופים קרעו בגדיהם הגיעו להר הבית וראו שועל יוצא מבית קדש הקדשים התחילו הם בוכים ורבי עקיבה מצחק אמרו לו עקיבה לעולם אתה מתמיה שאנו בוכים ואתה מצחק אמר להם ואתם למה בכיתם
אמרו לו לא נבכה על מקום שכתוב בו °והזר הקרב יומת הרי שועל יוצא במדבר א נא
מתוכו עלינו נתקיים °על זה היה דוה לבנו על הר ציון ששמם שועלים איכה ה יז־יח
הלכו בו אמר להם אף אני לכך צחקתי הרי הוא אומר °ואעידה לי עדים ישעיה ח ב
נאמנים את אוריה הכהן ואת זכריהו בן יברכיהו וכי מה ענין אוריה אצל
זכריה מה אמר אוריה °ציון שדה תחרש וירושלם עיים תהיה והר הבית ירמיה כו יח
לבמות יער מה אמר זכריה °כה אמר ה׳ צבאות עוד ישבו זקנים וזקנות זכריה ח ד
וגו׳ ורחבות העיר וגו׳ אמר המקום הרי לי שני עדים האלו אם קיימים דברי אוריה קיימים דברי זכריה ואם בטלו דברי אוריה בטלים דברי זכריה שמחתי שנתקיימו דברי אוריה לסוף שדברי זכריה עתידים לבוא, בלשון הזה אמרו לו עקיבה נחמתנו.

לספינות הבאות לרומי [עי׳ ברלינר Geschichte der Juden in Rom ח״א ע׳ 32]: 2 שוב פעם אחת וכו׳ עד עקיבה נחמתנו, מכירי מיכה ג׳ י״ב: 9 מה אמר אוריה וכו׳ ציון שדה תחרש, ואף על גב דהאי קרא מיכה המורשתי אמרו כדכתיב בירמיה כיון דכתיב התם וגם איש היה מתנבא בשם ה׳ [אוריהו] בן שמעיה[ו] מקרית [ה]יערים וכו׳ זו מוסיף על ענין ראשון ומשמע דאוריה נמי הכי אמר ציון שדה תחרש (וכן פי׳ התוספות במכות כ״ד ע״א שם ד״ה באוריה) ואע״ג דהכא אוריה מקרית יערים ולא כתיב כהן משום הכי כתיב מקרית יערים דנתכוון לומר בלשון גנאי כדתני באגדת ארבע הן משפחות בזויות ובא הכתוב וייחסן (ע׳ פסיקתא דר״כ, דברי ירמיהו, קט״ז ע״ב) ואלו הן פנחס ואוריה ויחזקאל וירמיה, פנחס שהיו אומרים כשהרג לזמרי הראיתם בן פוטי זה שפטם אבי אמו עגלים לע״ז כדגרסינן התם בסנהדרין באלו הן הנשרפים בהלכתא דהבועל ארמית ובא הכתוב וייחסו פנחס בן אלעזר בן אהרן הכהן, אוריה שהיו ישראל אומרים ממשפחת גבעונים הוא דכתיב וגם איש היה מתנבא בשם ה׳ אוריה (שמו) [בן] שמעיהו מקרית יערים משמע דהוו אמרי דגבעוני הוא דקרית יערים היתה מקריות הגבעונים דכתוב ועריהם גבעון והכפירה ובארות וקרית יערים (יהושע ט׳ י״ז), ובא הכתוב וייחסו ואמר ואעידה לי עדים נאמנים את אוריה הכהן וכו׳, מפי׳ ר״ה: 13 לסוף

1 השדה] השדה ולא נבכה ק | אף אני] ל׳ א | אף] ואף ק | נתן רקט״מהא, עשה דטי, ל׳ ל | ק״ו ל״עושי רצונו] לעושי רצונו על אחת כמה וכמה ה — 2 אחת רקמהאכ, ל׳ דט, אחד ל | קרעו טמהלא, וקרעו רקדכ | בגדיהם] את בגדיהם לכ | וראו דמהאב, ראו רקטל — 3 שועל אמה, שועל אחד רקדטלכ | קדש רקט״הלכ, קודשי ד, קדשי ט״א | הם] ל׳ א | מצחק] משחק א | לו עקיבא לעולם] העולם ל — 4 אתה] אני א, דבריך ר | מתמיה] מתמיה עלינו ל, מתמה א, תמה הם כ | שאנו בוכים—מצחק רקמהלכ, שאנו בוכים ט, שאתה מצחק ואנו בוכים ד, שאנו בוכים ואתה משחק א | ואתם מהלדא, אתם רטקכ | בכיתם רמקא, בוכים דטלכ, בכיתם אמרו באו וראו מה אמ׳ עקיבה למה בכיתם ה — 5 אמרו לו רמהטקלכ, אמרו לו ולמה ד, ל׳ א | לא] ולא ל | מקום] המקום ה, ל׳ כ | שכתוב בו רקהד, שנא׳ בו מטאכ, שנ׳ ל | הרי רהטכ, והרי ד, והיום הרי מא, ל׳ ל — 6 נתקיים רקלאכ, נתקיים מה שנ׳ מ, נתקיים הכתוב הזה ה, מתקיים דט — 7 אמר להם] א״ל ר״ע מ | אף אני] ל׳ ה | הרי הוא אומר] ל׳ ל | הרי רמהטקכ, שכן ד — 8 את—יברכיהו דה, וגו׳ כרמקל, ל׳ א | אוריה—זכריה] זכריה—אוריה מאכ | אצל זכריה] ה מוסיף: אוריה במקדש ראשון זכריה במקדש שני אלא תלה הכתוב נבואתו של זכריה בנבואתו של אוריה, ט מוסיף: אוריה בבית ראשון זכריה בבית שני — 9 מה אמר אוריה—ורחבות העיר וגו׳) מה אמר זכריה עוד ישבו זקנים וזקנות ברחובות ירושלם ואיש משענתו בידו מרוב ימים ומה [מה ט וכה ל] אמר אוריה לכן בגללכם ציון שדה תחרש וירושלם עיים תהיה והר הבית לבמות יער טרל | מה מהא כ, ומה רק | ציון—יער ה, לכן בגללכם ציון שדה תחרש וירושלם עיין תהיה מ, לכן בגללם ציון שדה תחרש וירושלם עיים תהיה א, כה אמר ה׳ ציון שדה תחרש רק, ציון שדה תחרש ירושלם וגו׳ כ — 10 מה מ, ועוד ה, ומה רקאכ | אמר זכריה] זכריה אומר כ | כה—ורחבות וגו׳ רק, עוד ישבו זקנים וזקנות ברחובות ירושלם ורחובות העיר ימלאו ילדים וילדות משחקים ברחובותיה המאכ — 11 אמר המקום רקהט״לכ, אמר לו הקב״ה ד, אמ׳ הקב״ה מ, אמר הק׳ ט״, אמר להם הקב״ה א | הרי] ל׳ מ | לי] אלו כ | שני] שנים ד | עדים האלו] העדים כ | האלו ראד, הללו לקמה, אלו ט | אם קיימים—עתידים לבא] אם בטלו דברי אוריה בטלו דברי זכריה ואם דברי אוריה קיימים דברי זכריה עתידין לבא כ | קיימים] יתקיימו ק, נתקיימו ל (וכן בסמוך) | אוריה—זכריה] זכריה—אוריה מא — 12 קיימים דברי זכריה] סוף דברי זכריה קיימים ה | ואם בטלו—עתידים לבא] לסוף דברי זכריה מתקיים א | ואם] אם ט | בטלו רקמל, בטילים דהט | אוריה—זכריה רטהל, זכריה—אוריה מד | בטלים רמטד, יתבטלו ק, יבטלו ה, בטלו ל | שמחתי רמדט, אני שמחתי ה, ולכך שמחתי ק, עכשיו שמעתי ל | שנתקיימו] שראיתי שנתקיימו ק — 13 שדברי—לבוא ר, דברי—לבוא ה, יתקיימו דברי זכריה מ, עתידים דברי זכריה להתקיים דט״ל,

דבר אחר ואכלת ושבעת, השמרו לכם, אמר להם הזהרו שמא יטעה
אתכם יצר הרע ותפרשו מן התורה שכיון שאדם פורש מן התורה הולך ומדבק בעבודה
שמות לב ח / שמואל א כו יט — זרה שנאמר °סרו מהר מן הדרך אשר צויתים עשו להם עגל מסכה ואומר °אם
ה׳ הסיתך בי ירח מנחה ואם בני אדם ארורים הם לפני ה׳ כי גרשוני היום
מהסתפח בנחלת ה׳ לאמר לך עבוד אלהים אחרים וכי תעלה על דעתך שדוד
המלך עובד עבודה זרה אלא כיון שפוסק מדברי תורה הולך ומדבק בעבודה זרה.

וסרתם, מדרך חיים לדרך מות.

ישעיה לז יט — ועבדתם אלהים אחרים, וכי אלהים הם והלא כבר נאמר °ונתון את
אלהיהם באש כי לא אלהים המה ולמה נקרא שמם אלהים אחרים
שמאחרים את הטובה מלבא בעולם. דבר אחר אלהים אחרים שעושים את
עובדיהם אחרים. דבר אחר אלהים אחרים שאחרים קורים אותם אלוהות. דבר
שם מו ז — אחר אלהים אחרים שאחרים הם לעובדיהם וכן הוא אומר °אף יצעק אליו
ולא יענה מצרתו לא יושיענו. רבי יוסי אומר למה נקרא שמם אלהים
אחרים שלא ליתן פתחון פה לבאי העולם לומר אילו נקראו על שמו היה בהם צורך

עתידים להתקיים דברי זכריה טי, בידוע שדברי זכריה עתידין להתקיים ק ׀ בלשון הזה רדהטא, ובלשון הזה ד, ל׳ מ, כלשון קכ, ל׳ ל ׀ עקיבה ניחמתנו אקל, עקיבא עקיבא נחמתנו דכ, ניחמתנו עקיבה ר, עקיבה ניחמתנו תתנחם לרגל מבשר ה, נחמתנו עקיבא נחמתנו מ, עקיבא נחמתנו נחמתנו ט — 1 ד״א] ל׳ ה ׀ אמר] מה אמר מא ׀ שמא] שלא ד — 2 ותפרשו] ותתפרשו ק ׀ מן התורה דמהא, מדברי תורה לרטק ׀ שאדם פורש דרדהקטל, שפירש אדם מא, שאדם פטר פ ׀ מן התורה הד, מדברי תורה רמלטקא ׀ הולך—בע״ז מהלא, ל׳ ר, מיד חוטא ק, הולך ונדבק בע״ז ט, הולך ומדבק לע״ז ד — 3 שנאמר] ה מוסיף: סר סבאם (הושע ד׳ י״ח) ואומר ׀ אם רטק, ואם ד, בדוד ישמע נא אדוני המלך את דברי עבדו וגו׳ אם מא, וכן הוא אומר אם ל — 4 בי—לאמר] ל׳ א, בי וגו׳ מ ׀ ואם—אחרים דטל, ואם—הם כי—אחרים ה, וגו׳ רק — 5 שדוד המלך רקמטי״ט, דוד מלך ישראל ד, שדוד מלך ישראל הטי״ל — 6 שפוסק רקטדל, שפסק מהא ׀ הולך] כאלו הולך ד — 7 וסרתם] וסרתם מן הדרך ד ׀ מדרך] מן דרך ה ׀ חיים רקהא, החיים מטדל ׀ מות רדהא, המות מטדקל — 8 הם אמטפ, הוא הדרקל [רא״ם] ׀ ונתון—המה הק, כי לא אלקים המה מא, ונתון את אלהיהם באש וגו׳ רל, ונתון—באש ט, ונתון—המה כי אם מעשה ידי אדם ד, והמה לא אלהים א׳ — 9 ולמה] למה טי ׀ נקרא שמם] נקראו ק — 10 שמאחרים—דבר אחר אמה, ל׳ רקדטל ׀ ד״א—שעושים את עובדיהם אחרים] ל׳ ה ׀ את] ל׳ מא — 11 ד״א—אותם אלוהות רמקא, ד״א—אלהים פ, ל׳ הדטל ׀ ד״א] ד״א למה נקרא שמם ד — 12 לעובדיהם] לשמוע ט ׀ וכן הוא אומר] כה״א ר ׀ אף—יושיענו קטד (מסורה), אף כי יצעק—יושיענו ר, גם כי יצעק אליו ולא יענה מ, גם כי יזעק אליו לא ישמע ה, אף—ומצרתו לא יושיענו ל, גם יצעק אליו ולא יענה א — 13 ר׳ יוסי—וישפכם וגו׳] ל׳ ה — 14 נקראו רמקא, הן נקראים דט, היו נקראו ל ׀ על שמו מא, לשמו רטק, על שמם ד, לשמן ל ׀ היה בהם—על שמו] ל׳ ל ׀ בהם] בם ק

שדברי זכריה עתידים לבא, וכן בתרגום יונתן (ישעיה ח׳ ב׳) „ואסהיד קדמי סהדין מהמנין ית לוטיא דאמרית לאיתאה בנבואת אוריה כהנא והא אתו אף כן כל נחמתא דאמרית לאיתאה בנבואת זכריה בן יברכיה אנא עתיד לאיתאה״: 1 אמר להם וכו׳, פ״ז: 2 שכיון וכו׳, רש״י — ומדבק בע״ז, ילקוט שמואל במקומו, השוה מה שנאמר בסוף הפיסקא ולמעלה פיסקא ל״ז (עמ׳ 71) „מיכן שהתורה בא״י״, ועיין עוד כתובות ק״י ע״ב „כל הדר בחו״ל כאילו עובד עבודה זרה״: 3 מן הדרך, דהיינו מדרך התורה וכתיב בתריה עשו להם עגל מסכה דנדבקו בע״ז, מפי׳ ר״ה: 5 וכי תעלה וכו׳ ילקוט שמואל קל״ט — שדוד וכו׳, השוה תוספתא ע״ז ד׳ (ה) ה׳ (ע׳ 466): 6 כיון שפוסק מד״ת, [כתובות ק׳ ע״א ובמ״ע מפרש דהיינו מאי דקאמר התם כל הדר בחוצה לארץ דכיון דפוסק מד״ת וגולה הרי הוא כאילו דר בחוצה לארץ וזה דוחק לדעתי ועיין ילקוט שמואל קל״ט]: 7 מדרך חיים וכו׳, לקמן פי׳ נ״ד: 8 וכי אלהים וכו׳ עד שמי שהם אחרון במעשים קראם אלהות, מובא במכילתא יתרו, מסכתא בחודש פ״י (ס״ז ע״ב ה—ר 223), פ״ז — וכי אלהים הם וכו׳, שקוראים אלהים אחרים כאילו אחרים הם כלפי הקב״ה, מפירוש ר״ה: 10 שמאחרים את הטובה וכו׳, מכילתא דר״ש כ׳ ג׳ (ע׳ 104) — שעושים וכו׳, מכי׳ דר״ש שם: 11 שאחרים וכו׳, רש״י: 13 רבי יוסי וכו׳ עד של עץ, תנחומא א׳ יתרו פ׳ ט״ז — רבי יוסי וכו׳ עד אז הוחל לקרא בשם ה׳, מובא במ״ת ה׳ ז׳ ע׳ 20: 14 לומר, לחלוק, מפי׳ ר״ה — נקראו על שמו, כלומר אילו נקראו האלילים בשם אלהי שאז היו גם כן בעלי־יכולת ולכן נקראים בשמו לבלתי הועיל, לפי אמונת הקדמונים אין השם נפרד ונבדל מנושאו אלא חלק מהותי ממנו כמאמרם „שמא גרים״ (ברכות ז׳ ע״ב) ולכן העריכו מאד את קריאת השם והאמינו בתועלתו וכחו של שנוי חשם; הרבה דוגמאות מהשפעתה של אמונה מוזרה זו, שפשטה ברוב העולם העתיק והקימת גם בימינו, נמצאות בהלכה ובאגדה; די להזכיר דין יבום שעיקרו הוא

והרי נקראו על שמו ולא היה בהם צורך אימתי נקראו על שמו בימי אנוש בן שת שנאמר °אז הוחל לקרא בשם ה׳ באותה שעה עלה אוקיינוס והציף שלישו של עולם אמר להם הקדוש ברוך הוא אתם עשיתם מעשה חדש וקראתם לעצמכם אף אני אעשה מעשה חדש ואקרא לעצמי שנאמר °הקורא למי הים וישפכם וגו׳ רבי יצחק אומר אילו נפרט שמה של עבודה זרה לא ספקו להם כל עיירות שבעולם. רבי אליעזר אומר למה נקרא שמם אלהים אחרים שמחדשים להם אלוהות בכל יום שאם היה של זהב וצריך לו עושהו של כסף, של כסף עושהו של נחושת, של נחושת עושהו של ברזל, ברזל עושהו של בדיל, בדיל עושהו של עופרת, של עופרת וצריך לו עושהו של עץ. רבי חנינא בן אנטיגנוס אומר צא וראה לשון שתפסה תורה מולך כל שתמליכהו עליך אפילו שעה אחת. רבי אומר למה נקרא שמם אלהים אחרים שהם אחרים לאחרון שבמעשים שמי שהוא אחרון במעשים קראם אלהות.

בראשית ד כו

עמוס ה ח

לקרות לבן היבם על שם אחיו המת, כלומר לא שאם היה שם המת יוחנן יקרא הילד כשמו, אלא שיקרא בנו של יוחנן ועל ידי הערמה זו האמינו שנעשה הילד לבנו של יוחנן המת ממש, וכן המנהג המקובל בעם עוד היום לשנות שמו של חולה אנוש ומסוכן והשוה מה שהארכתי בענין זה במחקרי על הפרושים ברבעון Harvard Theological Review שנה כ״ב ע׳ 237, ובזה אין מקום לתמיהת העורך בהערתו למכילתא (הוצ׳ ה—ר שם) וצדק הרמא״ש באמרו כי המאמר מובן מעצמו, והשוה מכילתא דרשב״י שם כ׳ ג׳ (ע׳ 104): 1 אימתי נקראו על שמו, מכילתא שם, מ״ת ל״ב י״ג (עמ׳ 195), ירוש׳ שקלים פ״ו ה״ב (נ׳ ע״א), בראשית רבה פ׳ כ״ג סי׳ ז׳ (ע׳ 228), תנחומא א׳ נח סי׳ י״ח, יתרו סי׳ ט״ז, תנחומא ב׳ נח סי׳ כ״ד (ע׳ 52), שם במדבר סי׳ ל״ב (ע׳ 24), מדרש תהלים פ״ח סי׳ ב׳ (ע׳ 380), פסיקתא רבתי פר׳ וה׳ פקד את שרה קע״ח ע״ב, ת״י בראשית ד׳ כ״ו, והשוה מה שציין מורי ר׳ לוי גינזבורג בספרו אגדות היהודים ח״ה, ע׳ 151 הערה 54 וע׳ 152, הערה 55: 2 אז הוחל, כלומר אז הוחל לקרא לאלילים בשם ה׳: 3 מעשה חדש, כלומר קראתם לע״ז להושיע לכם: 4 אעשה מעשה חדש, להסיר גבול הים שיציף את העולם וכן הבין את המאמר ר׳ אחא המפרש ביותר ביאור בב״ר פ׳ כ״ג (ע׳ 228) „אמר ר׳ אחא אתם עשיתם ע״ז וקראתם לשמכם אף אני אקרא למי הים בשמי״ והמעתיקים לא הבינו את האמור ושבשו את הגרסאות בספרי ובמכילתא. — הקורא וכו׳, רש״י על הכתוב: 5 עיירות, מן המלה הסורית עַיְרתא והוא ל׳ נקמה, כמו שהעיר ר׳ דוד הופמאן במכי׳ דרשב״י ע׳ 68 על המבטא „באין לגבות עירותן של אפרים״; כונת ר׳ יצחק היא שבכנוי אלהים לאלילים ובעלומת—שמה של העבודה זרה יש משום נתינת אמתלא לעובדיה כי לא אסרה התורה עבודה זרה ולכן יש להקל ענשם של העובדים, מה שאין כן אלמלי נפרטה שמה של ע״ז, אזי לא היתה אמתלא בידי המזידים ועוברים „ולא ספקו להם כל העירות שבעולם״ היינו נקמתם היתה גדולה. ובמכילתא ובהרבה נוסחי הספרי הגרסה עורות במקום עיירות ונלאו המבארים לפרשה; ר״ה פירש „אילו נפרש להם לישראל כל עבודה זרה, כל שם עבודה זרה, לא תעבדו לע״ז פלונית ופלונית לא היה מספיק כל עורות שבעולם לכתוב בהם שמות ע״ז משום דמרובים הן ולהכי כתיב אלהים אחרים סתמא, וכן פי׳ רד״ף: 10 שתמליכהו עליך, סנהדרין ס״ד ע״א, וכעין זה בירו׳ שם פ״ז הי״ג (כ״ה ע״ג) ושם „ר׳ בא [בר] חייא בשם ר׳ יוחנן ראה לשון שלימדתך התורה מולך כל שתמליכהו עליך אפילו קסם אפילו צרור״, ובמקורות אחדים נתקן לשון הספרי משום ביש גדא בהתאם אל הבבלי „כל שימליכוהו עליהם״; בדפוס ובכ״י ל נוספו מן הבבלי עוד המלים „אפילו קסם אפילו צרור״. — אפילו שעה אחת,

(וכן בסמוך) | צורך] מ <פי׳ חווק> — 1 נקראו מט קא, נקרא ר, נקראים ד | אימתי רמטקא, ואימתי ד ל | נקראו מטקלא, נקרא ר, נקראים ד | שמו] שמן ל | אנוש בן שת רמק, דור אנוש ד, אנוש טל — 2 עלה ר קלדט, יצא ים מ, יצא א | אוקיינוס] עוקיינוס ר — 3 מעשה] דבר ק | לעצמכם רקמא, לעצמיכם ט, על שמי ד, למעשיכם ל, שם לעצמיכם ז — 4 לעצמי רקטמא, על שמי ד, לשמי ל, שם לעצמי ז | שנאמר] ל׳ קא | הקורא] ויקרא למי ים סוף הקורא א [וקו משוך על המל׳ „ויקרא״] | וגו׳ ר, ה׳ צבאות שמו ד, וישפכם על פני הארץ ה׳ שמו מט², ל׳ ל, וישפכם על פני הארץ ה׳ צבאות שמו ט¹, וישפכם על פני הארץ ק, וישפכם על הארץ ה׳ שמו א | ר׳ יצחק—שבעולם] ל׳ מ — 5 אילו] אפילו ר | נפרט רדלטא, נפטר ה, נפרש ק | שמה] שמן ט, שמו ר | עיירות רקא, עירות ה, עורות דלט | ר״א—עושהו של עץ] ל׳ ה — 6 שמם] שמו ר | בכל יום רקמא, הרבה לרט — 7 לו רקטלד, ל׳ מא | עושהו] ועושהו ל | של כסף עושהו רקא, עושהו מ, ואם היה של כסף וצריך לו עושהו ד, של כסף וצריך לו ועושהו ל, של כסף וצריך לו עושהו ט | של נחושת עושהו רטקא¹, עושהו מ, ואם היה של נחושת וצריך לו ד, של נחשת וצריך לו עושהו ל, נחושת עושהו א — 8 ברזל רקא, ואם היה של ברזל וצריך לו ד, של ברזל טא¹, ל׳ מל | עושהו של בדיל—של עץ] עושהו של עופרת עופרת לבדיל בדיל לעץ ל | עושהו של בדיל קט¹, עושהו בדיל ט², עושהו שבדיל ר, עופרת ל׳ מדא | בדיל ר, בדיל וצריך לו ק, של בדיל ט, ל׳ מדא | של עופרת וצריך לו ר, עופרת וצריך לו ק, עשהו של עופרת וצריך לו מ, ואם היה של עופרת ד, של עופרת ט — 9 חנינא] חנניה ט²קה¹ | אנטיגנוס דקמהט א, אנטוגנוס ר, אנטיגנס לק | מולך] מלך רה¹ — 10 כל] ל׳ ט, מי פ | שתמליכהו אמה¹, שתמליכוהו פ, שימליכוהו רקטדל [בבלי] | עליך אמ, עליו פ, עליהם הרטקדל [בבלי] | אפילו שעה אחת רקטמהא, אפי׳ קסם אפילו צרור ד, אפילו שעה אחת אפילו קסם אפילו צרור ל | רבי אומר רקמהא, ד״א דלט | אלהים רקהלטא, ל׳ מד — 11 שהם] שהוא ל | אחרים לאחרון שבמעשים

והשתחויתם להם, להם אתם משתחוים לי אי אתם משתחוים וכן הוא אומר
שמות לב ח °וישתחוו לו ויזבחו לו ויאמרו אלה אלהיך ישראל וגו׳. אחרים אומרים אילו
לא שיתפו ישראל שמו של מקום בעבודה זרה כלים היו מן העולם. רבן שמעון בן
גמליאל אומר והלא כל המשתף שמו של מקום בעבודה זרה הרי הוא חייב כליה
שם כב יט שנאמר °זובח לאלהים יחרם וגו׳ מה תלמוד לומר אלהים אחרים מלמד
דהי״ב כט ז שעשו להם עגלים הרבה וכן הוא אומר °גם סגרו דלתות האולם ויכבו את
הנרות וקטורת לא הקטירו ועולה לא העלו בקדש לאלהי ישראל מקטרים
הם לדבר אחר, ועולה לא העלו מעלים הם לדבר אחר בקודש לא העלו בחול
העלו, לאלהי ישראל לא העלו מעלים הם לדבר אחר.

(יז) אם עשיתם כן וחרה אף ה׳ בכם, משל למלך ששגר את בנו לבית המשתה והיה יושב ומפקדו ואומר לו בני אל תאכל יותר מצרכך אל תשתה יותר מצרכך כדי שתבוא נקי לביתך לא השגיח הבן ההוא אבל יותר מצרכו ושתה יותר מצרכו והקיא וטנף את בני מסיבה נטלוהו בידיו וברגליו וזרקוהו לאחר פלטורין, כך אמר להם הקדוש ברוך הוא לישראל הכנסתי אתכם אל ארץ טובה ורחבה לארץ זבת

אהלז, אחרים לאחרים שבמעשים רקפ, אחרונים לאחרון שבמעשים מט, אחרים שבמעשיהם ד [ועל גליון א: לאחרון שבמעשים הוא האדם שנברא אחרון] | שמי—אלהות מאז, הם קראתן אלהות ד, ומי הוא אחרון שבמעשים הקורא אותם אלוהות ט, שמי שהם אחרים שבמעשיהם קראם אלהות ד, שמי שהם אחרון שבמעשים קראם אלהות רק, שמי אחרון הוא שבמעשים קראן אלוהות א, ל׳ ל — 1 והשתחויתם] פיסק׳ והשתחויתם א | לי רהדק, ולי מל טא | אי רקא, אין דמהלט | וכה״א מהלדטא, כע׳ הא׳ ר, כעינ׳ האמ׳ ק — 2 וגו׳ רק, ל׳ מהטא | אומרים] אמרו ק | אילו לא] לולי מה, אילולי הי׳ — 3 שמו של מקום רקה, שמו של הקב״ה מדאפ, את השם ל, הק׳ טי, הב״ה טי׳ | כלים היו מהלט, כלים חייו ר, היו כלים דא, כלו חייהן ק | רשב״ג אומר רמדא, ר׳ שמעון בן אלעזר ה, ר׳ שמעון בן יוחי טק, אמר רשב״ג ל — 4 והלא כל רקטלד, כל אמה | המשתף] המשתתף ל | שמו של מקום רה, שם שמים מד, את השם ל, שמו של הק׳ טי, שמו של הב״ה ט״א, שמו של מָקוֹם ק | הרי הוא רמקרא, סוף ה, הרי טי, ל׳ מ״ל — 5 וגו׳ רק, בלתי לה׳ לבדו דהט, ל׳ מא, בלתי וגו׳ ל | מה] אלא מה ד | מה—אהרים] ל׳ ל | אלהים אחרים] אלה אלהיך ישראל ט — 6 וכה״א מהדלא, כע׳ הא׳ ר, כן הוא אומר ט, כענין האמור ק | דלתות] דלתי ד — 7 וקטורת] והקטרת ד | ועולה—ישראל רק, ל׳ מהדלא | מקטרים הם רמטקא, מקטירים היו הדל — 8 לדבר אחר] לדברים אחרים ל | ועולה לא העלו טלק (מסורה), ועולות לא העלו רה, עולות לא העלו מא, ל׳ ד | מעלים הם לדבר אחר רקמ ט, מעלים היו לדבר אחר ה, מעלין לדברים אחרים ל, ל׳ ד [במקרא: ועולה לא העלו] | בקדש—לדבר אחר] ל׳ ט | לא העלו—לדבר אחר] ל׳ א | בחול] בחולין ד — 9 העלו] היו מעלין ה | לאלהי] לארץ מ | לא העלו] ל׳ ל | מעלים הם לד״א מק, אבל מעלים—אחר דל, לדבר אחר ר, לדבר אחר היו מעלין ה — 10 אם הדל, ל׳ רטמקא | עשיתם] עשית ל | למלך] למה״ד למלך בשר ודם ה, למלך בשר ודם א | את רטדק, ל׳ מהלא | לבית המשתה] למשתה ט — 11 ומפקדו] ומצוהו ה, ומפקידו א | ואומר] אומר ד | בני אמה, ל׳ רקטדל | אל תשתה—מצורכך רמקל, ואל—מצרכך הט, ואל—כדי צרכך ל, ל׳ דא — 12 שתבוא] שתהיה ד | נקי לביתך רקהלדטז, לביתך נקי אמ | לא] ולא ט | השגיח רקלדט, הקפיד מה, שמר א | אבל מהאד, אלא אכל רטק, ולא אכל ל | אכל—ושתה יתר מצורכו ארמהטק, אכל ושתה יותר מצורכו ד, אכל—מכדי צרכיו ושתה—מכדי צרכיו ל — 13 והקיא המדלא, הקיא רטק | וטנף] ונטף א | את בני מסיבה רטק, לבני מסיבה ה, כל בני מסיבה מ, את בני המסיבה דל, כל בני המדינה א | בידיו וברגליו אהדלטי, בידיו ורגליו ר טיק, בידו וברגלו מ | וזרקוהו] זרקוהו ר׳ | פלטורין רטיק, פלטרין דא, פלטין ל, פלטרין של מלך טי׳ — 14 להם] ל׳ מא |

הוי מולך וחייב עליו, מפי׳ ר״ה, ועיי״ש בגמרא: 2 אחרים אומרים וכו׳, מכילתא מסכתא נזיקין פ׳ י״ז (צ״ד ע״ב, ה—ר ע׳ 310), סנהדרין ס״ג ע״א, „אחרים אומרים אלמלא וי״ו שבהעלוך נתחייבו רשעיהם של ישראל כלייה״: 3 רשב״ג וכו׳, מכילתא וסנהדרין שם בשם רשב״י, מכילתא דרשב״י כ״ב י״ט, ולקמן פיסקא קמ״ח סתמא „להביא את המשתף״, והשוה חלופי גרסאות כאן ועיין עוד מה שהובא במכילתא דר״ש שם „מכאן אמרו כל המשתף שם אחר עם הקב״ה נעקר מן העולם״: 6 וכן הוא אומר וכו׳, מהדר אמאי דתני לעיל „להם אתם משתחווים ולי אין אתם משתחווים״, מפירוש ר״ה; לפי זה הובאה כאן הברייתא המתחלת אחרים אומרים וכו׳ רק ע״י שיגרא דלישנא מן המכילתא שם והשוה ירו׳ סנהדרין פ״ז ה״א (כ״ה ע״ב) וישתחוו לו ולא לגבוה וכו׳: 10 משל למלך וכו׳, השוה ציגלר Königsgleichnisse ע׳ 394, ושם מביא דוגמאות למשל זה מחיי הרומאים: 14 ארץ טובה וכו׳, אולי נשאל המבטא מנוסח קדמון של ברכת המזון כמו שהעירותי ברבעון האנגלי

חלב ודבש לאכל מפריה ולשבוע מטובה ולברך שמי עליה לא הייתם בטובה היו בפורענות וחרה אף ה׳ בכם.

וחרה אף ה׳ בכם, שומע אני שהם כלים מן העולם תלמוד לומר ועצר את
השמים מיני פורענויות הם כלים וכן הוא אומר °חצי אכלה בם חצי כלים והם אינם כלים דברים לב כג
וכן הוא אומר °כלה ה׳ את חמתו שפך חרון אפו נאמר כאן חרי אף ונאמר להלן איכה ד יא
°חרי אף מה חרי אף האמור להלן חרב אף חרי אף האמור כאן חרב, מה °חרי שמות כב כג ויקרא כו טז
אף האמור להלן דבר וחיה רעה אף חרי אף האמור כאן דבר וחיה רעה, מה חרי
אף האמור כאן עצירת גשמים וגלות אף °חרי אף האמור להלן עצירת גשמים וגלות שמות כב כג
נמצינו למידים שכל מקום שנאמר חרון אף חמשה מיני פורענויות הם חרב ודבר
וחיה רעה ועצירת גשמים וגלות.

דבר אחר וחרה אף ה׳ בכם ולא באומות העולם שיהיו אומות העולם שרוים בטובה והם שרוים בפורענות אומות העולם אין קוברים בניהם ובנותיהם והם קוברים בניהם ובנותיהם.

ועצר את השמים, שיהו עננים טעונים ועומדים ואין מורידים אפילו טפת

שנה י״ט ע׳ 330, הערה 39: 3 שומע אני וכו׳, פ״ז· – שומע אני וכו׳ עד שפך חרון אפו, נוסף לפי דעתי מגליון ואינו מעיקר הספרי· שהרי המאמר הסמוך המתחיל „נאמר כאן חרי אף וכו׳״ אין לו שום קשר עם מאמר זה אלא עם הכתוב וחרה אף ה׳ ועוד שרוב המאמר חסר במ״ת: 4 מיני פורעניות הם כלים, זו היא הגרסה הנכונה, ומה שנמצא בכ״י ל ובדפוס וויניציא מיני פורעניות עתידים לבא עליכם אין זה אלא „תקון״ סופר, ומכל שכן שאין לנסח ה׳ מיני פורעניות שאין שום זכר למספר זה בשאר המקורות חוץ מך שהוגה כדי להתאים תחלת המאמר עם סופו· – כלים, אב: הם אינם כלים, ודורש את הכתובים ועצר את השמים וכו׳ ואבדתם מהרה מעל הארץ הטובה, ואחר כך ושמתם את דברי אלה, משמע שעדיין יהו קיימים· – חצי כלים וכו׳, [לקמן ריש פסקא שכ״א סוטה ט׳ ע״א, ילקוט מיכה תקנ״ז] תנחומא א׳ וב׳ נצבים סי׳ א׳, ילקוט שם: 6 מה חרי אף, לפנינו ברייתות נפרדות שנתאחדו בחטיבה אחת כמבורר על ידי שויון; מאמר זה עם מכילתא מסכת נזיקין פ׳ י״ח, (צ״ה ע״ב, ה–ר 314), ומכילתא דרשב״י כ״ב כ״ג (ע׳ 150)· הברייתא האחת מובאה בצורתה העתיקה במכילתא דר׳ ישמעאל וז״ל „וחרה אפי [והרגתי אתכם בחרב], נאמר כאן חרון אף ונאמר להלן חרון אף מה להלן עצירת גשמים וגלות שנאמר וחרה אף ה׳ בכם ועצר את השמים ואבדתם מהרה מעל הארץ אף כאן עצירת גשמים וגלות ומה כאן חרב אף להלן חרב·״ ואותה ברייתא מובאה גם בשנוי סגנון קצת במכילתא דרש״ש שם בהוספת עוד ברייתא אחרת וז״ל „ד״א נאמר כן אף ונאמר להלן אף (כונת הברייתא לויקרא כ״ו ט״ז ששם נאמר אף אני אעשה זאת לכם) מה אף האמור להלן דבר וחיה רעה (עיי״ש הפסוקים ט״ז וכ״ב) אף [אף] האמור כן דבר וחיה רעה״· ואחר שמביא שתי הברייתות הוזר ומסכם: „נמצינו למדים שבכל מקום שנאמר חרי אף חמשה מיני פורעניות דבר וחרב חיה רעה עצירת גשמים וגלות״· וברייתא שלפנינו מאוחרת לזו של מכילתא דרשב״י, שבה נקבעה במסגרת אחת מבלי להכיר מוצאה והתהוותה: 7 מה חרי אף, לפי פירושי צריך לומר כאן מה אף וכו׳ שהרי בויקרא שם אין זכר לחרי אף וכתוב רק „אף אני אעשה זאת לכם״: 8 וגלות, „אין אובדן אלא גלות״, תו״כ

הקב״ה] הק׳ ט׳, הב״ה ט׳ ׀ אל ארץ מהא, לארץ רטד ק (ב״פ), לארץ חמדה ל – 1 לאכל רק, לאכול דמהל טא ׀ שמי] את שמי א ׀ הייתם בטובה ראד, זכיתם לטובה ק, הייתם ראויים בטובה ל, הייתם רוצים בטובה ט ׀ היו בפורענות ראד, היו לפורענות ק, היו ראויים בפורענות טל – 3 וחרה] ד״א וחרה ד ׀ שומע אני שהם] יכול יהו ק – 4 מיני–ונאמר להלן חרי אף] ל׳ ה ׀ מיני פורענות הם כלים אמ, מיני פורעניות הם רקט, מיני פורענות עתידין לבא עליכם ל, ה׳ מיני פורענות הם עתידים לבא עליכם ד ׀ והם אינם] ואינם ל – 5 וכה״א מדלקא, כה״א ר, כן הוא אומר ט ׀ ה׳] ל׳ ד ׀ כלה ה׳ את חמתו] בלע המות לנצח מחה ה׳ אלקים דמעה מעל וגו׳ (ישעיה כ״ה ח׳) ל ׀ חרי אף רלדק, חרון אף מטא [וכן בסמוך] ׀ להלן] כאן א, להלן א׳ – 6 מה חרי אף–כאן חרב רדהטדל, מה תרי אף האמור להלן חרב חיה רעה, ודבר אף האמור כן חרב ודבר ותיה רעה ק, ל׳ אמ ׀ כאן] לה׳ ר ׀ מה חרי אף–דבר וחיה רעה אף חרי אף] מה חרב–אף חרב ל, ל׳ ק ׀ מה חרי אף האמור להלן] ל׳ ר ׀ מה המא, ומה ל דט ׀ חרי אף] חרון אף א וכן בכל הענין – 7 להלן] כאן ה ׀ כאן] להלן ה ׀ מה רדהקא, ומה מלדט – 8 כאן טל, להלן רמהדקא ׀ וגלות] ל׳ אה׳, וגלות א׳ ׀ חרי אף האמור] ל׳ ל ׀ להלן לט, כאן דרמהקא – 9 חרון רדהקא, חרי טלד ׀ חמשה אמהדט, חמשת ל, ל׳ רק ׀ פורענות רמטדקא, פורענות לה ׀ חרב–וגלות ר ק, דבר וחרב וחיה רעה ועצירת גשמים וגלות ה, חרב וחיה רעה ועצירת גשמים ודבר וגלות מ, חרב וחיה רעה ודבר ועצירת גשמים וגלות ט, חרב וחיה רעה ורעב ודבר ועצירת גשמים וגלות ד, חרב וחיה רעה רעבון ודבר ועצירת גשמים וגלות ל, חרב וחיה רעה ועצירת גשמים וגלות א – 11 ולא] מכם ולא ל ׀ שיהיו מהדט, שיהו קא, שהיו רל ׀ שרוים] אומ׳ הם שרוים ד – 12 והם] וישראל מ, ואתם א ׀ בפורענות מהא, בצער רקטדל ׀ בניהם ובנותיהם] את בניהם ואת בנותיהם ל, וכן בסמוך ׀ בניהם] ביניהם ר ׀ והם–בניהם ובנותיהם] והם–בנים ובנות ק ׀ והם] וישראל אמ – 14 שיהו עננים רמהטיקא, שהעננים

ויקרא כו יט נשמים, מנין אפילו טללים ורוחות תלמוד לומר °ונתתי את שמיכם כברזל או
שם בית השלחים יהא עושה פירות תלמוד לומר °ואת ארצכם כנחושה.

והאדמה לא תתן את יבולה, אף לא נפלה. והאדמה לא תתן את
שם כו כ יבולה, אף מה שאתה מביא לה או יהא אילן עושה פירות תלמוד לומר °ועץ
השדה לא יתן פריו או יהו עושים עצים להסיק בהם תנור וכירים תלמוד לומר
ועץ השדה לא יתן פריו או ילך לחוצה לארץ ויהא שרוי בטובה תלמוד לומר
דברים כח כג °והיו שמיך אשר על ראשך נחשת והארץ אשר תחתיך ברזל בכל מקום.

דבר אחר וחרה אף ה׳, אחר כל היסורים שאני מביא עליכם אני מגלה אתכם,
שם כט כז קשה גלות ששקולה כנגד הכל שנאמר °ויתשם ה׳ מעל אדמתם באף ובחימה
ירמיה טז ב ובקצף גדול וישליכם אל ארץ אחרת כיום הזה ואומר °והיה כי יאמרו
אליך אנה נצא ואמרת אליהם כה אמר ה׳ אשר למות למות ואשר
עמוס ז יז לחרב לחרב ואשר לרעב לרעב ואשר לשבי לשבי ואומר °כה אמר ה׳
אשתך בעיר תזנה ובניך ובנותיך בחרב יפולו ואדמתך בחבל תחולק
ואתה על אדמה טמאה תמות וישראל גלה יגלה מעל אדמתו ואומר
ירמיה כב י °אל תבכו למת ואל תנודו לו בכו בכו להולך כי לא ישוב עוד וראה
שם כב יט את ארץ מולדתו, אל תבכו למת זה יהויקים מלך יהודה מה נאמר בו °קבורת
שם נב לג-לד חמור יקבר וגו׳, בכו בכו להולך זה יהויכין מלך יהודה מה נאמר בו °ושנה

טי, שהיו ענגים ל | ועומדים רמהקא, גשמים דל, ל׳ ט | אפילו טפת גשמים ארמק, אפלו טפה גשמים הט, גשמים אפילו טפה אחת ד, אפילו טפה ל — 1 מנין] ומנין ד | אפילו מהדטא, אף רל | טללים ורוחות] הטללים והרוחות ל | ת״ל—עושה פירות] ל׳ ל | או] או אינו אלא ד — 2 בית] בבית ט, שמא בית א׳ | השלחים] ועל גליון בכ״י א: בית השלחים היא שדה הצמאה למים מלשון שלחיך פרדס רמונים | יהא רטקפ, יהו ה, יהיה ד, ל׳ מא | עושה רקטדאפ, עושין מה — 3 והאדמה—ניפלה רטפ, והאדמה —אפילו לא ניפלה מה, והאדמה—אף לא טופל׳ ל, והאדמה —אף לא כדי ניפלה ק, ל׳ דא | והאדמה] והארץ ק — 4 אף] או ק | מה שאתה מאפ, לא שאתה ה, פשאת ר, שיכול שאת ק, כמה שאתה ט, לא מה שאתה ד, לא כשאתה ל | מביא רמהלקא, מוביל טאיפ | או רמהקטא, או אינו אלא ד, אלא פחות או ל | יהא] יהיה ד | ת״ל—בכל מקום] ל׳ ל | השדה, כן הגרסה בכל המקורות כאן ובסמוך, ובמסורה הגרסה עץ הארץ, וכן באונקלוס אילן ארעא ובפשיטא, אבל ביונתן מתורגם אילני באנפי ברא, כמו שתרגם שם פסוק ד, עץ השדה, ולכן נראה שגרסתו היתה גם בפסוק כ״ו עץ השדה | או יהו עושים—לא יתן פריו אמה, ל׳ רקדטל | עושים] ל׳ הי | תנור וכירים אמ, את התנור ואת הכירים ה — 6 ילך] ילך לו ה | לחוצה רקהדט״א, לחוץ ד, חוצה טי | ויהא רמטקא, ויהיה הד | ת״ל—מקום] ת״ל והיו שמיכם ק — 7 אשר—ברזל ד, וגו׳ רמהק, ל׳ ט | בכל מקום ה, מכל מקום מא, ל׳ רטד — 8 ד״א—ה׳ רמדטקא, ואבדתם מהרה מעל הארץ ה, וחרה—בכם וגו׳ ל | היסורים מדקאפ [רא״ם], ייסורים רהלט | עליכם] עליך ד, עליהם פ — 9 קשה גלות רקמהטי, גלות קשה אטי, קשה היא גלות לד | ששקולה רמלטקא, שהיא שקולה דה | מעל—הזה ד, וגו׳ רלק, מעל אדמתם מהא, מעל אדמתם באף ובחמה ט — 10 ואומר המדלא, ל׳ רטק — 11 ואמרת—לשבי ט, וגו׳ רקל, ואמרת אליהם אשר למות למות ד, ואמרת כה אמר ה׳ אלהים אשר לחרב—לשבי ד, ל׳ מא — 12 ואומר מהדלא, ל׳ רטק — 13 ובניך ובנותיך בחרב יפולו ואדמתך בחבל תחולק ואתה על אדמת (מסורה: אדמה) טמאה תמות וישראל גלה יגלה מעל אדמתם (מסורה: אדמתו) ד, וגו׳ וישר׳ גלה יגלה מעל אדמתם ל, ובניך ובנותיך בחרב יפולו ואדמתך—על אדמה טמאה תמות ט, וגו׳ רק, ל׳ מהא — 14 ואומר מהד, ל׳ רקלט — 15 ואל תנודו לו בכו בכה להולך כי לא ישוב עוד וראה את ארץ מולדתו ד, ואל תנודו לו מטא, וגו׳ רלק, ל׳ ה | בכו בכו ר (מסורה), בכו בכה המד, ל׳ א — 16 זה] זה היה ל | מה נאמר בו] שכתו׳ בו [אבן נחמיאש] — 17 וגו׳ ר, סחוב והשלך

בחוקותי פרק ח׳ (ווייס קי״ב ע״ב): 2 בית השלחים, דהיינו ששותה מימי המעין, מפי׳ ר״ה: 3 אף לא נפלה, השוה ב״מ פ״ט מ״ה אם יש בה כדי ניפלה (לפי גרסת הירושלמי שהיא הגרסה הנכונה) ומפרש שם ר׳ אבהו בירו׳ (י״ב ע״א) כדי ד׳הזרע הנופל בה כלומר אם מוציאה ע״י חרישה ועבודה כמו שנופל בשנים רגילות ועיין במלון של לעווי: 4 אף וכו׳, רש״י — מביא לה, [תו״כ בחוקותי פ״ה ה״ד (קי״א ע״ד)]: 8 אחר וכו׳, רש״י, פ״י — אחר כל וכו׳, שהרי מתחלה כתוב ועצר את השמים וכו׳ ואחרי כן ואבדתם מהרה: 9 ששקולה וכו׳, [מדכתיב אף וחימה וקצף גדול]: 12 ואשר לשבי לשבי, וא״ר יוחנן בפ״ק דבתרא (ב״ב ח׳ ע״ב) „כל המאוחר מחברו קשה מחברו וכו׳, מפי׳ ר״ה: 15 אל תבכו למת וכו׳ עד בטרקליני מלכים, מובא בפי׳

את בגדי כלאו, וארוחתו וגו' נמצינו למידים שנבלת יהויקים מלך יהודה שהיתה מושלכת לחורב ביום ולקרח בלילה חביבה מחייו של יהויכין מלך יהודה שהיה כסאו מעל כסא המלכים ואוכל ושותה בטרקליני מלכים.

ואבדתם מהרה, מיד אני מגלה אתכם ואיני נותן לכם ארכה אם תאמרו אנשי מבול נתן להם ארכה מאה ועשרים שנה, אנשי מבול לא היה להם ממי שילמדו אתם יש לכם ממי שתלמדו.

דבר אחר ואבדתם מהרה גולה אחר גולה וכן אתה מוצא בעשרת שבטים גולה אחר גולה וכן אתה מוצא בשבט יהודה ובנימן גולה אחר גולה גלו בשנת שבע לנבוכדנאצר ובשנת שמונה עשרה ובשנת עשרים ושלש. ר' יהושע בן קרחה אומר משל ללסטים שנכנס לשדה של בעל הבית קצר קופתו ולא הקפיד בעל הבית קצר בשבלים ולא הקפיד בעל הבית עד שגרש בקופתו ויצא וכן הוא אומר °כי לא מועף ישעיה ח כג
לאשר מוצק לה כעת הראשון הקל ארצה זבולון וארצה נפתלי

אבן נחמיאש על ירמיה כ"ב: 2 חביבה מחייו וכו', רש"י ירמיה כ"ב י': 3 טרקליני, ל"י הוא, ר"ה; τρικλίνιον, ובל"ר Triclinium חדר האיכל: 4 ואבדתם מהרה וכו' עד והאחרון הכביד, מכירי ישעיה ח' כ"ג (ע' 70). — מיד וכו', רש"י, פ"ז, מיד, כלומר להכי כתוב ואבדתם מהרה לאשמעינן דמיד אני מגלה אתכם ואני [צ"ל ואיני] נותן לכם שאיני מאריך לכם, מפי' ר"ה: 5 אנשי המבול היה להם ארכה, מכילתא דרשב"י ט"ו ו' (עמ' 62), מכילתא שם בשלח, מסכתא דשירה פ"ה (ל"ח ע"ב, ה—ר 133). — מאה ועשרים שנה, דכתיב והיו ימיו מאה ועשרים שנה, (בראש' ו' ג') ומתרגמינן „ארכא יהיבנא להו מאה ועשרין שנין אם יתובון", מפי' ר"ה וכן בתרגום יונתן וברש"י שם: 7 גול"ה אחר גולה וכו', פ"ז — גולה אחר גולה, השוה סדר עולם רבה פ' כ"ג (רטנר ג' ע"ב). ובמדבר רבה סוף פ' מסעי: 9 ובשנת עשרים ושלש, ירמיה נ"ב כ"ח וכ"ט אין התנא משתדל לאחד את הקבלות השונות זו עם זו, וסומך רק על הנמצא בכתוב זה, בלי שישים לב אל כתובים אחרים שלכאורה מכחישים אותו ועיין במאיר עין וסדר עולם רבה פ' כ"ו (ס' ע"א) ובהערות רטנר שם. ובמדבר רבה סוף פ' מסעי — ר' יהושע בן קרחה וכו', השוה הערת רטנר בסדר עול"ם רבה פ' כ"ג נ' ע"ב, הערה ה': 10 קצר קופתו, פירושו קצר מלא קופתו ואחר כן היה הולך וקוצר בשבלים עד שהיתה קופתו מלאה וגדושה ואולי יש להשמיט המשפט „קצר קופתו ולא הקפיד בעל הבית" שמובנו בלתי ברור ויש בו משום כפל לשון אבל רמא"ש ור' דוד הופמאן הגיהו באופן אחר ונסחו קמתו תחת קופתו, „קצר קמתו ולא הקפיד בעל הבית" אולם נוסחה זו מתוקנת אך למחצה שהרי כפל דברים יש כאן ועוד שהגרסה קמתו נמצאת רק בט (בן הגרסה קמחו) אבל בשאר המקורות הגרסה קופתו:

מהלאה לשערי ירושלם ד, ל' לקמדהטא | בכו בכה להולך] אל תבכו א | יהויכין] כניהו ה, יהויקים ל | מלך יהודה] ל' מל | מה נאמר בו—יהויכין מלך יהודה] ל' א | מה נאמר בו] ל' ה, שנאמר בו [אבן נחמיאש] | ושינה—כלאו] ל' ק — 1 וארוחתו וגו' ר, ונתון את כסאו מעל כסא המלכים אשר אתו בבבל ה, ואכל לחם תמיד לפניו על שלחנו ט, וארוחתו ארוחת תמיד ק, ל' מלד | מלך יהודה] ל' לטק | שהיתה קהדטפ, שהיית ר, היתה מ [אבן נחמיאש] — 2 יהויכין] יכניה ה | שהיה] שהיתה א — 3 מעל כסא רמהטק [אבן נחמיאש], מעל כל ד, מכסא ל | המלכים] מלכים ר | בטרקלני] בטרקלין של ד [אבן נחמיאש] | מלכים] מלרות ל — 4 ואבדתם] ד"א ואבדתם ד | מיד] מיד ולדורות ר, מיד ר' | ואיני נותן טהק [רא"ם], איני נותן מלא', אני נותן ד, ונותן ר, נותן א | ארכה קט' [רא"ם], ארכא ה, ארוכה אמרל ט'ד וכן בסמוך | אם רהלקא, ואם מרט, ואתם פ — 5 מבול רמהט, דור המבול דקאפ, המבול ל | נתן רמ הקפ, היה דלט, נותן א | מאה ועשרים] ל' א | אנשי מבול רהטק, אנשי דור המבול דפ, ל' מ, אנשי המבול ל, דור המבול א | ממי המדלאפ, מה רט, ממה ק | שילמדו] ילמדו ל — 6 אתם] אבל אתם מ, ואתם א | ממי שתלמדו הא, ממי תלמדו מלפ, מה שתלמודו ד, שתלמודו רט', שילמדו ט', ממה שתלמדו ק — 7 וכן אתה—גולה אחר גולה] ל' ה | וכן] כן ט' | שבטים רקמ א, השבטים דל'טפב — 8 גולה אחר גולה] שגלו גולה אחר גול"ה ל, גלו גולה אחר גולה כ | גולה אחר גולה]

בגליון א: שגלו בד' גליות א' בימי פקח בן רמליהו, ב' בימי הושע בן אלה ג' וד' בימי חזקיהו מלך יהודה | וכן—בשבט יהודה—אחר גולה] ל' ל | יהודה ובנימן] בנימין ד | גלו] שני' מ, ל' א | בשנת שבע] בשבע ט — 9 לנבוכדנאצר] לנבוכדנצר וגו' מ | ובשנת י"ח אהב, ובשנת י"ח וגו' מ, בשנת י"ח דלק, בשנת ח' עשירי ר, גלו בשמונה עשרה ט | ובשנת מהא כ, בשנת רקלד | ושלש רמהא, ושלשה ק, ל' דלטב | ר' יהושע בן קרחה קהדלט, ר' יהודה מ, ר' יהושע בן קרחא ארכ | אומר] ל' כ — 10 משל] ל' ט | ללסטים מ, לליסטי' א, ללסטיס ה, לליסטים דלקרטב | שנכנס] שנכנסו ר | לשדה רמהק, בשדה דטא, בשדה לכ | של אמה, ל' רקדטלכ | קצר רקמהלאב, וקצר דט | קופתו הק, מלא קופתו אמ, קופתו של בעל הבית דב, קמחו של בעל הבית ט, קמתו של בעל הבית ל | ולא] לא לטכ — 11 בשבלים] משבלים א | בעל הבית] ל' ט | בקופתו רמהקאב, קמתו דל, קופתו ט, לתקופתו פ | וה"א מהלקאב, וכן אתה אומר ד, כה"א רט — 12 כעת

והאחרון הכביד. רבי שמעון בן יוחי אומר אם מי שנאמר בהם מהרה לא גלו אלא לאחר זמן קל וחומר למי שלא נאמר בהם מהרה.

דבר אחר ואבדתם מהרה, ושמתם את דברי אלה וגו׳, אף על פי שאני מגלה אתכם מן הארץ לחוצה לארץ היו מצויינים במצות שכשתחזרו לא יהו עליכם חדשים, משל למלך בשר ודם שכעס על אשתו וטרפה בבית אביה אמר לה הוי מקושטת בתכשיטיך שכשתחזורי לא יהו עליך חדשים כך אמר הקדוש ברוך הוא לישראל בני
ירמיה לא כ היו מצויינים במצות שכשתחזורו לא יהו עליכם חדשים הוא שירמיהו אומר °הציבי
שם לך ציונים וגו׳ אלו המצות שישראל מצויינים בהם, °שימי לך תמרורים זה
תהלים קלז ה-ו חורבן בית המקדש, וכן הוא אומר °אם אשכחך ירושלם וגו׳ °תדבק לשוני וגו׳,
ירמיה לא כ °שיתי לבך למסילה דרך הלכת אמר להם הקדוש ברוך הוא לישראל ראו באלו
שם דרכים הלכתם ועשו תשובה מיד אתם חוזרים לעריכם שנאמר °שובי בתולת
ישראל שובי אל עריך אלה.

דבר אחר ואבדתם מהרה מעל הארץ, מעל הארץ הטובה אתם גולים ואין אתם נכנסים לארץ טובה כיוצא בה. רבי יהודה אומר טובה זו תורה וכן הוא
משלי ד ב אומר °כי לקח טוב נתתי לכם [בארץ ישראל] °תורתי אל תעזובו וגו׳
בחוצה לארץ סליק פיסקא

הראשון הקל ארצה זבולון וארצה נפתלי דהטכ, ל׳ מק א, וג׳ רל — 1 אם מי שנאמר קמהלט. אם משנאמר ר, משנאמר ד, אם מי שלא נאמר א, את מי שאמר פ | גלו] גלו מהרה ט — 2 למי רדהלטדקפ, מי מ | שלא] ל׳ א | מהרה] ד מוסיף: שנאמר מימים רבים תפקד (יחזק׳ ל״ח ח׳). ל מוסיף: לא גלו אלא לאחר זמן קל וחומר למי שנ׳ בהם מאירה שנ׳ ומרוב עמים (ל׳ ימים) יפקדו — 3 ד״א] ל׳ מא | ושמתם—וגו׳ מל, ל׳ רקדהטדא [רמב״ן] — 4 מן הארץ רקדט [רמב״ן], מארץ לא. מא״י מ | שכשתחזרו רקדהט [רמב״ן], שכשאתם חוזרים ד, כשתחזרו מלאפ | עליכם] לכם ד — 5 משל] מושלו מלה״ד ה | למלך בשר ודם מהא. למלך רט [רמב״ן], ל׳ ל. מלך ד | וטרפה רמהטקא, וחזרה ד, ורדפה ל. ושלחה [רמב״ן] | בבית מהקדא, בית ר, לבית לט [רמב״ן] | אמר] ואמ׳ ה | הוי] תהי מא | מקושטת] מתקשטת [רמב״ן] — 6 בתכשיטיך] בתכשיטין הל, תכשיטים [רמב״ן] | שכשתחזרי אמדהטק [רמב״ן], כשתחזרי רדה, שאם תחזרי ל | אמר אמה [רמב״ן], אמר להם רקטלד | הקב״ה—הוא שירמיהו אומר] אמר ירמיה [רמב״ן] — 7 שכשתחזרו רמטק, שכשאתם חוזרים ד, כשתחזרו לאה | הוא] ל׳ ד — 8 אלו —בהם] אילו ישראל שמצוינים במצות ק [מכאן ועד פיסקא מ״ה לקוי כ״י מ וחסרים סופי השורות] | המצות] מצות ה | מצויינין] עושין מצויינין ל — 9 וכן הוא אומר] כענין שנ׳ ק — 10 להם] ל׳ ל | לישראל רקדהט, לישראל בני ד, ל׳ מא, בנו ל — 11 מיד] מיד אמר להם דה | שנאמר] ל׳ הט — 13 מעל הארץ מעל הארץ הטובה ד. מעל הארץ הטובה א. מהרה ד. ל׳ רטקל — 14 ואין אמהלט. ואי רטידק פ | נכנסים] גולים ה | כיוצא בה רהקלאפ. כיוצא בה אתה אומר ד, כזו ט | ר׳ יהודה—תעזובו] ל׳ ה | וכה״א דקלאמ. כה״א רט — 15 בארץ ישראל] הגהתי על פי הענין, וחסר בכל המקורות — 16 בחוצה לארץ רקטא, אף בחוצה לארץ ל, ל׳ ד | סליק פיסקא ד, פ׳ ר, ל׳ א —

1 רשב״י וכו׳, פ״ז — אם מי שנאמר בהם וכו׳, פי׳ ר״ה „דהיינו בגלות זו לא נאמר בהן מהרה״ ול״נ דה״פ ק״ו שהקב״ה מאריך אפו ולא יענוש אלא לאחר זמן (רמא״ש). — אעפ״י וכו׳, רש״י, פ״ז: 3 ואבדתם וכו׳ עד מצויינים בהם. רמב״ן ויקרא י״ח כ״ה: 5 משל למלך, למעלה סוף פיסקא ל״ו (עמוד 68), והשוה ציגלר Königsgleichnisse עמ׳ 340: 7 הציבי לך ציונים וכו׳ עד אל עריך אלה, [ילקוט ירמיה שט״ו], איכה רבה פרשה א׳ סי׳ י״ט (מ״ו ע״ב): 8 זה חורבן וכו׳, כלומר זכר לחורבן בית המקדש: 11 מיד וכו׳, כרבי אליעזר סנהדרין צ״ז ע״ב: 14 טובה זו תורה, ועל שמה נקראת ארץ ישראל טובה, ועיין אבות פ״ו מ״ג, ברכות ה׳ ע״א, מ״ח ע״ב, ע״ז י״ט ע״ב, מנחות נ״ג ע״ב, ירוש׳ ר״ה פ״ד ה״ח (נ״ט ע״א), בראשית רבה פ׳ צ״ח סי׳ י״ב (ע׳ 1262), תנחומא א׳ ויחי סי׳ י״א, מדרש תהלים כ״א ד׳ (צ׳ ע״א), מדרש משלי כ״ב א׳ (מ״ה ע״ב), ילקוט הושע תקכ״ד: 15 בארץ ישראל, כן יש להוסיף על פי הענין, אעפ״י שחסר בכל המקורות: 16 בחוצה לארץ, אין להכריע אם היתה גרסה זו לפני רבינו הלל שהרי כתב בפירושו „זו תורה וכו׳ דמשמע ואבדתם מהרה מעל הארץ דאית בה טובה דהיינו תורה דכתיב כי לקח טוב נתתי לכם״ וב„מאיר עין״ הביא גרסה שלפנינו מן הילקוט וכתב עליה „כלומר דתאבדו בחוצה לארץ מעל הארץ הטובה אשר ה׳ נותן לכם״ ולדעתי יותר נכון פי׳ הז״א וז״ל „טובה זו תורה, שכיון שהם גולים מארץ ישראל לחוצה לארץ כאלו נאבדים מן התורה שבחוצה לארץ אין תורה כל כך כמו בארץ ישראל״:

מד.

(יח) ושמתם את דברי אלה על לבבכם, זה תלמוד תורה, וקשרתם אותם לאות על ידכם אלו תפילין, אין לי אלא תפילין ותלמוד תורה שאר מצות שבתורה מנין הרי אתה דן מבנין אב שבין שניהם לא ראי תפילין כראי תלמוד תורה ולא ראי תלמוד תורה כראי תפילין הצד השוה שבהם שהם מצות הגוף שאין תלויות בארץ ונוהגות בארץ ובחוצה לארץ כך כל מצוות הגוף שאין תלויות בארץ נוהגות בארץ וחוצה לארץ ושתלויה בארץ אינה נוהגת אלא בארץ חוץ מן הערלה והכלאים רבי אליעזר אומר אף החדש סליק פיסקא

מה.

ושמתם את דברי אלה על לבבכם, מגיד שנמשלו דברי תורה בסם חיים משל למלך שכעס על בנו והכהו מכה רעה ונתן רטיה על גבי מכתו ואמר לו בני כל זמן שרטיה זו על גבי מכתך אכול מה שהנאך ושתה מה שהנאך ורחוץ בין בחמין בין בצונן ואין אתה נוזק כלום אבל אם הגבהת אותה מיד הוא מעלה נומי כך אמר להם הקדוש ברוך הוא לישראל בני בראתי לכם יצר הרע שאין רע הימנו °הלא אם תטיב (בראשית ד ז) שאת היו עסוקים בדברי תורה ואינו שולט בכם ואם פורשים אתם מדברי תורה הרי

1 ושמתם וכו׳ עד הצד השוה שבהם, ס׳ יראים סי׳ כ״ז הוצ׳ שיף תי״די – זה תלמוד תורה, שנוהג בחוצה לארץ דהא כתיב ואבדתם וכתיב בתריה ושמתם דהיינו בחו״ל, מפי׳ ר״ה: 2 אלו תפילין וכו׳. ברייתא כזו בירוש׳ שביעית פ״ו ה״א (ל״ו ע״ב) ושם קדושין פ״א ה״ט (ס״א ע״ג): 4 שהם מצות הגוף וכו׳, קדושין פ״א מ״ט, לקמן פי׳ נ״ט: 6 חוץ מן הערלה והכלאים, השוה תו״כ אמור פרשה י׳ הי״א (ק׳ ע״ד). ובררייתא קדושין ל״ח ע״א: 7 פיסקא, בדפוס וויניציא יש כאן רק המלה סליק, מפני שלא היה מקום פנוי בשטה לשתי תבות, וכן נעתק בדפוסים האחרונים:

8 ושמתם וכו׳ עד ואתה תמשל בו, קדושין ל׳ ע״א, והשוה סוכה נ״ב ע״א· — מגיד וכו׳. כלומר מדכתיב ושמתם את דברי אלה על לבבכם דהיינו במקום שהיצר הרע שולט דכתיב כי יצר לב האדם רע, מגיד שנמשלו דברי תורה לסם חיים (מפי׳ ר״ה) ואולי דורש נוטריקון כמו בבבלי ושמתם „סם תם״, אבל יותר נראה שלפי דעת התנא הל״ב הוא היצר, ולכן מזהיר להשתמש בדברי תורה כתריס נגד היצר שהוא הלב: 9 משל למלך וכו׳, השוה ציגלר Königsgleichnisse ע׳ 414: 11 נומי, מל״י νόμος: 13 היו עסוקים וכו׳, ע״ז ה׳ ע״ב „בזמן שעוסקים בתורה ובגמ״ח יצרם מסור בידם״; ב״ב ט״ז ע״א, „ברא הקב״ה יצר הרע ברא לו תורה תבלין״, מדרש תהלים

1 זה תלמוד תורה אה, זו תורה רקטלד — 2 אלו תפלין רכטדלא, זו תפלין שביד והיו לטוטפות בין עיניך אלו תפלין שבראש ה — 3 שבתורה] ל׳ טל | שבין שניהם מרקל, שבין שתיהם טה, משניהם א | תפילין] תפלה א וכן בסמוך — 4 שהם] ל׳ ה | שאין תלויות אר קל, שאינן תלויות ד, ואין תלויה ה, ואינן תלויות מ, שאין תלויה ט — 5 בארץ ובחו״ל] בחוצה לארץ ל | כך כל מצות–נוהגות בארץ ראמ, כך [אף] כל מצות הגוף שאין תלויה בארץ נוהגת בארץ ובחו״ל טקל — 6 ושתלויה–אף החדש] ל׳ ה | אינה דקטאמ, אין רל | והכלאים] ומן הכלאים אמ — 7 אליעזר דאמטל, אלעזר רק | החדש] ובגליון א נמצא: אף החדש נ״ל שר״ל שאין אוכלין מן החדש אפילו בחוצה לארץ עד שיעבור כל יום י״ו בניסן שהוא יום הבאת העומר ותנופתו ולכך נקרא יום הנף ואעפ״י שהיא תלויה בארץ כי אין מביאין העומר אלא בארץ שנ׳ כי תבואו אל הארץ וגו׳ והבאתם את עומר וגו׳ הנה אסור אכילת חדש נוהגת גם בחוצה לארץ | סליק פיסקא] סליק ד, פיסק׳ א, ל׳ רק —

8 ושמתם] ד״א ושמתם ה | מגיד] מגיד הכתוב ד | בסם רקהטלד, לסם אמ | חיים] החיים ד — 9 שכעס על רמהקלא, שהכה את דט | והכהו רקמהלא, ל׳ דט | רעה רקמהא, גדולה דטל | ונתן רקמהא, והניח לו דטל | גבי רמהקא, ל׳ דטל | גבי רקא, ל׳ המדטל | ואמר מה, אמר רקטלד, ואומ׳ א | בני רקטלדה, ל׳ מא — 10 שרטיה] שהטרייה ה | על דטלמהא, על גבי רק | מה שהנאך] ל׳ ד — 11 בצונן] בצונין ר | ואין רהדל, ואי מטקא | כלום אמ הרק, ל׳ לטד | אבל–אותה אמהרק, ואם אתה מעבירה טדל | מיד רקמא, ל׳ טלדה | היא רקמה, הרי היא אל, הרי אתה טד | מעלה רקטד, מעלת ל, עולה ה, עושה מא | נומי טהל, נמי ק, נמיה מ, נמי׳ א, נמייה ר, נימי׳ ד | להם] ל׳ ט — 12 בני מארטל, ל׳ רקדה | שאין רע הימנו–הרי הוא שולט בכם] בראתי לכם תורה תבלים כל זמן שאתם עוסקים בה אין [ד אינו] שולט בכם שנ׳ הלא אם תיטיב שאת ואם אין אתם עוסקים בה [ד בתורה] הרי אתם נמסרים בידו דטל | הימנו] ממנו אמ | הלא רהק, שנ׳ הלא מא — 13 עסוקים מרק, עוסקים אה | ואינו שולט–הרי הוא שולט בכם] שאינו

בראשית ד ז הוא שולט בכם שנאמר °לפתח חטאת רובץ, ואליך תשוקתו אין משאו ומתנו
משלי כה כא–כב אלא בך אבל אם רצה אתה תשלט בו שנאמר ואתה תמשל בו ואומר °אם רעב
שונאך האכילהו לחם כי גחלים אתה חותה על ראשו, רע הוא יצר הרע
בראשית ח כא שמי שברא אותו מעיד עליו שהוא רע שנאמר °כי יצר לב האדם רע סליק פיסקא

מו.

(יט) ולמדתם אותם את בניכם, בניכם ולא בנותיכם דברי רבי יוסי בן עקיבה מיכן אמרו כשהתינוק מתחיל לדבר אביו מדבר עמו בלשון הקודש ומלמדו תורה ואם אין מדבר עמו בלשון קודש ואינו מלמדו תורה ראוי לו כאילו קוברו שנאמר ולמדתם אותם את בניכם לדבר בם, אם למדתם אותם את בניכם למען ירבו ימיכם וימי בניכם, ואם לאו למען יקצרו ימיכם שכך דברי תורה נדרשים מכלל הן לאו ומכלל לאו הן סליק פיסקא

מז.

(כא) למען ירבו ימיכם בעולם הזה וימי בניכם לימות המשיח כימי השמים על הארץ לעולם הבא, אשר נשבע ה׳ לאבותיכם לתת לכם אין כתוב כאן אלא לתת להם נמצינו למדים תחיית המתים מן התורה.

כימי השמים על הארץ, שיהו פניהם של צדיקים כיום וכן הוא אומר

בכם א | ואינו] שאינו מ — 1 שנ׳—אלא בך רק, שנ׳—כל משאו ומתנו אינו אלא בך מהא׳, שנ׳—ואם לא תיטיב—רובץ ולא עוד אלא שמשאו ומתנו בך שנ׳ ואליך תשוקתו טד, שנ׳ ואם לא תטיב לפתח ולא עוד אלא שכל משאו ומתנו בך שנ׳ ואליך תשוקתו ל, כל משאו ומתנו אלא בך א — 2 אבל אם רצה אתה תשלט ר, אבל—תמשל ד״, אם תרצה אתה תמשל מא, אבל אם תרצה אתה שולטו ק, ואם אתה רוצה אתה מושל בו [מושלו לט] טדל | שנאמר] ואומר ה | ואומר] ל׳ ק — 3 האכילהו לחם רמהקא, האכילהו לחמה של תורה ואם צמא השקהו מים טד, האכילהו מלחמה של תורה ל | כי] ואומר כי אמ | הרע] ל׳ ה — 4 שמי שברא אותו אמד״, מי שברא אותו רק, מי שבראו טד, מי שברא ל | מעיד רמ אטד, הוא מעיד קלה | שהוא רע רמהקא, ל׳ דטל | סליק פיסקא] סליק ד, פ׳ רק, ל׳ א —

5 בניכם טד״, ל׳ אמ, לדבר בם בניכם דל, לדבר בם את בניכם רק | בנותיכם אהדטל, את בנותיכם רמק | יוסי רקטד, אסי מהלא — 6 עקיבה רהלדא, עקביא מט, עקביה ק | אביו] אביו אביו ק | מדבר—ומלמדו תורה] מלמדו תורה ומדבר עמו בלשון הקודש ה | בלשון רמהק א, לשון לדט [וכן בסמוך] — 7 ואם—קוברו] ל׳ א | ואם דה״מ, אם רקט | ואם—מלמדו תורה] ואין אתה עושה כן ל | אין] אינו ה | ואינו מלמדו דה״, ומלמדו רמקט | קוברו] לא בא לעולם וכאלו קוברו ה — 8 אם למדתם אותם את בניכם] ל׳ ט | ואם—וימי בניכם] ל׳ טי — 9 למען רמהקא, ל׳ דל | למען יקצרו מה״, למען יתקצרו רק, יקצרו דלא | ימיכם אמה״ד, ימיכם וימי בניכם רק טל — 10 הן לאו מ״א, לאו הן טילמה״, הין ללאו רק, לאו אתה שומע הין ד | ומכלל לאו הן אטי, ומכלל הין לאו דלט״מ, ל׳ ה״, מכלל לאו להין ר ק | סליק פיסקא ד, פיסק׳ א, ל׳ רק —

קי״ט ס״ד (עמ׳ 502) „כל מי שהוא עוסק בתורה אין יצר הרע שולט בו״, אדר״נ נו״א פ׳ ט״ז (ל״ב ע״ב) „יצר הרע אין לו תקנה אלא בדברי תורה בלבד״, ועוד שם פ״כ (ל״ה ע״ב) „ר׳ חנניה סגן הכהנים אומר כל הנותן ד״ת על לבו מבטלים ממנו הרהורים הרבה וכו׳ הרהורי יצר הרע״, ועיין עוד ב״ר פ״ע סי׳ ח׳ (ע׳ 808): 2 אם רעב שונאך וכו׳, רש״י שם: 4 שמי שברא וכו׳, סוכה שם. ב״ר פ׳ ל״ד סי׳ י׳ (ע׳ 320), מדרש תהלים ק״ג י״ד (רי״ט ע״א)· — פיסקא, המלה הזאת נשמטה בדפוס וויניציא מפאת חוסר מקום; השמטה זו מפני אותה סבה חוזרת ונשנית פעמים רבות:

5 בניכם ולא בנותיכם, [קדושין כ״ט ע״ב], שם ל׳ ע״א, ירוש׳ ברכות פ״א מתני׳ ג׳ (ד׳ ע״ג), ערובין פ״י ה״א (כ״ו ע״א), פסיקתא רבתי פיסקא כ״ב (קי״ג ע״ב), [ועיין עוד סוטה פ״ג מ״ד, וירו׳ שם]: 6 מיכן אמרו וכו׳, רש״י, פ״ז, ספרי זוטא שלח ט״ו ל״ח (עמוד 288), תוספתא חגיגה פ״א ה״ב (ע׳ 232), ירו׳ סוכה סוף פ״ג נ״ד ע״א, סוכה מ״ב ע״א, ערכין ב׳ ע״ב, ריש מסכת ציצית, והשוה ספר חסידים מקיצי נרדמים סי׳ תתל״ה עמ׳ 211: 9 ואם לאו וכו׳ שכך ד״ת נדרשים וכו׳, מכילתא יתרו מסכת בחודש פ״ח (ע׳ ע״א, ה—ר 232), מ״ת ה׳ ט״ז (ע׳ 23), ירו׳ שבועות פ״ז ה״א (ל״ז ע״ג) וש״נ; רש״י, פ״ז:

11 למען ירבו וכו׳ עד לעולם הבא, תורת האדם לרמב״ן שער הגמול: 13 נמצינו למדים וכו׳, [סנהדרין צ׳ ע״ב], רש״י, פ״ז: 14 שיהו וכו׳, פ״ז:

11 למען ירבו] מכאן ועד „והמשכילים יזהירו כזוהר הרקיע״ לקוי כ״י מ בתחלת השורות — 12 לעוה״ב] לעוה״ב על האדמה ולא בחוצה לארץ ה — 13 כתוב ט״אמ, כתיב דט״ר, כת׳ ה״ל, בתורה ק | למידים] ל׳ ל — 14 של] פני א |

°ואוהביו כצאת השמש בגבורתו רבי שמעון בן יוחי אומר לשבע שמחות פניהם שופטים ה לא
של צדיקים עתידים להקביל פני שכינה לעתיד לבא ואלו הן °ואוהביו כצאת שם
השמש בגבורתו °יפה כלבנה ברה כחמה °והמשכילים יזהירו כזוהר שה״ש ו י׳ דניאל יב ג
הרקיע °ומצדיקי הרבים ככוכבים לעולם ועד °כברקים ירוצצו שם נחום ב ה
°למנצח על שושנים °ויהי כזית הודו וגו׳ ואומר °שיר למעלות תהלים מה א הושע יד ז תהלים קכא א
למי שעתיד לעשות מעלות לעבדיו הצדיקים לעתיד לבא רבי עקיבה אומר שיר למעלה
אין כתוב כאן אלא שיר למעלות שלשים מעלות זו למעלה מזו רבי אומר שיר למעלה
אין כתוב כאן אלא שיר למעלות ששים מעלות זו למעלה מזו או לפי שיש מעלות
זו למעלה מזו שומע אני יש ביניהם איבה שנאה קנאה ותחרות תלמוד לומר °ומצדיקי דניאל יב ג
הרבים ככוכבים לעולם ועד מה כוכבים אין ביניהם איבה שנאה קנאה ותחרות
כך צדיקים, מה כוכבים אין אורו של זה דומה לאורו של זה כך צדיקים. דבר אחר

1 ר׳ שמעון בן יוחי וכו׳, למעלה פי׳ י׳ (ע׳ 18) וראה מסורת המאמר שם: 5 ויהי כזית הודו, השוה הערתי למעלה ע׳ 18. – ואומר שיר למעלות וכו׳ עד ואם לאו הרי הם כעפר הארץ, ילקוט תהלים תתע״ט: 6 למי שעתיד וכו׳, וכן בספר החצוני עזרא ד׳ ז׳ צ״א, מונה ג״כ שבע מעלות של אלה המקבלים פני השכינה עיי״ש. — ר״ע אומר וכו׳, על יסוד מאמר זה, פיט הקליר ליום ב׳ של סוכות „ומתחתיהם שלשים מעלות מסתופפים בצלם בשיר המעלות, ועל גבם ששים מעלות זו למעלה זו עולות ועד כסא הכבוד טסות ועולות״, אלא הוא תפס דעת שניהם של ר״ע ורבי, ושם שלשים מעלות של ר״ע למטה מעץ החיים וששים של רבי למעלה ממנו עד כסא הכבוד, והשוה רש״י תהלים קכ״א א׳: 7 שלשים מעלות, נראה שדורש את „הלמד״ בגמטריא „ל׳ מעלות״. — שיר למעלה, אם היה כתוב כך היה פירושו שלשים מעלות, יוצא ששיר למעלות פירושו שתי פעמים שלשים: 10 מה כוכבים אין ביניהם וכו׳, השוה פסיקתא רבתי י״א (מ״ה ע״א), במדבר רבה פ״ב סי׳ י״ג, ירוש׳ נדרים פ״ג הי״ב (ל״ח ע״א); מה כוכבים וכו׳, כיון שמזכיר בעל הספרי את הפסוק ומצדיקי הרבים מביא המדרש עליו כדרכו בהרבה מקומות: 11 ד״א ומצדיקי הרבים וכו׳, הוספה אל המדרש ההולך ונגמר למטה שורה 4, בד״ה

צדיקים] צדיק ק | כיום הלדא, דומים כיום רקט | וכה״א דקהלא, כה״א דט — 1 ר׳ שמעון בן יוחי אומר] ל׳ ד | לשבע] לשובע א — 2 להקביל פני שכינה] להנהיר ל | לעתיד לבא אמה, לעולם הבא רקטד, לעולם הבא להקביל פני שכינה ל — 3 כזהר–לעולם ועד מהא, כזוהר הרקיע קלדט, וגו׳ ר — 5 שושנים] שושן עדות ל | ואומר שיר למעלות מהא, שיר למעלות רקט, שיר המעלות אין כתיב כאן אלא שיר למעלות דל — 6 למי–ר׳ אומר שיר למעלה אין כתוב כאן אלא שיר למעלות] ל׳ ל | למי שעתיד] כאן מתחיל קטע הגניזה שבספריה בקמברידז שכיניתיו נ[2], וראה עליו במבוא | מעלות–לעתיד לבא]···· הצדיקים מעלות על גבי מעלות זו על גב זו על גב זו נ[2] | לעבדיו הצדיקים ה, לעבדיו צדיקים ר, לצדיקים מ דא, לצדיק עבדיו ק, לכל צדיק וצדיק ט | ר״ע–שלשים מעלות זו למעלה מזו מא, ר״ע–לשלשים מעלות זו למעלה מזו נ[2], ר״ע–מזו זו למעלה מזו ה, ר׳ עקיבה אומר שיר למעלה מזו רק, ל׳ דט — 7 רבי אומר–זו למעלה מזו מא, ר״א שיר למעלה אין כת׳ כאן אלא למעלות לששים מעלות זו על גבי זו על גבי זו נ[2], רבי אומר שיר למעלה אין כת׳ כן אלא שיר למעלות ה, רבי אומר שיר למעלה אין כתוב כאן אלא שיר למעלות תשע מעלות זו למעלה מזו קר, רבי אומר שיר המעלות אין כתוב כאן אלא שיר למעלות ששם מעלות זו למעלה מזו ד, רבי אומר שיר המעלות אין כתוב כאן אלא שיר למעלות שלשים מעלות זו למעלה מזו וזו למעלה מזו ט, ששים מעלות זו למעלה מזו וזו למעלה מזו ל — 8 או–שיש מעלות זו למעלה מזו רקט, ל׳ המא. או–מעלה מזו למעלה מזו זו למעלה מזו ד, לפי שיש מעלה זו למעלה מזו ל, לפי שיש מעלות זו למעלה מזו נ[2] — 9 שומע אני] יכול יש ה | יש ביניהם אמג״ל, שביניהם רק, מביניהם ד, ביניהם ה, שיש ט[1], שיש ביניהם ט[2] | איבה–ותחרות רקט[1], איבה ושנאה–ותחרות ה, שנאה קנאה ותחרות מ, איבה וקנאה ותחרות דט[2]ל, קנאה ותחרות א, איבה שנאה קנאה ותחרות···· נ[2] — 10 איבה–ותחרות רקט[2]ל, איבה ושנאה–ותחרות ה, שנאה קנאה ותחרות מא, איבה וקנאה ותחרות ד, שנאה קנאה איבה ותחרות ט[1] — 11 כך צדיקים רקהט, אף צדיקים אין ביניהם איבה שנאה קנאה ותחרות מא, אף צדיקים אין ביניהם איבה וקנאה ותחרות ד, כך הצדיקים אין בהם ל״א קנאה ולא איבה ולא שנאה ולא תחרות ל, כך הם הצדיקים <מה הככבים מאירים מסוף העולם ועד סופו כך הצדיקים> נ[2] | מה ככבים] ל׳ ק, מה הככבים לנ[2] | מה] ומה ד | אין ר מהקלנ[2], שאין ד, אין דומה ט, ל׳ א | אורו] אורן ר | דומה לאורו של זה אמהנ[2], כאורן של זה ר, כאורו של זה ק, דומה לזה דל, לאורו של זה ט | כך צדיקים רקט, כך צדיקים אין אורו של זה דומה לאורו של זה ה, כך צדיקים אין אורו של זה כאורו של זה מ, אף צדיקים כך ד, אף הצדיקים כך ל, כך צדיקים אורו של זה דומה לאורו של זה א, אף הצדיקים נ[2] | ד״א–ק״ו המאהיבים ומצדיקי הרבים ככוכבים לעולם ועד] בנ[2] נמצא מאמר זה לאחר המאמר „מה כוכבים רודים ושולטים מסוף העולם ועד סופו כך הם הצדיקים | ד״א הד, ל׳ רמקטלאנ[2] —

ומצדיקי הרבים אלו גבאי צדקה רבי שמעון בן מנסיא אומר אלו זקנים וכן הוא
שופטים ה לא אומר °ואוהביו כצאת השמש בגבורתו מי גדול האוהבים או המאהיבים הוי
אומר המאהיבים, אם האוהבים ואוהביו כצאת השמש בגבורתו קל וחומר
דניאל יב ג המאהיבים. °ומצדיקי הרבים ככוכבים לעולם ועד מה כוכבים רמים
ומנוטלים על כל באי העולם כך הצדיקים, מה כוכבים רדים ושולטים מסוף העולם
ועד סופו כך הצדיקים, מה כוכבים פעמים נכסים פעמים נגלים כך הצדיקים, מה
כוכבים כתות כתות שאין להם מנין כך הצדיקים, או בין עושים רצונו של מקום בין
בראשית כח יד אין עושים רצונו של מקום תלמוד לומר °והיה זרעך כעפר הארץ אם עושים
מ״ב יג ז רצונו של מקום הרי הם ככוכבים ואם לאו הרי הם כעפר הארץ וכן הוא אומר °כי
אבדם מלך ארם וישימם כעפר לדוש.

דבר אחר כימי השמים על הארץ, שיהו חיים וקיימים לעולם ולעולמי
ישעיה סו כב עולמים וכן הוא אומר °כי כאשר השמים החדשים וגו׳ והלא דברים קל וחומר
ומה שמים וארץ שלא נבראו אלא לכבודם של ישראל חיים וקיימים לעולם ולעולמי

1 אלו גבאי צדקה] ל׳ נ׳ | מנסיא] יוחאי אנ׳ | וה״א המלד א, כע׳ הא׳ ר, כן ה״א ט, כעניין האמור ק······אמרו לו כשהוא אומר נ׳ [הנקודות מורות שבנ׳ יש פה מחק כדי שני מלים] — 2 בגבורתו—בגבורתו] ל׳ אמ | מי גדול—קל וחומר] ל׳ ל | או המאהיבים הדקנ׳, או המאוהבים רט | הוי אומר—לעולם ועד] ל׳ ט׳ — 3 המאהיבים רקדהדנ׳, המאוהבים ט׳ | אם האוהבים ד, את האוהבים רק, על האוהבים ואומ׳ ד, ל׳ ט׳, מה אם האוהבים נ׳ — 4 המאהיבים רקטל דה, המאוהבים ט׳, למאהיבים מאנ <ומצדיקי הרבים ככוכבים מה כוכבים שאם ינתן לאחד מהן רשות הוא שורף ולוהט מסוף העו׳ ועד סופו כך הם הצדיקים> נ׳ | כוכבים] הכוכבים נ׳ — 5 ומנוטלים] וניטלים נ׳ | באי] ל׳ ל | העולם] עולם א | כך הצדיקים מהטאנ׳, כך הן צדיקים רק, כך צדיקים רמים—העולם ד, כך צדיקי ישר׳ ל | מה] ומה ד | רדים ושולטים נ׳, אחד נודד אמ, אחד מהן שורף ורודה ה, רודה את שורו ר, מבהיק אורו ק, אדם רואה אורם ט, אורן נראה ל, רואים אורם ד | מסוף העולם ועד סופו] על כל העולם ל — 6 כך הצדיקים נ׳ה, כך צדיקים רקט, אף הצדיקים כן ל, כך הצדיקים נודדים מא, כך הצדיקים רואים אורם מסוף העולם ועד סופו ד | פעמים נכסים פעמים ניגלים הנ׳, פעמים נכנסים פעמים ניגלים רמקא, פעמים נגלים פעמים נכסים ד, פעמים מגולין פעמים מכוסין ט׳, פעמים מכוסין פעמים מגולין ט׳ל | כך הצדיקים מהטא, כך צדיקים רק, כך צדיקי ישר׳ ל, ל׳ ד, כך הם הצדיקים נ׳ | מה ככבים—כך הצדיקים] ל׳ ל | מה] ומה ד — 7 כתות כתות] עשוין כתים כתים ואין····· [משנים] חקם נ׳ | כיתות] ל׳ ט | כך הצדיקים אטינ׳, כך צדיקים רמקט׳, כך צדיקים אין להם מנין ה, כך צדיקים כתות כתות שאין להם מנין ד | או בין—כעפר הארץ] ל׳ ד | או בין עושים רצונו של מקום רקטל, מנין שהצדיקים כן בין עושין רצונו של מקום מ, מנין שהצדיקים כך בין עושים רצונו של מקום א, בין שעושים רצונו של מקום ה, או בין עושים רצון המקום נ׳ | בין אין עושין רצונו של מקום טמאה, ובין שאין עושין רצונו רק, בין שאין עושין רצונו של מקום ל, בין אין עושים רצון המקום הרי הן ככוכבים נ׳ — 8 ת״ל רקטל׳נ׳ה, שנ׳ אמ | והיה—הארץ] ויוצא אותו החוצה (בראשית ט״ו ה׳) נ׳ | אם עושים רצונו של מקום אימ הלנ׳, אם עושים ישראל רצונו של מקום ד, אם עושין רצון מקום רק, אינו רצונו של מקום א, אם עושים רצון המקום ט — 9 ואם לאו] ובזמן שאין עושים רצונו של מקום נ׳ | הרי הם] בנ׳ [בין השטים] הרי הם משולים | הארץ רמהקלא, ל׳ ד נ׳ט | וכה״א הקדלא, כה״א רט, ל׳ מ, שנ׳ ושמתי את זרעך כעפר הארץ ואו׳ נ׳ | כי—לדוש נ׳דטלא, כי—מלך אשור—לדוש רקה, ל׳ מ — 11 ד״א] ל׳ נ׳ | שיהו חיים וקיימים מהלאד, שיהו קיימים רק, שחיים הם ט, שההוא חיים וקיימים נ׳, שחיים יהיו וקיימים [אגרת] | לעולם ולעולמי עולמים] לעולמי עולמים ל וכן בכמוך — 12 וכה״א המקדלא, כה״א ר נט [אגרת] | והלא דברים ק״ו אמהט [אגרת], וה׳ דב׳ ק״ו רנ׳, והרי—ק״ו דל, ודברים ק״ו ק — 13 ומה—קל וחומר] ל׳

מה כוכבים רמים ומנוטלים וכו׳: 1 אלו גבאי צדקה, בבא בתרא ח׳ ע״ב׳ — ר׳ שמעון בן מנסיא וכו׳ עד ק״ו המאהיבים, ילקוט שופטים נ״ס׳ — אלו זקנים, השוה ספרי במדבר פי׳ צ״ב (עמ׳ 93), ויקרא רבה פרשה י״א סי׳ ח׳, שמות רבה פרשה ה׳ סי׳ י״ד: 2 מי גדול וכו׳, השוה מכילתא משפטים מסכתא דנזיקין פרשה י״ח (צ״ה ע״א, ה—ר 311), „רשב״י אומר הרי הוא אומר ואוהביו כצאת השמש בגבורתו וכי מי גדול מי שאוהב את המלך או מי שהמלך אוהבו הוי אומר מי שהמלך אוהבו שנ׳ ואוהב גר״׳ — המאהיבים, דהיינו הזקנים דמאהבין את הקב״ה בפי הכל, מפי׳ ר״ה: 5 רדים וכו׳, כלומר שנראים למעלה מכל העולם, ואולי הכונה על השפעת המזלות בחיי בני אדם, ונראה שמפני חשש אמונה זו שינו הסופרים את הנוסח ושבשו את המאמר ברוב המקורות והשוה ספרי זוטא י׳ כ״ט (ע׳ 263) „לפי שהיום הזה רודה ברקיע:״ 9 הרי הם כעפר וכו׳, בראשית רבה פ״מ (מ״א) סי׳ ט, (ע׳ 395), שם פ׳ ס״ט סי׳ ה (ע׳ 794), פסיקתא רבתי י״א (מ״ה ע״א), במדבר רבה פ״ב סי׳ י״ג: 11 כימי השמים וכו׳ עד ק״ו לצדיקים שבעבורם נברא העולם, אגרת הר״ר שמואל ב״ר אברהם, נדפס בגנזי נסתרות של קאבאק ד׳ ס״ב: 13 שלא נבראו אלא וכו׳, תנחומא ב׳ בראשית

עולמים קל וחומר לצדיקים שבעבורם נברא העולם, רבי שמעון בן יוחי אומר הרי
הוא אומר °כי כימי העץ ימי עמי ואין עץ אלא תורה שנאמר °עץ חיים היא ישעיה סה כב משלי ג יח
למחזיקים בה והלא דברים קל וחומר ומה התורה שלא נבראת אלא לכבודם של
ישראל הרי היא קיימת לעולם ולעולמי עולמים קל וחומר לצדיקים שבעבורם נברא
העולם. רבי יהושע בן קרחה אומר הרי הוא אומר °דור הולך ודור בא אל תהי קורא קהלת א ד
כאן אלא ארץ הולכת וארץ באת ודור לעולם עומד ולפי ששינו מעשיהם שינה המקום
עליהם סידורו של עולם.

הרי הוא אומר °והיה מספר בני ישראל וכתוב כחול הים אשר לא הושע ב א
ימד ולא יספר כשישראל עושים רצונו של מקום כחול הים אשר לא ימד
ולא יספר ואם לאו והיה מספר בני ישראל ואומר °עד אם נותרתם כתורן ישעיה ל יז
ואומר °כי כה אמר ה׳ העיר היוצאת אלף תשאיר וגו׳ דבר אחר והיה עמוס ה ג
מספר בני ישראל, זה מספר שמים, כחול הים, זה מספר אדם סליק פיסקא

מח.

(כב) כי אם שמור תשמרון את כל המצוה הזאת, למה נאמר לפי
שנאמר והיה אם שמוע תשמעו אל מצותי שומע אני כיון ששמע אדם דברי

א׳ ג׳ (א׳ ע״ב), ילקוט ישעיה שע״ב: 1 שבעבורם נברא העולם, למעלה פיסקא ל״ח, עמ׳ 76, ובציונים שם. — רבי שמעון בן יוחי אומר וכו׳, קהלת רבה שם: 2 ואין עץ וכו׳, מכילתא בשלח מסכת ויסע פ״א (מ״ה ע״ב, ה–ר ע׳ 155), מכילתא דרשב״י שם עמ׳ 73, והשוה ילקוט משלי תתקל״ד: 3 אלא לכבודם של ישראל, קהלת רבה פ״א על הפסוק והארץ לעולם עומדת, והשוה ב״ר פ״א סי׳ ד׳ עמ׳ 6, „מחשבן של ישראל קדמה לכל״, וסדר אליהו רבה „דרכן של בני אדם שאומרים תורה קדומה לכל שנ׳ ה׳ קנני ראשית דרכו אבל הייתי אומר ישראל קדושים קודמים״: 5 ר׳ יהושע בן קרחה אומר וכו׳, ילקוט ישעיה שם, קהלת רבה שם. — אל תהי קורא וכו׳, כלומר לא היה ראוי לקרות כאן אלא ארץ הולכת וארץ באה והדור לעולם עומד שהרי הארץ נבראת בשביל בני האדם וכן מפורש במדרש קהלת שם וכן הגיה הגר״א גם בספרי: 6 ולפי ששינו מעשיהם. בקהלת רבה הלשון, „אלא דור ע״י שאינו עומד בתפקידיו של הקב״ה לפיכך הוא בולה והארץ על ידי שעומדת בתפקידיו של הקב״ה אינה בולה״: 8 הרי הוא אומר, כן נראה לי לנסח, שאין שום קשר בין מאמר זה לשלפניו. — אומר וכו׳, יומא כ״ב ע״ב בשם ר׳ יונתן, במדבר רבה פ״ב סי׳ י״ח בשם ר׳ שמלאי: 12 מספר שמים וכו׳, [דבידי שמים יש להם מספר ובידי אדם לא]:

13 למה נאמר וכו׳, [הגר״א מגיה למה נאמר שמור תשמרון מגיד וכו׳ ועיין רש״ין] ולפי גרסת כ״י א ומ״ת שעל פיהם נסחתי בפנים, אין צורך בהגהה זו:

רק | ומה שמים וארץ] אלו מ | ומה] אם נ² | שמים וארץ] השמים והארץ נ² | חיים וקיימים] הן עומדין מ, הרי הם קיימים נ² — 1 שבעבורם] שבשבילם נ²ט² | רשב״י—כחול הים זה מספר אדם] ל׳ ד | רשב״י אומר רקמטנ² [פס׳ זוט׳], ר׳ יהושע בן קרחה אומר דל, אמר רשב״י א | הרי הוא אומר ארמקטנ², ל׳ דל — 2 כי—עמי] כי כימי העץ יהיו ימי עמי ד | ואין] אין ר — 3 והלא דברים ק״ו מא, וד׳ קל וחו׳ רנ², והרי דברים ק״ו דטל, ודברים ק״ו ק | התורה נ², דברי תורה מא, אם התורה ד, תורה קטלר | נבראת רקדטלנ², נבראו מ א | לכבודם טדמקא, לכבודו ר, מפני כבודן נ² — 4 הרי היא קיימת טדלנ², חיים וקיימים רמא, אינה נפסקת לעולם ועד ק | לעולם ולעולמי] לעולמי ד | שבעבורם ר מקא, שבשבילם טלד — 5 הרי—סידורו של עולם] ל׳ מ | הרי הוא אומר רקנ²א, ל׳ דלט² | תהי קורא לאנ², תיקרי רקטד — 6 ודור] והדור נ² | ולפי רלקדט, לפי אט², אלא לפי נ² | שינה] נשתנה נ², שנה ט² | המקום עליהם רקט, הקב״ה עליהם ד, עליהם הקב״ה ל, השם עליהם א, ל׳ נ² — 7 סידורו של עולם ארטקנ², מעשה בראשית ד, סדרי בראשית ל — 8 הרי הוא אומר] כן יש להגיה לפי דעתי, כי אין למאמר זה המשך עם הקודם לו, והגרסאות המקובלות הן, כתוב אחד אומר אמ, וכה״א דקלט, כה״א ר | ישראל] <כחול הים אשר לא ימד ולא יספר> א | וכתוב כחול הים אשר לא ימד ולא יספר ט², כחול הים—יספר מרוב ר, וכתי׳ כחול הים אשר לא יספר מרוב מ, כחול הים וכתוב אשר לא ימד ולא יספר ד, כחול הים אשר לא ימד ק, כחול הים אשר לא ימד ולא יספר ל, וכתוב אחד אומר והיה מספר בני ישראל א — 9 כשישראל רטדקל, אלא כשישראל מא | רצונו של מקום] רצון המקום ר | כחול—יספר רקט, כחול—יספר מרוב מ, הם כחול הים ד, הרי הם כחול הים—יספר ל, לא ימד ולא יספר א — 10 ואומר—מספר אדם] ל׳ מ — 11 ואומר רקדל, ל׳ טא | דבר אחר לא, ל׳ רקטד — 12 שמים] השמים א | מספר אדם טד, מספר האדם א, כפר האדם רקל | סליק פיסקא ד, פ׳ רק, פיסק׳ א —

13 כי אם שמור תשמרון רמהדא, כי אם שמוע תשמעו וגו׳ ל, כי אם שמור אם שמוע תשמע ט — 14 והיה אם

תורה ישב לו ולא ישנה תלמוד לומר כי אם שמור תשמרון מגיד שכשם שאדם
צריך להזהר בסלעו שלא תאבד כך צריך להזהר בתלמודו שלא יאבד וכן הוא אומר
משלי ב ד °אם תבקשנה ככסף מה כסף קשה לקנותו כך דברי תורה קשים לקנותם או מה
איוב כח יז כסף קשה לאבדו כך דברי תורה קשים לאבדם תלמוד לומר °לא יערכנה זהב
שם וזכוכית קשים לקנותם כזהב ונוחים לאבדם ככלי זכוכית, °ותמורתה כלי פז היה
דברים ד ט רבי ישמעאל אומר °רק השמר לך ושמור נפשך מאד משל למלך בשר ודם
שצד צפור ונתנה ביד עבדו אמר לו הוי זהיר בצפור זו לבני אם אבדת אותו לא תהא
שם לב מז סבור צפור באיסר אבדת אלא כאילו נפשך אבדת וכן הוא אומר °כי לא דבר רק
הוא מכם דבר שאתם אומרים ריק הוא הוא חייכם. רבי שמעון בן יוחי אומר משל
לשני אחים שהיו מסגלים אחר אביהם אחד מצרף דינר ואוכלו ואחד מצרף דינר
ומניחו זה שהיה מצרף דינר ואוכלו נמצא אין בידו כלום וזה שמצרף דינר ומניחו
נמצא מעשיר לאחר זמן כך תלמידי חכמים למד שנים שלשה דברים ביום שנים
שלשה פרקים בשבת שתים שלש פרשיות בחדש נמצא מעשיר לאחר זמן ועליו הוא
משלי יג יא אומר °קובץ על יד ירבה וזה שאומר היום אני למד למחר אני למד היום אני
שם י ה שונה למחר אני שונה נמצא אין בידו כלום ועליו הוא אומר °אוגר בקיץ בן משכיל

שמוע—ת״ל מהא, ל׳ רלדט — 1 מגיד מאה, מגיד הכתוב רלדט | שאדם] <זה> נ² — 2 תאבד] יאבד ט | צריך אמ, יהא ה, אדם צריך ט, תהא אדם צריך ל, יהא אדם צריך רד, יהא צריך נ² | בתלמודו] בתלמוד ד | יאבד] תאבד אנ² — 3 קשה לקנותו—דברי תורה קשים לאבדם] קשין לקנותן וקשין לאבדן ל | לקנותם—תורה קשים] ל׳ א | או] אי ט² — 4 לאבדו] לאבד ד | כך] אף ד | קשים רמלדט², קשה ט²ה | לאבדם] לקנותן א² [הוצרך להגיה מפני חסרון המשפט „לקנותם—ד״ת קשים״ בא] | ת״ל] ד״א א — 5 כזהב רטלד, ככלי זהב המא | היה] ל׳ ל — 6 ישמעאל מהא, שמעון רטלד | משל למלך בשר ודם מ א, משל למלך רטלד, מושלו למה״ד למלך בשר ודם ה — 7 שצד] שנטל ט | ונתנה מהא, ונתנו רטדל | אמר] ואמר הא | הוי זהיר] הזהר ט | זו] ל׳ א | אם] ואם מ | אבדת אותו מהא, איבדתה ר, אבדתו טל, אתה אבדתו ד | תהא] תהיה ד — 8 צפור רדהט, שצפור מא, וציפור ל | באיסר] כאיסר ד | נפשך אבדת] איבדת את נפשך ד | וכה״א מהדקא, כה״א רט — 9 דבר שאתם—הוא חייכם ר, דבר—ריק הוא חייכם מ, דבר שאתה אומר ריק הוא חייכם ט², דבר שאתם רק הוא חייכם הוא ל, ל׳ דאה | אומר משל רדט, מושלו מלה״ד ה, אומר משל לה״ד מ א, משני ל — 10 מסגלים רמדהט, מסגלים ממון דל, מסלגין א | אחר] את א | ואוכלו] ואוכל ד — 11 שהיה מצרף רלטא, שמצרף המד | אין] שאין טד | וזה] ד | דינר] ל׳ א — 12 מעשיר אמה, עשיר רלדט | תלמידי חכמים רהד, תלמיד הל, תלמיד חכם טא | למד] שהוא שומר ה, למד אדם מ | שלשה רמלדהא, או שלשה מד | דברים] פסוקים אמ | ביום] ט מוסיף: שנים שלשה דברים בלילה — 13 שלשה רלטדהא, או שלשה מ, ושלשה ד | בשבת רדטמה, בחודש ל, בשנה א | שלוש רדהלטא, או שלשה מ, ושלוש ד | בחדש ראמדהט, ל׳ ד, בשבת ל | מעשיר אמה, עשיר רלדט | ועליו הוא אומר מה, עליו הוא אומר א, ועליו נאמר דרלט — 14 וקובץ] קובץ ה | וזה שאומר אמדל, שאמר רט, אבל האומר ה | למחר אני למד] ל׳ ד — 15 שונה] שוכח ה,

1 ולא ישנה, כלומר לא יחזור על למודו, ר׳ דוד הופמאן בהערה למ״ת — מגיד וכו׳, רש״י, פ״ז: 3 קשים לקנותם וכו׳, [אדר״נ נו״א פ׳ כ״ד ל״ט ע״ב בשם אלישע בן אבויה, חגיגה ט״ז ע״א, ירוש׳ שם פ״ב ה״א ע״ז ע״ב, רות רבה פ״ו סי׳ ד׳, קהלת רבה פרק ז׳ פסוק ח׳, קהלת זוטא שם ע׳ 110, והשוה אדר״נ נו״א פ׳ כ״ח מ״ג ע״א, ילקוט איוב תתקל״ז]: 5 ותמורתה כלי פז, לכאורה אין קשר לכתוב זה עם עצם המאמר ולכן מחקו הגר״א והמנוח ר׳ חיים שאול הארואויטץ העיר שאולי יש לקיימו ולהשאירו כמו שהוא מפני שדברי ר׳ ישמעאל מוארים על פי פסוק זה; ר׳ ישמעאל מפרש שכשם שאין לערוך הצפור הנתונה לעבדו של מלך בדמיה בשוק, כך אין לערוך את התורה ושויה שאין בכל כלי פז תמורתה· — היה ר׳ ישמעאל אומר וכו׳, [אדר״נ שם נו״א פ׳ כ״ד ונו״ב פ׳ ל״ה ל״ט ע״א, מ״ת ל״ב מ״ז (עמ׳ 205) מנחות צ״ט ע״ב בשם תנא דבי ר׳ ישמעאל] ומובא במגן אבות לרשב״ץ דוראן פ״ג מ״י, והוא מציין על הספרי ואדר״נ אבל לפי סגנון ההעתקה מקורו מנחות שם; ודרש כעין זה, בסגנון שונה, דברים רבה ראה סי׳ ד׳ בשם ר״ש, מדרש תהלים י״ז ח׳ (ס״ו ע״א) בשם ר׳ חייא, ותנחומא א׳ וב׳ קדושים ר׳: 6 למלך בשר ודם וכו׳, השוה ציגלר Königsgleichnisse עמוד 318: 9 רבי שמעון בן יוחי וכו׳ עד נרדם בקציר וכו׳, [ילקוט משלי תתקמ״ה]: 10 מסגלים אחר אביהם, כן הגרסה בכל המקורות חוץ מד שבו נוסף אחר מסגלים המלה „ממון״ ובאמת אין צורך להוספה, השוה מכילתא מסכת בחודש פ״ב (ס״ב ע״ב, ה–ר ע׳ 208), „כשם שהאשה מסגלת מאחר בעלה והבן מאחר אביו״ שמשמעת המלה בעצמה היא הצפנת ממון וחסכונה וגם כאן הפירוש שני אחים אוספים ממון של אביהם· — אחד מצרף דינר, מצרף את הכסף שבידו למטבע: 12 למד שנים שלשה דברים וכו׳, רוקח ש׳ קבלת הכמים, והשוה

נרדם בקציר בן מביש, ואומר °מחורף עצל לא יחרוש ושאל בקציר משלי כ ד
ואין ואומר °שומר רוח לא יזרע ואומר °על שדה איש עצל עברתי וגו׳ °והנה קהלת יא ד משלי כד ל-לא
עלה כולו קמשונים וגו׳ על שדה איש עצל עברתי זה שקנה שדה כבר ועל
כרם אדם חסר לב זה שקנה כרם כבר הואיל וקנה שדה וקנה כרם וקרוי איש
וקרוי אדם למה נקרא עצל וחסר לב שקנה שדה וקנה כרם ולא עמל בהם מנין שסופו
להניח שנים שלשה דברים בפרשה שנאמר והנה עלה כלו קמשונים ומנין שמבקש
פתחה של פרשה ואינו מוצא שנאמר כסו פניו חרולים, ועליו הוא אומר וגדר
אבניו נהרסה מתוך שראה שלא עמדה בידו הוא יושב מטמא את הטהור ומטהר
את הטמא ופורץ גדרם של חכמים, מה ענשו של זה בא שלמה ופירש עליו בקבלה
°ופורץ גדר ישכנו נחש הא כל הפורץ גדרם של חכמים לסוף שפורעניות קהלת י ח
באות עליו.

רבי שמעון בן מנסיא אומר הרי הוא אומר °נפש שבעה תבוס נופת תלמיד משלי כז ז
מתחלתו לא למד כל דבר לא היה אלא מה שלמד. דבר אחר נפש שבעה תבום

אדר״נ נו״א פ׳ כ״ד ל״ט ע״ב, ע״ז י״ט ע״א, שהש״ר פ״א סי׳ ב׳, פ׳ כי טובים דודיך, מדרש תהלים פ״א סי׳ י״ח (ט׳ ע״א), במדבר רבה פ׳ כ״א סימן ט״ו: 3 על שדה, [ילקוט משלי תתקס״א]· – שקנה שדה וכו׳, כלומר שלמד ועזב את למודו: 6 להניח, [שישכח, ז״ר]: 9 ופורץ גדרם של וכו׳, לכאורה דורש את המשפט וגדר אבניו נהרסה, אבל קשה מה ענין פריצת גדר לעזיבת למוד, ואדר״נ ליתא ואולי הובא כאן ע״י שיגרא דלישנא: 10 כל הפורץ וכו׳, מדברי ר׳ ישמעאל בתוספתא חולין פ״ב ה׳ כ״ב (ע׳ 503), והשוה ע״ז כ״ז ע״ב, ירו׳ שם פ״ב ה״ב (מ׳ ע״ד), ברכות פ״א ה״ז (ג׳ ע״ב), שבת פי״ד ה״ד (י״ד ע״ד), ועוד בב״ר פ׳ ע״ט סי׳ ו׳ (ע׳ 944), קהלת רבה י׳ ח׳: 12 ר׳ שמעון בן מנסיא וכו׳ עד איש פלוני מטהר, ילקוט משלי תתקס״א, וחלק מן המאמר מובא גם ברוקח ש׳ קבלת חכמים· – תלמיד וכו׳, וסוף הפסוק ונפש רעבה כל מר מתוק אינו דורש, כי אין ענין בתורה שיתואר במר, אבל המעתיקים שבשו את המאמר בקשרם חצי הדרש לסוף הפסוק. [והגר״א מגיה „ונפש רעבה כל מר מתוק זה שלמד מתחלתו״, דלא מסתברא ליה לומר שמי שלמד ימאס ללמוד על כן גרס בהפך דמי שלמד הכל ערב לו ומי שלא למד אינו יודע להוקיר התורה כערכה; וגרסת הרד״ף „נופת זה תלמיד שלמד מתחלתו כל דבר, ונפש רעבה כל מר מתוק לא היה לו אלא מה שלמד״ ומפרש דנפש שבעה אפילו אומרים לו הלכה אחת מתוקה, הרי הוא בוזה דלאו לדידה צריך שהרי כבר למד ונפש רעבה שלא למד אלא מקצת מסכתות אפילו אומרים לו ברייתא משבשתא הרי זה מתוק בעיניו]: 13 דבר

וכן בסמוך | ועליו] עליו א | אוגר–מביש אמהל, אוגר בקיץ וגו׳ ר, נרדם בקציר בן מביש דט – 1 ואומר] ל׳ טלא – 2 ואין] ואין שומר א | ואומר–יזרע רמה, ל׳ טאד, שומר רוח לא יזרע וגו׳ ל | על שדה איש עצל עברתי וגו׳ והנה עלה כולו קמשונים וגו׳] ל׳ א – 4 כרם אדם] כרם ר | כבר] ל׳ ד | הואיל וקנה רמהלדא, שהוא קנה ט2, הוא שקנה ט1 | שדה–כרם] כרם–שדה טל | וקרוי איש–שקנה שדה וקנה כרם א, וקרוי איש וקרוי אדם למה נקרא עצל ולמה נקרא חסר לב שקנה שדה וקנה כרם ולא עמל בהם ד, וקרוי איש וקרוי אדם למה נקרא עצל וחסר לב שקנה שדה וקנה כרם ולא עמל בהם כך משל למי שקנה התורה ולא עמל בה מ, ולא עמל בהן מנ׳ שסופו נקרא עצל ולמ׳ נק׳ חסר לב שקנה שדה וכרם ולא עמל בהן ר, ולא עמל בהן מניין שנקרא סופו עצל ת״ל על שדה איש עצל עברתי ועל כרם אדם חסר לב ולמה נקרא חסר לב שקנה שדה וכרם ולא עמל בהם ט, ולא עמל בהם מניין שסופו נקרא עצל ת״ל על שדה איש עצל עברתי ועל כרם אדם חסר לב ולמה נקרא שמו חסר לב על שקנה שדה וכרם ולא עמל בהם דל – 5 מנין רהא, ומנין מדטל – 6 להניח] להנח ר | שלשה ראהט, או שלשה מ, ושלשה דל | דברים] דבר ר | שנאמר ראהמ, ת״ל ל, ל׳ דט | ומניין דהמל א, מניין רט | שמבקש רטאמה, שהוא מבקש ד, שסופו מבקש ל – 7 ועליו ראט״מה, עליו ט, ועוד דל – 8 אבניו] אבנים ד | שלא עמדה ראמהט, שאין עומדת ד, שאין עומד ל | הוא יושב רטלד, יושב הוא מהא | מטמא טא, מטמי ר, ומטמא דמהל | את] ל׳ ד – 9 ופורץ גדרם של חכמים] של חכמין ופורץ גדירן של חכמה ר | מה עונשו טמא, לסוף מה עונשו ר, ומהו ענשן ה, מה עונשו של זה ד, ומה עונשו ל | בא] כבר בא ה | בקבלה] ל׳ א – 10 הא כל רטאמה, הא למדת שכל ד, כל ל | לסוף שפורעניות ר, סוף שפורענות ה, פורענות אמל, לסוף פורעניות ד, סוף שפורעניות ט – 11 באות ראטמ, בא ה, באים ד, באה ל – 12 ר׳ שמעון בן מנסיא אומר רדהטמ, א״ר שמעון בן מנסיא ל, ר׳ שמעון בן יוחאי אומר אד | תלמיד–אלא מה שלמד אה, תלמיד לא למד מתחילתו כל דבר נפש רעבה כל מר מתוק לא היה אלא מה שלמד ר, זה תלמיד שלא למד מתחלתו כל דבר נפש רעבה כל מר מתוק הא לא היה לו אלא מה שלמד ל, זה תלמיד שלמד מתחלתו כל דבר נפש רעיבה כל מר מתוק הא לא היה לו אלא מה שלמד ט, זה תלמיד שלא למד מתחילתו ונפש רעיבה כל מר מתוק לא היה אלא מי שלמד ד, ל׳ מ [ובכ״י מ נרשם פה סגול דהפוך להראות שחסר איזה משפט] – 13 ד״א הלט, ל׳ רדמא –

נופת מה נפה זו מוציאה קמח בפני עצמו סובין בפני עצמם קיבר בפני עצמו כך תלמיד יושב ומברר דברי תורה ומשקלם איש פלוני אוסר איש פלוני מתיר איש פלוני מטמא איש פלוני מטהר. רבי יהודה אומר תלמיד שכחו יפה דומה לספוג שסופג את הכל שני לו דומה למוך שאינו סופג אלא צרכו זה שאומר דיי מה ששנה לי רבי. רבי שמעון בן יוחי אומר הרי הוא אומר (משלי ה טו) °שתה מים מבורך וגו׳ שנה ממי שעמך בעיר ואחר כך הפרש בכל מקום וכן הוא אומר (שם לא יד) °היתה כאניות סוחר. רבי שמעון בן מנסיא אומר הרי הוא אומר שתה מים מבורך שתה מימיו שבראך ואל תשתה מים עכורים ותמשך עם דברי מינים. רבי עקיבה אומר הרי הוא אומר שתה מים מבורך באר מתחלתו אין יכול להוציא טיפת מים מאליו לא היה אלא מה שבתוכו כך תלמיד מתחלתו לא למד כל דבר לא היה אלא מה שלמד, ונוזלים מתוך בארך, דומה לבאר מה באר מנזלת מים חיים מכל צדדיה כך באים תלמידים ולמדים הימנו וכן הוא אומר (שם ה טז) °יפוצו מעינותיך וגו׳ נמשלו דברי תורה למים מה מים חיים לעולם כך דברי תורה חיים לעולם שנאמר (שם ד כב) °כי חיים הם למוצאיהם מה מים מעלים את הטמאים מטומאתם כך דברי תורה מעלים את הטמאים מטומאתם

1 נפה מה͏ל͏א, נופת רטד | עצמו] עצמה דל וכן בסמוך | עצמם] עצמו מהא, עצמה ל — 2 תלמיד ה, ת״ח מטדלא, ל׳ ר | ומברר רמהטילא, ומדקדק בדברי תורה ומברר ד, ומנדב ט² | אוסר—מתיר] מתיר—אוסר א — 3 מטמא] מטמי ר | רתלמיד] תלמיד חכם א — 4 שסופג] שהוא סופג ד | שאינו הדמא, שאין רט | שאומר טהלא, וזהו מי שאומר מ, שאמר ר, שהוא אומר ד | דיי—רבי רדה, די לי—רבי מ, די לי במה ששנה לי רבי טיא, די לי במה ששנירתי לי ט², דיו ששנה לו רבו ד, דיו לו מה ששנה רבו ל — 5 ר׳ שמעון בן יוחי—סוחר] ל׳ ל | אומר] ל׳ א | שנה—שתה מים מבורך] ל׳ לד | שנה ר, שתה מים ט מ, יפוצו מעינותיך חוצה שתה ה, ל׳ א — 6 הפרש] פרוש ט | וכה״א המא, כה״א רט — 7 מנסיא] יוחי א | הרי הוא אומר אמה, ל׳ רט | מימיו שבראך ר, מימיו של הקב״ה שבראך ה, מימיו ממי שבראך מא, ממים של בוראך ט, שתה ממים שבבורך ד, מים של בוראך ל, מים ממי שבראך [אבן נחמיאש] — 8 מים] ל׳ ר | הרי—וכה״א יפוצו מעינותיך וגו׳] ל׳ מ — 9 באר הא, בור טדל, בורך ר, ל׳ [אבן נחמיאש] | מתחלתו הלא, תחילתו רט ד [אבן נחמיאש] | טיפת] נפת א | מאליו] מאילו ר | לא היה—אלא מה שלמד] ל׳ אבן נחמיאש | לא] ולא ה — 10 מה שבתוכו רלדא, מים שבתוכו ה, מה שנותנין לתוכו ט | תלמיד ה, כל תלמיד רט, תלמיד חכם דלא | מתחלתו לא למד אה, לא למד מתחלתו רד, שלא—מתחלתו ט, שלמד מתחלתו ל | היה רטהא, שנה ד, הקנה ל — 11 דומה לבאר] ל׳ ד | מנזלת] מתמלאת ד, נוזלת [אבן נחמיאש] | תלמידים] תלמידי חכמים ט — 12 הימנו] ממנו טל | וכה״א הדלא, כה״א טר | נמשלו ד״ת] משל למה הדבר דומה א | למים ט²דלאב, במים רה, במים חיים ט — 13 כך] אף דט² | שנאמר המדטלב, ל׳ אר — 14 מה] ומה ד | הטמאים רלהמאב, הטומאה ט, הטמא ד, האדם ט² | מטומאתם רמהלאב, לטהרה ט, מטומאתו ד, מטומאה לטהרה ט² | מעלים—מטומאתם] ל׳ ט² | הטמאים מטומאתם כרדהמלא, הטמא מטומאה לטהרה ט, האדם מדרך רעה לדרך טובה ד —

אחר וכו׳, רוקח שם: 1 קיבר, מל״ר, cibarius, קמח גסי — כך התלמיד, [רד״ף מפרש דלתנא זה התבוס הוא מלשון „דם תבוסה״ כלומר תערובת והכי קאמר דבתחלה לומד כל כללי השמועה בערבוביא ואחר כך יושב ומברר מדעתו הסברות ומי האוסר ומי המתיר, וכל זה דוחק, ואולי רצונו לומר דמי שמראה עצמו כשבע אינו מברר ומלבן השטות כבנפה אבל מי שהוא רעב אפילו מה שקשה בתחלה מתיישב לו לבסוף]: 3 ר׳ יהודה אומר וכו׳, [השוה אבות פ״ה מ׳ ט״ו, אדר״נ נו״א פ״מ (ס״ד ע״א), נו״ב פ׳ מ״ה (ס״ג ע״ב)]: 5 רשב״י וכו׳, לכאורה, כל אחד יועץ לפי נסיונותיו הפרטיים, ר׳ יהודה למד מתחלה מר׳ טרפון ואחר כך בא לפני ר״ע (נדרים מ״ט ע״ב, מגילה כ׳ ע״א) אבל רשב״י למד כל תורתו מר״ע (ויק״ר פ׳ כ״א סי׳ ח׳), [והשוה דברי רב חסדא בע״ז י״ט ע״א, ועי׳ ילקוט משלי תתקל״ז] ועוד באדר״נ נו״א פ״ג (ח׳ ע״ב) ושם פ״ח (י״ח ע״ב), נו״ב פי״ח (כ׳ ע״א): 7 שתה מימיו שבראך וכו׳ עד יפוצו מעינותיך וגו׳, מובא בפירוש אבן נחמיאש על משלי ה׳ ט״ו, [והשוה ילקוט משלי שם, רש״י שם]: 8 ר״ע אומר וכו׳, רוקח ש׳ קבלת חכמים, [ילקוט משלי שם, ע״ז י״ט ע״א]: 9 באר מתחלתו וכו׳, השוה דברי עולא ע״ז שם: 12 נמשלו דברי תורה וכו׳ עד תתן לראשך לוית חן, [מכירי ישעיה נ״ה א׳ (ע׳ 204), ילקוט שמעוני ישעיה ת״פ]. — נמשלו דברי תורה למים וכו׳, מכילתא בשלח ויסע פ״א (מ״ה ע״א, ה—ר עמ׳ 154), מכילתא דרשב״י ט״ו כ״ב (עמ׳ 71), [תענית ז׳ ע״א, ב״ק י״ז ע״א. שם פ״ב ע״א, ע״ז ה׳ ע״ב, ב״ר פ״מ (מ״א) סי׳ ט׳ (עמ׳ 396), פ׳ ס״ו סי׳ א׳ (ע׳ 744), פ׳ ס״ט (ע׳ 794), פ׳ פ״ד סי׳ ט״ז (ע׳ 1020), [שיר השירים רבה פ״א פסוק ב׳ כי טובים, תנחומא כי תבא פ׳ ג׳, מדרש תהלים פ״א סי׳ י״ח (ט׳ ע״א)]. — מה מים חיים לעולם וכו׳, שהש״ר, מדרש תהלים, ותנחומא כי תבא שם, פ׳ קניין תורה ה״ז, והשוה לקמן פי׳ שמ״ג ומכילתא דרשב״י י״ט י״ח (ע׳ 100) „מה אש חיים לעולם וכו׳״: 14 מה מים

שנאמר °צרופה אמרתך מאד ועבדך אהבה מה מים משיבים נפשו של אדם תהלים קיט קמ
שנאמר °מים קרים על נפש עיפה כך דברי תורה משיבים נפשו של אדם שנאמר משלי כה כה
°תורת ה׳ תמימה משיבת נפש מה מים חנם לעולם כך דברי תורה חנם לעולם תהלים יט ח
שנאמר °הוי כל צמא לכו למים מה מים אין להם דמים כך דברי תורה אין להם ישעיה נה א
דמים שנאמר °יקרה היא מפנינים וגו׳ או מה מים אין משמחים את הלב כך דברי משלי ג טו
תורה אין משמחים את הלב תלמוד לומר °כי טובים דודיך מיין מה יין משמח שה״ש א ב
את הלב כך דברי תורה משמחים את הלב שנאמר °פקודי ה׳ ישרים משמחי לב תהלים יט ט
מה יין אי אתה טועם בו טעם מתחלתו וכל זמן שמתישן בקנקן סופו להשביח כך
דברי תורה כל זמן שמתישנים בגוף סופם להשביח שנאמר °בישישים חכמה וגו׳ איוב יב יב
מה יין אי איפשר לו להתקיים לא בכלי כסף ולא בכלי זהב אלא בירוד שבכלים
בכלי חרס כך דברי תורה אין מתקיימים במי שהוא בעיניו ככלי כסף וככלי זהב אלא
במי שהוא בעיניו כירוד שבכלים ככלי חרס או מה יין פעמים שהוא רע לראש ורע
לגוף יכול אף דברי תורה כן תלמוד לומר °לריח שמניך טובים מה שמן יפה שה״ש א ג
לראש ויפה לגוף כך דברי תורה יפים לראש ויפים לגוף שנאמר °כי לוית חן הם משלי א ט
לראשך וענקים לגרגרותיך וגו׳ ואומר °תתן לראשך לוית חן נמשלו דברי שם ד ט
תורה בשמן ודבש שנאמר °מתוקים מדבש ונופת צופים. תהלים יט יא

דבר אחר כי אם שמור תשמרון את כל המצוה הזאת, מנין אתה אומר

מעלים וכו׳, שיר השירים רבה שם: 1 משיבים וכו׳, שהש״ר שם: 3 מה מים חנם וכו׳, מדרש תהלים שם, נדרים ל״ז ע״א, [מכילתא יתרו מסכת בחודש פ״ה (ס״ז ע״א, ה–ר עמוד 222)]: 6 מה יין וכו׳, שהש״ר שם, והשוה ג״כ תענית ותנחומא שם, ודברים רבה כי תבא פ״ז סי׳ ג׳: 9 סופם להשביח, [משנה סוף מסכת קנים]: 10 בירוד שבכלים, השוה מכילתא דרשב״י י״ט ב׳ (עמ׳ 94), תענית, שהש״ר, ותנחומא שם, ערובין נ״ד ע״א, שה״ש זוטא א׳ ב׳ (עמוד 10), פסיקתא דר״כ פר׳ בחודש השלישי, (ק״ז ע״א): 12 פעמים שהוא רע וכו׳, שהש״ר שם: 13 לריח שמניך וכו׳ עד ונופת צופים, מכירי תהלים י״ט מ״ט – מה שמן וכו׳, דברים רבה, תנחומא, ושהש״ר שם, והשוה מכילתא דרשב״י י״ט י״ד (עמ׳ 198) [ערובין נ״ד ע״א]: 16 ודבש, שהש״ר,

1 שנ׳ צרופה אמרתך | ד״ת משיבים נפשו של אדם שנ׳ מ
א, צרופה—מים קרים שנ׳ מים קרים—שנ׳ ה, צרופה—ד״ת
משיבים נפשו של אדם ר, שנ׳ אמרת ה׳ טהורה מה מים
משיבין נפשו של אדם כך ד״ת משיבין נפשו של אדם שנ׳
ט, שנ׳ ד, צרופה אמרתך מאד ועבדך אהבה מה מים משיבין
נפשו של אדם שנ׳ הם למוצאיהם מה מים מעלין מים
קרים לנפש עיפה כך ד״ת משיבין דעתו של אדם שנ׳ ל,
שנ׳ צרופה אמרתך מאד מה מים משיבין נפשו של אדם
כך ד״ת משיבין נפשו של אדם שנ׳ תורת ה׳ תמימה משיבת
נפש כ, אמרת ה׳ טהורה מה מים משיבים נפשו של אדם כך
דברי תורה ט׳ — 3 מה] ומה ד | כך] אף ד — 4 שנאמר]
ל׳ הא | מה רמכטילא, או מה ט״ה, ומה ד | אין] שאין
ד | כך] אף ד — 5 שנאמר דטמלכ, ל׳ ר, ת״ל הא |
או רהטל, אי מדאכ | את הלב רמהטאכ, לבו שלמד ד, לבו של אדם ל | כך] אף ד — 6 אין משמחים את הלב] ל׳ א,
כן ט | את הלב רמהכ, ל׳ ד, לבו של אדם ל | ת״ל מהטאדכ, מה ל, ל׳ ר | יין] היין אה — 7 את הלב] ל׳ ד | כך א
מהטכ, אף רד, ל׳ ל | את הלב] הלב ר | שנאמר מדלטכ, ל׳ הרא — 8 מה] ומה ד | אי אתה א, אין אתה הכ, אין
אדם מ, אתה רטדל | טועם] נותן ל | בו טעם מא, טעם כרל, טעמו ט׳, בו ה | וכל] כל ד | שמתישן] שהוא מתישן ד |
כך] אף דכ — 9 כל–להשביח] כן כ | ד״ת כל זמן שמתישנים] שמתישן תורה א | שמתישנים רלמהט׳, שמתישבים ט׳,
שהם מתיישנים ד | בגוף] בלב מ, ל׳ א | סופם להשביח ט׳דמ, סופו לשביח הל, סופו להשביח ר, סופה להשביח א | שנאמר
כמדטל, ל׳ רה | וגו׳ ר, ל׳ טמלאכ, וארך ימים תבונה ה, ואחרית ימים תבונה ד — 10 מה] ומה ד | אין] ל׳ ט׳ | לו ל׳
לא | כסף–זהב רהמטלכ, זהב–כסף אד | אלא–אין מתקיימים מהא, אלא במי שהוא גרוע שבכלים–מתקיימים ד, אלא
בכלי חרש–מתקיימים ט, אלא במי שהוא גרוע בכל הכלים בכלי חרס ל, אלא במי שהוא בירוד שבכלים בכלי חרש כך
דברי תורה אי איפשר להתקיים כ, ל׳ ר — 11 במי שהוא בעיניו ככלי כסף וככלי זהב אמה, ל׳ רדלט, במי שמגיס עצמו
בהם כ — 12 במי–חרס ראמה, בשפל רוח ט, במי שהוא מימיך את עצמו ד, שרוחו שפלה ל, אלא במי שהוא משפיל
עצמו בהן כ | או] אי אכ | רע לראש] יפה לראש ל | ורע] רע א — 13 יכול רטהלכ, ל׳ מדא — 14 ויפה] יפה ר | כך] אף
ד | ויפים] יפים ר | שנאמר רטה, וכן הוא אומר מא, ואומר ל, שנאמר רפאות תהי לשריך ושיקוי לעצמותיך ואומר ד, ל׳
כ — 16 בשמן רדהטמ, לשמן לראכ | שנאמר] וכן הוא אומר ד | צופים] <פיסק׳> א — 17 ד״א דהט, ל׳ רמלא —

שאם שמע אדם דבר מדברי תורה ראשון ראשון ומקיימו כשם שראשונים מתקיימים
בידו כך האחרונים מתקיימים בידו שנאמר כי אם שמור תשמרון, ומנין שאם
שומע ראשון ראשון ומשכחו כשם שאין הראשונים מתקיימים בידו כך אין האחרונים
מתקיימים בידו תלמוד לומר °והיה אם שכח תשכח אי אתה מעלים עיניך ממנו דברים ח יט
עד שילך לו שנאמר °התעיף עיניך בו ואיננו וכתוב במגילת חריסים יום משלי כג ה
תעזבני יומים אעזבך.

דבר אחר כי אם שמור תשמרון את כל המצוה הזאת, שמא תאמר ישנו
בני הזקנים ישנו בני הגדולים ישנו בני הנביאים תלמוד לומר כי אם שמור תשמרון
מגיד שהכל שוים בתורה וכן הוא אומר °תורה צוה לנו משה מורשה קהלת יעקב דברים לג ד
כהנים לוים וישראלים אין כתוב כאן אלא קהלת יעקב, וכן הוא אומר °אתם נצבים שם כט ט
היום כלכם מה אילו זה שעמד וקיים תורה בישראל לא היתה תורה משתכחת מה
אילו לא עמד שפן בשעתו עזרא בשעתו רבי עקיבה בשעתו לא היתה תורה משתכחת
ואומר °ודבר בעתו מה טוב דבר שאמר זה שקול כנגד הכל. משלי טו כג
הרי הוא אומר °ישוטטו לבקש את דבר ה׳ ולא ימצאו רבותינו התירו עמוס ח יב

1 דבר רלמטא, ל׳ הד | ראשון ראשון מה, ראשון דל, ל׳ ר | ומקיימו] תאמר ה | כשם] שכשם ד | שראשונים מתקיימים ראט², שהראשונים מתקיימים טימהל, שראשון מתקיים ד — 2 בידו] ל׳ א | האחרונים מא, אחרונים רהט לד | שנ׳ רמהא, ת״ל טדל | ומנין—ומשכחו ט, ומנ׳ אתה אומר שמע אדם דבר מדברי תורה ראשון ראשון ושכחו ה, ומנ׳ ששמע דבר ראשון ראשון ומשכחו מ, ולפי ששומע ראשון ומשכחו רל, או אינו אלא לפי ששונה ראשוני׳ ומשכחם ד, לפי ששמע דבר ראשון ראשון ומשכחו א — 3 שאין הראשונים מתקיימים טד, שאין הראשון מתקיים מא, שאין הראשון מתקיימים ר, שהראשונים משתכחים ה, שהראשונים אין מתקיימים ל | כך—בידו] ל׳ ל | אין האחרונים מתקיימים ד, אין אחרונים מתקיימים ט, אין האחרון מתקיים מ, האחרונים משתכחים ה, אין האח׳ מתקי׳ ר, האחרון מתקיים א — 4 בידו] מידו ה | ת״ל] שנ׳ מ | אי רמטלא, אין הד — 5 וכתוב הדל, כתוב טמרא, כתיב [מנהיג] | חריסים ה, חסידים רמאד [ירו׳, מ׳ שמואל, רשב״ם], סתרים ט [מנהיג], ל׳ ל [רש״י] | יום תעזבני אמהט²ל [ירוש׳, מנהיג], עזבתני ט², יום עזבתני ר, אם תעזבני יום ד [רש״י], יום יום תעזבה [מ׳ שמואל] — 6 אעזבך] תעזבך ה [מ׳ שמואל] — 7 כי אם שמור—דבר ברור] ל׳ מ | ישנו בני הזקנים ישנו בני הגדולים] ל׳ א | ישנו רלהאפ, יש בנו ט, ישנן ד [וכן בסמוך] — 8 הזקנים רלד, זקנים ט, הגדולים ה | הגדולים רד, גדולים ט, הזקנים ה, הנביאים ל | הנביאים] הנביאים הגדולים ל | ת״ל] ד״א ל — 9 מגיד] מגיד הכתוב ד | וכה״א הדלא, כה״א רט — 10 כהנים] קהל כהנים ה | לוים] ולוים ל | וכה״א דהא, כה״א טר, וכן אתה אומר ל — 11 מה] ל׳ הא | אילו זה רהל, אילו לא היו במעמד זה ד, אלמלא אלו שעמדו ט, שאלולי בן זה א | וקיים דהא, קיים רל, וקיימו ט | תורה] ל׳ הא | משתכחת] משתכחת מישראל ד, ר מוסיף: ואומ׳ ודבר בעתו מה טוב | מה אילו לא עמד דל, מה אילו לא ר, כמו שאלו ה, אלמלא ט, שאלולי א — 12 שפן] שכן א | עזרא רטל א, ועזרא הד | ר״ע רטלא, ור״ע דה | תורה] תורתו ה | משתכחת אהט, משתכחת מישראל רד — 13 ואומר רדטלה, שנ׳ א², שאומר א | ודבר ה, דבר זה ט², דבר ט²דלא, ל׳ ר | שאמר] שאמסו׳ א — 14 ישוטטו—ימצאו] ילכו לבקש את ה׳ ולא ימצאו חלץ מהם (הושע ה׳ ו׳) א | רבותינו—שהולכים רהפ, רבותינו אמרו עתידין ישר׳ שילכו ט, דבר—שהולכים דל, רז״ל התירו

ותנחומא שם: 1 ראשון וכו׳, השוה למעלה (ע׳ 108) „למד שנים שלשה דברים וכו׳״, ובציונים שם, ולקמן פי׳ ע״ט: 3 ומשכחו, מכילתא בשלח מסכת ויסע פ״א (מ״ו ע״א, ה—ר 157), שם יתרו מסכת בחודש פ״ב (ס״ב ע״ב, ה—ר עמ׳ 208), מכילתא דרשב״י ט״ו כ״ו (עמ׳ 73), תנחומא א׳ בשלח סי׳ י״ט ועיין תוספתא אהלות פ׳ ט״ז ה״ח (ע׳ 614), תוספתא פרה פ״ד ה״ז (ע׳ 633), וסנהדרין צ״ט ע״א: 5 התעיף וכו׳, השוה ברכות ה׳ ע״א· — וכתוב וכו׳ עד אעזבך, רש״י, ירו׳ סוף ברכות, מדרש שמואל פ״א (כ״א ע״ב), ומובא במנהיג דפוס ברלין ו׳ ע״א· — חריסים, כך הגרסה הנכונה לפי דעת ר׳ דוד הופמאן (בהערה למ״ת ובמבוא שם ע׳ 7) ור׳ אשר פערלעס (ברבעון האנגלי שנה י״ז, תרפ״ז ע׳ 405) ופירשוהו על כת האסיים שהיו מתפללים עם דמדומי חמה ונקראו על שמה, אולי בתחלה בלשון גדוף, חריסים, מלשון חרס, חמה: 7 ד״א וכו׳, ס׳ חסידים הוצ׳ מקיצי נרדמים תשמ״ג, ע׳ 189· — ישנו, כלומר ילמדו: 9 תורה צוה וכו׳, עיין תו״כ אחרי מות פרק י״ג ה׳ י״ג (פ״ו ע״ב), סנהדרין נ״ט ע״א, צ״א ע״ב, מדרש תהלים פ״א סי׳ י״ח (ט׳ ע״ב): 11 אילו זה, אלולי זה שעמד וקיים התורה בישראל, דהיינו משאר ישראל אע״ג דלאו מבני הנביאים ומבני הזקנים, מפי׳ ר״ה: 12 עזרא בשעתו וכו׳, השוה סוכה כ׳ ע״א: 14 רבותינו התירו, כן הגרסה ברוב המקורות וגם בכ״י של ר״ה אלא שהוא הגיה רבותינו אמרו· אמנם ודאי טעות סופר נפלה בטופס קדום, ומן התוספתא עדויות פ״א ה״א (עמוד 454), נראה שיש להגיה במקום „רבותינו התירו״ דברי תורה, או דבר ה׳ אלו דברי תורה, ועיי״ש והשוה

שהולכים מעיר לעיר וממדינה למדינה על שרץ שנגע בככר לידע אם תחילה הוא אם
שניה רבי שמעון בן יוחי אומר אם לומר שהתורה עתידה להשתכח מישראל והלא כבר
נאמר °כי לא תשכח מפי זרעו אלא איש פלוני אוסר איש פלוני מתיר איש פלוני דברים לא כא
מטמא איש פלוני מטהר ולא ימצאו דבר ברור.

דבר אחר כי אם שמור תשמרון, שמא תאמר הריני למד פרשה קשה ומניח
את הקלה תלמוד לומר °כי לא דבר רק הוא מכם דבר שאתם אומרים ריקן הוא שם לב מז
הוא חייכם שלא תאמר למדתי הלכות דיי תלמוד לומר מצוה המצוה כל המצוה
למוד מדרש הלכות והגדות, וכן הוא אומר °כי לא על הלחם לבדו יחיה האדם זה שם ח ג
מדרש, כי על כל מוצא פי ה׳ אלו הלכות והגדות וכן הוא אומר °חכם בני ונו׳ ואומר משלי כז יא
°בני אם חכם לבך ישמח לבי גם אני רבי שמעון בן מנסיא אומר אין לי אלא שם כג טו
אביו שבארץ אביו שבשמים מנין תלמוד לומר גם אני לרבות אביו שבשמים.

אשר אנכי מצוה אתכם לעשותה, למה נאמר לפי שנאמר כי אם
שמור תשמרון שומע אני כיון ששומר אדם דברי תורה ישב לו ולא יעשה תלמוד
לומר לעשותה תשובתה לעשותה, למד אדם תורה הרי בידו מצוה אחת למד ושמר
הרי בידו שתי מצות למד ושמר ועשה אין למעלה הימנו. לאהבה, שמא תאמר
הריני למד תורה בשביל שאיקרא חכם בשביל שאשב בישיבה בשביל שאאריך ימים
לעולם הבא תלמוד לומר לאהבה, למוד מכל מקום וסוף הכבוד לבוא, וכן הוא
אומר °עץ חיים היא למחזיקים בה ונו׳ ואומר °כי חיים הם למוצאיהם ואומר שם ג יח; שם ד כב

ג״כ שבת קל״ח ע״ב: 2 רשב״י אומר וכו׳, שבת שם. — עתידה להשתכח, מכילתא בא מסכתא דפסחא פרשה י״ב (י״ג ע״א, ה—ר ע׳ 41), תוספתא עדויות, שבת שם: 6 דבר שאתם אומרים וכו׳, השוה מ״ת ל״ב מ״ז (ע׳ 205), בראשית רבה פ״א י״ד (ע׳ 12), ירו׳ פיאה פ״א ט״ו ע״ב, שביעית פ״א ה״ז ל״ג ע״ב, שבת פ״א ג׳ ע״ד, סוכה פ״ד ה״א נ״ד ע״ב, כתובות סוף פ״ח ל״ב ע״ג, והשוה לקמן פי׳ של״ו. ותרגום יונתן שם ל״ב מ״ז, ובבלי ערובין ס״ד ע״א: 7 שלא תאמר וכו׳, מכירי משלי כ״ג ט״ז (ל״ז ע״א): 8 למוד מדרש וכו׳, רוקח הלכות חסידות שרש קבלת חכמים: 11 לרבות אביו שבשמים, ואודות כל הענין עיין עוד פי׳ מ״ט, מסכת סופרים פ׳ ט״ו וט״ז, ואדר״נ פ׳ כ״א וקדושין מ״ט ע״א, רמא״ש: 14 תשובתה, כמו תוצאתה, ותכליתה של השמירה היא לעשותה, ור״ה לא פירש בזה כלום. — למד אדם וכו׳, רוקח שם: 15 שמא תאמר וכו׳, למעלה פי׳ מ״א (ע׳ 87) ובציונים

שהולכין א — 1 שנגע] שנמצא ה — 2 שניה רטא, שנייה הוא דל, שנייה היא לו ה, <לטומאה> א¹ | אומר] ל׳ ט | אם ה, ל׳ רטדלא | לומר ר, לימד הא, ל׳ דטל | שהתורה עתידה להשתכח רד, עתידה תורה להשתכח ט, עתידה תורה שתשתכח דל, שעתידה תורה להשתכח א | והלא] והרי ט¹ — 3 איש פלוני מטמא] ל׳ א ונוסף בין השטים — 4 מטמא] מטמי ר — 5 ד״א–תשמרון] את כל המצוה הזאת ה | שמור תשמרון] שמוע ר | הריני] הרי אני ד | למד מהטא, קורא ל דר | פרשה קשה רדא, את החמורה ט, פרשה קלה הל | ומניח] ואניח מ — 6 הקלה] הקשה ל | ת״ל–הלכות דיי] ל׳ ל | דבר] מדבר ר | ריקן הוא רמא, שהוא רק ה, ריקן הוא לא כי ט, ריקן הוא לא ריקה הוא אלא מכם כי ד | הוא] ל׳ א — 7 חייכם] <ואורך ימיכם> ד | שלא] שמא מ | תאמר] תומר ר | למדתי] למד ט, לימדתי ר | דיי רדהא, די לי מד, דייני ט | מצוה המצוה כל המצוה רדהל, מצוה המצוה כל המצוות א, מצות המצוה כל המצוה מ, מצוה המצור כל המצוה ט, מצוה כל המצוה ט¹, כי אם שמור תשמרון את כל המצוה הזאת ד — 8 והגדות ר, ואגדות מאהדל, ל׳ ט | וכה״א המדטיל, כע׳ הוא או׳ ר, ל׳ ט¹, כן הוא מהו אומר א — 9 אלו] זהו א | והגדות ר, ואגדות מאדלה, ל׳ ט | וכה״א דהמלא, כה״א ט, וכשה״א ר | ואומר המרא, ל׳ רט, וכן הוא אומ׳ ל — 10 מנסיא ראמהט, יוחי דל — 11 שבארץ] אשר בארץ ט¹ | אביו רלהטירא, את אביו ט¹, ל׳ מ — 13 ששומר מט, ששמר ה, ששימר ר, ששומע דלא — 14 תשובתה לעשותה רם, תשוב לעשותה ט, תשוב לעשותם ד, תשובה לעשותה ל, תשובה לעשות אם, ל׳ ה | למד אדם רלטר, אדם למד מהא — 15 למד] ל׳ ל | ועשה] ועשה ר | תאמר] תו׳ ר — 16 הריני] הרי ט¹ | חכם רמטיד, רבי הט¹, ל׳ ל | שאאריך] שאריך לר — 17 לעוה״ב] בעולם ל, ושאהיה לעולם הבא א | ת״ל–לבוא] ל׳ א | וכן כן א — 18 עץ חיים היא–למוצאיהם רטלא, עץ–בה מה, כי חיים הם למוצאיהם ולכל בשרו מרפא ואומ׳ עץ–ותומכיה מאשר ד —

משלי ד ט / שם ג טז — °תתן לראשך לוית חן בעולם הזה, °עטרת תפארת תמגנך בעולם הבא. °אורך ימים בימינה לעולם הבא בשמאלה עושר וכבוד בעולם הזה.

רבי אלעזר ברבי צדוק אומר עשה דברים לשם פועלתם דבר בהם לשמם. הוא היה אומר ומה בלשצר שנשתמש בכלי בית המקדש וכלי חול היו נעקרו חייו מן העולם הזה ומן העולם הבא המשתמש בכלי שנברא בו העולם על אחת כמה וכמה שיעקרו חייו מן העולם הזה ומן העולם הבא סליק פיסקא

מט.

שמות לד ו / יואל ג ה — ללכת בכל דרכיו, אלו הן דרכי מקום °ה' אל רחום וחנון ואומר °והיה כל אשר יקרא בשם ה' ימלט וכי היאך איפשר לו לאדם לקרא בשמו של מקום אלא נקרא המקום רחום אף אתה היה רחום הקדוש ברוך הוא נקרא חנון אף אתה
תהלים קמה ח — היה חנון שנאמר °חנון ורחום ה' וגו' ועשה מתנות חנם, נקרא המקום צדיק שנאמר
שם יא ז / ירמיה ג יב — °כי צדיק ה' צדקות אהב אף אתה היה צדיק נקרא המקום חסיד שנאמר °כי חסיד
יואל ג ה — אני נאם ה' אף אתה היה חסיד לכך נאמר °והיה כל אשר יקרא בשם ה' ימלט
ישעיה מג ז / משלי טז ד — ואומר °כל הנקרא בשמי וגו' ואומר °כל פעל ה' למענהו.

דברים ד כד / דניאל ז ט — ולדבקה בו, וכי היאך אפשר לו לאדם לעלות למרום ולדבק באש והלא כבר נאמר °כי ה' אלהיך אש אוכלה הוא ואומר °כרסיה שביבין דינור אלא

---

1 בעולם הבא ארמהל, לעולם טד | ארך] ואמר ארך ד — 2 לעולם הבא] ל' ד | בשמאלה ה (מסורה), ובשמאלה דאמר — 3 פעולתם רהדלא, פועלן מט | לשמם] לשם שמים מ | הוא הל, והוא ראמט, וכן הוא ד — 4 שנשתמש] ששמש מ | וכלי חול היו] ל' א | היו רמהטל, הוו ד — 5 המשתמש] ל' ל | שנברא בו רמהא, שבו נברא דטל | העולם מהא, העולם הזה והעה"ב רטדל | שיעקרו] שנעקרו ד — 6 העולם הזה והעוה"ב] העולם ה | סליק פיסקא ד, ל' רא —

7 אלו הן רט, אילו דמאל, ואלו הן ה | דרכי מקום] מקום' דרכי א | מקום רל, המקום מהט, הקב"ה ד | ה' רא, שנאמר ה' ה' דטל, ה' ה' המ | וחנון ראל, וחנון וגו' מ, וחנון ארך אפים ורב חסד ואמת הט, וחנון ארך אפים ורב חסד ואמת נוצר חסד לאלפים נושא עון ופשע וחטאה ונקה ד — 8 לקרא רא, לקרות ה, ליקרא דטמל | בשמו של מקום רל, בשם ה' ט, בשם שנקרא בו הקב"ה ה, בשמו של הקב"ה מרא — 9 נקרא המקום רלהט, הקב"ה נקרא מא, מה המקום נקרא ד | רחום המטלא, רחום וחנון רד | אף–היה חנון] ל' ה | אף אתה היה רחום הקב"ה נקרא חנון אף אתה היה חנון שנאמר חנון ורחום ה' מ, אף אתה היה רחום הקב"ה נקרא חנון אף אתה היה רחום הקב"ה נקרא חנון אף אתה היה חנון א, וחנון שנ' חנון ורחום ה' אף אתה הוי חנון ועשה מתנת חנם נקרא המקום רחום שנ' כי אל רחום ה' (דברים ד' ל"א) אף אתה הוי רחום ט, וחנון אף אתה הוי רחום וחנון ד, שנ' חנון ורחום ה' אם אתה הוי חנון ל — 10 ועשה מתנות חנם רמהל, ועשה מתנת חנם לכל ד, ל' ט [וראה למעלה] | נקרא המקום רט²ל, נקרא הק' ט¹, מה הקב"ה נקרא ד, נקרא הקב"ה ה, הקב"ה נקרא מא — 11 כי–אהב] צדיק ה' בכל דרכיו וחסיד בכל מעשיו (תהלים קמ"ה י"ז) ל | היה מהא, הווי רטדל | נקרא המקום רט²הל, נקרא הק' ט¹, הקב"ה נקרא דמא | כי–ה' רמהט ל, וחסיד בכל מעשיו (תהלים שם) ד — 12 היה מהא, הוי רטדל | לכך נאמר רדטלה, לכך מ, שנ' א — 13 וגו' ר, לכבודי בראתיו א, לכבודי בראתיו יצרתיו אף עשיתיו ד, לכבודי בראתיו יצרתיו ל, לכבודי בראתיו וגו' מ, ל' ה [במסורה ולכבודי, אבל בתרגום השבעים, בפשיטא, ובוואלגאטא הגרסא כמו שבספרי לכבודי] — 14 היאך רהדל, ל' מטא | לו–למרום] ל' א | לו] ל' מ | לעלות במרום דל, לעלות למרום רה, לעלות ט, ל' מ | ולדבק באש רט, להדבק באש מ, ולהידבק באש הל, ולהידבק בו ד, לידבק בשכינה א — 15 אלא–עלית למרום ונטלתה] ל' ל —

שם: 1 תתן וכו', מובא בפירוש אבן נחמיאש משלי ד' ט': 3 ראב"צ וכו', נדרים ס"ב ע"א, דרך ארץ זוטא פ"ב, מסכת יראת חטא פרק ב' (הוצ' היגער בספרו „מסכתות זעירות", ע' 75, וע' 83, והשוה הערתו ע' 131): 4 ומה בלשצר וכו', מכילתא דרשב"י י"ט י"ד (ע' 98), אדר"נ נו"ב פ' כ"ז (כ"ח ע"ב). — וכלי חול היו, בכורות נ' ע"א, רמא"ש: 5 שנברא בו העולם, אבות פ"ג מי"ח, אדר"נ נו"א פרק ל"ט (ע' 118), נו"ב פרק מ"ד (ס"ב ע"ב), בראשית רבה פ"א (עמוד 2), תנחומא א' בראשית סי' א', תנחומא ב' שם סימן ה', סדר אליהו רבה פ' ל"א (הוצאת רמא"ש פ' כ"ט, עמוד 160), פרקי דר' אליעזר פ"ג' — שיעקרו וכו', נדרים ודרך ארץ זוטא ויראת חטא שם, אבות פ"א מי"ג:

7 והיה וכו', מכירי יואל ג' ה' (ע' 24) שם תהלים י"א כ"ב (עמ' 70): 8 וכי היאך וכו', ילקוט ירמיה ש"ד, שם יואל תקל"ז: 9 אלא נקרא וכו', השוה מאמר אבא שאול במכילתא בשלח מסכתא דשירה פ"ג (ל"ז ע"א, ה–ר ע' 127), ירו' פיאה פ"א ה"א (ט"ו ע"ב) פסיקתא רבתי זכור (מ"ו ע"ב), והשוה פילון de specialibus legibus ספר ד', סי' 188:

הדבק בחכמים ובתלמידיהם ומעלה אני עליך כאילו עלית למרום ונטלתה ולא שעלית
ונטלתה בשלום אלא כאילו עשיתה מלחמה ונטלתה וכן הוא אומר °עלית למרום תהלים סח יט
שבית שבי. דורשי הגדות אומרים רצונך להכיר את מי שאמר והיה העולם למוד
הגדה שמתוך כך אתה מכיר את מי שאמר והיה העולם ומדבק בדרכיו.
עשיתם מה שעליכם אף אני אעשה מה שעלי והוריש ה׳ סליק פיסקא

נ.

(כג) והוריש ה׳, ה׳ מוריש ואין בשר ודם מוריש. את כל הגוים, שומע
אני כמשמעו תלמוד לומר האלה, אין לי אלא אלה מנין לרבות את מסייעיהם תלמוד
לומר את כל הגוים האלה מלפניכם שתהו אתם רבים והולכים והם מתמעטים
והולכים וכן הוא אומר °מעט מעט אגרשנו מפניך ואומר °לא אגרשנו שמות כג ל / שם כג כט
מפניך בשנה אחת [פן תהיה הארץ שממה ורבה עליך חית השדה]
דברי רבי יעקב אמר לו רבי אלעזר בן עזריה או לפי שישראל צדיקים הם למה יראים
מן החיה והלא אם צדיקים הם אין יראים מן החיה שכן הוא אומר °כי עם אבני איוב ה כג
השדה בריתך אם תאמר מפני מה יגע יהושע כל היגיעה ההיא אלא לפי שחטאו
ישראל נגזר עליהם מעט מעט אגרשנו מפניך.
וירשתם גוים גדולים ועצומים, גדולים בקומה ועצומים בכח. מכם, אף
אתם גדולים ועצומים אלא שהם גדולים ועצומים מכם. רבי אליעזר בן יעקב אומר
משל לאדם שאומר איש פלוני גבור וזה גבור אלא שהלה גבור ממנו.
דבר אחר מכם עוד למה נאמר והלא כבר נאמר °שבעה גוים רבים דברים ז א

1 הדבק בחכמים וכו׳, רמב״ם עשין ו׳ (ע׳ 26): 3 דורשי הגדות, עיי׳ שנויי נוסחאות, ומאמרו של לוטערבאך ברבעון האנגלי, שנה א׳ עמוד 304. — למוד הגדה וכו׳, רמב״ן השגות לספר המצות עשין ו׳, ספר החנוך עקב סי׳ תל״ב: 5 עשיתם וכו׳, רש״י ופ״ז ולמעלה פי׳ מ״א (ע׳ 88), ושם נסמן:

6 והוריש ה׳, כן הוסיף הגר״א, אמנם בכל המקורות חסר: 11 ר׳ יעקב, אולי יש להגיה ר׳ אליעזר בן יעקב, כי ר׳ יעקב לא היה בן דורו של ראב״ע. ור׳ דוד הופמאן הגיה „ר׳ עקיבא״, ואין נראה שיטעה המעתיק ויכתוב שם תנא בלתי ידוע כר׳ יעקב במקום ר״ע המפורסם. — למה יראים וכו׳, השוה הערת מורי ר׳ לוי גינזבורג בספרו אגדות היהודים ח״ה ע׳ 119: 15 וירשתם וכו׳ עד סוף הפסקא, מכירי עמוס, ב׳ ס׳. — גדולים בקומה וכו׳, השוה למעלה פי׳ כ״ה (ע׳ 35):

1 ובתלמידיהם מא, ותלמידיהם ר, ובתלמידים דמ, ובתלמידי חכמים ה | עלית למרום ונטלתה רדהט, עלית ועשית מלחמה וכן הוא אומר עלית למרום ונטלת מ, עלית ועשית מלחמה וכה״א ועלית למקום ונטלת א | ולא רהדטא, לא מ, אלא ל — 2 אלא] אלא אפילו ד | עשית] עלית ועשית אמ | ונטלתה] ל׳ מא — 3 הגדות רט¹מ, רשומות הדט², אגדות לא | להכיר מהא, שתכיר רלר, תכיר ט | את מי שאמר והיה העולם מא, מי—העולם רטה, הקב״ה ד, בוראך ל | למוד—והיה העולם] ל׳ א — 5 עשיתם רמטלא, ואם עשיתם ד, והוריש ה, עשיתם ה | שעליכם] שעליכם לעשות מ | והוריש ה׳, כן הוסיף הגר״א, וליתא בכל המקורות | סליק פסקא ד, ל׳ רא —

6 בשר ודם] אדם א | בשר ודם מוריש] בשר ודם ל | את כל הגוים] את הגוים ר — 7 כמשמעו] כשמועו ה | אלה רל, האלה מהא, אלו ט, אלה הגוים ד | את מסייעיהם מהא, מסייעיהם ט, מסעיהם רד — 8 שתהו רטלא, שתהיו מד, שתהוא ה | רבים רמהטילא, זכים ט², גדילים ד | רבים והולכים] רבים והולכים מאד ה — 9 וכה״א המדל, כה״א רט | ואומר לא אגרשנו מפניך] ל׳ מ | ואומר] ל׳ ל — 11 יעקב רמה, עקיבא טא, יצחק דל | אמר לו ראב״ע רמהל, ראב״ע אומר טא, אמר ראב״ע ד | או רמ, אם ה, ל׳ טדלא | יראים] הם יראים ד — 12 והלא אם צדיקים הם אין יראים מן החיה שכן הוא אומר מה, והלא כבר נאמר א, שנאמר ד, שנאמר רטל — 13 אם רה, ואם מטדלא | תאמר] תומר ר | מפני מה מהא, למה רלטד | יגע יהושע] יהושע יגע א | כל היגיעה ההיא אמה, כל אותה היגיעה רט, אותה היגיעה דל | לפי] ל׳ ל — 14 נגזר] ונגזר ל | עליהם רלמהא, להם טד — 15 גדולים] ר׳ אליעזר אומר גדולים ה, גדולים ועצומים א | ועצומים מכם רהא¹, מכם מטדלא — 17 משל] מלה״ד ל | וזה גבור אלא ה, הא שזה גבור אלא מא, וזה גיבור הא זה גיבור רל, וזה גבור הוא זה גבור ד, וזה גבור ממנו הרי גבור אלא ט | שהלה] שזה ה | ממנו רמ הטא, הימינו דל — 18 ד״א] ל׳ מא | עוד למה נאמר המטלא, למה נאמר ר, למה נאמר עוד ד | שבעה—ממך הא¹, גוים

ועצומים ממך מה תלמוד לומר מכם מלמד שאחד משבעה עממים גדול וקשה כנגד כל ישראל וכן הוא אומר [9]ואנכי השמדתי את האמורי מפניהם אשר כנובה ארזים גבהו וחסון הוא כאלונים סליק פיסקא עמוס ב ט

נא.

(כד) כל המקום אשר תדרוך כף רגלכם בו, אם ללמד על תחומי ארץ ישראל הרי כבר נאמר מן המדבר והלבנון מה תלמוד לומר כל המקום אשר תדרוך אמר להם כל מקום שתכבשו חוץ ממקומות האלו הרי הוא שלכם, או רשות בידם לכבש חוצה לארץ עד שלא יכבשו ארץ ישראל תלמוד לומר וירשתם גוים גדולים ועצומים מכם ואחר כך כל המקום אשר תדרוך כף רגלכם בו שלא תהא ארץ ישראל מטמאה בגלולים ואתם חוזרים ומכבשים חוצה לארץ אלא משתכבשו ארץ ישראל תהו רשאים לכבש חוצה לארץ, הרי שכבשו בחוצה לארץ מנין שהמצות נוהגות שם הרי אתה דן נאמר כאן יהיה ונאמר להלן יהיה מה יהיה האמור להלן מצות נוהגות שם אף יהיה האמור כאן מצות נוהגות שם. ואם תאמר מפני מה כבש דוד ארם נהרים וארם צובה ואין מצות נוהגות שם אמרת דוד עשה שלא כתורה התורה אמרה משתכבשו ארץ ישראל תהו רשאים לכבש חוצה לארץ והוא לא עשה כן אלא חזר וכבש ארם נהרים וארם צובה ואת היבוסי סמוך לירושלם לא הוריש אמר לו המקום את היבוסי סמוך לפלטורין שלך לא הורשת היאך אתה חוזר ומכבש ארם נהרים וארם צובה. הרי שכבשו בחוצה לארץ מנין שכנגדו בים

גדולים ועצומים ממך מ, שבעה גוים גדולים ועצומים ממך ארטל, שבעה גדולים ועצומים מכם ד — 1 מה ת״ל רדה ל, ומה ת״ל מדא, ל׳ ט | מלמד] אלא אמ | שאחד] שהאמורי ד | עממים] גוים ל | גדול וקשה] קשה מא — 2 וכה״א מהדא, שכן הוא אומר ט, כה״א ר, שנ׳ ל | ואנכי] אנכי ר | מפניהם [מסורה, וכ״ה בת׳ השבעים, ובפשיטא ובוולגאטא] מפני׳ רדה, מפניכם מאדלט — 3 סליק פסקא ד, סל׳ פסו׳ ר, ס״פ א —

4 המקום] מקום ל | אם] ואם ד — 5 הרי כבר אמה לד, הא כבר ט, הכבר ר | מה רטמלא, ומה הד — 6 ממקומות] מן המקומות ד | האלו] אילו ה | או רמהטל א, או אינו אלא ד, או יכל א׳ — 7 לכבש רטידא, לכבוש טימהל | חוצה לארץ] חוץ לארץ ישראל ט | ארץ ישראל] הארץ ד — 8 המקום רטה, מקום רמלא — 9 כטמאה דמל, מיטמא טהר, מטמא א | בגלולים] בגלוליהם ד | חוצה] בחוצה ל — 10 בחוצה רמהאט, חוצה דל — 11 שהמצות אמה, שמצוות רדטל | להלן] כאן ד — 12 יהיה האמור כאן] להלן ד | ואם] אם הא | תאמר] תומר ר — 13 אמרת טה, אמר ר, אמ׳ ל, אמרו דמא (רמב״ם) — 14 כהורה] כשורה ל | משתכבשו א״י טמהא, משתכבשו הארץ ר, משיכבשו לארץ ד, מי שתכבשו ארץ ל | תהו] ואחר כך תהו ל | רשאים] רשיין ר | חוצה לארץ רהטלא, בחוץ לארץ מ, חוץ לארץ ד — 15 והוא אמה, הוא רדלט | ארם–צובה] ארם ואת צובה ר | סמוך רטהא, שהיה סמוך הד, ממך סמך ל — 16 אמר לו—וארם צובה] ל׳ מ | אמר לו המקום ט׳, אמר לו הקב״ה דלא׳, אמר להם המקום ט׳, ל׳ ראה | את היבוסי רטיהא, ל׳ דטיל | לפלטורין רהא, לפלטירים דט, לפלטרין ל — 17 חוזר ומכבש ראדמטי, חוזר וכובש ה, חוזר ומכבשים ט׳, מכבש ל | וארם] ואת ארם א | בחוצה] חוצה ל | מנין טמהא, ומנין רדל | שכנגדו] שכנגדם מא —

4 אם ללמד וכו׳, רש״י יהושע א׳ ג׳, ילקוט שם ו׳, והשוה ירו׳ חלה פ״ב ה״א (נ״ח ע״ב), וגם כפתור ופרח פי״ג (ע׳ 337): 6 אמר להם וכו׳ עד ואחר כך כל המקום, מובא ברמב״ן עשין ששכח הרמב״ם ד׳: 11 כאן יהיה, יהיה גבולכם, רמא״ש׳ — להלן יהיה, לכם יהיה, רמא״ש ושניהם בפסוק זה: 13 ואין מצות נוהגות שם, כלומר שאין סוריא חייבת בחלה מן התורה וסובר כיבוש יחיד לאו שמיה כבוש, עיין בירו׳ חלה שם, ותוספתא כלים ב״ק פ״א ה״ו (עמו׳ 569), ב׳ גטין ח׳ ע״א ומ״ז ע״ב, ב״ב צ׳ ע״ב, וברמב״ם תרומות פ״א ה׳ ס״ו; ודברי רבי הלל שהעתיק רמא״ש בזה אינם מובנים׳ ואלו דבריו: „דהא לא הוו דרין התם ישראל אלא נטל ארם נהרים ונתן בארם צובה וארם צובה נתן בארם נהרים כדמפרש ליה התם בשוחר טוב בהאי קרא (מ׳ תהלים ס׳, קנ״ב ע״ב)״: 16 אמר לו וכו׳, סמ״ג עשין קל״ג, תוספות גטין ח׳ ע״א ד״ה כיבוש יחיד, תוספות ע״ז כ״א ע״א ד״ה כיבוש יחיד, והשוה עוד תוספות ב״ב צ׳ ע״ב ד״ה כך אין׳ — לפלטורין, ל״י πραετώριον, עיי׳ למעלה ע׳ 72: 17 מנין שכנגדו בים וכו׳, ספרי במדבר פי׳ קנ״ט (הארוויטץ, ע׳ 214), תוספתא מעשר שני פ״ב הט״; (ע׳ 90) ירוש׳ חלה פ״ד ה״ו (ס׳ ע״א) ב׳ גטין

הרי הוא שלהם תלמוד לומר מן המדבר והלבנון מן המדבר גבולכם ואין המדבר גבולכם ואם כבשתם יהי גבולכם והמדבר גבולכם, מן הנהר, נהר פרת, מן הנהר גבולכם ואין הנהר גבולכם ואם כבשתם יהי גבולכם והנהר גבולכם, ועד הים גבולכם ואין הים גבולכם ואם כבשהם יהי גבולכם וכן הוא אומר וגבול ים והיה לכם (במדבר לד ו) הים הגדול וגבול יהיה גבולכם והים גבולכם. נמצית אומר כל מקום שהחזיקו עולי בבל מארץ ישראל ועד כזיב לא נאכל ולא נעבד עולי מצרים נאכל אבל לא נעבד אילך ואילך נאכל ונעבד.

תחומי ארץ ישראל עד מקום שהחזיקו עולי בבל. פרשת אשקלון חומות מגדל שרשן דור וחומות עכו וראש מגיאתו וגיאתו עצמו כברתא ובית זניתא קצרא דגלילא קבייא דעייתא מצייא דעבתא כמותא דבירײן פחורתא דיתר נחלה דאבצל בית ער מרעשתא לולא רבתא כרכא דבר סנגרא מיסף ספנתא נקיבתא דעיון תרנגלא עילאה

ח׳ ע״א: 2 והמדבר גבולכם, כלומר לכך נאמר והמדבר גבולכם: 5 נמצית אומר וכו׳, שביעית פ״ו מ״א, ובירו׳ שם ל״ו ע״ב: 6 עולי מצרים וכו׳, קסבר קדושה ראשונה קדשה לשעתה ולא קדשה לעתיד לבא: 8 תחומי ארץ ישראל וכו׳, ברייתא זו מובאה גם בירו׳ שביעית פ״ו ה״א (ל״ו ע״ג), ובתוספתא שם פ״ד ה״י (ע׳ 66), ועיין מה שהאריך בביאורה הח׳ ר׳ שמואל קליין בספר השנה של הברו יוניאן קוליג שנה ה׳ (1928) ע׳ 197 והלאה וגם בכתבי האוניברסיטה ח״א עמוד 3, ובקביעות המקומות בסמוך הלכתי בעקבותיו במאמריו החשובים והמאלפים. קטעים מברייתא זו מובאים בתוספות גטין ב׳ ע״א ד״ה ואשקלון, ובחדושי הרשב״א והר״ן שם. — פרשת אשקלון, כלומר פרשת הדרך של אשקלון, והיא היתה לפנים מן העיר לצד ארץ ישראל, ולכן אין אשקלון מא״י, והשוה גטין פ״א מ״א, מאשקלון לדרום ואשקלון כדרום, ותוכפתא סוף אהלות (ע׳ 617). — חומות מגדל שרשן, לפי דעת קליין מגדל שרשן הוא מגדל סטרטון בקסרי, הנזכר ביוסיפוס, השוה למשל מלחמת היהודים כפר ב׳ פרק ו׳ סי׳ ג׳: 9 וחומות עכו, ועכו עצמה לא. כר׳ יהודה הסובר עכו לאו מא״י היא (גטין פ״א מ״א). — וראש מגיאתו, קליין מגיה וראש מי גאתו, וכן בסמוך מגיה וגאתו במקום וגיאתו: 10 מצייא דעבתא, קליין מגיה מצריא דעייתא, כלומר המצרים של העיירא עייתא. — כמותא דביריין, קליין מגיה רמותא דביריין, כלומר רמת הבארות, שהיו שם בארות הרבה: 11 לולא רבתא, קליין גורס על פי התוספתא אולם רבתא:

1 הרי הוא רמהל, הרי היא ד, הוא ט | שלהם] שלכם א | מן המדבר] מהמדבר ל | מן המדבר והלבנון—יהי גבולכם ר, מן המדבר והלבנון—אם המדבר כבשתם יהיה גבולכם ל, מן המדבר—אם כבשתם יהיה גבולכם ד, מן המדבר גבולכם ולא מן הים גבולכם [מ <אלא>] אם כבשתם [<גבולכם> מ] יהיו [יהיה מ] גבולכם [א והמדבר גבולכם] מא, מן המדבר והלבנון גבולכם ואין המדבר והלבנון גבולכם ואם כבשתם הלבנון גבולכם ט, הזה עד הנהר הגדול נהר פרת ועד הים הגדול מבוא השמש יהיה גבולכם ד — 2 מן הנהר רמהמא, מן הנהר הגדול ר, מן המדבר הגדול ל — 3 ואם ט, אם רדלהא, אלא אם מ | כבשתם רמהלא, כיבשתם הנהר ט, כיבשתם את הנהר ד | יהי רה, יהיה דל, ל׳ מטא | והנהר גבולכם רלהדא, ל׳ ט, והנהר גם גבולכם מ | ועד הים גבולכם רה, עד הים גבולכם מלא, ועד הים האחרון עד הים גבולכם ט, ועד הים הגדול מבוא השמש עד הים גבולכם ד — 4 ואם מל, אם רדהא, אלא עם מ | יהי גבולכם מא, יהיה גבולכם דל, יהיה גבולכם והים גבולכם ה, יהי גבולכם כל האר׳ ר, יהיה גבולכם גם הים גבולכם מ | וכן הוא אומר דמלה, כן הוא אומר ט, הוא אומר ר, ל׳ א | וגבול—וגבול הדטמל, וגבול ים והים לכם ה׳ ג׳ ר, ל׳ א — 5 יהיה גבולכם והים גבולכם רלה, יהיה לכם והים גבולכם מ, יהיה גבולכם ד, וג׳ ט, והים גבולכם א | נמצית—ההולכת למדבר] ל׳ ה | נמצית אומר רטמא, נמצינו אומרים ד, נמצאת אתה אומר ל — 6 ועד] עד ד | ולא נעבד] מ מוסיף <לא נאכל אחר הביעור ולא נעבד בשביעיר> | מצרים] בבל ל | אבל לא רטמא, ולא דל — 7 אילך ואילך—ונעבד ר, אלו ואלו נאכל ונעבד מטא, אילו ואילו נאכל ולא נעבד ל, ל׳ ד — 8 תחומי—ההולכת למדבר] ל׳ מ | תחוכי רט, תחום דל, אלו תחומי א | ארץ] מארץ ל | עד רטא, ועד דל | בבל] בכל ט | חומות מגדל שרשן ל, חומת מגדל שר שן ר, חומת מגדל שרשן ט, חמת מגדל שרשן א, חומת מדבר שרשך ד — 9 דור אד, דיר טי, דירו טי, דר רל | והומות עכו ל, וחמת עכו רטיא, חמת עכו טי, חמת ועכו ד | וראש מגיאתו א, והאש מגיאתו ר | וגיאתו טי. מגיאתו דטיל | כברתא ארט, מברתא ל, סברתה ד | ובית זניתא רדט, ובית מיתא א, וכומתא ל | קצרא דגלילא רד, וקצרא דגללת א, קצרא דגליא טי, קצרא רגליא טי, קצרא וגלילא ל — 10 קבייא רטא, קנייא ד, קבייתא ל | דעייתא ר, רעייתא טל, רעייא ד, דעויתא א | מצייא רט, מצי ד, ממציא א | דעבתא דא, רעבתא רטל | כמותה ד, נמותא ארל, במותה ט | דבירײן ט, דכירײן ר, דבריין ד, דבידיין ל, דכריין א | פחורתא ל, סחורתא ר, נחורתא ט, נהורתא ט, סהירתא ד, סהירתא א | דיתר רל, דייתר ט, דיחר ד, דיתיר א | נחלה רט ל, נחלא ד, נחלתא א | דאבצל רא, דאבצאל ט, דאבצלא ד, דא בעאל ל | ער אלט, עד רד — 11 מרעשתא] מרעשת ד | לולא רבתא אר, לילא רגתא בל, לולא דבתא ד | כרכא רדט, קרבא ל, פרפא א | דבר רטל, דכר דא | דעיון א, רעיון ט

דקיסרי בית סוכות וינקת ורקם דחגרא וטרכונא דזימרא דביתחום ביצרא סקא וחשבון ונחלא דורד סכותא נימרין מליה זירזא ורקם גיאה וגינייא דאשקלון ודרך גדולה ההולכת במדבר סליק פיסקא

נב.

(כה) לא יתיצב איש בפניכם, אין לי אלא איש אומה ומשפחה אשה בכשפיה מנין תלמוד לומר לא יתיצב איש מכל מקום אם כן למה נאמר איש
דברים ג יא אפילו כעוג מלך הבשן כענין שנאמר °כי רק עוג מלך הבשן נשאר מיתר הרפאים.
פחדכם ומוראכם, והלא אם נפחדים הם יריאים הם אלא פחדכם על
יהושע ה א הקרובים ומוראכם על הרחוקים וכן הוא אומר °ויהי כשמוע כל מלכי
האמורי אשר בעבר הירדן ימה וכל מלכי הכנעני אשר על הים את
אשר הוביש [ה' את מי הירדן מפני בני ישראל עד עברם] וימס לבבם
ולא היה בהם עוד רוח מפני בני ישראל וכן רהב הזונה אומרת לשלוחי
שם ב י יהושע °כי שמענו את אשר הוביש ה' את מי ים סוף מפניכם, ונשמע
וימס לבבינו וגו' תאמר שלא היו אנשי יריחו גדולים וקשים והלא כבר נאמר
שם ב א °וישלח יהושע בן נון מן השטים שנים אנשים מרגלים חרש לאמר לכו ראו
את הארץ ואת יריחו יריחו בכלל היתה ולמה יצאת מלמד שהיתה קשה כנגד כולם
במדבר לא ו כיוצא בו אתה אומר °וישלח אותם משה אלף למטה לצבא אותם ואת פינחס
שמות טו א פינחס בכלל היה ולמה יצא מלמד ששקול כנגד כולם כיוצא בו אתה אומר °אז ישיר

ד, רעיין ר, רעייא ל | תרנגלא רטא, תרנוגלא ד, תרנגולא ל — 1 דקיסרי] דכיסרי ל | סוכות ר, סוכת דטל, שובך א | וינקת א, ויקנת ר, קנת ד, ויינקת ט, ויונקת ל | ורקם דחגרא טא, ורגם דחגרא ר, ורקם תחגרא ד, ורקם דאגרא ל | וטרכונא רדא, וטרבונא ט², וטרנונא ט¹, וטורבונא ל | דזימרא רלא, דזימרא רבת ט¹, דזימרא דכתב ט², דנימרא ד | דביתחום ר, דבתחום דא, רב תחום ט¹, רב תנחום ט², דתחום ל | ביצרא רלד, נוצרא ט, ביצרא בדורא א | סקא ל, יובקא רא, משקא ד, יוסקא ט — 2 ונחלא דורד ד, תחלת זרד ר, ונחלת דור טל, נחלת זרד א | סכותא אט, סכותא ר, מכותא ד, סכוטא ל | נמרין רמל, ניגרון ד, נמירין א | מליה זירואי ארט¹, עליה זירזא ד, עליה מוליא זרואי ל, מיליא וירואי ט² | ורקם] וריקם א | וגינייא ר, וגינניא מ, וגיבנייא ד, וגינאה ל, וגוניא א | ההולכת] הולכת ד — 3 במדבר רלא, למדבר דט | סליק פכקא ד, סל' פכו' ר, ס"פ א —

4 בפניכם] לפניך ל | ומשפחה רמדא, או משפחה דמ, ומשפחה מניין ל | אשה בכשפיה] ל' א | אשה] ואשה ט — 5 איש רט, איש לפניך ל, איש בפניכם לא יהיצב ד, איש בפניכם א, ל' דמ | מכל מקום] בכל מקום ד — 6 כענין— הרפאים ה, כענין—הבשן רל, שנאמר—הבשן אמ, ל' דט — 7 והלא אמה. הרי דמל | נפחדים] מפחדים ד | יריאים הם] יריאים ה — 8 וכה"א מהדא, כע' האמ' ר, כה"א ט — 10 וימס—ישראל ה, ל' רדמלמא — 11 וכן—לבבינו וגו'] ל' ט | הזונה אמה, היא ד, ל' רל | לשולחי יהושע] ל' ד — 12 ים סוף—וגו' רמהל, הירדן לפני בני ישראל עד עוברם וימס לבבם ולא היה בם עוד רוח מפני בני ישראל ד — 13 תאמר רדמלא, ואם תאמר מד | היו] דהו ל | וקשים] וקטנים ל — 15 יריחו בכלל היתה רממדהא, והרי יריחו היהה בכלל ד, היחה בכלל ל | יצאת] יצתה ד | מלמד ממא, ללמדך ה, ל' ד, להקיש אליה גל' רל | שהיתה קשה רדהד, שקולה מ, שקולה היתה ט, שהיתה שקולה ל, שקולה א — 16 כיוצא בו] הדוגמאות מפינחס, משה ושאול הכרים גד, נפ ונה הם מובאים בסדר זה משה, פינחס, ושאול, ואע"פ שהסדר ההוא יותר טבעי הלכתי אחר מה שמצאתי ברוב המקורות. הדוגמא של משה חסרה בכ"י א, וזו של פינחס הסרה בכ"י ל | כיוצא בו—שהיה שקול כנגד כולם ט, כיוצא בו—היה בכלל ששקול כנגד כולם ר, כיוצא בו ושלה—כנגד ששקול כנגד כולם מדא, ל' ל — 17 כיוצא בו—שקול כנגד כולם ל' ר | אתה אומר רמל, ל' מה —

1 וחשבון, קליין מגיה חברון וכוונת הברייתא לפי דעתו על חוורן (Hauran) שעליו נקרא ר' יוחנן החורוני: 2 סכותא, קליין מגיה חטמונא, עיי"ש ע' 224: 4 לא יתיצב וכו', ילקוט יהושע ד', מגן אבות לרשב"ץ דוראן פ"ב, רש"י, פ"ז: 7 והלא אם וכו' עד הרחוקים, מובא בחותם תכנית, ערך אימהי — אלא פחדכם וכו', כעין זה מכילתא בשלח מסכתא דשירה פרשה ט' (מ"ג ע"א, ה–ר ע' 148), מכילתא דרשב"י ט"ו ט"ז (ע' 69), פ"ז, רש"י: 15 יריחו בכלל היתה וכו', ל"ב מדות של ר"א בנו של ריה"ג מדה כ"ד, רש"י יהושע ב'

משה ובני ישראל משה בכלל היה ולמה יצא מלמד שהיה שקול כנגד כולם כיוצא
בו אתה אומר °וידבר דוד לה׳ את דברי השירה הזאת וגו׳ שאול בכלל היה ש״ב כב א
ולמה יצא מלמד שהיה שקול כנגד כולם כיוצא בו אתה אומר °ויפקדו מעבדי דוד שם ב ל
תשעה עשר איש ועשהאל עשהאל בכלל היה ולמה יצא מלמד שהיה קשה כנגד
כולם כיוצא בו אתה אומר °והמלך שלמה אהב נשים נכריות וגו׳ °ואת בת מ״א יא א
פרעה בת פרעה בכלל היתה ולמה יצאת מלמד שהיה מחבבה יהר מכולם וכלפי
חטא שהחטיאה אותו יתר מכולן.

יתן ה׳ אלהיכם, למה נאמר לפי שנאמר °שלש פעמים בשנה יראה דברים טז טז
וגו׳ שמא יאמרו ישראל הרי אנו עולים להשתחוות מי משמר לנו את ארצנו אמר להם
המקום עלו ושלכם אני שומר שנאמר °ולא יחמד איש את ארצך בעלותך שמות לד כד
ליראות אם בעיניו אינה חומדה כיצד בא ליטול נכסים ובהמה וכן אתה מוצא
כשישראל עושים רצונו של מקום מה נעמן אומר לאלישע °ולא יותן נא לעבדך מ״ב ה יז
משא צמד פרדים אדמה והלא דברים קל וחומר אם עפר הרי הוא מתירא ליטול
מארץ ישראל שלא ברשות כיצד הוא בא ליטול נכסים ובהמה.

כאשר דבר לכם, והיכן דבר °את אימתי אשלח לפניך והמותי את כל שמות כג כז
העם אשר תבא בהם סליק פיסקא

א׳: 1 שקול כנגד כולם, ספרי במדבר פי׳ קנ״ז (ע׳ 210): 3 שהיה שקול וכו׳, מכילתא בשלח מסכתא דשירה פ״א (ל״ד ע״א, ה—ר ע׳ 116), שם פ״ט (מ״ב ע״ב, ה—ר ע׳ 146), שם יתרו מסכתא דעמלק פ״א (נ״ז ע״ב, ה—ר ע׳ 190), מכילתא דרשב״י ט״ו א׳ (ע׳ 56), שם י״ח א׳ (ע׳ 86), תנחומא בשלח סי׳ י״א — שקול כנגד וכו׳, מדרש תהלים ז׳ סי׳ י״ג (ל״ה ע״א), מכירי שם (כ״א ע״א), ל״ב מדות דר״א בנו של ריה״ג שם: 4 עשהאל וכו׳, ל״ב מדות דר״א בנו של ריה״ג שם, רש״י ש״ב ב׳ ל׳, שם יהושע ב׳ א׳: 6 בת פרעה וכו׳, רש״י זכריה ט׳ א׳, רש״י יהושע וש״ב שם: 11 נכסים ובהמה, אולי נוספו המלים האלה על ידי אשגרא מן המובא בסמוך: 13 והלא דברים ק״ו וכו׳, השוה רד״ק שם: 15 כאשר דבר וכו׳, מכילתא בא מכלתא דפסחא פי״ב (י״ב ע״א, ה—ר ע׳ 39), רש״י, פ״ז:

1 בכלל היה] היה בכלל ל | שהיה שקול טל, ששקול מה — 2 אתה אומר רמט, ל׳ הלא | לה׳ ל [מסורה], ל׳ דר כמא | שאול בכלל היה—תשעה עשר איש ועשהאל] שלשה בני צרויה ואבישי ועשהאל ל — 3 מלמד] ל׳ ר | שקול] קשה א | אתה אומר רטדל, ל׳ אמה | מעבדי] מאנשי ד — 4 תשעה עשר איש ועשהאל] שלשה בני צרויה וגו׳ ר | עשהאל רמהטל, והלא עשהאל ד, ל׳ א | בכלל היה רמ הטא, היה בכלל דל | מלמד רמהטא, מגיד הכתוב ד, אלא מלמד ל | קשה] שקול ט — 5 כיוצא—אומר ט, כיוצא בו מהל, כיוצא בדבר א״א רד | בת] והלא בת ד — 6 בכלל היתה רמהט, היתה בכלל דל | ולמה] למה ט | שהיה מחבבה רמטא, שהיתה חביבה ד, שהוא מחבבה ד, שהיתה מחבבה ל | וכלפי חטא—מכולן ר, וכלפי—כנגד כולן ט, וכלפי החטא—מכולן ד, ל׳ מדלא — 7 מכולן]

ל מוסיף: אמרו ביום שנתחתן שלמה לבת פרעה ירד גבריאל נעץ קנה בים ועלה שם נעצוץ ועליו כרך גדול של רומי ביום שהעמיד ירבעם שני עגלים עמד רומיס ורומילוס ובנו שם ציפורין ברומי, ובד הנוסחא: אמרו ביום שנתחתן שלמה עם בת פרעה ירד גבריאל נעץ קנה בים והעלה שרטון ועליו נבנה כרך של רומי וביום שהעמיד ירבעם שני עגלים עמד רמולו ורומולו ובנו שני כרכין ברומי — 9 משמר] ישמור א — 10 המקום רטל, הקב״ה מאד | שנאמר רטל, לפי שנאמר מ הדא — 11 אינו חומדה רמהט, אינו חומד א, אינה חמורה ד, אני חמודה ל | כיצד] כאיצד ה | בא רמ, הוא בא טדהלא | נכסים ובהמה] נכסיו ובהמתו ד — 12 כשישראל עושים מדא, בישראל כשהם עושים רלד, בישראל כשעושים ט | נעמן אומר] אמר נעמן לו ד | ולא] ואולי ר — 13 והלא דברים מדא, ו׳ דב׳ ר, והרי דברים דטל | אם רטמהא, ומה אם ד ל | הרי] ל׳ א — 14 ישראל] ל׳ ל | נכסים ובהמה] נכסיו ובהמתו ד — 15 כאשר רמהטל, לכך נאמר יתן ה׳ אלהיכם על פני כל האדמה אשר תדרכו בה כאשר ד | והיכן דא, היכן רמהטל | דיבר רדטל, דיבר לכם ה, דיבר כענין שנ׳ מא — 16 סליק פסקא דא, סל׳ פס׳ ר —

פרשת ראה.

נג.

(יא כו) ראה אנכי נותן לפניכם היום ברכה וקללה, למה נאמר לפי
דברים ל יט שנאמר [י]החיים והמות נתתי לפניך הברכה והקללה, שמא יאמרו ישראל
הואיל ונתן המקום לפנינו שני דרכים דרך חיים ודרך מות נלך באיזו מהם שנרצה
שם תלמוד לומר [י]ובחרת בחיים משל לאחד שהיה יושב על פרשת דרכים והיו לפניו
שני שבילים אחד שתחילתו מישור וסופו קוצים ואחד שתחילתו קוצים וסופו מישור
והיה מודיע את העוברים ואת השבים ואומר להם אתם רואים את שביל זה שתחילתו
מישור כשתים ושלש פסיעות אתם מהלכים במישור וסופו לצאת לקוצים ואתם רואים
את שביל זה שתחילתו קוצים כשתים ושלש פסיעות אתם מהלכים בקוצים וסופו לצאת
למישור כך אמר להם משה לישראל אתם רואים את הרשעים שמצליחים בעולם הזה
משלי כד כ כשנים ושלשה ימים הם מצליחים וסופם לתהות באחרונה שנאמר [י]כי לא תהיה
קהלת ד א / שם ד ה אחרית לרע וגו׳ ואומר [י]והנה דמעת העשוקים וגו׳ ואומר [י]הכסיל חובק
משלי ד יט את ידיו וגו׳ ואומר [י]דרך רשעים כאפילה אתם רואים צדיקים שמצטערים

1 למדה נאמר] ל׳ ד — 3 ונתן המקום לפנינו כרלדהטי, והמקום נתן לפנינו טי, והמקום נתן לנו מא, ונתן הב״ה לפנינו ד | דרך] ל׳ ל | ודרך] ל׳ ל | חיים הראכ, החיים מדטל | מות רדהטאכ, המות מדל | מהם רדאמט, דרך כל, ל׳ ה — 4 משל] משל למה הדבר דומה מא | על פרשת רדהמטאכ, בפרשת דל — 5 שבילים] דרכים מא | שתחילתו רלטדכ, תחלתו מא, מתחלתו ל | ואחד] ואו׳ ר | שתחילתו] תחלתו מא — 6 את] ל׳ ה | את–השבים] עוברים ושבים ל, את העוברים והשבים א | ואומר להם] ל׳ א, אומר להם כ | אתם] שאתם ד | את שביל מאה, שביל כרטדל — 7 כשתים רטל, שתים מא, בשתים הדכ | ושלש מהדמלאכ, שלש ר | אתם מהלכים הא, את מהלך רלדכ, אתם הולכים מ, מהלך ט | במישור–אתה מהלך] ל׳ ל | לקוצים רדהמט, בקוצים דכ, קוצים א — 8 את רמה, ל׳ טדאכ | קוצים] ה מוסיף: <וסופו לצאת למישור> | כשתים ושלש ט, כשתים שלש ר, בשתים ושלש הדכ, שתים או שלש מ, ב׳ וג׳ א | אתם מהלכים הא, אתה מהלך רטדכ, אתם הולכים מ — 9 למישור] במישור אדכ | שמצליחין בעולם הזה מהא, שהם מצליחים רטידכ, שמצליחין טיל — 10 כשנים ושלשה טיה, כשנים שלשה רטי, בשנים שלשה מכ, בשנים ושלשה דל, ב׳ או ג׳ א | הם מצליחים דמ, הם שמצליחים א, הם מצליחים בעוה״ז דרלכ, ל׳ ט | וסופם] וסופו ד | לתהות אמ, לדחות רדלמה | שנאמר הדכ, ונה״א מא, נה״א ר, ואומ׳ ל — 11 לרע וגו׳] לרע נר רשעים ידעך <פי׳ אחרית הטארות וכמוהו ואחריתך באש בכפר יחזקאל> מ | והנה] הנה לדא | ואומר—ידיו] ל׳ מהכ — 12 אתם כרמלא, ואתם טה, והם ד | צדיקים רמדהמא, את הצדיקים דלכ | שמצטערים] כשהם מצטערים ד, ומצטערים כ —

1 ראה אנכי וכו׳ עד ואומר טוב אחרית דבר מראשיתו, מכירי משלי כ״ד כ״א (מ״ח ע״א): 2 שמא יאמרו ישראל, אין זו תשובה אל השאלה למה נאמר אלא אגב שיגרא, כיון שהזכיר את הפסוק דהחיים והמות נתתי לפניך, מביא הדרשה התלויה בו, והשאלה העקרית מתישבת על ידי המשל לקמן: 6 אתם רואים וכו׳, פ״ז: 9 כך אמר להם משה לישראל, מן הפסוק החיים והמות נתתי לפניך אינו ברור איזו היא דרך החיים ולכן הוצרך משה להגיד להם הברכה אשר תשמעון וכו׳: 10 לתהות, עיין בשנויי נוסחאות, ופירושו להתחרט וגרסה זו מתאמת היטב אל האמור למעלה בצדיקים וסופם לשמוח באחרונה; וגם ר״ה כנראה גרס לתהות, שפירש „והכסיל חובק את ידיו דהיינו כתוהא הרשע ממעשיו הרעים״, וכעין זה פי׳ בעל ז״א אעפ״י שהוא גורס לדחות: 11 והנה דמעת העשוקים, אולי מפרש הכתוב על הרשעים הבוכים על עונותיהם ועל יסוריהם בעוה״ב כפי׳ רש״י שם, והוא מוצא סמוכים לדבריו בספרי כאן, עיי״ש: 12 צדיקים, שנה בלשונו, למעלה אמר את הרשעים

בעולם הזה כשנים ושל֗שה ימים הם מצטערים וסופם לשמח באחרונה וכן הוא אומר °להטיבך באחריתך ואומר °טוב אחרית דבר מראשיתו ואומר °כי אנכי ידעתי את המחשבות אשר אנכי חושב ואומר °ואורח צדיקים כאור נוגה. רבי יהושע בן קרחה אומר משל למלך שעשה סעודה והזמין את האורחים והיה אוהבו מיסב ביניהם והיה רומזו ליטול מנה יפה ולא היה בו דעה וכן הוא אומר °אשכילך ואורך בדרך זו תלך איעצה עליך עיני כיון שראה של֗א היה בו דעה אחז את ידו והניחה על מנה יפה וכן הוא אומר °ה׳ מנת חלקי וכוסי אתה תומיך גורלי יש לך אדם שניתן לו חלקו ואינו שמח בחלקו אבל ישראל מודים מפויסים שאין חלק יפה כהלקם ולא נחלה כנחלתם ולא גורל כגורלם והם מודים ומשבחים על כך וכן הוא אומר °חבלים נפלו לי בנעימים וגו׳ אברך את ה׳ אשר יעצני סליק פיסקא

דברים ח טז · קהלת ז ח · ירמיהו כט יא · משלי ד יח · תהלים לב ח · שם טז ה · שם טז ו–ז

נד.

(כו) ברכה וקללה, הברכה אם תשמעו והקללה אם לא תשמעו. כיוצא בו אתה אומר °הלא אם תיטיב שאת אם תיטיב שאת ברכה ואם לא תיטיב שאת קללה, רבי אליעזר בנו של רבי יוסי הגלילי אומר מי לחשך אמרה תורה הברכה והקללה הברכה אם תשמעו והקללה אם לא תשמעו, כיוצא בו אתה אומר °מות וחיים ביד לשון ואהביה יאכל פריה האוהב את הטובה אוכל פירותיה והאוהב את הרעה אוכל פירותיה רבי אליעזר בנו של רבי יוסי הגלילי אומר מי לחשך

בראשית ד ז · משלי יח כא

1 כשנים ושלשה הל, כשנים שלשה רט, בשנים שלשה מ, בשנים ושלשה דכ, כב׳ או ג׳ א | הם רטהלא, היו מ, ל׳ דכ | לשמח] להשמח כ | וכה״א המא, שנאמר ר טדלכ — 2 ואומר–מראשיתו] ל׳ ה | אנכי דהא [מסורה], אני רטל — 3 אשר–חושב] ל׳ ה <ואומר אור זרוע לצדיק> רטל, <אור זרוע לצדיק> ד | ואומר ואורח רטמהא, אורח ד, ואומר אור ל | ר׳ יהושע–אשר יעצני] ל׳ ה — 4 קרחה] קרחא א | למלך] למלך בשר ודם מא | והזמין] וזימן כא | את רמט, כל דל, ל׳ א | מיסב רט דל, יושב מא — 5 רומזו רמ, דומה טלד, רומז לו א | דעה] דעת א | וכן הוא אומר–עיני רמטאפ, וכה״א אשליכך–תלך ל, ל׳ ד — 6 שלא היה רמטא. שאין ד ל | דעה רדטל, דעת מא — 7 על] את ל | מנה יפה ר טמא, המנה היפה דל | וכה״א מדא, כה״א ט, כע׳ הא׳ ר, וכה״א וכה״א ל — 8 שניתן רטדל, שנותנין מא | חלקו רדטל. חלק מא | ואינו מדלא, ואין רט | שמח] משמח ל֗א | מפויסים רא, ומפייסים מ, ומשבחין על כך מפויסים כ, מקלסין ל, ומקלסים ד | יפה] ל׳ מא | כחלקם] מהלכם ר — 9 כגורלם] על גורלן ל | והם] וכן ד | על כך] על כן מ, ל׳ א | וכן הוא אומר מלא, וכן דוד הוא אומר ד, כה״א כ, הוא אומר ר — 10 וגו׳] ואומר ד, ל׳ לא | סליק פסקא דא, ל׳ ר —

11 ברכה וקלל֗ה] את הברכה א | אם תשמעו רדכ, אם תשמעון א, אשר תשמעו טמל, אשר תשמעון ד | והקללה אם לא תשמעו רהכ, והקללה–תשמעון דט, ואם לא תשמעון קללה א, והקללה אשר לא תשמעו ל | כיוצא–אחרי הכותו] ל׳ מ | כיוצא בו–אם לא תשמעו] ח׳ כ | בו מדהלא, בדבר ר — 12 אם תיטיב שאת ה, ל׳ רדטכ֗א | ברכה–קללה] ל׳ ל | שאת קללה] לפתח חטאת רובץ קללה א — 13 אמרה תורה רטדכל, שאמרה תורה הא, שאמרה הברכה והקב״ה א | הברכה והקללה] ל׳ א — 14 תשמעו] תשמעון א וכן בסמוך | והקללה–תשמעו] ל׳ ל — 15 ואהביה יאכל פריה אדטפ, ל׳ רדבל כ [מכ׳ דב׳] | האוהב אה, ואוהב רב, אוהב לדטכ, ל׳ [מכ׳ דב׳] | הטובה] הטוב ד | פירותיה] הפירות ד, פירותיהם כ, פריה [מכ׳ דב׳] — 16 והאוהב הא, ואוהב כרטבל, אוהב ד [מכ׳ דב׳] | הרעה] הברכה ר | אוכל פירותיה וכו׳ עד

כאלו כל הרשעים הם בטובה בעוה״ז, וכאן לא אמר את הצדיקים אלא צדיקים כלומר רובם או מעוטם: 3 אשר אנכי חושב, וסוף הפסוק, לתת לכם אחרית ותקוה· — ר׳ יהושע בן קרחה וכו׳, השוה ציגלר Königsgleichnisse עמו׳ 178 והלאה· — ר׳ יהושע בן קרחה וכו׳ עד נפלו לי בנעימים, מובא במכירי תהלים ט״ז י״ב: 8 מודים מפויסים, מודים להקב״ה בהיות שאין להם ספק שאין חלק כחלקם:

11 ברכה וקללה וכו׳, פ״ז· — ברכה וקללה וכו׳ עד נצור לשונך מרע, מכירי משלי י״ח כ״א (ג׳ ע״ב): 12 אם תיטיב שאת ברכה וכו׳, ב״ר כ״ב י׳ (ע׳ 208), ועיין במנחת יהודה שם: 13 מי לחשך, כלומר מי הגיד לך שכך הדבר, אולי בהפך ואם לא תטיב ברכה, אמרה תורה וכו׳, וכן בכל הדוגמאות: 14 הברכה אם וכו׳ עד נצור לשונך מרע וכו׳, מכירי משלי י״ח כ״א (ג׳ ע״ב)· — מות וחיים עד סוף הפיסקא, מכילתא דברים י״א כ״ו והלאה, נדפס במ״ת ע׳ 56, וברבעון האנגלי, שנה 1904, ע׳ 696: 15 האוהב את הטובה וכו׳, מ״ת כ״ב י״ט (ע׳ 141): 16 מי לחשך, ששני מיני פירות הם,

תהלים לד יד משלי יא לא אמרה תורה °נצור לשונך מרע. כיוצא בו אתה אומר °הן צדיק בארץ ישולם
אף כי רשע וחוטא רבי אליעזר בנו של רבי יוסי הגלילי אומר מי לחשך אמרה
שם טז ד תורה °כל פעל ה׳ למענהו וגם רשע ליום רעה.

(כח) והקללה אם לא תשמעו, נמצינו למדים שלא צוה יעקב אבינו את
בניו אלא משכלו ימיו משנטה למות משראה כל הנסים שנעשו לו אף משה רבינו לא
הוכיח את ישראל אלא משכלו ימיו משנטה למות משראה כל הנסים שנעשו לו לכך
דברים א ד נאמר °אחרי הכותו את סיחון.

וסרתם מן הדרך, מדרך חיים לדרך מות. מן הדרך אשר אנכי מצוה אתכם היום ללכת אחרי אלהים אחרים, מיכן אמרו כל המודה בעבודה זרה כופר בכל התורה כולה וכל הכופר בעבודה זרה מודה בכל התורה כולה סליק פיסקא

נה.

(כט) והיה כי יביאך, אין והיה אלא מיד, כי יביאך, קבל עליך מצוה
האמורה בענין שבשכרה תכנס לארץ. אשר אתה בא שמה לרשתה, בשכר
שתבא תירש. ונתת את הברכה על הר גריזים וגו׳, וכי מה בא הכתוב ללמדנו
דברים כז יב שהברכה על הר גריזים והקללה על הר עיבל והלא כבר נאמר °אלה יעמדו לברך
את העם על הר גריזים ואלה יעמדו על הקללה בהר עיבל מה ת״ל ונתת את

היום אנו מטלטלים את המשכן] נעתק ממקומו בכ״י א ונמצא לאחר המלים ת״ל כצבי וכאיל מגיד הכתו׳ שכשם שלא נתנה תורה מחיצה | אוכל] יאכל א [מכ׳ דברי׳] | פירותיה] הפירות ד, פירותיהם כ [במכ׳ דב׳: פירותיה או לרשע רע וגו׳] | אליעזר] אלעזר בל, לעזר [מכ׳ דב׳] | אומר] ל׳ ר | מי לחשך] מלחשך ר, אם לחשך [מכ׳ דב׳] — 1 אמרה דל, שאמרה הטרבא [מכ׳ דב׳] | מרע] ה מוסיף: סור מרע ועשה טוב. א מוסיף: ושפתיך מדבר מרמה ואומר סור מרע ועשה טוב בקש שלום ורדפהו | בו] דטהבלא [מכ׳ דב׳], בדבר ר | הן] ל׳ ר, מי לחשך הן ל — 2 אף–וחוטא הפ, ל׳ רטדבלא [מכ׳ דב׳] | אליעזר] יוסי ד, לעזר [מכ׳ דב׳] | מי לחשך הדמבאפ, מלחשך ר, מי לחושך ל, אם לחשך [מכ׳ דב׳] | אמרה דל, שאמרה מרדבא [מכ׳ דב׳], לומר כן א׳ — 3 וגם–רעה ה, וגו׳ רב [מכ׳ דב׳], ל׳ מדלא — 4 נמצינו למדים] מלמד [מכ׳ דב׳] | צוה] הוכיח א [מכ׳ דב׳] | יעקב] משה ד — 5 בניו] ישראל ד | אלא–למות] עד שכלה ודמם ועד שמשת(והח) למות [מכ׳ דב׳] | משראה] שראה [מכ׳ דב׳] | הנסים דא [מהר״כ], נסים רדטבל | שנעשו] שנעשה ב, מה שנעשו [מכ׳ דב׳], בו מל, לישראל [מדר״ס], ל׳ דב. א מוסיף: <לכך נאמ׳ ויקרא יעקב לבניו (בראשית מ״ט א׳, ושם אל בניו) | אף משה–שנעשו לו] פדא [מהר״ס] ל׳ רמלבד | אף משה רבינו לא הוכיח]כך לא הוכיח משה [מכ׳ דב׳] — 6 הוכיח] צוה [מהר״ס] | הנסים] נסים ד — 7 נאמר רבא, נאמר בתהלה ה, נאמר במשה דמל — 8 לדרך מות] ל׳ א | מות] המות [מכ׳ דב׳] | אנכי–היום מ, אנכי–אתכם ד, ציויתי את׳ ר, ציויתי אותם דמ, צויתי אתכם בל — 9 אמרו הדממלא [מכ׳ דב׳], ל׳ רב | כל] ל׳ ל — 10 כופר רטדמב, ככופר דלא, כאלו כופר [מכ׳ דב׳] | וכל הכופר–כולה רמדא, וכל הכופר כמודה–כולה דל, וכל הכופר [בעבודה] זרה כאלו מודה בכל התורה [מכ׳ דב׳], ל׳ טב | סליק פסקא דא, פ׳ ר, ל׳ ב —

12 בענין–שמה לרשתה מדא, ל׳ רטבדל | בשכר–תירש] קבל עליך מצוה האמורה בשכר שתבוא ותירש ל — 13 וגו׳–גריזים] ל׳ ל | מה דמא, ל׳ רטלדב | ללמדנו רמטבא, ללמדינו אם ללמד ה, ללמדך ד, ל׳ טי — 14 שהברכה מהד א, שברכה רמב | והלא] והרי ל | אלה רמדט (מכורה), ואלה דבא | אלה–גריזים] ל׳ ל — 15 ואלה רטמדבל, אלה ד | מה ת״ל רמא, ומה ת״ל ה, ל׳ טבדל —

כיון שכתוב פריה במספר יחיד: 2 מי לחשך, שהצדיק ישולם טובה והרשע רעה, הלא הכתוב סתם ולא פירש: 4 שלא צוה וכו׳, למעלה פי׳ ב׳ (ע׳ 10): 8 מדרך חיים וכו׳, למעלה פי׳ מ״ג (ע׳ 95): 9 מיכן אמרו וכו׳ עד מודה בכל התורה כולה, רש״י, פ״ז ורא״ם, מכילתא דברים כאן, ספרי במדבר פי׳ קי״א (ע׳ 116), חולין ה׳ ע״א, שבועות כ״ט ע״א, קדושין מ׳ ע״א, נדרים כ״ה ע״א, ירו׳ נדרים פ״ג ה״ד (ל״ח ע״א):

11 אלא מיד, פ״ז, למעלה פי׳ ב׳ (ע׳ 9), ובציונים שם. — קבל עליך וכו׳, לקמן פי׳ קנ״ו, ק״ע, רצ״ז, והשוה עוד פי׳ ע״ה, פ׳, קע״ד, קפ״ד, ר׳, ר״א, ר״ב, רנ״ח, מכילתא דברים י״ב כ״ט במ״ת (ע׳ 61), מ״ת י״ח, ט׳ (ע׳ 109), י״ח י״ד (ע׳ 111), מכילתא דר״ש י״ג י״א (ע׳ 35), שם י״ג ה׳ (ע׳ 32), קדושין ל״ח ע״ב, בכורות ה׳ ע״א: 12 בשכר שתבא תירש, פ״ז, לקמן פי׳ פ׳, ורס״ג: 13 ונתת

הברכה על הר גריזים שיכול שיהו כל הברכות קודמות לקללות תלמוד לומר ונתת את הברכה על הר גריזים ברכה קודמת לקללה ואין הברכות קודמות לקללות ולהקיש קללות לברכות מה קללות בלוים אף ברכות בלוים מה קללות בקול רם אף ברכות בקול רם מה קללות בלשון הקודש אף ברכות בלשון הקודש מה קללות בכלל ופרט אף ברכות בכלל ופרט מה קללות אלו ואלו עונים ואומרים אמן אף ברכות אלו ואלו עונים ואומרים אמן כשהפכו פניהם בשעת ברכה אל הר גריזים ובשעת קללה אל הר עיבל סליק פיסקא

נו.

(ל) הלא המה בעבר הירדן, מעבר הירדן ואילך דברי רבי יהודה. אחרי דרך מבוא השמש, מקום שחמה זורחת. אצל אלוני מורה, ולהלן הוא אומר ויעבור אברם בארץ עד מקום שכם עד אלון מורה, מה אלון מורה האמור (בראשית יב ו) להלן שכם אף אלון מורה האמור כאן שכם. אמר רבי אלעזר ברבי יוסי אמרתי להם לסופרי כותיים זייפתם את התורה ולא העיתם בה כלום שכתבתם אצל אלוני מורה שכם אף אנו למדים שזה הוא הר גריזים והר עיבל שבין הכותיים שנאמר הלא המה בעבר הירדן וגו׳ אצל אלוני מורה ולהלן הוא אומר ויעבר אברם בארץ

וכו׳, פ״ז, סוטה ל״ז ע״ב: 3 בלוים, שנ׳ וענו הלוים ואמרו (דברים כ״ז י״ד). — בקול רם, שנ׳ וענו: 4 בלשון הקודש, שהרי מפורשים הן, ובסוטה ל״ג ע״א יליף לה מגזירה שוה:

8 הלא המה וכו׳ עד סוף הפסקא, סוטה ל״ג ע״ב, ירו׳ שם פ״ז ה״ג (כ״א ע״ג) ועי׳ ברש״י ופ״ז. — ואילך, וכן ת״י מלהלא ליורדנא, בתוספתא סוטה ח׳ ז׳ (ע׳ 311) ובאו להר גריזים מהלך ששים מיל וכן בבבלי שם ל״ו ע״א, והשוה סנהדרין מ״ד ע״א „דריש ר׳ שילא אמר לו הקב״ה שלך קשה משלהם אני אמרתי והיה בעברכם את הירדן תקימו ואתם ריחקתם ששים מיל״, ואולי זו דעה מכרעת היא בין דברי ר״א ור״י, וכוונתה שמשה צוה להעמיד את האבנים ולברך הברכות אצל הירדן ויהושע ריחקם עד הר גריזים ועיבל שבין הכותים: 9 זורחת, כן הגרסה בכל המקורות וגם בבבלי ובירושלמי, ואעפ״י כן נראה לי שערבוב גרסאות יש כאן וצ״ל בדברי ר׳ יהודה שוקעת, כלומר במערב א״י, ולא אצל הירדן במזרחה כדברי ר״א לקמן. וסמוכים מצאתי להגהה זו בת״י „הלא אינון יהיבין מלהלא ליורדנא אדורי אורח מטמעה דשמשא״, והתרגום מלהלא ליורדנא הוא כדעת ר׳ יהודה, „מעבר לירדן ואילך״ ובודאי ממנו מעתיק מטמעה דשמשא כלומר „שקיעת השמש״ וגם רש״י דמבאר דברי ר׳ יהודה בפירושו על התורה, פירש דרך מבוא השמש „להלן מן הירדן לצד מערב״ ובסוטה שם פי׳ באופן זר ורחוק מאד „ימוד מבוא השמש זה מזרח שמשם באה משם כלומר רחוק ממזרחו של ירדן ומצינו בב״ר כל מקום שנאמר אחרי מופלג״. ואונקלוס תרגם אורח מעלני שמשא אבל נ״ל שהוא מתרגם לפי דברי ר״א כדלקמן. וכדברי אלה נראה דעת רמא״ש בהערתו במ״ע „ועיין כל זה בסוטה בבלי וירושלמי שם ובתוספתא סוטה פ״ח ובתרגומים וברש״י על התורה וכדור הדברים על מכונם הם בירושלמי אלא שצריך גם כן איזה תקונים מטעיות שנפלו בו וכן בבבלי הדברים משובשים ומטושים רגיהו בספרי על פי הגמרא״: 10 מה אלון מורה וכו׳, רא״ם: 11 אמר ר׳ אליעזר ב״ר

1 גריזים] ט מוסיף: למה נאמר | שיכול—לקללות רט דא, שיכול כל—לקללות מ, שיכול שיהיו—לקללות ב, להקדים ברכה לקללה יכול יהוא כל הברכות קודמות לקללות ה | ת״ל—לקללות מ, ת״ל—ואין הברכות קודמות א, ת״ל ברכה וקללה ברכה אחת קודמת לקללה ואין הברכות קודמות לקללות ה, ל׳ רבטלד — 3 ולהקיש הפ, אלא להקיש רמטדלא, אלה להקיש ב | מה קללות בלוים אף ברכות בלוים] ל׳ ל | בלוים] ללוים א וכן בסמוך | מה קללות בקול רם אף ברכות בקול רם] מה ברכות—אף קללות בקול רם ב | מה רמבלא, ומה דה — 4 הקודש רטהמבאפ, קודש ד (ב״פ), קודש—הקודש ל | מה רממלא, ומה הד, ד מוסיף <ואילו ואילו עונים אמן> — 5 מה קללות—ואומרים אמן אף ברכות] ל׳ ב | מה רממל, ומה הד | ואומרים רה [בבלי שם], ל׳ מטלדא | ואומרים רה [בבלי שם], ל׳ מטלדא, א׳ ואומ׳ ב — 6 כשהפכו רממהב א, הפכו דלפ | ברכה רממדא, ברכות דבל — 7 ובשעת קללה רדהב, בשעת קללה מא, ובשעת קללות לד | סליק פיסקא אר, פ׳ ר —

8 הלא המה—במישור לכו ולא בהרים] ל׳ ט, ובמקום פסקא זו מובאה ברייתא מב׳ סנהדרין הדומה לה | מעבר] ומעבר ב | הירדן אמדה, לירדן רבל — 9 שהמה] שהשמש א | אצל אלוני מורה אמה, ל׳ ברל — 10 עד מקום—מורה דמרלא, וגו׳ רב | מה אלון מורה רמ, מה אילון מורה ב, מה אלון רדהל, ומה אלון א — 11 להלן] כאן ל | אף אלון מורה רמל, אף אלוני מורה ה, אף אלון ד א, אף אילון מורה בל | האמור] ל׳ ב | אמרתי] אמרו א — 12 הדניתם מדא, הנחתם רדב, הנחתים ל — 13 שכם רמדבל, זה שכם א, ל׳ ד | למדים רמדבא, מודים דל | הוא] ל׳ א | שנזכר ארבדבל, אנו למדנו מגזרה שוה שנזכר ד — 14 וגו׳ אצל אלוני מורה מ, ל׳ רדרבלא |

מה אלון מורה האמור להלן שכם אף אלון מורה האמור כאן שכם רבי אליעזר אומר לא זה הוא הר גריזים והר עיבל שבין הכותיים שנאמר הלא המה בעבר הירדן הסמוכים לעבר הירדן, אחרי דרך מבוא השמש מקום שחמה שוקעת, בארץ הכנעני לא היה אלא מן החוים, היושב בערבה, לא היה אלא בין ההרים, מול הגלגל, אין אלו רואים את הגלגל. רבי אליעזר בן יעקב אומר לא בא הכתוב אלא להראותם דרך בשניה כדרך שהראם בראשונה, בדרך לכו אל תלכו בשדות, היושב בישוב ולא במדבר, בערבה במישור ולא בהרים סליק פיסקא

נז.

(לא) כי אתם עוברים את הירדן, מעבירתכם את הירדן אתם יודעים שאתם יורשים את הארץ. אשר ה' אלהיכם נותן לכם, בזכותכם. וירשתם אותה וישבתם בה, בשכר שתירש תישב סליק פיסקא

נח.

(לב) ושמרתם זו משנה, ועשיתם זו מעשה, את כל החוקים אלו המדרשות, ואת המשפטים אלו הדינים, אשר אנכי נותן לפניכם היום, יהיו חביבים עליך היום כאילו היום קבלתם אותם מהר סיני, יהו רגילים בפיכם כאילו היום שמעתם אותם סליק פיסקא

ולהלן—בעבר הירדן] ל׳ ל | ולהלן הוא אומר ד, וכתי׳ מ א, ל׳ רכ | ולהלן—בארץ] ל׳ ה — 1 אלון] אלוני ה | כאן שכם] ר מוסיף: אתם במה למדתם | אליעזר] אלעזר ה — 2 זה הוא רמב, זהו א, זה רה | הכותיים אמהב ד, כותין ר — 3 לעבר הירדן רמהבאם, לירדן ד, בעבר הירדן ל | שחמה רדהב, שהחמה מאם, שאין חמה ל — 4 אלא] ארץ אלא א, ל׳ פ | מן החוים רלב, בין החוים ה, ארץ החוים אלא בין התחום מ, החוים היה בין התחום א, מן החוי דפ | היה] היו ר | בין ההרים] ל׳ א | בין] מן ב | ההרים] התחום מ — 5 הגלגל] הגלל ר (וכן בסמוך) | אלו] לו א, אילוני פ | את] ל׳ א — 6 בשניה רדהפ, שנייה מ, ל׳ ארבל | בדרך רדהמבאפ, בדרך זו דל | אל רמבלא, ואל דפ, ולא ה — 7 היושב המרדפ, ל׳ בלא | בישוב ארמבל, בישוב לכו רדהפ | במדבר] ל׳ א | בערבה רדהפ, ל׳ רמבא, ולא ל | במישור ארמב, במישור לכו רדה, בישוב פ | סליק פיסקא רא, פ׳ ר, ל׳ ב —

8 הירדן] ראם מוסיפים: אל הארץ, הל מוסיפים: לבא לרשת את הארץ, ב מוסיף: אל ארץ | מעבירתכם רמבל, אם מעביר אתכם ה, משעברתם ט, מהעברתכם ד, מעברכם א | בזכותכם רמהל, בזכותם רא, בזכותיכם ב — 10 סליק פסקא ד, ל׳ברא —

11 ועשיתם] לעשות א — 12 המדרשות] מדרשות ר | אילו הדינים—והמשפטים] ל׳ ל | הדינים] ר מוסיף: אשר תשמרו זו משנה | אנכי] אני א — 13 עליך היום רדהד, עליכם מא, עליכם היום ב | קבלתם אותם] קבלום אותם ב, קבלהם א | יהו רדהב, ויהו ט, יהיו מא — 14 שמעתם] קבלתם ושמעתם מא | אותם] ל׳ א | סליק פסקא רא, פ׳ ר, ל׳ב —

יוסי וכו׳, השוה אורשריפט של גייגר, ע׳ 81: 3 לעבר הירדן, כלומר לשפת הירדן· — שוקעת, נראה לי שכאן צ״ל זורחת כמו שהעירותי למעלה, וראיה מת״א המתרגם לפי דעתו של ר״א הלא אינון בעברא דירדנא אחורי אורח מעלני שמשא, כלומר במזרח א״י. על שפת הירדן: 4 לא היה, שכם אלא מן החוים שנ׳ שכם בן חמור החוי (בראש׳ ל״ד ב׳): 6 בראשונה, ר״ה מפרש במרגלים „דאמר עלו זה בנגב (במדב׳ י״ג י״ז)״, אבל רש״י סוטה שם „כדרך שהראם בראשונה, בצאתם ממצרים בעמוד ענן לנחותם הדרך כך בא עכשיו ליישר דרכיהם ולהורותם הדרך לפי שגלוי וידוע לפניו שעהיד הענן לפסוק במיתת משה״:

8 אתם יודעים, שהכתוב מסיים לבא לרשת את הארץ: 9 בזכותכם, לקמן פי׳ קנ״ו. ק״ע, קע״ט, והשוה אלבעק, Untersuchungen, ע׳ 16: 10 בשכר שתירש תישב, לקמן פי׳ קנ״ו:

11 זו משנה, למטה פי׳ נ״ט, תו״כ אחרי פרשה ט׳ ה״ט (פ״ה ע״ד), אמור פרק ט׳ ה״ג (צ״ט ע״ג) קדושין ל״ז ע״א והשוה ס״ז י״ח ד׳ (עמ׳ 292) ולקמן פי׳ ע״ט והערתי למעלה ריש פי׳ מ״ח (ע׳ 108)· — זו מעשה, למטה פי׳ נ״ט, תו״כ אמור שם, קדושין שב· — החוקים אלו המדרשות, למטה פי׳ נ״ט, קדושין שם, מכילתא יתרו מככת עמלק פ״ב (נ״ט ע״ב. ה—ר ע׳ 197). תו״כ שמיני פרשה א׳ ה״ט (מ״ו ע״ד), אחרי פרשה ט׳ ה״ט (פ״ה ע״ד), בחוקותי פרק ח׳ ה״ט וה׳ י״ב (קי״ב ע״ג). והבדל אהר מובא בתו״כ אחרי פרק י״ג ה״י, ובמכילתא בשלח מסכת ויסע פ״א (מ״ו ע״א, ה—ר ע׳ 157), חקיו אלו הלכות, אבל במכילתא דרשב״י שם, ט״ו כ״ו (ע׳ 73), למצותיו אלו הלכות, חקיו אלו גזרות״, וכן שם י״ח כ׳ (ע׳ 89): 12 אלו הדינים, למטה פי׳ נ״ט, קנ״ב, תו״כ אחרי ובחוקותי שם, קדושין שב: 13 כאילו היום קבלתם וכו׳, למעלה פי׳ ל״ג, ע׳ 59:

נט.

(יב א) אלה החוקים, אלו המדרשות, והמשפטים, אלו הדינים, אשר תשמרון זו משנה, לעשות זו מעשה, בארץ יכול כל המצות כולם נוהגות בחוצה לארץ תלמוד לומר לעשות בארץ יכול לא יהו כל המצות כולן נוהגות אלא בארץ תלמוד לומר כל הימים אשר אתם חיים על האדמה, אחר שריבה הכתוב מיעט הרי אנו למדים אותן מן האמור בענין מה אמור בענין אבד תאבדון את כל המקומות מה עבודה זרה מיוחדת שהיא מצות הגוף ואינה תלויה בארץ נוהגת בארץ ובחוצה לארץ כך כל מצות הגוף שאינה תלויה בארץ נוהגת בארץ ובחוצה לארץ ושתלויה בארץ אינה נוהגת אלא בארץ חוץ מן הערלה והכלאים רבי אליעזר אומר אף החדש סליק פיסקא

ס.

(ב) אבד תאבדון את כל המקומות, מנין אתה אומר שאם קצץ אשירה והחליפה אפילו עשר פעמים שחייב לקצצה תלמוד לומר אבד תאבדון.

את כל המקומות אשר עבדו שם, מגיד שהיו כנענים שטופים בעבודה זרה יתר מכל אומות העולם.

אשר אתם יורשים אותם את אלהיהם, מפני מה אתם יורשים את אלהיהם שלא תעשו כמעשיהם ויבואו אחרים וירשו אתכם. רבי יוסי הגלילי אומר

---

1 אלה החוקים וכו׳ עד כך כל מצות הגוף שאינה תלויה בארץ נוהגת בארץ ובחוצה לארץ, קדושין ל״ז ע״א. — אלו המדרשות וכו׳, עיין בציונים למעלה פי׳ נ״ח: 2 יכול כל המצות וכו׳, למעלה פי׳ מ״ד ע׳ 103, אלא ששם נלמד בבנין אב בהתאם למדות אסכולה של ר׳ ישמעאל וכאן ברבוי ומיעוט לפי דעותיהם של ר״ע ותלמידיו: 4 אחר שריבה הכתוב, פי׳ ר״ה, דכתיב כל הימים אשר אתם חיים, דמשמע בין בארץ בין בחוצה לארץ; מיעט, דכתיב לעשות בארץ. — אחר שריבה וכו׳, כעין זה לקמן פי׳ ע״ז, רכ״א, רמ״ט, רצ״ז, ובכולם הנוסח הנכון לפי המקורות מיעט בלא וי״ו, ומובא הרבה פעמים בתו״כ כמפורש ע״י ר׳ חנוך אלבעק בספרו Untersuchungen עמוד 72: 5 מיעט, כן הגרסה בכל המקורות וגם בדפוסי ויניציא וראדיוויל, אלא שבדפוסים אחרונים „נתקן" הנוסח „ומיעט" על פי הגמרא: 8 חוץ מן הערלה וכו׳, קדושין פ״א מ״ט, למעלה פי׳ מ״ד, ואין זה מעיקר ברייתא זו שהרי חסר בב׳ קדושין ל״ז ע״א, ונוסף ע״י אשגרא מן המשנה:

10 מנין אתה אומר וכו׳ עד לקצצה, פ״ז, רמב״ם עשין קפ״ה (ס׳ ע״ב), ס׳ החנוך ראה תל״ו, רא״ם, והשוה רש״י וע״ז ס״ה ע״ב: 12 מגיד וכו׳, פ״ז, והשוה תו״כ אחרי פרשה ט׳ ה״ה (פ״ה ע״ג) ושם פרק י״ג ה״ח (פ״ו ע״ג), קדושים פרק י״א ה׳ ט״ז (צ״ג ע״ג): 14 יורשים, מפורש במובן טרוד וגרושים, כמו והוריש ה׳ את כל הגוים האלה מלפניכם (דבר׳ י״א כ״ג) ולא לשון ירושה, כי אין ראוי לישראל לרשת ע״ז. — את אלהיהם, ר״ה גורס אותם, ומפרש „דהיינו לכנענים". ויותר נראה גרסת רוב המקורות והתנא מברר את המבטה יורשים את אלהיהם המוזר, כפי שהעירותי למעלה: 15 שלא תעשו, לקמן פי׳ פ״א. — ר׳ יוסי הגלילי וכו׳ עד סוף הפיסקא, פ״ז, ע״ז פ״ג מ״ו, מכילתא דברים י״ב ב׳ (במ״ת עמוד 59):

1 אלה החוקים—אף החדש] ל׳ ט, ובמקום מאמר זה מובאה שם ברייתא כעין זו מבבלי קדושין | הדינים רהמ, הדיניים ד, הדייני׳ בל, הדיינים א — 2 תשמרון דמהא, תעש׳ ר, תשמעו ב, תשמע ל | בארץ] בארץ ישראל א | יכול] יכול יהו א | המצות מהדלא, מצוות רב | כולם] אלו א | נוהגות—כל המצות כולם] לא יהו נוהגות א — 3 ת״ל—אלא בארץ] ל׳ ל | יכול כל המצוות כולם ד, יכול—מצוות כולן ר, יכול כל המצות כלן לא יהיו מה, יכול לא יהו מצות כולן ב — 5 למדים] לומדי׳ ד | מן] ממה ל | מה] ומה ראם | מה אמור בענין] ל׳ ב — 6 מיוחדת] שהיא מיוחדת ל | ואינה מהא, שאין רבל, שאינה ד | בארץ—שאין תלויה בארץ נוהגת בארץ ובחוצה לארץ] אלא בארץ ובחוצה לארץ ל | נוהגת] ונוהגת ד — 7 כך—ובחוצה לארץ] ל׳ א | מצות הגוף רהמב, מצוה ר | שאינה דמ, שאין רהב — 8 ושתלויה בארץ] ושבארץ ה | אינה מהרא, אין רב | מן הערלה והכלאים רבל, מן הערלה ומן הכלאים מרא, מן ערלה וכלאים ה — 8 סליק פסקא דא, ל׳ רב —

10 אומר] ל׳ ר — 11 שחייב רמטבלא [רמב״ם], שהוא חייב ה, חייב ד, שחייב אדם [חנוך] | לקצצה] בקציצה ל — 12 את—שם אמט, את כל המקומות ה, וגר׳ רבל, ל׳ ד [פס׳ זוט׳] | מגיד] מגיד הכתוב ד | כנענים רהלא, הכנענים מדטבפ | שטופים] שוטפים ר | בע״ז רמהבאפ, בזימה ובע״ז דל — 14 את] ואת ד | מפני—אלהיהם רמהא, מפני מה אתם יורשים אותם פ, ל׳ לדב — 15 אחרים]

יכול אפילו עובדים את ההרים ואת הגבעות את מצווה לאבדם תלמוד לומר על ההרים הרמים ועל הגבעות ותחת כל עץ רענן, אלהיהם תחת כל עץ רענן ולא עץ רענן אלהיהם אלהיהם על הגבעות ולא הגבעות אלהיהם ומפני מה אשרה אסורה מפני שיש בה תפיסת יד אדם וכל שיש בו תפיסת יד אדם אסור אמר רבי עקיבה אני אהיה אבין לפניך כל מקום שאתה מוצא הר גבוה וגבעה נשאה ועץ רענן דע שיש שם עבודה זרה לכך נאמר על ההרים הרמים ועל הגבעות ותחת כל עץ רענן סליק פיסקא

סא.

(ג) ונתצתם את מזבחותם, זו אבן שחצבה מתחילה לעבודה זרה׳ ושברתם את מצבותם׳ זו שהיתה חצובה ועבדה׳ ואשיריהם תשרפון באש׳ זו אשירה שנעשית מתחילה לעבודה זרה׳ ופסילי אלהיהם תגדעון׳ זו שהיתה נטועה ועבדה׳ דבר אחר ונתצתם את מזבחותם׳ מיכן אמרו שלש אשירות הם אילן שנטעו מתחילה לעבודה זרה הרי זה אסור שנאמר ואשיריהם תשרפון באש, החליף נוטל מה שהחליף שנאמר ופסילי אלהיהם תגדעון, לא החליף אלא העמיד תחתיו עבודה זרה וסלקו הרי זה מותר שנאמר ואבדתם את שמם מן המקום ההוא, לא תעשון

אחר כן מ, אחרי כן א — 1 אפילו] ל׳ רפ | את ההרים ואת הגבעות] ההרים והגבעות ד | ת״ל] ת״ל אלהיהם דל — 2 הרמים—רענן] ולא ההרים אלהיהם פ | תחת כל עץ רענן רדהבא, שתחת—רענן מ, על ההרים ד, על ההרים תחת כל עץ אלהיהן ל, כל עץ רענן פ — 3 ולא—אלהיהם רה, ואין—אלהיהם מא, ולא ההרים אלהיהם ד, ל׳ ב, ולא רענן אלהיהם ל, ולא כל עץ רענן אלהיהם פ | ולא הגבעות הבל, ואין הגבעות מא, ולא על הגבעות ר, ולא גבעות ד | ומפני—אסור ה, ומפני מה אשרה אסורה מפני שיש בה תפיסת ידי אדם וכל מי שיש בו תפיסת ידי אדם אסור מ, מפני מה אשרה פסולה רבל, אלהיהם תחת כל עץ רענן ולא עץ רענן אלהיהם ד, מפני מה אשרה אסורה מפני שיש בה ידי תפיסת אדם וכל שיש בה ידי תפיסת אדם אסור א — 4 א״ר עקיבה רהבדל, ר״ע אומר מא — 5 אהיה הדב, אהי א, איהא מר, ל׳ ל | אבין] אדון ל | כל מקום—ועץ רענן דהאמ, מתני׳ ל, ל׳ בר (ובשניהם יש מקום פנוי בין המלים „לפניך״ ו„דע״, ובכ״י ר נוסף בכתב אחר „כל מקום שאתה מוצא עץ רענן״) | נשאה המ, נישאת א, ל׳ ד | ועץ רענן ה, עץ רענן ד, ל׳ מא | שיש] ל׳ ל — 6 ועל—רענן] וגו׳ ר — 7 סליק פסקא] דא, ל׳ רב —

8 זו אבן וכו׳, מכילתא דברים י״ב ג׳ (במ״ת ע׳ 60), ברייתא זו נוספת מגליון אל הספרי ומקורה במכילתא לדברים ואינה מעיקר הספרי ולכן חסרה בדהמבא וגם רש״י לא גרס לה כמבורר מפירושו, ובנוסחי רפ מקומה למטה, ועיין בשנויי נוסחאות — שחצבה מתחלה, מן ההר לשם ע״ז דכולה אסורה ונותצה לגמרי, מפירוש ר״ה: 9 שהיתה חצובה, ר״ה פירש דהיינו דהיתה אבן חצובה והוסיף בה מחצב לשם ע״ז ועבדה דנוטל מה שהחליף והשאר מותר וכן פירש מהר״ס — זו אשירה, ע״ז מ״ה ע״ב, אשרה שנטעה מתחלה לע״ז אין לה היתר, אבל אם היתה נטועה ועבדה, גודע מה שנתגדל באיסור ועיקרא מותר: 11 מיכן אמרו וכו׳, פ״ז; ע״ז פ״ג מ״ז; ומובא בס׳ יראים ע״א, הוצ׳ שיף תכ״ח, ובס׳ השרשים לאבן גנאח ש׳ אשר, ע׳ 50 — מיכן אמרו. רמא״ש מעתיק מכ״י ר״ה שלו „ואיבדתם זו אבידת כלים תגדעון זה גידעו מכיון אמרו וכו׳״ ובכ״י פ הגרסה „אבידת כליה, כלומר האי דכתוב ואבדתם את שמם זו אבידת כליה״, והשוה גרסת ר שהבאתי בשנויי נוסחאות, „אבידת כלאה כלה שרוף שבור גדוע״ והוא לקוחה ממכילתא דברים י״ב ג׳ (מ״ת ע׳ 60), והוא פירוש אבד תאבדון, אבידת כליה, כלומר לגמרי, כלה שרוף, שבור, וגדע; וז״ל המכיל׳ שם, „ואבדתם את שמם מן המקום ההוא אבדת כלאה, כלה והשחת ושרוף ואבד והעבירו מן העולם״, וכן בתו״כ קדושים פרק י׳ ה״ו (צ״ב ע״ד): 12 החליף, כמו שמפרש במשנה שם, גדעו ופסלו לשם ע״ז ואחר כן החליף:

8 ונתצתם—שהיתה נטועה ועבדה] ברייתא זו חסרה בדהמבא, ובכ״י ר ובפי׳ ר״ה מובאה אחר הברייתא של שלש אשרות, ורק בטדל מקומה כאן | מתחילה לע״ז דטילפ, לע״ז טי, מתחילה ר, לבומס [מכילתא] | ושברתם—ועבדה] ל׳ ל — 9 שהיתה חצובה ועבדה פז [מהר״ס, מכילתא], שחצב חציבה ועבדה ר, מצבה שחצבה לע״ז ט, מצבה שחצבה מתחלה לע״ז ד — 10 מתחילה] ל׳ ט | לעבודה [מכילתא], לעבודה ר, לע״ז דפט, ע״ז ל | אלהיהם תגדעון] תשרפו׳ באש ר | זו] ל׳ ט | ועבדה רל [מכילתא], ועבדה לע״ז ד, מתחילה לע״ז טי ר מוסיף: <אבידת כלאה כלה שרוף שבור גדוע> והשוה גי׳ ר״ה שהבאתי בהערות | ד״א דטל, ל׳ רבמהא — 12 הרי זה] ל׳ [גאנת, ויראים] — 13 אלא] ל׳ ל | אלא] אבל [יראים] | העמיד תחתיו ארמהטב [גאנת, יראים], שהעמידו תחת ד, שהעמיד תחתיו ל — 14 וסלקו ארטימבל, סלקו טי, וסלקה ה, וסילקן ד [גאנח], לסלקה [יראים] | הרי זה] ל׳ ט | מן המקום ההוא] מתחת השמים ב, ל׳ ל —

כן לה׳ אלהיכם. שלשה בתים הם בית שבנאו מתחילה לעבודה זרה הרי זה אסור שנאמר אבד תאבדון את כל המקומות, חדש נוטל מה שחדש שנאמר ואבדתם את שמם לא חדש אלא הכנים לתוכו עבודה זרה והוציאה הרי זה מותר שנאמר ונתצתם את מזבחותם ושברת את מצבותם נתצתה את המזבח הנח לו שברתה את המצבה הנח לה, יכול את מצווה לרדוף אחריהם בחוצה לארץ תלמוד לומר ואבדתם את שמם מן המקום ההוא, בארץ ישראל אתה מצווה לרדוף אחריהם, ואין אתה מצווה לרדוף אחריהם בחוצה לארץ. רבי אליעזר אומר מנין לקוצץ את האשירה שחייב לשרשה תלמוד לומר ואבדתם את שמם אמר לו רבי עקיבה מה אני צריך והלא כבר נאמר אבד תאבדון מה תלמוד לומר ואבדתם את שמם לשנות את שמם או יכול לשבח תלמוד לומר [ס]שקץ תשקצנו ותעב תתעבנו (דברים ז כו) מנין לנותץ אבן אחת מן ההיכל ומן המזבח ומן העזרות שעובר בלא תעשה תלמוד לומר ונתצתם את מזבחותם ושברתם את מצבותם לא תעשון כן לה׳ אלהיכם. רבי ישמעאל אומר מנין למוחק אות אחת מן השם שעובר בלא תעשה שנאמר ואבדתם את שמם לא תעשון כן לה׳ אלהיכם. רבן גמליאל אומר וכי תעלה על דעתך שישראל נותצים למזבחותיהם חס ושלום אלא שלא תעשו כמעשיהם ויגרמו מעשיכם הרעים למקדש אבותיכם שיחרב סליק פיסקא

סב.

(ה) כי אם אל המקום אשר יבחר ה׳ אלהיכם מכל שבטיכם, דרוש

4 נתצתה וכו׳ עד המצבה הנח לה, ע״ז מ״ה ע״ב בשם תני רב יוסף. ירו׳ שם פ״ד ה״ד (מ״ה ע״א) בשם מתני׳ דחזקיה: 6 ואבדתם וכו׳ עד בחוצה לארץ, רמב״ם עשין רפ״ה, חנוך ראה תל״ו, והשוה רמב״ם הלכ׳ ע״ז פ״ז ה״א, סמ״ג עשין י״ד, סמ״ק עשין ל״ז, טור ושו״ע יו״ד סימן קמ״ו: 7 מנין לקוצץ וכו׳ עד ותעב תתעבנו, ע״ז מ״ה ע״ב: 8 שחייב לשרשה, רש״י: 10 לשנות וכו׳, תוספתא ע״ז פ״ו (ז) ה״ד (ע׳ 469), ירו׳ שם פ״ג ה״ח (מ״ג ע״א), מכילתא משפטים מסכתא דכספא פ״כ (ק״א ע״א), ירו׳ שבת פ״ט ה״א (י״א ע״ד): 11 מנין לנותץ וכו׳, [תוספתא מכות פ״ה (ד׳) ה״ח, ע׳ 444] רש״י, פ״ז, רמב״ן, רא״ם, ס׳ יראים סי׳ ט׳ (הוצ׳ שיף, סי׳ שס״ו), רוקח ש׳ היראה, סמ״ג לאוין ג׳. ולדעתי נאמר איסור זה מיד אחר החורבן למנוע טלטול וקיחת אבני המקדש ממקומם שנפלו שם, ור״ג החי ביבנה ומצא מאמר זה כבר מסודר חשב שאוסר לישראל לסייע בנתיצת אבני המקדש ולכן תמה עליו: 13 ר׳ ישמעאל וכו׳, לפי עדות המנוח דר׳ בן ציון הלפר מובא בקטע מן הגניזה בפלדלפיא ומיוחס שם „לר׳ שמעון בן אליעזר משום ר׳ מאיר״, עיין ברבעון האנגלי מהדורה חדשה שנה י״ג עמוד 39: ורמב״ן פירש „ודברי ר׳ ישמעאל אינם במחלקת אבל הם ביאור כי מוחק את השם כנותץ המזבח״ — מנין למוחק, [תוספתא מכות שם ה״ט; בבלי כ״ב ע״א; שבת ק״כ ע״ב; מסכת סופרים פ״ה ה״ו בשם ר״ש; ועיין רש״י דג׳ „אמר ר׳ ישמעאל וכי תעלה וכו׳ ומובא גם ברמב״ן]״: 17 כי אם וכו׳ עד עלה הקם לה׳, מכירי תהלים

1 בתים] כתובים א | בית שבנאו רבדהטא, מי שבנו מ, בתים שבנאם ל — 3 שמם דאה] מבל מוסיפים <לא תעשון כן לה׳ אלהיכם>, ר מוסיף <לא תעשון כן לה׳ אלהיך> | הכנים] שהכניס מל | לתוכו] בתוכו ד | והוציאה מ, והוציאו רדלהטא, והוציא ב — 4 ושברת את מצבותם ה, ל׳ א מרלד | הנח לו] הנחילו א | לו] לה ב | שברתה אמדה ט, ושברת רבל — 5 את המצבה] המצבה א | הנח לה] הנחילה א | יכול—שמם מהטבלא, יכול את מצווה לרדוף אח׳ ר, ל׳ ד — 6 בא״י אתה מצוה לרדוף אחריהם] ל׳ ר — 7 ואין רדה, ואי מדבלא [רמב״ם, חנוך] | לרדוף אחריהם בחו״ל] בחוצה לארץ לרדוף אחריהם ד | רא״א] ד״א ואבדתם את שמם מן המקום ההוא רא״א ה | את] ל׳ ט׳ — 8 שחייב] שהוא חייב ה | לשרשה הט, לשורשה ב, בשורשה ר, לשרשה בשורשין מא, לשרש אחריה ד, בשור ושה ל — 9 והלא] הלא ד | מה רמטלא, ומה ד הל — 10 או] ל׳ אפ | תשקצנו ותעב תתעבנו] וגו׳ ר — 11 מנין] ומנין מא | אחת רהבא [רמב״ן], אחד מרטל | ההיכל] ההיכלות ה | ומן המדא, מן רטבל | המזבח] המזבחות ה | ומן] מן טב | שעובר רמהטבא, שהוא דל, שהוא עובר [יראים] | ת״ל אמטדבל [יראים], שנ׳ רה — 12 ונתצתם את מזבחותם] ואבדתם את שמם באי | את מזבחותם—מצבותם] ל׳ רמ | לא] ולא ד וכן בסמוך — 13 אות אחת מן השם] את השם [יראים] | אחת] ל׳ בל | שעובר רטהמא [רמב״ן], שהוא דל — 14 גמליאל] ישמעאל [רש״י], יוחנן בן זכאי [יראים, שיף], ובספרי של הגר״א נ״א ר׳ שמואל | אומר] ל׳ ב — 15 למזבחותיהם] את מזבחותם ל — 16 מעשיכם רמטה [יראים], עוונותיכם ומעשיכם ד, מעשיהם בא, עוונותיכם ל | אבותיכם] אבותינו ד | שיחרב] שיחרוב ר | סליק פסקא דא, ל׳ רב — (סב) 17 כי] ל׳ ר | דרוש] דרוש ומצא מ, דרש י״נ דרוש ומצא א —

על פי נביא יכול תמתין עד שיאמר לך נביא תלמוד לומר לשכנו תדרשו ובאת שמה דרוש ומצוא ואחר כך יאמר לך נביא וכן אתה מוצא בדוד שנאמר (תהלים קלב א–ה) זכור ה׳ לדוד את כל ענותו אשר נשבע לה׳ נדר לאביר יעקב אם אבא באהל ביתי אם אתן שנת לעיני עד אמצא מקום לה׳ משכנות לאביר יעקב מנין שלא עשה אלא על פי נביא שנאמר (ש״ב כד יח) ויבוא גד אל דוד ביום ההוא ויאמר לו עלה הקם לה׳ מזבח בגורן ארונה היבוסי ואומר (דה״ב ג א) ויחל שלמה לבנות את בית ה׳ בירושלים בהר המוריה אשר נראה לדוד אביהו. כתוב אחד אומר (דב׳ יב יד) באחד שבטיך וכתוב אחד אומר מכל שבטיכם, כיצד נתקיימו שני כתובים הללו, יודעים היו שבית הבחירה עתיד לבנות בחלק יהודה ובנימן לפיכך הפרישו דושנה של יריחו מי אכלו כל אותן השנים בני קיני חתן משה אכלוהו שנאמר (שופטים א טז) ובני קיני חתן משה עלו מעיר התמרים, אבל משנבנה הבית נסעו והלכו להם דברי רבי שמעון רבי יהודה אומר אצל יעבץ הלכו ללמוד תורה שנאמר (דה״א ב נה) ומשפחות סופרים יושבי יעבץ תרעתים שמעתים סוכתים המה הקנים. דבר אחר כתוב אחד אומר באחד שבטיך וכתוב אחד אומר מכל שבטיכם הכסף מכל שבטיכם בית הבחירה משבט אחד. דבר אחר באחד שבטיך זו שילה, מכל שבטיכם זו ירושלם. הרי הוא אומר (ש״ב כד כד) ויקן דוד את הגרן ואת הבקר בכסף שקלים חמשים וכתוב אחד אומר ויתן דוד

1 נביא] הנביא פ | תמתין רבטדלכ [רמב״ן], המתן ה, ימתין מא | שיאמר] שיומר ר | לך] לו מ, ל׳ א — 2 ומצוא רמאכ [רמב״ן], ומוצא דבל, ואתה מוצא ט, אתה דורש ה | ואח״כ יאמר כרדטמבל [רמב״ן], מה שיאמר לך ה (וע׳ בהגהת העורך שם), ואחר יאמר א | נביא] הנביא מ | אתה מוצא] מצינו א | שנאמר אמה, ל׳ רטדבלב — 3 אשר—יעקב] ל׳ א | לה׳ נדר] ל׳ ר | יעקב] יעקב וגו׳ רל | אם] ואו׳ אם א | באהל ביתי] וגו׳ ר — 4 שנת לעיני] וגו׳ ר | מקום—יעקב] וגו׳ רב | משכנות לאביר יעקב] ל׳ א | מנין אמהדכ, ל׳ טבל, ומנין פ | עשה אמהב, תעשה רדטלכפ — 5 גד מה דא (מסורה), גד החוזה כרטבלפ | אל דוד ביום ההוא אלמ (מסורה), אל דוד ה, ביום ההוא טב, ביום ההוא אל דוד ד, ל׳ רכ | הקם—ואומר] וגו׳ מ, ל׳ א | הקם ר מד (מסורה), והקם רהטיבל, וקם טי | לה׳ טדבל (מסורה), ל׳ רה — 6 ואומר] ל׳ א | בית] הבית בית א — 7 אביהו מהדל (מסורה), אביו וגו׳ ר, אביו ט, אבי׳ ב, אביו אשר הכין במקום אביו בגורן ארנן היבוסי א | באחד—שבטיכם] מכל שבטיכם ב — 8 שבטיכם] שבטיך ר | נתקיימו רטב, יתקיימו לדמהאפ | כתובים] הכתובים מ | הללו מהדלאפ, ל׳ רטב — 9 הבחירה האמ, המקדש דרבלטפ | בחלק] בחלקו של ד | יריחו פרהלא, ירחו מ, יריחו מיריחו דב | מי אכלו] מאכלו א | אכלו רההרב ל, אכלן ט, אכלה מ — 10 אותן] ל׳ ה | אכלוהו אה, אכלוה מ, אכלוהו ארבע מאות וארבעים שנה רדלבפ, אכלוהו כל אותן ארבע מאות וארבעים שנה ט | עלו אהמברט (מסורה), באו ר, נסעו ל — 11 משנבנה] משנבנית א | נסעו והלכו] הלכו ונסעו מא | שמעון] ישמעאל ל — 12 הלכו אה, היו שהלכו רדטלב | ומשפחות רהא, ומשפחת לדב, וממשפחות מ | תרעתים—הקנים ה, וג׳ טב, ל׳ רמלדא — 13 ד״א מהא, ל׳ רטבדל | כתוב] וכתו׳ ב — 14 שבטיכם רמהבילא, שבטיך טדב | הכסף מכל שבטיכם] ל׳ בל | הכסף] ר׳ יהודה אומר הכסף ה | שבטיכם] השבטים ד | בית הבחירה—אחד אמט״ב, ובית הבחירה—אחד ה, בית הבירה—אחד רטיל, ל׳ ד | ד״א ה, ל׳ אמרטבדל — 15 שבטיך] שעריך א | שילה] שילו ב | הרי אה, וכן רטיב, כן טידמל — 16 ואת הבקר] ל׳ א | חמשים] חמשת ד —

קל״ב א׳, פס׳ זוט׳, רמב״ן — דרוש, [הגר״א מוחק]: 1 על פי נביא, מ״ת לקמן ט״ז ו׳ (ע׳ 92) השוה זבחים נ״ד ע״ב, ועיין אגדות היהודים למורי ר׳ לוי גינזבורג ח״ו ע׳ 293: 7 כתוב וכו׳, רש״י, פס׳ זוט׳, רא״ם, לקמן פי׳ שנ״ב, אדר״נ פ׳ ל״ה (ע׳ 104), ספרי במדבר פי׳ ע״ח (ע׳ 73), ופי׳ פ״א (ע׳ 77), ספרי זוטא ט׳ כ״ט (ע׳ 263) מכילתא יתרו מסכתא עמלק פ״ב ע׳ ע״ב, (ה–ר ע׳ 200), מכילתא דרשב״י שם י״ח כ״ז (ע׳ 91), ת״י במדבר י׳ ל״ב, יומא י״ב ע״א, מגילה כ״ז ע״א, סנהדרין ק״ו ע״א, תמורה ט״ז ע״א, במדבר רבה פ׳ י״א סי׳ ו׳, והשוה עוד הערת מורי ר׳ לוי גינזבורג בספרו אגדות היהודים חלק ו׳ עמוד 29: 9 יהודה ובנימין, [הגר״א גורס „בחלקו של אחד מהם״]: 10 שנאמר, [הגר״א גורס והלכו להם שנ׳ וכו׳, ועיין רד״ף שהקשה דהא הך קרא בתחילת שופטים כתיב וצ״ל דהכי מפרש שעלו לפי שעה עם בני יהודה להשתתף עמהם בכבוש המקומות ואח״כ חזרו ליריחו ולא מייתא ראיה אלא שהיו דרים ביריחו]: 13 כתוב אחד וכו׳. פ״ז, לקמן פי׳ שנ״ב, ספרי במדבר פי׳ מ״ב (עמו׳ 48) בשם אבא יוסף בן דוסתאי, פדר״א ל״ו, מדרש שמואל ל״ב א׳, (ע׳ ע״א) בשם תני רשב״י, זבחים קט״ז ע״ב, במדבר רבה פרשה י״א סי׳ י״ט, ברייתא דל״ב מדות של ר׳ אליעזר בנו של ריה״ג מדה ט״ו, ועיין עוד בציוניו של מורי ר׳ לוי גינזבורג בספרו אגדות היהודים ח״ו ע׳ 255, וברש״י ורד״ק ש״ב כ״ד כ״ד: 14 הכסף מכל שבטיכם וכו׳, לקמן פי׳ ע׳, רש״י שם פסוק י״ד: 15 זו שילה וכו׳, השוה למטה פי׳ ס״ח:

לארנן במקום שקלי זהב משקל שש מאות, כיצד נתקיימו שני כתובים הללו, הם שנים עשר שבטים נטל חמשים שקלים מכל שבט ושבט נמצאו שש מאות שקלים לכל השבטים.

לשום את שמו שם, נאמר כאן שמו ונאמר להלן °ושמו את שמי מה שמו האמור (במדבר ו כז) כאן בית הבחירה אף שמי האמור להלן בית הבחירה מה שמי האמור להלן ברכת כהנים אף שמו האמור כאן ברכת כהנים אין לי אלא במקדש בגבולים מנין תלמוד לומר °בכל המקום אשר אזכיר את שמי (שמות כ כד) אם כן למה נאמר לשום את שמו שם במקדש אומרים את השם ככתבו ובמדינה בכינויו סליק פיסקא

סג.

(ו) ובאת שמה והבאתם שמה, למה נאמר לפי שנאמר °אלה מועדי ה׳ (ויקרא כג לז) אשר תקראו אותם מקראי קודש להקריב אשה לה׳ דבר יום ביומו יכול אין ליקרב ברגל אלא קרבנות רגל בלבד מנין לקרבנות צבור שהוקדשו לפני הרגל שיבואו ברגל וקרבנות היחיד שהוקדשו לפני הרגל שיבאו ברגל ושהוקדשו ברגל שיבואו

5 בית הבחירה, נסחתי על פי הגהת הגר״א כמבואר בשנויי נוסחאות וראיה להגהתו מספרי זוטא ו׳ כ״ז (ע׳ 250) „ושמו את שמי שמי המיוחד לי מגיד שהן מתברכין בשם המיוחד יכול אף בגבולין יהו מתברכין בשם המיוחד ת״ל ושמו את שמי ולהלן הוא אומר לשום שמו שם מה להלן מקדש אף כאן מקדש״. וכעין זה בב׳ סוטה ל״ח ע״א: 8 בכינויו, סוטה פ״ז מ״י, מכילתא יתרו בחודש פי״א (ע״ג ע״א, ה—ר ע׳ 243), מכילתא דרשב״י שם כ׳ כ״ד (ע׳ 115), ספרי במדבר פי׳ ל״ט (ע׳ 43), מ״ג (ע׳ 48). ועי׳ בהערת המנוח ר׳ חיים שאול הארוויטץ לספרי במדבר פי׳ ל״ט, ובדרכה של תורה לפיניליש ע׳ 94. ולדעתי יש להגיה שם בספרי במדבר „כה תברכו את בני ישראל, בשם המפורש אתה אומר בשם המפורש או אינו אלא בכינוי ת״ל ושמו את שמי על בני ישראל בשם המפורש דברי ר׳ יאשיה ר׳ יונתן אומר וכו׳״. לפי הגהה זו מתנגד ר׳ יאשיה אל הקבלה המוסכמה שבגבולין מברכים בכינוי, וסובר שבכל מקום מברכים בשם המפורש. ור׳ יונתן חולק עליו ואוסר להזכיר שם המפורש בגבולין. שני התנאים האלה הם כידוע מתלמידי ר׳ ישמעאל; דעת תלמידי ר״ע משתקפת מתוך ברייתא שלפנינו המתאימה עם זו שבספרי זוטא ולומדת איסור הזכרת שם המפורש בגבולין לא מן הכתוב בכל המקום וכו׳ כר׳ יונתן, אלא מן ושמו את שמי; בברייתא מאוחרת של אסכולת ר׳ ישמעאל בסוטה ל״ח ע״א נתיחסה דעת ר׳ יונתן לר׳ יאשיה ודעת תלמידי ר״ע הובאה סתמא: 9 ובאת וכו׳, רמב״ם עשין פ״ג, חנוך ראה תל״ז, רא״ם, תו״כ אמור פרשה י״ב ה״י (ק״ב ע״ב), ירוש׳ ר״ה פ״א ה״א (נ״ו ע״ב), ב׳ שם ד׳ ע״ב, ספרי במדבר פי׳ קנ״ב (ע׳ 197), מ״ת לקמן כ״ג כ״ב (ע׳ 151). — לפי שנאמר וכו׳. [גרסת מ״ת היא כגרסת הדפוס ואי איפשר לקיימה וצריך להגיה כל הפיסקא על פי התו״כ אמור פרשה י״ב י׳, הגר״א, ור״ה ומהר״ס]: 11 ליקרב, מלה אחת כמו להקרב

1 לארנן רמדהבא. לאורנה ד, לאורנן ל | משקל] ל׳ ט | נתקיימו טמב, יתקיימו הדל׳א, נשי׳ ר | שני כתובים הללו מהא, שני כתובים טבדל, כתובים ר — 2 הם] ל׳ ל | שקלים] ל׳ מה | נמצאו רמהלא, נמצא טדב | שש—השבטים ארמהטב. לכל השבטים שש מאות שקלים דל — 4 כאן שמו] כאן לשום ד | שמי] ושמו את שמי ד | מה] ומה מ — 5 כאן בית הבחירה] כן הגיהו הגר״א, רד״ף, ובעל אהלי יהודה ואין ספק לי שזו היא הגרסה הנכונה, אעפ״י שבכל המקורות הנוסח להלן בלשון הקודש. ואולי היה כתוב במקור הראשון ב״ה, כלומר בית הבחירה ובטעות הועתק בלשון הקודש. וכן לקמן נסחתי על פי הגהה זו להלן בית הבחירה, אעפ״י שבכל הנוסחאות נמצא כאן בלשון הקודש | שמי—שמי אר, שמו—שם ב, שמו—שמו לדמה | להלן—כאן] כאן—להלן מ | להלן—האמור] ל׳ א — 6 אין] ואין מ — 7 המקום] מקום לא | נאמר] אתה אומר ל — 8 אומרים את השם רמא, אומר את השם ט, אומרים אותו ד, אתה אומר דל, אומר אתה ב | ככתבו אמטבל, בכתבו דה, ככתובי ר | ובמדינה ארמהל, ובגבולין מבד | בכינויו רמדה, ככנויו טב, בכינוי ל, בכנוי א | ס״פ ד, ל׳ רא —

9 שנאמר] שהוא אומ׳ לא | אלה—דבר יום ביומו, כן הגיהו ר״ה הגר״א ורמא״ש ע״פ תו״כ והירו׳, ובמקורות הספרי הנוסח: אלה תעשו לה׳ במועדיכם לבד מנדריכם ונדבותיכם לעולותיכם (במדבר כ״ט ל״ט) — 11 אין—בלבד] אין לי אלא קרבן ברגל בלבד ל | ליקרב ט׳, לי קרב אמהט׳, ליקריב ר, לי שקרב ד, ל׳ א, קרוב ב | רגל] הרגל ד, מנין לקרבנות צבור—ושהוקדשו ברגל שיבואו ברגל ה, מנין לקרבנות צבור שהוקדשו לפני הרגל שיבאו ברגל ושהוקדשו ברגל שיבאו ברגל וקרבנות היחיד שהוקדשו לפני הרגל שיבואו ברגל אמ, מנ׳ לקורבנות ציבור שהוקדשו לפני הרגל שיבאו ברגל ושהוקדשו ברגל שיבואו ברגל קורבנות ציבור [ר׳ יחיד] שהוקדשו לפני הרגל שיב׳ ברגל שהוק׳ ברגל שיב׳ ברג׳ ר, קרוב ברגל ושהוקדשו קדשו ברגל שיבאו ברגל קרבנות יחיד שהקדשו ברגל שיבאו לפני רגל שהוקדשו ברגל שיבאו ברגל ב | מניין לקרבנות ציבור שהוקדשו לפני הרגל שיבואו לפני הרגל וקרבנות יחיד שהוקדשו ברגל שיבאו ברגל ד, מניין לקרבנות שהוקדשו לפני הרגל שיבואו ברגל ושהוקדשו ברגל שיבואו ברגל קרבנות יחיד

ברגל תלמוד לומר (ויקרא כג לח) ומלבד מתנותיכם ומלבד כל נדריכם ומלבד כל נדבותיכם אשר תתנו לה׳ לרבות עופות ומנחות להתיר שכולם יבואו ברגל יכול רשות תלמוד לומר (במדבר כט לט) אלה תעשו לה׳ במועדיכם אם להתיר כבר התיר אם כן למה נאמר אלה תעשו לה׳ במועדיכם לקבעם שכולם יבאו ברגל יכול באיזה רגל שירצה תלמוד לומר ובאת שמה והבאתם שמה אם להתיר כבר התיר אם לקבוע כבר קבע אם כן למה נאמר ובאת שמה והבאתם שמה לקבעם חובה שלא יבואו אלא ברגל הראשון שפגע בו יכול אם עבר רגל אחד ולא הביא יהא עובר עליו משום בל תאחר תלמוד לומר אלה תעשו לה׳ במועדיכם הא אין עובר עליו משום בל תאחר עד שיעברו עליו רגלי שנה כולה.

עולותיכם, עולת יחיד ועולת צבור. וזבחיכם, זבחי שלמי יחיד וזבחי שלמי צבור. מעשרותיכם, רבי עקיבה אומר בשני מעשרות הכתוב מדבר אחד מעשר דגן ואחד מעשר בהמה. ותרומת ידכם, אלו הבכורים כענין שנאמר (דברים כו ד) ולקח הכהן הטנא מידך. ובכורוה, זה הבכור. בקרכם וצאנכם, אלו חטאות ואשמות סליק פיסקא

סד.

(ז) ואכלתם שם לפני ה׳ אלהיכם, במחיצה. ושמחתם, נאמר כאן שמחה ונאמר להלן (שם כז ז) שמחה מה שמחה האמורה להלן שלמים אף שמחה האמורה כאן

שהוקדשו לפני הרגל שיבואו ברגל ושהוקדשו ברגל שיבואו ברגל ל — 1 ומלבד–תתנו לה׳] גם זה לפי הגהת ר״ה הגר״א ורמא״ש ע״פ תו״כ והירו׳, ובמקורות הספרי אלה תעשו לה׳ במועדיכם — 2 עופות] עולות ל | שכולם יבאו אדמה, שכולן שיב׳ רב, כולם שיבאו ט. שיבואו כולן ל — 3 להתיר] התיר ה | התיר] התירן ל — 4 לקבעם] לקובעם חובה ד | שכולם יבאו דלפ, שכולם שיב׳ רב, שיבאו מא, שיבאו כולם ה. כולן שיבאו ט — 5 אם–והבאתם שמה] ל׳ מא | כבר התיר] כן הוא אומר ב | אם רטב, ואם ד, ל׳ ל — 6 כבר קבע] כן קבוע ב | לקבעם] לקובעו ל — 7 יבואו כדהטל, יבוא ר, יבוא ב, יהא ד | שפגע ארמהטיב. שפגעו טי, שקבע ופגע ד, שקבע ושפגע ל | יהא רמהטלא, יכול יהיה ד, יהי ב — 8 הא] עדיין ל, ל׳ א — 9 שנה כולה] כל השנה ל — 10 וזבחיכם] וזבחים ר | יחיד–צבור] צבור–יחיד א — 11 מעשרותיכם] ואת מעשרותיכם מ | בשני] בשתי ד [רש״י ותוספות זבחים] — 12 דגן–בהמה] בהמה–דגן [רש״י, זבחים] | ותרומת ידכם מטבל [תוספות], את תרומת יד׳ ד, ותרומת ידיכם רד, תרומת ידכם א | הבכורים מדהל [תוספות], בכורים רמדבא — 13 זה הבכור] ל׳ א | בקרכם] ובקרכם מ — 14 סליק פסקא ד, ל׳ רא — 15 במחיצה] אלו המחיצה [תוספות] — 16 האמורה

וכן בירושלמי, וברוב הנסחאות נפרדה לשתי מלים ל״י קרב: 2 עופות ומנחות, דכתיב בהו לה׳ דבעוף כתיב ואם מן העוף קרבנו לה׳ (ויק׳ א׳ י״ד) ובמנחות כתיב ונפש כי תקריב קרבן מנחה לה׳ (שם ב׳ א׳), מפי׳ ר״ה: 9 רגלי שנה כולה, מ״ת לקמן כ״ג כ״ב (ע׳ 151), ר״ה ה׳ ע״ב, תו״כ אמור שם, ירו׳ ר״ה שם, לקמן פי׳ קמ״ג: 10 עולותיכם וכו׳ עד סוף הפיסקא, כעין זה למטה פי׳ ס״ח׳ — וזבחי שלמי צבור, [רד״ף נדחק לפרש בנאבדו והפריש אחרים תחתיהם ואחר כך נמצאו וכמאן דאמר לב בית דין מתנה עליהם אם הוצרכו ואם לאו יהיו לדמיהן וחייב להביא בדמיהן עולה ועל זה קאמר דחייב להביאן ברגל ראשון וזה דוחק ויותר נראה דהשתא מפרש קרא כפשטיה ולא לענין חיוב הבאה ברגל ראשון]: 11 מעשרותיכם וכו׳ עד במחיצה, תוס׳ זבחים נ״ו ע״ב ד״ה ונאכלין׳ — ר״ע אומר וכו׳, בכורות נ״ג ע״א, ירו׳ תרומות פ״א ה״ג (מ׳ ע״ג) בשם ר״מ, שם יבמות פי״ג ה״א (י״ג ע״ב), רש״י, פ״ז, ספר יראים הוצ׳ שיף תכ״ד, ספר זכרון, רש״י זבחים נ״ו ע״ב ד״ה ונאכלים, והשוה תוספתא בכורות פ״ז ה״א (ע׳ 541), מ״ת י״ד כ״ב (ע׳ 77), ר״ה ח׳ ע״ב: 12 הבכורים, לקמן פי׳ ע״ב, פסחים ל״ו ע״ב, יבמות ע״ג ע״ב, מכות י״ז ע״א, חולין ק״כ ע״ב, מעילה ט״ו ע״ב, ירו׳ בכורים פ״ב ה״א ושם יש להגיה בהשלמת הפסוק „והבאתם שמה עולותיכם [וזבחיכם ואת מעשרותיכם ואת תרומת ידכם] אילו הבכורים״: 13 זה הבכור, לקמן פי׳ ע״ב, מכות י״ז ע״א׳ — חטאות ואשמות, לקמן פי׳ ע״ב, מכות שם, רא״ם:
15 ואכלתם וכו׳ עד הביא, פ״ז׳ — במחיצה, לקמן פי׳ ס״ט׳ — במחיצה, דקושי קדשים נאכלים לפנים מן הקלעים לכהנים וקדשים קלים לפנים מן חומות ירושלים, מפירוש ר״ה; זבחים פ״ה מ״ה ומ״ו, וב׳ זבחים נ״ו ע״ב ברש״י וחוכבות ואין המלה מכפיקה פי׳ זה, ולכן דגיה הגר״א ונסח תחתיה המאכר הנמצא בכפרי לקמן פי׳ ס״ז „נמצא שהיו שם שתי מחיצות מחיצה לקדשי קדשים מחיצה לקדשים קלים״, ולי נראה לקיים הגרסה שלפנינו והדרשה הובאה כאן בשיגרא אל הכתוב לפני ה׳ אלהיכם, ועיררה להלן פי׳ ס״ט, והשוה דברי ר׳ חנוך אלבעק בכפרו Untersuchungen ע׳ 20· — נאמר כאן וכו׳, לקמן פי׳ ס״ט, ק״ז, קל״ח, מ״ת ט״ו י״ד (ע׳ 94) ושם כ״ו י״א (ע׳ 174), ירו׳ חגיגה פ״א ה״ב (ע״ו ע״ב), וביכורים פ״ב ה״ג (ס״ה ע״ג), ב׳ פסחים ק״ט ע״א: 16 להלן, בפכחים

שלמים. בכל משלח ידכם, בכל מה שאתם שולחים בו ידיכם ברכה אשלח בו. אתם ובתיכם, זו אשתו. אשר ברכך ה' אלהיך, הכל לפי הברכה הביא

סליק פיסקא

סה.

(ח) לא תעשון ככל אשר אנחנו עושים פה היום. חובה בבית העולמים ורשות בבמה. דבר אחר לא תעשון צאו ועשו מיכן אמרו עד שלא הוקם המשכן היו הבמות מותרות ועבודה בבכורות משהוקם המשכן נאסרו הבמות ועבודה בכהנים באו לגלגל הותרו הבמות באו לשילה נאסרו הבמות באו לנוב וגבעון הותרו הבמות באו לירושלם נאסרו הבמות מכאן ואילך לא הותרו.

לא תעשון ככל אשר אנחנו עושים פה היום, היום אנו מטלטלים את המשכן היום אנו אסורים בבמה משנבוא לארץ אין אנו אסורים בבמה. רבי יהודה אומר יכול יהא צבור מקריב בבמה תלמוד לומר איש היחיד מקריב בבמה ואין הצבור מקריב בבמה.

איש כל הישר בעיניו. כל שנידר ונידב קרב בבמת יחיד, וכל שאין נידר ונידב אין קרב בבמת יחיד, רבי שמעון אומר היום אנו מקריבים חטאות ואשמות משנבוא לארץ אין אנו מקריבים חטאות ואשמות סליק פיסקא

שם מובא הכתוב דברים כ"ז י"ז. וכן ציינו עליו המפרשים, אבל בפ"ז העתיק ושמחת בחגיך (דב' ט"ז י"ד): 2 אשתו. ביתו זו אשתו, יומא פ"א מ"א, והשוה לקמן פיסקא ש"א, „ולביתך מלמד שאדם מביא בכורים מנכסי אשתו וקורא", ועיין שבת קי"ח ע"ב, גטין מ"ז ע"ב, תוספתא סוטה פ"ז ה"כ (ע' 309, שורה 10). — לפי הברכה הביא, רש"י. — הביא, כלומר לפי הברכות הביא נדרים ונדבות, מפי' ר"ה:

5 עד שלא הוקם וכו', תוספתא זבחים פי"ג ה"א והלאה; זבחים קי"ב ע"ב; וע' בכורות ד' ע"ב: 9 היום וכו' עד אין אנו אסורים בבמה, ס' הזכרון, ס' יראים סי' ש"ס, הוצ' שיף ע' ס"ז; רש"י זבחים קי"ד ע"א ד"ה לא תעשון כן. — ר' יהודה אומר וכו', תוספתא זבחים פי"ב ה' י"ג וט"ו (ע' 499), ובבלי שם קי"ז ע"א: 13 כל שנידר ונידב וכו', תו"כ אחרי פרק ט' ה"ו (פ"ד ע"א), מגילה ט' ע"ב, תוספתא זבחים שם ה' י"ד: 14 רש"א, תו"כ, זבחים ומגילה שם:

1 בכל משלח ידכם] מעשה ידיכם ב | בו רדהטב. בו את מא, את ד, ל' ל — 2 ובתיכם] וביתי' רב | הביא רמדהטיבל, תביא טי, הבא דפ [רש"י], ל' א — 3 סליק פסקא דא, פ' ר —

4 לא תעשון—ורשות בבמה ל, ד"א לא תעשון—ורשות בבמה ר, מהר"ס, [ר"ה לפי עדות רמא"ש], לא תעשון—בבית העולמים רשות בבמה ט. לא תעשון היום חובה ורשות בבמה בי, ל' מהדא [ובכ"י פ חובה בבית עולמים [רשות] דרשות הוה לי[ה] לאדם להקריבו כגון נדרים ונדבות מקריבין בבמה דמשמע קרא איש כל הישר בעיניו הכי רשות אקריבו דהיינו נדרים ונדבות וחובות לא אקריבו והכי מפרש לה התם בהלכתא דבאו בגלגל דאמר לא תעשון צאו ועשו דמשמע היום לא תעשו ככל אשר אנחנו עושים להקריב בבמה אבל משנכנסו לארץ צאו ועשו דמותרים אתם להקריב בבמה] — 5 ד"א לא תעשון צאו—מיכן אמרו רטיבל, ל' מהדא | עד שלא הוקם—מכאן ואילך לא הותרו] ל' מהא — 6 באו לגלגל רפ, באו לארץ מבי, עד שלא באו לשילה דל — 7 באו] משבאו ד — 9 ככל] כן ר | היום אנו מטלטלין] בכ"י רבמ ובה נמצא מאמר זה פה אבל בדמביל הוקדמה הברייתא המתחלת „עד שלא הוקם המשכן", שהיא חסרה במ אה ושמקומה בר אחר המלים „ואין הצבור מקריב בבמה" | מטלטלים] את מכמ' ר [כאן הכרים שני דפים בכ"י ונשלמו בכתב אחר, וציינתי השנוים ממנו בי, וע' במבוא אודותיו] | היום—משנבוא לארץ אין אנו אסורים בבמה ה [ס' הזכרון], היום—וכשנבוא—בבמה מ, היום—היום אנו אסורין ר' יהודה אומר משנבוא לארץ אין אנו אסורין בבמה ל, היום—היום אנו אסורים בבמה ר, היום אנו מטלטלים היום אנו אסורים בבמה משנבא לארץ אין אנו אסורים בבמה מ, אנו מטלטלין את המשכן היום אנו אסורים בבמה משנבא לארץ אין אנו מטלטלים המשכן ואין אנו מותרים בבמה בד, אין אנו מטלטלין את המשכן היום אין אנו אסורין בבמה משנבא לארץ אנו אסורין בבמה א, היום אנו מטלטלין את המשכן היום אנו אסורין בבמה משנבא [שיף: משבאו] לארץ אנו מותרים [שיף: אין אנו אסורים] בבמה [יראים], היום אנו מטלטלין את המשכן ואנו אסורין בבמה משנבא לארץ אנו מותרין בבמה [רש"י, זבחים] — 11 יהא] יהיו ד | בבמה] ל' א [ונשלם באי] — 13 שנידר] הנדר מא | וכל שאין רה, וכל שאינו ד, כל שאין ט, ומה שאינו מ, שאינו א, שאין ב' ל — 14 אין רדהטביל, אינו מ דא | ר' שמעון אומר] ד"א פה היום ד — 15 משנבוא] משנכנסו ט | סליק פסקא ד ל' רא —

סו.

(ט) עד מתי כי לא באתם עד עתה וגו׳ ליתן התיר בבמה בין מנוחה לנחלה. נחלה זו שילה, מנוחה זו ירושלם שנאמר (תהלים קלב יד) °זאת מנוחתי עדי עד דברי רבי שמעון רבי יהודה אומר חילוף הם הדברים סליק פיסקא

סז.

(י) ועברתם את הירדן וישבתם בארץ, רבי יהודה אומר שלש מצוות נצטוו ישראל בשעת כניסתם לארץ למנות להם מלך לבנות להם בית הבחירה ולהכרית זרע עמלק איני יודע איזה יקדום אם למנות להם מלך אם לבנות להם בית הבחירה אם להכרית זרע עמלק תלמוד לומר (שמות יז טז) °ויאמר כי יד על כס יה מלחמה לה׳ בעמלק משישב המלך על כסא ה׳ את מכרית זרע עמלק ומנין שכסא ה׳ זה המלך שנאמר (דה״א כט כג) °וישב שלמה על כסא ה׳ למלך ועדין איני יודע איזה יקדום אם לבנות להם בית הבחירה אם להכרית זרע עמלק תלמוד לומר אשר ה׳ אלהיכם מנחיל אתכם ואומר ויהי כי ישב המלך בביתו וה׳ הניח לו מסביב ואומר (ש״ב ז א ב) °ויאמר דוד אל נתן ראה נא אנכי יושב בבית ארזים וארון האלהים ישב בתוך היריעה.

(יא) והיה המקום אשר יבחר ה׳ אלהיך לשכן שמו שם שמה תביאו, שם שמה, היו שם שתי מחיצות מחיצה לקדשי הקדשים ומחיצה לקדשים קלים סליק פיסקא

1 עד מתי ארמהטביז, עד מתי כך ל, ל׳ ד | בין מנוחה לנחלה פרהטביז, מה בין–לנחלה מ, אל המנוחה ואל הנחלה דל, בכמה מה בין מנוחה לנחלה א — 2 נחלה זו שילה–חילוף הם הדברים] ל׳ ט | שילה] שילו ר — 3 שמעון] ישמעאל בי | חילוף הם רמהא, חילוף דבים, הן חילוף ל | סליק פיסקא דא, פ׳ ר —

4 בארץ] בה ל | ר׳ יהודה–בתוך היריעה] ח׳ ט — 5 ישראל] לישראל בי, בני ישראל ל | למנות–בית הבחירה] לבנות להן בית הבחירה ולמנות עליהן מלך ה | לבנות להם רמבילפ, ולבנות דא [רמב״ם] | ולהכרית] להכרית ל — 6 זרע רדהבי, זרעו של פמדלא [רמב״ם] | איני יודע וכו׳ עד אם להכרית זרע עמלק] אם לבנות להם בית הבחירה א | איני רפ, אינו ה, ואיני דמ בי, ואינו ל | יקדום פרביל, מהן יקדום ה, יקדים ד, מהם יקדים מ | אם למנות—זרע עמלק] ל׳ ד | אם לבנות רמל, או אם לבנות ה, או לבנות בי | הבחירה מהביל, הבירה ר — 7 אם להכרית רל, ואם להכרית ה, או אם להכרית מבי | זרע רדהביל, זרעו של מ | ת״ל ארדהמ, מה ת״ל בי, ומה ת״ל ל — 8 משישב] כל שישב ד | המלך] מלך מ | כסא ה׳ ר, כסא יה הל, כסאו מא, כס יה ד, ככא ה׳ יה בי | זרע רדהלד, זרעו של מאפ, לזרע בי | ומנין בידאהמ, מנין רל | שכסא ה׳ ר, שכסא יה דלבי, שהכס מא, שהכסא ה | המלך] מלך הביל — 9 למלך] ל׳ ר | איזה יקדום ה. איזה יקדים מדא, ל׳ רביל | לבנות להם רבל, לבנות אד — 10 הבחירה] הבירה ר | אם] או אם מ | זרע רדהבי, זרעו של לדמא | ת״ל] מה ת״ל ר — 11 אתכם] אתכם וירשתם ד | ואומר–מסביב] ל׳ א — 12 דוד רמהדביל, [מסורה: המלך, ובד״ה י״ז א׳ דויד] | אל נתן] לנתן ה | ראה נא הביל (מסורה), ראה רמא, ל׳ ד | וארון–היריעה] ל׳ לא — 13 בתוך היריעה הד (מסורה). תחת היריעה בי, תחת יריעות ר [וכן בד״ה שם] — 14 והיה–תביאו ה [פס׳ זוט׳], לשכן שמו שם פ, ל׳ מרדטבילא | לשכן פ [מסורה], לשום ה [פס׳ זוט׳] — 15 שם שמה ה, שמה שם מ, שמה א, ל׳ רמבד | מחיצה] מהיצות ד | לקדשי הקדשים ד הביא, לקודשי קדשים רמטל, לק. ש קדשים פ | ומחיצה רדהאמביל, ומחיצות ד, מחיצה מ, מחיצות פ — 16 סליק פיסקא ד, ל׳ רא —

1 כי לא וכו׳ עד סוף הפיסקא, מכירי תהלים קל״ב ל׳: 2 זו שילה וכו׳, זבחים קי״ט ע״א, מגילה י׳ ע״א, תוספתא סוף זבחים (עמ׳ 500), רש״י, פ״ז, רא״ם — זו ירושלים, למעלה פי׳ א׳ ע׳ 7, וכן תרגם יונתן מנוחה, „לבי מיקדשא דהוא בית נייחא״:

4 ר׳ יהודה וכו׳, סנהדרין כ׳ ע״ב (ושם יש לנסח ר׳ יהודה במקום ר׳ יוסי עיין בדקדוקי סופרים), תוספתא שם פ״ד ה״ה (ע׳ 421), דברים רבה פ״ה סי׳ י׳, תנחומא א׳ תצא סי׳ י״א, תנחומא ב׳ שם סי׳ י״ז (כ״ב ע״א), פסיקתא דר׳ כהנא זכור (כ״ח ע״ב) פסיקתא רבתי פי׳ י״ב (נ״ג ע״א), מדרש תהלים ז׳ ז׳ (ל״ד ע״א), לקמן פי׳ קנ״ה, והשוה למעלה פי׳ ו׳ (ע׳ 14), פס׳ זוט׳, רמב״ם ס׳ המצות עשין כ׳ וקע״ג וקפ״ח: 8 משישב המלך וכו׳, מכילתא דרשב״י י״ז ט״ז (ע׳ 84): 14 והיה וכו׳ עד לקדשים קלים, פ״ז:

סח.

עולותיכם, עולת יחיד ועולת צבור. וזבחיכם, זבחי שלמי יחיד וזבחי שלמי צבור. מעשרותיכם, רבי עקיבה אומר בשני מעשרות הכתוב מדבר אחד מעשר דגן ואחד מעשר בהמה. ותרומת ידכם, אלו הבכורים. וכל מבחר נדריכם אשר תדרו לה׳, לרבות נדרים ונדבות שלא יביא אלא מן המובחר ואין לי אלא נדרים ונדבות מנין לרבות בכורות ומעשרות חטאות ואשמות תלמוד לומר מבחר נדריכם וכל מבחר נדריכם, רבי אומר אם נאמרו למעלה למה נאמרו למטה ראשונה לענין שילה שניה לענין ירושלם סליק פיסקא

סט.

(יב) ושמחתם, נאמרה כאן שמחה ונאמרה להלן °שמחה מה שמחה (דברים כז ז)
האמורה להלן שלמים אף שמחה האמורה כאן שלמים. לפני ה׳ אלהיכם, במחיצה. אתם ובניכם ובנותיכם ועבדיכם ואמהותיכם, חביב חביב קודם. והלוי אשר בשעריכם, כל מקום אתה מוצא הלוי הזה לומר תן לו מחלקו אין לו חלק תן לו מעשר עני אין לו מעשר עני תן לו שלמים סליק פיסקא

ע.

(יג) השמר, בלא תעשה. פן, בלא תעשה. פן תעלה עולותיך, ולא עולת

1 עולותיכם וכו׳ עד סוף הפיסקא, למעלה פי׳ ס״ג, ע׳ 130, פ״ז: 4 נדרים ונדבות, דהיינו עולות ושלמים דאתיין בנדר ונדבה דנאמר כאן נדר ונאמר להלן אם נדר או נדבה מה נדר האמור להלן נדבה עמו אף נדר האמור כאן נדבה עמו, מפי׳ ר״ה׳ — שלא יביא, רש״י, תוספתא מנחות פ״ט ה״ב (ע׳ 575), יומא ל״ד ע״ב׳ — מן המובחר, לפטומינהו דלהוי מן המובחר, מפי׳ ר״ה: 6 למעלה, והבאתם שמה, (פסוק ו׳), מפי׳ ר״ה: 7 ראשונה וכו׳, רש״י, פ״ז:

8 נאמרה כאן וכו׳, למעלה פי׳ ס״ד (ע׳ 130): 10 במחיצה, למעלה פי׳ ס״ד (ע׳ 130)׳ — חביב וכו׳, לקמן פי׳ ע״ד, קל״ח, קמ״א, והשוה מכילתא דרשב״י י״ב ל״ה (ע׳ 24): 11 כל מקום וכו׳, לקמן פי׳ ע״ד וק״ח, והשוה ג״כ פי׳ ש״א׳ — אתה מוצא, כלומר ארבע פעמים הזהירה תורה בפרשה זו על תמיכת הלוי, כאן, למטה פסוק י״ח, י״ד כ״ז, ושם כ״ט, שתים מהן בקשר עם השלמים, כאן ובפסוק י״ח; בי״ד כ״ז ניתן לו חלקו ממעשר; ושם כ״ט ממעשר עני׳ וזה מפורש בברייתא זו שיש ללוי בראשונה חלק במעשר. אם אין די במעשר צריכים ליתן לו מעשר עני, ואם אין יקח חלקו בזבחי השלמים׳ ר״ה גורס לומד במקום לומר ומפרש „דהיינו עוסק בתורה״, ורש״י לקמן י״ב י״ח פירש מחלקו כגון מעשר ראשון:

13 השמר וכו׳, רש״י, רא״ם, פ״ז, לקמן פי׳ ע״ד, פ״א, קי״ז, רע״ד, מכילתא יתרו מסכתא בחדש פ״ג (ס״ד ע״א, ה–ר ע׳ 212), ירו׳ כלאים פ״ח ה״א (ל״א סוף ע״ב), שם שבת פ״ז (ט׳ ע״ד), זבחים ק״ו ע״א ובציונים שם, ועיי״ע לקמן פי׳ רס״ה׳ תשמור זו ל״ת, ובבלי ר״ה ו׳ ע״א,

1 עולותיכם] והיה המקום אשר יבחר ה׳ אלהיכם לשכן שמו שם, עולותיכם ד | יחיד–איבור] צבור–יחיד מ | וזבחיכם ב״ד [מסורה], זבחיכם רטמהלא | יחיד וזבחי שלמי] ל׳ ט — 2 מעשרותיכם] ומעשרותיכם ד | מעשרותיכם–בשני] ר׳ עקיב׳ אומ׳ מעשרותיכם במיני ב׳, מעשרותיכם בשני ל | בשני רטמל, בשתי הדא — 3 ידכם אטמב״ל [מסורה], ידיכם ד, ידיך ה, ידי ר | הבכורים מב״ל, בכורים ראדטה | וכל–לה׳ ה (מסורה), נדריכם ונדבותיכם מא, ונדבותיכם רטדב״ל. וכל מבחר נדריכם פ — 4 שלא יביא–נדרים ונדבות] ל׳ רט׳ | יביא מב׳ דלפ, יבאו הט׳, ל׳ א | אלא] אלא אילו ד, ל׳ ל [ובא משוך קו תוך המלה] | ואין מטיב״לא, אין הד — 5 חטאות ואשמות] וחטאות ל | מבחר] ומבחר א — 6 נדריכם] נדריך רל | וכל מבחר נדריכם רמהטבל, ל׳ ד א | נאמרו–נאמרו] נאמר–נאמר דא | למה] לא ב׳ — 7 ראשונה–שניה פרטדב״ל, ראשונים–שניים ה, ראשון–שני מא | שילה] שילו ר | סליק פיסקא רא, פ׳ ר —

9 אף שמחה האמורה] אף ה — 10 במחיצה] במחיצות ד | ועבדיכם ואמהותיכם הד, ל׳ רמטב״לא — 11 כל] בכל ב״ל | אתה] כן נראה לי להגיה ובכל המקורות שאתה | הלוי הזה מא, את הלוי הזה פטדל, לוי הזה ה, את לוי הזה ר, אה הלוים הזה ב׳ | לומר רלדהטב׳, בא לומר מ, לומד פ, ל׳ א [פס׳ זוט׳], לימד ד [ורמא״ש גורס על פי דפוס מינקאוויץ לומד] — 12 חלק אהמרלד, חלקו ט, מחלקו ב׳ | אין לו] אנלו ר | תן לו שלמים] נותן לו שלמים אין לו שלמים פרנסהו מן הצדקה מ, תן לו שלמים אין לו שלמים פרנסהו מן הצדקה א, [תן לו שלמים] אין לך שלמים פרנסהו מן הצדקה [מהר״ס לפי עדות רד״ף] | לו שלמים לשלמים ר | סליק פיסקא רא, ל׳ ר —

13 פן בלא תעשה ב׳טמהלא, ל׳ רד | תעלה] תעש׳ ר | ולא עולת גוים–בחוצה לארץ] אפילו עולת גוים ה |

גוים דברי רבי שמעון רבי יהודה אומר ולא עולת גוים שהוקדשו בחוצה לארץ. בכל מקום אשר תראה, אבל מעלה אתה בכל מקום שיאמר לך נביא כדרך שהעלה אליהו בהר הכרמל.

(יד) כי אם במקום אשר יבחר ה׳ באחד שבטיך, כתוב אחד אומר באחד שבטיך וכתוב אחד אומר מכל שבטיכם זו היא שרבי יהודה אומר כסף מכל שבטיכם בית הבחירה משבט אחד.

שם תעלה עולותיך, אין לי אלא עולה שאר קרבנות מנין תלמוד לומר ושם תעשה כל אשר אנכי מצוך ועדין אני אומר עולה שהיא בעשה ולא תעשה שאר קדשים לא יהו אלא בעשה תלמוד לומר שם תעלה עולותיך, עולה בכלל היתה ולמה יצאת להקיש אליה מה עולה מיוחדת שהיא בעשה ולא תעשה כך כל שהוא בעשה הרי הוא בלא תעשה סליק פיסקא

עא.

(טו) רק בכל אות נפשך תזבח ואכלת, במה הכתוב מדבר אם בבשר תאוה כבר אמור ואם באכילת קדשים כבר אמור הא אינו מדבר אלא בפסולי המוקדשים שיפדו יכול יפדו על מום עובר תלמוד לומר רק. תזבח ואכלת ולא גיזה, בשר ולא חלב, יכול יהו אסורים לאחר זביחה תלמוד לומר כברכת ה׳ אלה׳יך אשר

עולת–עולת] עולות–עולות ל — 1 שמעון–יהודה] יהודה –שמעון מא | ולא עולת גוים] ל׳ בי — 2 אבל מעלה מדא, מעלה רטהביל | אתה] אתכם ל | בכל] כל מ | מקום] ל׳ ל | שיאמר] שיומר ר | נביא מהא, הנביא רט דביל — 4 כי–שבטיך ה, ל׳ רמטבידלא | כתוב אחד אומר] כה״א ר — 5 זו היא רטביל, זהו מא, זו ד — 6 הבחירה מהדטילא, הבירה רטיבי — 7 שם] כי אם במקום [אל המקום ד] אשר יבחר ה׳ באחד שבטיך שם ד ה | עולה רטהביל, עולות מדא | ושם טדהבי [רמב״ם, חנוך, מסורה], שם רמלא — 8 תעשה] תעלה ל | כל– מצוך מהא, וגו׳ רט, את כל–מצוך ד, ל׳ ביל | ועדין פמהטדביל [רמב״ם, חנוך], ועדן ר, ועד אן א, ועד כאן א׳ | שהיא–תעשה] בעשה ולא תעשה בי | ולא רטמל [רמב״ם, חנוך], ובלא דא — 9 לא פרהמא [רמב״ם, חנוך], שלא טדביל | יהו ארדטביל, יהיו פמ [רמב״ם, חנוך], יהוא ה | אלא בעשה פרמהא [רמב״ם, חנוך], אלא בעשה לא תעשה מנין ט, אלא בעשה ולא תעשה ד, אלא בעשה מניין בי, בעשה מניין ל | בכלל היתה] היתה בכלל ד — 10 ולמה] למה ט | להקיש אליה רמהטביא, להקיש אליה ולומר לה ד, להקיש ל, להקיש אליה ולומר לך [רמב״ם, חנוך] | שהוא–הוא טמה [רמב״ם, חנוך], שהן–והרי הן ר, שהיא–היא דבי, שהוא–והרי הוא א, שהם–הרי הם פ — 11 סליק פיסקא דא, פ׳ ר —

13 כבר–כבר] הא–הרי מ, הרי כבר–כבר לא | ואם רטדביא, אם מהלפ | באכילת קדשים] באכילה ד | מדבר אלא מה [רמב״ם, כתר תורה], אומר אלא ר, מדבר טיר, אמור טיבי, אומ׳ אלא ל, מה אני מקיים אלא א — 14 יפדו רהדלמ, שיפדו בי, ל׳ א | על אמהטלבי, כל ר, מכל ד — 15 יהו ארטביל, יהוא מה, יהי ד —

ירו׳ שם פ״א ה״א (נ״ו ע״ג). — ולא עולת גוים, [זבחים פ״ד מ״ה ועיין תוי״ט שם ד״ה והשוחטן בחוץ פטור שכתב „לא מצאתי טעם מפורש״ ונעלם ממנו הספרי כאן] והשוה זבחים מ״ה ע״א, ירו׳ תרומות סוף פ״ג מ״ב ע״א, תוספתא זבחים פ״ה ה״ו (עמו׳ 487), ועיין עוד תו״כ אחרי פרשה י׳ ה״א וזבחים ט״ז ע״ב: 1 בחו״ל, [טעמו של ר׳ יהודה אינו מפורש ואולי לפי דעתו הכתוב רק קדשיך אשר יהיו לך לקמן פסוק כ״ו, שממנו אנו למדים להוסיף קדשי חו״ל, אינו אלא בישראל]: 2 אבל וכו׳, ירו׳ מגילה פ״א הי״ג (ע״ב ע״ג), ויקרא רבה פ׳ כ״ב סי׳ ט׳, קהלת רבה פ״ג סי׳ י״ד ובחי׳ רד״ל שם, מדרש שמואל פ׳ י״ג סי׳ ב׳ מ״ב ע״א, מדרש תהלים כ״ז ו׳ קי״ג ע״ב, רש״י, פ״ז: 3 אליהו בהר הכרמל, לקמן פי׳ קע״ה, יבמות צ׳ ע״ב: 4 כתוב אחד וכו׳, למעלה פי׳ ס״ב ע׳ 128: 7 אין לי וכו׳ עד סוף הפיסקא, רמב״ם לאוין פ״ט, ס׳ החנוך ראה תנ״ד והשוה רמב״ם עשין פ״ד וס׳ החנוך ראה תל״ח:

12 רק וכו׳ עד שירדו, רש״י, פ״ז, רמב״ם עשין פ״ו, סמ״ג עשין קע״ז בסגנון של רש״י, כתר תורה ע״ג, והשוה תו״כ בחוקותי פרשה ד׳ ה״א (קי״ג ע״ב): 13 כבר אמור, לקמן בפ׳ כי ירחיב (פסוק כ׳), מהר״ס. — באכילת קדשים כבר אמור, וזבחת שלמים ואכלת שם, מפי׳ ר״ה: 14 יכול יפדו וכו׳, [צ״ע הא לקמן יליף לה מג״ש ועל כן מוחק הגר״א כל המאמר כאן ורד״ף תירץ דאינו נשחט על מום עובר בלא פדיון אבל אם פדה אותו ישחטנו בלא מום קבוע ודוחק ואיפשר דלעיל יליף אם נפל בו מום עובר לאחר שהוקדש וכאן מיירי שהיה בו מום עובר בשעת הקדש, והכי קאמר מנין שאינו נשחט אלא על מום קבוע אף אם קדם מום עובר להקדשו, תו״כ בחוקותי פרשה ד׳ ה׳, המורה ל״ב ע״ב]: 15 ולא חלב, [בכורות ו׳ ע״ב, ט״ו ע״א, ועיין שם פ״ב מ״ב וג׳, וחולין פ״י מ״א, ובתו״כ שמיני פרק ד׳ ה״א יליף איסור דחלב פסולי

נתן לך, יכול אם קדם מום קבוע להקדישם ונפדו יהו אסורים תלמוד לומר רק. מנין שאין נשחטים אלא על מום קבוע אמרת קל וחומר הוא ומה בכור שאין נוהג בכל הוולדות ויוצא לחולין שלא בפידיון אין נשחט אלא על מום קבוע קדשים שהם נוהגים בכל הוולדות ואין יוצאים לחולין אלא בפידיון אינו דין שלא יהו נשחטים אלא על מום קבוע לא אם אמרת בבכור שכן קדושתו מרחם וקדושה חלה עליו על בעל מום קבוע תאמר בקדשים שאין קדושתם מרחם ואין קדושה חלה עליהם על בעל מום קבוע תלמוד לומר אשר נתן לך בכל שעריך, שעריך לגזירה שוה מה (דברים טו כב) °שעריך האמור להלן אין נשחט אלא על מום קבוע אף שעריך האמור כאן אין נשחט אלא על מום קבוע. טמא יאכל, אין לי אלא טמא טהור מנין תלמוד לומר (שם יב כב) °יחדו יאכלנו מגיד ששניהם אוכלים מתוך קערה אחת יכול אף תרומה נאכלת מתוך קערה אחת תלמוד לומר יחדו יאכלנו, זה נאכל מתוך קערה אחת ואין תרומה נאכלת מתוך קערה אחת. יכול יהו חייבים במתנות תלמוד לומר כצבי, אוציאו מכלל מתנות ולא אוציאו מכלל חזה ושוק תלמוד לומר וכאיל, או מה הצבי כלו מותר יכול אף זה כולו מותר תלמוד לומר רק, רבי שמעון אומר יכול כשם שנתנה תורה

המוקדשים מן השמועה, תוספתא בכורות פ״ב ה״ג (ע׳ 535), ותמורה ריש פ״ז, וירושלמי שקלים פ״ד ה״ז, מ״ח ע״ב] פ״ז, רא״ם· — אסורים, בגיזה, מפי׳ ר״ה: 1 ת״ל רק, [דבקדם מומם להקדישם יוצאים לחולין להגזז ולהעבד וחלבן מותר לאחר פדיונם, בכורות פ״ב מ״ב· ומן התוספתא בכורות (פ״ב ה״ג, ע׳ 535), מובא בבבלי ט״ו ע״ב. מוכח דאפילו קודם פריונם הגוזז והעובד בר״ם אינו סופג את הארבעים וכן מפורש לקמן פי׳ קכ״ד דממעט הקדש בדק הבית מלא תעבוד בבכור שורך ואם כן הא דאמר קדשי בדק הבית אסורים בגיזה אינו אלא מדרבנן]: 2 אמרת ק״ו וכו׳. השוה לקמן פי׳ קכ״ד: 3 ויוצא לחולין, דהיינו דנאכל לזרים, מפי׳ ר״ה; ועיין בכורות ל״ב ע״ב: 5 וקדושה וכו׳, השוה לקמן פי׳ קכ״ד ובשנויי גרסאות שם: 6 ואין קדושה, דכיון דעובר עליו משום בל תקדיש אי הקדישן אין קדושה חל עליהם ומותרים בגיזה ועבודה, מפי׳ ר״ה; ועיין בכורות י״ד ע״א דמדרבנן אסירי, רמא״ש: 9 אין לי וכו׳, [לקמן פי׳ ע״ה, מכות י״ט ע״ב, יבמות ע״ג ע״ב· ובמכות פי׳ רש״י לנכון דכתיב גבי בכור אבל ביבמות פירש „גבי פסולי המוקדשין״ והכתוב יחדו אינו אלא גבי בכור]· — טהור מנין, הקשה ר״ה „כלפי לייא איפכא מסתברא אין לי אלא טהור טמא מנין״, ולדעתי אין כאן קושי כלל, אלא פירושו „טהור מנין שמותר לטהור לאוכלו עם הטמא״: 10 יחדו, מקור הברייתא לקמן פי׳ ע״ה גבי בכור ושם נאמר יחדו בכתוב. והושאל הנה בלי שנוי כדרך מדרשי התנאים בכמה מקומות: 11 ואין תרומה וכו׳, ירוש׳ בכורים פ״ב ה״א (ס״ד ע״ד): 12 במתנות, דהיינו הזרוע והלחיים והקיבה· — אוציאו וכו׳, פ״ז, בכורות ט״ו ע״א: 13 כלו מותר, דהיינו חלבו, מפי׳ ר״ה: 14 ת״ל רק, [להכי אסמכינהו לרק הדם לא תאכלו למעטינהו דלא יהא חלבו מותר כצבי, מפי׳ ר״ה; והגר״א הגיה כן בספרי רק הדם, והוצרך להגיה כדי

1 יהו רטמלא, יהוא ה, יהיו ד, יכול יהו ב׳ — 2 מנין שאין נשחטים רמלהב׳, ומנין—נשחטין ט, מלמד שאין נשחטה ר, שאין נשחטין א, מלמד שאין נשחטין א׳ | אמרת] ל׳ א | הוא דהטב״ל, ל׳ רמא | בכור] הבכור ה | שאין רמא, שאינו טדהב״ל — 3 הוולדות למהטדב׳, הילדות ר, התולדות א וכן בסמוך | ויוצא רטמהב׳, ויוצאים ד, יוצא ל, ויצא א | אין רטב״לא, אינו מהד | על מום] על בעל מום ב׳ | שהם] שאין ל — 4 ואין—בפידיון] ל׳ ל | ואין רמטב׳ א, ואינן הד | יהו רטהב״לא, יהיו מד | על טדלמהא, על בעל רב׳ — 5 מרחם] מרחם אמו ה, ברחם ב | וקדושה טל, ואין קדושה ארמה, קדושתו ד, וקדושתי ב׳ | חלה] באה א | על] אבל על ר — 6 תאמר] תומר ר | קדושתם רמהב׳, קדושתו דטל, קדושה א | ואין קדושה רטדב״ל, וקדושה מהא — 7 אשר—בכל שעריך] הד, ל׳ ר טמב״לא — 8 האמור מט, האמ׳ רד, האמור׳ ב״ל, האמורים ד, האמורה א | נשחט ארמהב״ל, נשחטים טד וכן בסמוך | על רהדל, על בעל מטב״א וכן בסמוך | מום] ל׳ ל — 9 טמא יאכל רא, הטמא והטהור יאכלנו טמא יאכל ה, טמא יאכלנו מדטב״ל | אלא] ל׳ ר — 10 יחדו יאכלנו ה, יאכלנו הטמא והטהור יחדו יאכלנו רל, יחדו יאכלנו הטמא והטהור יחדו יאכלנו מ, והטהור יאכלנו הטמא והטהור יאכלנו ט, יאכלנו הטמא והטהור יחדו ד, הטמא והטהור יחדיו יאכלנו ב׳, יחדו [א׳ והטהור] יאכלנו הטמא והטהור יאכלנו א | מגיד] מגיד הכתוב ד | מתוך קערה מה, מן קערה רטב׳, בקערה אדל וכן בסמוך — 11 מתוך רדמהא, מן טב׳ וכן בסמוך, ובכ״י ל על בפעם הראשונה | אחת] אחת ואין חוששין ל | ואין—אחת] ל׳ א | ואין רטמהב״ל, ולא ד — 12 יהו רטב״לא, יהוא ה, יהיו מד | חייבים] חביבין א | במתנות] בבכורות ומתנות פז | כצבי] כצבי וכאיל ד, וכאיל ז | אוציאו רהב׳, הוציאו מטא, אוציאנו דלז, יכול הוציאו א׳, אוציא פ — 13 מתנות] בכורות ומתנות ז, מתנות ובכורות פ | אוציאו רמהב׳, הוציאו טא, אוציא דפ, אוציאנו לז | וכאיל והטב״פ, כאיל מא | אך דל, שעריך שעריך לגזירה שווה ר | או טב׳, אי אמהדפ, אך ר, ל׳ ל | הצבי] צבי מאפ — 14 אף וכו׳ עד מותר] ב׳ מוסיף: או מה האיל כולה מותר אף זה כולה מותר | זה] איל א —

מחיצה בין קדשי הקדשים לקדשים קלים בזמן שהם תמימים כך נתנה תורה מחיצה בין קדשי הקדשים לקדשים קלים בזמן שהם בעלי מומים תלמוד לומר כצבי וכאיל, מגיד הכתוב שכשם שלא נתנה תורה מחיצה בין צבי ואיל כך לא נתנה תורה מחיצה בין קדשי הקדשים לקדשים קלים בזמן שהם בעלי מומים.

(טו) רק הדם לא תאכלו, רבי יהודה אומר יכול יהיו חייבים על דמם שני לאוים כדם מוקדשים תלמוד לומר רק הדם לא תאכלו, לאו אחד יש בו ואין בו שני לאוין. על הארץ תשפכנו, ולא לתוך ימים ולא לתוך נהרות ולא לתוך כלים. כמים ולא לתוך מים עצמם, כמים מה מים מותרים בהניה אף דם מותר בהניה מה מים מכשירים את הזרעים אף דם מכשיר את הזרעים, מה מים פטורים מלכסות אף דם פטור מלכסות סליק פיסקא

עב.

(יז) לא תוכל לאכול בשעריך, רבי יהושע בן קרחה אומר יכול אני אבל איני רשיי כיוצא בו אתה אומר ואת היבוסי יושבי ירושלם לא יכלו בני יהודה להורישם יכולים היו אבל אין רשיים. יהושע טו סג

מעשר, אין לי אלא טהור טמא מנין תלמוד לומר דגנך, לקוח בכסף מעשר

1 קדשי הקדשים אל, קודשי קדשים רבי̇טדה | שהם תמימים הטי̇בי, שהם בעלי תמימים ר, שאינן בעלי מומין מ, שהם בעלי מומים דלא [ועל הגליון בא: נ״ל שר״ל בזמן שאינן בעלי מומין] | תורה] ל׳ ט | בזמן] ל׳ ד — 3 מגיד הכתוב] מגיד ד | בין צבי—מחיצה] ל׳ ל | ואיל] בין לאיל א — 4 בזמן הדטבי, ל׳ רמלא — 5 רק ד, פ׳ רק ר, ס״פ רק א | ר׳ יהודה—על דמם המא, לאו אחד יש בו ואין בו רטבי, לאו אחד יש בו ולא ד, לאו אחד יש לך ואין לך ל, יכול יהו חייבין על דמן שני לאוין פ, רבי יהודה—דמו [פ״ז] — 6 כדם מוקדשים רמהלא, יכול כדם המוקדשים טבי, כדם המוקדשים ד — 7 לאוין] לווין ר | תשפכנו] א מוסיף <לא לתוך המים> | ולא לתוך מים—מים עצמם] לא לתוך ימים—ולא תוך מים עצמן ל, ל׳ ד | נהרות] הנהרות מ | כלים] הכלים ה — 8 ולא לתוך מים] לא לתוך מים ה, ולא מים א | מותרים בהניה] מותרין אף בהנאה א | דם] ל׳ ר [ונתוסף בין השיטים] | בהניה—בהניה ט, בהנאה—בהנאה אמהדביל, בהנייא—בהנייא ר | דם מותר] דמים מותרין טי — 9 מכשירים רטמהא [ראי״ם], מכשיר לדבי | דם] הדם ר ל | את הזרעים ארהמביל [ראי״ם], הזרעים ד, ל׳ ט | פטורים] פטור בי — 10 אף דם] אי מוסיף <בהמה> | סליק פיסקא רא, פ׳ ר —

11 יהושע] יוחנן בי | יכול אני] יכולני ר | אבל איני] אוכל ואיני ב | איני] אין אני ה | בני יהודה ארמפ [מסורה], בני ישראל טב, בני בנימן ה, ל׳ דל — 13 אין רמהל, אינן אטדפ, אין היו ב — 14 מעשר] ומעשר ד,

שתהא הברייתא מסכמת עם מסקנת הגמרא דבכורות ט״ו ע״א דחלבו מדמו נפקא דדמו לא איצטריך קרא דלא עדיף מדם הצבי, ופשט הברייתא נראה דממעט מרק דכתיב ברישא דקרא רק בכל אות נפשך]. — רש״א וכו׳, לקמן פי׳ ע״ב: 5 ר׳ יהודה עד סוף הפיסקא, פ״ז. — יכול יהו חייבים וכו׳, תו״כ נדבה פרק כ׳ ה״ז (ט״ו ע״א), ור׳ יהודה סובר שבדם קדשים יש שני לאוין (כריתות ד׳ ע״ב): 7 ולא לתוך ימים וכו׳ עד כלים, [חולין פ״ב מ״ט „אין שוחטין לא לתוך ימים ולא לתוך נהרות ולא לתוך כלים אבל שוחט הוא לתוך עוגה של מים. ונוסחת הערוך אגן של מים וכן הוא בתוספתא שם פ״ב הי״ט, ע׳ 503, ובדפוס קאמברידגא עוגל של מים״; ובגמ׳ שם מ״א ע״ב הקשו דמ״ש לתוך ימים דלא וכו׳ לתוך עוגא של מים נמי, ומתרץ רבא בעכורים שנו והכונה בעכורים אסור כמו ששנינו בתוספתא „ולא לתוך מים עכורים״, ודלא כמשמע בהשקפה ראשונה דבעכורים מותר]: 8 מותר בהניה, [ירוש׳ פסחים פ״ב ה״א, (כ״ח ע״ג), בבלי כ״ב ע״א, חולין ל״ה ע״ב] ועיין בתוס׳ חולין שם ד״ה למישרי, ירוש׳ ערלה פ״ג ה״א (ס״ב ע״ד), מ״ת לקמן ט״ו כ״ג (ע׳ 89): 9 מה מים מכשירים וכו׳, רש״י, ראי״ם. — אף דם מכשיר, [בבלי פסחים כ״ב ע״ב, חולין ל״ה ע״ב, ל״ו ע״ב, ועיין מכשירין פ״ו מ״ד, תוספתא שבת פ״ח הכ״ד ע׳ 121, תו״כ שמיני פרשה ח׳ ה״א, נ״ד ע״א, רש״י], ירוש׳ ערלה שם, תרומות פ״ח ה״ט (מ״ו ע״ב), ופסחים סוף פ״א (כ״ח ע״ב), ושם פ״ב ה״א (כ״ח ע״ג): 10 פטור מלכסות, [סד״א הואיל ואיתקיש לצבי ואיל ליבעי כסוי קמ״ל דלא אבל בחולין פ״ד ע״א יליף מכאן בכלל שדם בהמה לא בעי כסוי משום דס״ד דבהמה בכלל חיה לכסוי]:

11 ר׳ יהושע בן קרחה וכו׳, רש״י, פ״ז, ור׳ יהושע לפרש הכתוב ביהושע בא, כי בכתוב הזה אין ספק שלא תוכל הוא כמו „אינך רשאי״. — אבל איני רשיי, מ״ת כ״ד ד׳ ע׳ 155; וירו׳ ב״ב פ״ח ה״ה (ט״ז ע״ב) בשם ר״א; והשוה לקמן פי׳ רט״ז, ותמורה ה׳ ע״א שדורש על הכתוב לא יוכל לשלחה כל ימיו, „כל ימיו בעמוד והחזיר״, אם כן גם שם מפ׳ לא יוכל יכול הוא אבל אינו רשאי: 12 ואת היבוסי וכו׳ אין רשיים, [מכח שבועת אברהם, פדר״א ל״ו, רש״י]: 14 טמא מנין, שאסור לאכלו חוץ לירושלים וכן לקוח בכסף מעשר:

מנין תלמוד לומר תירושך. אין לי אלא טהור טמא מנין תלמוד לומר ויצהרך. רבי שמעון אומר מכלל שנאמר °לא אכלתי באני ממנו ולא בערתי ממנו (דברים כו יד) בטמא היכן הוא מוזהר איני יודע תלמוד לומר לא תוכל לאכול בשעריך מעשר יכול הנותן במתנה יהא חייב תלמוד לומר לא תוכל לאכול בשעריך מעשר האוכל חייב ואין הנותן במתנה חייב. רבי יוסי הגלילי אומר יכול לא יהו חייבים אלא על טבל שלא הורם ממנו כלום מנין הורם ממנו תרומה ולא הורם ממנו מעשר ראשון מעשר ראשון ולא הורם ממנו מעשר שני ואפילו מעשר עני מנין תלמוד לומר לא תוכל לאכול בשעריך. רבי שמעון אומר לא בא הכתוב אלא ליתן מחיצה בין קדשים לקדשים. ותרומת ידך, אלו הבכורים וכי מה בא הכתוב ללמדנו אם לאוכל בכורים חוץ לחומה קל וחומר ממעשר מה מעשר שמותר לזרים האוכל ממנו חוץ לחומה עובר בלא תעשה בכורים שאסורים לזרים האוכל מהם חוץ לחומה אינו דין שיהא עובר בלא תעשה הא לא בא הכתוב ללמדך אלא לאוכל בכורים עד שלא קרא עליהם שעובר בלא תעשה. ונדבותיך, אלו תודה ושלמים וכי מה בא הכתוב

1 תירושך, [וע״כ בלקוח מיירי דתירוש לאו בר אכילה הוא, מ״ע]. — טמא, [לקוח שנטמא מניין דאסור לאוכלו חוץ לירושלים; וקצת קושי יש בלמוד דטמא דהרי טמא אף בירושלים אסור לאכלו; וע״כ מתרץ הרד״ף דלהאי תנא תרי לאוי כתיבי הכא חד לא תוכל בשעריך וחד לאכול בשעריך ולאו הראשון דטמא אסור לאכלו אפילו בירושלים ודוחק אלא נראה כפשוטו ואפשר דהוצרך ללמד דאי לאו הכי הו״א דלא בערתי ממנו בטמא היינו טומאת גוף ועוד יש לומר דיליף מכאן דאוכל בטמא חוץ לירושלים עובר בשני לאוין דאי לאו הכי הו״א דאינו עובר אלא על לאו דטומאה]: 2 רש״א וכו׳, [מכות י״ט ע״ב, יבמות ע״ג ע״ב, והשוה לקמן פי׳ ש״ג]: 3 בטמא, [הגר״א מוסיף „בין שאני טמא והוא טהור בין שאני טהור והוא טמא״]. וכן נראה גרסת רש״י, עיין פירושו יבמות ע״ג ע״ב ד״ה והיכן. — בשעריך, [הגר״א מוסיף „ולהלן הוא אומר בשעריך תאכלנו הטמא והטהור יחדיו״; יבמות מ״ח ע״ב בתוספת ביאור „ההוא דאמרי לך התם בשעריך תאכלנו הכא לא תיכול״. וגרסת מ״ת „מכלל שנ׳ לא אכלתי באוני ממנו היכן הוא מזהיר אינו יודע וכו׳, ורש״י יבמות ג׳ „מכלל שנ׳ וכו׳ בטמא בין שאני טמא והוא טהור בין שאני טהור והוא טמא והיכן מוזהר על אכילה איני יודע ת״ל וכו״ ומפרש דה״ק דמתודה שלא בערו באש בטמא וכ״ש בטהור דלא ניתן אלא לאכילה ושתיה וסיכה ומדלא הוצרך להודות בטהור ש״מ דה״ק אפי׳ בטמא שלא יכולתי לאוכלו לא נתתיו להדלקה אלמא אינו נאכל בטומאה והיכן מוזהר על כך]: 4 יכול הנותן וכו׳, [ואכלו חוץ לירושלים, מהר״ס; והקשה הרד״ף מהיכי סלקא דעתך שיתחייב הנותן והא אין שליח לדבר עבירה, ופי׳ דהספק הוא אם נותן לחבירו מעשר שני טמא ולא הודיעו אם הוא חייב משום לפני עור לא תתן מכשול וילפינן מהכא דאף דעובר אינו לוקה רק האוכל משום דהוה לאו שאין בו מעשה וגם זה דחוק; ואפשר ליישב פי׳ מהר״ס דאפשר דשאני הכא דסד״א דעליו מוטל החוב לאכלו בירושלים ואם נתנו לאחר ואכלו בחוץ חייב כאלו הוא אכלו קמ״ל] ועיין בפ״ז: 5 ריה״ג וכו׳, [יבמות פ״ו ע״א, מכות ט״ז ע״ב, תוספתא מכות פ״ד ה״ד ע׳ 442] ובגמרא וכן במ״ת מסיים בלא תוכל לאכול בשעריך ולהלן הוא אומר ואכלו בשעריך ושבעו (דב׳ כ״ו י״ב) מה להלן מעשר עני אף כאן מעשר עני ואמר רחמנא לא תוכל, ועיין רמב״ם הלכות מאכלות אסורות פ״י, וס׳ יראים הוצ׳ שיף, י״ג ע״א, סמ״ג לאוין קמ״ז: 8 רש״א וכו׳, השוה למעלה פי׳ ס״ז, (ע׳ 132), ופי׳ ע״א (ע׳ 135): 9 ותרומת ידך וכו׳ עד פי׳ עד בין חוץ לקלעים, מכות י״ז ע״א, פ״ז — הבכורים, למעלה פי׳ ס״ג (ע׳ 130), רש״י — וכי מה וכו׳, ר״ש מסרס ליה לקרא ודריש, רמא״ש — ואם תאמר וכו׳, מובא ברמב״ן עשין ששכח הרמב״ם ד׳, ובפי׳ הרמב״ם דמאי פ״י מ״א הוצ׳ ציוני, ע׳ 32, וברבינו בחיי עקב: 12 לא בא וכו׳, רמב״ם לאוין קמ״ט: 13 קרא עליהם, פרשת בכורים [מכות פ״ג מ״ב, בבלי שם י״ז ע״א, י״ח ע״א, ירו׳ ביכורים פ״א ה״ו מ״ד ע״א]:

ל׳ ב | דגנך—טמא מנין] ל׳ ל — 1 תירושך] ותירושך ה | ויצהרך] יצהרך א — 2 ולא—בטמא] בטלים ב, ל׳ א — 3 לא תוכל] ל׳ א | לא] ולא ד — 4 יכול—מעשר] ל׳ ט | הנותן] הנותנו ה, וכן בסמוך | במתנה] מתנה פ | מעשר] מעשר דגנך תירוש׳ ויצהרך מעשר ל, ל׳ אד — 5 האוכל] האוכלו ה | ואין הנותן במתנה] וזה הנותן אינו מ, ואין הנותן א | ר׳ יוסי—בין לפנים מן הקלעים בין חוץ לקלעים שעובר בלא תעשה] ל׳ ט | הגלילי] ל׳ ד | יהו] יהא א — 6 על] ל׳ ה | כלום מהדבל [יראים, סמ״ג], מעשר כלום ר, ל׳ א | מנין הורם ממנו] ל׳ א | מנין] מנין אם ה | ממנו תרומה מדל, תרומה ממנו רב, ממנו תרומה גדולה ה [יראים] — 7 מעשר ראשון ולא הורם ממנו] ולא ה, ולא הורם ממנו לא | ואפילו מהא [יראים], מעשר שיני ואפילו רב, מעשר שיני ולא הורם ממנו ד, ולא הורם ממנו מעשר עני ואפילו מעשר עני ל — 9 קדשים לקדשים רהב, קדשי קדשים לקדשים קלים דמפ, קדשים לקדשים קלין ל, קדשי הקדשים לקדשים קלים א | ותרומת] תרומת א | הבכורים] בכורים א | הכתוב] ל׳ א | אם] אם בא מא — 10 לאוכל ארמב, לאכל ה, לאכול דל — 11 עובר] אינו דין שיהא עובר ב | שאסורים רמהבא, שהם אסורים דל | האוכל—בלא תעשה] ל׳ ב | מהם] ממנו ל | אינו דין שיהא] ל׳ א [ונשלם בא׳] — 12 שיהא עובר רמה, שיהו עוברים דל | בלא תעשה] ד מוסיף: נדבתך אילו תודה ושלמים וכי מה הכתוב ללמדנו | בא] ל׳ א | ללמדך רהב, ללמדנו דל. ל׳ מא [רמב״ם] — 13 שעובר רהבל, שיהא עובר מ, שם ד, שהוא עובר א [רמב״ם] |

ללמדנו אם לאוכל תודה ושלמים חוץ לחומה קל וחומר ממעשר מה מעשר שאין חייבים עליו משום פיגול ונותר וטמא האוכל ממנו חוץ לחומה עובר בלא תעשה תודה ושלמים שחייבים עליהם משום פיגול ונותר וטמא האוכל מהם חוץ לחומה אינו דין שיהא עובר בלא תעשה הא לא בא הכתוב ללמדך אלא לאוכל תודה ושלמים לפני זריקת דמים שעובר בלא תעשה. ובכורות, זה הבכור וכי מה בא הכתוב ללמדנו אם לאוכל בכור חוץ לחומה קל וחומר ממעשר אם לפני זריקת דמים קל וחומר מתודה ושלמים מה תודה ושלמים שמותרים לזרים האוכל מהם לפני זריקת דמים עובר בלא תעשה בכור שאסור לזרים האוכל ממנו לפני זריקת דמים אינו דין שיהא עובר בלא תעשה הא לא בא הכתוב ללמדך אלא לזר שאכל בשר בכור בין לפני זריקת דמים בין לאחר זריקת דמים שעובר בלא תעשה סליק פיסקא

עג.

בקרך וצאנך, זו חטאת ואשם וכי מה בא הכתוב ללמדנו אם לאוכל חטאת ואשם חוץ לחומה קל וחומר ממעשר אם לפני זריקת דמים קל וחומר מתודה ושלמים אם לאחר זריקת דמים קל וחומר מן הבכור ומה בכור שהוא קדשים קלים האוכל ממנו לאחר זריקת דמים עובר בלא תעשה חטאת ואשם שהם קדשי הקדשים האוכל מהם אחר זריקת דמים אינו דין שיהא עובר בלא תעשה הא לא בא הכתוב ללמדך אלא לאוכל חטאת ואשם חוץ לקלעים שעובר בלא תעשה סליק פיסקא

עד.

נדריך, זו עולה וכי מה בא הכתוב ללמדנו אם לאוכל עולה חוץ לחומה קל וחומר ממעשר לפני זריקת דמים קל וחומר מתודה ושלמים לאחר זריקת דמים קל

ונדבותיך אמה [מסורה], נדבותיך רד, נדבתך בל | אלו] אמ׳ לו ר | הכתוב] ל׳ ד – 1 לאוכל הב, אוכל רמדל א | חוץ לחומה–שאין חייבים עליו] שחייבים עליהם ל | חוץ לחומה] ל׳ ר | מה] ומה ד — 2 ונותר אמהדל, נותר רב וכן בסמוך | ממנו] מהם ד | עובר בלא תעשה–האוכל מהם חוץ לחומה] ל׳ א, ונשלם בין השטים | תודה ושלמים— עובר בלא תעשה] ל׳ ב – 3 שחייבים רמה, שהם חייבים ד | שיהא עובר ארמל, שעובר הב, שהוא עובר ד — 4 ללמדך] ל׳ ל | זריקת דמים] ח׳ ל | דמים מהאב, דם ר ד – 5 שעובר] שהוא עובר ד | מה] ל׳ ל | אם] ל׳ ר | לאוכל רהב, באוכל מא, לאכול דל — 6 אם] ל׳ ל, ואם א | קל וחומר] ל׳ א – 7 מה רמהבא, ומה דל | שמותרים] שמותר בל | דמים] דם ד | עובר–לבני זריקת דמים] ל׳ ל — 8 שאסור] האסור א | ממנו] מהם ב | דמים] דם ד | שיהא] שיהא הוא ד – 9 הא לא–שעובר בלא תעשה] ל׳ ל | בשר] ל׳ א | בכור] ל׳ ב – 10 שעובר] שהוא עובר ד | סליק פיסקא ד, ל׳ רא —

11 ללמדנו מהדא, ללמדך רבל | לאוכל הדב. באוכל רמלא — 12 ממעשר] בא נמשך קו תוך המלה ובין השטים נוסף: שעובר בלא תעשה | אם אמהב, ל׳ רדל וכן בסמוך – 13 מן הבכור דב, מבכור רמהא, מן הביכורים ל | שהוא בהא, שהם רלד | ממנו] ל׳ ל – 14 לאחר דה, לפני רמבלא | חטאת] וחטאת א | קדשי הקדשים א, קדשי קדשים רלדה, קדשי קלין ב | מהם] ממנו ל – 15 אחר ה, לפני רמדבלא | אינו דין שיהא] ל׳ א ונשלם בין השטים | הא] ל׳ ר | ללמדך אלא] אלא ללמדך ה – 16 לאוכל א׳רמדבל, שהאוכ׳ ה, לפני כל א | שעובר ארמהל, שהוא עובר ד, עובר ב | סליק פיסקא ד, ל׳ רא —

17 נדריך רמבלא, ונדריך הד | לאוכל הד, באוכל רמבלא – 18 ממעשר] ממעשר שני ה | ושלמים לאחר] ושל

2 וטמא, [שאין חייב עליו כרת, מפי׳ ר״ה; ואולי רק על ידי שיגרא נקט טמא]: 5 ובכורות וכו׳, חנוך ראה תנ״ח: 8 שאסור לזרים, [בעל ז״א מגיה ומה תודה ושלמים שאין קדושים מרחם כמו שהוא במכות י״ט ע״ב ואולי יש לקיים הגרסה ולומר דלא הוי ידעינן דאסור אלא בעשה, בכורות ל״ב ע״ב, רמא״ש]; וכן פי׳ ר״ה בכור שאסור, דכתיב ובשרם יהיה לך כחזה התנופה וכו׳ (במדבר י״ח י״ח) הקיש הכתוב הבכור לחזה ושוק של שלמים מה חזה ושוק לכהנים אין לזרים לא, אף בכור לכהנים אין לישראל לא:

11 אם, [הגר״א הגיה אם זר]. – לאוכל, [הגר״א הגיה לכהן האוכל]:

וחומר מן הבכור חוץ לקלעים קל וחומר מחטאת ואשם מה חטאת ואשם שמותרים באכילה האוכל מהם חוץ לקלעים עובר בלא תעשה עולה שהיא אסורה באכילה האוכל ממנה חוץ לקלעים אינו דין שיהא עובר בלא תעשה הא לא בא הכתוב ללמדך אלא לאוכל עולה בין לפני זריקת דמים בין לאחר זריקת דמים בין לפנים מן הקלעים בין חוץ לקלעים שעובר בלא תעשה.

(יח) כי אם לפני ה׳ אלהיך, זו שילה. תאכלנו במקום אשר יבחר ה׳ אלהיך בו, זו ירושלם. אתה ובנך ובתך ועבדך ואמתך, חביב חביב קודם. והלוי אשר בשעריך, כל מקום אתה מוצא הלוי הזה לומר תן לו מחלקו אין לו חלק תן לו מעשר עני אין לו מעשר עני תן לו שלמים.

(יט) השמר, בלא תעשה. פן בלא תעשה. פן תעזוב את הלוי כל ימיך, אפילו שמיטים ואפילו יובלות. על אדמתך, ולא בגולה סליק פיסקא

עה.

(כ) כי ירחיב ה׳ אלהיך את גבולך, עשה מצוה האמורה בענין שבשכרה ירחיב ה׳ אלהיך את גבולך. כאשר דבר לך מה דבר לך את ארץ קיני וקנזי וקדמוני, רבי אומר כבר אלו אמורים מה דבר לך °מפאת קדים עד פאת ים דן אחד יחזקאל מח א–ז
יהודה אחד אשר אחד.

ואמרת אוכלה בשר כי תאוה נפשך לאכול בשר, רבי ישמעאל אומר מגיד שבשר תאוה נאסר להם לישראל במדבר ומשבאו לארץ התירו הכתוב

6 זו שילה וכו׳, השוה לקמן פי׳ ק״ז, קכ״ט: 7 חביב וכו׳, למעלה פי׳ ס״ט ע׳ 133, פ״ז (עד סוף הפיסקא): 8 כל מקום וכו׳, רש״י — אתה, כן נראה להגיה כמו בפיסקא ס״ט למעלה — מוצא, אעפ״י שברוב הנסחאות הגרסה כאן סומך, נראה לי לבכר גרסת הילקוט מוצא על פי הנוסח למעלה פי׳ ס״ט — הזה לומר, [הגר״א מוחק]: 10 השמר וכו׳, למעלה פי׳ ע׳ (ע׳ 133) ובציונים שם, רש״י, רמב״ם לאוין רכ״ט: 11 שמיטים וכו׳, דלית לך מעשרות תן לו מדידך, מפי׳ ר״ה — ולא בגולה, [אינו מוזהר עליו יותר מעניי ישראל, רש״י], והשוה מכי׳ דרשב״י כ׳ י״ב (ע׳ 110), תו״כ בהר פרק ד׳ (ק״ז ע״ד):

12 עשה וכו׳, למעלה פי׳ נ״ה (ע׳ 122), ובציונים שם, פ״ז — בענין, [המבוארת לקמן, ז״א; ור״ה פי׳ דהיינו שלמעלה פן תעזוב את הלוי ופירוש ראשון נראה]: 13 מה דבר לך וכו׳, השוה מכילתא בא מסכת פסח פ׳ י״ב (י״ב ע״ב, ה–ר ע׳ 40), פ״ז: 14 אלו אמורים, [בברית בין הבתרים בראשית ט״ו י״ח] והשוה רמב״ן; ועיי״ע ירו׳ שביעית פ״ו ה״א (ל״ו ע״א), ושם קדושין פ״א ה״ט (ס״א ה״ד), ב״ר פ׳ מ״ד סי׳ כ״ג (ע׳ 445), בבלי ב״ב נ״ו ע״א ועוד ספרי במדבר סוף פי׳ קי״ט (ע׳ 146), מ״ת לקמן י״ט ט׳ (ע׳ 114): — דן אחד וכו׳, עיין בשנויי נוסחאות; ודרך מדרשי התנאים לרמז על הפסוקים האלה בנוסח זה, והשוה לקמן פי׳ שט״ו, מכילתא דרשב״י עמוד 69; והגר״א מוחק יהודה אחד מפני שבזה שינה הספרי מסדר הכתובים שם: 16 ר׳ ישמעאל וכו׳, [חולין ט״ז ע״ב; ויקרא רבה פ׳ כ״ב סי׳ ז׳; פ״ז] — ר׳ ישמעאל וכו׳, אולי יש קשר

אחר א — 1 מן הבכור רדבל, מבכור מה, מהבכור א | מה חטאת ואשם] ל׳ ב | מה רמהא, ומה דל — 2 האוכל] והאוכל א | עולה] ועולה א | שהיא אסורה מהא, שאסורה רדבל — 3 חוץ לקלעים] חוץ לקלעים עובר בל׳ תעש׳ עולה שאסורה באכילה האוכל ממנו חוץ לקלעים ר — 4 לאוכל מדלא, באוכל רהב | בין] ל׳ דל | בין לאחר זריקת דמים] ל׳ א | בין רמהב, ובין דל | בין לפנים מן דמהל, בן לפנים מן ר, לפנים מן ב, בין לפני א — 5 בין] ל׳ ב — 6 כי דא, פ׳ כי ר | שילה] שילו רב — 7 זו ירושלם] ל׳ ר — 8 מוצא הלוי הזה ט, סומך הלוי הזה רהדבל, סומך לוי לשער מ, סומך לוי היה א | לומר ר הטידביל, היה למד מ, למד א, ל׳ טי | אין לו חלק] ל׳ אמ, ואם אין לו מחלקו אי | אין] אם אין ה — 9 חלק ה ד, חלקו רל, מחלקו טב | מעשר מהלא, ממעשר רטד ב | אין לו ארטדבל, אם אין לו ה, אין לך מ — 10 השמר—ולא בגולה] ל׳ ט | פן בלא תעשה] ל׳ ר — 11 אפילו רהדבלפ, ואפילו מא | ואפילו יובלות מהא, ויובלות פ רבדל | בגולה] בגבולה ב | סליק פיסקא ד, פ׳ ר, ל׳ א

12 כי ירחיב—גבולך] ל׳ ט | מצוה] מצוות ר — 13 אלהיך רלאמה, ל׳ בד | מה דבר לך] ל׳ א | מה רמה טב, ומה דל | את ארץ דטב, אם ארץ ר, אל ארץ ל, אם א, את מ, ארץ אי, ל׳ ה | קיני וקנזי המדטיל, קנזי קנזי ר, קיני קניזי טיב, קני קנזי א — 14 ר״א—אשר אחד] ל׳ מ | מה דבר לך] ל׳ א | מה רטהב, ומה דל | קדים] קדימה ה | ים] ומה ה, ל׳ טי — 15 אשר אחד] דן אחד ר, אשר ב — 16 כי—בשר] ל׳ א | ר׳ ישמעאל—ולא כל צאנך] ל׳ טה | ישמעאל] שמעון ד — 17 הכתוב להם מא, חכמים להם רב, להם חכמים ל, להם ד —

להם. רבי עקיבה אומר לא בא הכתוב אלא ללמדך מצות האמורות בו רבי אלעזר בן עוריה אומר לא בא הכתוב אלא ללמדך דרך ארץ שלא יאכל אדם בשר אלא לתיאבון יכול יקח מן השוק ויאכל תלמוד לומר (כא) וזבחת מבקרך ומצאנך, הא אין אדם אוכל בשר עד שיהו לו בקר וצאן יכול יזבח כל צאנו וכל בקרו תלמוד לומר מבקרך ולא כל בקרך מצאנך ולא כל צאנך. כאשר צויתיך, מה קדשים בשחיטה אף חולין בשחיטה או מה קדשים במקום אף חולין במקום תלמוד לומר כי ירחק ממך המקום וזבחת ברחוק מקום אתה זובח ואי אתה זובח בקרוב מקום פרט לחולין שנשחטו בעזרה, אין לי אלא תמימים בעלי מומים מנין תלמוד לומר

(ויקרא ג ב; שם ג ח) ושחטו פתח אהל מועד יכול אף חיה ועוף פתח אהל מועד תלמוד לומר אותו

אותו פתח אהל מועד ואין חיה ועוף פתח אהל מועד, או מה קדשים בזמן אף חולין בזמן תלמוד לומר ואכלת בשעריך בכל אות נפשך, או מה קדשים במחיצה אף חולין במחיצה תלמוד לומר ואכלת בשעריך או מה קדשים ביום אף חולין ביום תלמוד לומר ואכלת בשעריך בכל אות נפשך או מה הקדשים בטהרה אף חולין בטהרה תלמוד לומר הטמא יאכל אין לי אלא טמא טהור מנין תלמוד לומר הטהור יאכל. הטמא והטהור יחדו יאכלנו, מלמד ששניהם אוכלים מתוך קערה אחת יכול אף תרומה תהא נאכלת מתוך קערה אחת תלמוד לומר יחדו יאכלנו זה נאכל מתוך קערה אחת ואין תרומה נאכלת מתוך קערה אחת יכול יהו חייבים בחזה ושוק תלמוד לומר כצבי, אוציאו מכלל חזה ושוק ולא אוציאו מכלל שתי כליות ויותרת הכבד תלמוד לומר כאיל, או מה צבי כולו מותר אף זה כולו מותר תלמוד לומר אך.

(כב) אך כאשר יאכל את הצבי ואת האיל, רבי אלעזר הקפר ברבי אומר וכי מה בא הכתוב ללמדנו בין צבי לאיל אלא הרי זה בא ללמד ונמצא למד מה בהמה בשחיטה אף חיה בשחיטה אבל עוף אינו אלא מדברי סופרים, רבי אומר

1 אלא ללמדך רב, ללמדך אלא מלא, ללמד אלא ד | בו] כאן ד — 2 עזריה] יע׳ ר | אלא ללמדך בל, ללמדך אלא מא, ללמד אלא ד, ללמדך ר | יאכל] יכל ר — 3 יקח] יקח בשר ד | השוק] השקה ר | ויאכל] ואוכל מ — 4 כל —בקרו] כל בקרו וצאנו מ, כל בקרו וכל צאנו א — 5 ולא כל בקרך] ולאכול מבקרך ל — 6 או רטבל, אי מ רא | אף חולים—בקרוב מקום] ל׳ ב — 7 ואי] אי ה | בקרוב מקום מדטיל, במקום קרוב טי, במקום רהא — 9 יכול—ת״ל אותו] ל׳ א — 10 ואין מהדטילא, אין ר ב, ולא טי | או רל, אי מהדבא — 11 או רטבלא, אי מהד | או מה קדשים ביום—בשעריך] ל׳ ד — 14 הטמא יאכל מהב, הטמא יאכלנו טל, הטמא והטהור יאכלנו ר, הטהור והטמא יאכלנו ד, הטמא א — 15 הטהור יאכל מ הא, והטהור יאכלנו רט, טהור יאכלנו ד, והטהור יאכל ב, הטהור ל | יחדו רמהבלא, ל׳ טד | מלמד ארטמב, מגיד הדל | מתוך קערה ארמהטב, בקערה ד [רא״ם], בקערה מתוך ל — 17 ואין—קערה אחת מהטלא, ואח׳—אחת ר, ל׳ דב | יהו רטבלא, יהוא ה, יהיו מד — 18 אוציאו] הוציאו הוציאו א, יכול הוציאו א¹ | ולא אוציאו הדטב, ולא אוציא ר, ואל אוציאו מ, אוציאו ל, ולא הוציאו א | מכלל] ל׳ טי — 19 כאיל] וכאיל ה | או רטבל, אי דה, ל׳ מא, יכול א¹ | צבי] איל מא | כולו מותר] כלי מותר ר — 20 ר׳ אלעזר הקפר—שנים בבהמה] ח׳ ה, ושם מובאה הברייתא לפי סגנונה בבבלי חולין כ״ח ע״א | ברבי רטבלא¹, ל׳ מרא — 21 הכתוב ארדל, זה טב, ל׳ מ | בין] כיוצא בו ב | הרי] ל׳ ד | ללמד אמטבל, ללמדינו ד, כמלמד ר — 22 אבל] אף ל | רבי אומר רבא, [רד״ף בשם מהר״ס], ד״א דל, ר׳ מאיר אומר א —

בין דברי ר׳ ישמעאל אלה ומאמרו, ב״ב ס׳ ע״ב, „מיום שחרב בית המקדש דין הוא שנגזור על עצמנו שלא לאכול בשר״: 1 ראב״ע, [תוספתא ערכין פ״ד ה׳ כ״ו (ע׳ 548), חולין פ״ד ע״א], רש״י, פ״ז: 5 מה קדשים וכו׳, פ״ז, רמב״ן, רמב״ם עשין קמ״ו: 6 כי ירחק וכו׳, [תר״כ נדבה פרק י״ז ה״ז (י״ג ע״ג), קדושין נ״ז ע״ב]: 7 ברחוק מקום וכו׳, השוה תר״כ פ׳ ויקרא (הוצ׳ רמא״ש ע׳ 133), ועיין בהערת רמא״ש שם ע׳ 134: 10 בזמן, דהיינו ליום ולילה או שני ימים ולילה אחד, רד״ף: 12 אף חולין במחיצה, דהיינו בירושלים דאילו בעזרה אסור כדלעיל, מפי׳ רד״ף: 13 או מה קדשים בטהרה וכו׳ עד ששניהם אוכלים בקערה אחת, רא״ם: 14 טהור מנין, [דסד״א דטהור צריך דוקא לאכול קדשים, ז״ר] ולדעתי הפירוש כאן כמו למעלה בפי׳ ע״א טהור מנין שמותר לו לאכול עם הטמא, והשוה תוספתא נדה פ״ט הי״ח: 20 ר׳ אלעזר הקפר וכו׳, חולין כ״ח ע״א: 22 רבי אומר וכו׳, חולין שם ופ״ה ע״ב, יומא ע״ה ע״ב, רמב״ם עשין קמ״ו:

כאשר צויתיך מגיד שנצטוה משה על הושט ועל הגרגרת ועל רוב אחד בעוף ועל רוב שנים בבהמה סליק פיסקא

עו.

(כג) רק חזק לבלתי אכול הדם. רבי יהודה אומר מגיד שישראל שטופים בדם קודם מתן תורה יכול אף משקבלו אותה בשמחה מהר סיני תלמוד לומר רק. אמר רבי שמעון בן עזיי והלא שלש מאות מצות עשה בתורה כיוצא בזה לומר מה הדם שאין בכל המצות קל ממנו הוהירך הכתוב עליו שאר כל המצות על אחת כמה וכמה. רבי שמעון אומר כל מצוה שקבלו אותה ישראל בשמחה מהר סיני עושים אותה בשמחה וכל מצוה שלא קבלו אותה מהר סיני בשמחה אין עושים אותה בשמחה. רבן שמעון בן גמליאל אומר כל מצוה שמסרו ישראל נפשם עליה בשעת השמד נוהגים אותה בפרהסיא וכל מצוה שלא מסרו ישראל נפשם עליה בשעת השמד עדין היא רופפת בידם. כי הדם הוא הנפש, להגיד מה גרם.

ולא תאכל הנפש עם הבשר, זה אבר מן החי, והלא דין הוא מה בשר בחלב שמותר לבני נח אסור לישראל אבר מן החי שאסור לבני נח אינו דין שאסור לישראל, יפת תואר וכל הדומים לה תוכיח שאסורה לבני נח ומותרת לישראל אף אתה אל

3 ר׳ יהודה וכו׳ עד עאכ״וכ, רש״י — ר׳ יהודה וכו׳, מובא בספר Pugio Fidei, ע׳ 803: 4 ת״ל רק, לאשמעינן דמשקבלו את התורה לא היו שטופים דרק למעוטי אתי, מפי׳ ר״ה: 5 מה הדם וכו׳, משנה סוף מכות, לקמן סוף פי׳ זו, ופי׳ רפ״י — שלש מאות וכו׳, זו נראה לי הגרסה הנכונה, שהרי נמצאת באה ויש לה סמוכים גם בפמז ונראה שבן עזיי חשב מצות עשה שבתורה לערך שלש מאות ולא דק למנותם בצמצום: המספר המקובל רמ״ח מצות עשה ושס״ה לא תעשה מובא בשם ר׳ שמלאי (מכות כ״ג ע״ב) ואולי קדום לו מעט, אבל ודאי לא היה ידוע לתנאים הקדמונים שהרבה מחלוקות ביניהם בענין איזהו חובה או רשות, ובאיזה מקום הזהירה תורה במ״ע ואיפה דברה כלשון בני אדם, והשוה הקדמת הרמב״ן לס׳ המצות: 7 רש״א וכו׳ עד רופפת בידם, שבת ק״ל ע״ב, והשוה מכילתא סוף פ׳ כי תשא, מכילתא דרשב״י שם ל״ד י״ד (ע׳ 162). ועיין עוד ירו׳ שביעית פ״א ה״ז (ל״ג ע״ב) „ללמדך שכל דבר שבית דין נותנין נפשם עליו סופו להתקיים בידם כמה שנ׳ למשה מסיני״: 11 להגיד וכו׳, לקמן פי׳ ק״ח, קס״ד, ורע״ב; תו״כ אחרי פרשה ה׳ ה״ח (פ״ד ע״ג), שם פרק י״א ה׳ י״ב (פ״ד ע״ד), שם אמור פרק א׳ ה״ו (צ״ד ע״ב), שם ה׳ י״ג (צ״ד ע״ג), שם פרשה ב׳ ה״ו (שם ע״ד), שם פרק ב׳ ה״ט (צ״ה ע״א), פרק ו׳ ה״י (צ״ח ע״א), בהר פ״י ה״ח וה״ט (ק״ט ע״ב): 12 זה אבר וכו׳, מובא בספר Pugio Fidei ע׳ 803 — זה אבר מן החי, סנהדרין נ״ט ע״א, חולין ק״ב ע״ב, פסחים כ״ב ע״ב, ירו׳ נזיר פ״ו ה״א (נ״ד ע״ב); פ״ז, רמב״ם לאוין קפ״ב; והשוה תו״כ שמיני פרשה ב׳ (מ״ח ע״א), וירוש׳ ערלה פ״ג ה״א (ס״ב ע״ד): 13 שאסור, תוספתא ע״ז פ״ח ה״ד (ע׳ 473), סנהדרין נ״ו ע״א, נ״ט ע״א, והשוה חולין ק״ב ע״א: 14 יפת תואר, תוספתא שם ה״ה, סנהדרין נ״ז ע״א — וכל הדומים לה, [שאכורים לבני נח ומותרים לישראל, תוספתא שם ה״ד]:

1 מגיד רמא, מלמד דטבל | שנצטוה] שלא נצטווה ל | הגרגרת רמטב, הקנה ו־לא | ועל רוב] ורוב ד — 3 ר׳ יהודה אומר] ל׳ מא | מגיד] ל׳ א | שישראל רמהאפ [פוגיו], שהיו דטל, שיש ב, שישראל היו א[1] | שטופים] שפורין א — 4 מתן מהדטלא, למתן רב | ת״ל רק מהאפז, ל׳ רטדבל — 5 והלא רטמאפ, והרי הד בל | שלש מצות עשה רטדבל, שלש מאות עשה ה, שלש מאות וארבעים ושש לא תעשה פ, שלש מאות מצות עשה יש א [ובין השטים נוסף וששים וחמשה] שלש מאות וששים וחמשה לא תעשה זמ [נ״א בספרי של הגר״א, רד״ף בשם מהר״ס] | כיוצא בזה פרטהלבא, כיוצא בזו ד, ולא אמר בהם רק חזק כזאת מ | לומר הטדבא, לומר לך מל, ללמד ר | מה] על ב — 6 הדם רמבא, דם הד ט | הזהירך] ל׳ ב — 7 שמעון] ל׳ ד | אותה] ל׳ ט | עושים ארמב, הן עושין ט, עדין עושין הד — 8 וכל— בשמחה] ל׳ ב | וכל] כל ר | אותה] אותה ישראל ה, ל׳ א | מהר סיני בשמחה ר, בשמחה מהר סיני מה, בשמחה טדא — 9 מצוה שמסרו ישראל] שמסרו מצוה א | נפשם] עצמם מ, ל׳ א — 10 ישראל רדהטידבא, ל׳ טימ | נפשם] עצמם אמ | עדין מהדמב, עד אן ר, לדון א [ועל הגליון: ר״ל עדין היא רפויה בידם] | היא רופפת ה, מרופה היא טב, מרופא היא ר, היא מרופה ד, היא רופפת גם מרופה מ, רופפת היא:גם מרובה א — 11 בידם] כגרן ב | להגיד —נפש] ל׳ ב | גרם] שגרם א — 12 ולא טמהא [מסורה], לא רד | והלא דין הוא—אבר מן החי] ל׳ מה | והלא רטדא, והרי ב | מה ר, ומה דטבא — 13 שאסור] שיהא אסור אד — 14 לה] להם א | תוכיח רמב, יוכיחו לד, יוכיח א, תוכח פ | שאסורה רטיאל, שאסור טידב, שאסורין פ | ומותרת] ומותר ד —

תתמה על אבר מן החי שאף על פי שאסור לבני נח שהוא מותר לישראל תלמוד לומר ולא תאכל הנפש עם הבשר זה אבר מן החי, רבי חנניה בן גמליאל אומר זה הדם מן החי.

לא תאכלנו, לרבות בשר בחלב, והלא דין הוא מה נבילה שאין חייבים על בשולה חייבים על אכילתה בשר בחלב שחייבים על בשולו אינו דין שחייבים על אכילתו כלאי זרעים יוכיחו שחייבים על זריעתם ואין חייבים על אכילתם אף אתה אל תתמה על בשר בחלב שאף על פי שחייבים על בשולו שלא יהיו חייבים על אכילתו תלמוד לומר לא תאכלנו לרבות בשר בחלב. רבי אליעזר אומר ומה פסח שאין חייבים על בשולו חייבים על אכילתו בשר בחלב שחייבים על בשולו אינו דין שחייבים על אכילתו פטום הקטורת יוכיח שחייבים על פטומה ואין חייבים על ריחה ואף אתה אל תתמה על בשר בחלב שאף על פי שחייבים על בשולו שלא יהו חייבים על אכילתו תלמוד לומר לא תאכלנו לרבות בשר בחלב. רבן גמליאל ברבי אומר הרי הוא אומר רק חזק לבלתי אכול הדם, מה דם שאין בכל המצות קל ממנו הזהירך הכתוב עליו שאר כל המצות על אחת כמה וכמה סליק פיסקא

עז.

(כו) רק קדשיך אשר יהיו לך ונדריך תשא ובאת אל המקום, במה הכתוב מדבר אם בקדשי הארץ כבר אמור הא אינו מדבר אלא בקדשי חוצה לארץ. תשא ובאת, שחייב בטפול הבאתם עד שיביאם לבית הבחירה, רבי יהודה אומר עד באר הגולה חייב באחריותם מבאר הגולה ואילך אינו חייב באחריותם, יכול אף בכור

2 ולא רטבל, לא דא | ר׳ חנניה—החי] ל׳ ה | חנניה רמ טב, חנינא דאל | בן גמליאל] ל׳ ל — 4 תאכלנו] תאכל פ | בחלב] מ מוסיף: שחייבין על בשולו | והלא—על אחת כמה וכמה] ל׳ מה | והלא רא, והרי טדבל | מה רבא, ומה טדל — 5 חייבים] אין חייבין א | בשולו רטא, בישולה ד ב, בישוליה ל | אינו דין שחייבים] שיהו ב | שחייבים] שיהו חייבין ט — 6 זריעתם] זריען ר | אף—חייבים על אכילתו] ל׳ א ונשלם על הגליון | אף רב, ואף דטל — 7 בשולו] בשולם ד | שלא רטיב, לא טידל | אכילתו] אכילתן ד — 8 לא תאכלנו רלא, לא תאכל ב, לא תאכלו ד | בחלב] א מוסיף <שחייבים על בשולו>, וקו משוך תוך המלה בשולו ולמעלה כתוב אכילתו — 9 על אכילתו] ל׳ ר — 10 יוכיח טבל, תוכיח רא, יוכיחו ד | ואף] אף אל — 11 שלא יהו] אינו דין שיהו א, לא יהו ט — 12 תאכלנו טאל, תא׳ ר, תאכל ד, תאכלו ב | ברבי רטבל, ל׳ דא — 13 שאין] שאינו ד | קל ממנו—המצות] ל׳ ב | קל] קל וחומר פ — 14 כל המצות] מצות טד | סליק פיסקא ד, פ׳ ר —

16 אם ארדפטיהבל [כ״ת], אי טימ [רמב״ן] | הארץ פראטמהב [רמב״ן, כ״ת], ארץ ישראל דל | כבר רדהבאפ, הרי כבר מטדל [רמב״ן, כ״ת] | אמור] נאמר ל | אינו דמהא [רמב״ן, חנוך, כ״ת], אין רמבל | חוצה לארץ] חוצה ל — 17 שחייב] מלמד שחייב מא | בטפול פרדטבל [חנוך], על טיפול מא, להיטפל ה | הבאתם רטמא [חנוך], הבאתו דבל, בהבאתם ה | שיביאם ארדמהל [חנוך], יביאם טב | הבחירה אטדבמדפ [חנוך], הבירה רל [ורמא״ש הביא מטופס פירוש ר״ה שבידו לבית הפרוה] | ר׳ יהודה—אינו חייב באחריותם] ל׳ ה | עד] עד שיביאם עד ד — 18 באר—מבאר] בור—מבור

2 ר׳ חנניה בן גמליאל וכו׳, סנהדרין נ״ט ע״א, פ״ז: 4 בשר בחלב, חולין קט״ו ע״ב, מכילתא משפטים מסכתא אם כסף פ״כ (ק״ב ע״ב): 6 ואין חייבים, כלאים פ״ח מ״א: 8 לרבות בשר בחלב, פירש רמא״ש „דס״ל דם נעכר ונעשה חלב אלא שהתורה התירתו ודרש הכי לא תאכל הנפש עם הבשר דהיינו דם לא תאכלנו בשום ענין עם הבשר אפילו אם נעשה חלב וכן במכילתא פ׳ משפטים דרש איכי לא תאכל הנפש עם הבשר להביא בשר בחלב שאסור באכילה וכוונתו נמי מלאו דלא תאכלנו דמיותר דאילו מלא תאכל לגופיה איצטריך״: 12 ר״ג ברבי וכו׳, השוה למעלה ראש הפיסקא:

15 במה הכתוב וכו׳, רמב״ן עשין פ״ה, חנוך ראה תמ״א, כתר תורה ס״ד, ובסגנון שונה הרבה בתוספות תמורה י״ח ע״א ד״ה אפילו, ושם כ״א ע״ב ד״ה ממקום: 17 שחייב וכו׳, תוספתא פאה פ״ד ה״ז (ע׳ 23), והשוה מכילתא דרשב״י כ״ג י״ט (ע׳ 159), ושם ל״ד כ״ו (ע׳ 164), ובכורים פ״א מ״ט, ס׳ החנוך. — ר׳ יהודה וכו׳, (תוספתא בכורים פ״א ה״ה (ע׳ 100)) לענין בכורים ואולי הועתק המאמר הנה ע״י שיגרא או נוסף מגליון כי מפריע את הענין כמפורש למטה: 18 באר הגולה, מל׳ גולות מים, והז״ר כתב שהיתה מספקת מים לכל בני הגולה ואינו נכון וע׳ סוף

ומעשר תלמוד לומר נדריך, קדשים שהם באים בנדר ובנדבה יצאו בכור ומעשר שאינם באים בנדר ובנדבה, יכול שאני מוציא חטאת ואשם תלמוד לומר קדשיך מי להשך להביא את חטאת ואשם ולהוציא את בכור ומעשר אחר שריבה הכתוב מיעט מביא אני חטאת ואשם שאין להם פרנסה אלא במקומם ומוציא אני בכור ומעשר שיכולים להתפרנס בכל מקום. רבי עקיבה אומר בתמורת קדשים הכתוב מדבר, תשא ובאת אל המקום, יכול אף בכור ומעשר תלמוד לומר ונדריך, יכול יהא מעשר בהמה נודג בשותפות תלמוד לומר אשר יהיו לך, יכול שאני מוציא את האחים שקנו בתפוכת הבית ואחר כך חלקו תלמוד לומר אשר יהיו לך. בן עזיי אומר יכול יהא מעשר בהמה נוהג ביתום תלמוד לומר רק סליק פיסקא

עח.

(כז) ועשית עלתיך הבשר והדם. רבי יהושע אומר אם אין דם אין
בשר ואם אין בשר אין דם רבי אליעזר אומר ודם זבחיך ישפך אף על פי שאין
בשר הא מה אני מקיש ועשית עולותיך הבשר והדם מקיש בשר לדם מה דם
בזריקה אף בשר בזריקה יכול יהא עומד מרחוק ווזרק תלמוד לומר ״וערך הכהן ויקרא א ב
אתם עומד בקרוב וסודרם על גבי מערכה.

מדות וסוף עירובין, רמא״ש — יכול וכו׳, חוזר למעלה לחיוב הבארת קדשי חו״ל לבית הבחירה, יכול יהא חייב להביא גם בכור ומעשר ת״ל וכו׳ ואינו מקושר עם דברי ר׳ יהודה „עד באר הגולה חייב באחריותו״, כי איזה אחריות יש במעשר, הלא הוא לבעלים לאכול בירושלים. ותנא זה סובר כר״ע שאין מעשר נוהג בחו״ל לעיל פי׳ ס״ג (ע׳ 129), ושאינו חייב להביא בכור מחו״ל לארץ לקמן פי׳ ק״ו. — יכול אף בכור ומעשר, לקמן פי׳ ק״ו, ומנחות פ״ח מ״א, „כל קרבנות הצבור והיחיד באים מן הארץ ומחו״ל״, וצריך להגיה על פי התוכפתא שם פ״ט ה״א „כל קרבנות צבור והיחיד באים מארץ ומחו״ל חוץ מבכור ומעשר כל המנחות באות מן הארץ ומחו״ל וכו׳״ [ועיין מאמרו של לוי על משנתו של אבא שאול ובתוספתא תמורה פ״ב הי״ז, ומן התוספתא יוצא שאינו חייב באחריותן וגם לענין זה משונים משאר קדשים]: 3 אחר שריבה וכו׳, למעלה פי׳ נ״ט: 5 שיכולים להתפרנס, [תמורה פ״ג מ״ה יש להם פרנסה במקומם. ופירש״י „יש להם תקנה במקומם שירעו עד שיסתאבו ויאכלו במומם לבעלים ושאר כל הקדשים אעפ״י שנפל בהם מום הרי הם בקדושתם וצריך אתה לפדותן ולהעלות דמיהן ולהקריבן והואיל וסופו להקריב דמיהן יעלו הן עצמן ויקרבו״, עיין תוספות שם י״ח ע״א ד״ה אפילו, זבחים ל״ז ע״ב, בכורות ט״ז ע״א]. — בתמורת קדשים וכו׳, נזיר כ״ה ע״א, תמורה י״ז ע״ב, בכורות י״ד ע״ב: ר״ע ור׳ ישמעאל שניהם מדרשים הכתוב בתמורה, השוה למטה פ׳ סוף פי׳ ע״ח: 6 יכול אף בכור ומעשר, פירוש יכול תמורת בכור ומעשר יקרבו ת״ל נדריך, ועי׳ תמורה כ״א ע״א, „הם קרבים ואין תמורתן קרבים״: 7 בשותפות וכו׳, בכורות פ״ט מ״ג, ובברייתא בגמרא שם נ״ו ע״ב: 9 ביתום, בכורות פ״ט מ״ד, ותוספתא שם פ״ז ה״י (ע׳ 542), מכילתא בא פי״ח (כ״ב ע״א, ה-ר ע׳ 70), ובציונים שם:

10 ר׳ יהושע וכו׳, [תוספתא זבחים פ״ד ה״א (ע׳ 434), עם פנחים פ״ו ה״ג (ע׳ 164), הו״כ נדבה פרשה ד׳ הי״ב (ו׳ ע״ג, רמא״ש ע׳ 63), פסחים ע״ז ע״א, זבחים ק״ד ע״א, ודברייתא שבתוספתא בפסחים מובאה עוד בפסחים ע״ט ע״א, זבחים כ״ה ע״ב, שם ק״ט ע״א, מנחות ט׳ ע״א, שם כ״ו ע״א, בכורות ל״ט ע״ב, מעילה ט״ו ע״ב, והשוה מנחות פ״ג מ״ד] ועיין בפי׳ הר״ש משאנץ בתו״כ שם מביא זאת דברייתא מן הספרי: 11 ר׳ אליעזר וכו׳, תו״כ שם מובא כל המאמר של ר״א סתמא ביותר ביאור עי״ש: 12 מה דם בזריקה וכו׳, [זבחים ס״ב ע״ב]:

מ, ביר—מביר א | אינו ר, אין בדלא | בכור ומעשר] מעשר ובכור ד — 1 ובנדבה רמבל, ונדבה דטהא | יצאו—ובנדבה] ל׳ ב — 2 ובנדבה רטל, ונדבה טדהמא | שאני מוציא] שאר כיוצא ב | שאני] שני ר | חטאת] חטא א, הטאת א¹, חטאות פ | ואשם] ואשמות פ | מי לחשך הד פ, אם לחשך ט, מלחשך רב, מה יש לך מ, ל׳ ל, ומה יש לך א — 3 את] ל׳ לא | חטאת ואשם] חטאות ואשמות פ | ולהוציא] להוציא ל | את] ל׳ א | בכור] הבכור ל — 5 להתפרנס] לפרנס ד | בתמורת קדשים ארט¹מה, בתמורה ד, בתרמות קדשים ט², בתרומת קדשים בלפ — 6 ונדריך טדמל, נדריך רהבא | יכול] ל׳ א, יכול א¹ | יהא] יהיה ד — 7 נוהג] נוהגת ט | שאני] שני ר — 8 בתפוסת טב ל, בתפיסת רדמא, מתפוסת ה, בשותפות פ | חלקו] ילדו ברשותן ה — 9 יהא ארטמהל, יהיה ד, יהו ב | נוהג] ל׳ א | סליק פיסקא ד, פ׳ ר, ל׳ א —

10 ועשית—ת״ל ודם זבחיך ישפך] ל׳ ט | והדם מה אבל, ד מוסיף <מקיש דם לבשר>; ר מוסיף <על> | אם אין—אין דם] אם אין בשר אין דם אם אין דם אין בשר ל — 11 ואם—אין דם רדה, אם—אין דם דב, ל׳ מ א | אעפ״י הדבא, דם אעפ״י רמל — 12 הא מה דהב, ומה מא, מה רל | מקיש] ניקיש ר, הקיש הא | בשר לדם רמהאפ, דם לבשר דבל — 13 בשר] הבשר ה | מרחוק מהא, ברחוק ועומד דל, במרוחיק ר, במרחק ב — 14 וסודרם רמהבאפ, וכודרו ד, וסודרין ל | על גבי] על

ויקרא א ט מכלל שנאמר והקטיר הכהן את הכל המזבחה לרבות העצמות והגידים והקרנים והטלפים יכול אף על פי שפרשו תלמוד לומר ועשית עלתיך הבשר והדם או ועשית עלתיך הבשר והדם יכול יחלוץ גידים ועצמות ויעלה הבשר על גבי המזבח תלמוד לומר את הכל הא כיצד מחוברים יקרבו פרשו אפילו הם בראש המזבח ירדו, מנין לכל הקדשים שטעונים מתן יסוד ושפיכה אחת על גבי המזבח תלמוד לומר ועשית עלתיך הבשר והדם, מנין למעשר ופסח שאם נתנם במתנה אחת כפר תלמוד לומר ועשית עלתיך ומנין למעשר ופסח שלא ינתנו אלא במתנה אחת תלמוד לומר ודם זבחיך ישפך.

רבי ישמעאל אומר בתמורת קדשים הכתוב מדבר, תשא ובאת אל המקום, הרי הוא בא אל המקום מה יעשה לו תלמוד לומר ועשית עלתיך הבשר והדם מה עולה טעונה הפשט ונתוח וכליל לאשים אף תמורתה כיוצא בה, מה עולה טעונה מתן יסוד ושפיכה אחת על גבי המזבח אף תמורתה כיוצא בה, מה עולה פקעו אברים מעל גבי המזבח מחוירם למערכה אף תמורתה כיוצא בה, מה כל הקדשים אינם מותרים בבשר אלא לאחר זריקת דמים אף תמורתם כיוצא בהם סליק פיסקא

סדר ב | מערכה] המערכה לא — 1 מכלל שנאמר—אף תמורתם כיוצא בהם] ל׳ ה | המזבחה רמלא, וכו׳ פ, ל׳ בד | העצמות—והקרנים ארמ, העצמות—והקרמים ב, את העצמות ואת הגידים והקריביים ד, את העצמות וגידין והקרנים ל — 2 והטלפים] והטפלים ל | אעפ״י שפרשו אמלפ, אעפ״י פרשו ר, אפילו שפירשו ד, אף פרשו ב — 3 או—והדם ר, ועשית עולותיך ד, או ב, ל׳ מלא | יחלוץ] אף א | ויעלה הבשר רמ, זו חלוץ בשר ב, ויחלוץ בשר ויעלה הדם ד, ויחלוץ דם ויעלה בשר ל, ויעלה בשר א — 4 על גבי רמל, לגבי דבא | המזבח מדלא, מזבח רב | הא כיצד] הכיצד ר | הם רמלאפ, ל׳ דב — 5 בראש אמ, בראשי רל, בראש דב, בראשו של פ | ירדו מדבאפ, יורידן ר, יורדין ל | מנין רבלפ, ומניין דמ א | הקדשים דמאפ, קדשים רבל | שטעונים] שהם טעונים א | מתן יסוד רמאפ, מתן דמים ויסוד דל, יסוד ב | ושפיכה] בשפיכה פז | דהמזבח] מזבח ר — 6 עלתיך הבשר והדם] ל׳ רל | מנין—ועשית עלתיך] ל׳ א | מנין] ומניז ד | ופסח] ל׳ פ | שאם] שאינן ב | נתנם במתנה ר, נתנם מתנה מל, נתנו במתנה דבפ — 7 כפר רמב, שכיפר דל | ת״ל רמבל, שנאמר ד | ופסח] ל׳ ל | ינתנו] יתנם ל, יתנו א — 8 אלא במתנה מ, במתנה רדלא, מתנה ב | אחת] ל׳ א — 9 בתמורת ארמטב, בתרומת דל, בוולדי קדשים ותמורות פ — 10 הרי הוא] הרי הו ר | אל המקום] למקום ר — 11 תמורתה רטבל, תמורה דמא | מה] ומה ד — 12 מתן יסוד] יסוד ב, מתן ביסוד פ | ושפיכה] בשפיכה פ | המזבח דטילא, מזבח רמט״ב | תמורתה רטדפ, תמורה מא, שפיכה ב, תרומתה ל | מה] ומה ד | פקעו אברים] טעונה מתן יסוד ושפיכה אחת ואיברין שפקעו ל — 13 גבי] ל׳ ל | המזבח ארפדט״ב ל, מזבח מט׳ | מחזירם] שמחזירין ל | למערכה] על המערכה ל, על גבי המערכה א | תמורתה רטב, תמורה מדא, תרומתה ל | כיוצא בה] כיוצא בה פקעו איברי׳ מעל גבי המזבח מחזירם למערכה ד | מה מטבא, ל׳ רלד | אינם—בבשר רלטב, אינן מותרין באכילת בשר ד, אין אתה מתירו לבשר מא — 14 תמורתם] תמורה א | כיוצא בהם רמטלא, כיוצא

1 מכלל שנאמר וכו׳, [תו״כ נדבה פ״ו ה״ט (ז׳ ע״ג), זבחים פ״ה ע״ב, חולין צ׳ ע״א, והשוה משנה זבחים ט׳ ה׳, ותוספתא שם פ״ט ה״ג (ע׳ 493)]: 2 הבשר והדם, ולא גידים ועצמות, מפי׳ ר״ה: 5 ירדו, [כרבי ודלא כסתמא דמתני׳ אם פרשו לא יעלו דמשמע הא אם עלו לא ירדו. עיין תוס׳ שם פ״ו ע״א ד״ה מאן ולפי זה אפשר לפרש מ״ו שם וכולם שפקעו, היינו בין מחוברים בין פרשו, אבל רש״י לטעמיה לא פירש כן אלא וכולם פסולים שעלו ועצמות וגידין וכו׳ שעלו מחובר, ואיפשר ג״כ דרתנא דמתני׳ לא רצה להכריע בפלוגתא לא קמיירי]. — מנין וכו׳, [זבחים ל״ז ע״א]. — מתן יסוד וכו׳, משום דלא כתיב בכל הקדשים ואת דמו ישפוך על יסוד המזבח (ויקר׳ ד׳ ז׳, י״ח, כ״ה, ל׳, ל״ד) אלא בחטאת גרידא, מפי׳ ר״ה. — ושפיכה אחת, כלומר אחר המתנות בראש המזבח צריך לשפוך השיריים אל היסוד. בפרק איזהו מקומם נזכר שפיכת יסוד רק בשלשה בבות הראשונות, שהם פר ושעיר של יוה״כ, פרים הנשרפים ושעירים הנשרפים, וחטאת הצבור והיחיד, אבל לא בעולה ואשמות וקדשים קלים, והשוה למטה (שורה 12) גבי עולה הוזכר ג״כ מתן יסוד ושפיכה אחת והשוה זבחים נ״ז ע״א ותוס׳ זבחים נ״א ע״ב ד״ה תן. ושם נ״ג ע״ב ד״ה העולה: 6 והדם, ומסיים ודם זבחים ישפך, מפי׳ ר״ה. — למעשר ופסח. ר״ה ובעל ז״א ורמא״ש הגיהו ע״פ הברייתא בזבחים ל״ו ע״ב, ניתנים על מזבח החיצון. ויותר נראה דעת הגר״א, שיש בכל הענין ערבוב כתובים ודעות, ונוסחתו במקום המאמר „מנין למעשר ופסח וכו׳ עד ודם זבחך ישפך״, „מנין למעשר ופסח שטעון שפיכה אחת ע״ג המזבח ת״ל ודם זבחיך ישפך ומנין לכל הקדשים שאם נתנן במתנה אחת כפר ת״ל ודם זבחיך ישפך״. והשוה מ״ת ע׳ 55: 7 במתנה אחת, מ׳ זבחים ה׳ ח׳, תוספתא שם פ״ו הט״ו (ע׳ 489). והשוה זבחים נ״ו ע״ב, ול״ז ע״א, פסחים ס״ד ע״ב, ירושלמי שם פ״ה ה״ו (ל״ב ע״ג). ספרי במדבר פי׳ קי״ח (ע׳ 139): 9 ר׳ ישמעאל וכו׳, [נזיר כ״ה ע״א, בכורות י״ד ע״ב, תמורה י״ז ע״ב]. — בתמורת, השוה למעלה פי׳ ע״ה (ע׳ 140): 12 מתן יסוד וכו׳, תמיד פ״ד מ״א וע׳ למעלה (שורה 5). — פקעו וכו׳, זבחים פ״ט מ״ו: 13 אינם מותרים וכו׳, למעלה פי׳ ע״ב (ע׳ 138):

עט.

(כח) שמור ושמעת. אם שמעת מעט סופך לשמוע הרבה אם שמרת מעט סופך לשמור הרבה אם שמרת מה ששמעת סופך לשמור מה שלא שמעת שמור מה שבידך וסופך ללמוד לעתיד. דבר אחר זכה אדם ללמוד תורה זכה לו ולדורותיו עד סוף כל הדורות.

שמור ושמעת, כל שאינו בכלל משנה אינו בכלל מעשה. את כל הדברים האלה אשר אנכי מצוך, שתהא מצוה קלה חביבה עליך כמצוה חמורה. כי תעשה הטוב והישר, הטוב בעיני שמים והישר בעיני אדם דברי רבי עקיבה וכן הוא אומר [10]ומצא חן ושכל טוב בעיני אלהים ואדם. רבי ישמעאל משלי ג ד
אומר הישר בעיני שמים סליק פיסקא

פ.

(כט) כי יכרית ה׳ אלהיך את הגוים. עשה מצוה האמורה בענין שבשכרה יכרית ה׳ אלהיך את הגוים. אשר אתה בא שמה לרשת אותם מפניך, בשכר

1 אם שמעת וכו׳ עד כל הדורות, המאמר הזה לדעתי נוסף מגליון וחסר במאהב, בכ״י ר אין המאמר שלאחריו מתחיל „בדבר אחר״ כרגיל בשתי ברייתות על כתוב אחד ומזה גם כן ראיה שמעתיק אחד הכניס מאמר זה אל גוף הספרי מבלי לטרוח לשנות ברייתא שאחריו בהתאם להוספתו. — סופך לשמוע וכו׳, למעלה פי׳ מ״ח (ע׳ 112), לקמן פי׳ צ״ו, מכילתא בשלח מסכת ויסע פ״א (מ״ו ע״א, ה—ר ע׳ 157), שם יתרו מסכת בחודש פ״ב (ס״ב ע״ב ע׳ 208), מכילתא דרשב״י ט״ו כ״ו (ע׳ 73) ושם י״ט ה׳ (ע׳ 95) מכילתא דברים י״ב כ״ג, (מ״ת ע׳ 61), תנחומא א׳ בשלח סי׳ י״ט, שם כי תבא סי׳ ד׳, תנחומא ב׳ בשלח סי׳ י״ט (ל״ג ע״א), ברכות מ׳ ע״א, סוכה מ״ו ע״ב: 3 עד סוף וכו׳, דסיפא דקרא למען ייטב לך ולבניך אחריך עד עולם, מפי׳ ר״ה; וכן הגיה הגר״א בהדיא: 4 משנה, השוה למעלה פי׳ נ״ח (ע׳ 124) ושמרתם זו משנה: 5 שתהא וכו׳, דורש את המלה כל לקמן פי׳ פ״ב וצ״ו, אבות פ״ב מ״א, נדרים ל״ט ע״ב, והשוה ירו׳ פיאה פ״א ה״א (ט״ו ע״ד) „א״ר בא בר כהנא השוה הכתוב מצוה קלה שבקלות למצוה חמורה שבחמורות״: 6 הטוב בעיני שמים וכו׳, לקמן פי׳ צ״ו, מכילתא דברים י״ב כ״ה (מ״ת ע׳ 61), תוספתא שקלים פ״ב ה״א (ע׳ 175), רש״י, פ״ז; השוה שנויי נוסחאות, והגהתי על פי התוספתא ופי׳ צ״ו לקמן. ונוסח התוספתא הוא: „לקיים מה שנאמר והייתם נקיים מה׳ ומישראל (במדבר ל״ב כ״ב) ואומר ועשית הישר והטוב בעיני ה׳ הטוב בעיני שמים והישר בעיני אדם דברי ר״ע ואומר ומצא חן ושכל טוב בעיני אלהים ואדם ר׳ ישמעאל אומר הישר בעיני שמים הכריעו חכמים לקיים דברי ר׳ ישמעאל שנ׳ כי תעשה הישר בעיני ה׳ (דברים כ״א ט׳) ואין כאן הטוב ואומר אל אלהים ה׳ אל אלהים ה׳ הוא יודע וישראל הוא ידע (יהושע כ״ב כ״ב) הרי שר׳ ישמעאל ור״ע חולקים לא רק בפירוש המלים אלא בהשקפותיהם על החיים והמדות, ר׳ ישמעאל מתענין רק ביראת שמים וביושר לכת לפני האלהים ולא בהצטדקות לפני אנשים ואינו מתירא מפני חשדם, ור״ע סובר שיש להתחשב גם במחשבות בני אדם. והגרסה והפירוש מתאשרים ע״פ המובא לקמן בפי׳ צ״ו „זו שאמר ר׳ ישמעאל הישר בעיני שמים״ והשוה עוד מ״ת כ״א ט׳ (ע׳ 126) כי תעשה הישר בעיני ה׳ לא להתנאות בעיני אדם אלא להתנאות בעיני שמים״. אמנם השוה המובא בשם ר׳ ישמעאל במ״ת לקמן כ״ב ה׳ (ע׳ 134), וכ״ד י״ז (ע׳ 160) „הרחק מן הכיעור ומן הדומה לכיעור״, ונראה שרק לעניני עריות אמר כן, והשוה עוד ירוש׳ שקלים פ״ג ה״ב (מ״ז ע״ג); וסתם מתניתין שם שקלים פ״ג מ״ב כר״ע:
9 עשה וכו׳, למעלה פי׳ נ״ה (ע׳ 122) וציונים שם, פ״ז: 10 בשכר שתבוא וכו׳, פי׳ נ״ה שם ובציונים, פ״ז:

בו ב, כיוצא בהם אינן מותרות באכילת בשר אלא לאחר זריקת דמים ד | סליק פיסקא דא, ל׳ ר —

1 שמור—סוף כל הדורות] רפדטל, ל׳ אמהב | הרבה] הרבי ר וכן בסמוך — 2 הרבה] ט מוסיף: אשר אנכי מצוך שתהא מצוה קלה חביבה עליך כמצוה חמורה | שמרת מה] מה שמרת ל | שמור מה בידך וסופך ללמוד לעתיד רפ, שמרת—לעתיד לבא דט — 3 ד״א ר דל, רבי אומר ט | ללמוד פדל, לתלמוד ר, למד ט¹, ל׳ ט² | זכה פ, זוכה דט, ל׳ רל | ולדורותיו דט, ולדורותיו ולדורות דורותיו ר, ולדורי דורותיו ל, ולדורו וכו׳ פ — 4 שמור ר, דבר אחר שמור טלד | כל אמה [מסורה], ל׳ רדטבל — 5 האלה] ל׳ א | קלה] ל׳ ל — 6 כי] וכי ד | הטוב בעיני דטמהבל, בעיני ר, בעיני הטוב בעיני א | דברי ר״ע] ל׳ א — 7 וכן הוא אומר—שמים] כן נראה לי להגיה ע״פ התוספתא ופי׳ צ״ו לקמן כמבואר בהערות, והנוסחאות המקובלות הן: ר׳ ישמעאל אומר הישר בעיני שמים והטוב בעיני אדם וכן הוא אומר ומצא חן ושכל טוב בעיני אלהים ואדם בטלהמ, ר׳ ישמעאל אומר הטוב והישר בעיני שמים והטוב בעיני אדם וכן הוא אומר ומצא וכו׳ ר, ר׳ ישמעאל אומר הישר בעיני אדם והטוב בעיני שמים וכה״א וכו׳ ד | ר׳ ישמעאל—שמים] ל׳ א — 8 סליק פיסקא ד, פ׳ ר —

9 הגוים רטמהלא, הגוים אשר ה׳ אלהיך נותן לך ד, כל הגוים ב | מצוה אמה, מצוה אחת רטבדל | בענין] ל׳ ב — 10 ה׳—הגוים] ל׳ בל | את] את כל ר | אתה בא רטמהא [מסורה], אנכי מביא אתכם ד, אנכי בל | לרשת

דברים יט א שתבוא תירש. וירשתה אותם וישבת בארצם, מכלל שנאמר וירשתה
וישבת בעריהם ובבתיהם יכול אי אתה רשיי להוסיף על הבנין תלמוד לומר
וירשת אותם וישבת בארצם כל מקום שאתה רוצה לבנות בנה. וירשת
אותם וישבת, מעשה ברבי יהודה בן בתירה ורבי מתיה בן חרש ורבי חנניה בן אחי רבי
יהושע ורבי יונתן שהיו יוצאים חוצה לארץ והגיעו לפלטום וזכרו את ארץ ישראל זקפו עיניהם
שם יא לא וזלגו דמעותיהם וקרעו בגדיהם וקראו את המקרא הזה וירשתם אותה וישבתם בה ושמרתם
לעשות את כל החקים האלה אמרו ישיבת ארץ ישראל שקולה כנגד כל המצות שבתורה.
מעשה ברבי אלעזר בן שמוע ורבי יוחנן הסנדלר שהיו הולכים לנציבים אצל רבי יהודה בן
בתירה ללמוד ממנו תורה והגיעו לציידן וזכרו את ארץ ישראל זקפו עיניהם וזלגו דמעותיהם
שם וקרעו בגדיהם וקראו את המקרא הזה וירשתם אותה וישבתם בה ושמרת לעשות
את כל החוקים האלה ואת המשפטים אמרו ישיבת ארץ ישראל שקולה כנגד כל
המצוות שבתורה חזרו ובאו להם לארץ ישראל סליק פיסקא

פא.

(ל) השמר, בלא תעשה. פן בלא תעשה. פן תנקש אחריהם, שמא תמשך
אחריהם או שמא תדמה להם שמא תעשה כמעשיהם ויהיו לך למוקש. אחרי

אותם מא, לרשתה או׳ ר, ל׳ דהטבל — 1 תירש אר מהטב, ותירש דל | וירשתה רמהבלא, שנ׳ וירשתה ר טי, שנ׳ וירשתם טי | וישבת–ובבתיהם ארמהל, ל׳ טד ב — 2 אי אד, אין המ׳, ל׳ רטמבל | רשיי רב, רשאי דלא | על הבנין הדמט, בבנין א, על הביניין ברל — 3 וירשת–בארצם רדהמא, וישבת בארצם ט, וישבת בעריהם דב, וישבת בעריהם ובבתיהם ל | רוצה] מוצא א | לבנות בנה] בונה ר | וירשת–וישבהם בה] ל׳ ה | וירשת –לארץ ישראל] ל׳ אמ — 4 בן חרש] ל׳ ל | חנניה רט ב [רמב״ן], חנינא דל | ר׳ יהושע] ר׳ יהועש ור׳ יהושע ט — 5 חוצה טדב [רמב״ן], חוץ רל | והגיעו לפלטום טדפ, ותבעו והגיעו לפטלום ר, והגיעו לפטלו׳ ב, והגיעו לפלטין ל, והגיע לפלטיא [רמב״ן] | וזכרו] ויזכרו ל | זקפו טדב, וזקפו את רל [רמב״ן] — 6 וזלגו דמעותיהן] וזלגו עיניהם דמעות ל | את רטב, ל׳ דל [רמב״ן] | וירשתם אותה וישבתם בה ושמרתם לעשות את כל החקים האלה ז, וירשת וישבת בה ושמרת לעשות את רלט, וירשתם וישבתם בה וחזרו ובאו למקומם ד, וירשת וישבת ושמרת לעשות ב — 7 ישיבת–שבתורה] ישיבת א״י שקולה כנגד כל המצוות [רמב״ן, ס׳ המצות, אמנם בפי׳ הרמב״ן ויקרא י״ח כ״ב בנוסח הרגיל שלפנינו] — 8 מעשה רטבל, ומעשה ד | לנציבים רטב [יוחסין], בנציבים דל — 9 ממנו רטבל [יוחסין], הימינו ד | תורה] ל׳ [יוחסין] | לציידן טידל, לציירן ר, לצידון טי [יוחסין], לציידו ב | וזכרו את ארץ לדטב, וחמדו לארץ ר, וזכרו ארץ [יוחסין] | זקפו ד, וזקפו טב, וזקפו את רל — 10 וקרעו דטבל, וקרעו את ר | את רטבל, ל׳ ד | המקרא] המקו׳ ר | וירש׳ או׳ ויש׳ בה ושמרת לעש׳ את החק׳ הא׳ ואת המש׳ ר, וירשתה וישבת בה ושמרת לעשות את החקים האלה טבל, וירשתם אותה וישבתם בה ד — 11 אמרו רטיבל, חזרו ובאו להם למקומם אמרו ד, מיכן אמרו ה | אמרו–שבתורה] ל׳ מטי | ישיבת] שישיבת ה — 12 המצוות] מצוות ל | חזרו–לא״י ר, חזרו–למקומן טיבל, ל׳ טידמה | סליק פיסקא ד, ל׳ ר —

13 פן בלא תעשה] ל׳ טב, פן בלא תעשה ואל בלא תעשה ל | שמא בהטדלא, שלא מ, פן רפ — 14 או רההדט ב, ל׳ מלא | שמא תעשה רמטדבל, ותעשה ה, ושמא תעשה א —

1 מכלל שנ׳ וכו׳, לקמן פי׳ קע״ס, פ״ז: 3 וירשת וכו׳ עד סוף הפיסקא, לדעתי נוסף מגליון כי אין למאורעות האלה שום קשר עם הדרש המובא כאן על הפסוק ועוד שחסר במהא ואף על פי שמובא ברמב״ן בשם הספרי וגם ר״ה הביאו וכתב „הני תרי מעשים דתני הכא לאו מקומן אלא משום דכתיב הכא וירשת אותם וישבת בארצם וסמיך ליה ושמרתם לעשות את כל החוקים דמדסמיך ליה משמע דישיבת א״י שקולה כנגד כל המצות״ והשוה .Jahrbuch der jüd. lit. Ges, פראנקפורט שנה 1908, ע׳ 313, והערת ר׳ חנוך אלבעק בספרו Untersuchungen ע׳ 147: 4 מעשה ברבי יהודה וכו׳, רמב״ן השגות על ס׳ המצות עשין ששכח הרמב״ם ד׳; ס׳ יוחסין, ע׳ 31: 5 לפלטום, לדעת ר׳ שמואל קליין בכתבי האוניברסיטה ח״א ע׳ 11, היא פלטנוס, Platana הנזכרת ביוסיפוס: 7 שקולה וכו׳, תוספתא ע״ז פ״ד (ה) ה״ג (ע׳ 466), והשוה כתובות ק״י ע״ב וקי״א ע״א: 8 מעשה וכו׳, ספר יוחסין שם: 9 ללמוד ממנו וכו׳, ומותר לצאת לחו״ל ללמוד תורה, ירו׳ ברכות פ״ג ה״א (ו׳ ע״א):

13 השמר וכו׳, למעלה פי׳ ע׳ (ע׳ 133), ובציונים שם: 14 — פן תנקש אחריהם וכו׳ עד סוף הפיסקא, פ״ז: תדמה, פירש רמא״ש בהערה א׳ למכילתא בא מסכת פסח פ״ב, (י״ג ע״א), שדורש תנקש מלשון היקש, ולפי דעתו יש כאן שלשה פירושים נבדלים זה מזה, האחד שמא תמשך והוא כפי׳ רש״י מל׳ ינקש נושה לכל אשר לו (תה׳ ק״ט י״א וע׳ רש״י), השני פן תדמה הוא מל׳

השמדם מפניך, מפני מה אני משמידם מפניך שלא תעשה כמעשיהם ויבואו אחרים וישמידו פניך.

פן תדרוש לאלהיהם לאמר, שלא תאמר הואיל והם יוצאים בטגא אף אני אצא בטגא הואיל והם יוצאים בארגמן אף אני אצא בארגמן הואיל והם יוצאים בתולסין אף אני אצא בתולסין ואעשה כן גם אני.

(לא) לא תעשה כן לה׳ אלהיך, יש כן לעבדה ויש כן למתעבד מיכן אמרו בדבר שמקריבים אותו למזבח אם מקריבים אותו לעבודה זרה חייב, דבר שמקריבים אותו לעבודה זרה אם הקריבו למזבח פטור, דבר שאין מקריבים אותו למזבח והקריבו לעבודה זרה אם מקריבים כיוצא בו חייב ואם לאו פטור, יכול לא יהו מקריבים חטאות ואשמות תלמוד לומר כי כל תועבת ה׳ אשר שנא דבר השנאוי ומתועב למקום, דבר אחר לא נתכונו להקריב אלא מה שהמקום שונא.

כי גם את בניהם ואת בנותיהם, אין לי אלא בניהם ובנותיהם אבותם ואמותם מנין תלמוד לומר בניהם גם בניהם בנותיהם גם בנותיהם אמר רבי עקיבה אני ראיתי גוי אחד שכפתו לאביו והניחו לפני כלבו ואכלו סליק פיסקא

היקש כמו שאמרנו, השלישי מל׳ מוקש: 1 שלא תעשה וכו׳, השוה למעלה פי׳ ס׳ (ע׳ 125): 3 שלא תאמר וכו׳, מובא בהוספות לספר הערוך מאת ר׳ שמואל ב״ר יעקב גמע, נדפס ע״י ר׳ שלמה באבער בספר היובל לכבוד הח׳ גרעץ, ע׳ 9, רמב״ם ס׳ המצות לאוין ל׳. — בטגא, פי׳ ר׳ דוד הופמאן במ״ת מל׳ Toga, והוא בגד כבוד של הרומים. וע׳ בערך מילין ע׳ אבטיגא, ובהחלוץ ח״ב ע׳ 136, שפירשו אבטיגא היא Epitogium, ועיין עוד במלונים: 5 בתולסין, פי׳ ר׳ דוד הופמאן מל״י θυλάς, מכנסים רחבים: ורמב״ם גורס בתלוסין ומפרש „מין ממיני זיין הפרשים״. והגר״א בהגהותיו כאן גורס בכלסין, אבל בביאורו ליורה דעה סי׳ קע״ת ס״ק א׳, מנסח הואיל „והן יוצאין בקילוסין״: 6 מיכן אמרו וכו׳, מכילתא דרשב״י כ׳ ה׳ (ע׳ 105), שם כ״ב י״ט (ע׳ 149), ועוד שם ל״ד י״ד (ע׳ 163), ירושלמי שבת פ״ז ה״ב (ט׳ ע״ג), [שם סנהדרין פ״ז הי״א (כ״ה ע״ב), בבלי ס״א ע״א, ע״ז נ״א ע״א וע״ב]: 9 יכול לא יהו וכו׳, כן הגיהו הגר״א ורמא״ש, ופי׳ רמא״ש „יכול לפי שהם מקריבים חטאות ואשמות לא תהא אתה מקריב למזבח וכו׳, והז״ר פי׳ יכול היו מקריבין וכו׳ אבל ר״ה גורס כשאר הנסחאות יכול יהו וכו׳ ומפרש כלומר יהו מקריבין לעבודה זרה חטאת ואשם כי היכי דמקריבין ישראל לשם שמים״. (כן העתיק רמא״ש מטופס פירושו של ר״ה שבידו, אבל בכ״י פ משובש, לשם ע״ז:) 12 אבותם וכו׳, ירו׳ סנהדרין פ״ז הי״ג (כ״ה ע״ג): 13 גם בניהם וכו׳, רש״י. — א״ר עקיבה, ל״ב מדות של ר״א בנו של ריה״ג מדה ג׳, רש״י, פ״ז:

1 מפני—משמידם] ל׳ ט — 2 וישמידו פניך ה, וישמידו מפניך רב, וישמידו אתכם מא, וישמדו מפניך טד [ובטופס ד׳ ויניציא שלפני נמחק המלה „מפניך״ ונכתב למעלה „אתכם״] שישמד מפניך ל — 3 שלא] שמא ר | הואיל והם] הם מ | אף אני—בטגא] ל׳ ב — 4 בטגא ה, בטיגא מא, באביטגא רפ, באבטיגא טדב [גמע], באביטגא ל [ור״ה העיר שיש ספרים שכתוב בהם בחגא] | והם יוצאים בארגמן] ויוצא בארגמן ד | אצא רמהבלא, יוצא ט, אבוא ד | והם יוצאים בתולסין דמטלא, והם יצאים בתלוסין הב, והו׳ יוצ׳ בתולסין ר — 5 אף אני ארדמהל, אני ט¹, ואני ט²ב | ואעשה רמטדבל, ת״ל ואעשה ה, אעשה א — 6 לא תעשה כן לה׳ אלהיך הא, ונאמר עוד—לה׳ אלהיך מ, ל׳ רטבדל | לעבדה רמא, לעבודה דטל, לעבודה זרה ה | יש כן לעבדה] לעבד׳ ב | כן—כן רדמלא, כאן—כאן טה [מהר״ס] | ויש כן] ויש בו ב | למתעבד א, למתעביד רמד, למשתעביד הל, שנעבד ט — 7 למזבח] לגבי מזבח דב | אם מקריבים ארמה, הקריב ד, אין מקריב אותו לע״ז ואם הקריב ט, אין מקריבין אותו ל | אם מקריבים אותו—למזבח פטור] אין מקריבין אותו לעב׳ זרה אם הקריבו למזבח פטור ב | חייב] ואם הקריב חייב ל | דבר שמקריבים] ודבר שמקריב ט — 8 אם הקריבו למזבח—לע״ז] ל׳ ל | למזבח] על גבי המזבח א | דבר שאין—אם לאו פטור] ל׳ ד | דבר] ודבר ט | אותו] ל׳ ט — 9 אם מקריבים רמה, אם מקריב ט, אין מקריבין בא | חייב] ל׳ א | ואם לאו] אם לאו ר | לא] כן נראה להוסיף וחסר בכל כת״י והדפוסים — 10 כי—ה׳] כי תועבת ה׳ אלהיך א | כי כל] מכל ב | דבר—דבר אחר] ל׳ ד | השנאוי אמל, שנוי ה, שנואי ט, סנוי ר, הסנוי ב — 11 מה מה, ממה ר, דבר לדטב, ל׳ א | שהמקום] שהקב״ה ד — 12 כי רמהבלא, שנאמר כי טד | בניהם ואת בנותיהם] בניכם ואת בנותיכם א | בניהם ובנותיהם אמדהל, בנים ובנות רטדב | אבותם ואמותם מא, אבות ואימהות רטדהל, ואמהות ב — 13 בניהם—גם בנותיהם רמהא, בניהם—ובנותיהם גם בנותיהם ט, כי גם את בניכם ואת בנותיכם ד, הם גם בניהם—גם בנותיהם ב, בניהם גם בנותיהם גם בניהן גם בנותיהן ל | עקיבה רמהלא, יעקב טדב — 14 אחד רטד לבא, ל׳ מה | שכפתו פרהטדבל, שכפאו מא | סליק פיסקא ד, פ׳ ר, ל׳ א —

פב.

(יג א) את כל הדבר אשר אנכי מצוה אתכם, שתהא מצוה קלה חביבה עליך כמצוה חמורה.

אתו תשמרו לעשות, רבי אליעזר בן יעקב אומר ליתן לא תעשה על כל עשה האמור בפרשה. לא תוסף עליו ולא תגרע ממנו, מיכן אמרו הניתנים במתנה אחת שנתערבו בניתנים במתנה אחת ינתנו במתנה אחת. דבר אחר לא תוסף עליו, מנין שאין מוסיפים על הלולב ועל הציצית תלמוד לומר לא תוסף עליו, מנין שאין פוחתים מהם תלמוד לומר ולא תגרע ממנו, מנין שאם פתח לברך ברכת כהנים לא יאמר הואיל ופתחתי לברך אומר ה׳ אלהי אבותיכם יוסף עליכם תלמוד לומר הדבר אפילו דבר לא תוסף עליו סליק פיסקא דברים א יא

פג.

(ב) כי יקום בקרבך נביא, מה משה בכה אמר אף נביאים בכה אמר, מה משה אמר מקצת וקיים מקצת אף נביאים אמרו מקצת וקיימו מקצת, מה משה אמר כלל ופרט אף נביאים אמרו כלל ופרט, או מה משה זקן ובן שמונים ובן עמרם יכול אף הנביאים כן תלמוד לומר נביא מכל מקום.

1 את רמהא, ל׳ לדטב | שתהא] שתהא עליך ד | חביבה] ל׳ א — 2 עליך] עליכם מ, עליהם א | כמצוה חמורה] כחמורה א — 3 לא תעשה] את לא תעשה א — 4 מיכן–עליו] ל׳ מ — 5 במתנה ר׳דבא, מתנה רה טל | בניתנים] ל׳ בא, בנתינתן ל | ינתנו במתנה אחת] יתנו מתן אחד ב, ל׳ ל, ינתנו במתנה אחת מתן ארבע במתן אחר ר׳ אליעזר או יכול מתני׳ א | במתנה רדט׳בא, מתנה ט׳הל — 6 על–ועל רמהטבא [סמ״ג, יראים, ה״מ, רא״ם], לא על–ולא על דל | לא ארהמטל [ה״מ, סמ״ג], ולא דב [רא״ם, יראים] — 7 מנין] ומנין ד | מנין רמהבלא [ה״מ, יראים, סמ״ג], ומנין טד — 8 לא ארמטבל [סמ״ג, ה״מ], שלא דה [יראים] — 9 עליכם ארמטב, עליכם וגומ׳ ד, עליכם ככם אלף פעמים הל | הדבר מה (מסורה), דבר רדטבל [סמ״ג], את הדבר א, לא תוסף עליו [ה״מ, יראים] | אפילו דבר] אפילו דבר אחר ל | עליו] ל׳ א | סליק פיסקא ד, פ׳ ר, ל׳ א —

10 נביא רטמהלא, נביא או חולם חלום ד, נביא או ב | מה] ומה ד וכן בסמוך | בכה אמר] אמר בכה א וכן בסמוך | נביאים] הנביאים מ וכן בסמוך — 11 וקיים מקצת] וקיים ד, ל׳ א | אמרו רדטבל, אמ׳ ה, אומרים מ, או׳ א | וקיימו רדט, ומקיימין מה, וקיומיו ב, וקיים ל, ומקיים מקצת א [וקו נמשך תוך המלים] | מה משה—אף נביאים—כלל ופרט] ל׳ ט — 12 אף נביאים אמרו פד, אף נביאים מה, אף נביאים אומר׳ רא, אף נביאים אמרו מקצת ב, אף הנביאים אמרו ל | או רטיבל, אי הדמ, ל׳ ט׳א | מה] ל׳ ל | זקן ובן רהטבא [מהר״ס לפי עדות רד״ף], זקן בן מ, בן ד, זקן ל | ובן שמונים] ל׳ ל | שמונים] שמונים שנה מ — 13 יכול אף רמהטא, אף שאר ד, יכול

1 שתהא וכו׳, למעלה פי׳ ע״ט (ע׳ 145) ובציונים שם: 3 ראב״י אומר וכו׳, מכילתא דרשב״י כ״ג י״ג (ע׳ 157), והשוה שם י״ב ג׳ (ע׳ 8) ומכילתא משפטים מסכת אם כסף, פ״כ (ק״א ע״א, ה–ר 331): 4 מיכן אמרו וכו׳, [זבחים פ״ח מ״י, תוספתא שם פ״ח ה׳ כ״ג (ע׳ 492), ערובין ק׳ ע״א, ר״ה כ״ח ע״ב׳ והגר״א מגיה בהוספת שאר המשנה „מתן ד׳ במתן ד׳ ר׳ אליעזר אומר ינתן במתן ד׳ ר׳ יהושע אומר ינתן במתן א׳ אמר לו ר״א הרי הוא עובר על בל תגרע א״ל ר׳ יהושע הרי הוא עובר על בל תוסיף א״ל ר״א לא נאמר בל תגרע אלא כשהוא בעצמו ועוד א״ר יהושע כשנתת עברת על בל תוסיף ועשית מעשה בידך וכשלא נתת עברת על בל תגרע ולא עשית מעשה בידך״]: 6 מנין וכו׳, סמ״ג לאוין שס״ד, ס׳ יראים ל״ב הוצ׳ שיף שע״א, הגהות מיימ׳ ה׳ ממרים פ״ב ה״ט, רא״ם למעלה ד׳ ב׳; רש״י, פ״ז, [סנהדרין פ״ח ע״ב, ירוש׳ שם פי״א ה״ד (ל׳ ע״ב)]· — על הלולב, [תוספתא סוכה פ״ב ה״ח (ע׳ 195), בבלי שם ל״א ע״א, סנהדרין פ״ח ע״ב]: 7 מנין שאם וכו׳, ר״ה כ״ח ע״ב:

10 מה משה, באהלי יהודה העיר שמאמר זה מתאים יותר להלן אל הכתוב נביא מקרבך מאחיך כמוני (י״ח ט״ו) אבל ר׳ דוד הופמאן במ״ת מפרש על נביא שקר „דוקא אם הדיח ואמר כה אמר ה׳ דינו כנביא מסית ואם לאו אלא שאמר מדעתו והדיח הוי כהדיוט ובסקילה ואתי כר״ש סנהדרין פ״ט ע״ב״· — בכה אמר וכו׳, מכילתא דרשב״י י״ב א׳ (עמוד 6), ובהערת ר׳ דוד הופמאן שם, ספרי במדבר פי׳ קנ״ג (עמ׳ 198), ובהערת ר׳ חיים שאול הארוויטץ שם, והשוה עוד מכילתא דרשב״י י״ט ג׳ (ע׳ 94) וכ׳ כ״ב (עמו׳ 114)· ואולי יש הבדל בפירוש המילים כה אמר בין אסכולת ר׳ ישמעאל לזו של ר״ע, לפי המכילתא דרשב״י והספרי כאן מובן שהמבטא כה אמר שאלה הם דברי ה׳ בלי הוספה וגרעון או שום שנוי בסגנון אבל בברייתא של הספרי במדבר נראית ההשקפה שזה מובן זה הדבר שבו נשתמש משה, אבל כה אמר מרמז רק על דבר ה׳ בכלל ולא בצמצום, וראיה לדברי ממ״ת לקמן י״ח ט״ו (ע׳ 111), שדורש כמוני „מה משה אומר דבר ולא מתירא וכו׳״, ואינו דורש מה משה בכה אמר וכו׳: 11 וקיים מקצת, בחייו, כן נראה לי לפרש; ורמא״ש פי׳ וקיים מקצת, כלומר מקצת נבואתו, ולא נתן קיום לדבריו

או חולם חלום, מכלל שנאמר למשה °פה אל פה אדבר בו יכול אף הנביאים כן תלמוד לומר או חולם חלום. (במדבר יב ח)

בקרבך, לרבות את האשה. ונתן אליך אות בשמים וכן הוא אומר °והיו לאותות. מופת בארץ וכן הוא אומר °אם טל יהיה על הגזה לבדה ועל כל הארץ חרב וגו׳ מהו אומר °ויעש אלהים כן סליק פיסקא (בראשית א יד; שופטים ו לז; שם ו מ)

פד.

(ג) ובא האות והמופת, אמר רבי יוסי הגלילי ראה עד היכן הגיע הכתוב סוף עובדי עבודה זרה ינתן להם ממשלה אפילו על חמה ולבנה כוכבים ומזלות אל תשמע להם מפני מה כי מנסה ה׳ אלהיכם אתכם לדעת הישכם אוהבים, אמר רבי עקיבה חס ושלום שמעמיד המקום חמה ולבנה כוכבים ומזלות לעובדי עבודה זרה הא אינו מדבר אלא במי שהיו נביאי אמת מתחילה וחזרו להיות נביאי שקר

ולמקצת נתן קיום דהיינו שעשה מופת לקיים הדבר והגר״א הגיה אמר וקיים מצותו אף נביאים שאמרו קיימו וכו׳; ור׳ דוד הופמאן פי׳ כדרכו על נביא השקר וציין לסנהדרין צ׳ ע״א עיי״ש „המתנבא לעקור דבר מן התורה חייב לקיים מקצת ולבטל מקצת ר״ש פוטר״: 12 עמוד הקר׳ כלל, [פי׳ רמא״ש כלומר נבואות כלליות, כברכות וקללות של בחוקותי וכי תבא. ונבואות פרטיות כמו בליעת קרח, אף שאר נביאים כן. ור״ה ואחריו רוב המבארים פירשו דאמר מקצת מצוות מן החדש הזה לכם וקיים מקצת דהיינו ענין פסח ומצרים וכו׳, אמר כלל ופרט היינו חד מי״ג מדות שהתורה נדרשת בהן, וכתב עליו רמא״ש „ולא נהירא לי; ויותר נראה דכלל ופרט כמו והייתם לי סגולה (שמות י״ט ה׳) וזאת חוקת התורה (במדבר י״ט ב׳)״]. — זקן וכו׳, מ״ת י״ח ט״ו (ע׳ 111): 13 ע׳ הקר׳ יכול אף הנביאים וכו׳, כפרי במדבר פי׳ ק״ג (ע׳ 101), ס״ז שם י״א ו׳ (ע׳ 275), פ״ז: 3 את האשה. פ״ז, דאי ניבאה לע״ז דמחייבה מיתה, מפי׳ ר״הי — אות בשמים וכו׳, [והשוה ספרי במדבר פיסקא כ״ג (ע׳ 27) „אות הוא מופת, מופת הוא אות אלא שדברה תורה שתי לשונות״], רש״י, פ״ז, ס׳ הזכרון: 4 בארץ, [כיון דאות בשמים הוה מופת בארץ] וכן פי׳ ר״ה ובפ״ז הביא הפסוק לדרוש את המופת אשר היה בארץ, דהי״ב ל״ב ל״א, וכן הגיה הגר״א:

6 אמר ריה״ג וכו׳, [סנהדרין צ׳ ע״א], פ״ז, עקידת יצחק ראה ש׳ צ״ג: 7 ינתן להם ממשלה וכו׳, לפי דעתי יש במחלקת בין ריה״ג ור״ע הבדל דעות בענין ספורי נפלאות של הנוצרים. ריה״ג אומר שאף אם הספורים אמת הם אין בזה ראיה על אמתת אמונתם שכבר העידה התורה שבסוף ינתן לעובדי עבודה זרה כח וממשלה גם על חמה ולבנה והזהירה את ישראל שלא לימשך אחרי טעותם מפני נסים אלו. ור״ע כפר בעיקר הספורים ואמר שחס ושלום לחשוב שהקב״ה יעשה נסים כאלה לעוברי רצונו, ומפני זרותם של דברי ריה״ג נשתבשו כבר בזמן קדום והובאו בנוסח מחוסר הבנה גם בבבלי. [הגר״א הגיה בספרי „ראה עד היכן הגיע הכתוב לסוף דעתם של עובדי עבודה זרה ונתן להם ממשלה אפילו יעמדו חמה וכו׳״] ואין דעתי נוחה בהגהה זו וגם לא בגרסאות הדומות לה בהמא כי לפי גרסת הגר״א והמא תמוה המבטא ונתן להם ממשלה המוסב על הכתוב כאילו הכתוב נותן ממשלה וכח באדם, הלא אין זה תלוי אלא ברצון הקב״ה. ועוד לפי גרסתם מה תמה ר״ע על ריה״ג באמרו ח״ו וכו׳ כי לפי גרסתם לא אמר ריה״ג שהקב״ה יעשה פלאים לעע״ז. ולכן נראה לי לגרס כמו שהגהתי בפנים ועיין בשנויי נוסחאות ובהערות הסמוכות. — על, כן יש להוסיף לפי דעתי, כמבורר למעלה. ור״ה פירש

יהו ל | כן מהלא, כין ר, כך דטב — 1 מכלל] בכלל א | למשה] ל׳ א | אף הנביאים מהטילא, אף נביאים טי ב, אף נביא ר, שאר הנביאים ד — 2 כן רמהטבא, כך ד, ל׳ ל — 3 את האשה פארהמטיבל, את האשרה ט׳, האשה ד | וכה״א והיו לאותות ה [מהר״ס לפי עדות רד״ף], כה״א והיו לאותות ולמועדים ט, וכה״א והיו לאותות ולמועדים ולימים ושנים מל, כע׳ הא׳ והיו לאותות ולמועדים ר, כה״א והיו לאותות ולמופתים ולמועדים ולימים ושנים ב, וכה״א והיו לאותות למועדים ולשנים א, ל׳ ד — 4 מופת בארץ ארמטבל [מהר״ס, לפי עדות רד״ף], או מופת בארץ ה, ל׳ ד | וכה״א דהמלא, כה״א טרב | אם–וגו׳ ר, אם–חרב ט, אם טל יהיה על הגזה לבדה ה, אם–לבדה וגו׳ ד, אם יהיה חרב על הגזה לבדה מא, אם יהיה טל על הגזה לבדה ועל–חרב ב, אם–כל הארץ יהיה חורב ל — 5 מהו–כן ה, מהו–ויעש ה׳ כן ויהי חורב על הגזה מא, ויעש ה׳ כן בלילה רט, ויעש אלהים כן בלילה ההוא ד, ויעש ה׳ כן בלילה ההוא וג׳ ב, ויעש ה׳ כן בלילה ההוא ל | סליק פיסקא ד, פ׳ ר —

6 ראה] ל׳ א | הגיע] ל׳ ר — 7 סוף] לסוף ד | עובדי] עובד אמ | ינתן] כן נ״ל להגיה, ובכל הנסחאות ונתן | אפילו על חמה–ומזלות] כן נראה להגיה בהוספת המלה על, והנוסחאות המקובלות הן: אפילו חמה–ומזלות רטבלפ, להעמיד אפילו חמה–ומזלות ד, שאפילו מעמידין לך חמה באמצע הרקיע ה, שאם מעמידין חמה ולבנה ככבים ומזלות מא, אפילו מעמיד חמה כוכבים ומזלות [עקידה] | אל תשמע–ומזלות] ל׳ ל | מפני מה רדהטידבא, ל׳ טימ, מפני [עקידה] | ה׳–אוהבים] ל׳ רטב — 9 ר׳ עקיבה] ל׳ א | שמעמיד המקום רב [עקידה], שמעמיד הקב״ה טמא, שהמקום יעמיד ה, שמא יעמיד הקב״ה ד | כוכבים] ל׳ ד — 10 שהיו רדטבל, שהם מהא, שהוא [עקידה] | נביאי אמת] אומות ל, נביא אמת [עקידה] | מתחילה] בתחלה ד, ל׳ [עקידה] | וחזרו] וחזר [עקידה] | נביאי רמהבד, נביאים טל, נביא [עקידה] | שקר אהלמ, השקר רבדט —

כחנניה בן עזור. (ד) לא תשמע אל דברי הנביא ההוא ולא החוזר בו, או אל חולם החלום ההוא ולא החשוד למפרע, כי מנסה ה׳ אלהיכם אתכם לדעת הישכם אוהבים סליק פיסקא

פה.

(ה) אחרי ה׳ אלהיכם תלכו, זה הענן. ואותו תיראו, שיהא מוראו עליכם. ואת מצותיו, זו מצות עשה, תשמורו, ליתן לא תעשה. ובקולו תשמעו, בקול נביאיו. ואותו תעבודו, עבדו בתורתו עבדו במקדשו. ובו תדבקון, הפרשו מעבודה זרה ודבקו במקום סליק פיסקא

פו.

(ו) והנביא ההוא, ולא אנוס. או חולם החלום ההוא, ולא מוטעה. יומת כי דבר סרה על ה׳ אלהיכם, והלא דברים קל וחומר ומה המזייף דברי חבירו חייב מיתה המזייף דבריו של מקום על אחת כמה וכמה. המוציא אתכם מארץ

1 כחנניה] כחנינה ל | לא דא, פ׳ לא ר | החוזר רמהט פ, תחזור ד, אל החוזר ל — 2 החשוד רטמהב׳א, העמד ב, חשוד דל | ה׳—אוהבים ה, ה׳—אוהבים וגומ׳ ד, ה׳— אתכם מא, וגו׳ רטב, ה׳—אוהבים את ה׳ אלקיכם בכל לבבכם ובכל נפשכם ל — 3 סליק פיסקא ד, ל׳ ר —

4 הענן מא [פ״ז], הענין ה, ענן רטבלפ [רמב״ן], עשה ד — 5 ואת מצותיו וכו׳ עד בקול נביאיו] כן נ״ל להגיה, והנוסחאות המקובלות הן, ואת מצותיו תשמורו זו (זה מ) מצות עשה, ובקולו תשמעו ליתן לא תעשה בקול נביאיו מאט, ואת מצותיו תשמורו מצות עשה ובקולו תשמעו ליתן לא תעשה בקול נביאיו ר בפ [ס׳ הזכרון], ואת מצותיו תשמורו זו מצות עשה ובקולו תשמעו ולא בקול נביאיו ל, ואת מצותיו תשמורו זו מצות לא תעשה ובקולו תשמעו ולא בקול נביאיו ד, ואת מצותיו תשמורו זו מצות עשה ובקולו תשמעו בקול נביאיו ה, ואת מצותיו תשמורו אלו המצות ובקולו תשמעו זו התורה [פ״ז], ואת מצותיו תשמורו תורת משה, ובקולו תשמעו בקול נביאים [רש״י] [והרמב״ן מעתיק רק „ובקולו תשמעו בקול נביאיו״ ואולי היתה גרסתו כזו של ה] — 6 ואותו] ל׳ ר | עבדו בתורתו עבדו במקדשו מ [רמב״ן, ס׳ הזכרון], עבדוהו בתורתו עבדוהו במקדשו ה, בתורתו עיבדו במקדשו רטבלפ, בתורתו עבדהו ובמקדשו ד, שתעבדו בתורתו שתעבדו במקדשו א, במקדשו [רש״י, פ״ז] | הפרשו מהט, הפרישו רבל, הפרישו עצמכם ד, אלא הפרישו פ, והופרשו [פ״ז] — 7 ודבקו רדמהב [פ״ז], והדבקו טא, והדביקו ל | סליק פיסקא ד, פ׳ ר, ל׳ א —

8 אנוס] מנוס א — 9 והלא ד׳ ק״ו אמהטב, וד׳ ק״ו ר, והרי דברים ק״ו דל | ומה מהטדלא, מה רב | המזייף רדמאפ, מזייף טהב, זייף ל | דברי חבירו] דבר מחברו פ — 10 דבריו של מקום] דברי מקום ל, דברי המקום א —

„אפילו חמה ולבנה וכו׳, למשול בהן ולהעמידן במקומן״: 1 כחנניה, ירו׳ סנהדרין פי״א ה״ז (ל׳ ע״ב), בבלי צ׳ ע״א בדברי ר״ע; ועיי״ע בציוניו של מורי ר׳ לוי גינזבורג בספרו אגדות היהודים ח״ו ע׳ 389; אולי יש להכיר בתאור זה של חנניה בן עזור כנביא שחזר בו מנביאותו ונעשה נביא שקר רמז אל השליח הנוצרי פולוס, שמעיקרו היה פרושי ואחר כך נשתמד. כי במקרא אין שום זכר לזה שהיה חנניה מעולם נביא אמת. — ולא החוזר בו, [פי׳ לא תשמע לא לזה ולא לזה וסיומא דר״ע הוא, רמא״ש; ובז״ר פי׳ דאם חוזר בתשובה הרי הוא בחזקתו לנביא אמת] ולי נראה להגיה בהעתקת כל המשפט למטה על הכתוב והנביא ההוא או חולם החלום ההוא יומת, ושם מתאים היטב והנביא ההוא ולא החוזר בו, או חולם החלום ההוא ולא החשוד למפרע, שלא היה יכול להתעות את העם, ואולי יש לקיים הדרש על פסוק זה ולמחוק המלה ולא: 2 ולא החשוד וכו׳, [דכל מה שאמר קודם לזה אמת, ומהר״ס בשם הראב״ד פירש שאם קודם שאמר נלכה ונעבוד היה חשוד אינו נהרג משום נביא השקר אלא משום מסית והרד״ף פירש דהכי קאמר דאם כבר למפרע היה מתנבא בכה אמר שדינו בחנק ואחר כך מדיח גם כן אבל לא בכה אמר אלא בפיתויים וכיוצא בזה על זה אמר ההוא דדוקא כשהוא בהוייתו דעדיין מדיח בדרך נביא אז הוא בחנק הא כהאי גונא דינו כהדיוט ובסקילה] ולפי הצעתי אין צורך לדחוקים אלו:

4 אחרי וכו׳, פ״ז — זה הענן, רמב״ן: 5 ואת מצותיו וכו׳, עיין בשנויי נוסחאות, ובלי הגהה זו אין לבאר את המאמר; לפי רוב הנוסחאות הגרסה ליתן לא תעשה בקול נביאיו, מה שאי איפשר להבין כלל. בנוסחאות אחרות השתדלו המעתיקים לתקן את הגרסה, בה נשמטה הפרזה „ליתן לא תעשה״, ובך הוגה זו מצות עשה, זו מצות לא תעשה, ואין בכל ההגהות די לברר הענין. ור״ה פי׳ לפי גרסתו ליתן לא תעשה בקול נביאיו לאשמועינן בקול נביאיו עובר בלא תעשה דכל מקום שנ׳ השמר אינו אלא לא תעשה. וכעין זה העיר מהר״ס. — ליתן לא תעשה, כמפורש למעלה השמר בלא תעשה. (פי׳ ע״ט). — בקול נביאיו, רש״י, רמב״ן: 6 עבדו וכו׳, רש״י, רמב״ן למעלה דברים ו׳ י״ג: — בתורתו, פי׳ ר״ה „דאותו תעבודו סתמא כתיב משמע בין עבודת התורה דהיינו שיהא עוסק בתורה בין עבודת מקדש״ ויונתן תרגם ל׳ תפילה וקדמוי תצלון:

8 ולא אנוס וכו׳, לקמן פי׳ קמ״ט ובציונים שם,

מצרים, אפילו אין לו עליך אלא שהוציאך מארץ מצרים די. והפדך מבית עבדים, אפילו אין לו עליך אלא שפדאך מבית עבדים די. להדיחך מן הדרך, נאמר כאן הדחה ונאמרה להלן °(דברים יג יא) הדחה מה הדחה האמורה להלן בסקילה אף הדחה האמורה כאן בסקילה רבי שמעון אומר אין מיתתו של זה אלא בחנק.

דבר אחר להדיחך מן הדרך זו מצות עשה. אשר צוך ה׳ אלהיך זו מצות לא תעשה. ללכת בה, לא האומר מקצת ומשייר מקצת. ובערת הרע מקרבך, בער עושה הרעות מישראל.

פז.

(ז) כי יסיתך אחיך בן אמך, אין הסתה אלא טעות כענין שנאמר °(מ״א כא כה) אשר הסתה אותו איזבל אשתו אחרים אומרים אין הסתה אלא גירוי שנאמר °(ש״א כו יט) ועתה ישמע נא אדוני המלך את דברי עבדו אם ה׳ הסיתך בי ירח מנחה.

מכלל שנאמר °(דברים כד טז) לא יומתו אבות על בנים למדנו שאין מעידים זה לזה יכול כשם שאין מעידים זה לזה כך אין מסיתים זה את זה תלמוד לומר כי יסיתך אחיך בן אמך. אחיך, זה אחיך מאביך. בן אמך, זה בן אמך. או בנך, בנך מכל מקום. או בתך, בתך מכל מקום. או אשת, זו ארוסה. חיקך, זו נשואה. או רעך, זה הגר. אשר כנפשך, זה אביך. בסתר, מלמד שאין אומרים דבריהם אלא בסתר וכן הוא אומר °(משלי ז ט) בנשף בערב יום באישון לילה ואפילה אבל דברי תורה אין נאמרים אלא בפרהסיא וכן הוא אומר °(שם א כ) חכמות בחוץ תרנה וגו׳ בראש הומיות תקרא וגו׳.

פ״ז, ובת״י או „חלים חילמא זדנא״: 1 אפילו וכו׳, רש״י, פ״ז לקמן פי׳ צ׳, מכילתא דרשב״י כ׳ ב׳ (ע׳ 104). והשוה ציוני ר׳ חנוך אלבעק בספרו Untersuchungen ע׳ 16: 3 נאמר כאן הדחה וכו׳, פ״ז, לקמן פי׳ צ׳. — להלן, במסית. וכן הוא מפורש במ״ת עיין בשנויי נוסחאות. — בסקילה, הכוה ציוניו של מורי ר׳ לוי גינזבורג בספרו Eine unbekannte jüd. Sekte עמ׳ 167: 4 ר׳ שמעון וכו׳, סנהדרין ס״ז ע״א, פ״ד ע״א, כ״ט ע״ב, וכן סתמא במ״ת כאן, וי״ת יתקטל בסייפא וזה לא כדברי רבנן ולא כדברי ר״ש. והשוה מה שהעיר מורי ר׳ לוי גינזבורג בספרו Eine unbekannte jüdische Sekte שם: 5 זו מ״ע, ובסנהדרין צ׳ ע״א „ללכת זו מצות עשה, בה זו מצות לא תעשה״, ועי׳ רש״י שם ד״ה ללכת: 6 ומשייר מקצת, תוספתא סנהדרין פי״ד הי״ג (ע׳ 437), ירו׳ שם פי״א ה״ח (ל׳ ע״ג), בבלי שם צ׳ ע״א והשוה מ״ת כאן: 7 בער וכו׳, פ״ז, לקמן פי׳ קנ״א, קנ״ה, קפ״ז, ר״כ, ר״מ, רמ״א, רע״ב, ות״י כאן:

8 כי יסיתך וכו׳ עד סוף הפיסקא, פ״ז. — אשר הסתה, ות״י שם דאטעית יתיה איזבל איתתיה: 9 אין הסתה אלא גירוי וכו׳, רש״י: 11 שאין מעידים וכו׳, לקמן פי׳ ר״פ, סנהדרין כ״ז ע״ב: 12 אין מסיתים, כלומר אין חייבים אם הסיתו זה את זה, ולכן מודיענו שחייבים, ואם הסיתו מכמינים להם עדים, וכן הגיה הגר״א בהדיא, למדנו שמכמינין לו עדים. — אחיך וכו׳, השוה סנהדרין ס״ז ע״א: 13 זה אחיך מאביך, והשוה לקמן פי׳ קט״ז. — מכל מקום, ואפילו ממזר, ז״ר; צריך להכמין לו עדים: 15 רעך זה הגר, מ״ת לקמן ט״ו ב׳ (ע׳ 80). — אשר כנפשך, השוה רש״י ות״י — מלמד וכו׳, רש״י: 16 אבל ד״ת וכו׳,

1 שהוציאך–אין לו עליך אלא] ל׳ טל | מארץ מצרים רמבל, ממצרים הא, מבית עבדים ר | די] דיו] א | והפדך] ויפדך ד, והפודך א — 2 אפילו–די] דיו א, די מ | אפילו] ל׳ ב | די] דייך ל, דיו ט | להדיחך–ד״א] ל׳ ב — 3 להלן הדחה] הדחה במסית ה | אף–בסקילה] ל׳ ד — 4 ר׳ שמעון –זו מצות עשה] ל׳ ה | בחנק מדמא, בחניקה רלפ — 6 לא–מישראל] זו מצות עשה ה | האומר] האמור ל | ומשייר] ומשמר מא — 7 עושה רמלבא, עושי דט | הרעות רטלב, רעות מדא —

8 טעות] עיניין טעות ר | שנאמר–אלא גירוי] ל׳ ב | כענין שנאמר מהא, שנאמר רדטל — 9 אותו] ל׳ א | גירוי] נדוי א — 10 ישמע המל, שמע רדבא | אם] כי ל — 11 לזה רמטיבאפ, על זה טידל | יכול–בן אמך אמ, יכול–זה על זה כך–אמך ה, יכול כשם שאין מעידין זה את זה ר, ל׳ דטלב — 13 אהיך מאביך] מאביך א | זה בן אמך רבדמהא, זה אחיך בן אמך ט, זה אחיך מאמך ל | בנך מכל מקום רמהלבא, זה בנך מ״מ ד, מ״מ ט — 14 או בתך–מ״מ] ל׳ ב | בתך מ״מ מהטלא, מכל מקום ר, זה בתך מ״מ ד — 15 אומרים] אוסר א — 16 וכן הוא אומר מהדלא, כה״א טבר | באישון לילה ואפלה] וג׳ ר — 17 אין] אינם מ | נאמרים] נאמר ל | וכה״א אמהד, כה״א טרב, שנ׳ ל | בראש הומיות תקרא וגו׳ רמלא, ל׳ הדטב —

(ח) אשר לא ידעת אתה ואבותיך, רבי יוסי הגלילי אומר הרי זה דבר גניי לישראל שאומות העולם אין מניחים מה שמסרו להם אבותיהם וישראל מניחים מה שמסרו להם אבותיהם והולכים ועובדים עבודה זרה. סליק פיסקא

פח.

מאלהי העמים אשר סביבותיכם הקרובים אליך, מהקרובים אתה יודע מה הם רחוקים. מקצה הארץ ועד קצה הארץ, אלו חמה ולבנה שמהלכים מסוף העולם ועד סופו.

פט.

(ויקרא יט יח) (ט) לא תאבה לו, מכלל שנאמר °ואהבת לרעך כמוך יכול אתה אוהב לזה תלמוד לומר לא תאבה לו. ולא תשמע אליו, מכלל שנאמר (שמות כג ה) °עזוב תעזוב עמו יכול אתה עוזב עם זה תלמוד לומר ולא תשמע אליו. ולא תחוס עינך עליו, מכלל שנאמר (ויקרא יט טז) °לא תעמד על דם רעך יכול אי אתה רשיי לעמוד על דמו של זה תלמוד לומר ולא תחוס עינך עליו. ולא תחמול, לא תלמד עליו זכות. ולא תכסה עליו, אם אתה יודע לו חובה אי אתה רשיי לשתוק. מנין שאם יצא מבית דין הייב שאין מחזירים אותו לזכות תלמוד לומר כי הרוג. יצא זכיי מנין שמחזירים אותו לחובה תלמוד לומר תהרגנו.

(י) ידך תהיה בו, מצוה ביד הניסת להמיתו מנין לא מת ביד הניסת ימות ביד כל אדם תלמוד לומר ויד כל העם באחרונה.

1 אשר–ואבותיך ה, נלכה ונעבדה אלהים אחרים אמלר בטד | הרי זה] ל׳ ה | דבר] דברי ל — 2 גניי] גנאי הוא ה | מגיחים] מניחים להן ל | מה] דבר ט² | וישראל–אבותיהם רמהדא, ל׳ ט — 3 סליק פיסקא ד, ל׳ רא —

4 מהקרובים רטיב, מהקרובים אליך ט². מן הקרובים מא, מה קרובים דל, מהקרובה פ | מהקרובים–רחוקים] מה קרובים אליך אתה יודע מה הן אף הרחוקים ממך מה הקרובים אליך אינן כלום אף הרחוקים ממך אינן כלום ה — 5 מה הם טרמפ, מהן רל, [בא והם, וקו משוך תוך המלה] | רחוקים רטידל, הרחוקים מאפ, אף רחוקים ט² | חמה ולבנה] לבנה וחמה ל —

8 ולא–אליו] ל׳ דל | מכלל] לפי, [סמ״ג, רמב״ן] — 9 עם זה רטדבא, עמו פ, לזה מה [סמ״ג], ל׳ ל | ולא–עליו] ל׳ ד [סמ״ג] — 10 מכלל] לפי [סמ״ג] | לא] ולא דא | אין] שאי א | אי–לעמוד] אין אתה עומד [סמ״ג] — 11 ת״ל] שנ׳ ר | ולא דמהלב, לא רטא | ולא תחמול] ל׳ ב, לא תחמול א | ולא ארהלב, לא מטד | תלמד] תלמוד ד — 12 אם] אי לא | לו] ל׳ א | אי] אין ד | מנין שאם יצא אמה, מנין ליוצא רלבטפ [רא״ם], ומנין שיוצא ד — 13 חייב] וחייב ל | שאין] אין ר | אותו] ל׳ מא | ת״ל] שנ׳ ל | כי הרוג רמטלב [רא״ם], כי הרוג תהרג ד, ל׳ ה | יצא] ומנין ליוצא מבית דין זכאי ד — 15 הניסת אמטדל, הניסות ר, המוסת ה, המכות(?) ב | להמיתו] שימות ד, להמית א | מנין–ימות רט. מנין–הניסת ימות ב, מנין שאם לא מת ביד המוסת ימות ה, מנין שאם לא מת ביד להמיתו מנין שאם לא מת ביד הניסת ימות מ, שנ׳ בראשונה לא מת ביד מנסה ימות ל, ואח״כ ד, מנין שאם לא מת ביד הניסת יומת א — 16 תלמוד לומר רמהטבא, שנ׳ דל —

השוה מכילתא בשלח מסכת בחודש פ״א (ס״ב ע״א, ה–ר 206), מכילתא דרשב״י שם י״ט א׳ (ע׳ 93): 1 ריה״ג, דורש ואבותיך:

4 מהקרובים וכו׳ עד מסוף העולם ועד סופו, רש״י ופ״ז: 5 מה הם רחוקים, מ״ת, סנהדרין ס״א ע״ב כדברי רבא:

7 מכלל שנ׳ וכו׳, רש״י: 8 לא תאבה, דמדכתיב לא תאבה לו משמע לא תהא אוהב לו דאי אוהב לו דילמא מתוך אהבה יאבה לו. מפי׳ ר״ה. — מכלל שנ׳ וכו׳ עד ולא תשמע אליו, סמ״ג לאוין כ״ח, רמב״ן לאוין כ״ח, רש״י; והשוה רמב״ם ה׳ עבודה זרה פ״ה ה״ד: 10 מכלל וכו׳ עד עינך עליו, רש״י, סמ״ג לאוין כ״ט; רמב״ם שם: 12 אם אתה וכו׳, רש״י, פ״ז. — אי אתה רשיי לשתוק, והשוה בתרגום השבעים מועתקות המלים הרוג תהרגנו ἀναγγέλλων ἀναγγελεῖς שפירושו „הגד תגיד״, „הודע תודיע״. — מנין שאם יצא וכו׳. רא״ם. סנהדרין ל״ג ע״ב, וע״ע שם כ״ט ע״א ול״ו ע״ב. מכילתא משפטים מסכת אם כסף פרשה כ׳ (ק׳ ע״א, ה–ר ע׳ 328), מכילתא דרשב״י כ״ג ז׳ (ע׳ 156): 15 מצוה וכו׳, רש״י, פ״ז, רמב״ם שם:

צ.

(יא) וסקלתו באבנים, יכול באבנים מרובות תלמוד לומר °באבן אי באבן ויקרא כ כז
יכול באבן אחת תלמוד לומר באבנים אמור מעתה לא מת בראשונה ימות בשניה. כי בקש להדיחך, נאמר כאן הדחה ונאמר להלן הדחה מה הדחה האמורה כאן בסקילה אף הדחה האמורה להלן בסקילה. מעל ה׳ אלהיך המוציאך, אפילו אין לו עליך אלא שהוציאך מארץ מצרים מבית עבדים די סליק פיסקא

צא.

(יב) וכל ישראל ישמעו ויראון, משמרים אותו עד הרגל וממיתים אותו ברגל
שנאמר °וכל העם ישמעו ויראו דברי רבי עקיבה רבי יהודה אומר אין מענים בבית דין. דברים יז יג
אין לי אלא זה בלבד מנין לאומר אעבוד אלך ואעבוד נלך ונעבוד אזבח אלך ואזבח נלך ונזבח אקטר אלך ואקטר נלך ונקטר אנסך אלך ואנסך נלך וננסך אשתחוה אלך ואשתחוה נלך ונשתחוה תלמוד לומר ולא יוסיפו לעשות כדבר הרע הזה, לא כדבר ולא כרע ולא כזה יכול אף המגפף והמנשק והמרביץ והמרחיץ והסך והמלביש והמנעיל והמעטיף תלמוד לומר הזה זה בסקילה ואין כל אלו בסקילה סליק פיסקא

צב.

(יג) כי תשמע, ולא החוזר והמצתת יכול יהא רטוש תלמוד לומר ודרשת וחקרת ושאלת היטב, ודרשת מן התורה וחקרת מן העדים, ושאלת מן התלמידים.

1 יכול וכו׳, פ״ז, לקמן פי׳ קמ״ט, ר״כ. ר״מ, ורמ״ב, והשוה תו״כ קדושים פרשה י׳ ה״ד (צ״א ע״ג), שם אמור פרק כ׳ ה״י (ק״ה ע״ב). ספרי במדבר פי׳ קי״ד (ע׳ 123), ס״ז שם ט״ו ל״ו (ע׳ 288), סנהדרין פ״ו מ״ד: 3 נאמר כאן וכו׳, למעלה פי׳ פ״ו (ע׳ 151): 4 אפילו וכו׳, למעלה פי׳ פ״ו (ע׳ 151), ובציונים שם: 6 משמרים וכו׳ עד אין מענים בבית דין, מ״ת י״ז י״ג (ע׳ 103), סנהדרין פי״א מ״ד, תוספתא שם פי״א ה״ז (ע׳ 432), בבלי שם פ״ט ע״א; לדעתי נוספה ברייתא זו מגליון ואינה מעיקר הספרי, ואעפ״י שנמצאת בכל המקורות חוץ מד; מצד תכנה מקומה למטה בקשר אל זקן ממרא, כמו שמובאה באמת במ״ת; ועוד שאין למאמר שלאחריה אין לי וכו׳ שום קשר ויחס אליה, אלא אדרבה מתקשר ישר אל הכתוב וכל ישראל וכו׳: 8 מנין וכו׳, מ״ת י״ג ז׳ (עמוד 65), סנהדרין פ״ז מ״י, בבלי שם ס״א ע״א: 11 יכול אף וכו׳, סנהדרין פ״ו מ״ו, תוספתא שם פ״י ה״ג, והשוה ספרי במדבר פי׳ קי״ב (ע׳ 119, ובהוצ׳ רמא״ש, הערה ז׳):

13 ולא וכו׳ עד מן התלמידים, זה אינו מעיקר הספרי שהרי חסר בה, וגם בב הובא רק ראשיתו — והמצתת, כלומר בודק וחוקר למצא ענין, וכעין זה בירו׳ סוטה פ״ט ה״א (כ״ג ע״ב) גבי עגלה ערופה „כי ימצא, ולא שתהא חוזר ומצותת עליו״, ובמ״ת „כי תשמע ולא מאליך״ כלומר שאינך מחויב מאליך לחזור ולדרוש. וכן פי׳ ר׳ דוד הופמאן שם, וע׳ במ״ת לקמן י״ז ד׳ (ע׳ 100): 14 ודרשת

1 אי–אחת] או באבן אחת ב — 3 להדיחך] ה מוסיף: זהו שאמרנו | מה הדחה—כאן בסקילה] מה כאן סקילה אף להלן סקילה ה | כאן] כן ר — 4 הדחה האמורה] ל׳ ל | כאן–להלן פר, להלן–כאן דאבלמ | מעל–דין] ל׳ ה — 5 לו] ל׳ לא | מבירת עבדים רמא, ל׳ טדבל | דין] דייך ל, דיי א | סליק פיסקא] ל׳ רא —

6 וכל–אין מענים בבית דין] ל׳ ה | משמרים–שנא׳] ל׳ א ובא׳ מכאן שממיתין אותו ברגל | וממיתים אותו ברגל רדהמדל, וימות ברגל טב — 7 העם רדב, ישראל מטלא | בבית דין] אותו פ, את דינו של זה אלא ממיתים אותו [<מיד> מ] וכותבין ושולחין בכל מקומות ישראל [המקומות מישראל מ] איש פלוני בן איש פלוני נתחייב מיתה בבית דין מא — 8 אין לי] ל׳ ד | מנין] ומנין ד | לאומר רטלדבא, לאומר לחברו ה, האומר מ א | אעבוד רדבלא, ל׳ מהטפ | אלך ואעבוד מדטאפ, אלך אעבוד רל, ואלך ואעבוד ב, ל׳ ה | אזבח מא, ל׳ ר הדטבלפ | אלך ואזבח מדטבפ, אלך אזבח רל, ל׳ הא — 9 נלך] ונלך א | ונזבח] נזבח ל | אקטר רמלא, ל׳ ר טהב | אלך ואקטר רבא, אלך אקטר טמ, או אלך ואקטיר ד, ל׳ הל | נלך ונקטר ארהמטל, נלך ונקטיר ד, נלך ואקטר ב | אנסך רמבלא, ל׳ טהד | אלך ואנסך] ל׳ ה ל | אשתחוה ארדמבל, ל׳ טה | אלך ואשתחוה רדמא, אלך אשתחוה ט, ל׳ הבל — 10 ונשתחוה] נשתחוה ט | ולא מה ט, לא רדבלא | יוסיפו מה (מסורה), תוסיפו רדטבלא | כדבר ורע הזה דטמבא, ל׳ רהל | לא כדבר] לא לעשות לא כדבר ט, לא כדבר הרע ל — 11 ולא כרע] ל׳ ל | ולא כזה פרמהטבלא, הזה ד | אף רדהטב, ל׳ מא | והמרביץ והמרחיץ רטהבל, והמרחיץ והמרביץ ד, והמכבד והמרבץ והמרחיץ מ, והמכבד והמרבץ והמרביץ א — 12 הזה] זה א | זה] הזה ד, הרי זה א | ואין–בסקילה] ל׳ טי —

13 כי תשמע–ושאלת מן התלמידים] ל׳ מה | החוזר] החזיר ב, שיהא חוזר פ | והמצתת רב, והמצותת טל,

באחת עריך, עיר אחת עושים עיר הנדחת ואין עושים שלש עיירות נדחות יכול אף לא שתים תלמוד לומר באחת עריך. אשר ה׳ אלהיך נותן לך, בכל מקום. לשבת שם, פרט לירושלם שלא נתנה לבית דירה.

צג.

(יד) יצאו אנשים, ולא נשים, ולא קטנים, אנשים אין פחות משנים. בני בליעל, בלי עול בני אדם שפרקו עולו של מקום. מקרבך, ולא מן הספר. וידיחו את ישבי עירם, ולא יושבי עיר אחרת. לאמר, בהתראה. נלכה ונעבדה אלהים אחרים אשר לא ידעתם.

דברים יז ד (טו) ודרשת וחקרת ושאלת היטב, מכלל שנאמר ° והוגד לך ושמעת ודרשת היטב, היטב היטב לגזירה שוה מלמד שבודקים אותו בשבע חקירות. בדיקות מנין תלמוד לומר והנה אמת נכון הדבר אם סופנו לרבות בדיקות מה תלמוד לומר חקירות חקירות אמר אחד איני יודע עדותם בטלה בדיקות אמר אחד איני יודע ואפילו שנים אומרים אין אנו יודעים עדותם קיימת אחד חקירות ואחד בדיקות בזמן שמכחישים זה את זה עדותם בטלה. נעשתה התועבה הזאת, לרבות גרים ועבדים משוחררים סליק פיסקא

מהמצות ד, ומצותת א, ומסתת פ | יכול—התלמידים ט, יכול—מן התלמוד ל, יכול יהיה—התלמוד ד, ודרשת מן התורה וחקרת מן העדים ושאלת מן התלמידים הוי רטוש ת״ל ודרשת וחקרת ושאלת היטיב ר, ודרשת—התלמידים יכול הוי רשות פ, יכול היו רטוש ב, יכול נטוש ת״ל ודרשת וחקרת היטב ודרשת מן התורה וחקרת מן הערים ושאלת מן התלמידים א — 14 עמוד הקודם היטב—מן העדים] ל׳ ב — 1 באחת—ת״ל באחת עריך] ל׳ ה | נדחות] הנידחות ב, עיר הנדחת א — 2 אשר—דירה] ל׳ טי | בכל] רמדלאפ, מכל טה — 3 שם אמה, שם לאמר רב, שם בארץ דל, שם לדור טי [ולמעלה מן המלה עגול כזה °, כלומר שיש למותקה] | לירושלם] לירושה ב | לבית] בית ב —

4 יצאו—בשבע חקירות] ל׳ ט | יצאו—ולא קטנים] ל׳ ה | אין] אין אנשים ה | משנים] ה מוסיף: ד״א אנשים ולא נשים אנשים ולא קטנים ה — 5 בלי עול [רש״י], בני עול א, בני עוול רמל, בני עולה ב, ל׳ דה | בני אדם] בנים ה | שפרקו] שפרקו מעליהם מ | עולו של מקום רד ל, עול מעל צואריהם ה, עול הקב״ה מ, עול הק׳ א | ולא] רמהבא, ולא את דל — 6 אחרת] הנידחת ל | בהתראה] מלמד שצריכין התראה ה — 8 מכלל—לגזרה שוה] ל׳ ה | שנאמר] ל׳ ב — 9 ודרשת] ושאלת א | היטב היטב] ל׳ א | מלמד] ל׳ מ — 10 בדיקות—ועבדים משוחררים] ל׳ ה | בדיקות רבטמפ, בבדיקות דל — 11 חקירות מטי ב, ל׳ דטילאר | עדותם מדטב, עידותו רלא | בדיקות] בדיקה ל — 13 שמכחישים זה את זה אמ, שמכחישות זו את זו רטלב, שמכחישים זו את זו ד | נעשתה התועבה הזאת] כן הגיה הגר״א, ובכל המקורות והנה אמת נכון הדבר — 14 סליק פיסקא ד, פ׳ רא —

מן התורה וכו׳, מכילתא דברים י״ג ח׳ (מ״ת עמוד 69), והשוה עוד מ״ת לקמן פי׳ ט״ו (ע׳ 67), וי״ז ד׳ (ע׳ 100): 1 עיר אחת, מ״ת כאן (ע׳ 66), סנהדרין פ״א מ״ה, תוספתא שם פי״ד ה״א (ע׳ 436), בבלי שם ט״ז ע״ב, ירו׳ י״ט ע״ב, פ״ז: 2 בכל מקום, פי׳ ר״ה בכל מקום בא״י והגר״א הגיה ולא בחוצה לארץ: 3 שלא נתנה, שלא נתחלקה לשבטים, מפי׳ ר״ה; וכן למעלה פי׳ ס״ב (ע׳ 128), והשוה סנהדרין קי״ב ע״ב:

4 יצאו אנשים וכו׳ עד משנים, ברייתא סנהדרין קי״א ע״ב, ספר יראים פ״ד, שיף רע״ו — ולא נשים, מכילתא דברים י״ג ד׳ (מ״ת עמו׳ 69), סנהדרין פ״י מ״ד, תוספתא שם פי״ד ה״ב (עמ׳ 436), רש״י, פ״ז — ולא קטנים, משנה ותוספתא שם, פ״ז: 5 בני בליעל וכו׳, רש״י, פ״ז, בבלי סנהדרין שם, מכילתא דברים י״ג ג׳ (ע׳ 69) — בלי עול, כן גורס רש״י, וכן נראה מהשוואת שאר המקורות. לפי הנוסח הרגיל בני עוול בני אדם וכו׳ שני הפירושים סותרים זה את זה בראשונה מפורש בליעל בני עוול, כלו׳ בני עולה ואי צדק, ואחר כן מתבאר בלי עול שעל הצואר, וע׳ במ״ת י״ג י״ג (ע׳ 66) „וכי מנין יצאו אלא שיצאו מתחת כנפי השכינה ופרקו עול שמים מעליהם שנ׳ בליעל בלי עול״, והשוה עוד לקמן פי׳ קי״ז. — הספר, ב׳ סנהדרין שם, תוספתא שם, פ״ז: 6 ולא יושבי וכו׳, מכילתא דברים שם, משנה סנהדרין פ״י מ״ד, בבלי קי״א ע״ב, רש״י, פ״ז. — בהתראה, פ״ז, משנה ובבלי שם, ועיי״ע מכות פ״א מ״ט, סנהדרין פ״ה מ״א, תוספתא פי״א ה״א (עמ׳ 431), ספרי במדבר פי׳ קי״ג (ע׳ 122), ספרי זוטא שם ט״ו ל״ג (ע׳ 288), מכילתא משפטים מסכת נזיקין פ״ד (פ׳ ע״א, ה—ר ע׳ 261), לקמן פי׳ רמ״ב, ירו׳ סנהדרין פ״ה ה״א (כ״ב ע״ג), בבלי שם מ׳ ע״ב: 9 מלמד שבודקים אותו וכו׳, רש״י, פ״ז, מכילתא דברים י״ג ח׳ (עמו׳ 69), סנהדרין פ״ה מ״א, בבלי שם מ׳ ע״א, ירושלמי שם כ״ב ע״ג: 10 בדיקות מנין, לקמן פי׳ קמ״ט, וק״צ: 13 לרבות גרים וכו׳, שאף הם מחייבים את העיר, וכן נראה פירוש הגר״א שהגיה נעשתה התועבה הזאת, במקום והנה אמת נכון הדבר, והמבארים שהיתה לפניהם הגרסה המקובלת פירשו על

צד.

(טו) הכה תכה, מנין לא יכולת להמיתו במיתה האמורה בו המיתו באחת מכל מיתות האמורות בין קלות בין חמורות תלמוד לומר הכה תכה. מנין יצא ידך לא יצא ידי תלמוד לומר הכה תכה.

את יושבי העיר ההיא, מיכן אמרו אין מקיימים את הטפלים אבה חנן אומר [0]לא דברים כד טז
יומתו אבות על בנים בעיר הנדחת הכתוב מדבר.

הכה תכה את יושבי העיר ההיא, ולא יושבי עיר אחרת מיכן אמרו החמרת והגמלת העוברת ממקום למקום הרי אלו מצילים אותה. לפי חרב, לתוך פיה של חרב שלא תנוולם. החרם אותה, פרט לנכסי צדיקים שבחוצה לה. ואת כל אשר בה, לרבות נכסי צדיקים שבתוכה מיכן אמרו נכסי צדיקים שבתוכה

העדות וז"ל ר"ה „דליכתוב אמת מאי נכון לרבות גרים ועבדים דאי איכוון עדותם קיימת". וכן נוסף בגלין כ"י א „שיכולים להעיד" אמנם השוה תוספתא סנהדרין פי"ד ה"ב לפי גרסת הדפוס וכ"י וויען שם שהיא הגרסה הנכונה „יכול אפילו נתכנסו לתוכה גרים ועבדים משוחררים תהא נעשית עיר הנדחת, ת"ל וכו'" הרי שהיה משא ומתן בין התנאים אם לחייב בעיר הנדחת על פי חטא גרים ועבדים משוחררים. ועיי"ע בירו' סנהדרין פ"י ה"ז (כ"ט ע"ג) „היו שם גרים ותושבים מהו שישלימו לרוב". וכעין זה פי' בספר אהלי יהודה ובזה נסתלקה קושית מהרא"ן שהביאה רד"ף למה הוצרכו לריבוייא גרים ועבדים משוחררים לעדות בדין זה יותר מבשאר דינים, ועיין עוד מכילתא דרשב"י י"ג ט' (ע' 34), והשוה שם י"ב מ"ח (ע' 30), הערה ה':

1 מנין וכו', רש"י, ופ"ז, מכילתא דרשב"י כ"א ט"ו (ע' 126), שם ט"ז וי"ז (ע' 127), ב"מ ל"א ע"ב, סנהדרין מ"ה ע"ב, נ"ג ע"א, ע"ב ע"ב, תוספתא סנהדרין פרק י"ב ה"ו (ע' 133), ועיין תוס' ריש מכות ד"ה כל הזוממין. ונראה שברייתא זו נאמרה בחחילתה על דין רוצח ושם מרתאים מספר יחיד, להמיתו, אבל בדין עיר הנידחת היה לתנא לומר להמיתם, אלא שלא שינה לשונו. אבל גם בבבלי, ב"מ וסנהדרין שם, מובאה כבר ברייתא זו בקשר אל הכתוב הכה תכה, בדין עיר הנידחת: 2 מנין יצא ידך וכו', מכילתא דרשב"י כ"ג ז' (עמו' 156), כלומר יצא מידך בלי עונש שלא יכולת להמיתו בכל מיתה, לא יצא בלא עונש מידי. ובכל המקורות נשתבש הגרסה, והגהתי על פי מכילתא דרשב"י שם, והשוה במכילתא דר"י שם (מסכת אם כסף פרשה כ', ק' ע"א, ה—ר ע' 328) „כשם שיצא מבית דינך כך יצא מבית דיני ת"ל כי לא אצדיק רשע". והמבארים פירשו באופן רחוק שהיתה לפניהם רק גרסת ד מנין שלא ירד ויצא, וגם ברייתא זו בתחלתה נאמרה בענין אחר והושאלה לדין עיר הנדחת ולכן סגנונה במספר יחיד יצא ידך וכו' וזה הטעה את המפרשים ואת המעתיקים עוד יותר ובעיקר הדברים השוה סנהדרין ל"ז ע"ב „מיום שחרב בירת המקדש אעפ"י שבטלה סנהדרין ארבע מיתות לא בטלו וכו'": 4 מיכן אמרו וכו', מכילתא דברים י"ג כ"ט (עמוד 71), מגדל עוז ה' עבודה זרה פ"ד ה"ה בשם תשובת חכמי לוניל, רמב"ן, והשוה תוספתא כנהדרין פי"ד ה"ג (ע' 436), וגם הרמב"ם פסק שאם נמצאו העובדים רובה מכים את כל הטף, ואולי פסק כן על פי המכילתא לדברים ואין היכחה שגרס הברייתא בספרי שלו וז"ל בעל מגדל עוז שם „וכבר תמה ר"מ הלוי מטוליטולא עליו למה הענישׁ הנשים והקטנים שאינן בני חיוב והשיבו חכמי לוניל ז"ל בראיה דגרס בספרי הכה תכה את יושבי העיר מכאן אמרו חכמים אין מקיימין את הטפלים כלל שהורגין אותם דדריש את רבויא ועוד דבכריתות פלוגתא דר"א ור"ע דר"א סבר קטנים בני רשעי ישראל נהרגין ור"ע סבר אין נהרגין"; ובמסכת כריתות לפנינו ליתא מחלוקת זו ואולי כונת בעל מגדל עוז על התוספתא; ומכל מקום יש להעיר שאין המאמר מעיקר הספרי אלא נוסף וחסר ברוב הנסחאות, וגם אלה המביאים אותו מחולקים במקומו, רפ גורסים אותו כאן, אבל טל גורסים אותו למטה, ועיין בשנויי נוסחאות: 6 ולא יושבי עיר וכו' מצילים אותה, פ"ז, סנהדרין פ"י מ"ה והשוה תוספתא שם פי"ד ה"ב (עמ' 436) ובבלי קי"ב ע"א: 8 שלא תנוולם, מכילתא דברים י"ג י"ב (ע' 70), מ"ת כאן י"ג ט"ז (ע' 67), תוספתא סנהדרין פי"ד ה"ו (ע' 437), בבלי שם נ"ב ע"ב. — החרם אותה וכו', פ"ז, מכילתא דברים י"ג י"ג (ע' 70), סנהדרין קי"ב ע"א: 9 מיכן אמרו וכו', סנהדרין פ"י מ"ה, תוספתא שם פי"ד ה"ד (ע' 436):

1 הכה—ת"ל הכה תכה] ל' ט | יכולת טדהבל, יכול אתה מא, יכול רפ | להמיתו] להמיתן א' | באחת מכל] בכל מא — 2 האמורות רמהא. האמורות בתורה דב, שבתורה האמורות ל | קלות—חמורות רמהב, חמורות—קלות דל, קלות ובין חמורות א | מנין—הכה תכה] כן נראה לי להגיה והנוסחאות המקובלות הן: מנין לא יצא ידך ויצא ידו ת"ל הכה תכה ר [מהר"ס], מנין שאם לא יצא [רצו ט'] ידה לא יצא ידו ת"ל הכה תכה ט, מנין שלא יצא ידך ויצא ידו—תכה ב, מנין לא יצא ידך פ [מהר"ס בשם הראב"ד], מנין שלא ירד ויצא ת"ל הכה תכה ד, ל' למה, מנין ליוצאי לא יצא דך ויצא ידו דך לא יצא ידו ת"ל הכה תכה א [וסביב המאמר כחצי רבועים לומר שיש להשמיטו] — 4 מיכן אמרו—בעיר הנדחת הכתוב מדבר] ברייתא זו נמצאת פה ברפ, אבל בטל מקומה להלן בפסוק י"ז. ובמאהבד חסרה | אין מקיימים [מגדל עוז], מקיימים רטפ [מהר"ס בשם ראב"ד], מכאן ט', מקיימין הן ל | הטפלים רט [מהר"ס], את הנופלין ל, הטיפולין פ | חנן] חנין ל — 6 ולא—אחרת] ל' ר — 7 העוברת טמבאפ, העוברות ר, העברת ד, והעוברת ל | הרי אלו מצילים אותה ארמטבלפ [פ"ז], מצילים אותה ז, לנו בתוכה והודחו עמה אם נשתהו שם שלשים יום הן בסיף וממונם אבד פחות מיכן הן בסיף וממונם פליט ד, ולנה בתוכה והודחה עמהם אם נשתהו שם שלשים יום הרי היא בסייף וממונם אבד פחות מיכן הם בסקילה וממוגם פלט ד | לפי—תנוולם אפמטבל, לפי—תנוולים ר, ל' דה — 8 החרם—ולא בהמת הקדש] ל' ט | שבחוצה דהל, שהם בחוצה מ, שהם בחוצה לארץ א, ל' ר | ואת בטמד, את רל, ל' א — 9 נכסי] ל' א | צדיקים] הצדיקים מ, ל'

אובדים ושבחוצה לה פולטים ושל רשעים בין מתוכה ובין מבחוצה לה אובדים. ואת בהמתה, ולא בהמת הקדש סליק פיסקא

צד.

(יז) ואת כל שללה, לרבות נכסי רשעים שבחוצה לה. אל תוך רחבה, אין לה רחוב עושים לה רחוב היה רחוב חוצה לה מנין שכונסים אותו לתוכה תלמוד לומר אל תוך רחובה.

ושרפת באש את העיר ואת כל שללה, ולא שלל שמים מיכן אמרו אילנות המחוברים מותרים והתלושים אסורים בורות שיחים ומערות וכתבי הקודש מותרים שנאמר שללה ולא שלל שמים דבר אחר שללה ולא שלל שמים מיכן אמרו ההקדשות שבתוכה יפדו תרומות ירקבו מעשר שני וכתבי הקודש יגנזו.

כליל לה׳ אלהיך והיתה תל עולם, וכן הוא אומר °וישבע יהושע יהושע ו כו
בעת ההיא לאמר ארור האיש לפני ה׳ אשר יקום ובנה את העיר
הזאת את יריחו, וכי אין אנו יודעים שיריחו שמה אלא שלא יבנו אותה ויקראו שמה
עיר אחרת ושלא יבנו עיר אחרת ויקראו שמה יריחו. °בבכורו ייסדנה ובצעירו שם
יציב דלתיה יכול שוגג תלמוד לומר °כדבר ה׳ אשר דבר ביד יהושע בן מ״א טז לד
נון אמור מעתה מזיד היה סליק פיסקא

צו.

לא תבנה עוד׳ לא תעשה אותה אפילו גנות ופרדסים אפילו שובך יוני הרדסאות כדברי רבי עקיבה.

ל | מיכן–אובדים] ל׳ ב, לה אובדין ל — 1 אובדים– פולטים רמא, אובדים–פליטין ה, אבודים–פלוטים ד | ושבחוצה] שבחוצה מ | מתוכה] בתוכה מ, בתוכה לה א | ובין] בין מא | מבחוצה רב, בחוצה דמא, מחוצה הל | אובדים] אבודים ד, ל׳ א — 2 הקדש] קדשים פ | סליק פיסקא ד, ל׳ רא —

4 חוצה רמהבא. לחוצה דל | שכונסים אותו] שמכניסין אותה א — 5 אל תוך] ל׳ ר | רחובה] ב מוסיף: עושין לה רחוב· היה רחוב חוצה לה — 6 ולא שלל שמים–שנאמר שללה ולא שלל שמים] ברייתא זו נמצאת ברלטפ וחסרה במבדא· בה מובא רק קטע ממנה, למעלה אחר המלים „לרבות נכסי רשעים שבחוצה לה״ — 7 המחוברים רטלפ, מחוברים שבתוכה ה | והתלושים רל, תלושין ט, ותלושין ה | וכתבי–שנ׳ שללה ולא שלל שמים] מותרות ה — 8 מיכן אמרו–מזיד היה] ל׳ ה | מיכן אמרו–מעשר שני] ל׳ ט | ההקדשות מרא, הקדשות ר, הקדישות ב — 9 תרומות רדב, ותרומות מ א | יגנזו מלא, יגניזו רדב — 10 והיתה תל עולם] כן הוסיף הגר״א, ובכל הנסחאות חסר | וכה״א דמא, כע׳ האמ׳ ר, כה״א טב, וכן אתה אומר ל — 11 בעת ההיא לאמר א [מסורה], ביום ההוא לאמר מדל, ל׳ רבט | אשר–יריחו בטא, וגו׳ את יריחו ר, אשר יקום וגו׳ מ, אשר וגו׳ ל, וגומ׳ ד — 12 שיריחו שמה] שיחרימו שמה א | אותה] ל׳ ל | ויקראו–עיר אחרת] ל׳ ד — 13 עיר אחרת–יריחו] ויקראו שמה עיר אחרת ל | ובצעירו יציב דלתיה מדא, ל׳ ר ט — 14 ביד דטיא, ביד עבדו רטי — 15 סליק פיסקא ד, ל׳ רא —

16 לא תבנה–ר״ע ד, לא תבנה עוד ולא תעשה אפילו גנות ופרדיסין אפילו הדרסיאות כדברי ר״ע ל, ל׳ ארמטבה —

2 ולא בהמת הקדש, פ״ז, והשוה דברי ר״ש תוספתא סנהדרין פי״ד ה״ו (ע׳ 436), ירו׳ שם פ״י ה״ח (כ״ט ע״ד), בבלי שם קי״ב ע״ב, ואולי יש למחוק המלים האלה שהרי ממעט למטה ולא שלל שמים, וע׳ בתמורה ח׳ ע״א:

3 לרבות נכסי וכו׳, פ״ז, מכילתא דברים י״ג ט״ו (עמ׳ 70), סנהדרין קי״ב ע״א: 4 אין לה רחוב וכו׳, פ״ז, סנהדרין פ״י מ״ה, וכדברי רבי עקיבה סנהדרין מ״ה ע״ב, קי״ב ע״א, והשוה מכילתא דברים י״ג י״ט (ע׳ 70): 6 ולא שלל שמים, סנהדרין פ״י מ״ו, והשוה דברי ר״ש בירוש׳ שם פ״י ה״ח (כ״ט ע״ד)· — מיכן אמרו וכו׳, מכילתא דברים שם כ״ב (ע׳ 70), מ״ת כאן (עמ׳ 68), סנהדרין קי״ג ע״א והשוה שם קי״ב ע״א בענין שיער, וחולין פ״ט ע״א בענין עפר כסוי הדם, וכל זה אינו מעיקר הספרי אלא נוסף כמבואר למעלה, ועיין בשנויי נוסחאות: 7 וכתבי הקודש, סותר את המובא בסמוך וכתבי הקודש יגנזו, וגם מסתירה זו הוכחה למסקנתו שברייתא זו אינה עיקרית בספרי, אלא נוספה מן המכילתא לדברים· והשוה סנהדרין ע״א ע״א, וקי״ג ע״א „כל עיר שיש בה אפילו מזוזה אחת אינה נעשית עיר הנדחת״, ועיין עוד מ״ת כאן (ע׳ 68): 8 מיכן אמרו וכו׳, סנהדרין פ״י מ״ו, תוספתא שם פי״ד ה״ה (ע׳ 436): 10 וכה״א עד ויקראו שמה יריחו, תוספתא סנהדרין פי״ד ה״ו (עמ׳ 437), בבלי שם קי״ג ע״א: 14 יכול שוגג וכו׳, תוספתא וגמרא שם, ועיי״ע בירו׳ פ״י ה״ב (כ״ח ע״ב):

16 לא תעשה וכו׳, אין זה מעיקר הספרי, ואולי אינה

(יח) ולא ידבק בידך מאומה מן החרם, מיכן אמרו נטל מקל או מלגז או כרכר או שרביט כולם אסורים בהניה נתערבו באחרים כולם אסורים בהניה מה יעשה להם יוליך הניה לים המלח. כללו של דבר כל הנהנה מעבודה זרה יוליך הניה לים המלח.

למען ישוב ה׳ מחרון אפו, כל זמן שעבודה זרה בעולם חרון אף בעולם נסתלקה עבודה זרה מן העולם נסתלק חרון אף מן העולם. ונתן לך רחמים ורחמך, לך רחמים ולא לאחרים רחמים מיכן היה רבן גמליאל ברבי אומר כל זמן שאתה מרחם על הבריות מרחמים עליך מן השמים אין אתה מרחם על הבריות אין מרחמים עליך מן השמים. והרבך, כמה שנאמר °והרביתי את זרעך ככוכבי בראשית כו ד
השמים. כאשר נשבע לאבותיך, הכל בזכות אבותיך.

(יט) כי תשמע בקול ה׳ אלהיך, מיכן אמרו התחיל אדם לשמוע קמעה סופו לשמוע הרבה. לשמור את כל מצותיו אשר אנכי מצוך היום, שתהא מצוה קלה חביבה עליך כמצוה חמורה. לעשות הישר בעיני ה׳ אלהיך, זו היא שרבי ישמעאל אומר הישר בעיני שמים.

(יד א) בנים אתם לה׳ אלהיכם. רבי יהודה אומר אם נוהגים אתם מנהג בנים הרי אתם בנים ואם לאו אי אתם בנים רבי מאיר אומר בין כך ובין כך בנים
אתם לה׳ אלהיכם וכן הוא אומר °והיה מספר בני ישראל וגו׳. הושע ב א

אף ברייתא עתיקה אלא הגהה משובשת בדל והיא סותרת קבלת המשנה סנהדרין פ״י ה״ו, שלפיה סובר ר״ע לא תבנה עוד לכמות שהיתה אבל נעשית גנות ופרדסים, וריה״ג הוא האומר לא תעשה גנות ופרדסים; ועיין פ״ז: 1 מיכן אמרו וכו׳, השוה ע״ז פ״ג מ״ט, ירו׳ דמאי פ״ו ה״י (כ״ה ע״ד): 3 יוליך הניה וכו׳, כר״א במשנה ע״ז פ״ג מ״ט: 4 כל זמן וכו׳, רש״י, פ״ז, מכילתא דברים י״ג י״ח (ע׳ 71), מ׳ סנהדרין סוף פ״י: 6 לך רחמים ולא לאחרים רחמים, כלומר שתהיה אתה בעל רחמים כמבואר בה שמביא הכתוב והגבעונים לא מבני ישראל המה (ש״ב כ״א ב׳) ועיין יבמות ע״ט ע״א, ביצה ל״ב ע״ב׳ — מיכן וכו׳, מ״ת, מכילתא דברים (עמ׳ 71), פ״ז, תוספתא ב״ק פ״ט ה״ל (ע׳ 366), ירו׳ ב״ק פ״ח ה״י (ו׳ ע״ג), שבת קנ״א ע״א, פסיקתא רבתי פיסקא ל״ח (קס״ה ע״א), תנחומא ב׳ וירא סי׳ ל׳ (נ״ב ע״א), ס׳ חסידים סי׳ קל״ח (ע׳ 63), מרדכי יומא פ״ה ע״ב, סי׳ תשכ״ג, והשוה בן סירא כ״ח ג׳, וצוואת זבולון, בספר צוואות י״ב שבטים, ח׳ ג׳, ומ״ת לקמן ט״ו י״א (ע׳ 85, שורה 2): 9 בזכות אבותיך, לקמן פי׳ קפ״ד, מכילתא דרשב״י י״ג ה׳ (ע׳ 32), י״ג י״א (ע׳ 35), ט״ז ד׳ (ע׳ 75), י״ט ג׳ (ע׳ 94), מ״ת סוף ואתחנן, עמ׳ 259, מכילתא דברים (מ״ת ע׳ 62), שבת נ״ה ע״א, ירו׳ סנהדרין פ״י ה״א (כ״ז ע״ד) ב״ר פע״ו סי׳ ז׳ (ע׳ 904), ויק״ר פ׳ ל״ו סי׳ ו׳ ועיין מה שהעיר ר׳ דוד הופמאן בשם ר׳ שניאור זלמן שכטר במ״ת שם, ועוד בספר Some Aspects of Rabbinic Theology לר׳ שניאור זלמן שכטר, פרק י״ב: 10 מיכן אמרו וכו׳, למעלה פי׳ ע״ט (ע׳ 145): 11 שתהא וכו׳, שם: 12 זו היא שר׳ ישמעאל וכו׳, שם: 14 ר׳ יהודה אומר וכו׳, פ״ז, מבירי הושע ב׳ א׳ (נדפס ברבעון האנגלי מהדורה שניה, שנה ט״ו, 1924—5 ע׳ 147), ספרי במדבר פי׳ קי״ב (ע׳ 121), קדושין ל״ו ע״א, ירו׳ שם פ״א ה״ז (ס״א ע״ג). ב״ב י׳ ע״א, ודברי ר׳ מאיר מובאים לקמן ריש פי׳ ש״ח, מ״ת י״א י״ז (ע׳ 39), י״ד א׳ (ע׳ 71), והשוה עוד משנה אבות פ״ג י״ח, ואדר״נ נו״א פרק ל״ט (נ״ט ע״ב) ונו״ב פרק מ״ד (ס״ב ע״ב): 16 וכה״א והיה מספר, וגו׳ יאמר להם בני אל חי, ובשאין ישראל עושים רצונו של מקום הכתוב מדבר, יומא

1 נטל רדטהל, נטל ממנה מבא | מקל או] ל׳ ל | או מלגז דהטלפ, או מזלג ר, או מלגי ב. או שלגז א, ל׳ מ — 2 כרכר] כדכד א | בהניה] ל׳ א | נתערבו—בהניה רבל [רד״ף בשם מהר״ס], נתערבו—כולן אסורות בהגייה ה, נתערבו באחרים ואחרים באחרים כולם אסורים בהנאה מא, ל׳ טד — 3 יוליך הניה המטלבא, יוליך הנאם ר, יוליכם ד | מע״ז] מהעבודה זרה ד | הניה מטד בלא, הנאו ר, דמי הנייה ה — 4 למען—חרון אף מן העולם] ל׳ ה | בעולם] בחלום ל — 5 מן העולם—מן העולם] נסתלק החרון ד — 6 לך רחמים—רחמים רטב, לך רחמים—רחמים וה״א והגבעונים לא מבני ישראל המה ה, לך רהמים ולא לאחרון רחמים ל, ל׳ מדא | מיכן—ככוכבי השמים] ל׳ ה | מיכן היה מל, מיכן רטבא, ל׳ ד | זמן] ל׳ א — 7 אין אתה—ככוכבי השמים] רטב, וכל זמן שאין אתה—ככוכבי השמים מ, ל׳ ד | אין] אי ל — 8 והרבך כמו שנ׳ והרביתי את זרעך ככוכבי השמים לרוב א — 9 לאבותיך] ה מוסיף <כדגי הים וככוכבי השמים לרוב וכצמחי האדמה> — 10 מיכן—חמורה] ל׳ ה | קימעה מטדלא, בקימעה רב — 11 לשמוע מטבא, משמיעין אותו דל, לשמוע משמיעין אותו ר | הרבה טבמדא, הרבי ר, מצות הרבה ל | לשמור טדמבא, לשמור ולעשות ר, לשמור לעשות ל | מצותיו] מצוותי ד — 12 עליך] ל׳ א | כמצוה חמורה רטלא, כחמורה מד | לעשות הישר בעיני רמהא, כי בך בחר טדבל | זו היא שר׳ ישמעאל אומר מהא, זו שאמר ר׳ ישמעאל פרדטבל — 14 ר׳ יהודה—בני ישראל וגו׳] ל׳ הט | אתם] אותם ר | מנהג בנים רמאפ, כבנים דב, ל׳ ל — 15 הרי אתם] הרי אתם קרויים א | אי רב, אין מדלא — 16 וכן הוא אומר] ל׳ א | והיה—וכן הוא אומר]

לא תתגודדו, לא תעשו אגודות אלא היו כולכם אגודה אחת וכן הוא אומר
עמוס ט ו °הבונה בשמים מעלותיו ואגודתו על ארץ יסדה.
דבר אחר לא תתגודדו לא תתגודדו כדרך שאחרים מתגודדים שנאמר
מ"א יח כח °ויתגודדו כמשפטם.

ולא תשימו קרחה, יכול לא יהו חייבים אלא על בין העינים בלבד מנין
ויקרא כא ה לרבות כל הראש תלמוד לומר °בראשם לרבות כל הראש, יכול הכהנים שריבה בהם הכתוב מצות יתרות חייבים על כל קרחה וקרחה וחייבים על הראש כבין העינים אבל ישראל שלא ריבה בהם הכתוב מצות יתרות לא יהו חייבים אלא אחת ולא יהו חייבים אלא על בין העינים בלבד תלמוד לומר קרחה קרחה לגורה שוה מה קרחה האמורה בכהנים חייבים על כל קרחה וקרחה וחייבים על הראש כבין העינים אף קרחה האמורה בישראל חייבים על כל קרחה וקרחה וחייבים על הראש כבין העינים מה קרחה האמורה בישראל אין חייבים אלא על המת אף קרחה האמורה בכהנים אין חייבים אלא על המת סליק פיסקא

צז.

(ב) כי עם קדוש אתה לה׳ אלהיך, קדש את עצמך. כי עם קדוש אתה לה׳ אלהיך, קדושה שהיא עליך היא גרמה לך. דבר אחר לא תגרום לעם אחר להיות קדוש
תהלים קלה ד כיוצא בך. ובך בחר ה׳ °כי יעקב בחר לו יה. להיות לו לעם סגולה. °ישראל
שם לסגולתו. ובך בחר ה׳ אלהיך להיות לו לעם סגולה מכל העמים.

ל׳ ל | תעשו כדטמבא, תיעשו ר, תהיו ה | אגודות רד בא, אגודות אגודות טא׳כ | כולכם אגודה אחת] אגודה אחת כלכם כ | כולכם אמטדהב, כולם ר | וכה״א בטד מאכ, כה״א ר, שנ׳ ה — 2 מעלותיו מרב [מסורה], עליותיו ה, מעליותיו א — 3 ד״א–אף קרחה האמורה בכהנים אין חייבים אלא על המת] ל׳ ה | לא תתגודדו כדרך דטפ, לא תתעדדו ר, שלא תתעררו מא, לא תתעתדו ל | מתגודדים לדפ, מתעודדים בה א, מתעררין בהן מ, מתעדדין ר, עושין טב — 4 כמשפטם בלפ, ובחרבות כמשפטם ד, כמשפטם בחרבות וברמחים עד שפך דם עליהם מא — 5 על רטבלא [רא״ם], ל׳ מדפ | העינים] עיניכם מא — 6 כל] את כל ד (ב״פ) | ת״ל–כל הראש] ל׳ א | בראשם–יכול] מכל ב | הכהנים] כהנים א — 7 חייבים–מצות יתרות] ל׳ ל | על רבא [רא״ם], ל׳ מטד — 9 בין] ל׳ א — 10 חייבים] שחייבים א | על–וקרחה] על קרחה א | הראש רדטבא, כל הראש מ | אף–כבין העינים] ל׳ כל — 11 וחייבים על] ועל א | הראש רטא [רא״ם], כל הראש מד — 12 מה רדל, ומה טמבא | אין חייבים רד טל, אינו חייב מא | אלא] ל׳ א | המת] רטבל, מת מא | המת בלבד ד — 13 המת] מת מא | סליק פיסקא ד, פ׳ רב, פרשה ל, ל׳ א —

14 כי עם—לסגולתו] בצורתו זאת נמצא המאמר ברפ. בבמא חסר המשפט „קדושה שהיא עליך וכו׳ עד לסגולתו״, בה חסרה הברייתא „כי עם–קדש את עצמך״, וגם המשפט „בך בחר–לסגולתו״. בדלט מובאה הברייתא „כי עם–עצמך״ אחר המלים „ישראל לסגולתו״ | קדש את] כנ״ל להגיה והנוסחאות המקובלות הן: קדושת רדטבאפ [פ״ז], קדשת מ — 15 שהיא עליך] שעליך טי | דבר אחר] ל׳ ה | לא תגרום] אתה קדוש לא תגרום ה — 16 כיוצא בך] כיוצא בו ד | ובך בחר כן הגהתי והנוסחאות המקובלות הן: בך בחר טל, כי בך ר, כי בו ד — 17 לסגולתו] טדל מוסיפים: <ד״א כי עם קדוש

כ״ב ע״ב, וכעין זה פי׳ ר״ה: 1 לא תתגודדו וכו׳ עד יסדה, מכירי עמוס ט׳ ו׳ (ע׳ 73). — לא תעשו וכו׳, פ״ז, יבמות י״ג ע״ב, לקמן פי׳ שמ״ו, מ״ת כאן, ול״ג ד׳ (ע׳ 212), ל״ג ה׳ (ע׳ 213), שה״ש זוטא ד׳ א׳ (ע׳ 30). ואין צורך להגהת העורך שם. כונת הפתגם הוא להתנגד אל הכתות השונות שצמחו בדורות הראשונים של התנאים ועליהן אומר בתרגום ירושלמי „לא תעבדון חבורין לפולחנא נוכראה״; ועיין הערת רמא״ש: 3 כדרך שאחרים וכו׳, רש״י, פ״ז: 5 יכול וכו׳ עד סוף הפיסקא, תו״כ אמור פרק א׳ ה״א (צ״ד ע״ב), קדושין ל״ו ע״א, מכות כ׳ ע״א, רש״י, פ״ז, רא״ם, והשוה מ״ת י״ד א׳ (ע׳ 72): 14 קדש את עצמך, בכל המקורות הגירסה קדושת עצמך, והגהתי על פי הגירסה למטה פי׳ קי״ד עיין שם; וכן דרך הספרי להכפיל דרשה על כתוב המובא פעמים אחדות; ועיין רש״י, פ״ז, ורא״ם, והשוה מכילתא דרשב״י י״ט ו׳ (עמ׳ 95): 15 קדושה וכו׳ עד ישראל לסגולתו, הוספה מגליון, וחסר בבמא כרגיל בהוספות אלה. — קדושה שהיא עליך, סותר את הדרש שלפניו קדש את עצמך ואעפ״כ אינו פותח בד״א כרגיל בשתי דרשות הסותרות זו את זו, ומזה עוד ראיה שלפנינו הוספה שאינה מעיקר הספרי: 16 ובך בחר וכו׳ כי יעקב בחר, מביא כתוב מתהלים להוכחה שבבני יעקב ולא באומה או כתה אחרת התורה מדברת; וכן מביא חבר לסוף הפסוק להיות לו לעם סגולה מן הכתוב ישראל לסגולתו והשוה מ״ת י״ד ב׳ (ע׳ 73); לדעתי שתי הדרשות הן פולמוסיות כנגד הכנסיה הנוצרית שלפי מיסדיה היא הסגולה ובה הכתוב מדבר. והשוה הערת רמא״ש שהבאתי למטה בסמוך: 17 לסגולתו, ההוספה

מלמד שכל אחד ואחד חביב לפני הקדוש ברוך הוא מכל אומות העולם יכול אף מאבות הראשונים תלמוד לומר מ כ ל ה ע מ י ם א ש ר ע ל פ נ י ה א ד מ ה אמור מעתה משלפניו ומשלאחריו ולא מאבות הראשונים סליק פיסקא

צח.

(ו) ו כ ל ב ה מ ה מ פ ר ס ת פ ר ס ה ו ש ס ע ת ש ס ע ש ת י פ ר ס ו ת ו מ ע ל ת ג ר ה· עד שיהו בה שלשה סימנים הללו אינה מותרת באכילה· אבא חנן משום רבי אליעזר אומר השסועה מין חיה·

אמר רבי יאשיה כל מקום שנאמר צ פ ו ר בטהורה הכתוב מדבר אמר רבי יצחק עוף טהור נקרא עוף ונקרא צפור והטמא אין נקרא אלא עוף בלבד·

ו ה ר א ה זו דיה וכולן מין דיה איסי בן יהודה אומר יש לו מאה מיני עופות במזרח וכולן מין איה·

איה דיה והראה והדאה· למה נשנו במשנה תורה בבהמה מפני השסועה ובעוף מפני הדיה·

צט.

(ג) ל א ת א כ ל כ ל ת ו ע ב ה, רבי אליעזר אומר מנין לצורם אוזן הבכור ואוכל

בר המועתקה בשנויי נ׳סחאות יש להתאים עם ספרי לקמן פי׳ שמ״ד: 1 מ ל מ ד וכו׳, פ״ז, לקמן פי׳ שמ״ד כמה פעמים ובמ״ת שם ל״ג ג׳ (ע׳ 211): 3 ו ל א מ א ב ו ת ה ר א ש ו נ י ם, העיר רמא״ש „פירש ר׳ הלל דהיינו אומות העולם דהויין לפניו דישראל ולאחריו ולי נראה כאשר רמזתי וכל הענין הוא הקדמה לפ׳ מאכלות האסורות כנגד תלמידו של רבן גמליאל שנהיה תלמיד תלמידו של ר׳ יהושע בן פרחיה״:

4 ו כ ל ב ה מ ה וכו׳, בעל ז״א תמה על הקדמת דרשה זו על ו כ ל ב ה מ ה, שהוא פסוק ו׳, למאמר ר׳ א ל י ע ז ר א ו מ ר המצורף אל הכתוב ל א ת א כ ל כ ל ת ו ע ב ה שהוא פסוק ג׳· והעיר עליו רמא״ש שבפירוש ר״ה מובאות הדרשות כסדרן הראוי, וכן בכ״י ר. אבל לא ראיתי לשנות הסדר כאן מפני שכל המאמר הזה אינו מעיקר הספרי ורק נוסף מגליון, כאשר העירו כבר רמא״ש לקמן פי׳ ק״ג ור׳ אייזיק הירש ווייס בספרו דור דור ודורשיו ח״ב עמוד 127 הערה ו׳· והדרשה העקרית על פסוק זה מובאה לקמן פי׳ ק״א: 5 א ב א ח נ ן וכו׳, חולין ס׳ ע״ב, נדה כ״ד ע״א: 7 א ״ ר י א ש י ה וכו׳, לקמן פי׳ רכ״ח, מ״ת שם כ״ב ו׳ (ע׳ 135), תו״כ מצורע פרשה א׳ הי״ב (ע׳ ע״ב) חולין קל״ט ע״ב, קדושין נ״ז ע״א, ירו׳ נזיר פ״א ה״א (נ״א ע״ב)· — א ״ ר י צ ח ק וכו׳, חולין שם: 9 ו ה ר א ה וכו׳, תו״כ שמיני פרק ה׳ ה״ג (נ׳ ע״ג), חולין ס״ג ע״ב, והשוה למטה פי׳ ק״ג, רא״ם· — א י ס י וכו׳, חולין שם: 11 ל מ ה נ ש נ ו, חולין שם, בכורות ו׳ ע״ב, רא״ם:

12 ר׳ א ל י ע ז ר וכו׳ עד סוף הפיסקא, פ״ז, רא״ם,

אתה קדושת עצמך>, ר מוסיף: <ו ב ו תדבון [צ״ל ת ד ב ק ו ן] אף על פי שמביא עליך ייסורין ו ב ו ת ד ב׳ וכן הוא אומר ו ה ם ת כ ו ל ר ג ל י ך אפעלפי שהן לוקין מתורתך אין זזין> | ובך בחר–אמור מעתה] ל׳ ה | ובך] בך א — 1 מלמד שכל] שהיה כל ל | חביב רימא, מישראל דט, ל׳ רבל, מישראל חביב א׳ | הקב״ה] הק׳ ב | מכל אומות רבא, יתר מכל אומות מ, ככל אומות דט, כאומות ל | אף] ל׳ ב — 2 אמור מעתה] ל׳ מא — 3 ומשלאחריו רמבילא, ומלאחריו דט, ומשל אחרים ב, ולאחרים פ | ולא] אבל לא א | סליק פיסקא ד, פ׳ רב —

4 וכל בהמה–אלא עוף בלבד] ברייתא זאת נמצאת במדטא לפני הברייתא המתחלת „ר׳ אליעזר אומר״· אמנם ברפ מקומה בריש פי׳ ק״א· בה מובא סוף הברייתא, כל מקום שנאמר צפור–עוף בלבד, בדרש על הפסוק כ ל צ פ ו ר ט ה ו ר ה ת א כ ל ו· ובכ״י בל חסרה הברייתא לגמרי | וכל מ, כל רדטא — 5 שלשה] ל׳ מא | מותרת] מותרין א | משום ר״א אומר רט, אומר משום ר״א רא — 6 מין] אין טי — 7 א״ר יאשיה–א״ר יצחק] זה בנין אב כל מקום שנ׳ צפור בטהורה הכתוב מדבר דברי ר׳ יאשיה ר׳ יצחק אומר ה | יאשיה טידא, יושיה ר, אושעיא טי | כל] בכל א | בטהורה] בטהור א | עוף] ל׳ א — 8 צפור] טהור מ | והטמא] עוף טמא ה | אין רד, אינו טי, אינה טי, לא מא, ל׳ ה | בלבד] לבדו ט — 9 והראה–ובעוף מפני הדיה] מאמר זה נמצא פה בר וכנראה היה פה ג״כ בטופס ספרי של ר״ה ובטל מובא להלן בסוף פיסקא ק״ג· בה מובא שם רק סוף הברייתא „מפני מה נשנו במ״ת בבהמה מפני השסועה ובעוף מפני הראה״· ובדבמא חסרה הברייתא לגמרי | והראה רל, ד״א הראה ט | דיה ר, דאה ט, איה ל | דיה] איה ל | לו רל, ל׳ ט | מיני רל, ל׳ ט | במזרח] במזבח ל — 10 וכולן מין איה ט, וגו׳ ר, ל׳ ל — 11 איה–למה] מפני מה ה | והראה והדאה ר, ראה דאה ט, והראה ל | מפני השסועה טהל, ל׳ ר | ובעוף רטיהל, ועופות טי | מפני טה ל, מני ר | הדיה רל, הראה טה —

12 ר״א אומר] בה וברמב״ם סדר המאמרים הפוך: בפסולי המוקדשין הכתוב מדבר–הכתוב מדבר ר׳ אליעזר

ממנה שעובר בלא תעשה תלמוד לומר לא תאכל כל תועבה. אחרים אומרים בפסולי המוקדשים הכתוב מדבר נאמר כאן תועבה ונאמר להלן (דברים יז א) [9]לא תזבח לה׳ אלהיך שור ושה וגו׳ כי תועבת ה׳ אלהיך הוא מה תועבה האמורה להלן בפסולי המוקדשים הכתוב מדבר אף תועבה האמורה כאן בפסולי המוקדשין הכתוב מדבר סליק פיסקא

ק.

(ד) זאת הבהמה אשר תאכלו, שור שה כשבים ושה עזים (ה) איל וצבי ויחמור, מלמד שחיה בכלל בהמה מנין שאף בהמה בכלל חיה תלמוד לומר (ויקרא יא ב) [0]זאת החיה וגו׳ מלמד שחיה קרויה בהמה ובהמה קרויה חיה, ומלמד שבהמה טמאה מרובה מבהמה טהורה בכל מקום הכתוב פורט את המועט שנאמר זאת הבהמה אשר תאכלו וגו׳ איל וצבי ויחמור וגו׳.

ותאו, רבי יוסי אומר תאו זה שור הבר סליק פיסקא

קא.

וכל בהמה מפרסת פרסה, לפי שמצינו שריבה טרפה כעין טרפות אף אני ארבה את הפסול כעין הפסולים ואיזה זה זה החורש בשור וחמור ובמוקדשים תלמוד לומר שור שה כשבים ושה עזים תאכלו מרבה אני את אלו ועדין לא ארבה את הרובע ואת הנרבע מוקצה ונעבד ואתנן ומחיר וכלאים וטרפה ויוצא דופן תלמוד לומר שור שה כשבים וגו׳ מרבה אני את אלו ועדין לא ארבה את שנעבדה בו עבירה על פי עד אחד או על פי הבעלים תלמוד לומר שור שה כשבים. מרבה

בן יעקב אומר—ת״ל לא תאכל כל תועבה | ר׳ אליעזר] ר׳ אליעזר בן יעקב ה [רמב״ם, חנוך] | אוזן] באוזן ה | הבכור רדהטיבל, בכור טימא, של בכור ד, בבכור פ [מ מוסיף: פי׳ שעושה לו חתך קטן באוזן] — 1 שעובר] שהוא ט | ת״ל] שנ׳ מ | אחרים אומרים] ל׳ ה — 2 בפסולי] בפסולין ר | מדבר] ל׳ מ | לא—הוא מ, לא—ושה ארדטבל, תועבה ה — 5 סליק פיסקא ד, פ׳ ר, ל׳ א —

6 שור—עזים] וגו׳ ר, ל׳ א — 7 ויחמור] וגו׳ ר | מנין—שור הבר] ובהמה בכלל חיה מלמד שחיה קרויה בהמה ובהמה קרויה חיה ושהטמאה מרובה מן הטהורה בכל מקום הכתוב פורט את המועט ולפיכך אמר הכת׳ זאת הבהמה ה | מנין] ומנין א | שאף בהמה] שהבהמה א — 8 ומלמד רמטבאפ, מלמד דל — 9 מבהמה טהורה] מטהורה ד | הכתוב פורט] פרט הכתוב א | פורט דטימבל, פוטר מ׳², מדב׳ פורט ר | שנאמר א, ת״ל רבלטדמ — 11 ותאו] תאו א | תאו ל׳ א | סליק פיסקא ד, פ׳ ר, ל׳ א —

12 וכל] כל א | לפי שמצינו—בן הוריה] ל׳ ה | כעין] בענין א | כעין] בעין א, בענין אי — 13 הפסולים טמ א, פסולים רדבל | והמור דמ, ובחמור טבל, ל׳ ר — 14 שור וכו׳, ובמסורה הגרסה, זאת הבהמה אשר תאכלו שור שה כבשים ושה עזים — 15 ואת הנרבע] ונרבע ל | מוקצה] ומוקצה מא | ואתנן רבטא, אתנן דל | וכלאים] ל׳ ל | וטרפה ויוצא דופן] ל׳ ד | ויוצא] ויצא ר — 16 כשבים וגו׳] ל׳ א | מרבה—אילו] ל׳ ל | את דטמב, ל׳ ר | ועדיין] ועדן ר [וכן בסמוך] | ארבה] ארבה אני ד | שנעבדה בו] שנעבד בה ד — 17 ע״פ עד אחד—שנעבדה בו עברה] ל׳ ב | אחד דטמ, ל׳ ר | הבעלים רטא, בעלים מד | ת״ל—שני עדים] ל׳

רמב״ם לאוין ק״מ, חנוך ראה תע״ח, תוס׳ בכורות ל״ד ע״א ד״ה ומי קניס, והשוה ת״כ שמיני פרק ד׳ ה״א (מ״ח ע״ב), בכורות פ״ה מ״ג, בבלי שם ט״ז ע״א: 2 בפסולי המוקדשין, פי׳ הז״ר שלא לאוכלם בלא פדיון ול״נ שאם הקריבן במומן שאסורין באכילה ועיין עבודה זרה ס״ו ע״א, חולין קי״ד ע״ב, רמא״ש:

7 מלמד וכו׳, רש״י, פ״ז, תו״כ שמיני פרשה ב׳ ה״ח (מ״ח ע״א), חולין ע׳ ע״ב, והשוה תו״כ שם דבורא דנדבא פרשה ב׳ ה״ו (ד׳ ע״ג): 9 בכל מקום וכו׳, לקמן פיסקא ק״ג, חולין ס״ג ע״ב: 11 שור הבר, רש״י, פ״ז, תוספתא כלאים פ״א ה״ט (ע׳ 74), חולין פ׳ ע״א, והשוה משנה כלאים סוף פ״ח וירו׳ שם ל״א ע״ג:

12 טרפה כעין וכו׳, טריפה דאסורה להדיוט כעין טריפות דאסירי לגבוה, מפי׳ ר״ה, ועיין בתו״כ שמיני פרק ג׳ ה״ה (מ״ח ע״ג) דיליף לטרפות מאך את זה לא תאכלו, רמא״ש: 13 ובמוקדשים, כלומר שחורש במוקדשים, מפי׳ ר״ה ועיין לקמן פי׳ קכ״ד: 14 מרבה אני וכו׳, שהם כשרים למזבח, תמורה כ״ה ע״א, והשוה תו״כ ויקרא פרשה ב׳ ה״ז (ד׳ ע״ד): 15 את הרובע וכו׳, שאסורים למזבח, תמורה פ״ו מ״א — וטרפה, אגב אשגרה נקיט לה מן המשנה שם, ואעפ״י שאין לה ענין כאן שהרי התחיל באסור טרפה להדיוט: 16 שנעבדה בה עברה, שור

אני את אלו ועדין לא ארבה את שנעבדה בו עבירה על פי שני עדים ועדין לא נגמר דינו תלמוד לומר שור שה כשבים תאכלו, מרבה אני את אלו שגדלו בטהרה ועדין לא ארבה את ולד כשרה שינקה מן הטרפה תלמוד לומר בבהמה, מרבה אני את ולד כשרה שינקה מן הטרפה ועדין לא ארבה את ולד טרפה שינקה מבהמה טהורה עם הטמאה תלמוד לומר בבהמה כל הבהמה. בבהמה תאכלו, לרבות שיליה יכול אפילו יצאת מקצתה תלמוד לומר אותה. אותה תאכלו, אותה באכילה ואין בהמה טמאה באכילה אין לי אלא בעשה מנין אף בלא תעשה תלמוד לומר הגמל והארנבת והשפן והחזיר מבשרם לא תאכלו, אין לי אלא אלו בלבד שאר בהמה טמאה מנין דין הוא ומה אלו שיש בהם סימני טהרה הרי הם בלא תעשה שאר בהמה טמאה שאין בהם סימני טהרה אינו דין שיהו בלא תעשה על אכילתם נמצאו הגמל והארנבת והשפן והחזיר מן הכתוב ושאר בהמה טמאה מקל וחומר נמצאת מצות עשה שלהם מן הכתוב ומצות לא תעשה מקל וחומר סליק פיסקא

קב.

(ז) אך את זה לא תאכלו וגו׳ השסועה. אמר רבי עקיבה וכי משה קניגי היה או בלסטירי היה אלא מיכן תשובה לאומרים אין תורה מן השמים.

קג.

(יא) כל צפור טהורה תאכלו, מכלל שנאמר [ויקרא יד ד] וצוה הכהן ולקח למטהר

ל | כשבים] כבשים א — 1 שני רטב, שנים מא, שני׳ ד — 2 כשבים] כבשים א | אלו דטמל, ל׳ רב — 3 ועדין] ועדאן ר [וכן בסמוך] | שינקה] שיקנה ט² [וכן בסמוך], שיינק א | את] ל׳ מא | כשרה שינקה מן הטרפה] כן נראה לי להגיה ובכל המקורות טרפה שינקה מן הכשרה, וכן בסמוך — 4 את] ל׳ מא | ולד] ולד בבהמה א | את] ל׳ ל | ולד] ולד בהמה מא | מבהמה רטב, מן בהמה דמא, מן ל — 5 טהורה] הטהורה ל | עם] ומן א | כל—תאכלו] כל מה שבבהמה תאכלו א — 6 שיליה רמד, את השיליא טבל, שליא א | אפילו] אף א | יצאת] יצת ר | באכילה] תאכלו ל — 7 הגמל—תאכלו] את הגמל הארנבת ואת השפן—תאכלו ד, הגמל והשפן והארנבת והחזיר אמ. [ובמקרא את הגמל ואת הארנבת ואת השפן ואת החזיר] — 9 בהמה טמאה מדלא, בהמה רט | דין ר, ודין מדטבלא | הרי הם—סימני טהרה] ל׳ ב | בלא תעשה—אינו דין שיהו] ל׳ א — 10 נמצאו] נמצא ד — 11 והארנבת והשפן] והשפן והארנבת א | הכתוב א רטמד, הכתובין בל | נמצאת] נמצא ד — 12 שלהם] ל׳ ל | הכתוב רמטא, הכתובים ב, הכתובים שבהם ל | ל״ת רטב, ל״ת שלהם מ, עשה שלהן א | סליק פיסקא ד, פ׳ ר, ל׳ א —

13 א״ר עקיבה—השמים] ל׳ ט | א״ר עקיבה] ל׳ מ | משה] משה רבינו ל | קניגי היה רמלא, קניגי ד, קנהגי ב — 14 או בלסטירי] ובלסתר ד | אלא רמבא, ל׳ לד | לאומרים] לאומות שאומרין מא | סליק פיסקא ד, ל׳ רא

15 כל צפור—אשר לא תאכלו מהם] ל׳ ט | תאכל׳]

שגגת שהמית איש או אשה ע״פ עד אחד, מפי׳ ר״ה, ואולי גרסה אחרת היתה לו, רמא״ש: 3 ולד כשרה שינקה מן הטרפה, הגרסה המקובלת ולד טרפה שינקה מן הכשרה אי איפשר לקיימה כי לפיה אין שום הבנה למשפט שאחר זה, מרבה אני וכו׳, כי אחרי היתר ולד של טרפה היונק מן הכשרה, מדוע יאסר ולד טרפה שינק מן הטמאה, יותר מזה שינק מן הכשרה? ועוד שאומר בסוף „מרבה אני את אלו שגדלו בטהרה״, וכי איפשר לתאר כשרה שינקה מן הטרפה כאילו גדלה בטהרה; אדרבא לידתה בטהרה וגדולה בטומאה. אמנם לפי גרסתנו מתיר התנא מתחילה ולד כשרה שינקה מן הטרפה, ואף שלדברי ר׳ הנינא בן אנטגנוס אסורה למזבח, מכל מקום מותרת להדיוט: ואחר כך מרבה להיתר אכילה גם ולד טרפה, שאף היא אסורה למזבח לדברי ר״א שם, ובאמת איסורה חמיר מזו שינקה מן הטרפה. והגר״א לא הגיה כאן אבל בסמוך גורס „ועדין לא ארבה את שינקה מן בהמה כשרה עם טרפה״. ולכאורה מפרש שהתנא מתיר מתחילה ולד טרפה שינקה מן הכשרה ואחר כך ולד טרפה שינקה מן הטמאה: 4 שינקה מבהמה וכו׳, אין הוספת איסור במה שינקה מבהמה טמאה, אלא נקט לה אגב הנזכר למעלה כשרה שינקה מן הטרפה, ומטעים שאף טרפה היונקת מן הטמאה מותרת להדיוט: 6 שיליה וכו׳, תו״כ שמיני פרק ג׳ ה״א (מ״ח ע״ב), חולין ע״ז ע״א, ועיי״ש ס״ט ע״א. — אותה וכו׳ עד ומצות ל״ת מק״ו, תו״כ שם, פ״ז, ס׳ מעשה נסים לר׳ אברהם בן הרמב״ם ע׳ 92: 7 בעשה, רמב״ן השגות על ס׳ המצות שער ו׳, ועיין בפירושו לקמן דברים ט״ו ג׳:

13 א״ר עקיבה וכו׳, חולין ס׳ ע״ב. וע׳ בית תלמוד שנה א׳ ע׳ 239. — קניגי, מל״י κυνηγός איש ציד: 14 בלסתירי, מל״י βαλλιστάριος ורו׳ Ballistarius.

15 כל צפור טהורה תאכלו, במ״ת מוסיף כאן זו מצות עשה. וכן היתה הגרסה בנוסח הספרי של הרמב״ם כמבואר בס׳ המצות שלו עשין ק״נ, ואלו דבריו: „ולשון

שתי צפרים חיות טהורות יכול כשם ששחוטה אסורה כך משולחת אסורה תלמוד לומר כל צפור טהרה תאכלו או כשם שמשולחת מותרת כך שחוטה תהא מותרת תלמוד לומר וזה אשר לא תאכלו מהם. הנשר והפרס והעזניה,
ויקרא יא יג רבי עקיבה אומר נאמר כאן נשר ונאמר להלן °נשר מה נשר האמור להלן עשה כל האמורים עם הנשר בבל תאכיל ובבל תאכל אף נשר האמור כאן נעשה כל האמורים
שם יא יד עם הנשר בבל תאכיל ובבל תאכל רבי שמעון אומר נאמר כאן איה ונאמר להלן °איה מה איה האמור כאן עשה את הראה מין איה אף איה האמורה להלן נעשה את הראה מין איה.

(יד) עורב זה עורב הגדול, ואת כל עורב להביא את העורב העמקי ועורב הבא בראש יונים, למינו להביא את הזרזיר. [הנץ, זה הנץ] כשהוא אומר למינהו להביא את בן הוריה.

(טו) ואת בת היענה וגו׳, ואת הכוס וגו׳, והקאת ואת הרחם ואת השלך, מלמד שעוף טהור מרובה מעוף טמא בכל מקום הכתוב פורט את המועט. סימני בהמה וחיה נאמרו מן התורה סימני העוף לא נאמרו אמרו חכמים כל עוף דורס טמא שנאמר נשר מה נשר מפורש אין לו זפק ואין לו אצבע יתירה ואין קורקבנו נקלף ודורס ואוכל טמא כך כל שכיוצא בו אסור כל שאין כיוצא בו מותר.

(כ) כל עוף טהור תאכלו, מצות עשה. וכל שרץ העוף טמא הוא

ה, ורמב״ם מוסיפים <זו מצות עשה> — 1 שתי—טהורות א, וגו׳ רב, ל׳ דטל | משולחת] משולחחת ר, משתלחת א | אסורה] תהא אסורה ל — 2 או] אי ל, ל׳ א, יכול אי | שמשולחת] שמשתלחת מ, שהמשתלחת א | שחוטה] השחוטה מ — 3 תהא רמבא, ל׳ דל [הזכרון] | לא] ל׳ ד | הנשר—והעזניה] את הנשר ואת הפרס והעזניה ד — 4 כאן] כן רב | ונאמר להלן נשר] ל׳ ב — 5 האמורים עם הנשר אמטב, האמור בנשר רטל [וכן בסמוך] | עם הנשר] ל׳ ל | בבל—ובבל אמ, בל—ובל רבדל [וכן בסמוך] | בל—בל—באל—בל— ר | נעשה—עם הנשר] ל׳ א | נעשה רטב, עשה טמ — 6 שמעון רדטב, ישמעאל מא | כאן] כן רב [וכן בסמוך] — 7 מין איה רדמ׳ב, כאיה מא [וכן בכמוך] | נעשה רטמב, עשה דלא — 9 עורב זה עורב—סליק פיסקא] ל׳ ד | ואת] את מא | להביא] זה ל | את העורב ר, עורב א מטל, העורב ב | העמקי] העמקן ב — 10 יונים] היונים א | כשהוא רטבלא, וכשהוא מ | למינהו] למינו ב — 11 את בן הוריה] את בן הזריה אמ׳, את בן חוריה ר, את בן ההרייה ט׳, החיה ט׳, את בן הורים ב, את בני חוריה ל — 12 וגו׳ ואת הכוס—ואת השלך ר, וג׳ מ׳, ואת הכוס והקאת והחסידה מ, הנשר והפרס והעזניה ה, וג׳ ואת הכוס ואת הרחם ואת התנשמת ואת החס׳ ב, ואת הכוס ואת הקאת ואת הרחם ואת התנשמת והחסידה ל, ואת הכוס ואת הקאת והחסיד׳ א [ובמכורה, את הכוס ואת הינשוף והתנשמת והקאת ואת הרחמה ואת השלך] — 13 פורט] מדבר פורט ר | המועט] הממועט ה — 14 סימני—עד סוף פיסקא ק״ד] ל׳ ה | אמרו חכמים] וחכמי׳ או׳ א | אמרו ר, ואמרו טמב, אבל אמרו ל | דורס ארט׳ב, הדורס טימל — 15 אין] שאין מ | ואין לו] ולא מא | יתירה] ל׳ א [ונמצא באי׳] — 16 טמא רטב, ל׳ מא, וטמא ל | כך רטמ, אף כך ב, אף כן ל, אף א | שכיוצא רטב, כיוצא מא | אסור רמבא, טמא טל | כל] וכל מא | כיוצא] ל׳ ט׳ | מותר רמבא, טהור טל — 17 וכל מ, כל רמבא | מצות] זו מצות א׳ [מעשה

ספרי כל צפור תאכלו זו מצות עשה״, וכן העתיק במגיד משנה ה׳ מאכלות אסורות פ״ב ה״ד, ורבים הביאו הדרש מבלי לציין על הספרי, ואלו הם, ר׳ ניסים בתשובותיו סי׳ נ״ו, רמב״ן בס׳ המצות שער ו׳, ר׳ אברהם בן הרמב״ם בספר מעשה נסים עמו׳ 92, חנוך ראה תמ״ד׳ — מכלל שנאמר וכו׳, מ״ת כאן וי״ד י״א וי״ב (74), תו״כ מצורע פרק ב׳ ה״ה (ע״א ע״א), קדושין נ״ז ע״א, חולין ק״מ ע״א, ירו׳ ע״ז פ״ה הי״ב (מ״ה ע״ב), ס׳ הזכרון: 4 ר״ע וכו׳ עד סוף הפיסקא, תו״כ שמיני פרק ה׳ ה״א (נ׳ ע״ב): 5 בל תאכיל, שנאמר שם לא יאכל, להזהיר אף על המאכיל: 6 ר״ש אומר וכו׳, מובא בפי׳ הראב״ד לתו״כ שם, אבל הוא גורס ר״ע, ובתו״כ שם הגרסה ר׳ ישמעאל, והשוה למעלה פי׳ צ״ח ע׳ (159): 9 עורב וכו׳ עד בן הוריה, פ״ז, תו״כ שמיני שם ה״ד (נ׳ ע״ג), חולין ס״ג ע״א, ושם יש לתקן הנוסח עפ״י הרי״ף ודקדוקי סופרים: 10 להביא את הזרזיר, כר״א בחולין שם לפי הברייתא הראשונה, ולפי השניה „להביא את הסנונית״, ובתו״כ מובאות שתי הדעות סתמא· — הנץ זה הנץ, כן יש להוסיף על פי הגירסה בתורת כהנים וחולין שם: 11 את בן הוריה, כן יש לנסח לפי דעתי על פי שויון הגרסאות· ועיין בחלופי נוסחאות, וגם בתו״כ ושם הגרסה בן ההדייה וההודאה; ובדקדוקי סופרים חולין מביא הגירסה בר ההדיא במקום בר תיריא של הדפוסים: 13 מלמד וכו׳, למעלה פי׳ ק׳ (ע׳ 160): 14 סימני וכו׳, פ״ז, חולין פ״ג מ״ו, תוספתא שם פ״ג (ד) ה׳ כ״ב (ע׳ 505), בבלי שם ס״א ע״א, תו״כ שמיני פרק ה׳ ה״ו (נ׳ ע״ג): 17 כל עוף וכו׳ עד אלו חגבים טמאים, ס׳ מעשה נסים לר׳ אברהם בן הרמב״ם ע׳ 96· — מצות עשה, ולאו הבא מכלל עשה עשה, ועיי׳ למעלה פי׳ פ״ו (ע׳ 151) ובציונים שם, והשוה עוד פירוש

לכם, מצות לא תעשה רבי שמעון אומר כל עוף טהור תאכלו, אלו חגבים טהורים, וכל שרץ העוף טמא הוא לכם לא יאכלו, אלו חגבים טמאים סליק פיסקא

קד.

(כא) לא תאכלו כל נבלה, אין לי אלא נבלה טרפה מנין תלמוד לומר נבלה, כל נבלה. לגר אשר בשעריך, מלמד שנותנה במתנה לגר תושב מנין אף לנכרי תלמוד לומר לנכרי מנין שמוכרה לגר תושב תלמוד לומר או מכור מנין אף לנכרי תלמוד לומר לנכרי כשתימצי אומר מוכרה ונותנה במתנה לנכרי ולגר תושב רבי יהודה אומר דברים ככתבם.

כי עם קדוש אתה לה׳ אלהיך, קדש את עצמך.

דברים המותרים ואחרים נהגו בהם איסור אי אתה רשיי לנהוג היתר בפניהם.

לא תבשל גדי בחלב אמו, למה נאמר כנגד שלש בריתות שכרת הקדוש ברוך הוא עם ישראל שלש פעמים אחת בחורב ואחת בערבות מואב ואחת בהר גריזים ובהר עיבל. רבי עקיבה אומר חיה ועוף אינם מן התורה שנאמר לא תבשל גדי בחלב אמו שלש פעמים פרט לחיה ועוף ובהמה טמאה רבי יוסי הגלילי אומר נאמר לא תאכלו כל נבלה ונאמר לא תבשל גדי בחלב אמו [את שאסור משום נבלה אסור לבשל בחלב, עוף שאסור משום נבלה יכול יהא אסור לבשל בחלב תלמוד לומר בחלב אמו] יצא עוף שאין לו חלב אם סליק פיסקא

רמב״ן דברים ט״ו ג׳: 1 לא תעשה, רמב״ם לאוין קע״ה, חנוך ראה תע״ט, והשוה מאנאטסשריפט שנה נ״ה ע׳ רנ״ב׳ – רש״א וכו׳, רמב״ן, וכן ת״י:

3 טרפה מנין, שאסורה, ואולי פירושה שאם נטרפה בשחיטה הרי היא כנבילה, וכן ת״י „לא תיכלון כל דמקלקלא בנכסא״: 4 מלמד וכו׳, מ״ת י״ד כ״א (עמו׳ 75), פסחים כ״א ע״ב, ב״ק מ״א ע״א, ע״ז כ׳ ע״א, חולין קי״ד ע״ב, וראה ירו׳ יבמות פ״ח ה״א (ח׳ ע״ד): 8 קדש את עצמך, למעלה פי׳ צ״ז (ע׳ 158): 9 דברים המותרים וכו׳, בכל המקורות מובא המאמר לפני הכתוב כי עם קדוש, ונסחתי על פי גרסת רש״י והגהות הגר״א, ז״א, ורמא״ש, ומכל מקום נראה לי שאין המאמר מעיקר הספרי רק נוסף ע״י מעתיק מן הגמרא, ולכן הוכנס שלא במקומו, ובפ״ז חסר׳ – לנהוג היתר בפניהם, פסחים נ׳ ע״ב, מגילה ה׳ ע״ב, נדרים ט״ו ע״א, שם פ״א ע״ב: 10 למה נאמר וכו׳ עד ובהר עיבל, הוספה וחסרה באבמ וגם במ״ת נראה שמובאה ממקור אחר ולא מן הספרי׳ – שלש בריתות וכו׳, מכילתא דברים י״א כ״ט (ע׳ 56), מ״ת כאן י״ד כ״א (עמוד 75) בשם ר׳ ישמעאל, מכילתא משפטים מסכת אם כסף פ״כ (ק״ב ע״א, ה—ר 335), ועיין בת״י שמות כ״ג י״ט ובתוספתא סוטה פ״ח ה״י „ושל׳שה בריתות (כצ״ל כמו בגרסת כ״י וויען) לכל אחת ואחת הרי מ״ח בריתות וכן בהר סיני וכן בערבות מואב ר׳ שמעון מוציא של הר גריזים והר עיבל ומביא של אהל מועד״. וכעין זה בירו׳ שם פ״ז ה״ג (כ״א ע״ג) ובבבלי ל״ז ע״א, וברכות מ״ח ע״ב (ושם ברש״י ד״ה תורה נתנה) ומן הספרי מובא במפתח של הר״ן ברכות שם, ובכפתור ופרח פ״י (ע׳ 239). והשוה הערת מורי ר׳ לוי גינזבורג בספרו אגדות היהודים ח״ו ע׳ 34: 11 ר״ע אומר וכו׳, מכילתא משפטים מסכת אם כסף פ״כ (ק״ב ע״ב, ה—ר ע׳ 336), מכילתא דרשב״י שם כ״ג י״ט (עמו׳ 159), חולין פ״ח מ״ד, והשוה תוספתא חולין פ״ח הי״א (ע׳ 509): 13 ר׳ יוסי הגלילי וכו׳, מכילתא, מכילתא דרשב״י, ומשנה חולין שם:

נסים] ׀ מצות] זו מצות א [מעשה נסים] — 1 תאכלו] <זו מצות עשה כל שרץ העוף טמא הוא לכם> א ׀ חגבים טהורים] החגבים מ — 2 וכל מ, כל ארטבל ׀ חגבים] החגבים מ ׀ סליק פיסקא ד, ל׳ רא —

3 נבלה] נבילה לגר אש׳ ר׳ מא מוסיפים <אין לי אלא נבלת בהמה נבלת חיה מנין ת״ל נבלה, כל נבלה> — 4 לגר—לנכרי ולגר תושב] וכו׳ ט ׀ שנותנה מד, שניתנה רבל ׀ מנין—ת״ל לנכרי] ל׳ א — 5 מנין שמוכרה] ומנין שמוכרה ד — 6 מנין] ומנין ד ׀ כשתימצי] כשתמצא א ׀ אומר רמ, לומר דבל ׀ מוכרה] מוכר ד ׀ במתנה] מתנה ל — 8 כי—עצמך] בכל המקורות מובא אחר לנהוג היתר בפניהם, ועיין בהערות ׀ קדש את] קדש א ׀ עצמך] אי מוסיף <במותר לך> וכן נמצא ברש״י – 9 לנהוג היתר בפניהם ארדל, להתירן בפניהם טב, לנהוג בהם היתר מ — 10 לא תבשל—חלב אם] ל׳ ט ׀ למה נאמר—ובהר עיבל, מאמר זה נמצא פה בר, ובד ל מקומו אחר דברי ר׳ יוסי הגלילי, וחסר במבא ובה מובא בסגנון אחר ר׳ ישמעאל אומר מפני מה נאמר לא תבשל גדי בחלב אמו בשלשה מקומות כנגד שלש בריתות שכרת המקום עם ישראל אחת—ובהר עיבל ׀ בריתות ד, כריתות רל — 11 ר״ע—אמו רמל, ל׳ ד – 13 כל נבלה רמ, כל נבל׳ה לגר אשר בשעריך בדל — 14 את שאסור וכו׳ עד בחלב אמו, כן נראה להוסיף ע״פ מכילתא ומכילתא דרשב״י ומשנה חולין, עיין בהערות וכן הגיהו הגר״א, בעל ז״א, ורמא״ש ובכל המקורות חסר — 16 סליק פיסקא, סל׳ פס׳ ר, ל׳ א —

קה.

(כב) עשר תעשר את כל תבואת זרעך היוצא השדה שנה שנה. מלמד שאין מעשרים אותו משנה לחברתה אין לי אלא מעשר שני שבו דבר הכתוב מנין לרבות שאר מעשרות תלמוד לומר עשר תעשר. מנין למעשר בהמה שאין מעשרים אותה משנה לחברתה תלמוד לומר עשר תעשר את כל תבואת זרעך היוצא השדה שנה שנה. רבי שמעון בן יהודה אומר משום רבי שמעון מנין למעשר בהמה שהוא בעמוד ועשר תלמוד לומר עשר תעשר. יכול דבר שגדולו מן הארץ כגון סטים וקוצה יהא חייב במעשר תלמוד לומר עשר תעשר ואכלת, יכול אף דבש וחלב תלמוד לומר היוצא השדה שנה שנה אמור מעתה דבר היוצא מרשות שדה.

מכלל שנאמר ואכלת לפני ה׳ אלהיך במקום אשר יבחר לשכן שמו שם מעשר דגנך תירושך ויצהריך, יכול אין לחייב אלא דגן תירוש ויצהר מנין לרבות שאר פירות תלמוד לומר תבואת זרעך, יאמר זה שאילו כן הייתי אומר מה תבואה מיוחדת שמכניסה לקיום ודרכה להאכל כמות שהיא אף אני

1 את כל—שנה שנה] כן נראה לנסח ובמקורות המקובלות ל׳, רק בה הג׳ שנה שנה] וכן ברמב״ם — 2 מעשרים אותו המא [רמב״ם], מעשרים רטל — 3 מנין—פי׳ ק״ו ר״ע אומר וכו׳ עד יבחר] ל׳ ה | מנין—היוצא השדה שנה שנה] מתוך שנה בשנה] מא — 4 את—היוצא השדה] ל׳ ר — 5 יהודה רבדט, יוחאי למא | אומר] ל׳ ל — 6 בעמוד ועשר] בעמר ועשר א, בעשר תעשר א׳ | שגדולו כדטמ, שגידוליו ר — 7 סטיס ארלמב, אסטים ט׳, סטים ד ט׳, מ מוסיף: <ר״ל אנדיקו בלע״ז והוא צבעי שצובעין בו בגדי פרתן [צ״ל פשתן] ובגד צמר גפן לכלות בבירת חופתן> | וקוצה אר, וקוצא ר | וקוצה] מ מוסיף: <פי׳ צבע אחר הנקרא רובייא בלע״ז> | יהא] יהיה ד | במעשר] במעשרות מ | יכול] ל׳ ל — 8 היוצא] שיוצא א | שדה ארדב, השדה מ, שנה ט׳, השנה ט׳ — 10 לשכן—יצהרך] ל׳ רמ — 11 לחייב דל, ליחייב רמט, לי אלא חייב א | אלא] אלא על ד — 12 יאמר—כן הייתי] ל׳ מ | שאילו רטבא, שאלמלא ד, שאילולי ל — 13 להאכל] למאכל

2 מלמד וכו׳, תרומות פ״א מ״ה, תוספתא שם פ״ב ה״ו (ע׳ 27), תוספתא ר״ה פ״א ה״ט (ע׳ 209), שם בכורות פ״ז ה״א (ע׳ 541), תו״כ בחוקותי פרק י״ב ה׳ י״ג (קט״ו ע״ב), ספרי במדבר פי׳ ק״כ (עמ׳ 147), מ״ת י״ד כ״ב (ע׳ 76), ר״ה י״ב ע״א, בכורות נ״ג ע״ב, ת״י, רש״י, פ״ז, רמב״ם עשין קכ״ח׳ — שבו דבר הכתוב, שנ׳ ואכלת לפני ה׳ אלהיך, מפי׳ ר״ה ורד״ף: 3 ת״ל עשר תעשר, ול״נ דיליף מהיוצא השדה, רמא״ש; שהרי הכתוב „עשר ר תעשר צריך לדרש למעשר בהמה, כמו שמובא לקמן ובתוספתא בכורות שם עשר תעשר בשני מעשרות הכתוב מדבר אחד מעשר דגן ואחד מעשר בהמה״, ועיין למעלה פי׳ ס״ג (עמוד 130), ובמ״ת (ע׳ 76) נדרש בהדיא „היוצא השדה החדש ולא הישן״· — שאין מעשרים וכו׳, זו היא דעת ר״ע בתו״כ שם, אבל בתוספתא בכורות מובא בשמו שמעשרים וחכמים אומרים אין מעשרים משנה לשנה· והעיר המנוח ר׳ חיים שאול הארווויטץ על זה בכ״י שלו ״וצ״ע בתוספתא בכורות אי גרסינן בדברי ר״ע אין מעשרין כמו שנראה עכ״פ דצ״ל קשה במאי פליגי ואם נאמר דמשמעות דורשים בינייהו איך למדו חכמים ממלת שנה גרידא ואפשר דצ״ל אין מעשרין משנה לשנה שנ׳ עשר תעשר בשני מעשרות הכתוב מדבר אחד מעשר דגן ואחד מעשר בהמה שנה שנה אין מעשרין משנה לחברתה דברי ר״ע וחכ״א מעשרין אותה משנה לחברתה·״ ולי נראה ששתי ברייתות נפרדות נתחברו בתוספתא, הכל מודים שאין מעשרים מעשר שני משנה לחברתה, המחלוקת היא אם ההבדל נוהג גם במעשר בהמה· ר״ע לומד מעשר תעשר בשני מעשרות הכתוב מדבר, והמובא בשם חכמים מקורו בברייתא אחרת, ושם נלמד שלא לעשר מעשר שני משנה לחברתה אבל בהמה מעשרים משנה זו לזו: 6 בעמוד ועשר, [תו״כ סוף בחוקותי פ׳ י״ג ה״ו בשם ר״ע, וסד״א דאינו אלא רשות כדכתיב כל אשר יעבור תחת השבט אבל אין מצוה להעביר]· — ת״ל עשר תעשר, תו״כ שם· — יכול, [הגר״א מוסיף היוצא השדה]: 7 סטים וקוצה, פטורים מן המעשר, ירו׳ סוף מעשרות (נ״ב ע״א), [תוספתא שם סוף פ״ז (ע׳ 86), והשוה משנה שם א׳ א׳]: 8 דבש וחלב, כיון שהדבר תלוי בראוי לאכילה: 9 מרשות שדה, הגר״א מגיה היוצא מן השדה ונאכל· ובפ״ז גרס היוצא מן השדה: 10 מכלל וכו׳, ס׳ יראים קע״ב, הוצ׳ שיף קמ״ז, סמ״ג עשין קל״ו, תוס׳ בכורות נ״ד ע״א ד״ה שני מינין [צריך עיון דלעיל רצה לרבות הכל ועכשיו בא לומר דאינו חייב אלא אדגן תירוש ויצהר ותירץ הרד״ף דקשיא דנדרוש תבואת זרעך ומעשר דגנך וכו׳ בכלל ופרט אלא דלפי זה אינו מובן מאי דקאמר ת״ל תבואת זרעך ותירץ דאין זה כלל ופרט דהכלל הוא בהפרשה והפרט הוא לענין אכילה ולא מיירי אלא במעשר שני ודחיק, ונראה דהוה כמו „דבר אחר״] וכן נראה לי ששתי דרשות נפרדות לפנינו נתחברו לברייתא אחת· בראשונה ממעט הדברים שאינם בכלל מעשר, ובשניה מחחיל מן האמור בכתוב תבואת זרעך ומוסיף הדברים החייבים במעשר; ועיין ספרי במדבר פי׳ ה׳ (ע׳ 8), תו״כ סוף בחוקותי, ירושלמי ריש מעשרות: 12 זרעך, [הגר״א מוחק זה וגורס לקמן „יאמר תבואת אלמלא כן וכו׳ שמכניסה לקיום (ומלות ודרכה להיאכל כמות שהיא מוחק) אף וכו׳ לרבות (שאר) קטניות ת״ל זרעך מרבה וכו׳ ת״ל היוצא השדה יכול אף שאינן ראוין לאכילה ת״ל ואכלת מנין לרבות

איני מרבה אלא כיוצא בה את מה אני מרבה את האורז ואת הדוחן ואת הפרגים והשומשמים מנין לרבות שאר קטניות תלמוד לומר עשר תעשר מרבה אני את הקטניות שדרכן להאכל כמות שהן ועדין לא ארבה את התורמוס ואת החרדל שאין דרכם להאכל כמות שהם תלמוד לומר עשר תעשר יכול אפעלפי שלא השרישו תלמוד לומר ואכלת, מנין לרבות ירקות למעשרות תלמוד לומר °כל מעשר (ויקרא כז ל) הארץ. °מזרע הארץ (שם) לרבות שום שחלים וגרגיר יכול שאני מרבה לפת וצנונות וזרעוני גנה שאין נאכלים תלמוד לומר מזרע הארץ ולא כל זרע הארץ. °מפרי (שם) העץ לרבות פירות האילן יכול שאני מרבה חרובי שקמה וחרובי צלמונה וחרובי גדורה שאין נאכלים תלמוד לומר מפרי העץ ולא כל פרי העץ. מנין שאדם מעשר את שאוכל תלמוד לומר עשר תעשר יכול אפעלפי שלא נגמרה מלאכתו בשדה תלמוד לומר °כדגן מן הגרן (במדבר יח כז) והרי הוא בשדה °וכמלאה מן היקב (שם) עד שהיא ביקב. יכול יהא אדם אוכל עריי בשדה תלמוד לומר עשר תעשר מנין שזורע תלמוד לומר היוצא השדה מנין שכונס תלמוד לומר תבואת זרעך. אמרו חרבו חנויות בני חנן שלש שנים קודם לארץ ישראל שהיו מוציאים פירותיהם מידי מעשרות שהיו דורשים לומר עשר תעשר ואכלת ולא מוכר תבואת זרעך ולא לוקח סליק פיסקא

א — 1 איני רטב, לא א, ל׳ לד | מרבה] ארבה דא | אלא מדט״א, אלא את רט״ב, ל׳ ל | את מה ראטבל, ומה מ, הא מה ד | ואת הדוחן] והדוחן רא | ואת הפרגים טמד, והפרגים רבלא — 2 והשומשמים רטמבלא, ואת השומשמים ד | שאר] שאר מיני ט | מרבה אני—ת״ל עשר תעשר] ל׳ א — 3 שדרכן] שדרכו ד | להאכל רטמב, להאכיל ד, ליאכל ל | ועדיין] ועדאן ר | התורמוס רמ, התרמוסים טדב, התורמוסין ל — 4 להאכל טמב, להאכיל ד, לאכול ל, ל׳ ר | ואכלת] זרעך א | ירקות—לרבות] ל׳ ל | למעשרות] ד מוסיף: מזרע הארץ | וכל דט (מסורה), כל רמבא — 6 מזרע הארץ] אט (מסורה), לרבות מזרע הארץ ד, זרע הארץ רמ, וזרע הארץ ב | שום] זרע שום מפא | שחלים רמטבא, ושחליים דל | וגרגיר] וגרגרים ל | יכול שאני] יכל שני ר [וכן בסמוך] | וצנונות] צנונות ד — 7 שאין ארטבל, שאינן מד | מפרי רמד, פרי ט בא — 8 האילן] אילן ב | שקמה טי [תו״כ], שיטה רבא טי״דמ [ירו׳] — 9 גדורה] כן הגיה ר׳ שמואל קליין בכתבי האוניברסיטה ח״א ע׳ 4; וברוב המקורות גירודא, בא גירוגא, בתו״כ גרידה | ולא כל פרי העץ] ל׳ ב — 10 שאוכל] האוכל טי | עשר תעשר] ד מוסיף: מנין שזורע ת״ל היוצא השדה | אעפ״י] אף מ | מלאכתו] מלאכתן מא — 11 הוא בשדה] היא כשדה ד | וכמלאה—בשדה] ל׳ ר | עד שהיא ביקב בט, והרי הוא בשדה מא, עד שהיקב בשדה דל — 12 יהא] יהיה ד, אף א | עריי] אכילת עראי ד | שזורע] שהזרע א — 13 אמרו—תבואת זרעך] ל׳ ט | אמרו] ל׳ א | חרבו—חנן] חנויות חנן ב — 14 בני חנן א, בית חנן] חנין ל | שהיו] יכול שהיו א | פירותיהם] פירותיה ל | מידי מעשרות] מיד מעשר ד — 15 ולא לוקח מבפ א, ל׳ רדל [ובב נקוד: וְלֹא לוֹקֵחַ], ולא לקוח פ —

ירקות למעשרות וכו׳״ והגירסה שלפנינו ודאי קשה דהא תבואה אין דרכה להיאכל כמות שהיא ואולי צריך לומר להפך, שמכניסה לקיום ואין דרכה להיאכל כמות שהיא וכו׳ מנין לרבות את הקטניות:] 2 שאר קטניות, [שאין נאכלים לחים, ר״ה, ובמ״ת אדרבה ממעט אלו שאין נאכלים אלא לחים ואין מכניסן לקיום ואולי גם כאן צריך לפרש מנלן קטניות שאין מכניסן לקיום ת״ל וכו׳ וצ״ל ת״ל דגנך, מ״ע; ואולי מרבה מתירושך דענבים אין מכניסן לקיום רק היין]. — ת״ל עשר תעשר, [הגר״א גורס ת״ל זרעך]. — ת״ל עשר תעשר וכו׳ עד השרישו, [הגר״א גורס ת״ל היוצא השדה יכול אף שאינן ראוין לאכילה ת״ל כו׳]: 4 שלא השרישו, כלומר שיתחייבו במעשר אף קודם השרשה, ובאורז וכו׳ הולכים אחר השרשה ולא אחר הבאת שליש כמבואר בירושלמי שביעית פ״ב ה״ז (ל״ד ע״א) אבל ר״ה ואחריו רמא״ש הגיהו שלא הביאו שליש, ואינם ראוים לאכילה. והגר״א הגיה יכול אף שאינם ראוים לאכילה, והיא היא. והשוה דברי רבי במ״ת ע׳ 76, מעשרות פ״א מ״ג, ובירוש׳ שם מ״ט ע״א: 5 לרבות ירקות, תו״כ בחוקותי פרק י״ב ה״ט (קט״ו ע״א), אבל לפי דברי איסי בן יהודה בירוש׳ ריש מעשרות וחלה פ״ד ה״י (ס׳ ע״ג), מעשר ירק אינו מן התורה אלא מדבריהם, וכן במ״ת ע׳ 76. ועיין בתוס׳ שם ד״ה ושני מינין, שכתבו „ובספרי נמי בפרשת עשר תעשר לא מייתי שום קרא לירקות ואע״ג דקתני התם מנין לרבות ירקות למעשרות בשום ושחלים וגרגיר איירי כדקתני התם בהדיא״, משמע שמפרשים הכל ביחד מנין לרבות ירקות למעשר ת״ל וכל מעשר הארץ מזרע הארץ לרבות שום שחלים וגרגיר, ובאמת לומד התנא ירקות מכל מעשר הארץ, ושום שחלים וכו׳ מן הכתוב מזרע הארץ. וע״ע בספר ראשית בכורים לר׳ בצלאל הכהן (ווילנא תרכ״ח) כ׳ ע״א: 6 מזרע הארץ וכו׳ עד ולא כל פרי העץ, תו״כ שם, ירו׳ מעשרות פ״א ה״א (מ״ח ע״ג): 10 תעשר, ודורש סוף הפסוק, ואכלת. — בשדה, ועדין אינו ראוי לאכילה: 12 עריי בשדה, אחר שנגמרה מלאכתו [ר״ה], מעשרות פ״א מ״ג ומ״ה, ותוספתא שם פ״ב ה״ב והלאה (ע׳ 82): 13 היוצא השדה, אף שסופו לזריעה ולא לאכילה, והשוה פאה פ״א מ״ו. — שכונס, למכירה ולא לאכילה. — חרבו וכו׳, ב״מ פ״ח ע״א, ירוש׳ פאה פ״א ה״ו (ט״ו ע״ג): 15 ולא לוקח, בתוס׳ תענית ט׳ ע״א מביא על הכתוב עשר תעשר עוד מאמר מן הספרי החסר בכל המקורות, וז״ל שם, „הכי

קו.

(כג) ואכלת לפני ה׳ אלהיך במקום אשר יבחר, רבי יוסי אומר שלשה דברים משום שלשה זקנים רבי עקיבה אומר יכול יהא אדם מעלה בכורות מחוצה לארץ לארץ תלמוד לומר ואכלת לפני ה׳ אלהיך במקום אשר יבחר, ממקום שאתה מביא מעשר דגן אתה מביא בכורות מחוצה לארץ שאי אתה מביא מעשר דגן אין אתה מביא בכורות. שמעון בן זומא אומר יכול כשם שנתנה תורה מחיצה בין קדשי קדשים לקדשים קלים כך נתנה תורה מחיצה בין בכור למעשר שני ודין הוא בכור טעון הבאת מקום ומעשר שני טעון הבאת מקום מה בכור אין נאכל אלא לפנים מן החומה אף מעשר שני לא יהא נאכל אלא לפנים מן החומה מה לבכור מיעט מקום אכילתו שכן מיעט זמן אכילתו תאמר במעשר שני שריבה זמן אכילתו הואיל וריבה זמן אכילתו ירבה מקום אכילתו תלמוד לומר ואכלת לפני ה׳ אלהיך במקום אשר יבחר מה בכור אין נאכל אלא לפנים מן החומה אף מעשר שני לא יהא נאכל אלא לפנים מן החומה. רבי ישמעאל אומר יכול יהא אדם מעלה מעשר שני לירושלם בזמן הזה ואוכלו ודין הוא בכור טעון הבאת מקום ומעשר שני טעון הבאת מקום מה בכור אין נאכל אלא בפני הבית אף מעשר שני לא יהא נאכל אלא בפני הבית לא אם אמרת בבכור שיש ממנו דמים ואמורים למזבח תאמר במעשר שני שאין ממנו דמים ואמורים למזבח בכורים יוכיחו שאין מהם דמים ואמורים למזבח ואין נאכלים אלא בפני הבית לא אם אמרת בבכורים שטעונים הנחה לפני המזבח תאמר במעשר שני שאין טעון הנחה לפני המזבח תלמוד לומר ואכלת לפני ה׳ אלהיך במקום

2 משום] אמרו משום מ | יהא] יהיה ד — 3 לארץ] ל׳ א [כפתור ופרח] — 4 אתה] משם אתה מ | מחוצה] מחוץ מ | מחוצה לארץ וממקום ל | מחו״ל—בכורות] ל׳ א — 5 אין רמבט, אי דל | שמעון בן זומא—לפני המזבח תלמוד לומר ואכלת לפני ה׳ אלהיך במקום אשר יבחר] ל׳ ה | זומא] עזאי מא | כשם שנתנה] כשניתנה ל | בין קדשי—מחיצה] ל׳ א — 6 קדשי קדשים טמד ב, קדשים ר | כך רמד, כן ב, ל׳ ט | ודין—ירבה מקום אכילתו] ל׳ מ | ודין בטדלא, דין ר — 7 בכור] בכור הוא א | ומעשר שני—מקום] ל׳ דא | אין] אינו דא — 8 אף—החומה] ל׳ ל | לא יהא ארטב, אינו ד | מיעט ר טב, שכן מיעט דל, ממעט א | מקום] מקודש ל, מן א — 9 תאמר] תומ׳ ר | הואיל ורבה זמן אכילתו] ל׳ ט — 10 ירבה] לא ירבה א | מקום] זמן א, מקום א׳ — 11 אין רטבא, אינו דמל | שני] ל׳ ד | לא יהא רמטיבא, לא ט׳, אינו דל — 12 ישמעאל] שמעון ד | יהא] יהיה ד | לירושלם רב, בירושלם מלא, ל׳ טד — 13 בזמן הזה—אף מעשר שני לא יהא נאכל אלא בפני הבית] וכו׳ כדלעיל ט | ודין—שאין טעון הנחה לפני המזבח] ל׳ מ | ודין טב דלא׳, דין רא | טעון—טעון] ומעשר טעונים ד | ומעשר] מעשר א — 14 אין רב, אינו דל | אף—הבית] ל׳ א | לא יהא] אינו ד — 15 אמרת] ל׳ ר | שיש רבל, שכן יש ד | ממנו] בו א וכן בסמוך | תאמר] תומ׳ ר — 16 מהם] בהם ד | למזבח] ל׳ ד — 17 שטעונים] שכן טעונים ד | הנחה] הנח ר [וכן בסמוך] | תאמר] תומר ר — 18 תלמוד

איתא בספרי עשר תעשר את כל תבואת זרעך היוצא השדה שנה שנה אין לי אלא תבואת זרעך שחייב במעשר רבית ופרקמטיא וכל שאר רווחים מנין ת״ל את כל׳. מסגנון קטע זה ברור שנתהוה בימי הבינים באשכנז או בצרפת. רק במדינות אלו קבל המנח פרקמטיא את המובן של משא ומתן; בספרות התלמודית טעמו עדין סחורה כמו ביונית. בימי התלמוד לא נפשט עדין בין ישראל העסק בהלואה והשכר ברבית של גוים, ולא היו מזכירים אותו כדבר ידוע ורגיל והיתר גמור ומוסכם. גם ההשתמשות במלה רוחים במספר רבים מוכיח על זמן מאוחר. ועוד שההלכה בעצמה נובעת מהתנאים הסוציאליים של ימי הבינים במערב אירופא ולא מאלו של ימי התלמוד. בימי התנאים והאמוראים, ואף אחריהם היו רוב ישראל עסוקים בעבודת קרקעות או פועלים, ורק במערב אירופא כאשר גורשו משדותיהם וכרמיהם הכרחו לפנות אל עסק המסחר והלואת מבון; ומכל מקום השוה ספר היובלים פרק ל״ב פסוק ב׳ וממנה נראה שגם בימים קדמונים ניסו להכניס כסף וזהב בתורת המעשר:

1 ר׳ יוסי אומר וכו׳ עד אף בכור נאכל משנה לחברתה, [תוספתא סנהדרין פ״ג ה״ה (ע׳ 418), תמורה כ״א ע״ב]: 2 יכול וכו׳ עד אין אתה מביא בכורות, רמב״ם פי׳ המשניות חלה ד׳ י״א, ס׳ המצות עשין ע״ט, כפתור ופרח פ׳ ט״ז (ע׳ 422), פ״ז — מעלה בכורות וכו׳, [חלה סוף פ״ד, וירו׳ שם (ס׳ ע״ב), תמורה פ״ג מ״ה, בכורות נ״ג ע״א, מ״ת כאן (ע׳ 77)], והשוה לעיל פיסקא ס״ג (עמו׳ 130), ובציונים שם: 3 יבחר, ומסיים מעשר דגנך תירושך ויצהרך ובכורות בקרך, הרי שמקיש מעשר לבכור: 5 בן זומא, [בגמרא שם בן עזאי]: 10 ירבה מקום אכילתו, [שיהא נאכל בכל הרואה, תמורה שם]: 12 ר׳ ישמעאל וכו׳, [מכות י״ט ע״א, זבחים ס׳ ע״א, מ״ת (ע׳ 77)]:

אשר יבחר, מקיש אכילת בכור למעשר שני מה בכור אין נאכל אלא בפני הבית אף מעשר שני לא יהא נאכל אלא בפני הבית. אחרים אומרים יכול בכור שעבר זמנו משנה לחברתה יהא פסול כפסולי המוקדשים תלמוד לומר ואכלת לפני ה׳ אלהיך אם ללמד על הבכור שנאכל לפנים מן החומה אין צריך שהרי כבר נאמר °לפני ה׳ (דברים טו כ) אלהיך תאכלנו אם ללמד על מעשר שני שנאכל לפנים מן החומה אין צריך שהרי כבר נאמר °לא תוכל לאכל בשעריך (שם יב יז) אם כן למה נאמר ואכלת לפני ה׳ אלהיך מקיש בכור למעשר שני מה מעשר שני נאכל משנה לחברתה אף בכור נאכל משנה לחברתה.

למען תלמד ליראה את ה׳ אלהיך, מגיד שהמעשר מביא את האדם לידי תלמוד תורה. כל הימים, בין בארץ בין בחוצה לארץ סליק פיסקא

קז.

(כד) וכי ירבה ממך הדרך, יכול ברחוק זמן הכתוב מדבר תלמוד לומר ירחק ממך המקום, ברחוק מקום הכתוב מדבר ולא ברחוק זמן אין לי אלא בזמן שהוא מרובה מנין אפילו למועט תלמוד לומר כי לא תוכל שאתו, אין לי אלא עני עשיר מנין תלמוד לומר כי יברכך ה׳ אלהיך.

(כה) ונתתה בכסף, מלמד שאין מתחלל אלא על הכסף מנין לעשות שאר מטבע ככסף דין הוא הואיל והקדש מתחלל ומעשר שני מתחלל מה הקדש עשה בו שאר מטבע ככסף אף מעשר שני עשה בו שאר מטבע ככסף מה להקדש שעשה בו שאר מטבע ככסף שהרי עשה בו שאר מטלטלים ככסף תאמר במעשר שני שלא עשה בו שאר מטלטלים ככסף תלמוד לומר וצרתה הכסף דבר שדרכו ליצרר דברי רבי ישמעאל רבי עקיבה אומר דבר שיש עליו צורה פרט לסימון שאין עליו

1 מקיש וכו׳ עד אלא בפני הבית, רמב״ם עשין קכ״ח: 2 אחרים אומרים, [מ״ת (ע׳ 77), סתמא]: 9 מגיד וכו׳ עד ת״ת, תוס׳ ב״ב כ״א ע״א ד״ה כי מציון, ושם מבאר „עד שהיה עומד בירושלם עד שיאכל מעשר שני שלו והיה רואה שכולם עוסקים במלאכת שמים ובעבודה היה גם הוא מכוון ליראת שמים ועוסק בתורה״, והשוה עוד ספרי במדבר פי׳ ה׳ (ע׳ 8) „אם מעשר שני שאינו בא אלא משום הלמוד ויראה״: 10 בין בארץ וכו׳, פ״ז, [לחייבם בת״ת כמפורש במ״ת] ולא למעשר, שעליו נאמר למעלה שאין נוהג בחו״ל, ואולי חולק על האמור למעלה:

11 יכול וכו׳, פ״ז — ברחוק זמן, [שאינו יכול לעלות עכשיו ויש לחוש שמא ירקבו הפירות ת״ל כי ירחק וכו׳ דאפילו ברחוק מקום יכול לפדות, רד״ף]: 13 עני, דלית ליה גמלים וקרונות להעלותו, מפי׳ ר״ה]: 16 עשה בו שאר מטבע, [תו״כ בחוקותי פרק י״ב ה״א (קי״ד ע״ד]: 18 שלא עשה וכו׳, תוספתא מעשר שני פ״ב ה״ו: 19 דבר וכו׳ עד שיש עליו צורה,[ב״מ מ״ז ע״ב], פ״ז — שדרכו ליצרר, [ירו׳ מעשר שני פ״א ה״ב (נ״ב ע״ג)]: 20 פרט לסימון, [מעשר שני פ״א מ״ב סתמא כר״ע, עדיות פ״ג מ״ב,

לומר] נאמר להלן ב — 1 אכילת אמה [רמב״ם], ל׳ ר דבל | למעשר] לאכילת מעשר ה | אין רב, אינו דמה ל | אלא] ל׳ ד [וכן בסמוך] — 2 לא יהא רדהבלא [רמב״ם], אינו מד | אחרים אומרים—אף בכור נאכל משנה לחברתה] ל׳ ה [וע׳ בהערות] | שעבר דמא, שעיברה ר בלא׳ — 4 אם ללמד—אם כן למה נאמר לפני ה׳ אלהיך] ל׳ ד | על הבכור] הבשר מ — 5 אם ללמד על מעשר שני—שהרי כבר נאמר] ל׳ ר — 6 לא תוכל לאכל—אם כן למה נאמר] ל׳ ט | אם כן למה נאמר—אף בכור נאכל] ל׳ א — 9 למען—בארץ] ל׳ ד | שהמעשר] שהמעשה א | שהמעשר מביא] שהמעשרות מביאין ה — 10 תלמוד תורה] יראת חטא ה, תלמוד [תוס׳] | סליק פיסקא ד, פ׳ ר, ל׳ א

11 וכי מה (מסורה), כי רדטבלא | ברחוק] ברוחק ר | זמן] הזמן א — 12 ירחק] ירבה ד | המקום] הדרך ד | מקום] ל׳ ר | מדבר] ל׳ ב | ולא ברחוק זמן] ל׳ א | אין לי—ת״ל כי לא תוכל שאתו] ל׳ ה | בזמן] ל׳ ד — 13 למועט] מועט א, במועט ב | אין לי] כי יברכך ה׳ א׳ למה נאמר לפי שהוא אומר כי לא תוכל שאתו ה — 15 ונתתה בכסף—שאר מטלטלים ככסף ת״ל] ל׳ ה | בכסף מברט א, הכסף רל | על הכסף] בכסף א | מנין] ומנין ד — 16 מטבע] מטבעות ל | דין רמבא, ודין דטל | מתחלל] מתחלל על הכסף ט — 17 מטבע רטמ, מטלטלים ד, מטבעות ל | אף—ככסף] או מעשר שני עשה בו שאר מטבע ככסף אף—ככסף ב | מה להקדש שעשה] שהרי עשה ט׳ | שעשה ממא, עשה רבל | שאר—שהרי עשה בו רמטיל, ל׳ דט׳א | מטבע] מטבעות ל — 18 תאמר במעשר שני—ככסף אמ, תאמר במעשר שלא—ככסף ד, ל׳ רטבל — 19 ת״ל מטבא, שנא׳ רדל | וצרתה הכסף מבא, וצרת הכסף בידך ט, ונתת הכסף ר, ונתתה הכסף וצרת הכסף בידך ד, תחת הכסף וצרת הכסף ל | ליצרר] להצרר ה — 20 עליו] בו ד | צורה] ה, מוסיף: ואיזה זה מטבע | לסימון ארמב,

צורה. בידך, פרט לשיצא חוץ מרשותך. והלכת אל המקום אשר יבחר ה׳ אלהיך בו, זו שילה ובית עולמים.

(כו) ונתתה הכסף בכל אשר תאוה נפשך, רבי יהודה אומר יכול הלקוח בכסף מעשר שנטמא טעון פדיון ודין הוא ומה מעשר שני עצמו שנטמא הרי הוא נפדה הלקוח בכסף מעשר שנטמא אינו דין שיפדה תלמוד לומר כסף כסף ראשון ולא כסף שני אין לי אלא טהור טמא מנין תלמוד לומר כסף [כסף] ראשון ולא כסף שני שלשה כספים נאמרו בענין אחד למעשר טהור ואחד למעשר טמא ואחד ללקוח בכסף מעשר.

בכל אשר תאוה נפשך, יכול בעבדים ושפחות וקרקעות תלמוד לומר בבקר ובצאן, אין לי אלא אכילה שתיה מנין תלמוד לומר וביין ובשכר, אין לי אלא אכילה ושתיה מנין אף משביחי אכילה ושתיה כגון הקושט והחימום וראשי בשמים והתיאה והחילתית והפילפלים וחלות הריע תלמוד לומר ובכל אשר תשאלך נפשך, יכול אף מים ומלח תלמוד לומר בבקר ובצאן וביין ובשכר מה אלו מיוחדים שהם פרי מן הפרי וגדולם מן הארץ אף אין לי אלא דבר שהוא פרי מן הפרי וגדולו מן הארץ. בן בג בג אומר בבקר ולקחת פרה על ידי עורה, בצאן ולקחת רחל על ידי גיזתה, ביין ולקחת חבית על ידי קנקנה, ובשכר ולקחת תמד משתחמיץ, יכול יקח בהמה למשתה בנו הרי אתה דן נאמר כאן שמחה ונאמר להלן°שמחה דברים כז ז

לאסימון הדטל | שאין עליו צורה ארדהמבל, שאין עליה צורה ד, ל׳ ט — 1 לשיצא רטמדהביל, ליצא בא, לכשיצא ד | פרט—מרשותך] שלא יחלל על מעות שאינו ברשותו ה | מרשותך רד, לרשותך מא, מרשותו ט, מרשו׳ ב, לרשותו ל | המקום] המקום זו שילה ה — 2 זו—עולמים מדטלא, זה—העולמים ר, זה בית עולמים ה, זו שילו ובית עולמים ב — 3 ונתתה הכסף—משתחמיץ] ל׳ ה | אומר] ר מוסיף פה הברייתא שלמטה „שלשה כספים נאמרו —ללקוח בכסף מעשר״ | הלקוח דמטב, הלוקח ר, אף הלוקח ל — 4 שנטמא—פדיון] שמטמא ודין הוא שטעון פדיון ל | טעון] שטעון ב | ודין דל, דין רטמבא | עצמו רמבא [ר״ש], ל׳ טדל | הרי הוא] הרי הו ר — 5 מעשר] מעשר שני ט | אין לי אלא—ולא כסף שני רמבל [ר״ש]. ל׳ טד — 7 שלשה כספים—ללקוח בכסף מעשר] זה מקום הברייתא בדטל ובפי׳ ר״ש, ברפ מובאה למעלה אחר המלים ר׳ יהודה אומר״ ובמבא חסרה לגמרי | נאמרו] אמורים ט | טהור ואחד למעשר טדל [ר״ש], ל׳ ר | טמא ד [ר״ש], שיני רטל — 8 יכול] יכול אף מ | וקרקעות] ובקרקעות ל — 9 וביין מ (מסורה), ביין ארדטב | אין לי—ושתיה] ל׳ ט — 10 אכילה] אוכלים ד | הקושט] השקט א — 11 והתיאה ארד, והתיאור ב, והסיאה טיל, והסאה ט², ל׳ מ | והפילפלים] ל׳ טי | וחלות הריע אריל, וחלת הריע טיד, וחלות הרע ר, וחלת הרע ט², ואלת הריע ב, ל׳ מ | ובכל] ב, בכל רדטל — 12 וביין ובשכר רב, ביין ובשכר לטד, ל׳ אמ — 13 מן הפרי ר, מן פרי מא, מפרי בד לט | וגדולם רב, וגדוליו מ, וגדולו דטלא | דבר—הפרי ר, דבר—פרי מן פרי מא, דבר—פרי מפרי טב, פרי מפרי דל — 14 וגדולו מן הארץ דטבל, וגידולם מן הארץ ר, וגדוליו מן הארץ מא | בן בג בג—משתחמיץ] ל׳ ט | בבקר ולקחת רטב, בבקר ואכלת לד, בבקר ובצאן ואכלת א — 15 גיזתה] גיזותיה ב | משתחמיץ ר, משתחמץ ד, משהחמיץ מא, מעל שתחמץ ל — 16 כאן] כן ר [וכן בכל הענין] —

תוספתא מעשר שני פ״א ה״ד (ע׳ 86), ירו׳ שם, ב״מ שם]: 1 חוץ מרשותך, [משנה מעשר שני שם, תוספתא פ״א ה״ו (ע׳ 86), ירו׳ שם נ״ב ע״ב]. ב׳ ב״ק צ״ח ע״א: 2 זו שילה וכו׳, [למעלה פי׳ ע״ד (ע׳ 139), זבחים פ׳ י״ד מ״ו, ובבלי שם קי״ט ע״א]: 3 ונתתה הכסף וכו׳ עד ואחד ללקוח בכסף מעשר, מובא בפי׳ ר״ש למעשר פ״ג מ״י, ושם מציין ובאלה הדברים רבה תניא, ובנוסח דברים ר׳ הנדפס ל׳ — ר׳ יהודה וכו׳, מעשר שני פ״ג מ״ה, תוספתא שם פ״ב ה׳ י״ז (ע׳ 90), ירוש׳ פסחים פ״ב ה״ג (כ״ט ע״ב), בבלי ל״ה ע״א, ב״מ נ״ג ע״ב, סנהדרין קי״ג ע״א, זבחים מ״ט ע״א, פ״ז: 5 כסף ראשון ולא כסף שני, ירו׳ מ״ש פ״ג ה״ט (נ״ד ע״ג); ראשון, כלומר שמותר לפדות מעשר שני עצמו בכסף: 6 ולא כסף שני, דאי נטמא הלקוח בכסף מעשר ויפדו אותו יהיה כסף שני ולכן אין פודין אותו אלא טעון קבורה, משנה מעשר שני שם, רמא״ש: 7 שלשה וכו׳ עד ללקוח בכסף מעשר, הוספה מגליון וחסרה באבמ, ומקומה ברפ שונה ממה שהוא בזטל, ועוד שסותרת להאמור למעלה בשם ר׳ יהודה. — שלשה כספים, (א) ונתת בכסף, (ב) וצרת הכסף (ג) ונתת הכסף. — למעשר טהור, כלומר לגופיה, שפודים את המעשר הרגיל. — למעשר טמא, כבית הלל מעשר שני פ״ג מ״ט. — ללקוח, כחכמים החולקים על ר׳ יהודה: 8 יכול וכו׳ עד בצאן, ר״ש מעשר שני פ״א מ״ז, ובתוס׳ חגיגה ח׳ ע״א ד״ה אמאי מובאים ציטטים מכל הפיסקא. — ת״ל בבקר ובצאן, מעשר שני פ״א מ״ז: 9 אכילה ושתיה, משנה מ״ש שם ב׳ א׳, וירו׳ שם: 10 הקושט וכו׳, כר״ע עוקצין פ״ג מ״ה, נדה נ״א ע״ב, תוספתא מעשר שני פ״א הי״ג (ע׳ 87), מ״ת י״ד כ״ו (ע׳ 78): 12 מים ומלח, משנה שם א׳ ה׳, ירו׳ ערובין פ״ג ה״א (כ׳ ע״ג): 14 בן בג בג וכו׳, ערובין כ״ז ע״ב, ירו׳ מעשר שני פ״א ה״ג (נ״ב ע״ד): 15 תמד משתחמיץ, חולין פ״א מ״ז, מעשר שני פ״א מ״ג: 16 נאמר כאן שמחה וכו׳, למעלה פי׳ ס״ד (ע׳ 130), והשוה

מה שמחה האמורה להלן שלמים אף שמחה האמורה כאן שלמים או מה שמחה האמורה להלן עולה ושלמים אף שמחה האמורה כאן עולה ושלמים תלמוד לומר ואכלת ושמחת שמחה שיש עמה אכילה יצאו עולות שאין עמהן אכילה סליק פיסקא

קח.

(כג) והלוי אשר בשעריך, כל מקום אתה מוצא לוי הוה לומר תן לו מחלקו אין לו חלקו תן לו מעשר עני אין לו מעשר עני תן לו שלמים אין לו שלמים פרנסהו מן הצדקה. כי אין לו חלק ונחלה עמך, להגיד מה גרם סליק פיסקא

קט.

(כח) מקצה שלש שנים, יכול בחג תלמוד לומר °כי תכלה לעשר או דברים כו יב
כי תכלה לעשר יכול בחנוכה תלמוד לומר קץ נאמר כאן קץ ונאמר להלן קץ מה קץ האמור להלן רגל אף קץ האמור כאן רגל או מה קץ האמור להלן חג הסוכות אף קץ האמור כאן חג הסוכות תלמוד לומר כי תכלה לעשר, רגל שהמעשרות כלים בו הוי אומר זה פסח מיכן אמרו ערב יום טוב האחרון של פסח של רביעית ושל שביעית היה ביעור ברביעית מפני מעשר עני שבשלישית בשביעית מפני מעשר עני שבששית יכול אף שנה שביעית תהא חייבת במעשר תלמוד לומר °שנת המעשר שם

ירו׳ מעשר שני פ״א ה״ג (נ״ב ע״ד): 3 ואכלת ושמחת וכו׳, תוס׳ ב״ק ס״ב ע״ב ד״ה מרובה:
4 כל מקום וכו׳, למעלה פי׳ ס״ט (ע׳ 133) והשוה מ״ת: 6 להגיד מה גרם, למעלה פי׳ ע״ו (ע׳ 141), ובציונים שם:
7 יכול בחג וכו׳, [לקמן פי׳ ש״ב, ירו׳ מעשר שני פ״ה ה״ה, נ״ו ע״ב] והשוה ר״ה י״ב ע״ב וספר היובלים פרק כ״ב שלפיו יש ליתן מעשר בסוכות. — יכול בחג וכו׳, ברייתא זו עיקרה לקמן פי׳ ש״ב וכדי להתאימה אל הכתוב מקצה וכו׳, נוספה לה ההקדמה החדשה יכול בחג, ובזה מתברר הכפלת הלשון לקמן אי מה קץ האמור להלן חג הסוכות, שלכאורה קשה הלא כבר נלמד מלא תכלה שאין זה חג הסוכות. וגם מפורש שנוי המנחים בראשונה חג ובשניה חג הסוכות. — כי תכלה לעשר, ובסוכות עדיין לא כלה לעשר שהרבה אילנות נלקטים אחר החג: 8 בחנוכה, שכבר נגמר זמן המעשר. — ת״ל קץ, מקצה שלש שנים. — ונאמר להלן קץ, בדין הקהל, מקץ שבע שנים במעד שנת השמטה בחג הסכות: 11 מיכן אמרו וכו׳, [מעשר שני פ״ה מ״ו]. — האחרון, כן הגרסה בכל נוסחי הספרי, אבל במשנה שם הגרסה הראשון, והגיהו ר״ה ורמא״ש בספרי בהתאם אל המשנה, אבל צוקרמנדל בספרו „תוספתא משנה ובריתא" ע׳ 291 מציע שיותר נכון להגיה במשנה יו״ט האחרון, עיי״ש וגם בע׳ 289. ומענין הוא שהגר״א הניח גרסת הספרי כאן אעפ״י שדרכו הוא להגיה לרוב בהתאם אל המשנה. והחכם המנוח ר׳ חיים שאול הארוויטץ בכ״י שלו העיר „והעיקר כהגרסה י״ט האחרון דאין סברא להרחיק זמן הביעור מזמן הודוי והודוי בודאי היה ביו״ט האחרון כדאיתא בפ״ה מ״י שם. וכדמוכח מן הירושלמי דמקשה ויתודה ביו״ט הראשון של פסח ומתרץ כדי שיהיה לו מה לאכול ברגל. ולכאורה היה איפשר לדייק מן הקושיא ויתודה בי״ט הראשון שגורס גבי ביעור יו״ט הראשון דאל״כ לעיל היה לו להקשות „יבער ביו״ט ראשון" אבל מן התשובה שם מוכח דאפילו אי גרסינן ראשון היה שהות לבער עד יו״ט האחרון. והשתא דאתית להכא אפשר לומר דאין חלוק בין שתי הגרסאות, הגרסה ראשון מכונת לזמן פתיחת הביעור, והגרסה אחרון לסוף הביעור, דערב יו״ט האחרון היה סוף הביעור שביו״ט אינו יכול לבער", וכדבריו הראשונים שהגרסה הנכונה היא האחרון מוכח במ״ת לקמן כ״ו י״ב (ע׳ 174) שמסקנת הברייתא שם היא „ערב יו״ט האחרון וכו׳ היה הביעור ולמחר במנחה מתודים": 12 ברביעית וכו׳ עד שבששית, מ״ת לקמן כ״ו י״ב (ע׳ 174) ובקשר לענין אחר אבות פ״ה מ״ט: 13 יכול אף שנה שביעית תהא חייבת במעשר, [ר״ל במעשר עני ומהדר

1 האמורה להלן–כאן] האמורה כאן–להלן ד | האמורה להלן–או מה שמחה] ל׳ מא | אף שמחה–להלן עולה ושלמים] ל׳ ב | או רדהטב, אי ד | או מה–כאן עולה ושלמים] ל׳ ל — 2 עולה–עולה] עולות–עולות מ — 3 עמהן אמל, עמם רטבד | סליק פיסקא] ד, ל׳ ר — 4 כל–שנ׳ ובא הלוי] ל׳ ה | כל רמטא, בכל ד | אתה] כן נראה לי להגיה ובכל הנסחאות שאתה | מוצא דטל, סומך רמא, סמוך ב | הזה לומר רלב, הוה לומד מ, הזה דט, היה לומ׳ א — 5 מחלקו] חלקו ל | אין לו חלקו] ד מוסיף: תן לו מעשר שיני אין לו מעשר שיני — 6 מן הצדקה] מן הצדקה שנ׳ ובא הלוי ד | אין] ל׳ ר | סליק פיסקא ד, ל׳ ר —
7 שלש שנים בד, ל׳ רמלא | יכול–ת״ל קץ] ל׳ ה | בחג רמטבא, אפילו בחג דל | או–לעשר רב, ל׳ מטדלא — 8 נאמר כאן קץ ונאמר להלן קץ מהא, והלא נאמר קץ רד, ולהלן נאמר קץ טלב — 9 האמור להלן רגל–או מה] ל׳ ל | או–אף קץ האמור כאן חג הסוכות] יכול חג הסוכות ה | או רטב, אי דמא — 10 שהמעשרות כלים ארמטב, שכל המעשרות כלים ה, שמעשר כלה ד, שמעשר כלין ל — 11 פסח מהל, חג הפסח רטד, הפסח בא | מיכן רדלב, מכאן מטא | האחרון] ל׳ ט, אחרון א — 12 ביעור רדטלב, הביעור ה, מבעיר מא | בשביעית] ובשביעית מ, וברביעית א — 13 יכול–מר״ה ועד הפסח] ל׳ ה | שנה טדמלא, שנת ר, ל׳ ב | שנה שביעית אטמ

שנה שחייבת במעשר יצתה שנה שביעית שאינה חייבת במעשר יכול יהו שני מעשרות נוהגים בה תלמוד לומר שנת המעשר מעשר אחד נוהג בה ואין שני מעשרות נוהגים בה אין לי אלא מעשר עני שבו דבר הכתוב מנין לרבות שאר מעשרות תלמוד לומר מעשר תבואתך ריבה.

תוציא את כל מעשר תבואתך בשנה ההיא, מלמד שמוציאים אותו ממקום טומאה למקום טהרה יכול אף של שאר שנים יהו מוציאים אתו ממקום טומאה למקום טהרה תלמוד לומר בשנה ההיא, של שנה ההיא אתה מוציא ואי אתה מוציא של שאר שנים ממקום טומאה למקום טהרה של שנה ההיא אתה מבער ואי אתה מבער ירק שיצא מראש השנה ועד הפסח.

והנחת בשעריך, אם אין שם עני הניחו באוצר. איני יודע מי ידחה מפני מעשר עני אם מעשר ראשון אם מעשר שני תלמוד לומר (כט) ובא הלוי כי אין לו חלק ונחלה יבא הלוי ויטול חלקו מכל מקום דברי רבי יהודה רבי אליעזר בן יעקב אומר אינו צריך הרי הוא אומר ולבני לוי הנה נתתי כל מעשר בישראל במדבר יח כא
לנחלה מה נחלה אינה זזה אף מעשר ראשון אין זז. יכול אף לקט שכחה ופיאה יהו חייבים במעשר תלמוד לומר ובא הלוי כי אין לו חלק ונחלה עמך והגר

לד, שנת שביעית ר, שביעית ב — 1 שאינה חייבת] שאין חייבין ר — 2 ת״ל–שני מעשרות] ל׳ ד | ואין] ולא א — 3 אלא] אלא לרבות ל | לרבות שאר ארטמב, לשאר ד, לשאר כל ל — 6 טומאה] תבואה ל | אף] ל׳ מא | של] ל׳ ב | ממקום—טהרה] ל׳ ט׳ — 8 מבער] מבעיר א וכן בסמוך | ואי את מבער] ל׳ ר — 9 הפסח] פסח בא — 10 והנחת טמה (מסורה), והנחתו ארבדל | אם רמהא, ואם טדלב | הניחו רדטלב, מניחו ה, הניחהו מא | איני יודע–ת״ל] ל׳ ה | ידחה] נדחה ט | מפני] מפני מי ב — 11 עני] ל׳ ל — 13 כל] את כל ד — 14 זזה] זה ל | אף ר

ת״ל שנת המעשר דיצתה שנה שאינה חייבת במעשר היינו שאר מעשרות, מעשר ראשון ומעשר שני, מפי׳ ר״ה; ולא הבנתי דבריו דמהיכא פשיטא ליה שאר מעשרות יותר מן מעשר שני? ואולי הגירסה שלפנינו משובשת וצריכה תקון על פי דברי המדרש תנאים בפרשת כי תבא, כ״ו י״ב (ע׳ 175), דשם איתא „או שמטין ויובלות יעלו מן המנין ת״ל שנת המעשר לא אמרתי אלא שנים שהמעשרות נוהגים בהן יצאו שמטים ויובלות״ ואולי צריך למחוק בתחלה תהא חייבת במעשר וכבר הגיה כן הגר״א, ויהיה הפירוש יכול אף שנה שביעית דאף שנה שביעית מן המנין של השלש שנים ועל זה מתרץ שנת דהמעשר וכדמתרץ במ״ת שם ואולי צריך לומר חייבת בביעור ור״ל שתהיה מכלל שנות הביעור]: 3 מעשר עני, צריך ביעור ווידוי, וכן מפורש בהדיא במ״ת לקמן כ״ו י״ב (עמוד 175): 5 מלמד שמוציאים וכו׳, ירוש׳ שם. הברייתא בצורתה העיקרית מובאה בירושלמי שם „בשנה ההיא את מוציא מן הטמא על הטהור ואין את מוציאו בשאר כל השנים מן הטמא על הטהור״ ופירושה לכאורה שרק מעשר עני הניהן בשנה שלישית הוא חולין ונאכל בטומאה ומותר להפרישו מתבואה טמאה על הטהורה, מה שאין כן במעשר שני, הניתן בשאר שנים, שאותו אסור להפריש מתבואה טמאה מפני שצריך לאכלו בטהרה בירושלים. אמנם ר׳ אלעזר שם בירושלמי מפרש הברייתא באופן אחר, ואולי גם מגיה בה, ואומר „כיני מתניתא בשנה ההיא את מוציאו ממקום טומאה למקום טהרה ואין את מוציאו בשאר שנים ממקום טומאה למקום טהרה, ונוסח הברייתא בספרי הוא על פי דברי ר׳ אלעזר. לפי גרסה זו יש לבאר שאר שנים על מעשר ראשון, כמפורש בירושלמי שם „אתיא דר״א כמאן דאמר אין מוציאין מעשר לכהונה״ שאין נותנים מעשר ראשון לכהן ולכן אין צורך לשמרו בטהרה ויכולים להוציאו למקום טומאה אבל מעשר עני של שנה שלישית נשמר בטהרה כדי להתירו לכהן עני, וכן פירשו ר״ה ורמא״ש, אבל המנוח ר׳ חיים שאול הארוויטץ הקשה עליהם בהערותיו כ״י, שאין לשון הברייתא סובלת פירושם כי אי אפשר לכנות מעשר ראשון מעשר של שאר שנים״ בהיות שהוא ניתן בכל השנים. ולכן בכר החכם הנזכר בהגהת הגר״א הגורס „שמוציאים אותו ממקום טהרה למקום טומאה״, כלומר שמותר לאכול מעשר עני בין בטומאה בין בטהרה, אבל מעשר שני אסור להוציאו למקום טומאה: 6 יכול אף וכו׳. [דמעשר ראשון ללוים ואוכלים אותו אפילו בקבר, ספרי במדבר וירו׳ מ״ש נ״ו ע״ב]: 7 של שנה ההיא וכו׳, ירו׳ שם: 9 ירק שיצא, [ירוש׳ מעשר שני שם דהוה של שנה רביעית ולא של שלישית]: 10 הניחו באוצר, וברמב״ן יבמות ק׳ ע״א מובאה מן הספרי ברייתא זו „כתוב אחד אומר מקץ שלש שנים תוציא את כל מעשר תבואתך והנחת לומר שמניחו בגורן ועניים נוטלים אותו וכתוב אחד אומר כי תכלה לעשר את כל מעשר תבואתך ונתת (כ״ו י״ב) הא כיצד עד הפסח מחלקו בבית מכאן ואילך מניחו בחוץ״, ומסיים הרמב״ן „פי׳ שעד הפסח זמן גשמים הוא והוא נפסד בגורן לפיכך מתחלק בתוך הבית וטובת הנאה לבעלים״. וכנוסח זה של הרמב״ן מובא בכפתור ופרח (פ׳ מ״ג, ע׳ 571), בתוס׳ חולין קל״א ע״א ד״ה מעשר, ובמאירי יבמות שם (הוצ׳ ר׳ חנוך אלבעק, ע׳ 351), ובסגנון אחר מובא בפירוש מאירי על נדרים פ״ד ע״ב וז״ל „והוא שהקשו בספרי כתוב אחד אומר ונתת וכתוב אחד אומר והנחתו בשעריך כאן בימות החמה כאן בימות הגשמים,״ וגרסה זו מובאה מר״ת בתוספות נדרים שם וכן בפירושי הרא״ש והר״ן שם, ובכ״י והדפוסים של הספרי ובמ״ת חסרה: 11 ובא הלוי וכו׳, פ״ז, ירו׳ מעשרות פ״א ה״א (מ״ח ע״ג), תרומות פ״א ה״ב (מ׳ ע״ד) חלה פ״א ה״ג (נ״ז ע״ג) בשם ר׳ יוחנן, והשוה ספרי במדבר פי׳ ק״י (עמו׳ 115), פי׳ ר״ש פאה פ״ו מ״א, תוס׳ ב״ק כ״ח ע״א ד״ה זה וזה, רש״י סוטה מ״ג ע״ב

והיתום, דברים שאין לו בהם חלק ונחלה עמך אתה נותן לו יצאו אלו שיש לו בהם חלק ונחלה עמך **סליק פיסקא**

קי.

והגר והיתום והאלמנה אשר בשעריך, יכול בין חסרים ובין שאין חסרים ואל התמה שהרי הוא אומר ^ולא תחבול בגד אלמנה בין עניה ובין עשירה דברים כד יז
תלמוד לומר ^עני מה עני חסר אף כולם חסרים יכול בין בני ברית ובין שאינם בני ויקרא יט י
ברית תלמוד לומר לוי מה לוי בן ברית אף כולם בני ברית.

ואכלו ושבעו, תן להם כדי שבעם מיכן אמרו אין פוחתים לעני בגורן מחצי קב חטים או קב שעורים. **בשעריך,** מלמד שאין מוציאים אותו מן הארץ לחוצה לארץ אמרו משפחת בית נבלטה היתה בירושלם ונתנו להם שש מאות ככרי זהב ולא רצו להוציא חוץ לירושלם **סליק פיסקא**

קיא.

(טו א) **מקץ שבע שנים,** יכול מתחלת השנה או בסופה הרי את דן נאמר כאן קץ ונאמר להלן ^קץ מה קץ האמור להלן בסופה ולא בתחלתה אף קץ האמור כאן דברים לא י
בסופה ולא בתחלתה.

תעשה שמטה. שמוט, כל זמן שיש לך שמטה אתה משמט. **שבע שנים,**

ד״ה וה״מ בשדה, ותוס׳ שאנץ שם: **14** עמוד הקו׳ מה נחלה אינה זזה וכו׳, פ״ז, ספרי במדבר פי׳ קי״ט (ע׳ 145), ס״ז שם י״ח כ״א (עמוד 297), ר״ה י״ב ע״ב והשוה תרגום ירושלמי ות״י לקמן כ״ו י״ב:

4 בין עניה וכו׳, לקמן פי׳ רפ״א, ובציונים שם:] **5** ת״ל עני, בענין לקט ופאה כתיב לעני ולגר תעזוב אותם, מקיש גר לעני דהיינו שהוא חסר והכא מקשינן כולהו לגר, מפי׳ ר״ה; [וצריך לומר ת״ל לעני ולגר, הגר״א]: **7** תן להם וכו׳ עד לירושלם, לקמן פי׳ ש״ג, מקור הברייתא, ושם מתאים הדרש על בשעריך, החסר כאן בכתוב· — כדי שבעם, פ״ז, ירו׳ פאה פ״ח ה״ה (כ׳ ע״ד), פי׳ רמב״ם פאה ח׳ ה׳, ועי׳ מ״ת· — מיכן אמרו וכו׳, פ״ז, פאה פ״ח מ״ה, תוספתא שם פ״ד ה״ב (ע׳ 23), ערובין כ״ט ע״א: **8** בשעריך, [ליתא במקרא אלא לקמן פ׳ כי תצא ושם דרשו כן פי׳ ש״ג]· — אותו, לכאורה משמע מעשר עני וכן הגרסה ברוב הנסחאות, וכן נראה גרסת הרמב״ם שפסק בה׳ מתנות עניים פ״ו הט״ו „ואין מוציאין אותו (מעשר עני) מהארץ לחוץ לארץ״, אבל בז ליתא, ור״ה הגורס אותו מפרשהו על העני, לומר שאין מוציאים את העניים מן הארץ אם אין להם די להתפרנס בארץ, והגר״א הגיה בהדיא „אין מוציאין את העניים״: **9** משפחת וכו׳, תוספתא פאה פ״ד הי״א (ע׳ 23), ירו׳ פאה פ״ח ה״ח (כ״א ע״א), ובירו׳ ותוספתא מפורש שהיתה המשפחה מתיוחסת לארנן היבוסי: **10** לירושלם, עיין בירו׳ שם:

12 להלן בסופה, סוטה מ״א ע״א: **13** בסופה, פ״ז, ערכין כ״ח ע״ב, מכדרשב״י כ״א ב׳ (ע׳ 119) וכן תרגמו אונקלוס ויונתן „מסוף שבע שנין״, ועיין באבן עזרא וברמב״ן על הכתוב: **14** שמטה, כלומר שמטת קרקעי והעיר רמא״ש על זה, נ״ל דבא ליישב מה ת״ל תעשה שמטה שהרי השמטה חלה בתחלת השנה והו״ל לקרא לומר „מקץ שבע שנים שנת השמטה שמוט וכו׳״ וע״ז קאמר דבא הכתוב לומר שאין שמטת כספים נוהגת אלא בזמן ששמטת קרקע נוהגת, ועיין גטין ל״ו ע״א, ובתוס׳ שם ד״ה בזמן, קדושין

מטב, אפילו לד | ראשון] ל׳ ר — **1** בהם חלק ונחלה אמט דב, בהם חלק ה, חלק בהם ונחלה ר, חלק ונחלה ל | בהם חלק] חלק בהם מ — **2** סליק פיסקא ד, ל׳ רא —

3 והגר—אף כולם בני ברית] ל׳ ה | בין—שאין חסרים] בין שאינן חסרים ובין שהן חסרין א | ובין רמב, בין ד ט | שאין רטב, שאינן דמ — **4** ואל מדט׳, אל רט׳ב א | שהרי] הרי מ | ולא—אלמנה] ל׳ ט | ולא איב (מסורה), לא רמדל, אל א | בין עניה ובין עשירה] בין עשירה בין עניה א | ובין רב, בין דמטל — **5** עני, כן הגרסה בכל הנסחאות, ובמקרא לעני | יכול] ל׳ ל | בין בני מדלב, בין בן ט, בני ברית ר | ובין] בין ל | שאינן רמל, שאין ד, שאינו טב | בני] בן ט — **6** לוי] ללוי א — **7** ואכלו ושבעו—שעורים] בה, מובאה ברייתא זו אחר „מלמד—חוצה לארץ״ | שבעם רהלדט, שישבעו מבא | לעני דמטא, לעניים רהל — **8** או קב שעורים רבדלטא׳, וקב שעורים ה, או מחצי קב שעורים מא | מלמד שאין—מיכן אמרו לשכת חשאים היתה בירושלם] כל זה חסר בב ונשלם בכתב אחר והבאתי השנוים בציון ב׳ | מלמד] לימד ה | אותו רפמט הלא פ״ז, ל׳ ד | מן הארץ רטדל, מהארץ ה, מארץ ישראל מ, מארץ ב׳א — **9** אמרו—חוץ מירושלם] ל׳ ה | נבלטה רדט, נבטלה אמל, גלבטה ב׳ | להם] לה ל — **10** להוציא מדא, להוציאן רטלב׳ | חוץ] ל׳ ב׳ | לירושלם רמט׳ב׳א, מירושלם טד׳ל | סליק פיסקא ד, פ׳ ר, ל׳ א —

11 מקץ—אמור מעתה שבע שנים לכל העולם] ל׳ ה | מתחל׳רת] בתחילת מא — **14** שמוט ארטמב׳, וזה דבר השמיטה שמוט דל | שיש לך רטב׳, שיש לו ד, שאתה עושה מ | משמט] משמט מלוה ב —

יכול שבע שנים לכל אחד ואחד הרי אתה דן חייב שבע שנים בשמטה וחייב שבע שנים במלוה מה שבע שנים האמור בשמטה שבע שנים לכל העולם אף שבע שנים האמור במלוה שבע שנים לכל העולם או כלך לדרך זו חייב שבע שנים בעבד עברי וחייב שבע שנים במלוה מה שבע שנים האמור בעבד עברי שבע שנים לכל אחד ואחד אף שבע שנים האמור במלוה שבע שנים לכל אחד ואחד נראה למי דומה דנים דבר שאינו תלוי ביובל מדבר שאינו תלוי ביובל ואל יוכיח עבד עברי שתלוי ביובל או כלך לדרך זו דנים דבר שנוהג בארץ ובחוצה לארץ מדבר שנוהג בארץ ובחוצה לארץ ואל יוכיח השמט קרקע שאין נוהג אלא בארץ תלמוד לומר שבע שנים שבע שנים לגזרה שוה מה שבע שנים האמור בשמטה שבע שנים לכל העולם, אף שבע שנים האמור במלוה שבע שנים לכל העולם רבי יוסי הגלילי אומר הרי הוא אומר °קרבה שנת השבע שנת השמטה אם שבע שנים לכל אחד ואחד היאך היא קרובה אמור מעתה שבע שנים לכל העולם יכול יהא השמט מלוה נוהג במדבר תלמוד לומר תעשה שמטה שמוט, או אינו אומר תעשה שמטה שמוט אלא בארץ ישראל שאתה עושה שמטה לארץ אתה משמט [מלוה] בחוצה לארץ שאי את עושה שמטה לארץ אין את משמט מלוה תלמוד לומר כי קרא שמטה לה׳ בין בארץ ובין בחוצה לארץ

למטה ט

סליק פיסקא

קיב.

(ב) וזה דבר השמטה, מיכן אמרו המחזיר חוב בשביעית יאמר להם משמט אני ואם אמר לו אף על פי כן יקבל ממנו משום שנאמר וזה דבר השמטה.

1 יכול שבע שנים] יכל שבע בי | הרי] והרי ב | וחייב—האמור בשמיטה] ל׳ טי — 2 האמור] האמורין אל וכן בסמוך — 3 או כלך—אף שבע שנים האמורים במלוה שבע שנים לכל העולם] ל׳ מ | כלך] נלך א — 4 וחייב—בעבד עברי] ל׳ א | וחייב שבע] ושבע ל | האמור] האמורין ל וכן בסמוך — 5 דומה] דמה ר — 6 שאינו תלוי פ, שאין תלוי בי, שתלוי ראדלט וכן בסמוך | מדבר—ביובל] ל׳ א | ואל—ביובל] ל׳ ל | שתלוי פבי, שאין תלוי ארדט | כלך] נלך א — 7 שנוהג] הנוהג ד — 8 השמט קרקע בי, השמיט מלוה אב, השמטת מלוה ט, השמטה ד | שבע שנים שבע שנים] שבע שנים תעשה שמיטה ד — 9 האמור טבי, האמורים דלא, אמור ר | לכל] שלכל ר (וכן בסמוך) | העולם] באי העולם בי — 10 ר׳ יוסי הגלילי—שבע שנים לכל העולם רמא, ל׳ דט לבי — 12 יהא רמא, תהא ט, יהיה ד, ל׳ לבי | השמט מלוה רהל, השמטת כספים ד, השמט הלואה מא, השמטת מלוה טבי | נוהג] נוהגת ד | במדבר] במדברו׳ ר — 13 שמוט] ל׳ ה | או אינו אומר תעשה שמיטה שמוט אלא ר פ, לא אמרתי דל, או אינו לא אמרתי בי, אין לי הט, ל׳ אמ | בארץ] שבארץ א, בארץ [שבארץ מי], ישראל שהיא מקום מ — 14 לארץ ה, בארץ בי, ל׳ אמרטלד | אתה משמט מאבי, אתה משמט בארץ ד, ל׳ הרט | מלוה] הוספתי על פי הענין וחסר בכל הנסחאות | לארץ ה, ל׳ אמרטבי לד — 15 אין רטה, אי מדבי | מלוה ה, ל׳ אמרטבילד | ובין רמ, בין דטבילה — 16 סליק פיסקא] ל׳ ר —

17 וזה דבר השמטה] רפ מוסיפים פה <זה דבר השמיטה [ר לשמיטה] שאם אמרו [כן הביא רמא״ש מפי׳ ר״ה, פ אמר, ר יאמרו] לו עמוד קרא ודרוש תרגום אומר להם משמיט אני [מנין] שאם דחקוהו יקבל [פר ולא

ל״ח ע״ב, מועד קטן ב׳ ע״ב, ירו׳ שביעית פ״י ה״ג (ל״ט ע״ג) ושם גטין פ״ד ה״ג (מ״ה ע״ד), מ״ת: 2 בשמטה, כלומר בשמטת קרקע, מפי׳ ר״ה: 4 שבע שנים לכל או״א, מכילתא משפטים מסכתא נזיקין פ״א (ע״ה ע״ב, ה—ר ע׳ 249): 6 שאינו תלוי, כן יש לגרס, לפי דעתי על פי כ״י פ וב, אעפ״י שברוב הנסחאות הגירסה להיפך כאן שתלוי ביובל ולקמן שאינו תלוי ביובל; וסמוכין לגרסת כ״י ב ופ מצאתי במכילתא דרשב״י כ״א ב׳ (ע׳ 119) ושם נדון בענין שבע שנים עבד עברי, „נראה למי דומה דנין דבר שתלוי ביובל (כלומר עבד עברי) מדבר שתלוי ביובל (כלומר יובל עצמו), ואל יוכיח השמט מלוה שאינו תלוי ביובל״ ותנא זה סובר ששמיטת קרקע נוהגת אף בזמן שאין היובל נוהג, שהרי כל זמן בית שני לא נהג היובל ושמיטה היתה נוהגת, וחולק על רבי האומר (ירו׳ גטין פ״ב ה״ג, מ״ה ע״ד) שאין שמיטה נוהגת אלא בזמן שיובל נוהג׳ — שאין תלוי, ערכין כ״ט ע״א והשוה תו״כ בהר פרק ב׳ ה״ד (ק״ז ע״א): 10 ריה״ג אומר וכו׳, לקמן פי׳ קי״ז (ע׳ 176), רש״י: 12 במדבר, כלומר לפני כניסתם לארץ׳ — ת״ל תעשה וכו׳, תוספתא קדושין פ״א הי״ב (ע׳ 336), בבלי שם ל״ח ע״ב, „כל מצוה שנצטוו וכו׳ אחר כניסתם לארץ אינה נוהגת אלא בארץ חוץ מהשמטת מלוה״: 13 שמטה שמוט, ומקיש שמטת מלוה לשמטת קרקע כאמור למעלה: 15 בין בארץ וכו׳, למטה סוף פי׳ קי״ב (ע׳ 173), ועיין למעלה בהערה על כל זמן שיש לך שמטה אתה משמט:

17 וזה דבר השמטה, ההוספה ברפ המובאה בשנויי

[וזה דבר השמטה] שמטה משמטת מלוה ואין יובל משמט מלוה שהיה בדין מה שמטה שאין מוציאה עבדים משמטת מלוה יובל שמוציא עבדים אינו דין שישמט מלוה תלמוד לומר וזה דבר השמטה שמטה משמטת מלוה ואין יובל משמט מלוה, קל וחומר לשמטה שתוציא עבדים ומה יובל שאין משמט מלוה מוציא עבדים שביעית שמשמטת מלוה אינו דין שתוציא עבדים תלמוד לומר °בשנת היובל (ויקרא כה יג) הזאת שביעית משמטת מלוה ויובל מוציא עבדים.

שמוט כל בעל, יכול אף בגזילה ובפקדון תלמוד לומר משה ידו או משה ידו יכול שכר שכיר והקפת החנות תלמוד לומר אשר ישה ברעהו אם סופנו לרבות כולם מה תלמוד לומר משה ידו מה משה ידו בזקוף אף כולם זקופים.

לא יגוש, ליתן עליו בלא תעשה. את רעהו, פרט לאחרים. ואת אחיו, פרט לגר תושב. כי קרא שמטה לה׳, בין בארץ בין בחוצה לארץ סליק פיסקא

קיג.

(ג) את הנכרי תגש, זו מצות עשה. ואשר יהיה לך את אחיך, ולא של אחיך בידך מיכן אתה אומר המלוה על המשכון אין משמט. את אחיך תשמט ידך, ולא המוסר שטרותיו לבית דין מיכן אמרו התקין הלל פרוסבול מפני תיקון העולם שראה את העם שנמנעו מלהלוות זה את זה ועברו על מה שכתוב בתורה עמד והתקין פרוסבול

נוסחאות ודאי אינה מעיקר הספרי, והשוה ברכות ל״ד ע״א, ירו׳ שם פ״ה ה״ג, ט׳ ע״ג· — מיכן אמרו וכו׳, שביעית פ״י מ״ח: 1 שמטה וכו׳ עד ויובל מוציא עבדים, תו״כ בהר פרק ג׳ ה״ו (ק״ז ע״ג)· — שמטה וכו׳ ואין יובל משמט, תוספות קדושין ל״ח ע״ב, ר״ן גטין ל״ו ע״א, פ״ז: 7 יכול וכו׳ עד זקופים, ס׳ הזכרון בשם הראב״ד: 8 שכר שכיר וכו׳, שביעית פ״י מ״א, תוספתא שם פ״ח ה״ג (ע׳ 72), פ״ז· — החנות, בזפל הג׳ והחמור ופי׳ ר״ה שכר חמור וכן הז״א פי׳ שכר החמור ששכר אצלו למלאכה, ולי נראה דצ״ל והחֲמָר דהיינו הקפת מוכר התבואה, רמא״ש: 9 זקופים, במלוה, והשוה מ׳ שביעית שם: 10 לא יגוש וכו׳ עד התקין הלל פרוסבול, פ״ז: 11 לגר תושב, שאין שביעית משמטת· — בין בארץ וכו׳, למעלה סוף פי׳ קי״א (ע׳ 172):

12 זו מצות עשה, רמב״ם עשין קמ״ב, חנוך ראה תמ״ז, ועיין בפי׳ הרמב״ן על התורה· — ולא של אחיך וכו׳ עד המוסר שטרותיו לב״ד, ירוש׳ שביעית פ״י סוף ה״ב, (ל״ט ע״ג), תוס׳ ור״ן גטין ל״ו ע״א, וע״ע תוס׳ קדושין ח׳ ע״ב ד״ה משכון: 13 המלוה וכו׳, שביעית פ״י מ״ב, תוספתא שם פ״ח ה״ה (ע׳ 72), גטין ל״ז ע״ב מכות ג׳ ע״ב: 14 ולא המוסר וכו׳ עד התקין הלל פרוסבול, ס׳ הזכרון· — ולא המוסר וכו׳, משנה שביעית שם, וזו היא דרשת הלל, מ״ת כאן (עמוד 80)· —

קבל; בכ״י רמא״ש וקבל] עליו ת״ל וזה דבר השמטה פעם אחת הוא משמיט ואינו משמיט פעמים> | מיכן—מיכן אמרו] ל׳ טבי | יאמר] יומר ר — 18 ע׳ הקו׳ ואם—השמטה ה, וכו׳ מתניתין מ, וכו׳ מתני׳ א, כוליה מתני׳ רל, במתנה ד — 1 שמטה משמטת רהמא, מיכן אמרו שביעית משמטת ד, מיכן אמרו שמיטה משמטת ל, מכאן אמרו שביעית בי | שהיה בדין—שביעית משמטת מלוה ויובל מוציא עבדים] ל׳ ה — 2 מה רט, ומה דמ בא, ל׳ ל | מוציאה עבדים] מוציא העבדים ד, מוציא עבדים א | משמטת] משמט ד — 3 שישמט] שמשמט ד | ואין יובל] יובל אין א — 4 קל והומר] ק״ו לשמיטה שהיה בדין ומה שמיטה שאין מוציא עבדים משמט מלוה יובל שמוציא עבדים אינו דין שמשמט מלוה ת״ל וזה דבר השמיטה שמיטה משמט מלוה ואין יובל משמט מלוה ד | שתוציא אדמטבי, כמוציא ר, שמוציאה ל | שאין רטל בא, שאינו דמ | מוציא—שמשמטת מלוה] ל׳ א, ונשלם על הגליון — 5 שתוציא] שמוציאה ל | בשנת רא, ובשנת בידל | היובל] השביעית ל — 6 הזאת רא, הזאת זאת דבי, זאת ל — 7 שמוט—ליתן עליו בל״ת] ל׳ ה | שמוט] ת״ל שמוט ר | בגזילה] בגניבה א | ובפקדון רביל, ופקדון דא | או משה ידו רט, אי משה ידו מא [ס׳ הזכרון בשם ראב״ד], ל׳ דביל — 8 החנות מבי [ס׳ הזכרון בשם ראב״ד], חנות א, החנות והחמור דפל, התנות חמור ר, החנווני אמור ט | לרבות כולם רבטמא, לרבות את כולם דל [הזכרון בשם ראב״ד] — 9 בזקוף ארמביל [הזכרון בשם ראב״ד], בזקיפה ד, זקוף ט | זקופים] בזקיפה ד, בזקוף [הזכרון בשם ראב״ד] — 10 ואת ה [מסורה], את רמטדבילא — 11 בין] זה הוא שאמרנו שמטת כספים נוהגת בין ה | סליק פיסקא ד, פ׳ ר, ל׳ א —

12 את הנכרי—או העדים] ל׳ ט | זו מצות עשה אהביל, מצות עשה רמ, ואת אחיך לא תיגוש זו—עשה ד — 13 אתה אומר] אמרו פ [תוס׳ ור״ן] | אין משמט רמ, אינו משמיט האי, אינו משמט ביל, אין שביעית משמטת ד, ל׳ א | את רמ ביה, ואת רא, ל׳ ל — 14 המוסר] המוכר ל | התקין הלל ארמהבי, שהתקין הלל אי, היילל התקין דל | פרוסבול רדל [ס׳

וזהו גופו של פרוסבול מוסרני אני לכם פלוני ופלוני הדיינים שבמקום פלוני כל חוב שיש לי שאגבנו כל זמן שארצה והדיינים חותמים למטה או העדים סליק פיסקא

קיד.

(ד) אפס כי לא יהיה בך אביון, ולהלן הוא אומר °כי לא יחדל אביון מקרב הארץ בזמן שאתם עושים רצונו של מקום אביונים באחרים וכשאין אתם עושים רצונו של מקום אביונים בכם. (דברים טו יא)

כי ברך יברכך ה׳ בארץ, מגיד שאין ברכה תלויה אלא בארץ. אשר ה׳ אלהיך נותן לך לרשתה, בשכר שתירש תכבש.

קטו.

(ה) רק אם שמוע תשמע בקול ה׳ אלהיך, מיכן אמרו שמע אדם קימעה משמיעים אותו הרבה שמע אדם דברי תורה משמיעים אותו דברי סופרים. לשמור לעשות את כל המצוה הזאת, שתהא מצוה קלה חביבה עליך כמצוה חמורה

סליק פיסקא

קטז.

(ו) כי ה׳ אלהיך ברכך כאשר דבר לך, ומה דבר לך °ברוך אתה בעיר וגו׳. (שם כח ג)

והעבטת גוים רבים, יכול תהא לוה בסלע ומלוה בשקל כדרך שאחרים עושים תלמוד לומר ואתה לא תעבט. ומשלת בגוים רבים, יכול תהא מושל באחרים ואחרים מושלים בך כענין שנאמר °ויאמר אדני בזק שבעים מלכים, לכך נאמר ובך לא ימשלו. (שופטים א ז)

(ז) כי יהיה בך, ולא באחרים. אביון, תאב תאב קודם. אחיך, זה אחיך מאביך כשהוא אומר מאחד אחיך, מלמד שאחיך מאביך קודם לאחיך מאמך.

הזכרון], פרוזבול הב׳א | מפני—או העדים ד, כולה מתניתין ל, כולי מתני׳ ר, כמתנית׳ ב׳, ל׳ מהא — 2 סליק פיסקא ד, פ׳ ר, ל׳ א —

3 אפס—אביונים בכם] כתוב אחד אומר אפס כי לא יהיה בך אביון וכת׳ אחד אומר כי לא יחדל כיצד שני כתובים הללו כשישראל עושין רצונו של מקום אפס כי לא יהיה בך אביון, וכשאין ישראל עושין רצונו של מקום כי לא יחדל אביון ה | באחרים] באומות מא — 4 וכשאין אתם רטמל, ובזמן שאין אתם ד, וכשאי אתם ב׳, וכשאתם אין א — 6 ה׳] ה׳ אלהיך ב׳ | מגיד רמדהב׳לא, מגיד הכתוב טד | בארץ ארדהטלב׳, בארץ ישראל מ, באנכי ד | אשר] אני ד — 7 בשכר] בשביל ד —

8 רק—כמצוה חמורה] ל׳ ה | קימעה] קימאה ר, קמאה א [ובא׳ קמעה] — 9 הרבה] הרבי ר | משמיעים אותו] סופר לשמוע מא — 10 לעשות ארב׳מ׳מ, ולעשות דל | כל רמב׳ט, את כל ב׳לא | חביבה ארמב׳ל, חמורה ט ד | כמצוה חמורה ארטדב׳, כחמורה מ —

12 ומה דבר לך] ל׳ א | ומה דמה, מה רב׳ל — 14 תהא] תהא אתה ד | לוה] מלוה ל — 15 תהא] תהיה ד — 16 ואחרים] ל׳ ב׳ | שבעים מלכים] שבעה מלכים וגו׳ ד — 17 לכך נאמר] ת״ל ט — 18 בך ולא באחרים] ל׳ ה | ולא]

התקין הלל וכו׳, שביעית פ״י מ״ג, גטין פ״ד מ״ג: 1 וזהו גופו וכו׳, משנה שביעית שם:

4 בזמן וכו׳, לקמן ריש פי׳ קי״ח (ע׳ 177), ות״י, רש״י, פ״ז: 7 לך לרשתה, ובמסורה לך נחלה לרשתה וכן בתרגום השבעים ובת״א ות״י, אבל בפשיטא „דיהב לך מריא אלהך למארתה״ כמו שמובא בספרי:

8 מיכן אמרו, רש״י, פ״ז, למעלה פי׳ ע״ט (ע׳ 145), ובציונים שם: 10 שתהא וכו׳, שם פי׳ ע״ט, פ״ז:

12 ומדה וכו׳, רש״י, פ״ז, במ״ת ואיכן דבר לך ברוך תהיה מכל העמים (דברים ז׳ י״ד), וכן במכילתא בא מסכת פסח פ׳ י״ב (י״ב ע״ב, ה—ר, ע׳ 40), ואולי יש להגיה גם בספרי ברוך תהיה מכל העמים, כמו שהציע רמא״ש בהערה שם: 14 שאחרים עושים, דפעמים לווין ופעמים מלוים, מפי׳ ר״ה: 16 שבעים מלכים, היו משועבדים לאדוני בזק, והיו שולטים על אחרים: 18 כי יהיה בך וכו׳ עד סופך ליטול הימנו, פ״ז׳ — ולא באחרים, לקמן פי׳ ק״ד, רנ״ה, והשוה מכילתא בא פ״ז (ח׳ ע״א, ה—ר 24), שם פ״ט (י׳ ע״א, ה—ר 32), מכילתא דרשב״י י״ג ט׳ (ע׳ 33), תו״כ אחרי ריש פרק ז׳, שם פרשה ח׳ ה״ה (פ״ד ע״ג), בהר פרק א׳ ה״ו (ק״ו ע״ב), שם פרשה ה׳ ה״ג (ק״ט ע״ג). — תאב, זה האביון המתאוה ואינו יכול למלאות תאותו, מכילתא משפטים, מסכת אם כסף פ״כ (צ״ט ע״ב) „לפי שהוא אומר ודל לא תהדר בריבו אין לי אלא דל עני תאב מנין ת״ל לא תטה משפט אביונך.״ והשוה עוד מ״ת כאן (ע׳ 81), ויק״ר פ׳ ל״ד סי׳ ו׳ „אביון שמתאב לכל״. — אחיך וכו׳ עד ליושבי חו״ל, מובא

באחד שעריך, יושבי עירך קודמים ליושבי עיר אחרת. בארצך, יושבי הארץ קודמים ליושבי חוצה לארץ כשהוא אומר באחד שעריך היה יושב במקום אחד אתה מצוה לפרנסו היה מחזר על הפתחים אי אתה זקוק לו לכל דבר. אשר ה׳ אלהיך נתן לך, בכל מקום.

לא תאמץ את לבבך, יש בן אדם שמצטער אם יתן אם לא יתן. ולא תקפוץ את ידך, יש בן אדם שפושט את ידו וחוזר וקופצה. מאחיך האביון, אם אין אתה נותן לו סופך ליטול הימנו מנין אם פתחת פעם אחת פתח אפילו מאה פעמים תלמוד לומר כי פתוח תפתח את ידך לו. והעבט תעביטנו. פתוח תפתח׳ פתח לו בדברים שאם היה ביישן אמור לו את צריך ללות מיכן אמרו צדקה ניתנת כמלוה׳ העבט תעביטנו, נותנים לו וחוזרים וממשכנים אותו דברי רבי יהודה וחכמים אומרים לו הבא משכון כדי להגים את דעתו.

די מחסורו, אין אתה מצוה לעשרו. אשר יחסר לו, אפילו סוס ואפילו עבד. מעשה בהלל הזקן שנתן לעני בן טובים אחד סוס שהיה מתעמל בו ועבד שהיה משמשו, שוב מעשה בגליל העליון שהיו מעלים לאורח ליטרא בשר בכל יום. לו, זו אשה כענין שנאמר °אעשה לו עזר. בראשית ב יח

בסמ״ג עשין קס״ב, ובמרדכי ב״ב פ״א סי׳ תק״ג. — זה אחיך מאביך, למעלה פי׳ פ״ז (ע׳ 151): 1 ליושבי עיר אחרת, ירו׳ שביעית פ״א ה״ה (ל״ח ע״ב), והשוה בבלי ב״מ ל״א ע״ב, שם ע״א ע״א, מכילתא משפטים פרשה י״ט (צ״ו ע״ב, ה—ר 315), סדר אליהו רבה פ׳ כ״ד (כ״ז), עמ׳ 135, רמב״ם ה׳ מתנות עניים פ״ז ה׳ י״ג, ושו״ע יו״ד סי׳ רנ״א ס׳ ג׳, ובהגהת הגר״א שם: 3 היה מחזר על הפתחים, תוספתא פיאה פ״ד ה״ח (ע׳ 23), ב״ב ט׳ ע״א. ירו׳ פיאה פ״ח ה״ו (כ״א ע״א): 4 בכל מקום, אף בחוצה לארץ, וכן גורס בסמ״ג ובמרדכי (שם) בהדיא, יושבי חוצה לארץ מנין דכתיב אשר ה׳ אלהיך נותן לך כל מקום: 5 לא תאמץ וכו׳ עד וקופצה, רש״י, סמ״ג לאוין רפ״ט, ס׳ יראים סי׳ מ״ט הוצ׳ שיף סי׳ ר״ט: 6 אם וכו׳ ליטול הימנו, רש״י, ס׳ יראים שם, ודורש אחיך, כופך שתהיה אח לו בצרתו: 7 אפילו מאה פעמים, השוה לקמן פי׳ קי״ז (ע׳ 176), קי״ט (ע׳ 178): 8 פתוח וכו׳ עד ניתנת כמלוה, הוספה הנמצאה רק בפר ומקצהה בב עיין בשנויי נוסחאות· ועיין במ״ת כאן ע׳ 82 שורה ט״ז, בשם ר׳ ישמעאל: 9 צדקה ניתנת וכו׳, כתובות ס״ז ע״ב: 10 נותנים וכו׳, [תוספתא פיאה פ״ד הי״ב, ע׳ 24, כתובות שם, ופי׳ ר״ה דלר׳ יהודה ביש לו ואינו רוצה להתפרנס מיירי ולר׳ שמעון באין לו ואינו רוצה להתפרנס וכן פירש רד״ף ודוחק לפרש דחוזרים וממשכנים אותו היינו שאומרים לו הבא משכון ולפי זה היה אפשר לומר דגם לר׳ יהודה באין לו ואינו רוצה להתפרנס ודעתו כדעת החכמים בתוספתא שם וכדמפרש רבא דפותחין לו במתנה אם אינו רוצה לקבל אומרים לו שהיא הלואה דלשון חוזרים וממשכנים לא משמע הכין]· — אומרים לו וכו׳ עד דעתו, סמ״ג עשין קס״ב: 11 להגיס, ובתוספתא הג׳ לגוס: 12 אין אתה וכו׳, כתובות שם, ס׳ חסידים, הוצ׳ פריימאנן, סי׳ תתצ״א ע׳ 222· — אשר יחסר וכו׳ עד לטרא בשר בכל יום, [תוספתא פאה פ״ד ה״י (ע׳ 23), ירוש׳ שם פ״ח ה״ז (כ״א ע״א), ב׳ כתובות ס״ז ע״ב, רש״י]: 14 לאורח, בירושלמי ותוספתא הגירסה לזקן אחד, ובבבלי לעני בן טובים· — זו אשה, תוספתא כתובות פ״ו ה״ח (ע׳ 263), בבלי שם ס״ז ע״ב, רש״י:

בך ולא א | תאב תאב מט״ל, תאיב תאיב ב״ה, תאיב ר, תאיב תאב א, תאב ד | זה אחיך מאביך] ל׳ ל — 1 הארץ ד, ארץ רטב״, ארץ ישראל מהא — 2 ליושבי] יושבי ב׳ | אחד רב׳מטהא, אי ל, אחד אי ד — 3 אי רדהא, אין מדב׳, ל׳ ט | לו] ל׳ ד | אשר—לך] אשר יתן ה׳ אלהיך ד — 5 לא ד, אל רב״ל | בן רדט, לך ה, לך בן ל, בבני מא, כאן ב׳ | שמצטער רטמה, שמצער ד, שהוא מצטער ב״ל | ולא] לא א | אם לא יתן] לך ל — 6 יש] לפי שיש א׳ | בן] כאן ב׳, בני א | שפושט רמהטא, שהוא פושט דב׳ | את] ל׳ ב׳ | אם] שאם ה | אין רט²מ, אי רדהט׳ ב״לא — 7 הימנו] ממנו א | מנין] ומנין ד | אם] שאם ד | פתח ה, פתוח רמא, אתה פותח טדל, אתה פתחתה ב׳ | אפילו מאה] אלף ל, ואפי׳ מאה א | ת״ל ל׳ א [ונשלם בין השטים] — 8 פתוח תפתח פתח לו בדברים וכו׳] ברייתא זו נמצאה רק בפר, בב׳ מובא המשפט „פתח לו—צריך ללות״· בה, מובאה ברייתא מעין זו בשם ר׳ ישמעאל ובד לטמא חכרה לגמרי | והעבט] העבט ר — 10 וחוזרים] ומחזירין ר | אומרים מהב׳, ל׳ טדלאר — 11 לו] ל׳ א | משכון] משכון וטול ה | להגיס את מהא, להגיס רטב״ל, להפיס ד — 12 אין ר, אי אדטמב״ל, אתה מצווה עליו להחיותו ואין ה | מצוה] מצוה עליו מ | לעשרו] להעשירו ד | אפילו—עבד רדטב״ל, אפילו עבד ואפילו סוס מא, הכל לפי כבודו אפילו סוס לרכוב עליו ועבד לרוץ לפניו ה — 13 מעשה] ומעשה ד | אחד סוס רמב״ל, סוס אחד דא, סוס ט | שהיה] שיהא א | ועבד טמב״א, ועבד אחד ד, ל׳ רל | שהיה מטב׳, שיהא אר, שהוא ד, ושיהא ל — 14 שוב—בכל יום ט, ושוב—בכל יום ב״א, שוב—בשר של צפרי בכל יום רל, שוב—מעלים לאדם—של ציפור בכל יום ד, אנשי מעשה גליל העליון היו מעלין למו ליטרא בשר בכל יום מ, מעשה באנשי גליל העליון שהיו לוקחין לעני בן טובים אחד ליטרא בשר בכל יום ה | לו זו אשה] ונותנין לו אשה א — 15 כענין—עזר] ל׳ ה —

קיז.

(ט) השמר לך, הוי זהיר שלא תמנע רחמים שכל המונע רחמים מוקש לעוברי עבירות ופורק עול שמים מעליו שנאמר בליעל בלי עול. דבר אחר השמר לך, השמר בלא תעשה פן בלא תעשה.

פן יהיה דבר עם לבבך בליעל לאמר, זה שקרוי עבודה זרה נאמר כאן בליעל ונאמר להלן (דברים יג יד) יצאו אנשים בני בליעל מה בני בליעל האמור להלן עבודה זרה אף בני בליעל האמור כאן עבודה זרה.

קרבה שנת השבע שנת השמטה, זו היא שאמר רבי יוסי הגלילי אם שבע שנים לכל אחד ואחד היאך היא קרובה אמור מעתה שבע שנים לכל העולם.

ורעה עינך באחיך האביון ולא תתן לו וקרא עליך אל ה׳, יכול מצוה שלא לקרות תלמוד לומר וקרא, יכול מצוה לקרות תלמוד לומר (למטה כד טו) ולא יקרא עליך יכול אם קרא עליך יהיה בך חטא ואם לאו לא יהא בך חטא תלמוד לומר והיה בך חטא מכל מקום אם כן למה נאמר וקרא עליך אל ה׳ ממהר אני ליפרע על ידי קורא יותר ממי שאינו קורא. מנין אם נתת פעם אחת תן לו אפילו מאה פעמים תלמוד לומר נתון תתן. לו, בינך לבינו מיכן אמרו לשכת חשאים היתה בירושלם.

כי בגלל הדבר הזה, אם אמר ליתן ונתן נותנים לו שכר אמירה ושכר מעשה אמר ליתן ולא הספיק בידו ליתן נותנים לו שכר אמירה כשכר מעשה לא אמר ליתן אבל אמר לאחרים תנו נותנים לו שכר על כך שנאמר כי בגלל הדבר הזה לא אמר ליתן ולא אמר לאחרים תנו אבל נוח לו בדברים טובים מנין שנותנים לו שכר על כך תלמוד לומר כי בגלל הדבר הזה יברכך ה׳ אלהיך בכל מעשך.

1 השמר דל, פ׳ השמר ר, ד״א השמר בי׳, ע״ח השמר א | הוי זהיר—בלי עול, ברייתא זו מובאה בהטבל ר, בר מקומה כאן, ובשאר הנסחאות אחר המלים האמור כאן ע״ז וחסרה בדמא | המונע רטבי׳, מי שהוא מונע ה | מוקש רדה, מקיש ט | לעוברי עבירות רדה, לעובדי ע״ז ט — 2 שמים רדה, מלכות שמים ט | בלי עול טה, בליעל ר | דבר אחר ר, ל׳ בידמא — 3 פן בלא תעשה] ל׳ מא — 4 לאמר—האמור כאן ע״ז] ל׳ טה | זה שקרוי] זה שקרוי כאן ל — 5 יצאו—בליעל] בליעל א | בני בליעל] בליעל א וכן בסמוך | האמור להלן] ל׳ ד — 6 האמור כאן] ל׳ ד | ע״ז] ל מוסיף <ד״א ע״ז נאמר כאן בליעל ונאמר להלן בליעל יצאו אנשים בני בליעל מה בני בליעל האמור להלן ע״ז אף בליעל האמור כאן ע״ז> — 7 זו היא—לעולם] ל׳ ה | זו היא] זוהי ר | אם] ל׳ ט — 8 ואחד] ל׳ טבי | היאך] ל׳ ל | קרובה רמבי׳, קריבה טל, קרבה דא | לכל העולם מ דלא, לכל העולם קרובה רבי׳, לכל העולם קריבה ט — 9 יכול מצוה שלא לקרות—ת״ל וקרא רבימא [ס׳ הזכרון, רא״ם], ל׳ הדטל — 10 יכול מצוה לקרות—ולא יקרא עליך] ל׳ בי — 11 קרא רדהטבילא [ס׳ הזכרון, רא״ם], וקרא דמ | לאו רדהמלא, לא יקרא לה׳ ד, לא יקרא מ, לא בי, לא קרא [ס׳ הזכרון] | חטא] ל׳ ד — 12 מכל מקום—וקרא עליך אל ה׳ רמדהטבי [רא״ם, הזכרון] ל׳ ד | ליפרע] להפרע א — 13 על ידי אמהטל [ס׳ הזכרון, רא״ם], על ידו ר, על יד ד, ע״י בי | יותר ממי שאינו טמביל [ס׳ הזכרון], יתיר משאינו ר, משאינו ה, מעל יד שאינו ד, יתיר ממי שאינו א | מנין] ומניין ד | אם רדהטביל, שאם ד, ל׳ מא | נתת רדהדמא, נתת לו טביל | תן טמה לא, תתן ר, אתה נותן ד | לו] ל׳ ט — 14 בינך] בינו ט | חשאים] הטמן בי | בירושלם] במקדש ה — 15 ושכר מעשה—שכר אמירה] ל׳ ב — 16 בידו ליתן] בידו א | שכר אמירה—אבל אמר לאחרים תנו] ל׳ א | לא אמר—בגלל הדבר הזה] ל׳ ל — 17 נותנים לו—הדבר הזה ארמדהטב, או ד — 18 נוח] סח טי, מניח א — 19 על כך] ל׳ א | בכל מעשיך] ל׳ א | מעשך מדהטיבד, מעשי ידיך פ׳ ר, מעשה ידיך טי, מעשיך ידיך ובכל משלח ידיך ל —

1 הוי זהיר וכו׳ עד בלי עול, הוספה היא זו ולא מעיקר הספרי אעפ״י שנמצאת ברוב הנוסחאות, נאמנים הם אמר שחסרה בנוסחתם, ועוד שאין מקום הברייתא בר שוה לשאר הנסחאות. והשוה מ״ת לקמן ט״ו י״א (ריש ע׳ 85): 2 בלי עול, למעלה פי׳ צ״ג, (ע׳ 154). — השמר וכו׳ בלא תעשה, רמב״ם לאוין רל״א, חנוך ראה תפ״ג, למעלה פי׳ ע׳ (עמוד 133), ובציונים שם: 4 זה שקרוי ע״ז, תוספתא פיאה פ״ד ה״כ (ע׳ 24) בשם ר׳ יהושע בן קרחה, כתובות ס״ח ע״א, ב״ב י׳ ע״א, פ״ז: 7 זו היא שאמר וכו׳, למעלה פי׳ קי״א (עמ׳ 172), פ״ז: 9 יכול וכו׳, רש״י, פ״ז, ס׳ הזכרון, רא״ם, לקמן פי׳ רע״ט, ב״ק צ״ג ע״א, מכילתא משפטים מסכת נזיקין פרש׳ י״ח (צ״ה ע״ב, ה—ר 314), והשוה ויק״ר פ׳ ל״ד סי׳ ט׳ ,,תני בשם ר״א נקמתן של ישראל ביד עניים דכתיב וקרא עליך אל ה׳״: 13 אפילו מאה פעמים, רש״י, פ״ז, השוה ב״מ ל״א ע״ב, ולמעלה פי׳ קט״ז (ע׳ 175): 14 מיכן אמרו וכו׳, עיין שקלים פ״ה מ״ו: 15 אם אמר וכו׳ עד בכל מעשיך, פ״ז, רא״ם, תוספתא פאה פ״ד הי״ז (ע׳ 24), ועיין בשנויי נוסחאות שם, גרסת הדפוס וכ״י וויען ועיין ברש״י:

קיח.

(יא) כי לא יחדל אביון מקרב הארץ, ולהלן הוא אומר °אפס כי לא דברים טו ד
יהיה בך אביון כיצד נתקיימו שני כתובים הללו בזמן שאתם עושים רצונו של
מקום אביונים באחרים וכשאין אתם עושים רצונו של מקום אביונים בכם.

על כן אנכי מצוך לאמר, על כן, מפני כן. אנכי מצוך לאמר, עצה
טובה אני נותן לך מטובתך. פתוח תפתח את ידך לאחיך לעניך לאביונך.
למה נאמרו כולם הראוי ליתן לו פת נותנים לו פת עיסה נותנים לו עיסה מעה נותנים
לו מעה להאכילו בתוך פיו מאכילים אותו בתוך פיו.

(יב) כי ימכר לך, מנין כשאתה קונה לא תהא קונה אלא עבד עברי תלמוד
לומר °כי תקנה עבד עברי מנין כשהוא נמכר אינו נמכר אלא לך תלמוד לומר שמות כא ב
°ונמכר לך מנין כשבית דין מוכרים אותו אין מוכרים אותו אלא לך תלמוד לומר ויקרא כה לט
כי ימכר לך. אחיך העברי או העבריה, יש בעברי מה שאין בעבריה ובעבריה
מה שאין בעברי עברי יוצא בשנים וביובל ובגרעון כסף מה שאין כן בעבריה עבריה
יוצאה בסימנים ואינה נמכרת ונשנית ומפדים אותה על כרחה מה שאין כן בעברי הא
לפי שיש בעברי מה שאין בעבריה ובעבריה מה שאין בעברי צריך לומר בעברי וצריך
לומר בעבריה.

ועבדך שש שנים, אף את הבן יכול אף את היורש תלמוד לומר °שש שמות כא ב
שנים יעבוד מי לחשך להביא את הבן ולהוציא את היורש מביא אני את הבן שכן

2 כיצד נתקיימו וכו׳, למעלה פי׳ קי״ד ובת״י, פ״ז: 4 על כן וכו׳ עד מטובתך, ס׳ הזכרון· — עצה טובה וכו׳, רש״י, פ״ז: 6 הראוי וכו׳, פ״ז, תוספתא פאה פ״ד ה״י (ע׳ 23), טור יורה דעה סי׳ ר״ן, סמ״ג עשין קס״ב: 8 מנין וכו׳, מכילתא דרשב״י כ״א ב׳ (ע׳ 118), תו״כ בהר פרק ז׳ ה״א ובילקוט שם: 11 יש בעברי וכו׳, קדושין י״ח ע״א, פ״ז, והשוה מ״ת כאן ע׳ 85: 12 בשנים וביובל ובגרעון כסף, קדושין פ״א מ״ב· ושם גרסינן במקום גרעון כסף „מיתת האדון״, וע״ע בפיניליש, דרכה של תורה ע׳ 181: 13 בסימנים, משנה שם· — ואינה נמכרת ונשנית, קדושין שם כדברי ר״ש, וכן בירו׳ שם פ״א ה״ב (נ״ט ע״ג), מכילתא משפטים מסכת נזיקין פ״ג (ע״ח ע״א, ה—ר ע׳ 256)· — על כרחה, כן הגרסה בכל נוסחי הספרי חוץ מן הילקוט, שבו נשתנה בהתאם אל הבבלי הגורס בעל כרחו, וחולקים רבא ואביי, רבא סבר בעל כרחו של אדון, ואביי סבר בעל כרחו של אב, ובמ״ת הוגה על פי דברי אביי בעל כורח האב (עיי׳ שם בחלופי גרסאות ותקונים, ע׳ 255)· מכילתא דר״ש כ״א ח׳ הגרסה „והפדה מלמד שבית דין מפדין אותה בעל כרחו״: 16 אף את הבן וכו׳ עד שלא קם תחת אביו ליעידה

2 כיצד—בכם] כו׳ כדלעיל ט׳ | נתקיימו ארמב, מתקיימין ה, יתקיימו דל | רצונו של מקום] רצון המקום ה וכן בסמוך — 3 וכשאין מהא, כשאין רטבל, ובזמן שאין ד — 4 על כן מפני כן—לאמר] ארמ [ס׳ הזכרון], על כן—אני מצוה לו ב, ל׳ דטהל | עצה—נותנים לו פת] ל׳ ב — 5 מטובתך] לטובתך ה | את ידך—לאביונך ה, לאחיך מא, את ידך וגומ׳ ל, וגו׳ ר, נתון תתן ד, ל׳ ט — 6 כולם] ל׳ ט | הראוי] מגיד הכתוב הראוי ד | עיסה] הראוי ליתן לו עיסה ד | נותנים לו עיסה] ל׳ לא | מעה] הראוי ליתן לו מעה ד | מעה] מעה כסף ה, בטור מוסיף <הראוי ליתן לו פת חמה חמה צונן צונן> — 7 להאכילו] הראוי להאכיל ד | בתוך רטמדהא, בתורת ב, לחוך ל וכן בסמוך — 8 כי—והוצרך לומר עבריה] ל׳ ה | כי—ונמכר לך] ל׳ ל | כי ימכר לך דט, ל׳ רמב | עבד] ל׳ ב | ת״ל] שנ׳ ד — 9 מנין כשהוא נמכר—ונמכר לך רטב, מנין כשהוא—ל״א יהא נמכר אלא לך ת״ל ונמכר לך מא, ל׳ ד — 10 מנין כשבית דין—כי ימכר לך רטב. מנין כשבית דין—לא יהו מוכרין אלא לך מא. מנין כשבית דין—אינו נמכר אלא לך דל — 11 יש בעברי מה שאין בעבריה] ל׳ מ | יש—ובעבריה] יש בעבריה א | יש טמ, יש כן רב, יש כאן ל | בעברי רמב, בעבד עברי דל | שאין] שאין כן ל | ובעבריה—מה שאין כין בעבריה] ל׳ ל | ובעברייה טיד, ויש בעברייה טי, יש בעברייה מ, בעברייה רב — 12 מה שאין בעברי בט; מה שאין כין בעברי ר, שאין בעבד עברי מא, מה שאין בעבד עברי מ | וביובל] ביובל ד — 13 ואינה מטד, ואין רב | ונשנית] ונשומה מ, שנית א׳ [ובא ונשנית] | ומפדים רמטב, ופודים דל | על כורחה רב, בעל כורחה אמדל [פ״ז], בעל כורחו ט | הא לפי] מפני א — 14 שיש רל׳מטא, שאין דבל | שאין רמטא, שאין כן דל וכן בסמוך | ובעבריה] ויש בעברייה ד | בעברי—בעבריה] עברי—עברייה ד | צריך—וצריך ט׳מלבא, צרך—וצרך רט׳, הוצרך—והוצרך ד | לומר] הכתוב לומר ד — 16 ועבדך—לחפשי חנם] ל׳ ט | את היורש אמהלב, היורשים ר, היורש ד | שש—יעבד ארמלב, שש תעבד ד, ועבדך ולא את היורש ה — 17 מי לחשך אמל, מלחשך רב, ומה ראית ד | מי לחשך—מביא אני את

קם תחת אביו ליעידה ולשדה אחוזה ומוציא אני את היורש שלא קם תחת האב ליעידה ולשדה אחוזה. ברח וחזור מנין שמשלם לו שניו תלמוד לומר שש שנים יעבוד, חלה ונתרפה יכול יחזיר לו שכר בטלתו תלמוד לומר יצא לחפשי חנם סליק פיסקא (שמות כא ב)

קיט.

(יג) וכי תשלחנו חפשי מעמך וגו׳ (יד) הענק תעניק לו, יכול אין מעניקים אלא ליוצא בשש מנין ליוצא ביובל ובמיתת האדון ואמה עבריה בסימנים תלמוד לומר תשלח, כי תשלח, וכי תשלחנו. יכול אף למשתלח בכסף אתה מעניק תלמוד לומר וכי תשלחנו חפשי מעמך וגו׳ למי שאתה משלחו אתה מעניק ואי אתה מעניק למי ששילוחו מעצמו.

מנין שאם הענקת לו פעם אחת הענק לו אפילו מאה פעמים תלמוד לומר הענק תעניק. לו, ולא ליורשיו. מצאנך מגרנך ומיקבך, יכול אין מעניקים אלא מצאן מגרן ומיקב המיוחדים מנין לרבות כל דבר תלמוד לומר הענק תעניק לרבות כל דבר אם כן למה נאמר מצאנך מגרנך ומיקבך מה צאן גרן ויקב מיוחדים שהם ראוים לברכה יצאו כספים שאינם ראוים לברכה דברי רבי שמעון, רבי אליעזר בן יעקב אומר יצאו פרדות שאינן יולדות.

אשר ברכך ה׳ אלהיך, יכול נתברך בית בגללו מעניקים לו לא נתברך בית בגללו אין מעניקים לו תלמוד לומר הענק תעניק לו מכל מקום אם כן למה נאמר אשר ברכך ה׳ אלהיך תתן לו, הכל לפי הברכה אתה מעניק לו סליק פיסקא

הבן] ל׳ ה | מביא—ומוציא אני את היורש] ל׳ ר | הבן שכן] הבורש ב | שכן] שהבן ה — 1 ומוציא—ולשדה אחוזה] מה שאין כן ביורש ה | שלא רבלא, שאין מ, שכן אינו ד | תחת האב] ל׳ א | האב רל, אביו דב, מורישו מ | ליעידה] ליעדה ר — 2 שמשלם רדלב, שחייב להשלים ה, שמשלים מ, שמשלימין א | שניו רד, שנים מלבא, ל׳ ה — 3 בטלתו] בטלנותו ד —

4 וכי] כי מ | וגו׳ רב, ואומר מא, ל׳ דל | הענק—לפי הברכה אתה מעניק לו] ל׳ ט — 5 מעניקים] מעניקים לו ר | מנין] מכאן א, מנין אי | האדון מלדא, אדון רב — 6 ת״ל אמהבל, מניין ת״ל רד | תשלח כי תשלח וכי תשלחנו רמב, תשלח וכי תשלחנו הא, תשלחנו וכי תשלחנו ד, תשלחנו וכי תשלחנו וכי תשלחנו ל | אף] ל׳ ב | למשתלח בכסף] למגרע כספו ויוצא ה — 7 מעניק רדב, מעניק לו מהלא | וכי ר, כי בדמא | שאתה] אתה מ | משלחו] משלחו חפשי ה — 8 ששילוחו] ששולח ה — 9 מנין—ת״ל הענק תעניק] ל׳ ה | מנין] ומנין ד | שאם מדא, ל׳ ר בל | הענקת] ענקת מא | הענק רלב, שאתה מעניק מאי, תעניק ד, שאינה מעניק א — 10 יכול—וגורן ויקב מיוחדים] מה אלו מיוחדים ה — 11 מגרן ומיקב רמב, וגרן ויקב ד, ומגרן ומיקב לא | המיוחדים מנין לרבות כל דבר מבא, מיוחדין שהן ראויין לברכה מניין לרבות כל דבר רל, ל׳ ד | הענק תעניק—דבר רדמ, אשר ברכך ה׳ אלהיך התן לו לרבות כל דבר ב, אשר ברכך ה׳ אלהיך ל, הענק תעניק לו מ״מ א — 12 למה—שהם ראויים לברכה] מה תלמוד לומר צאן גרן ויקב לומר מה צאן גרן ויקב שהן בכלל ברכה אף כל שישנו בכלל ברכה ל | מיוחדים שהם ראוים] שהם מיוחדים וראויין א — 13 רבי אליעזר בן יעקב] ר׳ אלעזר ד — 14 פרדות] פרות א | שאינן מה, שאין רבלא — 15 יכול— אין מעניקים לו] אין לי אלא שנתברך הבית בגללו שמעניקין לו לא נתברך הבית בגללו מנין ה | בית בגללו] ברגלו בית א | מעניקים לו—בית בגללו] ל׳ ב | לא—בגללו] אם אין לו בית א, ואם לאו מ | בית בגללו] ברגלו ביתו מ — 17 ברכך] יב׳ ר | הכל] ל׳ מ | אתה מעניק ארמב, מעניקים ד, תן ה —

ולשדה אחוזה, במכילתא דרשב״י כ״א ב׳ (ע׳ 119), קדושין י״ז ע״ב, והשוה ירושלמי שם פ״א ה״ב (נ״ט ע״ב) ומכילתא משפטים פ״ג (ע״ח ע״ב, ה—ר 258): 2 ברח וכו׳, מכילתא דרשב״י שם, מכילתא משפטים מסכת נזיקין פ״ב (ע״ו ע״ב, ה—ר ע׳ 251), קדושין ט״ז סוף ע״ב, ירו׳ שם פ״א ה״ב (נ״ט ע״א), פ״ז, מרדכי (ריווא) ב״מ סי׳ תפ״ד בשם רבינו ברוך אבי מהר״ם מרוטנבורג, והשוה מסכת עבדים פ״ב:

4 יכול וכו׳, קדושין ט״ז ע״ב, ולא כר״מ, ירו׳ שם פ״א ה״ב (נ״ט ע״ג), פ״ז, מסכת עבדים פ״ב: 9 מאה פעמים, השוה למעלה סי׳ קט״ז (ע׳ 175): 10 ולא ליורשיו, קדושין ט״ו ע״א: 12 מה צאן וכו׳, רש״י, פ״ז, קדושין י״ז ע״א, ס׳ יראים סי׳ רפ״ז, הוצ׳ שיף קל״ט: 13 ר׳ שמעון, כן הגירסה ברוב כ״י של הספרי ובגמרא שם אבל בפ״ז הגירסה ר׳ ישמעאל וכן בספר יראים: 15 יכול וכו׳, קדושין י״ז ע״ב, ב״מ ל״א ע״ב, ס׳ יראים שם:

קכ.

(טו) וזכרת כי עבד היית בארץ מצרים, מה במצרים הענקתי לך ושניתי לך אף אתה הענק לו ושנה לו מה במצרים נתתי לך ברחוב יד אף אתה תתן לו ברחוב יד וכן הוא אומר °כנפי יונה נחפה בכסף זו בזת מצרים, ואברותיה בירקרק חרוץ, זו בזת הים, (תהלים סח יד) °תורי זהב נעשה לך זו בזת הים, עם נקודות הכסף זו בזת מצרים. (שה"ש א יא)

על כן אנכי מצוך את הדבר הזה היום, ביום רוצעים ואין רוצעים בלילה

סליק פיסקא

קכא.

(טז) והיה כי יאמר אליך לא אצא מעמך, יכול פעם אחת תלמוד לומר °ואם אמור יאמר העבד עד שיאמר וישנה, (שמות כא ה) אם אמר בתוך שש ולא אמר בסוף שש הרי זה אין נרצע שנאמר °לא אצא חפשי (שם) עד שיאמר בשעת יציאה, אמר בסוף שש ולא אמר בתוך שש הרי זה אין נרצע שנאמר ואם אמור יאמר העבד עד שיאמר בשעה שהוא עבד.

כי אהבך, מכלל שנאמר °אהבתי את אדוני (שם) [איני יודע שאוהב את רבו אלא] מיכן אתה אומר היה הוא אוהב את רבו ורבו אין אוהבו היה הוא אהוב על רבו והוא אין אוהב את רבו הרי זה אין נרצע שנאמר כי אהבך, לו אשה ובנים ולרבו אין אשה ובנים אין נרצע שנאמר כי אהבך ואת ביתך.

1 הענקתי וכו׳ עד בירקרק חרוץ זו בזת הים, מכירי תהלים ס״ח ל״ו (קס״ו ע״ב): 2 מה במצרים וכו׳ עד זו בזת מצרים, פ״ז, רש״י, והשוה מ״ת כאן, ע׳ 86: 3 כנפי יונה וכו׳ עד עם נקודות הכסף זו בזת מצרים, מכילתא בא מסכת פסח סוף פ׳ י״ג (י״ד ע״ב, ה–ר 47), מכילתא דרשב״י שם י״ב ל״ו (ע׳ 26), שהש״ר א׳ י״א, במדבר רבה סוף פ׳ י״ג, הגדה של פסח לפי נוסח בני הודו מובא בספר לדוד צבי, לכבוד ר׳ דוד הופמאן, חלק האשכנזי, ע׳ 260; והשוה סוטה י״א ע״ב: 6 ואין רוצעים בלילה, דמקרא נדרש לאחריו, מפי׳ ר״ה:

9 ואם אמור וכו׳ עד בשעה שהוא עבד, רש״י קדושין כ״ב ע״א ד״ה ה״ג׳ — שיאמר וישנה, מכילתא משפטים מסכת נזיקין פ״ב (ע״ו ע״ב, ה–ר ע׳ 252), מכילתא דרשב״י שם כ״א ה׳ (ע׳ 121), ת״י שם, ירו׳ קדושין פ״א ה״ב (נ״ט ע״ד), בבלי שם כ״ב ע״א, מסכת עבדים פ״ג, ועיין בהחלוץ שנה ה׳ ע׳ 58. — אם אמר וכו׳. ירו׳ ובבלי שם מכילתא דרשב״י כ״א ה׳ (ע׳ 121): 13 כי אהבך וכו׳, מכילתא דרשב״י, מכילתא, ירושלמי, ובבלי, שם; פ״ז, מ״ת. — איני יודע וכו׳, כעין זה ודאי שיש להשלים, אבל בכל הנסחאות שלפנינו חסר, רק בגליון א נמצא איני יודע שאוהבו אלא מה הוא כי אהבך לפי שאתה אוהב אותו מכאן אתה אומר וכו׳״: 14 ורבו אין אוהבו, במ״ת דורש כי טוב לו עמך, וזה אי איפשר אלא אם כן רבו אוהבו. אבל השוה מכילתא דרשב״י ובריתות נפרדות נתאחדו כאן: 15 לו אשה ובנים וכו׳, מכילתא משפטים

1 וזכרת] פ׳ וזכרת ר | מה במצרים—זו ביזת מצרים] ל׳ ה | מה במצרים רבטל, במצרים אמ, ל׳ ד — 2 אף] ל׳ ב | ושנה] ושניתי ר | מה] ומה ל | ברחוב רמבט, ברוחב אדל וכן בסמוך | תתן—יד] ברחוב יד תתן לו ט | תתן] תן א — 3 וכה״א אמדט״ל, כן הוא אומר ט״ב, כע׳ האמ׳ ר | ואברותיה אמדבל (מסורה), אברותיה רט — 4 הים] ים ב — 6 ואין—בלילה רדהטבל, ולא בלילה מא, בלילה אין רוצעים ד —

8 והיה כי יאמר—הרי זה אין נרצע] ל׳ טה | יכול] ל׳ ר — 9 ואם] אם ד | אם] ל׳ מא [רש״י] | ולא אמר] ולא א — 10 שש הרי זה] הרי זה שש ב | הרי זה אין] אין א, אינו [רש״י] | אין] אינו ד | שיאמר] שיומר ר | בשעת יציאה—עד שיאמר] ל׳ ל | בסוף שש] בסוף ר — 11 אין רמא, לא ד, אינו ב [רש״י] | שנאמר ואם אמב, שנאמר אם ד [רש״י], ואם ר — 12 שיאמר] שיומר ר | בשעה שהוא רמא, בשעת שהוא ל, כשהוא דב [רש״י] — 13 איני יודע שאוהב את רבו] עיין בהערות: א מוסיף <את אשתי ואת בני>, ובגליון <איני יודע שאוהבו אלא מה הוא [אומר] כי אהבך שאוהב אותך לפי שאתה אוהב אותו> — 14 היה] ל׳ ב | הוא] זה מא | אין אוהבו אמ, עד שיהא אוהב לרבו ורבו אוהבו ל, אין אוהבו עד שיהא הוא אוהב לרבו ורבו אוהבו רב, אינו אוהבו הרי זה אינו נרצע עד שיהא הוא אוהב לרבו ורבו אוהבו ד | היה הוא—את רבו] הוא היה אוהב את רבו ורבו אינו אוהבו ל | הוא אהוב בא, אהוב ד, הוא אוהבו ר — 15 אין] אינו ד | אין] ל׳ ד | אהבך] אהב וגו׳ ר | ולרבו רמא, לרבו בד — 16 ובנים] ב מכפיל <ולרבו אין אשה ובנים> | אין] אין זה א, אינו ד | כי—ביתך] אהבתי את אדוני את אשתי ואת בני א | ביתך]

כי טוב לו עמך, הא אם חלה הוא או רבו הרי זה אין נרצע סליק פיסקא

קכב.

(יז) ולקחת את המרצע, מנין לרבות את הקוץ ואת הזכוכית ואת הקרומית של קנה שנאמר ולקחת דברי רבי יוסי ברבי יהודה רבי אומר מרצע מה מרצע המיוחד מן המתכת אף אין לי אלא מן המתכת. מיכן היה רבי ישמעאל אומר בשלשה
ויקרא יז יג מקומות הלכה עוקפת המקרא התורה אמרה [0]ושפך את דמו וכסהו בעפר והלכה אמרה
דברים כד א בכל דבר שמגדיל צמחים· התורה אמרה [0]וכתב לה ספר כריתות והלכה אמרה בכל דבר שהוא בתלוש· התורה אמרה במרצע והלכה אמרה בכל דבר· רבי אומר בדלת או במזוזה מעומד·

מרצע, זה מרצע גדול.

שמות כא ו ולקחת את המרצע· שומע אני בינו לבין עצמו תלמוד לומר [0]והגישו אדניו אל האלהים אצל הדינים שימסור במוכרים· במרצע· בכל דבר שהוא רושם· אמר רבי אלעזר והלא יודן ברבי היה דורש שאין רוצעים אלא במילת וחכמים אומרים אין כהן נרצע שמא נעשה בעל מום אם במילת הוא נרצע היאך נעשה בעל מום אלא מלמד שאין רוצעים אלא בגבוה שבאוזן. רבי מאיר אומר אף מן הסחוס שהיה רבי מאיר אומר אין כהן נרצע·

מ מוסיף <לרבו אשה ובנים ולו אין אשה ובנים אינו נרצע שנאמר אהבתי את אשתי ואת בני> — 1 כי—עמך] ל׳ דר | הא אם] האם ר | אין] אינו ד | נרצע] ד מוסיף <שנ׳ כי טוב לו עמך> —

2 הקוץ—הזכוכית] הקרן—הזבוב ד | ואת הקרומית מ א, ואת הקרומיות ר, וקרומיות ד | ב״ר יהודה רבי אומר] ר׳ יהוד׳ או׳ ב | ר״א מרצע] ר״א ד — 4 המיוחד] מיוחד ד | אין לי אלא מן ארמב, כל מין ד | מיכן—או במזוזה מעומד] ברייתא זו נמצאת ברטלפ, אבל חסרה בדבהמא וגם בהגהה על פי׳ ר״ה נמצא „חסר בספרי שלנו״· ברפ נמצאת הברייתא כאן, ובלט לפני הדרש ולקחת מנין לרבות וכו׳· ושם מובא ג״כ מאמר אחד שאינו נמצא בר וע׳ להלן | ישמעאל] שמעון טיל — 5 המקרא ט, את המקרא ט׳, על המקרא רל | התורה אמרה] אמרה תורה ט — 6 שמגדיל ה, שמגדל לפ, המגדל ט — 7 רבי אומר] ור׳ א׳ ט | או במזוזה ט, ולא במזוזה רפ — 10 ולקחת—בכל דבר שהוא רושם] ברייתא זו נמצאת ג״כ ברטלפ וחסרה במהבד· בטל מובאה ביחד עם ברייתא של ג׳ מקומות הלכה עוקפת המקרא, ובר פ מקומה כאן — 11 אלעזר ארטמהב, אליעזר ד — 12 והלא טימהא, והרי טיר, והלוי ר, והלי ב | שאין] כשהן רוצעין אין ה | כהן] עבד עברי כהן ה — 13 שמא נעשה] מפני שנעשה ה | אם] ואם תאמר ה | הוא נרצע] היו רוצעין ה | נעשה] הוא נעשה ד | אלא מלמד שאין] הא אין ה — 14 בגבוה] בגובהה ד | שבאוזן ארמ, שבאזנו טיב, של אוזן טידה | רבי מאיר—אין כהן נרצע רטדבפ, ל׳ מהא, ונראה שנוסף מגליון, ונעתק אל תוך מאמר אחר, ועיין בהערות |

מס׳ נזיקין פ״ב (ע״ו ע״ב, ה—ר ע׳ 252), מכילתא דרשב״י כ״א ה׳ (ע׳ 121), מ״ת כאן (ע׳ 86), מסכת עבדים פ״ג, ב׳ קדושין כ״ב ע״א, ירוש׳ שם פ״א ה״ב (נ״ט ע״ד), במס׳ עבדים חולק ר״ע וסובר שבין כך ובין כך נרצע, ושתי הסברות נתאחדו במכילתא, עיי״ש: 1 הא אם חלה וכו׳, מכילתא, מכילתא דרשב״י (ושם מיוחס לראב״ע), מ״ת, ב׳ קדושין שם, והשוה תוס׳ קדושין ט״ו ע״א ד״ה כי טוב:

6 בכל דבר, משנה חולין סוף פ״ו, בבלי שם פ״ח ע״א, מ״ת לקמן כ״ד א׳ (ע׳ 154) והשוה תוספתא שם סוף פ״ו (ע׳ 508)· — בכל דבר שהוא בתלוש, לקמן פי׳ רס״ט, ומ״ת שם ע׳ 154, גטין פ״ב מ״ד, תוספתא שם פ״ב ה״ד (ע׳ 325): 7 בדלת או במזוזה, צריך לומר אל הדלת או אל המזוזה, שמות כ״א ו׳: 8 מעומד, מכילתא שם (ע״ז ע״א, ה—ר ע׳ 252), מכילתא דר״ש שם: 9 מרצע גדול, בירו׳ שם „מקדח גדול״: 10 שומע אני וכו׳, ההוספה הזאת ג״כ חסרה ברוב הנוסחאות, ובמקצתה מכפלת האמור למעלה: 11 אצל הדינים, מכילתא משפטים ומכילתא דרשב״י שם, ות״י כאן ועיין בירו׳ קדושין שם נ״ט ע״ג· — שימסור במוכרים, במכילתא הגרכה שימלך במוכריו, וכן בת״י שמות כ״א ו׳ ויסב מנהון רשותא, ובירו׳ מפורש „והגישו אדוניו אל האלהים והגישו אל הדלת וכו׳ הא כיצד, זה שהוא נמכר בב״ד והגישו אדוניו אל האלהים, וזה שהוא מוכר את עצמו והגישו אל הדלת״· — בכל דבר שהוא רושם, השוה למעלה שורה 6· — ר׳ אלעזר וכו׳ עד בגבוה שבאוזן, קדושין כ״א ע״ב, בכורות ל״ז ע״ב, מכילתא דרשב״י כ״א ו׳ (ע׳ 122), והשוה מכילתא משפטים שם מסכת נזיקין פ״ב (ע״ז ע״א, ה—ר ע׳ 253), מסכת עבדים פ״ג, ירו׳ קדושין פ״א ה״ב (נ״ט ע״ד) וחכמים הנזכרים בדברי ר״א הם רבי מאיר כמבואר במכילתא ובירו׳ בברייתא המובאה בסמוך 14 ר׳ מאיר אומר וכו׳, דברי ר״מ אלה מובאים בשמו במכילתא וירו׳ שם, והם הם דברי החכמים הנזכרים ע״י ר״א למעלה· ולכן אין לברייתא זו ענין כאן, אלא שנוספה מגליון ברוב הנסחאות, וחסרה באמה· בשאר כ״י והדפוסים מקומה מיד אחרי המלים נעשה בעל מום שגם זה מורה שהיא חצונית ולא עקרית כאן· ולרגלי הגהת רמא״ש העתקתי אותה בסוף המאמר:

אזנו, נאמר כאן אזנו ונאמר להלן (ויקרא יד יד) אזנו מה אזנו האמור להלן ימנית אף אזנו האמור כאן ימנית, בגבוה שבאוזן.

באזנו ובדלת, יכול בצד אזנו תלמוד לומר באזנו ובדלת מגיד שנותן באוזן עד שמגיע לדלת.

והיה לך עבד עולם, כל ימי עולמו של אדון אפילו נמכר שלשים שנה וארבעים שנה לפני היובל מיכן אתה אומר עבד עברי עובד את הבן ואינו עובד את הבת נרצע לא את הבן ולא את הבת. מנין ליתן את האמור כאן להלן ואת האמור להלן כאן תלמוד לומר (שמות כא ו) עולם עולם לגזירה שוה. ואף לאמתך תעשה כן, להעניק יכול אף לרציעה תלמוד לומר (שם כא ה) ואם אמור יאמר העבד העבד ולא האמה

סליק פיסקא

קכג.

(יח) לא יקשה בעיניך בשלחך, מיכן אתה אומר שכיר עובד ביום וזה ביום ובלילה. וברכך ה׳ אלהיך, יכול בטל תלמוד לומר בכל אשר תעשה.

וברכך ה׳ אלהיך, כל מקום שהכתוב עונש ממון כתוב ברכה וביותר מקום שיש בו חסרון כיס סליק פיסקא

1 נאמר כאן וכו׳ עד בגבוה שבאוזן, מכילתא דרשב״י שם. — להלן, גבי מצורע. — ימנית, מכילתא, שם קדושין ט״ו ע״א, ירו׳ שם פ״א ה״ב, נ״ד ע״ד, מס׳ עבדים פ״ג, ות״י שמות כ״א ו׳: 2 בגבוה שבאוזן, כמבואר למעלה: 4 עד שמגיע לדלת, קדושין כ״ב ע״ב, ומכילתא שם: 5 עולמו של אדון, מכילתא דרשב״י, וירו׳ שם, ופי׳ כל ימי חייו ואינו עובד לא את בנו ולא את בתו; אמנם במכילתא דרשב״י הגירסה „כל ימי עולמו של רוצע" והשוה מכילתא דר׳ ישמעאל שם, מ״ת ע׳ 87, קדושין ט״ו ע״א, תו״כ בהר פרק ב׳ ה״ה (ק״ז ע״ב) שם פרק ז׳ ה״ד (ק״ט ע״ד) ת״י דברים ט״ו י״ז, ושמות כ״א ו׳, והשוה קדושין פ״א מ״ב. — אפילו וכו׳ עד לגזירה שוה, מכילתא דרשב״י שם ע׳ 122. — אפילו נמכר, כלומר אף על פי כן אינו עובד עד היובל אלא עד מיתת האדון, והגהתי על פי הגרסה במכילתא דרשב״י. ועיין בשנויי נוסחאות: 6 מיכן אתה אומר וכו׳, קדושין י״ז ע״ב, מכילתא משפטים, שם סוף פ״ב (ע״ז ע״ב, ה–ר ע׳ 254). והשוה ירו׳ קדושין שם נ״ט ע״ג: 7 לא את הבן, מ״ת כאן (ע׳ 87), מכילתא משפטים שם, מכילתא דרשב״י כ״א ו׳ (ע׳ 122). — כאן, בנמכר בבית דין, שבו מדובר כאן, כמבואר למעלה פי׳ קי״ח (ע׳ 177), „מנין כשב״ד מוכרים אין מוכרים אלא לך ת״ל כי ימכר לך". — להלן, בשמות שם, במוכר עצמו, וכן פי׳ ר׳ דוד הופמאן בהערותיו למכילתא דרשב״י שם: 9 להעניק וכו׳, מכילתא דרשב״י כ״א ה׳ (ע׳ 121), קדושין י״ז ע״ב, וכן בירו׳ שם נ״ט ע״ג, ובמכילתא שם פ״ג (ע״ח ע״א, ה–ר עמוד 255), וי״ת ואף לאמתך תכתוב גט חירר ותתן לה:

11 ביום ובלילה, רש״י, פ״ז, קדושין ט״ו ע״א, ירו׳ שם (נ״ט ע״ד). והשוה מכילתא משפטים פ״א (ע״ה ע״ב, ה–ר 248), מס׳ עבדים פ״ב: 13 כל מקום וכו׳, מ״ת כאן ולמעלה י״ד כ״ט (ע׳ 80). — וביותר מקום וכו׳, תו״כ ריש צו (כ״ט ע״א):

אף מן רט״ב, אף ט״, מן ד — 1 אזנו–יכול בצד אזנו ת״ל] ל׳ ה | ימנית] ימינית מ וכן בסמוך — 2 בגבוה שבאוזן מטא (מכ׳ דרשב״י), ימנית בגבוה שבאוזן ונאמר ר, ימנית בגובה שבאוזן ונאמר ד — 3 באזנו] ונתת באזנו מ — 4 באוזן רדב, המרצע באזנו ה, באזנו מא — 5 כל ימי עולמו–עולם לגזירה שוה] ל׳ ה | אדון] יובל ט | אפילו] כן נראה לי להגיה ע״פ הגרסה במכילתא דרשב״י, ובכל הנסחאות הג׳ אף הוא, רק בא׳ אף אם הוא — 6 היובל מדא, יובל רטב — 7 נרצע] נרצע ונמכר לגוי אינו עובד ד, נרצע אינו עובד א׳ | כאן להלן–להלן כאן] של זה בזה–של זה בזה ד, כאן להלן–כאן להלן א | ואת האמור] והאמור ב — 9 יכול] ל׳ א, ונשלם בא׳ | העבד ולא האמה טמ, העבד ולא אמה אדב, ולא אמה ר, עבד נרצע ואין אמה נרצעת ה — 10 ס״פ ד, ל׳ רא —

11 בשלחך] וגו׳ ר, בשלחך אותו חפשי מעמך א | אתה אומר רמבא, אמרו דטה | עובד ביום] ל׳ א, ובא׳ נוסף עובד אחר המלה זה | עובד] שכיר מ | זה] וזה ד | ביום ובלילה] עובד בלילה ד — 12 תעשה] תעשו ר — 13 וברכך רט׳, אשר יברכך ט׳, כי יברכך ל | כל מקום–חסרון כיס] ברייתא זו נמצאת פה ברפ. ובטל למעלה על פסוק ט״ו י״ד העניק תעניק לו. ורמא״ש העתיק מהגהה בטופס פי׳ ר״ה שהיה לפניו „ליתיה בספרי". בה נמצאת ברייתא מעין זו שלפנינו אבל בסגנון משונה מעט: „אבא חנן אומר משום ר׳ אליעזר כל מקום שהכתוב עונש הפסד ממון וחסרון כיס הרי הוא קובע ברכה לכך נאמר וברכך ה׳ אלהיך בכל אשר תעשה". וכן מובא מאמר זה שם על פסוק י״ד כ״ט למען יברכך ה׳ אלהיך. בדמבא חסרה הברייתא | מקום] ל׳ ט׳ | שהכתוב ר, שכתוב טל | מקום רט״ל, במקום ט׳ — 14 סליק פיסקא ד, סל׳ פסו׳ ר, ל׳ א —

קכד.

(יט) כל הבכור אשר יולד בבקרך, מגיד שהבכור נאכל כל שנתו אין לי אלא בכור תם בעל מום מנין תלמוד לומר כל הבכור.

מכלל שנאמר לא תעבוד בבכור שורך ולא תגוז בכור צאנך מלמד שהבכור אסור בגוזה ובעבודה אין לי אלא בכור תם בעל מום מנין תלמוד לומר כל הבכור.

אשר יולד, פרט ליוצא דופן. בבקרך ובצאנך הזכר תקדיש לה׳ אלהיך, מלמד שהבכור נאכל כל שנתו אין לי אלא בכור מנין לרבות שאר כל הקדשים תלמוד לומר כל הבכור.

מכלל שנאמר לא תעבוד בבכור שורך ולא תגוז בכור צאנך מלמד שהבכור אסור בגוזה ועבודה אין לי אלא בכור שאר כל הקדשים מנין ודין הוא ומה הבכור שאין נוהג בכל הולדות יוצא לחולין שלא בפדיון ואסור בגוזה ועבודה קדשים שנוהגים בכל הולדות ואין יוצאים לחולין אלא בפדיון אינו דין שיהו אסורים בגוזה ועבודה לא אם אמרת בבכור שקדושתו מרחם וקדושה חלה עליו על בעל מום קבוע תאמר בקדשים שאין קדושתם מרחם ואין קדושה חלה עליהם על בעל מום קבוע מנין תלמוד לומר בקרך וצאנך תקדיש ולא תעבוד ולא תגוז.

תקדיש לה׳ אלהיך, רבי ישמעאל אומר כתוב אחד אומר תקדיש וכתוב

1 כל הבכור—ת״ל חודש לא פחות ולא יותר (בפי׳ קכ״ז)] ל׳ ה | מגיד] מגיד הכתוב ד — 2 בעל מום] בכור בעל מום א | כל הבכור] הבכור מ״מ א — 3 מכלל] ל׳ א, ובא׳ נוסף לפי — 4 שהבכור] שבכור ט | בגזה] בגגיזה ר | אלא בכור] ל׳ ד | בעל מום] בכור בעל מום א — 6 בכור] בכור נאכל כל שנתו ר | שאר כל רב, כל דמט״א, כל שאר ט — 8 ל״א תעבוד—בכור צאנך א, לא תעבד ר, לא תעבד בבכור מ, לא תעבד ולא תגוז ט״ב, לא תעבד לא תגוז ט״, לא תגוז בכור שורך ולא תגוז בכור צאנך ד — 9 בגזה] בגגיזה ר | ועבודה רטמא, ובעבודה דב | אין לי אלא בכור] ל׳ ט״ | שאר כל הקדשים רטבא, שאר קדשים דמ — 10 שאין] שאינו ד | הולדות בדא, התולדות מ, הלידות ר | יוצא רמטבא, ואינן יוצאין ד | בגזה] בגגיזה ר | קדשים רטמבא, שאר כל הקדשים ד — 11 שנוהגים רטב, שהם נוהגים מ, שאינן נוהגין ד, שאין נוהגין א | הולדות] הלידות ר | ואין יוצאים מטב, ואינן יוצאים אד, ואין יוצא ר — 12 בבכור] בכור ר | שקדושתו ר, שקדוש מ, שכן קדושתו טד, בקדושתו ב | וקדושה רמט, קדושתו ד, קדושה ב | על בעל מא, בבעל רטדב, אפי׳ על בעל א׳ | תאמר—על בעל מום קבוע מ, תאמר—ואין קדושי׳ על בעל מום קבוע א, בקדשים וכו׳ ט, ל׳ ר דב -- 14 בקרך—ולא תגוז רמטב, בבקרך ובצאנך הזכר תקדיש לה׳ אלהיך ד, בבקרך וצאנך—ולא תגוז א — 15 אלהיך] ל׳ א | ר׳ ישמעאל וכו׳ עד סוף הפיסקא] ל׳ מ | ר׳ ישמעאל—הקדש מזבח] ל׳ ט | תקדיש דא, הקדש

1 מגיד, [אסיפא דקרא סמיך דכתיב לפני ה׳ אלהיך תאכלנו שנה בשנה ועיין מהר״ס ורד״ף ובתחלה נדחק הרד״ף לפרש דדייק מדכתיב אשר יולד דמשעת לידה כשר והא דכתיב ביום השמיני בבכור ובשאר קדשים כדי להוציא מספק נפל אבל אם ידוע שכלו לו חדשיו מותר מיד והיינו דיליף מכאן דמשעה שנולד מותר והיינו גם כן דקאמר כל שנתו דהיינו שנה שלמה ואי אינו מותר אלא מיום השמיני ואילך אינה שנה שלמה ואח״כ חזר בו מהפירוש הזה ויפה עשה ועיין פ״ז, משנה בכורות ריש פ״ד, תוספתא שם פ״ג ה״ד (ע׳ 537), ר״ה ו׳ ע״ב, ירו׳ שם פ״א ה״א (נ״ו ע״ג): 2 בעל מום מנין, בכורות פ״ג מ״א והשוה תוספתא שם פ״ג ה״א (ע׳ 537): 5 ליוצא דופן, משנה בכורות סוף פ״ב. — בבקרך, רמא״ש מגיה אין לי אלא בכור שאר קדשים מנין ת״ל אשר יולד בבקרך ובצאנך הזכר תקדיש. וחסר בכל הנסחאות. והעיר ר׳ ח״ש האראוויטץ „הן אמת דר׳ יוחנן אמר בנדה (מ׳ ע״א) דאף ר׳ מודה לענין קדשים שיוצא דופן אינו קדוש אבל בתוספתא בכורות פ״ג ה״ג איתא להדיא „כל הקדשים שהוקדשו בבטן ויצאו בדופן קדושה חלה עליהן הבכור והמעשר אין קדושה חלה עליהם ועיין לענין מעשר בכורות פ״ט מ״ד ותוספתא פ״ז ה״ו (ע׳ 542), ובתו״כ אמור פרשה ח׳ ה״א (צ״ט ע״א) יליף שיוצא דופן פסול בקדשים והובאה ברייתא בבבלי בכורות נ״ז ע״א והשוה תוס׳ חולין ל״ח ע״א ד״ה כי יולד״. -- הזכר, [מכאן עד ת״ל כל הבכור מוחק הגר״א]: 6 כל הקדשים, [ובירו׳ שם יליף מן שנה בשנה שנה לבכור שנה לקדשים]: 9 שאר כל הקדשים מנין וכו׳, מ״ת כאן, ע׳ 88: 10 בכל הולדות, אלא בזכר פטר רחם, מפי׳ ר״הי — שלא בפדיון, כשהומם: 12 שקדושתו מרחם וכו׳, למעלה פי׳ ע״א (ע׳ 135): 15 תקדיש וכו׳ עד ואין אתה מקדישו הקדש מזבח, מאמר זה נראה לי נוסף ולא מעיקר הספרי, שאין לו קשר עם הלוך המחשבה והענין. המאמר המתחיל יכול אף הקדש בדק הבית, הבא אחריו, מתקשר היטב ישר עם האמור למעלה אודות איסור גיזה ועבודה בקדשי המזבח. ומפני הוספה זו נבוכו המבארים והגיהו זה בכה וזה בכה, כרגיל בהוספות אלה שהיו כתובות בגליון באותיות קטנות במקום מצומצם נפלו טעיות הרבה בנוסח

אחד אומר [ט]לא יקדיש [אי אפשר לומר תקדיש שכבר נאמר אל יקדיש ואי ויקרא כז כו
איפשר לומר אל יקדיש שכבר נאמר תקדיש אמור מעתה מקדישו אתה הקדש עילוי ואין אתה מקדישו] הקדש מזבח יכול אף הקדש בדק הבית שאינו הקדש מזבח תלמוד לומר בכור מה בכור מיוחד הקדש מזבח [אף כל הקדש מזבח] או דבר שאתה למדו לדרך אחד אתה למדו לכל הדרכים שיש בו מה בכור מיוחד שהוא קדשים קלים ונאכל לשני ימים ונוהג בבקר ובצאן אף אני איני מרבה אלא כיוצא בו מנין לרבות קדשי קדשים וקדשים קלים של יחיד ושל צבור תלמוד לומר בקרך וצאנך תקדיש לא תעבוד ולא תגוז לא יצא בכור אלא ללמדך מה בכור מיוחד שהוא הקדש מזבח יצא הקדש בדק הבית שאינו הקדש מזבח. רבי יהודה אומר לא תעבוד בבכור שורך עובד אתה בשל אחרים, ולא תגוז בכור צאנך גוזז אתה בשל אחרים. רבי שמעון אומר תעבוד בבכור שורך עובד אתה בבכור אדם ולא תגוז בכור צאנך גוזז אתה פטר חמור. אין לי אלא בכור שור בעבודה ובכור צאן בגוה בכור שור בגוה ובכור צאן בעבודה מנין הרי אתה דן ומה במקום שלא שוה בעל מום של בקר לתמים של בקר ליקרב על גבי מזבח שוה לו בעבודה מקום ששוה תמים של צאן לתמים של בקר ליקרב על גבי מזבח אינו דין שישוה לו בעבודה והוא הדין לגוה ומה במקום שלא שוה בעל מום של צאן לתמים של צאן ליקרב

בורייתא זו, כמבואר לקמן: 1 אי איפשר, המלים וכו׳ מתנית׳ הקדש מזבח בכ״י א רומזים לערכין פ״ח מ״ז, ורמא״ש השלים אותם וכן נ״ל להגיה. בשאר המקורות נשמט הציון, אבל בר עדין נשאר מקומם פנוי, בודאי לא יכול המעתיק לפתר את הסימן במקור שלפניו. והשוה תו״כ בחוקותי פרשה ח׳ ה״ב (קי״ב ע״ג): 3 יכול אף הקדש וכו׳, חוזר לענין שלמעלה, ודן אם קדשי בדק הבית גם כן אסורים בגיזה ועבודה כקדשי מזבח. אבל [הגר״א מגיה וגורס אין לי אלא בכור כל הקדשים מנין ת״ל בבקרך ובצאנך תקדיש או דבר וכו׳ של צבור ת״ל בבקרך ובצאנך תקדיש יכול אף הקדש בדק הבית ת״ל הבכור והלא הבכור בכלל כל הקדשים היה ולמה יצא אלא ללמד מה בכור וכו׳, ולפי זה מפרש כולא מילתא לענין הקדש עלוי ויותר נראה להשלים ולגרוס לא תעבוד בבכור שורך ולא תגוז בכור צאנך, כהגהת רמא״ש ע״פ הפס׳ זוט׳, ויליף דקדשי בדק הבית מותרים בגיזה ועבודה והא דאמר ר׳ אלעזר דקדשי בדק הבית אסורים בגיזה ועבודה, בכורות י״ד ע״א, שם כ״ה ע״א, חולין קל״ו ע״א, אינו אלא מדרבנן]: 7 מנין לרבות עד גוזז אתה בשל אחרים, ס׳ יראים שפ״ד, הוצ׳ שיף שע״ג, וזה הנוסח שם „אין לי אלא בכור שאר קדשים מנין ת״ל בקרך וצאנך תקדיש אם כן למה נאמר בכור, מה בכור מיוחד הקדש מזבח אף כל הקדש מזבח יצא הקדש בדק הבית ר׳ יהודה אומר בבכור שורך אי אתה עובד אבל אתה עובד בשל אחרים (פי׳ בשל גוים) עובד אתה בבכור אדם ואי אתה עובד בפטר חמור״. — של יחיד [שאינם נאכלים אלא ליום אחד כגון תודה ואיל נזיר]: 9 ר׳ יהודה אומר וכו׳, בכורות ט׳ ע״ב, ושם הגרסה בשלך ושל אחרים, כי אף אם יש שותפות לגוי בבהמה אין בכור נוהג בה: 11 ר׳ שמעון אומר וכו׳, בכורות שם, והשוה שם וקדושין נ״ז ע״ב, „פטר חמור אסור בהנאה דברי ר׳ יהודה ור׳ שמעון מתיר״: 12 אין לי אלא וכו׳, [בכורות כ״ה ע״א, מ״ת]: 14 שוה לו

רב — 1 לא יקדיש א [מסורה], אל תקדיש ב, לא תקדיש ד, תקדיש ר | אי אפשר—ואין אתה מקדישו] הגהתי על פי המשנה ערכין ס׳ פ״ח. בא הגרסה וכו׳ מתנית׳ הקדש מזבח, בר יש מקום פנוי בין המלים או׳ תקדיש והקדש מזבח. ובשאר הנסחאות אין אף רמז קל אל החסרון. והז״א ג״כ הגיה ע״פ המשנה שם אלא שהוא העתיק רק את המשפט „מקדישו אתה הקדש עילוי ואין אתה מקדישו הקדש מזבח״. ולא ידעתי זו מנין לו. ואחריו הלך רמא״ש אלא שהוסיף את המלים „הא כיצד״ שאין להם יסוד כל עיקר | אל יקדיש, ברוב נוסחי המשנה אל תקדיש והגהתי על פי המסורה; וכן בסמוך — 3 הקדש מזבח] הקדש מזבח הקדש ד | שאינו הקדש מזבח] ל׳ א | שאינו] שאין ד — 4 מה בכור מיוחד הקדש מזבח א, מה בכור הקדש מזבח פ, ל׳ רדב, ת״ל לא יקדש ט | אף כל הקדש מזבח] כן הגיה רמא״ש | או] אי ב — 5 לדרך] לדבר ד | בו] בה א | מיוחד שהוא] שהוא מיוחד א | שהוא] שהם ד — 6 איני טב, אני ר, ל׳ ד — 7 מנין] ומניין ד | בקרך וצאנך] ובקרך ובצאנך א — 8 לא תעבוד ולא תגוז] לא תעבוד בבכור שורך ולא תגוז בכור צאנך ד, ולא תעבוד ולא תגוז ר | ללמדך רמט, ללמד דב — 9 ר׳ יהודה—פטר חמור] ל׳ ט — 10 עובד אתה] אבל אתה עובד ד, אבל עובד אתה א׳ | ולא תגוז—פטר חמור] ל׳ ל | גוזז אתה] אבל אתה גוזז ד, אבל גוזז אתה א׳ — 11 תעבוד] תגוז ד | עובד אתה] אבל אתה עובד ד, אבל עובד אתה א׳ — 12 גוזז אתה] אבל אתה גוזז ד, אבל גוזז אתה א׳ | בכור שור—בכור שור] בעבודת צאן א — 13 הרי אתה דן] דין הוא א, ודין הוא א׳ | ומה] ומה אם ט — 14 מזבח] המזבח ד | בעבודה לד, לעבודה רבא — 15 צאן—בקר] בקר—צאן א | של בקר] ר מוסיף <לתם של צאן> | מזבח] המזבח ד | שישוה אבט, ששוה רלד — 16 בעבודה] לעבודה ב | בעבודה] בגיזה ועבודה ד | והוא הדין לגיזה—שישוה לו בגיזה] ל׳

על גבי מזבח שוה לו בגזה מקום ששוה תמים של בקר לתמים של צאן ליקרב על גבי מזבח אינו דין שישוה לו בגזה ועדין לא למדנו אלא תמימים בעלי מומים מנין ומה במקום שלא שוה תמים של בקר לבעל מום של בקר ליקרב על גבי המזבח שוה לו בעבודה, מקום ששוה בעל מום של צאן לבעל מום של בקר ליקרב על גבי המזבח אינו דין שישוה לו בעבודה והוא הדין לגזה ומה במקום שלא שוה תמים של צאן לבעל מום של צאן ליאכל עמו בגבולים שוה לו בגזה מקום ששוה בעל מום של בקר לבעל מום של צאן ליאכל עמו בגבולים אינו דין שישוה לו בגזה תלמוד לומר לא תעבוד בבכור שורך ולא תגוז בכור צאנך.

קכה.

(כ) לפני ה׳ אלהיך תאכלנו שנה בשנה, מלמד שהבכור נאכל לשני ימים יום אחד לשנה זו ויום אחד לשנה הבאה.

קכו.

(כא) וכי יהיה בו מום, אין לי אלא שנולד תמים ונעשה בעל מום נולד בעל מום ממעי אמו מנין תלמוד לומר כל מום רע מנין לבעל גרב ובעל יבלת ובעל חזוית וזקן וחולה ומזוהם תלמוד לומר מום, כל מום רע לא תזבחנו לה׳ אלהיך, יכול לא ישחט עליהם במקדש אבל ישחט עליהם בגבולים תלמוד לומר פסח או עור פסח ועור בכלל היו ולמה יצאו להקיש אליהם מה פסח ועור מיוחדים מום שבגלוי ואינו חוזר אף אין לי אלא מום שבגלוי ואינו חוזר.

(כג) רק את דמו לא תאכל, שתיה בכלל אכילה. רק, זו התריית עדים. רק, ליתן

ד | והוא הדין לגיזה] והוא הדין לגזרה שוה ר | ומה] ומה אם ט, ל׳ א | במקום—ליקרב על גבי מזבח שוה לו בגזה] מקום ששוה תמים של צאן לתמים של בקר ליקרב על גבי המזבח שוה לו בגזה א | לתמים] לתם ר — 1 שוה לו בגיזה—ליקרב על גבי מזבח] ל׳ ב — 2 אינו דין שישוה טבא, אינו דין ששוה ר | בגזה] לגזה א | ועדין] ועדאן ר | ומה רא, ודין הוא ומה אם ד, ומה אם טב — 3 שוה] ישוה א | לבעל מום] ל׳ א | ליקרב] לקרב ר — 4 בעבודה רא, לעבודה דב | ששוה] ששוה לו א | של] ל׳ א | צאן] ל׳ ב | ליקרב] שיקרב ר, ל׳ א — 5 שישוה] ששוה ד | בעבודה] לעבודה א | והוא הדין] ה״ה א | ומה רדא, ומה אם טב | תמים] בעל מום ב — 6 ליאכל] לאכול אד וכן בסמוך — 7 בגבולים] ב מכפיל: שוה לו בגיזה מקום ששוה בעל מום של בקר לבעל מום של צאן ליאכל עמו בגבולין | תלמוד—וגו׳] ל׳ ט׳ —

9 לפני—לשנה הבאה] ל׳ ט — 10 יום—ויום] ויום—יום א —

11 וכי יהיה בו מום] ל׳ ב | וכי] כי א | נולד] ל׳ ט — 12 מנין] ל׳ ר | מנין—כל מום רע] ל׳ א | מנין] ומניין ד | ובעל רמב, ולבעל דט — 13 מום] ל׳ ב — 14 ישחט רטבא, ישחוט מל, שוחט ד — 15 להקיש אליהם מטבאל, להקיש ר, להקיש אליהם ולומר לך ד | מום] שם ב — 17 רק את דמו—שאינם מכשירים] ברייתות אלו

בעבודה, [דבעל מום גם כן אסור בעבודה כדיליף לעיל]: 2 ועדין וכו׳, [מ״ת]: 3 לבעל מום של בקר, ששניהם פסולים: 7 ת״ל לא תעבוד וכו׳, [הגר״א מוחק ואין צורך דיש לפרש דלכך נכתב ללמוד זה מזה בגיזה ועבודה בקל וחומר בין תמימים בין בעלי מומים כמפורש למעלה, מהר״ס] ועיין בבכורות כ״ה ע״א ורש״י כאן:

9 מלמד וכו׳, [בכורות כ״ז ע״ב בשם דבי רב, ועיין מ״ת כאן (ע׳ 88), ובספרי במדבר פי׳ קי״ח (ע׳ 140. ירו׳ ר״ה פ״א ה״א (נ״ו ע״ג), ס׳ הזכרון, רא״ם:

11 אין לי וכו׳, לקמן פיסקא קמ״ז. — ונעשה [מדכתיב וכי יהיה בו מום משמע שהיה תמים ונעשה בעל מום אחר כך, רד״ף, וסלקא דעתן דבעל מום מעיקרא אינו עובר משום דלא חל עליו קדושה חמורה, רד״ף, פ״א מדכתיב לפני ה׳ אלהיך תאכלנו וסמיך ליה וכי יהיה בו מום משמע דהוא תמים והומם, ר״ה]: 12 מנין לבעל גרב וכו׳, [בכורות פ״ו מ׳ י״ב, ובבלי שם מ״א ע״א]: 13 כל מום רע לא תזבחנו, אין להפריד את הפסוק כי הכל ענין אחד, ופירוש יכול לא ישחט על מומים אלו במקדש אבל ישחט עליהם בגבולים מפני שאינם מפורשים. וכן נראה דעת הגר״א: 16 ואינו חוזר, רש״י בכורות ל״ז ע״א: 17 רק וכו׳, הנדפס באותיות קטנות נוסף מגליון אל תוך הספרי וחסר ברוב הנסחאות, ונראה שעיקרו במכילתא לדברים, שכן נמצא כבר במ״ת, עיי״ש. — שתיה בכלל אכילה, ירו׳ מעשר שני פ״ב ה״א (נ״ג ע״ב), יומא פ״ח ה״ג (מ״ה ע״א), שבועות פ״ג ה״ב (ל״ד ע״ב), ב׳ יומא ע״ו ע״א, שבועות כ״ב ע״ב, נדה ל״ב ע״א. — התריית עדים, למלקות, למעלה פי׳ צ״ג (ע׳ 154), ובציונים שם. — ליתן שיעור כזית, היינו למלקות

שיעור כזית שאמרה תורה· על הארץ· ולא על העוקא ולא על הגומא לא על המים והנהרות המהלכים אלא נכנס לתוך ביתו ושוחט חוץ לגומא והדם שותת ויורד לתוך הגומא שלא יטנף את כל הבית ובשוק לא יעשה כן שלא יחקה את המינים· תשפכנו אין שפיכה אלא מן הצואר· רבי אליעזר אומר על הארץ תשפכנו כמים· מה מים מכשירים את הזרעים אף דם שחיטה מכשיר את הזרעים או דם נחירה דם עיקור דם קילוח דם הקזה הטחול השליל והתמצית הכבד הלב והמיתה במשמע תלמוד לומר תשפכנו כמים מי שנשפך כמים הוא שמכשיר יצאו אלו שאינם מכשירים סליק פיסקא

קכז.

(טז א) שמור את חדש האביב, שמור את החדש סמוך לאביב מפני אביב שיהא בזמנו יכול אם היתה שנה חסרה ארבעה עשר יום או חמשה עשר יום אתה נותן לה ארבעה עשר יום או חמשה עשר יום תלמוד לומר חדש לא פחות ולא יתר יכול אם היתה שנה חסרה ארבעים יום או חמשים יום אתה נותן לה ארבעים יום או חמשים יום תלמוד לומר חדש לא פחות ולא יתר. שמור את חדש האביב· בשלשה מקומות מזכיר פרשת מועדות בתורת כהנים מפני סדרן בחומש הפקודים מפני קרבן במשנה תורה מפני העבור ללמדך ששמע משה פרשת מועדות ואמרה לישראל וחזר ושנאה להם בשעת מעשה דבר

אבל חצי שיעור אסור מן התורה, יומא ע״ד ע״א, (מהערת רד״ה במ״ת): 1 ולא על העוקא וכו׳, השוה חולין פ״ב מ״ט, תוספתא שם פ״ב הי״ט (ע׳ 503), ב׳ שם מ״א ע״ב למעלה פי׳ ע״א (ע׳ 136): 3 אלא מן הצואר, השוה חולין כ״ז ע״א, ותו״כ נדבה פרק ו׳ ה״ג (ז׳ ע״ב): 4 אף דם שחיטה, תוספתא מכשירין פ״ג הי״ד (ע׳ 676), והשוה דעת ר״ש במשנה חולין פ״ב מ״ה ששחיטה מכשרת: 5 מכשיר את הזרעים, השוה למעלה פי׳ ע״א (ע׳ 136), ובציונים שם· — דם קילוח, חולין ל״ו ע״א, אינו מכשיר לפי תנא דבי ר׳ ישמעאל: 6 והתמצית, פסחים ט״ז ע״ב לדברי רב שמואל בר אמי· — והמיתה, מכשירין פ״ו מ״י לדעת ר״ש· — מי שנשפך כמים וכו׳, השוה מאמר ר׳ יוחנן, חולין ל״ג ע״א:

8 שמור וכו׳, [מכילתא בא מסכת פסח פ״ב (ג׳ ע״א, ה–ר ע׳ 8)], מכילתא דרשב״י שם י״ב ב׳ (ע׳ 7), ושם י״ג י׳ (עמ׳ 35), מכילתא משפטים מסכת אם כסף פ״כ (ק״א ע״ב), ספרי במדבר פי׳ ס״ו (ע׳ 62), תוספתא סנהדרין פ״ב ה״ז (ע׳ 417), מ״ת כאן, (ע׳ 89), ירו׳ שם פ״א ה״ב (י״ח ע״ד), שם שקלים פ״א ה״ג (מ״ו ע״א), ב׳ ר״ה ז׳ ע״א כ״א ע״א, סנהדרין י״א ע״ב, י״ג ע״ב, ת״י, רש״י, פ״ז: 9 יכול וכו׳, מכילתא דרשב״י שם: 12 בשלשה מקומות וכו׳ עד ודורשים בו, ההוספה הזאת חסרה באבמ, בר אין לפניה הפתיחה ד״א, שגם זה מראה שאינה מעיקר הספרי, ונראה שהיא מן המכילתא על דברים ומשם הובאה במ״ת: 14 העבור, כבר הוכיח ר׳ דוד הופמאן במ״ע Magazin שנה 1876, ע׳ 139, שכן יש לנסח· — ללמדך וכו׳, ספרי במדבר פי׳ ס״ו, (ע׳ 62), רמא״ש הוסיף כאן „ד״א שמור את חדש האביב״, כי לכאורה אין קשר בין שני המאמרים· — מעשה, [גרסת מ״ת מיתה אבל כגרסת הספרי איתא ג״כ בספרי במדבר ע׳ 62 ושם קאי על הפסוק וידבר משה אל בני ישראל לעשות הפסח ויותר מכוון אל הפסוק הזה· ובמאיר עין פירש כאן דסבירא ליה דלא עשו פסח במדבר אלא פעם אחת, ספרי במדבר פי׳ ס״ז וכן שבועות וסוכות לא עשו, וכשבאו לארץ לעבר הירדן שנתחייבו במעשה חזר ושנאה להם· ולדעתי הדרשה לא נשנית אלא פעם אחת ועקרה לעיל, בספרי במדבר, ונשנית כאן אגב גררא ואיזה

נמצאות רק ברדהפ וחסרות בדבטלמא ונראה שנוספו אל הספרי מן הגליון | את דמו ה [מסורה], הדם ר | עדים] ר מוסיף <שהיתירו בו בשעת הנייתו> ונראה שגם ר״ה גרס כן שפירש „אלא זו התרית עדים דמבעיא להו לעדים להתרות בו דלא יאכל דם בשעת הנאתו דהיינו בשעת אכילתו — 1 ולא] לא דהפ | לא על המים—המהלכים] ובימים ונהרות ה — 2 לתוך ביתו—לתוך הגומא ה, לתוך הכלי רפ — 3 כן ר, כך ה | שלא ר, שמא ה | שפיכה אלא הפ, ל׳ ר — 4 אליעזר ר, אליעזר בן יעקב ה | מים] המים ה | אף ר, כך ה — 5 מכשיר ר, יכשיר ה | דם עיקור רפ, ודם עיקור ה | קילוח ה, דם קילוף רפ | דם הקזה פ, הקז ה, דם הקיז ר | הטחול רה, דם הטחול פ | השליל רה, דם השליל פ — 6 והתמצית ר, התמצית ה, ודם התמצית פ | הכבד רה, ודם הכבד פ | הלב רה, ודם הלב פ | והמיתה ר, המיתה ה, ודם המיתה פ | מי—שמכשיר ה, ל׳ רפ — 7 סליק פיסקא ד, פ׳ ר —

8 את החדש רטב, החודש שהוא ד, חודש האביב שהוא מ, חדש האביב א | סמוך דמא, סמך ר, סומך ב — 9 ארבעה עשר יום או] ר׳ יוסי אומ׳ ר | אתה] את ר | אתה—חמשה עשר יום] ל׳ א — 10 יכול—ולא יתר] ל׳ ר — 11 שנה טב, השנה מ, ל׳ ד | או חמשים יום] ל׳ ד | אתה—או חמשים יום] ל׳ ב [ונוסף על הגליון] — 12 שמור—ודורשים בו] ברייתא זו מובאה בדטלרפה, בדטל מקומה כאן, אבל ברפ מובאה למטה אחר המלים יצאו אלו שאינן לשם עבודה· ונראה שנוספה אל הספרי מגליון, והיא מן המכילתא על דברים וחסרה באבמ | שמור—האביב רה, ד״א שמור—האביב ד, ל׳ ט — 13 הפקודים] הפיקודים ר | קרבן רד, הקרבן ה — 14 העבור ה, הציבור רדט | משה] מושה ר | פרשת מועדות

אחר אמר להם הלכות הפסח בפסח הלכות עצרת בעצרת הלכות חג בחג מיכן אמרו משה הזהיר את ישראל להיות שונים בענין ודורשים בו.

קכח.

ועשית פסח, שתהא עשייתו לשם פסח שאם שחטו שלא לשמו פסול אין לי אלא שחיטתו מנין לרבות קיבול דמו וזריקת דמו תלמוד לומר ועשית יכול שאני מרבה צלייתו והדחת קרביו תלמוד לומר וזבחת זביחה בכלל היתה ולמה יצאה להקיש אליה מה זביחה מיוחדת שהיא לשם עבודה יצאו אלו שאינן לשם עבודה.

לה׳ אלהיך, לשם המיוחד.

תהלים סח ז — כי בחדש האביב, חדש שהוא כשר לא חם ולא צונן וכן הוא אומר °אלהים מושיב יחידים ביתה מוציא אסירים בכושרות.

הוציאך אלהיך ממצרים לילה, וכי בלילה יצאו והלא לא יצאו אלא ביום

במדבר לג ג — שנאמר °ממחרת הפסח אלא מלמד שנגאלו בלילה סליק פיסקא

קכט.

(ב) וזבחת פסח, שתהא שחיטתו לשם פסח שאם שחטו שלא לשמו פסול אין לי אלא שחיטתו מנין לרבות קבול דמו וזריקת דמו תלמוד לומר ועשית, יכול שאני מרבה את הקטר חלביו תלמוד לומר וזבחת זביחה בכלל הייתה ולמה יצאה להקיש אליה מה זביחה מיוחדת שמעכבת את הכפרה אף כל שמעכב את הכפרה יצאה הקטרה שאינה מעכבת את הכפרה.

לה׳ אלהיך, לשם המיוחד.

רדהט, סדר מועדים ד | מעשה] מיתה ה | ד״א–בחג ה, ל׳ רטד — 1 מיכן–ישראל ה, מיכן אמרו משה מזהיר ר, א״ל משה הזהרו ט, אמר משה הוו זהירין ד — 2 בענין] ל׳ ר | בו] ט מוסיף <לכך נאמר שמור את חודש האביב> —

3 לשם] לשום מ | לשם פסח] לשמו ב | שהטו רמד טא, עשאו ב — 4 ת״ל ועשית–והדחת קרביו] ל׳ ד | ת״ל ועשית] ת״ל לה׳ מא — 5 והדחת] וקרחתו א — 6 להקיש אליה רמטיבא, להקיש אליה ולומר (לה) [לך] ד, לומר לך להקיש אליה טי | לשם ט, לשום מ, משום אד, משם רב | עבודה] ד מוסיף <אף כל שהיא משום כפרה> | לשם רבט, לשום מ, משום דא — 7 לה׳ אלהיך] וזבחת פסח לה׳ אלהיך ר — 8 וכה״א] כה״א ר — 9 מוציא–בכושרות] וגו׳ ר — 11 ממחרת הפסח ר, ממחרת הפסח יצאו בני ישראל מא, ממחרת הפסח יצאו בני ישראל ממצרים ד, ממחרת הפסח יצאו בני ישראל ביד רמה טב | אלא] ל׳ מא ונוסף באי | בלילה] מבלילה ב | סליק פיסקא ד, ל׳ רא —

12 לשם] לשום מ — 13 שחיטתו] שחיטה מ | לרבות] ל׳ א — 14 שאני] שני ר | את] אף ט, ל׳ א | דהקטר] הקטרת ב — 15 אליה] אליה ולומר לך ד | שמעכבת] שהיא מעכבת ד | את] ל׳ א | אף–הכפרה ד, אף כל שמיוחדת ומעכבת כפרה א, ל׳ רבמ — 16 שאינה דט, שאין רמ א — 17 לה׳ אלהיך] ל׳ א —

חסרון יש כאן, ולפי שאמר דמזכיר פרשת מועדות בשלשה מקומות ואם כן קשה האמור לעיל וידבר משה אל בני ישראל לעשות הפסח ועל זה משיב דהתם לא בא אלא לומר דמשה החזיר להם הפרשה בשעת מעשה] ולפי מה שהוכחתי שכל הברייתא נוספת כאן מגליון נסתלקה קושית הרב המנוח ז״ל׳ — ד״א–בחג, כפרי במדבר שם, תו״כ אמור פ׳ י״ז ה׳ י״ב (ק״ג ע״ב), [גם דרשה זו אפשר שלא נשנית כאן אלא אגב גררא אבל אפשר גם כן שהסמיכו דרשה זו לג׳ פסוקים, האחת על הפסוק שבפרש׳ בהעלותך, השנית על זה שבפרשת אמור והשלישית על הכתוב כאן:] 2 להיות שונים בענין וכו׳, ספרי במדבר שם, תוספתא מגילה פ״ד ה״ה (ע׳ 225), ירוש׳ פסחים פ״א ה״א (כ״ז ע״ב), שם ו׳ ע״א, ובציונים שם:

3 לשם פסח, מכילתא בא מסכת פסח פ׳ י״א (י״א ע״ב, ה–ר ע׳ 36), מכילתא דרשב״י י״ב י״א (ע׳ 13) ושם י״ב כ״ז (עמ׳ 21), פסחים פ״ה מ״ב, תוספתא שם פ״ג (ד) ה״ד (ע׳ 161), ירוש׳ שם פ״ה ה״ב (ל״א ע״ד), זבחים ז׳ ע״ב׳ — שאם שחטו וכו׳, לקמן פיסקא קכ״ט, מכילתא דרשב״י שם: 4 מנין לרבות וכו׳, מכילתא דרשב״י י״ב י״א (ע׳ 12)׳ — יכול שאני מרבה וכו׳, מכילתא דרשב״י שם: 7 לשם המיוחד, לקמן פי׳ קכ״ט, מכילתא דרשב״י י״ב י״א (ע׳ 13), י״ב כ״ז (ע׳ 21), תו״כ נדבה פרק ט׳ ה״ז, ושם פרשה ב׳ ה״ה, ספרי במדבר פיסקא קמ״ג (ע׳ 191), מנחות ק״י ע״א, ירו׳ תרומות פ״ה ה״ז (נ״ו ע״ג), חלה פ״א ה״י (נ״ח ע״א): 8 חדש שהוא כשר וכו׳, מכילתא דרשב״י י״ג ד׳ (ע׳ 32), והשוה מכילתא שם מסכת פסח פרשה ט״ז (י״ט ע״ב, ה–ר ע׳ 62), תנחומא בא כי׳ י״א, ובשם ר״ע במדבר ר׳ פ״ג סי׳ ו׳, פ״ז: 11 שנגאלו בלילה, [רש״י, מ״ת, ברכות ט׳ ע״א], פ״ז: 12 שתהא שחיטתו, למעלה ריש פיסקא קכ״ח: 17

צאן ובקר, והלא אין פסח בא אלא מן הכבשים ומן העזים אם כן למה נאמר צאן ובקר צאן לפסח ובקר לחגיגה [דבר אחר] להקיש כל הבא מן הצאן ומן הבקר לפסח מה פסח שהוא בא חובה אינו בא אלא מן החולין כך כל דבר שהוא בא חובה אינו בא אלא מן החולין.

במקום אשר יבחר ה׳ לשכן שמו שם, זו שילה ובית עולמים סליק פיסקא

קל.

(ג) לא תאכל עליו חמץ, רבי יהודה אומר מנין לאוכל חמץ משש שעות ולמעלה שעובר בלא תעשה תלמוד לומר לא תאכל עליו חמץ, אמר רבי שמעון יכול כן הוא הדבר תלמוד לומר לא תאכל עליו חמץ שבעת ימים תאכל עליו מצות את שהוא בקום אכול מצה הרי הוא בבל תאכל חמץ את שאינו בקום אכול מצה אינו בבל תאכל חמץ.

לחם עוני, פרט לחלוט ולאשישה יכול לא יהא אדם יוצא ידי חובתו בפת הדראה תלמוד לומר מצות אפילו כמצה של שלמה אם כן למה נאמר לחם עוני פרט לחלוט ואשישה, רבי שמעון אומר למה נקרא לחם עוני אלא על שם עינוי שנתענו במצרים.

לשם המיוחד, למעלה ובציונים שם, פ״ז: 1 והלא וכו׳, פ״ז, ירו׳ פסחים פ״ו ה״א (ל״ג ע״א) [עיין מ״ת כאן (ע׳ 90), מכילתא בא, מסכתא פסח, פ״ד (ד׳ ע״ב, ה–ר ע׳ 13), ות״א ותכוס פסחא וכו׳ מן בני עאנא ונכסת קודשיא מן תורי; וי״ת ותיכסון פסחא קדם ה׳ אלהכון ביני שמשתא ועאן ותורי למחר בכרן יומא לחדות חגא]: 2 צאן לפסח ובקר לחגיגה, פסחים ע״ו ע״ב, ירוש׳ פ״ו ה״א, ל״ג ע״א, מכילתא בא פ״ד (ד׳ ע״ב, ה–ר ע׳ 13); ספרי זוטא ט׳ ב׳ (עמו׳ 257, שורה 11)· — דבר אחר, כן הוסיפו רד״ף ורמא״ש, ועיין בהערה שאחר זו· ואולי לפנינו הוספה עתיקה בברייתא הקודמת, ומפני זה חסרה כאן הפתיחה ד״א, והשוה למעלה ע׳ 185, שורה 12· — דבר אחר להקיש וכו׳, מכילתא דרשב״י י״ג ה׳ (ע׳ 32), תו״כ צו פרשה ה׳ הי״א (ל״ד ע״ג), [מנחות פ״ז מ״ו, תוספתא שם פ״ח ה׳ כ״ח (ע׳ 525) לקמן פי׳ קל״ז (ע׳ 192), בבלי מנחות פ״ב ע״א וכו׳, ירוש׳ חגיגה פ״א ה״ג (ע״ו ע״ב), בבלי חגיגה ז׳ ע״ב, ח׳ ע״א, פסחים ע״א ע״א, ביצה י״ט ע״ב· ונראה דצ״ל דבר אחר להקיש, וכן הגיהו רד״ף ורמא״ש]· ובספרי של הגר״א הוגה ולהקיש: 5 זו שילה וכו׳, למעלה פי׳ ע״ד (ע׳ 139) ובציונים שם, פ״ז [ופסח היה קרב אף בגלגל אבל בא למעט חגיגה שלא קרבה בגלגל, רד״ף, ואינו מחוור]:

6 לא–חמץ, כן הגרסה באמ, וכן גורסים מהר״ס ורד״ף, אבל ורב גורסים סוף הפסוק שבעת ימים תאכל עליו מצות· [ולדידי הדבר בספק לפי מה דמפרש בירו׳ פסחים כ״ז ע״ג דלר׳ יהודה עובר לא רק בל״ת אלא אף בעשה מדכתיב שבעת ימים תאכל עליו מצות ולא חמץ אם כן אפשר דאין למוחקו]· — ר׳ יהודה וכו׳, פ״ז, מכילתא דרשב״י י״ג ז׳ (ע׳ 33) [מכילתא בא, מסכת פסח, פר׳ י״ז (כ׳ ע״ב, ה–ר ע׳ 65), בבלי פסחים כ״ח ע״ב], ירוש׳ שם פ״א ה״ד (כ״ז ע״ג), פ״ב ה״ב (כ״ח ע״ד), תוספתא פסחים פ״א ה״ח (ע׳ 155): 7 א״ר שמעון וכו׳, בבלי שם, ירוש׳ פסחים כ״ח ע״ד, ובתוספתא שם בשם חכמים: 8 יכול כן הוא הדבר, [הגר״א מגיה ע״פ הבבלי, וכי כן הוא הדבר והלא כבר נאמר]: 11 פרט לחלוט ולאשישה, [פסחים ל״ו ע״ב, תוספתא שם פ״א (ב) ה׳ ל״ב (ע׳ 157), ירו׳ שם פ״ב ה״ג (כ״ט ע״ב), מכילתא בא פ״י (י״א ע״א, ה–ר ע׳ 35)], חדושי מהר״ם חלאוה פסחים ל״ז ע״א· — יכול וכו׳, בבלי וירו׳ שם והשוה תוספתא שם הלכה כ״ט (עמוד 157, שורה 16)· — בפת הדראה, כן הגרסה לפי רוב נוסחי הספרי, אבל במ״ת ובבלי וירו׳ הגירסא „אלא בפת הדראה״· ובגליון א מפרש הדראה „שהיא לבנה ביותר״: 14 שנתענו במצרים, ואע״ג דעביד מצה עשירה לית לן בה, מפי׳ ר״ה:

1 פסח רבא, הפסח מד | ומן העזים—אינו בא מן החולין] וכו׳ [ט׳ וגו׳] כדלעיל עד אינו בא אלא מן החולין ט — 2 צאן לפסח ובקר לחגיגה] צאן לפסח לא בקר לפסח צאן לפסח ובקר לחגיגה צאן לפסח צאן ובקר לחגיגה ר | צאן לפסח ובקר] ל׳ ב | כל] ל׳ א | הבא] בא ב — 3 אינו] ואינו ד | כן] אף מאי | בא] ל׳ מ — 5 ה׳] ה׳ אלהיך ד | שם] שם שם ר | שילה] שילו ר | סליק פיסקא ד, פ׳ ר —

6 לא תאכל—פרט לחלוט ואשישה] ל׳ ט — 7 שעובר רב, שהוא עובר מד | חמץ] רב מוסיפים <שבעת ימים תאכל עליו מצות>· ד מוסיף <שבעת ימים תאכל עליו מצות לחם עוני> | אר״ש] ר״ש אומר א — 8 כן הוא הדבר] כל שהוא אומ׳ דבר ב | הדבר דא, דבר ר | שבעת—עליו] וגו׳ ר, ל׳ א ונשלם באי — 9 את—הרי הוא בבל תאכל חמץ] ל׳ א | את] רב, כל ד | את ר מא, וכל ד — 11 לחלוט] לחליט ר | ולאשישה ב, ואשישה מדא, ולעשישה ר | לא יהא אדם יוצא] לא יצא אדם ה | לא רמבא, אל ד | יהא רמבא, יהיה ד | ידי חובתו] ל׳ ד | בפת הדראה דמא, בהדראה רב, אלא בפת הדראה ה — 12 מצות] מצות ריבה ה | כמצה אמ, במצה רד, כמצתו הב — 13 לחלוט ואשישה] לחליט ולעשישה ר | ר׳ שמעון—כל ימי חייך] ל׳ ה | למה] לא מ —

כי בחפזון יצאת מארץ מצרים, יכול חפזון לישראל ולמצרים תלמוד
לומר ⁰ולכל בני ישראל לא יחרץ כלב לשנו אמור מעתה למצרים היה חפזון שמות יא ז
ולא היה חפזון לישראל.

למען תזכור את יום צאתך מארץ מצרים, זו היא שאמר רבי אלעזר
בן עזריה הריני כבן שבעים שנה ולא זכיתי שתאמר יציאת מצרים בלילות עד שדרשה
בן זומא שנאמר למען תזכור את יום צאתך מארץ מצרים כל ימי חייך,
ימי חייך הימים, כל ימי חייך הלילות. וחכמים אומרים ימי חייך העולם הזה,
כל ימי חייך להביא את ימות המשיח.

קלא.

(ד) לא יראה לך שאר, רואה אתה לאחרים, לא יראה לך שאר רואה
אתה לגבוה, לא יראה לך שאר רואה אתה בפלטיא. לא יראה לך שאר, בטל
בלבך מכאן אמרו ההולך לשחוט את פסחו ולמול את בנו ונזכר שיש לו חמץ בתוך
ביתו אם יכול לחזור ולבער ולחזור למצותו יחזור ואם לאו יבטל בלבו. ⁰לא יראה שם יג ז
לך חמץ ולא יראה לך שאר זהו חלוק שבין בית שמיי לבית הלל שבית שמיי
אומרים שאור כזית וחמץ ככותבת ובית הלל אומרים זה וזה כזית.

1 כי] פ׳ כי ר | מארץ מצרים רמבא, ממצרים דל — 2 למצרים—חפזון לישראל רמט, לא היה חפזון כי אם למצרים ד, למצרים — חפזון ולישראל לא היה חפזון ב, למצרים היה חפזון ולא לישראל היה חפזון א — 4 למען—לימות המשיח] ל׳ ט | שאמר אלעזר בן עזריה] שהיה אומר ר׳ אליעזר בן עזריה מ — 5 הריני] הרי אני מ | ולא—המשיח] וכו׳ ל, וכו׳ עד להביא את ימות המשיח מ, וכו׳ להביא את ימות המשיח א | שתאמר—המשיח] כול׳ מתני׳ ר | עד—המשיח] כו׳ ב — 7 הלילות] הלילות דברי בן זומא ה — 8 את ימות המא, לימות ד —

9 לא יראה—סליק פיסקא] ל׳ ה | שאר] בכל גבולך א | רואה אתה לאחרים רמא [מכדרשב״י], אבל רואה אתה לאחרים א׳, שבעת ימים שלך אי אתה רואה אבל אתה רואה של אחרים דט׳, שלך אי אתה רואה רואה את אף לאחרים ב, שלך אי אתה רואה רואה אתה לאחרים ט׳, שלך אי אתה רואה אבל אתה רואה של אחרים ל | לא יראה—לגבוה] ושל גבוה ל | אתה] את ר | רואה אתה לגבוה רמ [מכדרשב״י], שלך אי אתה רואה אבל אתה רואה של גבוה [לגבוה ט׳] דט׳, שלך אי אתה רואה ראה אתה לגבוה בט׳, [אבל אי] רואה אתה של גבוה א — 10 רואה] שרואה ד | בפלטיא [מהר״ם חלאוה, וכבר העיר על זה והגיה כן ר׳ דוד הופמאן בהערתו למכילתא דרשב״י שם] רואה אתה לפלטור א [מכדרשב״י], לפטור טב, לפטיר ר, לפוטר מ, ליפטר לך ד | בטל בלבך רדב [מכדרשב״י], בטל מלבך ט, בטל אתה בלבך מא, אבל בטל אתה בלבך א׳ — 11 ולמול—בלבו] הגהתי עפ״י מכילתא דרשב״י ונוסחי הספרי | ונזכר—יבטל בלבו ט׳, ונזכר—הבית—בל״בו ב, ונזכר—הבית—ולחזור במצותו—בלבו ט׳, כול׳ מר״תני׳ ר, וכלה מתני׳ ד, ולמול את בנו וכו׳ מא, כול׳ מתנית׳ ל, וזוכר שיש חמץ בביתו מבטלו בלבו ואינו חוזר א׳ [ובמשנה שם: לשחוט את פסחו ולמול את בנו ולאכול סעודת אירוסין בבית חמיו ונזכר—מבטלו בלבו] — 12 ולא] לא ד — 13 חלוק] מחלוקת א | שבין] שיש בין מ — 14 כזית—ככותבת] בכזית—בככותבת דא | כזית] בכזית דא —

1 כי בחפזון וכו׳ עד חפזון לישראל, מ״ת, ילקוט שמות כ״י ר׳ קפ״ז, ברכות ט׳ ע״א, [מכילתא בא פ״ז (ז׳ ע״ב, ה–ר ע׳ 22)]: 4 זו היא וכו׳, משנה ברכות סוף פ״א, תוספתא שם פ״א ה״י (ע׳ 2), הגדה של פסח [מכילתא בא פ׳ ט״ז (י״ט ע״א, ה–ר ע׳ 60)]: 8 את ימות המשיח, נראה שזוהי הגירסה העיקרית, ונמצאת בכ״י אמ ובמ״ת, וגם במשנה ברכות לפי הוצאת לעווא, ובמשנה שבירושלמי וכן בתוספתא שם לפי כ״י ערפורט, ובמכילתא על פי עדות הילקוט וכ״י מינכען, עיין בהוצאת האראוויטץ–ראבין בשנויי נוסחאות:

9 רואה וכו׳ עד כזית, [מכילתא דרשב״י י״ג ז׳ (ע׳ 33)] ובחדושי מהר״ם חלאוה פסחים ו׳ ע״ב עד בטל בלבך׳ — לאחרים, לכאורה היינו גוים, [פסחים ה׳ ע״ב, מכילתא בא פ״י, (י׳ ע״ב, ה–ר ע׳ 34), פ׳ י״ז (כ׳ ע״ב, ע׳ 66)], פ״ז, מ״ת (ע׳ 91): 10 לגבוה, ירו׳ פסחים פ״ב ה״ב (כ״ט ע״א) — בפלטיא, כן הציע לנסח ר׳ דוד הופמאן בהערה למכילתא דרשב״י שם, ור׳ חיים שאול הארוויטץ בכ״י שלו העיר [ובמכ׳ דרשב״י איתא לפלטיר ושבוש וצ״ל כאן ושם בפלטיא וכ״ה גרסת מהר״ם חלאוה פסחים ו׳ ע״ב ור״ל לאחר שהפקירו, עיין ירו׳ פסחים פ״ב ה״ב (כ״ט ע״א) והגר״א מוחק כל הענין וגורס „שלאחרים ושלגבוה לא יראה לך אי אתה רואה להיות שלך אבל בטל בלבך וכו׳ ואינו נראה]: 11 בלבך, פ״ז, מדאורייתא בבטול סגי, פסחים ד׳ ע״ב, מהערת ר׳ דוד הופמאן למכדרשב״י — מכאן אמרו וכו׳, פסחים פ״ג מ״ז: 13 זהו חלוק וכו׳, ביצה ז׳ ע״ב — שבש״א וכו׳, ביצה פ״א מ״א, עדויות פ״ד מ״א, יומא ע״ט ע״ב, תוספתא יו״ט פ״א ה״ד (עמו׳ 201), והשוה מכילתא בא פ׳ י״ז (כ׳ ע״ב, ה–ר ע׳

ולא ילין מן הבשר אשר תזבח בערב, איזו זביחה אתה זובח על מנת לאכול לערב הוי אומר זה הפסח.

ביום הראשון לבקר, לבקרו של שלישי או יכול לבקרו של שני תלמוד לומר נדר, אם נדר, נדבה, °או נדבה לרבות חגיגה הבאה עם הפסח שתאכל ויקרא ז טז
לשני ימים הא מה אני מקיים לבקר לבקרו של שלישי סליק פיסקא

קלב.

(ה) לא תוכל לזבח את הפסח באחד שעריך, רבי יהודה אומר מנין לשוחט את הפסח על היחיד שעובר בלא תעשה תלמוד לומר לא תוכל לזבוח את הפסח באחד שעריך, רבי יוסי אומר פעמים שהוא אחד ושוחטים אותו עליו פעמים שהם עשרה ואין שוחטים אותו עליהם הא כיצד אחד ויכול לאכלו שוחטים אותו עליו עשרה ואין יכולים לאוכלו אין שוחטים אותו עליהם שלא יביאו את הפסח לידי פסול רבי אלעזר בן מתתיה אומר לפי שמצינו שהצבור עושים פסח בטומאה בזמן שרובם טמאים

65): 1 איזו וכו׳ עד הפסח, ס׳ יראים רצ״ז, הוצ׳ שיף תי״ג: 2 הפסח וכו׳, [דאין לפרש דזובח בערב דהא כל הקרבנות אינם כשרים אלא ביום, ר״ה]: 3 לבקרו וכו׳, מ״ת כאן (ע׳ 91), תו״כ צו פרק י״ב ה״ז, פסחים ע״א ע״א, רש״י. — שלישי, כן יש לנסח על פי הגרסה בתו״כ. ויום שלישי הוא לשחיטתו, שהוא יום שני של חג. ברייתא זו חולקת על האמור למעלה הוי אומר זה הפסח, שבפסח הכתוב מדבר. ולפי ברייתא זו אדרבה בחגיגה הכתוב מדבר. בהתאם לפירוש זה הגהתי בסמוך שני במקום המל״ה שלישי של הנוסחאות המקובלות, ובסוף שלישי במקום שני. — לבקרו של שני, ותהיה חגיגה הבאה עם הפסח יוצא מן הכלל שכל השלמים נאכלים לשני ימים ולילה אחד, ת״ל אם נדר וכו׳, כמבואר בתו״כ שם: 4 אם נדר, ובמקרא ואם נדר. — לרבות חגיגה הבאה עם הפסח, לפי ההגהות הכל מבואר. ומכל מקום אולי יש לקיים הגירסה המקובלת ואם כן הלשון מקוצר ויש לפרש או יכול בחגיגה הבאה עם הפסח הכתוב מדבר ומותר לאכלה כל יום שני לשחיטתה שהוא יום א׳ של חג, ואיסור הלנה הוא על בקר שלישי לשחיטה שהוא בקר שני של חג. ת״ל נדר אם נדר וכו׳ הרי חגיגה אמורה, אם כן הכתוב הזה בפסח מדבר, ובקר הוא בקר שני לשחיטה. ואלו דברי ר׳ חיים שאול האראוויטץ בזה [לבקרו של שני, לפי גרסת הדפוס אפסח קאי וקמ״ל דאין הנותר נשרף אלא בבוקר של יום ט״ז, פ״ז וז״א. אבל ר״ה פירש ביום הראשון אחגיגת י״ד קאי ודייק הדורש כן מדכתיב ביום הראשון ומלמדנו שחגיגה י״ד נאכלת לשני ימים ולילה אחד. ובעל כרחו צריך לפרש כן לפי ג׳ ר״ה ומ ולפי זה צריך לומר דס״ל לתנא דקרא מיירי בפסח וחגיגה, והגר״א הגיה לעיל זה חגיגה הבאה עם הפסח, אם לא נאמר שהברייתא השניה היא כמו דבר אחר. ועיין רש״י שמביא שני פירושים הפי׳ הראשון דקאי אפסח, והשני דקאי אחגיגה. וכן הוא פסחים ע״א ע״א, ותו״כ צו פרק י״ב ה״ז, ופי׳ הראב״ד שם דהיינו טעמא דלא פירש דמיירי בפסח עצמו משום דבפסח מדבר אחר כך ובשלת ואכלת, ולענין הגרסה או יכול לבקרו של שלישי ר״ה מגיה וגורס יכול לבקרו של יום היינו יום ט״ו ואין צורך, אלא אפשר דר״ל דילמא מיירי בחגיגת ט״ו ולבוקר היינו בוקר של י״ז, ועל זה מתרץ דשמעינן במקום אחר דחגיגה הבאה עם הפסח שנאכלת לשני ימים ואם כן אין לנו להוציא הכתוב ממשמעו או אפשר דצ״ל ת״ל נדר וכו׳ חגיגה הבאה עם הפסח וכו׳ כלומר ואם כן כבר שמעינן חגיגת ט״ו ממקום אחר ועיין לשון התו״כ ובוקרו של שלישי התם היינו בוקרו של שני כאן, בוקר של יום ט״ז, והיינו יום השלישי מזמן השחיטה אבל גרסת הברייתא בבבלי קשה ליישב דקאמר או אינו אלא ליום ולילה כשהוא אומר ביום הראשון (לבקר) הרי בקר שני אמור או אינו אלא בקר ראשון ומה אני מקיים חגיגה הנאכלת לשני ימים ולילה אחד חוץ מזו וכו׳ דהרי הוא סותר את עצמו תוך כדי דיבור והכי הוא ליה למימר כשהוא אומר ביום הראשון הרי בקר ראשון אמור הא מה ת״ל לבקר לבקר שני וגם הפירוש שפירש בגמרא דקשיא ליה דילמא בשתי חגיגות הכתוב מדבר זו לבקרה וזו לבקרה ועל זה מהדר דאם כן איזו חגיגה נאכלת לשני ימים דכל זה אי איפשר להעמיס בלשון הברייתא אלא בדוחק גדול ולולי יראתי הייתי אומר דהברייתא לפי הספרי, ולגרוס או אינו אלא בוקר שלישי (במקום בוקר ראשון), פי׳ דלמא בחגיגת ט״ו ולבקר היינו בקר של י״ז, ומתרץ דחגיגת ט״ו ילפינן ממקום אחר ועל כרחך דמיירי בחגיגת י״ד דאף היא נאכלת לב׳ ימים שלא כדעת בן תימא] וע׳ בפסחים ע׳ ע״א:

6 ר׳ יהודה אומר וכו׳, מ״ת כאן, (ע׳ 92), מכילתא דרשב״י י״ב ד׳ (ע׳ 8) [פסחים פ״ח מ״ז, בבלי צ״א ע״א, צ״ט ע״א, ירוש׳ פ״ח ה״ז (ל״ו ע״א), שם פ״ט ה״ט (ל״ז ע״א)]: 7 על היחיד, כן גורס ר״ה ואולי הגיה כן מדעתו, כמו שהגיהו הגר״א וז״א ורמא״ש; בכל שאר הנסחאות הגרסה על החמץ, והשוה הציונים בהערה הקודמת, וגם תוספתא פ״ג ה״ג (ע׳ 161): 10 ר׳ אלעזר בן מתתיה וכו׳, [תוספתא פ״ו ה״ב (ע׳ 164), ירוש׳ פ״ח ה״ז ל״ו ע״א, ושם פ״ז ה״ו (ל״ד ע״ג), בבלי

1 איזו] איזהו ד | אתה זובח] הזובח ב — 2 לאכול טמ בא, לוכל ר. לאכלו ד — 3 לבקרו של שלישי] כן נראה להגיה על פי הנוסח בתו״כ ובכל נוסחי הספרי הגרסה „לבקרו של שני״ | או יכול—לבקרו של שלישי] ל׳ בד טב, ברמאפ הגרסה או יכול לבקרו של שלישי—לבקרו של שני. והגהתי על פי הנוסח בתו״כ — 4 נדבה] [קו משוך תוך המלה בא] — 5 סליק פיסקא ד, פ׳ ר, ל׳ א —
6 לא תוכל—סליק פיסקא] ל׳ טה | תוכל] תאכל ר | לשוחט] לשחוט ר — 7 היחיד פ, החמץ ד, חמץ רבמ א | שעובר] שהוא עובר מא — 8 יוסי] ל׳ ב, יהודה א | ושוחטים מדא, שחוט ר, שוחט ב | פעמים] ופעמים ד — 9 אותו] אותם מ | הא] ל׳ מא | אחד ויכול] אי יכול ר | עשרה] ופעמים שהם עשרה ד — 10 ואין] ואינן ד | שוחטים] שוחט ב — 11 מתתיה אר, מתיה ב, מתיא ד [תשב״ץ] | עושים אמב, מביאים ד, ל׳ ר | פסח] ל׳ א | שרובם רמ,

יכול יהא יחיד מכריע תלמוד לומר לא תוכל לזבוח את הפסח באחד. רבי שמעון אומר השוחט את הפסח על היחיד בבמת יחיד בשעת איסור הבמה עובר בלא תעשה יכול אף בשעת היתר הבמה תלמוד לומר באחד שעריך, בשעה שישראל מכונסים במקום אחד בשעת איסור הבמה ולא בשעת היתר הבמה סליק פיסקא

קלג.

(ו) כי אם אל המקום אשר יבחר ה׳ אלהיך, רבי אליעזר אומר בערב אתה זובח כבא השמש אתה אוכל מועד צאתך ממצרים אתה שורף רבי עקיבה אומר בערב אתה זובח כבוא השמש אתה אוכל. עד מתי עד מועד צאתך ממצרים דבר אחר מועד צאתך ממצרים לשחיטתו כבא השמש לצלייתו בערב לאכילתו סליק פיסקא

קלד.

(ז) ובשלת ואכלת במקום אשר יבחר ה׳ אלהיך בו, מלמד שמחזיר [את השלם ואינו מחזיר] את החתיכות ואת האברים דברי רבי יהודה רבי יוסי אומר בשבת בין כך ובין כך אסור ביום טוב בין כך ובין כך מותר. ופנית בבוקר והלכת לאהליך, מלמד שטעונים לינה אין לי אלא אלו בלבד מנין לרבות עופות

ע״ט ע״ב, מכדרשב״י י״ב מ״ח (ע׳ 30)]: 1 מכריע, את הצבור לאכול בטומאה· ברוב הנסחאות הגרסה כאן מכריע את הערלה, ויש לה סמוכים במכדרשב״י, וכבר נשאל עליה הרשב״ץ בתשובותיו ח״ג סי׳ ק״כ „שאלת מה שאמרו בספרי בפסוק לא תוכל לזבוח את הפסח ר׳ אלעזר בן מתיא אומר לפי שמצינו שהצבור עושין את הפסח בטומאה בזמן שרובן טמאים יכול יהא יחיד מכריע את הערלה ת״ל לא תוכל לזבוח את הפסח····תשובה, מה שהוקשה לך לשון ספרי····יפה הקשית לפי הנוסחא אשר מצאת אבל היא משובשת ובספרים שלנו כתוב מכריע את העולם״· וברור הוא שהגרסה את העולם שהביא רשב״ץ וגם את העולה שבכ״י ל הן תקוני מעתיקים, שהיה קשה להם הנוסח היותר עתיק מכריע את הערלה, ואולי יש להגיה „יכול יהא יחיד מכריע או הערלה״ כלומר אם היו הטמאים מרובים מן הטהורים אחד יכריע הוא, אבל אם הם שוים בצמצום יכריעו הערלים שגם הם אינם ראוים לקחת חלק בפסח· ואיפשר עוד שהמלים את הערלה הן רק גליון משובש, שהרי חסרות הן בירוש׳ ובתוס׳ ובבבלי, ואעפ״י שנמצאות במכילתא דרשב״י נראה שבעל מדרש הגדול העתיק ברייתא זו מן הספרי כאן· — ר׳ שמעון אומר וכו׳, תוספתא זבחים פ׳ י״ג ה׳ ט״ז (ע׳ 499), [פסחים צ״א ע״א, זבחים קי״ד, ירוש׳ מגילה פ״א ה׳ י״ג (ע״ב ע״ג)], תשב״ץ ח״ג סימן ק״כ: 2 על היחיד, [עיקר החידוש הוא שבשעת היתר הבמה יכול להביא פסח אע״ג דאין היחיד מביא קרבן חובה שאני פסח שאף אם הביאו על היחיד הוא קרבן צבור] וראיה לדבריו במ״ת כאן:

5 ר׳ אליעזר אומר וכו׳. רש״י, פ״ז [ברכות ט׳ ע״א ועיין מכילתא בא פ״ה ופ״ו] ירו׳ פסחים פ״ה ה״א (ל״א ע״ד), והשוה עוד ספרי זוטא ט׳ ג׳ (ע׳ 258), מכילתא דרשב״י י״ב ו׳ (ע׳ 10), תו״כ פרק י״א ה״א (ק׳ ע״ב), פסחים נ״ח ע״א: 8 לשחיטתו וכו׳, מ״ת, מכילתא בא סוף פ״ה (ו׳ ע״א, ה–ר ע׳ 18):

10 מלמד וכו׳, [תוספתא פסחים פ״ז ה״ב (ע׳ 166), הפסח מחזירין אותו שלם ואין מחזירין אותו חתיכות דברי ר׳ יהודה ונראה דכצ״ל גם כאן ודלא כמהר״ס שכתב דתרי חנאי אליבא דר׳ יהודה· ונראה דדורש מדכתיב ובשלת ואכלת משמע שאין רשאי לבשל בשעת אכילה, בשעה שדרכו לחתכו לחתיכות] ועיין בירוש׳ שבת פ״א ה״ז (ד׳ ע״ב): 13 מלמד שטעונים לינה, [פסחים צ״ה ע״ב, ובקר דקאמר נראה דהיינו יום ראשון של חול המועד כדפי׳ רש״י שם, ובר״ה ה׳ ע״א וסוכה מ״ז ע״ב אבל בתוספות צדדו לומר דלינה ר״ל כל שבעה עיין ר״ה ד״ה מה וסוכה ד״ה לינה ופסחים ד״ה טעון וחגיגה י״ז ע״ב ד״ה ופנית ולשנא דגמרא זבחים צ״ז ע״א „ופנית בבקר והלכת לאהליך הכתוב עשאן לכולן בקר אחד״ משמע הכי וכן נראה דעת יונתן שתרגם במפק חגא ועיין מ״ת והערת המו״ל וספרי במדבר ריש פי׳ קנ״א (ע׳ 196), ובהערה שם]· — אין לי

שהם מרובין דב — 1 מכריע ד, מכריע את הערלה אר מ [מכילתא דרשב״י], מכריע את העולה ל, מכריע את הציבור ב, מכריע את העולם [תשב״ץ] | באחד ב, באחד שעריך ר, ל׳ מדא, א מוסיף <דברי ר׳ אלעזר בן מתתיה> — 2 הבמה רב [תשב״ץ], במה מא, הבמות ד — 3 הבמה רדב [תשב״ץ], במה מא — 4 סליק פיסקא] ל׳ רא —

5 כי אם–סליק פיסקא] ל׳ ט | אל המקום] במקום ב | אשר–אלהיך] שם תזבח את הפסח בערב א — 6 כבא] וכבוא ד, כשבא א | מועד] ובעת א, עד מועד ה | ר׳ עקיבה— כבא השמש אתה אוכל] ל׳ דל — 7 עקיבה רבמ, שמעון מא, יהושע ה | אוכל מה, שורף רב | עד מתי] עד מתי אתה אוכל והולך ה — 8 ד״א–בערב לאכילתו] ברייתא זו מובאה בכ״י ר לפני המלים עד מתי ובה, בשם ר״ש לפני מחלוקת ר״א ור״ע וחסרה בשאר המקורות· ונ״ל שהיא אחת מהגליונות שהוכנסו אל גוף הספרי —

10 ובשלת–סליק פיסקא] ל׳ ה — 11 את השלם ואינו מחזיר] כן הגיה רמא״ש ע״פ התוספתא ובכל נוסחי הספרי חסר המוסגר — 12 אסור–ובין כך] ל׳ ד — 13 אלו] זו מ.

ומנחות יין ולבונה ועצים תלמוד לומר ופנית כל פונות שאתה פונה מן הבקר ואילך. רבי יהודה אומר יכול יהא פסח קטן טעון לינה תלמוד לומר ופנית בבקר והלכת לאהליך. ששת ימים תאכל מצות, את שטעון ששה טעון לינה יצא פסח קטן שאינו טעון אלא יום אחד וחכמים אומרים הרי הוא כעצים וכלבונה שטעונים לינה.

(ח) ששת ימים תאכל מצות, רבי שמעון אומר כתוב אחד אומר ששת ימים תאכל מצות וכתוב אחד אומר °שבעת ימים מצות תאכלו מצה שמות יב טו נאכלת כל שבעה, אוכלה ששה מן החדש ובשביעי מן הישן סליק פיסקא

קלה.

וביום השביעי עצרת לה׳ אלהיך, רבי אומר יכול יהא אדם עצור כבית המדרש כל היום כולו תלמוד לומר °לכם יכול יהא אדם אוכל ושותה כל היום כולו ויקרא כג טו תלמוד לומר עצרת לה׳ אלהיך הא כיצד תן חלק לבית המדרש ותן חלק לאכילה ושתיה.

רבי ישמעאל אומר לפי שלא למדנו שימי מועד אסורים במלאכה, מנין לימי מועד שאסורים במלאכה תלמוד לומר ששת ימים תאכל מצות וביום השביעי עצרת, מה שביעי עצור אף ששי עצור או מה שביעי עצור מכל מלאכה אף ששי עצור מכל מלאכה תלמוד לומר ששת ימים תאכל מצות וביום השביעי עצרת לה׳ אלהיך שביעי עצור מכל מלאכה ואין ששי עצור מכל מלאכה הא לא מסרו הכתוב אלא לחכמים לומר איזה יום אסור ואיזה יום מותר איזו מלאכה אסורה ואיזו מלאכה מותרת סליק פיסקא

קלו.

(ט) שבעה שבועות תספר לך, בבית דין מנין לכל אחד ואחד תלמוד לומר °וספרתם לכם ממחרת השבת כל אחד ואחד. שם

וכו׳ עד כל פונות וכו׳, ר״ן ר״ה ד׳ ע״ב: 1 כל פונות וכו׳, ירו׳ בכורים פ״ב ה״ג (ס״ה ע״א): 5 כתוב אחד וכו׳, מ״ת כאן (עמ׳ 92), מכילתא בא פ״ח (ח׳ ע״ב, ה–ר עמ׳ 27). תו״כ אמור פרק י״ב ה״ה (ק׳ ע״ד) ומנחות סיו ע״א בשם ר׳ שמעון בן אלעזר. וכן הגיה הגר״א כאן, ירו׳ פסחים פ״ו ה״א (ל״ג ע״א) ושם מיוחס להלל, פ״ז [ועיין רש״י, ות״י]:

8 יכול וכו׳ פסחים ס״ח ע״ב, פ״ז, והשוה רש״י ות״י, וירו׳ שבת פט״ו ה״ג (ט״ו ע״א): 12 מנין לימי מועד, מכילתא בא פ״ט (ט׳ ע״ב, ה–ר ע׳ 30), מכילתא דרשב״י שם י״ב ט״ז (עמוד 16), תו״כ אמור פרשה י״ב ה״ה, חגיגה י״ח ע״א, פ״ז:

19 בבירת דין, [גרסת הגר״א יכול בבית דין

לו א — 1 פונות רדמב, פינות טא, פניות ט² | הבקר] בוקר ד — 2 קטן רדמא, שני טב | טעון לינה–יצא פסח קטן] ל׳ ר | ופנית–לאהלך ט, ועשית פסח והלכת לאהליך ד, ל׳ רא — 3 תאכל] תאכל עליו ד | את שטעון ששה טעון לינה רדלמ, את שנאכל לששה טעון לינה את שאין נאכל לששה אין טעון לינה ט, את שנאכל לששה טעון לינו את שאינו נאכל לששה אין טעון לינה ב, את שאתה טעון ששה טעון לינה א | יצא–יום אחד] ל׳ ב | קטן] שני ט — 4 טעון רד, ל׳ מטא | הרי] ל׳ ב | הוא] הם ד | וכלבונה מטדא, ולבונה רב — 5 כתוב אחד אומר] ל׳ מ — 6 מצות תאכלו] תאכל מצות ד (שמות י״ג ו׳) | מצה נאכלת] כן נראה להגיה, ובכל הנסחאות הנאכלת | כל] ל׳ ב — 7 אוכלה רטב, אוכלין מא, אוכל ד | ששה] ששה ימים ט | ובשביעי] וביום השביעי ד | סליק פיסקא ד, ל׳ רא — 8 וביום השביעי–סליק פיסקא] ל׳ טה | וביום] ביום א | ר׳ אומר רמב, ר׳ שמעון אומר א, ל׳ ד | בבית המדרש–כולו] כל היום כולו בבית המדרש ד — 9 ת״ל לכם מד, ל׳ רבל, ת״ל עצרת תהיה לכם א | יכול יהא–כל היום כלו מ, ל׳ רבל | יכול–אלהיך] ל׳ ד — 10 עצרת לה׳ אלהיך] ל׳ ל | הא כיצד] הכיצד ר | ותן] תן מא — 11 ושתיה] ולשתייה ד — 12 ישמעאל רמדא, שמע׳ ב | שימי–מנין] ימי מועד שאסורין במלאכה מנין מ, ל׳ א | אסורים] אסור ר | במלאכה] במלאכות ד | מנין] ומניין ד | לימי] ימי א — 13 השביעי] השמיני א [ומוגה בין השטים] — 14 ששי עצור] ששת עצורין ב | או–ששי עצור] ל׳ ב | או] אי דא | אף ששי–שביעי עצור מכל מלאכה] ל׳ א | ששי עצור ר, ששה ימים עצורים ד, ששה עצורים מב — 15 מכל רדב, בכל מא — 16 הא] הא כי א | מסרו] מכרך א — 17 לומר רב, לידע אמ, לומר לך ד | ואיזו מלאכה] ואיזו ד — 18 סליק פיסקא ד, ס׳ ר, ל׳ א —

19 שבעה שבועות–סליק פיסקא] ל׳ ה | מנין] ומניין ד | כל אחד ואחד טדב, לכל אחד ואחד מטא, כל אחד

מהחל חרמש בקמה, משתתחיל חרמש בקמה, שיהא הכל בקמה, שיהא תחלה לכל הנקצרים, שלא תהא קצירתו אלא בחרמש.

יכול יקצור ויביא ויספור כל זמן שירצה תלמוד לומר מהחל חרמש בקמה
ויקרא כג טו תחל לספור, יכול יקצור ויספור ויביא כל זמן שירצה תלמוד לומר מיום
שם הביאכם תספרו, יכול יקצור ביום ויספור ביום ויביא ביום תלמוד לומר שבע
שבתות תמימות תהיינה אימתי הן תמימות משאתה מתחיל מבערב יכול יקצור
שם בלילה ויספור בלילה ויביא בלילה תלמוד לומר מיום הביאכם תספרו אין הבאה
אלא ביום הא כיצד קצירה וספירה בלילה והבאה ביום סליק פיסקא

קלז.

שמות כג טז (י) ועשית חג שבועות לה׳ אלהיך, מכלל שנאמר וחג הקציר בכורי
מעשיך יכול אם יש לך קציר אתה עושה יום טוב ואם לאו אי אתה עושה יום טוב תלמוד
לומר ועשית חג שבועות לה׳ אלהיך, בין שיש לך קציר ובין שאין לך קציר אתה
עושה יום טוב. מסת נדבת ידך אשר תתן, מלמד שאדם מביא חובתו מן החולין
מנין שאם רצה להביא ממעשר יביא תלמוד לומר כאשר יברכך ה׳ אלהיך

סליק פיסקא

ואחד מנין ת״ל ר — 1 מהחל חרמש בקמה] ב מוסיף <שיהו הכל בקמה שיהא תחל״ה לכל הנקצרין שלא תהא קצירתו אלא בחרמש יכול יביא ויספור ויקצור כל זמן שירצה ת״ל מהחל חרמש בקמה תחל לספר> (ואח״כ חוזר ומכפיל דבריו) | משתתחיל רט״ב, משיתחיל ט״, משהתחיל מא, מהתחיל ד | שיהא מאד, שיהו רטב | שיהא] שיהיה ד, שתהא א — 3 יקצור ויביא ויספור] כן הגיה רד״ף ע״פ תו״כ והבבלי, והנוסחאות הן: יקצור ויספור ויביא ד, יביא —ויקצור רמטב, יבא ויספור ויקצור א — 4 מיום הביאכם תספרו] שבע שבתות תמימות תהיינה אימתי הן תמימות משאתה מתחיל מבערב יכול יקצור בלילה ויספור בלילה ת״ל מיום הביאכם את עומר התנופה ד — 5 יקצור— ויספור] יספור—ויקצור ט׳ | ויספור] יספור ב | ויביא ביום] ל׳ ט׳ — 6 הם] ל׳ ט׳ | משאתה מתחיל רדב, משתתחיל ט׳, בזמן שאתה מתחיל ט׳, כשאתה מתחיל מא — 7 בלילה] ביום ד | ויספור דטמא, יספר רב | ויביא בלילה] ל׳ א — 8 הא כיצד אמטב, הכיצד ר, הא באיזה צד ד | סליק פיסקא ד, ל׳ רא —

9 ועשית—סליק פיסקא] ל׳ ה | בכורי מעשיך רמא, בצאת השנה ד, בכורי ב — 10 לאו] אין לך קציר מא | אי] אין דא — 11 אלהיך] ב מכפיל <מכלל שנ׳ וחג הקציר בכורי מעשיך יכול אם יש לך קציר אתה עושה— לה׳ אלהיך> | שיש לך—שאין לך רטב, בין—בין שאין לך א, יש לך—אין לך מ, שיש לו—שאין לו ד | אתה] אי אתה מ — 12 חובתו] את חובתו מ | מן] את א, מן א¹ — 13 מנין] ומנין ד | ממעשר יביא] מן המעשר יביא מ, יביא מן המעשר א | יברכך] ברכך ר —

רת״ל, ועיין תו״כ אמור פרק י״ב ה״א ומנחות ס״ה ע״ב ולפי מה דאיתא כאן משמע דמלבד המצוה על כל אחד ואחד מצוה גם כן על בית דין וכן פירש ר״ה אבל רד״ף פירש דהכונה למה דאיתא במנחות ס״ה ע״ב שהספירה תלויה בבית דין ומוכח מניה דאין הכונה על שבת בראשית אלא על מחרת היו״ט ולכאורה משמע דהכונה כמו שדרשו בתו״כ בהר פ״ב ה״א וספרת לך בב״ד ושם פירש הראב״ד חייבים למנות ומברכים ועיין תוספות מנחות ס״ה ע״ב ד״ה וספרתם ובמ״ת כאן (ע׳ 93) הוא להפך מן וספרתם דורש בב״ד, ומן תספור לכל אחד ואחד] ובפ״ז „תספור לך, בב״ד״: 1 שיהא הכל בקמה וכו׳, [דורש כל תיבה מג׳ התיבות מהחל, חרמש, בקמה, ופירש שיהא הכל בקמה שעדיין כל השדות קמה ולא קצרו מהם כלום, מהר״ס׳ ותירוצו אינו מספיק ואפשר דהכונה דמצות עומר להביא מן הקמה כדאיתא מנחות פ׳ ר׳ ישמעאל מ״ט ותוספתא פ״י ה׳ ל״ג (ע׳ 529)]. — שיהא תחלה וכו׳, תו״כ אמור פרשה י׳ ה״ג (ק׳ ע״ב): 2 שלא וכו׳, רמב״ן [אינו מובן ואיפשר דבא להוציא שלא היו מביאים את העומר ממה שהיו מקטפין ביד אבל לא נזכר זה בשום מקום]: 3 יכול וכו׳ עד סוף הפיסקא, תו״כ אמור פרק י״ב ה״ו (ק׳ ע״ד), מנחות ס״ו ע״א. — ויביא ויספור, [ונראה כהגהת הרד״ף יכול יקצור ויביא ויספור ואע״ג דכתיב מיום הביאכם הוא אמינא דוקא לא קודם קאמר הא לאחר זה יכול לספור אימתי שירצה ואח״כ מספקא ליה לאידך גיסה דילמא מיד אחר הקצירה יכול לספור והבאה יכול להיות אפילו לאחר זמן ת״ל מיום ואם כן הספירה אינה קודם הבאה]. — ויספור כל זמן שירצה, כלומר שיקצור העומר ויקרב אותו, אבל הספירה תהיה באיזה זמן שירצה: 4 ויביא כל זמן וכו׳, ואין הבאה תלויה בקצירה:

10 ואם לאו [כגון שישראל בגלות ואין להם קצירת עומר, פס׳ זוט׳, ועיין מ״ת, פירוש אחר כגון בשביעית, ועיין מכילתא משפטים, אם כסף, פ״כ (ק״א ע״ב, ה–ר ע׳ 334) ד״ה וחג הקציר, רמא״ש] ולי נראה יותר פשוט אם אין לך קציר, כגון בשנת רעב, או אם אין אתה בעל שדה אלא בעל מקנה או חרש עירוני: 13 שאם וכו׳, השוה למעלה פי׳ קכ״ט (ע׳ 186) ובציונים שם ובמ״ת כאן [הגר״א מגיה שאם רצה לערב ממעשר יערב וכו׳ ועיין חגיגה פ״א מ״ג שחלוקים בחגיגת יום, ראשון ופירשו שם בבבלי (ז׳ ע״ב) דמ״י דקאמרי ב״ה דשלמים ביו״ט הראשון של פסח (ויותר נכון גרסת

קלח.

(יא) ושמחת, נאמרה כאן שמחה ונאמרה להלן [0]שמחה מה שמחה האמורה להלן שלמים אף שמחה האמורה כאן שלמים. דברים כז ז

אתה ובנך ובתך ועבדך ואמתך והלוי אשר בשעריך והגר, חביב חביב קודם.

רבי יוסי הגלילי אומר שלש מצוות נוהגות ברגל ואלו הן חגיגה ראיה ושמחה יש בראיה שאין בשתיהן בחגיגה שאין בשתיהן בשמחה שאין בשתיהן, ראיה כולה לגבוה שאין בשתיהן חגיגה נוהגת לפני הדבר ולאחר הדבר שאין בשתיהן שמחה נוהגת באנשים ובנשים שאין בשתיהן, הא מפני שיש בזו מה שאין בזו ויש בזו מה שאין בזו צרך הכתוב לומר את כולן סליק פיסקא

קלט.

(יב) וזכרת כי עבד היית במצרים ושמרת ועשית [את החקים האלה], מלמד שכל שנוהגים בעצרת נוהגים בפסח וחג או אף כל שנוהגים בפסח וחג יהו נוהגים בעצרת תלמוד לומר אלה אלה נוהגים בעצרת ואין סוכה ולולב ושבעה ומצה נוהגים בעצרת סליק פיסקא ·

קמ.

(יג) חג הסוכות תעשה לך שבעת ימים, להדיוט מנין אף לגבוה תלמוד לומר [0]חג הסוכות שבעת ימים לה׳ אם כן למה נאמר תעשה לך כל זמן שאתה עושה סוכה מעלה אני עליך כאילו לגבוה אתה עושה. ויקרא כג לד

הירושלמי של חג) מן המעשר היינו בטופל וכן מפורש בירושלמי שם ע״ו ע״ב ותוספתא חגיגה פ״א ה״ד]:

1 נאמרה כאן וכו׳, למעלה פיס׳ ס״ד (ע׳ 130) ובציונים שם: 3 חביב וכו׳, למעלה פי׳ ס״ט (ע׳ 133) ובציונים שם: 5 ריה״ג וכו׳, [תוספתא חגיגה פ״א ה״ד (ע׳ 232) סתמא; וכן ירו׳ שם פ״א ה״ב (ע״ו ע״ב); ובבלי שם ו׳ ע״ב בשם ריה״ג]· פ״ז, רמב״ם עשין נ״ב:

11 שכל שנוהגים וכו׳, פ״ז [בחגיגה ח׳ ע״א תוס׳ ד״ה ושמחת מפרש דלענין שמחה נאמר]:

14 להדיוט וכו׳, השוה תו״כ אמור פרשה י״ב ה״ג (ק״ב ע״ב), וסוכה ט׳ ע״א· — לגבוה, בתו״כ שם פי׳ הראב״ד לגבוה לעשות סוכה בהר הבית, ואלה דברי ר׳ ח״ש הארוויטץ להדיוט וכו׳ לישב בה ולגבוה שאסורה בהנאה, ז״ר· ור״ה פי׳ שתהא עשייתה לשם גבוה· ורד״ף פי׳ דלגבוה היינו לקרות ולשנות א׳ נמי מכאן דאף כהנים ולויים בבית המקדש חייבים בסוכה ולכל הפירושים הלשון אינו מתוקן· והגר״א מגיה „למה נאמר לפי שנ׳ חג הסוכות תעשה שבעת ימים לה׳ יכול לגבוה ת״ל תעשה לך אם כן מה ת״ל לה׳ בזמן שאתה עושה סוכה לך מעלה וכו׳״· ולשון הפ״ז „תעשה לך שבעת ימים ולהלן הוא

2 אף שמחה האמורה] אף א — 3 חביב חביב] חביב ב — 5 הגלילי] ל׳ ה | ואלו הן] ל׳ ה | ראיה] וראייה ד | ושמחה רדבא, שמחה טמה — 6 יש בראיה–בשמחה שאין בשתיהן] ל׳ ה, שאין בשתיהן מ, שאין בשמחה ר טב, מה שאין כן בשמחה ד, שאין כן בשתיהן א | בחגיגה שאין בשתיהן בשמחה שאין בשתיהן ר, ויש בשמחה שאין בראייה ויש בחגיגה שאין בשתיהן ט, ובשמחה שאין בשתיהן מ, ויש בחגיגה מה שאין כן בשתיהם ויש בשמחה מה שאין בשתיהם ד, ובשמחה מה שאין כן בשתיהן א | שאין בשתיהן] ל׳ ה | שאין רא, מה שאין ט, מה שאין כן מד — 7 חגיגה—ובנשים שאין בשתיהן] שמחה נוהגת באנשים ובנשים מה שאין כן בשתיהן חגיגה נוהגת בין לפני הדבר בין לאחר הדבר מה שאין כן בשתיהן א | ולאחר] בין לאחר מ | הדבר ד, הדיבר בל, הדיבור ר | שאין ב — 8 שאין בשתיהן] ל׳ ה, שאין כן ר, מה שאין ט, מה שאין כן מד | שאין ב, מה שאין כן רמד | מפני שיש מהטבא, מפני ר, יש ד | ויש—שאין בזו] ל׳ ר — 9 צרך רטב, צריך ה מא, הוצרך ד | את] ל׳ מ | סליק פיסקא ד, ל׳ רא —

10 וזכרת—סליק פיסקא] ל׳ ה | במצרים] בארץ ד | ושמרת—האלה] ושמרת ועשית וגומ׳ ד, ל׳ רטמא, וג׳ ב — 11 מלמד] מיכן ר | שנוהגים] נוהגין ר | אף] אינו אלא ד, ל׳ א | וחג רמא, ובחג בדט — 12 יהו] ל׳ ד | אלה אלה] האלה ואלה ד | ושבעה ומצה רטב, ושבעה ד, ל׳ מא — 13 סליק פיסקא ד, ס״פ ר —

14 חג הסוכות—סליק פיסקא] ל׳ ה | חג הסוכות—ישבו בסוכה את ז] ל׳ ט | תעשה—ימים] וגו׳ ר | מנין] ומנין ד — 15 לה׳] לה׳ אלהיך ד — 16 אני] ל׳ ד | כאילו] כילו רב | לגבוה אתה עושה רטב, אתה עושה לגבוה אמד —

תעשה לך, פרט לסוכה ישנה מיכן אתה אומר הדלה עליה את הגפן ואת הדלעת ואת הקיסום וסיכך על גבן פסולה.

רבי אליעזר אומר כשם שאין אדם יוצא ידי חובתו ביום טוב הראשון של חג בלולבו של חברו כך אין אדם יוצא ידי חובתו ביום טוב הראשון של חג בסוכתו של חברו שנאמר תעשה לך וחכמים אומרים בלולבו של חברו אינו יוצא שנאמר
ויקרא כג מ ◦ולקחתם לכם לכל אחד ואחד יוצא בסוכתו של חברו שנאמר
שם כג מב ◦כל האזרח בישראל ישבו בסוכות כל ישראל ישבו בסוכה אחת.

רבי שמעון אומר פסח וחג שאין עונות מלאכה עשה זה שבעה ווה שמונה עצרת שהיא עונת מלאכה אינה אלא יום אחד בלבד מלמד שחסך הכתוב לישראל.

באספך מגרנך ומיקבך, מה גרן ויקב מיוחדים שהם גדלים על מי שנה שעברה יצאו ירקות שאין גדלים על מי שנה שעברה דברי רבי יוסי הגלילי רבי עקיבה אומר מה גרן ויקב מיוחדים שאין גדלים על כל מים לפיכך מתעשרים לשנה שעברה יצאו ירקות שהם גדלים על כל מים לפיכך מתעשרים לשנה הבאה סליק פיסקא

1 אתה] ל׳ א | ואת הדלעת] ל׳ ד — 3 ידי חובתו] ל׳ א וכן בסמוך | ביום] יום ד | של חג] ל׳ א — 6 יוצא בסוכתו של חברו רמ, אבל יוצא הוא בסוכתו של חברו ד, בסוכתו של חברו יוצא ב, ויוצא בסוכתו של חברו א — 7 ישבו] יושבין א — 8 שאין עונות ב, שאין עונת דמא, ל׳ ר | עשה—עונת] ל׳ א — 9 עונת] עונות ב | שחסך ד, שתס מא, שחיסך ר, שהיסך ב | הכתוב] הקב״ה א | לישראל] על ישראל ד — 10 באספך—סליק פיסקא] ל׳ ט | מיוחדים] שהן מיוחדים א | שהם גדלים] שגדלים ד | מי שנה שעברה] כל מים לפיכך מתעשרין לשנה שעברה מא — 11 שאין] שהם א | שעברה] <יצאו ירקות שאין גדילין על מי שנה שעברה> ב — 12 מיוחדים] ל׳ ר | שאין גדלים] כן נ״ל להגיה והגרסאות המקובלות הן: שהן גדלין אמבל, שגדילין רד | לפיכך—על כל מים] ל׳ ר | מתעשרים] מתעשר דא — 13 שהם גדלים] כן נ״ל להגיה ובכל הנסחאות הג׳ שאין גדלים | סליק פיסקא ד, ל׳ רא —

אומר חג הסוכות שבעת ימים לה׳ מלמד שכל העושה סוכה לעצמו כאילו עושה לגבוה״· ועיין תו״כ אמור פרשה י״ב ה״ג ושם דורש ג״כ שני הפסוקים אבל באופן אחר וז״ל „חג הסוכות שבעת ימים לה׳ יכול תהיה חגיגה וסוכה לגבוה ת״ל חג הסוכות תעשה לך אי חג הסוכות תעשה לך יכול תהא חגיגה וסוכה להדיוט ת״ל חג וכו׳ לה׳, הא כיצד חגיגה לגבוה וסוכה להדיוט]: 1 ישנה, [צ״ע דהוא כדעת בית שמאי, סוכה פ״א מ״א, ואפשר דגם לבית הלל צריך לחדש בה דבר כמבואר בירוש׳ נ״ב ע״ב, הביאו התוספות ט׳ ע״א ד״ה סוכה, רד״ף, והגר״א מוחק „פרט לסוכה ישנה״ וגורס ולא מן העשוי מכאן וכו׳ ועיין סוכה י״א ע״ב, ולשון פ״ז תעשה פרט לעשוי מכאן אמרו··· הדלה וכו׳]· — הדלה וכו׳, סוכה פ״א מ״ד, בבלי שם י״א ע״ב [וצ״ל כומפרש התם שקצצן ואפילו הכי פסולה ועיין סוכה י״א ע״ב, וירו׳ נ״ב ע״ב]: 2 על גבן, זו היא הגירסה הנכונה גם במשנה שם, ובמשנה שבבבלי נשתבש על גבה, ועל פי שבוש זה „נתקנו״ גם הוצאות אחדות של המשנה, אבל במשנה שבירושלמי, ובמשנה דפוס לעווא, וכן גם בבבלי ט׳ ע״ב וי״א ע״ב מובאה הגי׳ העקרית, על גבן: 3 ר׳ אליעזר אומר וכו׳, סוכה כ״ז ע״ב [הפ״ז גורס „פרט לסוכה גזולה״, ומפרש דלרבנן למעוטי גזולה אבל בשאולה יוצא ובירו׳ סוכה נ״ג ע״ג שיטות שונות בסוכה גזולה]: 6 לכל אחד ואחד, השוה למעלה פיסקא קל״ו: 8 ר׳ שמעון וכו׳, [פ״ז, ג׳ ר׳ ישמעאל]: 9 מלמד וכו׳, יומא ל״ט ע״א, ובציונים שם, תו״כ מצורע פרשה ה׳ הי״ב (ע״ג ע״א)· — שחסך, [מנחות ע״ו ע״ב, פ״ו ע״ב], תו״כ אמור פרק י״ג ה״ז (ק״א ע״ג) והשוה ירו׳ תרומות פ״ח ה״ט (מ״ו ע״א), שם פסחים פ״א ה״ח (כ״ח ע״א); והשוה עוד תו״כ פרשה ה׳ הי״ב (ע״ג ע״א); תנחומא חוקת סי׳ ט׳: 10 מה גרן ויקב וכו׳, [ר״ה י״ד ע״א, אינו מובן דמעשר היכי רמיזא בקרא ואפשר דיליף מכאן בצירוף עם הסמוך וחג האסיף בצאת השנה דמשמע דהאסיף נחשב לשנה שעברה ועל זה קאמר דדוקא אם הוא דומה לגרן ויקב ור״ה פירש דפליגי גם לענין סוכה, עיין סוכה י״ג ע״א] ועיין עוד ירו׳ שביעית פ״ב ה״ד (ל״ד ע״א), ולדעתי נאמרה הדרשה בעיקרה על הכתוב ונחשב לכם תרומתכם כדגן מן הגרן וכמלאה מן היקב (במדבר י״ח כ״ז) ורק על ידי שבוש קדום נקשרה עם הכתוב באספך וכו׳, ואעפ״י שכבר בברייתא בר״ה מובאה על הפסוק באספך· — על מי שנה שעברה, ולכן אעפ״י שנקצרים בשנה זו, מתעשרים עם התבואה של שנה שעברה: 11 שאין גדלים וכו׳, התבואה מתגדלת ע״י הגשמים של חורף העבר, ואין משקים אותה במים שאובין אחר כלות הגשמים; אבל הירק צריך למים בכל זמן אף אחר עבור עונת גשמים, ומשקים אותו ברגל ככתוב והשקית ברגלך כגן הירק (דברים י״א י׳); ולכן הירק גדל לא רק על גשמי שנה שעברה אלא גם ממי שנה זו שבו נלקט, ולכן בשעת לקיטתו עשורו· — ר״ע אומר וכו׳, ההבדל בין דברי ריה״ג ור״ע מבואר בר״ה שם; לפי דברי ריה״ג אם מנע מן הירקות מים חודש לפני ר״ה הרי הם גדלים ממי שנה שעברה כלומר שלא נהנו ממי שנה הבאה; אבל לר״ע אין ענין המעשר תלוי בזמן המים אלא במהותם; הגדל מן הגשמים מתעשר על שנה שעברה, הגדל ממים שאובים מתעשר להבא: 12 על כל, ר״ה ובעל ז״א והגר״א ורמא״ש הגיהו ע״פ הגמרא שם רוב ואין נראה· — שאין־שהם, כן נ״ל להגיה ועיין בחלופי גרסאות:

קמא.

(יד) ושמחת, בכל מיני שמחות יכול אף בעופות ובמנחות תלמוד לומר בחגך במה שהגיגה באה מהם יצאו עופות ומנחות שאין חגיגה באה מהם.

אתה ובנך ובתך ועבדך ואמתך והלוי אשר בשעריך, חביב חביב קודם

סליק פיסקא

קמב.

(טו) שבעת ימים תחג לה׳ אלהיך במקום אשר יבחר ה׳, והלא כבר
נאמר °חג הסכות שבעת ימים לה׳ מה תלמוד לומר שבעת ימים מלמד שכל ויקרא כג לד
הרגל תשלומים לראשון. [יכול יטעון חגיגה כל שבעה תלמוד לומר °אותו] אם כן שם כג מא
למה נאמר שבעת ימים תשלומים כל שבעה.

כי יברכך ה׳ אלהיך, יכול בו במין תלמוד לומר בכל תבואתך ובכל מעשה ידך.

והיית אך שמח, לרבות לילי יום טוב הראשון לשמחה יכול שאני מרבה לילי יום טוב האחרון לשמחה תלמוד לומר אך מיכן אמרו ישראל יוצאים ידי חובתם בנדרים ובנדבות יכול אף בעופות ובמנחות תלמוד לומר אך סליק פיסקא

קמג.

(טז) שלש פעמים, אין פעמים אלא זמנים [דבר אחר אין פעמים אלא רגלים]
וכן הוא אומר °תרמסנה רגל רגלי עני פעמי דלים. יראה, כדרך שבא לראות ישעיה כו ו

1 ושמחת, [חגיגה ח׳ ע״א, ועיין משנה שם פ״א מ״ד ובירושלמי ע״ו ע״ג ממעט עופות מדכתיב זבח ועיין לקמן פי׳ קמ״ב ויונתן תרגם בשמחת בית השואבה וחלילין:] 3 חביב וכו׳, למעלה פי׳ ס״ט (ע׳ 133) ובציונים שם: 6 מה ת״ל, כאן שבעת ימים — מלמד וכו׳, תו״כ אמור פרק ט״ו ה״ח (ק״ב ע״ג), שם פרק י״ז ה״א (ק״ב ע״ד), חגיגה ט׳ ע״א, והשוה ירו׳ שם פ״א ה״ו (ע״ו ע״ג); והשוה מכילתא בא פ״ז (רמא״ש ח׳ ע״ב, הערה ל״ט): 7 יכול וכו׳ עד ת״ל אותו, כעין זה גורס הגר״א אלא שהוא מחק הברייתא והלא כבר נאמר וכו׳ עד לראשון, ונסח על פי הגמרא חגיגה שם, ולדעתי נראה יותר לגרס על פי תו״כ אמור שם, ולקיים גם הברייתא הראשונה, והרי לפנינו דרשה אחת בשני סגנונים, והאחד נוסף ודאי בזמן מאוחר על ידי איזה מעתיק — ת״ל אותו, וחגותם אותו חג לה׳: 11 יו״ט הראשון, [בירושלמי חגיגה ע״ו ע״ב גרסינן להיפך יו״ט האחרון וכן בבבלי פסחים ע״א ע״א, ובירו׳ סוכה נ״ד ע״ג הגירסה משובשת ובמ״ע מפרש לפי הגירסה שלפנינו מכאן אמרו ישראל וכו׳ דמחייב בשמחה בליל יו״ט הראשון ע״כ דיוצא בנדרים ונדבות דאם לא כן במה ישמח וסבירא ליה כרבין א״ר אלעזר פסחים ע״א דאינו יוצא בשלמי חגיגה ששחטם מערב יו״ט ועל ראיה זו יש להשיב דאם חייב בשמחה אז נאמר דחייב להביא שלמי שמחה בערב יו״ט ועל ראית הגמרא בעצמה יש לדקדק היאך שייך לומר דלא יצא בשלמים ששחטן מערב יום טוב משום דבעינן טביחה בשעת שמחה הרי בודאי הוא בשעת שמחה אם חייב בשמחה בלילה ודוקא לענין שמחה ביו״ט עצמו שייך לומר כן ובאמת בירושלמי הראיה שהביא ר׳ אלעזר היא באופן אחר ומלבד זה אי אפשר לחבר שני הענינים יחד דהא לקמן דורש אך למעט עופות וכאן למעט יום טוב האחרון ובעל כרחך מילתא באפי נפשה היא וצריך לומר „ד״א מכאן אמרו״ כהגהת הרד״ף או צריך למחוק מכאן אמרו וכו׳ לגמרי, הגר״א:] ולדעתי הברייתא מיכן אמרו נוספה מגליון, ואינה מעיקר הספרי:

14 ד״א וכו׳ עד רגלים, כן הוסיף רמא״ש על פי הטופס של פי׳ ר״ה שהיה לפניו; ובכ״י פ הגרסה כמו בשאר הנסחאות, עיין בשנויי נוסחאות, ואע״פ יש לקבל הגהת רמא״ש; והשוה חגיגה ג׳ ע״א, ומכילתא משפטים מסכת אם כסף פ״כ (ק״א ע״ב, ה—ר 332), אמנם במכילתא דרשב״י כ״ג י״ז (ע׳ 159), הובאה הברייתא בנוסח המקורות כאן: 15 לראות, הראשון נקוד לְרָאוֹת, והשני לֵרָאוֹת:

1 שמחות] שמחה ה | יכול–כך בא ליראות] ל׳ ה | אף] ל׳ מא — 2 במה מא, במי רבד — 3 והלוי אשר בשעריך] כן הגירסה בכל הנסחאות, ולפנינו במקרא: והלוי והגר והיתום והאלמנה אשר בשעריך | בשעריך] <והגר וגו׳> ר — 4 סליק פיסקא] ל׳ רא 5 והלא כבר נאמר רמא, וכתי׳ טב, ולהלן הוא אומר ד — 6 שבעת ימים ארבמ, תעשה לך שבעת ימים ט, שבעת ימים לה ד — 7 שבעה] השׁבעה מ — 9 תבואתך] תבואך ר — 11 לילי] ליל מ | הראשון] ראשון ב | שאני] שני ר | לילי] אף ד, ל׳ א — 12 מיכן–אך] ל׳ א — 13 בנדרים ובנדבות מד, בנדרים כול׳ מתני׳ ר, בנדרים ונדבות וכו׳ ט, בנדרין ונדבות ובמעשר בהמה והכהנים בחטאת ואשם בבכור וחזה ושוק ב | יכול–ובמנחות] בעופות ולא במנחות ב | סליק פיסקא ד, פ׳ ר, ל׳ א– 14 שלש פעמים–להר הבית שנאמר שלוש רגלים] ל׳ ט | זמנים] רגלים מ — 15 וכה״א דמא, כענ׳ האמ׳ ר, כה״א ב | רגל] ל׳ ד | רגלי–דלים] וגו׳ ר | יראה] יראה יראה

כך בא לראות. זכורך, להוציא את הנשים. כל זכורך, להביא את הקטנים מיכן אמרו אי זהו קטן כל שאינו יכול לרכוב על כתיפו של אביו לעלות מירושלם להר הבית דברי בית שמיי שנאמר זכורך. ובית הלל אומרים כל שאינו יכול לאחוז בידו של אביו לעלות מירושלם להר הבית שנאמר שלוש רגלים. [שמות כג יד]

את פני ה׳ אלהיך, אם עושה אתה כל האמור בענין פונה אני מכל עסקי ואיני עוסק אלא בך.

בחג המצות ובחג השבועות ובחג הסוכות, רבי שמעון אומר אין תלמוד לומר בחג הסוכות שבו דבר הכתוב מה תלמוד לומר בחג השבועות ובחג הסוכות מלמד שאינו עובר משם בל תאחר עד שיעברו רגלי שנה כולה.

ולא יראה את פני ה׳ ריקם, מן הצדקה וחכמים נתנו שיעור בית שמיי אומרים הראיה שתי כסף ושמחה מעה כסף ובית הלל אומרים הראיה מעה כסף ושמחה שתי כסף.

איש כמתנת ידו, מיכן אמרו מי שיש לו אוכלים מרובים ונכסים מועטים מביא שלמים מרובים ועולות מועטות אוכלים מועטים ונכסים מרובים מביא עולות מרובות ושלמים מועטים זה וזה מועט על זה אמרו מעה כסף ושתי כסף זה וזה מרובה על זה נאמר איש כמתנת ידו כברכת ה׳ אלהיך אשר נתן לך סליק פיסקא

א ׀ לראות] ליראות ד — 1 הנשים] הנשים וטומטום ואנדרוגינוס שהן ספק אשה ה ׀ כל זכורך] וכשהוא אומר כל זכורך ה ׀ להביא את] לרבות ה ׀ מיכן—ושמחה שתי כסף] ל׳ ה — 2 אי זהו] אי זה הוא ר ׀ כתיפו של] כתפי ר ׀ לעלות מירושלים] ולעלות לירושלים ד — 3 שמיי] שמאי אמר ׀ שאינו] שאין ר — 4 לעלות מירושל״ם] ולעלות לירושלם ד — 5 עושה אתה כל—בענין רב, עושה—את כל—בעינין ט, עושה כך כל—בענין מ, אם אתה עושה כן ד, אם אתה עושה כל כך האמור בענין א ׀ פונה—עסקי מדא, מנח אני מכל עסקיי ר, מניח אני את כל עסקיי טב — 6 בך מדא, ל׳ רטב [ובגליון נוסף <לטובתך>] — 7 שמעון] שמואל ד — 8 בחג] חג דא ׀ שבו] ל׳ ר ׀ דבר] מדבר ד ׀ מה רמט״א, אלא מה ט״ד ב ׀ בחג השבועות ובחג הסוכות א, ובחג רט, בחג מ, חג השבועות ובחג הסו׳ ר, חג ד — 9 שאינו] שאין ר ׀ משם בל ר, משום בל מא, בבל דטב ׀ רגלי שנה כולה רא, עליו רגלי שנה כולה מ, כל רגלי השנה ד, כל רגלי שנה ט ב — 10 את] ל׳ ד ׀ שמיי] שמי ר — 11 הראיה שתי כסף—וב״ה אומרים] ל׳ ד ׀ שתי כסף] מעה כסף ר ׀ ושמחה] וחגיגה מא ׀ ושמחה מעה—שתי כסף] וכו׳ ט², כו׳ טי ׀ ושמחה מעה כסף] ושמחה מעה ר — 12 ושמחה] וחגיגה מא ׀ כסף] כסף פ׳ ר — 14 שלמים] שלמי חגיגה ה ׀ ועולות] ועולת ראיה ה ׀ מביא—ושתי כסף] וכו׳ מא — 15 ושלמים מועטים] ל׳ ד ׀ זה] וזה ד ׀ זה וזה מועט] ל׳ ט ׀ זה] וזה ד ׀ מרובה מדהא, מרובים רדב — 16 על זה נאמר] ל׳ ד ׀ סליק פיסקא ד, ל׳ ר, סליק סיפרא א —

1 להוציא וכו׳, חגיגה ד׳ ע״א, מכילתא ומכילתא דרשב״י שם; והשוה משנה ריש חגיגה. — להביא וכו׳, חגיגה ד׳ ע״א ומכילתא דרשב״י, והשוה מכילתא שם: 2 אי זהו קטן וכו׳, משנה ריש חגיגה: 5 אם עושה אתה וכו׳, מכילתא דרשב״י כ״ג י״ז (ע׳ 159) והשוה תו״כ אחרי מות פרשה ח׳ ה״ד (פ״ד ע״ג), שם קדושים פרשה י׳ ה״ה (כ״א ע״ג) ועוד שם הלכה י״ג, ובכל המקומות האמורים מובא לפורענות חוץ מכאן ובמכילתא דרשב״י שהוא לטובה: 9 מלמד וכו׳, למעלה פי׳ ס״ג (ע׳ 130) ושם נסמן: 10 מן הצדקה, ר״ה מחק להאי מן הצדקה דצדקה מאן דכר שמידה וליתא דאף יונתן תרגם כן וכן איתא בפס׳ זו, רמא״ש; ולדעתי הוספה עתיקה בספרי, וסותרת הבא אחריה, ובמ״ת הובאה רק דרשה זו, והמשפט וחכמים נתנו שיעור וכו׳ חסר; אבל במכילתא דרשב״י כ״ג ט״ו הגירסה: ולא יראו פני ריקם אף מן הצדקה; ולא יראו פני ריקם אפילו כל שהוא וחכמים אומרים אין פחות לעולת ראייה ממעה כסף ולחגיגה שתי כסף. — וחכמים נתנו שיעור, ירו׳ פיאה פ״א ה״א (ט״ו ע״א), שם חגיגה פ״א ה״ב (ע״ו ע״ב). — בש״א וכו׳, משנה חגיגה א׳ ב׳: 13 מיכן אמרו, משנה שם פ״א מ״ה:

פרשת שופטים.

קמד.

(יח) שפטים ושוטרים, מנין שממנים בית דין לכל ישראל תלמוד לומר
שפטים תתן לך, ומנין שממנים שוטרים לכל ישראל תלמוד לומר שטרים תתן
לך, רבי יהודה אומר מנין שממנים אחד על גבי כולם תלמוד לומר תתן לך, ואומר
°ושטרים הלוים לפניכם ומנין שממנים בית דין לכל עיר ועיר תלמוד לומר דהי״ב יט יא
שפטים בכל שעריך, ומנין שממנים שוטרים לכל עיר ועיר תלמוד לומר
ושטרים בכל שעריך, ומנין שממנים בית דין לכל שבט ושבט תלמוד לומר

1 מנין וכו׳, [סנהדרין ט״ז ע״ב; ושם הגרסה לישראל ולגרסה שלפנינו תני והדר מפרש דממנין לכל שבט ושבט ולכל עיר, רד״ף; ועיין עוד מכות ז׳ ע״א, תוספתא סנהדרין פ״ג ה״י (ע׳ 420)]. — מנין וכו׳ עד בעל כרחם, מובא ברמב״ם עשין קע״ו. ובספר החנוך סי׳ תצ״א, בעקדת יצחק מובא עד והשוטרים הלויים לפניכם, וכן במנורת המאור נר ג׳ כלל ט׳ חלק ב׳ ריש פ״ב (ע׳ רכ״ג), פ״ז. — לכל ישראל, דהיינו סנהדרי גדולה, מפי׳ ר״ה: 3 ר׳ יהודה אומר וכו׳, [בסנהדרין שם מובאים דברי ר׳ יהודה בסוף ופירש רש״י „זו סנהדרי גדולה״ לומר שמעמידין ב״ד אחד על שאר בתי הדין, אבל בתוספות שם ד״ה אחד הקשו על רש״י שהרי בספרי נשנו דברי ר׳ יהודה קודם שהזכיר לכל שבט, ועל כן מפרשים דהיינו הנשיא כדקתני בהוספתא פ״ח (ע׳ 427) שהנשיא יושב באמצע עוד פירשו דהיינו המופל״א שהיה בכל בית דין. וכפירוש השני נראה אבל הראיה מדברי הימים מוכיח יותר כפירוש הראשון. והגר״א מוחק המלים „ואומר—לפניכם״. ועדין צריך עיון היאך דורש הכתוב ואפשר שדורש תתן לך קאי אב״ד דהיינו שהב״ד נמי יש להם מי שלמעלה מהם. ודוחק. ועוד אפשר שדורש תתן לך כאלו הדבור אל משה כמו שהוא על כולן כן יהיה לדורות. וגרסת מ״ת „ושפטו, ר׳ יהודה אומר זה אחד הממונה על כולם שנאמר תתן לך״.] ולדעתי מחלוקת ר׳ יהודה וחכמים היא כפירוש התוספות, אם מעמידין נשיא אחד חכם על גבי ב״ד הגדול של שבעים, ובזה מתבאר מחלקתם גם במשנה ריש סנהדרין „מנין לגדולה שהיא של שבעים ואחד שנאמר אספה לי שבעים איש ומשה על גביהן ר׳ יהודה אומר שבעים״. ובודאי גם ר׳ יהודה מודה שמשה היה מן הסנהדרין שבמדבר אלא שהוא אינו מונה את הנשיא לאחד מחברי הב״ד, וגם כאן פירוש מחלקתם הוא שת״ק חושב את הנשיא לאחד מבני הסנהדרין, ור׳ יהודה מפרש תתן לך על משה, ולפי דבריו משה עומד למעלה מן הסנהדרין, ועיין עוד במפתח התלמוד לר׳ מיכאל גוטמאן ח״א ע׳ 83 בהערה, ובמאמרו של ר׳ אביגדור אפטוביצר במאנאטסשריפט שנה נ״ד עמוד 424. — ואומר וכו׳, [הראיה היא מראש הפסוק, והנה אמריהו כהן הראש עליכם לכל דבר ה׳ וזבדיהו בן ישמעאל הנגיד לבית יהודה לכל דבר המלך ושטרים הלוים לפניכם, מהר״ס; וכן פירש במאיר עין אבל רד״ף פירש דואומר לאו דברי ר׳ יהודה הן ואתאן כב״ע ומביא ראיה דמצוה למנות שוטרים בכל מקום ולאו דוקא בב״ד הגדול וגם למימרא דעל ב״ד הגדול החיוב למנות שוטרים ולא כל הרוצה ליטול את השם יטול ואין נראה]: ולי נראה למחוק המלים והשוטרים וכו׳, כהגהת הגר״א וכגרסת הרמב״ם, ועיין למעלה פי׳ ט״ו (ע׳ 25, שורה 7): 4 לכל עיר ועיר, השוה מ״ת לקמן כ״ה ה׳ (ע׳ 166): 6 לכל שבט ושבט [פי׳ בתוספות סנהדרין ט״ז ע״ב, ד״ה שופטים, אם יש בעיר אחת שני שבטים; וכן פירש הרמב״ן בפי׳ אחד, אבל פירוש אחר מהרמב״ן שיהיה מלבד הבית דין שבכל עיר ועיר בית דין לכל שבט שכל בתי הדין של אותו השבט כפופים לו לענין אם אמר אחד מבעלי דינים לב״ד הראש של השבט אני רוצה לילך אי נמי לתקן תקנות ולגזור גזורות; וכתב הרד״ף דכפי׳ הראשון משמע גרכת הספרי דגורס לכל שבט ושבט אחר לכל עיר ועיר, אמנם לפי גרסת הש״ס המוקדמת לכל שבט ושבט לכל עיר ועיר משמע כפירוש השני]:

1 שופטים—ושבט תלמוד לומר ושופטים לשבטיך] ל׳ טה | ושוטרים] ל׳ ר | ושוטרים] לדמ מוסיפים <תתן לך> — 2 לך] ר מוסיף <מיני עליך דיינין>, א׳ מוסיף <בכל שעריך ואומ׳ לשבטיך> | לכל ישראל] לישראל א | שוטרים] ושוטרים א — 3 ר׳ יהודה אומר] ל׳ [רמב״ם] | על גבי כולם רבדא, לכולן ל, על כולם מ | ואומר—לפניהם] ל׳ [רמב״ם] | ואומר] ואומרין ל — 4 ושוטרים רבלמ, ושוטרי א, והשוטרים ד, ושפטו פ | לפניכם רב ד, לפניהם ל, בראשיכם אמ; ב מוסיף <וגו׳>. רל מוסיפים <חזקו ועשו ויהי ה׳ עם הטוב> | לכל] בכל א — 5 שפטים] אמ מוסיפים <תתן לך> | בכל שעריך ראמ, לשעריך רבל | ומנין] מנין מ | לכל] בכל א | ועיר] ל׳ ב — 6 ושטרים] שוטרים ל | בכל שעריך למאי, לשעריך רבדא | שעריך] ל מוסיף <בא הכתוב להקיש סנדרי גדולה לסנדרי קטנה מה גדולה דנה והורגת אף קטנה דנה והורגת> השוה לקמן אחר המלים דן את שבטו | ומנין—ושבט תלמוד לומר ושופטים לשבטיך רבדא, ל׳ טלמה |

ושופטים לשבטיך, ומנין שממנים שוטרים לכל שבט ושבט תלמוד לומר ושטרים לשבטיך, רבן שמעון בן גמליאל אומר לשבטיך ושפטו מצוה על כל שבט ושבט להיות דן את שבטו. בכל שעריך, בא להקיש סנהדרי גדולה לסנהדרי קטנה מה גדולה דנה והורגת אף קטנה דנה והורגת.

ושפטו את העם, בעל כרחם. משפט צדק, והלא כבר נאמר לא תטה משפט מה תלמוד לומר משפט צדק זה מנוי הדיינים.

(יט) לא תטה משפט, שלא תאמר איש פלוני נאה איש פלוני קרובי. לא תכיר פנים, שלא תאמר איש פלוני עני איש פלוני עשיר. ולא תקח שוחד, אין

בית דין] ל׳ א | ושבט] ל׳ ר – 1 ושופטים ד, שופטים רבא׳, ושוטרים א | ומנין—ושטרים לשבטיך] ל׳ א | מנין] מנין מ | ושבט] ל׳ ר | ושטרים] שוטרים מ – 2 לשבטיך] לשבטיכם ל | ושפטו] בא ג׳ על הגליון <מלמד שהיו> | על כל שבט ושבט רבאמ [הזכרון], על כל שבט ל, לכל שבט ושבט ר, לשבט ה, בשבט [פ״ז] – 3 להיות דן] לדון ה [פ״ז] | שבטו] בה נוסף <ר׳ יאשיה אומר אם אמרה תורה בכל שעריך מה ת״ל לשבטיך ואם אמרה תורה לשבטיך למה נאמר> | בכל—אף קטנה דנה והורגת] ל׳ בדאמ ומובאה ברטה ובמהר״ס; וגם בל נמצאה למעלה אחר המלים לכל עיר ועיר ת״ל ושוטרים לשבטיך | שעריך] בה נוסף <אלא> | בא] בטה נוסף <הכתוב> | סנהדרי הט׳, סנהדרין ט׳, סנהדרי רל [וכן בסמוך] – 4 אף קטנה] ה מוסיף <תהא> | והורגת] הורגת ט׳ | קטנה דנה והורגת] ר מוסיף <שפט׳ ושט׳ ר׳ אלעזר בן שמוע אומר אם יש שוטר יש שופט אם אין שוטר אין שופט שפט׳ ושט׳ נקראו שופטים נקראו שוטרים נק׳ זקנים נקר׳ דיינין ול׳ [ולא פ] הוכשרו עד שיהו בהן עשר׳ מדות וכן הוא אומ׳ ויאמר המלך לאשפנז ילדים אש׳ אין בהם כל מום טובי מראה ומשכילים בכל חכמה יודעי דעת ומביני מדע ואשר כח בהם לעמד וללמדם ספר ולשון כשדים ודניאל הבין בכל חזון וחלומות> וקטעים מברייתא זו מובאים גם במדרש תנאים, והמובלט בפזור האותיות נמצא גם בכ״י פ — 5 בעל כרחם רטדאה, על כורחן ב, על כורחו ל, על כורחם מ | צדק] דמה מוסיפים <זה מינוי הדיינים> | והלא—זה מנוי הדיינים] ח׳ במה, ונמצא ברבלא בשנויים אלו: והלא רטדא [רא״ם], והרי בל – 6 משפט] וגו׳ ר, א מוסיף <ולא תכיר פנים ולא תקח שוחד> ל מוסיף <וגומ׳> | מה] ומה ל | זה] זו ר | הדיינים] אי מוסיף <הכשרים>, ר מוסיף <סל׳ פסקא לא תטה משפט בממון לא תכיר פנים בדין ד״א> ברייתא זו נוספת גם בה אחרי המלים „פלוני עשיר״; ובפ אחר המלים לא תטה משפט – 7 שלא] אל א | איש] ואיש ל | קרובי] אי מוסיף <אזכנו בדין> | לא ר דאמ, ולא בטה, שלא ל – 8 שלא רבטלדה, לא א מ | איש פלוני עני איש פלוני עשיר רבטלה, איש פלוני עשיר איש פלוני עני דאמ; ר ומהר״ס מוסיפים <ולא תכיר פנים בכבוד שלא תושיב את הראוי למעלן [פ למעלה] למטן ואת הראוי למטן למעלן> [הנבלט בפזור האותיות מובא גם בפ, ה מוסיף <ד״א לא הטה משפט בממון לא תכיר פנים בדין שלא תושיב את הראוי למעלן למטן ואת הראוי למטן למעלן> ועיין למטה אחר המלים אין יוצא ידי

2 רבן שמעון בן גמליאל וכו׳ עד בעל כרחם, מובא בספר כפתור ופרח פרק י״ב (ע׳ 323), ובספר הזכרון מובא עד „להיות דן את שבטו״. — לשבטיך ושפטו [הגר״א גורס לשבטיך ושפטו זה מינוי הדיינים ושפטו את העם בעל כרחם]. — מצוה וכו׳, [תוספתא סנהדרין פ״ג ה״י, עמו׳ 420, רד״ף רוצה לפרש דפליג על ת״ק דאין ממנין ב״ד לשבט והכתוב בא להשמיענו דאפילו אמר המלוה לבית דין הגדול קא אזילנא או לבית דין של שבט אחר גדול מב״ד של בעלי דינים אינו יכול לכופו אבל רש״י בסנהדרין מפרש שלא ילכו בית דין של שבט זה לבית דין של שבט אחר משמע דרשב״ג ות״ק בהא פליגי דלת״ק אעפ״י שיש בית דין מיוחד לשבט זה אם רוצים שניהם לילך לב״ד קאמר הרשות בידן ואין בית דין של שבטם יכול לכופם ולרשב״ג יכולין לכופן]: 3 בא להקיש וכו׳, ברייתא נוספת אל הספרי מגליון וחסרה בהרבה מקורות כמבואר בחלופי נוסחאות: 4 אף קטנה דנה וכו׳, משנה ריש סנהדרין, ספרי במדבר פי׳ ק״ס (ע׳ 220): המובא בשם ר״א בן שמוע בכ״י רפ, בחלופי נוסחאות, נמצא עוד במ״ת, בפ״ז, ובתנחומא שופטים סי׳ ב׳: 5 בעל כרחם, לקמן פי׳ רפ״ו. — והלא וכו׳ עד מנוי הדיינים, מובא בספר הזכרון: 6 זה מנוי הדיינים [שיהו ממנים דיינים מומחים וצדיקים לשכוט צדק, ובפ״ז גורס „זו מצות הדיינים שיהו מנוקין בצדק״ והגר״א מגיה „לא תטה משפט בממון ולא תכיר פנים בדין, ד״א לא תטה משפט ולא תכיר פנים למה נאמר והלא כבר נאמר לא תטה משפט ולא תכירו פנים אלא זה מנוי וכו׳]. — הדיינים, המאמר לא תטה משפט בממון וכו׳, המובא בכ״י רפ נוסף מגליון וחסר ברוב המקורות. [בממון, לזכות את החייב, ולזה כוון רש״י באמרו „כמשמעו״. בדין, אפילו בשעת הטענות לא יהא רך לזה וקשה לזה אחד עומד ואחד יושב, רש״י, וז״ר]: 7 שלא תאמר וכו׳, פ״ז, ומובא בספר יראים סי׳ רל״ה, הוצ׳ שיף סי׳ ר״ג. — שלא תאמר וכו׳, אין זה דומה להמובא למעלה פי׳ י״ז (ע׳ 27, שורה 15), כי שם במנוי הדיינים מדבר, וכאן לפי האמור בדין עצמו. — קרובי [בפ״ז מסיים „כדי לעוזרו״ ופי׳ במ״ע דלפי דעתו לא קאי אדיין אלא אאיש אחר שלא יאמר כן לדין וכן איש פלוני עני שלא יאמר לדיין כך ופירוש זה רחוק ואפשר דדורש לא תטה לא יזכהו בשביל שדעתו נוטה אחריו, ולא תכיר שלא יטה הדין לא בשביל הנאת עצמו אלא בשביל שלא לבייש את העשיר או לעשות צדקה עם העני, ועיין לעיל פי׳ י״ז, עמו׳ 28, שורה 1, תו״כ קדושים פרק ד׳ ה״ב (פ״ט ע״א)]: 8 שלא תאמר וכו׳, פ״ז. — עשיר, עיין בחלופי נוסחאות בברייתא הנוספת מגליון בכ״י רפ. — אין צריך לומר לזכות וכו׳, פ״ז, כתובות

צריך לומר לזכות את החייב ולחייב את הזכיי אלא אפילו לזכות את הזכיי ולחייב את החייב. כי השוחד יעור עיני חכמים, ואין צריך לומר עיני טפשים. ויסלף דברי צדיקים, ואין צריך לומר דברי רשעים. דבר אחר כי השוחד יעור עיני חכמים, אומרים על טמא טהור ועל טהור טמא, ויסלף דברי צדיקים, אומרים על אסור מותר ועל מותר אסור. דבר אחר כי השוחד יעור עיני חכמים אין יוצא ידי עולמו עד שיורה צדק בהוראתו. ויסלף דברי צדיקים, אין יוצא ידי עולמו עד שיודע מה שמדבר.

דבר אחר לא תטה משפט בממון, ולא תכיר פנים בדין. דבר אחר לא תכיר פנים בכבוד שלא תושיב הראוי למטה למעלה הראוי למעלה למטה.

(כ) צדק תרדוף, מנין יצא מבית דין זכיי אין מחזירים אותו לחובה תלמוד לומר צדק צדק תרדוף, יצא חייב מנין שמחזירים אותו לזכות שנאמר צדק צדק תרדוף.

ק״ה ע״א, מכילתא סוף משפטים פרשה כ׳ (רמא״ש ק׳ ע״א, ה—ר עמו׳ 328)] ומובא בספר יראים סי׳ רמ״ב, הוצ׳ שיף סי׳ קכ״ח, בסגנון של הגמרא בכתובות: 4 אומרים וכו׳, מכילתא דרשב״י כ״ג ח׳ (ע׳ 156). — אומרים וכו׳ [הגר״א מגיה „אין יוצא מידי עולמו עד שיורה טעות בהוראתו שיאמר על טהור טמא ועל טמא טהור על אסור מותר ועל מותר אסור. ויסלף דברי צדיקים אין יוצא מידי עולמו עד שלא ידע מה מדברים. צדק צדק כו׳] 6 עולמו [מהר״ס בשם הראב״ד גורס „אין יוצא מידי עולמו אלא בסמיות עינים. ויסלף דברי צדיקים אין יוצא ידי עולמו עד שלא ידע מה מדבר״. עיין מ״ת, וירו׳ סוף פאה ומכילתא סוף משפטים] ולדעתי יש לבכר הנוסחאות המקובלות ברוב המקורות כמפורט בפנים ובחלופי נוסחאות, ופירוש עד שיורה צדק כל זמן שיורה צדק, וכן עד שיודע כל זמן שיודע, ועיין עוד כתובות ק״ה ע״ב. ות״י; והשוה הערתי על מאמר זה בספר השנה להאקדימיה האמירי־קאית שנה 3—1932, ע׳ 45: 9 [למעלה, אבל להושיב את הגדול למעלה מותר ואינו אסור אלא בשניהן שווין, ובמ״ת הדרשה דאיש פלוני נאה קודם והדרשה השניה בה זו הדרשה „ולא תכיר פנים בדין שלא תושיב את הראוי למעלן למטן ואת הראוי למטן למעלן ושלא יהיה העני עומד והעשיר יושב״, ונעלם מן הז״ר לשון התנחומא „אזהרה לנשיא שלא יושיב את הראוי למעלן וכו׳״ ולפי זה אזהרה שלא יושיב את הסנהדרין ואת התלמידים שלא לפי מעלתם ולפי זה יש לפקפק גם בפי׳ „לא תכיר פנים בדין״ דאפשר דהיינו הך וקאי אדיינים ועיין היטב לשון תנחומא ולשון התנחומא בילקוט ולשון המ״ת ותנחומא ב׳ ואפשר דהגרסה העקרית „לא תטה משפט שלא תאמר וכו׳ ד״א לא תטה משפט בממון ולא תכיר פנים בדין שלא יושיב וכו׳ ד״א לא תכיר פנים בכבוד שלא יהא העני עומד וכו׳״] ולדעתי לפנינו מחלוקות בין שתי אסכולות, בין תלמידיהם של ר״י ור״ע, הברייתא לא תכירו פנים בכבוד וכו׳ מקורה בבית מדרשו של ר״י שהם היו מהשטחים העליונים בעם, ומצאו בהושיבת העליונים למטה עוות משפט ואי צדק, בנגוד לתלמידי ר״ע שלא הוציאו הכתוב מידי פשוטו ודרשוהו רק לענין משפט ודין: 10 מנין וכו׳, מכילתא סוף משפטים

עולמו עד שיודע מה שמדבר. א מוסיף <לא אחייבנו בדין> | ולא רבטלדה, לא אמ | אין רבטלאה [רא״ם] ואין דמ — 1 לזכות] לזוכה א, לזכות אי | הזכיי] זכאי א — 2 החייב] חייב א ושם נוסף <כי השוחד יעור עיני חכמים אמר על טמא טהור ועל טהור טמא ויסלף דברי צדיקים אמ׳ על אסור מותר ועל מותר אסור ד״א> | כי—הראוי למעלה למטה] ל׳ ה | כי—דברי רשעים ד״א] ל׳ מ, ונוסף למטה אחר המלים ועל מותר אסור, בשנוים שהעתקתי כאן | עיני חכמים רבלהאי, ל׳ טא, פקחים מ | ואין—טפשים רטלהאי, ואין צריך לו׳ טפשים א, ל׳ ב | ויסלף דברי צדיקים] ל׳ ב — 3 לומר] ל׳ ל | דברי רשעים בטלא, דב׳ רשע ר, עיני רשעים ד | דבר אחר] ל׳ ד | כי השוחד] ל׳ כאן בא אבל נמצא עם שאר הברייתא בשנויים אחר המלים ולחייב את החייב | יעור טדאמ, ל׳ רבל | עיני חכמים רבלאמ, ל׳ טד — 4 אומרים מ, האומר בד, אומ׳ ר, אומר ל, אמר א | על טמא טהור [הטהור ל] ועל טהור [הטהור ל] טמא רבטלאמ, על טהור טמא ועל טמא טהור ד | אומרים] אומ׳ רמ, אמ׳ א, האומ׳ ד, האומר בט, ל׳ ל — 5 אסור בטאמה, האסור רל | ועל מותר בטדאמ, ועל המותר רל | ועל המותר אסור] מ מוסיף <ד״א כי השוחד יעור פקחים ואין צריך לומ׳ טפשים ויסלף דברי צדיקים ואין צריך לומ׳ דברי רשעים> | יעור עיני חכמים בטדאמ, וג׳ ר; ד מוסיף <ויסלף דברי צדיקים> — 6 עד—בהוראתו] אלא בסמיות עינים פ; והעיר ר״ה ואית ספרים דכתיב „אין יוצאין ידי עולמן עד שיודה צדק בהוראתו״ ולא ידענא מהו, עכ״ל. וע׳ בהערות | עד טלאי, עוד אלא ב, עוד אלא עד ראמ, עוד עד ד | שיורה] שיורוהו ד — 8 ד״א—בדין] ל׳ רבאמ ונמצא בטלד, ואינו מעיקר הספרי אלא נוסף מגליון, ובפ מובא מיד אחר ההוספה שהבאתי למעלה בשנויי נוסח׳ מכ״י ר על המשפט קטנה דנה והורגת | בממון] במומין טי | בדין] בית דין ט | ד״א—למעלה למטה ט, ל׳ בדאמ, ובל ומהר״ס נמצא בשנויים קלים המפורטים, ובר נמצא למעלה אחר המלים איש פלוני עשיר. וגם זה אינו מעיקר הספרי אלא נוסף מגליון — 9 הראוי] את הראוי ל [מהר״ס] | למטה למעלה] למעלן למטן ל [מהר״ס] | הראוי למעלה למטה] ואת הראוי למטן למעלן [מהר״ס] — 10 יצא] כן נראה לגרס, וכעין זה בכ״י ר אלא ששם הנוכח מלא בו״ו יוצא, כרגיל בספרים שמקורם בא״י להראות על קמץ בו״ו; ובמקורות האחרים נשתבש, שאם יצא א, אם יצא מ, יכול שאם יצא ה, ליוצא בטלדפ | אין רבלד, שאין טאמ. ל׳ ה | אותו] ל׳ ל — 11 יצא] אי מוסיף <מב״ד> | חייב] מחוייב ה | שנאמר דמ, ת״ל רבטלא

דבר אחר צדק צדק תרדוף, רדוף אחר בית דין שדינו יפה אחר בית דינו של רבן יוחנן בן זכיי ואחר בית דינו של רבי אליעזר.

למען תחיה וירשתה את הארץ, מלמד שמנוי הדיינים כדיי הוא להחיות את ישראל ולהושיבם על אדמתם ושלא להפילם בחרב סליק פיסקא

קמה.

(כא) לא תטע לך אשרה כל עץ, מלמד שכל הנוטע אשרה עובר בלא תעשה ומנין לנוטע אילן בהר הבית שהוא עובר בלא תעשה תלמוד לומר כל עץ אצל מזבח ה׳ אלהיך. רבי אליעזר בן יעקב אומר מנין שאין עושים אכסדרה בעזרה תלמוד לומר כל עץ אצל מזבח ה׳ אלהיך, כשהוא אומר אשר תעשה לך לרבות במה.

דברים יב ג

לא תטע לך אשרה׳ אמרה תורה ואשריהם תשרפון באש קל וחומר שלא יטע ומנין שלא יקיים תלמוד לומר לא תטע לך מכל מקום׳ דבר אחר אפילו בית אפילו

קמו.

(כב) ולא תקים לך מצבה, אין לי אלא מצבה עבודה זרה מנין ודין הוא ומה מצבה שאהובה לאבות שנואה לבנים עבודה זרה ששנואה לאבות דין הוא שתהא שנואה לבנים סליק פיסקא

ה — 1 דבר אחר צדק צדק תרדוף רבדאמ, ל׳ ל, בט חסר מכאן עד למען ובה מכאן עד סוף הפסקא | רדוף אמ [מנורת המאור], ל׳ רבלפ, הלך ד | אחר בדא, אחרי רלמ | שדינו רלאמ [מנורת המאור], ל׳ בד | יפה רלאמ [מנורת המאור], שיפה בד | בית דינו רדאמ [רא״ם], בי׳ דין ב — 3 מלמד לדאמ [פ״ז, מנורת המאור], הא מלמד ר, ומניין ב, מנין ט | הדיינים רבטדמ [פ״ז, מנורת המאור], הדין ל, דיינין כשרים א׳, ל׳ א | כדיי הוא] כדי ד — 4 בחרב] בט מוסיפים <ת״ל למען תחיה וגר>. ל מוסיף <לא תטע לך אשירה אמרה תורה ואשריהם תשרפון באש קל וחומר שלא יטע מניין שלא יקיים ת״ל לא תטע לך מכל מקום ד״א אפי׳ בית אפי׳ סוכה> [ועיין למטה בסוף הפיסקא] | סליק פיסקא ד, ל׳ רבלא —

5 כל עץ] ט מוסיף <התורה אמרה ואשיריהם תשר׳ באש קל וחומ׳ שלא יטע ומנין שלא יקיים ת״ל לא תטע לך מכל מקום ד״א אפי׳ בית אפי׳ סוכה ד״א לא תטע לך> [ועיין בסוף הפיסקא] | מלמד] מנ׳ ב | בלא תעשה] ת״ל לא תטע לך אשיר׳ ב — 6 ומנין רבטלדה [רא״ם], מנין אמ | אילן אמ, אילן ובונה [ולבונה רא״ם], בית רבטלד [רא״ם, ספר יראים], אילן ולבינה [הזכרון] | שהוא עובר] שעובר בט | תלמוד לומר] שנ׳ מ — 7 אצל מזבח ה׳ אלהיך] ל׳ ר | אצל] ל מוסיף <כל> | ה׳ אלהיך] ל מוסיף <אשר שנא>. אמ מוסיפים <מנין שאין עושין כלוגיות [בהר הבית א׳] כדרך שאחרים עושין ת״ל כל עץ אצל מזבח ה׳ אלהיך> | בן יעקב] ל׳ ד | אכסדרה] אכסדרא ל — 8 לומר] ט מוסיף <כל עץ> | כל] ל׳ לה | עץ] ל׳ ד — 10 לא תטע–סוכה] ברייתא זו חסרה בבדאמה ונמצאת בשנויים קטנים כאן בר ולמעלה בל אחר המלה בחרב ובט אחר המלים אשרה כל עץ | תשרפון באש טל, תגדעון ר — 11 יטע] תטע ר | ומנין ט, מניין רל — 12 סוכה] ט מוסיף <ד״א לא תטע לך> | סליק פיסקא ד, ל׳ רבלא —

13 ולא דאמ, לא רבטלה | מצבה רבלא, <אשר שנא ה׳ אלהיך> טדמה | עבודה זרה אמה, אשירה ועבודה זרה ר בטלד | ודין] דין ה | ומה] ומנ׳ ר — 14 עבודה זרה אמה, אשירה ועבודה זרה רבטלד | ודין [לא דין א׳] הוא רטאמ,

(רמא״ש ק׳ ע״א, ה—ר עמוד 328), מכילתא דרשב״י שם כ״ג ז׳ (ע׳ 156), סנהדרין ל״ג ע״ב: 1 רדוף וכו׳ עד סוף הפיסקא. מובא במנורת המאור נר ג׳ כלל ט׳ חלק ב׳ ריש פ״ב סימן רכ״ג — רדוף וכו׳, סנהדרין ל״ב ע״ב, רש״י, פ״ז, ועיין מה שהעיר על זה גייגער במאמרו הנדפס בספר Nachgelassene Schriften ח״ד ע׳ 322: 4 ושלא להפילם בחרב [הגר״א מוחק וכן ליתא ברש״י]:

5 מלמד וכו׳, פ״ז, ספר יראים סי׳ ס״ו, הוצ׳ שיף סי׳ שע״ו — בלא תעשה [משעת נטיעה, רש״י, ובמאיר עין פירש דמן ואשריהם תשרפון באש לא הוה ידענא לא תעשה]: 6 ומנין וכו׳, ספר יראים סי׳ ס״ו, הוצ׳ שיף סי׳ שע״ו. ועיין רש״י ופ״ז: 7 ראב״י אומר וכו׳ [תמיד כ״ח ע״ב, וסוכה נ״א ע״ב] ועיין סמ״ג לאוין מ״ד: 9 במה [שלא יטע עץ אצל במה והז״א פירש שלא יבנה במה בהר הבית ואין נראה]: 10 ק״ו שלא יטע וכו׳ [לא תירץ כלום דעדיין תקשה דאין צריך קרא אפילו שלא לקיים דהא כתיב ואשריהם תשרפון באש ואפשר דחסרון קודם ומנין שלא יקיים ואפשר דמרבה אם נוטע אפילו שלא לעבדו ולקיים נפקא לן ממלת לך, עיין מכילתא דרשב״י גבי לא תעשה לך פסל, ע׳ 105] ושם מפרש דעובר משום שתים משום לא תעשה ומשום לך: 11 אפילו בית [דכתיב כל עץ ומרבה אפילו בית דאית בה עץ]:

13 עבודה זרה [בדפוס הגרסה אשרה ועבודה זרה, אבל הגר״א מוחק אשרה וכן ליתא במ״ת ובמ״ח

קמז.

(יז א) לא תזבח לה׳ אלהיך שור ושה, רבי יהודה אומר יכול השוחט חטאת בדרום יהא עובר בלא תעשה, תלמוד לומר לא תזבח לה׳ אלהיך שור ושה אשר יהיה בו מום על מום עובר בלא תעשה ואין השוחט חטאת בדרום עובר בלא תעשה, וחכמים אומרים אף השוחט חטאת בדרום עובר בלא תעשה, יכול המקדים קדשים זה לזה עולה לחטאת פסח לתמיד מוספים לתמידים יהא עובר בלא
תעשה תלמוד לומר °לא תוכל לאכול בשעריך מעשר דגנך תירושך ויצהרך, דברים יב יז
°לא תוכל לזבוח את הפסח באחד שעריך אשר ה׳ אלהיך, לא תזבח לה׳ שם טז ה
אלהיך שור ושה אשר יהיה בו מום על אלו עובר בלא תעשה ואין מקדים קדשים זה לזה עובר בלא תעשה.

אשר יהיה בו מום, אין לי אלא שנולד תם ונעשה בעל מום נולד בעל מום ממעי אמו מנין תלמוד לומר כל דבר רע מנין בעל גרב בעל יבלת ובעל חזזית תלמוד לומר מום כל דבר רע, מנין לזקן וחולה ומזוהם תלמוד לומר שור ושה כל דבר רע, מנין לקדשים ששחטם חוץ לזמנם וחוץ למקומם שעובר בלא תעשה תלמוד לומר דבר שתלוי בדבר. מנין לרובע ונרבע ומוקצה ונעבד תלמוד לומר

אבל ביראים עמוד א׳ איתא ואפשר דצ״ל מצבה ואשרה ע״ז מנין, וצ״ע מאי קמבעיא ליה ומהר״ס פירש דאיירי בעבודה זרה של נכרים שבטלוהו והם מותרים בהנאה ואפ״ה אסורים לקיימן אצל המזבח ואפילו לנוי והיינו מדכתיב הסירו את אלהי הנכר אשר בתוככם כמ״ש הראב״ד ושם „ע״ז שבטלוהו היתה״ ורד״ף דחה דבריו דאם כן מאי ראיה ממצבה וכי במצבה של גוי איירי על כן פירש דשואל אם מותר להקים צורה של עבודה זרה אף שדעתו לשמים לנוי ולהדור וכן אשרה אי מותר בגבולין אצל בית הכנסת ונראה כפירושו אבל מה שפירש לענין אשרה מיותר שכבר כתבנו שצ״ל ואשרה] ועיין ברש״י ובת״י:

1 ר׳ יהודה אומר וכו׳, [זבחים ל״ו ע״א וע״ב וכתב מהר״ס דס״ד משום דשלא במקום שחיטה הוה כבעל מום ורד״ף פירש מדכתיב כל דבר רע ועיין רמב״ן בלאוין שהוסיף מצוה ד׳]: 4 וחכ״א וכו׳, ספר יראים סי׳ שע״ח, הוצאת שיף ש״פ, סמ״ג לאוין שי״א: 5 פסח לתמיד [פסחים ריש פ״ה, בבלי נ״ח ע״ב]. — מוספים לתמידים [זבחים פ״ט ע״א, במשנה שם פ״י מ״א]: 6 לא תוכל וכו׳ [הגר״א מוחק פסוק זה וכן הפסוק דלא תוכל לזבוח את הפסח, ורד״ף פירש לא תוכל דמניה ילפינן אוכל עולה או חטאת קודם זריקת דמים וכן לא תוכל לזבוח וכו׳ דילפינן מניה זובח פסח בבמה אבל קדימות הללו שאינם אלא למצוה והקרבנות על כל פנים כשרים לא מיקרו דבר רע]: 10 אין לי אלא וכו׳, פ״ז, סמ״ג לאוין ש״י ושי״א [למעלה פי׳ קכ״ו]. — שנולד תם [הגר״א מוחק מלים אלו, וכן „ת״ל כל דבר רע״]. — ונעשה בעל מום. [דנשתנה מברייתו]: 11 בעל גרב וכו׳, [בכורות מ״א ע״א ומ״ג ע״א]: 12 וחולה [בכורות מ״א ע״א]: 13 מנין, [רש״י, ת״י] רמב״ן לאוין ששכח הרמב״ם, מצוה ד׳: 14 לרובע וכו׳ [דנעשה מעשה בגופן,

דין ב, אינו דין לד | שתהא שנואה] ששנואה ה, — 15 עמ׳ הקו׳ סליק פיסקא ד, פ׳ ר, ל׳ בלא —

1 ר׳ יהודה אומר—זה לזה עובר בלא תעשה] ח׳ ה, — 2 חטאת רבלאמטיפ, ל׳ דהטי | יהא] ל׳ בה | תלמוד לומר—על מום עובר בלא תעשה טדמ, תלמוד לומר לא תזבח וגו׳ על מום עובר בלא תעשה ד, תלמוד לומר לא תזבח לה׳ אלהיך על מום עובר בלא תעשה ל, ל׳ באה — 3 ואין—עובר בלא תעשה ראמ [ובא נמשך קו תוך המלה חטאת וממעל כתוב שלמים], ל׳ בטלדה; אמנם בטופס הספרי שלפני ר׳ הלל היה כתוב, והוא מביא שתי מלים הראשונים של המשפט ואין השוחט וכו׳ — 4 אף] אין א | חטאת רבלדאטי, ל׳ מהטי | יכול] וכל ט, יכול אף ל — 5 המקדים רבלדמטי, המקדישין א, המקריב טי, ל׳ ה | יהא] יהיה ד, ל׳ ה — 6 לא תוכל] ל׳ בה | מעשר—ויצהרך דמ, ל׳ רבטלאה — 7 לא לדאמ, ולא ר בט, ל׳ ה | באחד—אלהיך ברמ, ל׳ רטלאה | לא בלד אמ, ולא רט, ל׳ ה — 8 אשר—מום דמ, וגו׳ ב, ל׳ רטלאה | בלא תעשה] בעשה ד, ל׳ ה | מקדים רבטד, המקדים למ, המקדישין א. ל׳ ה — 10 יהיה] ל׳ ל | נולד] נעשה ל — 11 דבר] מום ל [דבר לין] | רע] ל׳ ב | מנין—שור ושה כל דבר רע] ל׳ מה ובמ נמצא למטה עיין לקמן | מנין] ל׳ בט | בעל [ובעל מד] יבלת רבטלדמ, ובעל ילפת א [סמ״ג] | ובעל טדמא, בעל רבל | חזזית בט מוסיפים <מנין> — 12 מום כל דבר רמ, כל מום א, כל דבר בטלד | לזקן וחולה [ולחולה בטל] ומזוהם [ולמזוהם ט] רבטלאמ, לחולה ולזקן ולמזוהם ד — 13 מנין—ויוצא דופן ת״ל] ל׳ ה | מנין] ומנין ד | ששחטם] ששחט ר, ששחטם לאכלם [רא״ם] | לזמנם] לזמן א | שעובר רבלאמ, שהוא עובר טד — 14 לומר] דמטי מוסיפים <כל> | דבר] אי מוסיף <מלמד> | בדבר] מ מוסיף כאן <מנין בעל גרב ובעל יבלת ובעל חזזית ת״ל מום כל דבר רע מנין לזקן וחולה ומזוהם ת״ל שור ושה כל דבר רע> ועיין לעיל | מנין ר

תועבת ה׳ אלהיך הוא. מנין לאתנן ומחיר וכלאים וטריפה ויוצא דופן תלמוד לומר כי תועבת. רבי יהודה אומר היא תועבה ואין הולד תועבה. רבי שמעון אומר לפי שמצינו ברובע ונרבע שהם פסולים בבהמה יכול אף באדם תלמוד לומר הוא בוחה דברתי ולא דברתי בזובח סליק פיסקא

קמח.

דברים יט טו

(ב) כי ימצא, בעדים. מכלל שנאמר להלן על פי שנים עדים או על פי שלשה עדים יקום דבר זה בנין אב שכל מקום שנאמר ימצא בשני עדים ובשלשה עדים.

בקרבך באחד שעריך, מה תלמוד לומר לפי שנאמר והוצאת את האיש ההוא או את האשה ההיא אשר עשו את הדבר הרע הזה אל שעריך שומע אני שער שנמצאו בו ושער שנדונו בו תלמוד לומר שעריך שעריך לגזירה שוה מה שעריך האמור להלן שער שנמצאו בו ולא שער שנדונו בו אף שעריך האמור כאן שער שנמצאו בו ולא שער שנדונו בו.

לפי שמצינו שהנדחים בסייף יכול אף המדיחים תלמוד לומר את האיש או את האשה וסקלתם באבנים ומתו.

לפי שמצינו שאין עושים עיר הנדחת לא על פי אחד ולא על פי אשה יכול יהו פטורים תלמוד לומר איש או אשה.

בטלמ, ומנין דא – 1 ה׳ אלהיך הוא דמ. ל׳ רבטלא | ומחיר] ל מוסיף <כלב> | וכלאים דאמ. כלאים רבטפ. ל׳ ל – 2 כי תועבת] כל תועבה ל | רבי יהודה] רבי יהושע ד | היא] הוא ר | ואין] אין ר | הולד תועבה] בגיה תועבין [תועבה הי׳] ה | רבי שמעון אומר] בט מוסיפים <אף> – 3 ברובע] לרובע פ | ונרבע] ובנרבע ר | שהם פסולים] שפסולין טי | אף] אם אי, אפי׳ ט, אף כי ל | באדם] א מוסיף <כן>, אי מוסיף <המקריב> – 4 ולא דברתי רבלדטי, ולא אמהט² | בזובח] רפ מוסיפים <וזה [זובח פ] אחד מן הדברים שכתבו [ששינו פ] לתלמיי המלך אשר לא צויתי על יפתח ולא דברתי למישע ול׳ על על לבי שיקריב אברהם את בנו על גבי המזבח> ועיין לקמן סוף פי׳ קמ״ח ובשנויי נוס׳ שם | סליק פיסקא ד, ל׳ בלא, פ׳ ר –

5 ימצא] ה מוסיף <אין מציאה אלא> | מכלל שנאמר–ומתו] ח׳ ה | להלן] ל׳ ל | שנים] שני מ – 6 בנין] בבנין טי | שנאמר] א מוסיף <כי> | בשני רבטא מ, בשנים לד – 7 ובשלשה עדים רלאמ, ובשלשה ב ט, ובשלשה עדים הכתוב מדבר ד – 8 באחד] באחת ה | לומר] ל׳ ר – 9 או–שעריך א, או–את אשר עשו דמ, או את האשה ההיא רל, וגו׳ בט – 10 שנמצאו] שנמצא ד | בו] או א | ושער ר, או שער אמפ, שער בטל, ולא שער ד | בו] ט מוסיף <מנין> | תלמוד לומר [כל א] שעריך שעריך [שער א] לגזירה שוה רבטדאמ, ת״ל שער שער לג״ש ל | מה שעריך רבטדמ, מה שער לא – 11 האמור] ל׳ א | ולא שער] ושער ט | אף–שנדונו בו] ל׳ רב | אף שעריך טדמ, אף שער לא – 12 שער] ל׳ מ | ולא שער דאמ, ושער ל – 13 שהנדחים רבטלד, שהוהרגין נהרגין מ, שהנדיחין אי, שנהרגין א – 14 ומתו רלדאמ, וגו׳ בט – 15 אחד אטי, עד אחד רבלדמהט², עד פ | אשה אהפ, האשה

רד״ף. ואח״כ מרבה גם אתנן וכו׳]: 1 וטריפה ויוצא דופן [לא ידענא מאי תועבת ה׳ איכא הכא ואפשר דתועבה היא לגבי הקריבן ואולי אינו אלא אשגרא ועיין תו״כ נדבה פרשה ב׳ ה״ז וכן אמור פרשה ח׳ ה״א, ותמורה כ״ח ע״א, בכורות נ״ז ע״א, לעיל פיסקא צ״ט, ספרי זוטא שלח ע׳ 281]: 2 ר׳ יהודה וכו׳ [תמורה ל׳ ע״ב], לקמן פי׳ ר״ע; ובציונים שם: 3 באדם [תו״כ אמור שם, בכורות מ״ה ע״ב, במשנה שם]:

5 בעדים, לקמן פי׳ רמ״א ופי׳ רמ״ד ופי׳ רע״ג, מ״ת י״ט ה׳ (ע׳ 113), מכילתא דרשב״י כ״ב א׳ (ע׳ 137), שם ג׳ (ע׳ 139), שם ז׳ (ע׳ 143). – מכלל [הגר״א גורס „בעדים שנ׳ ע״פ וכו׳״]. – על פי שנים, כן הגרסה בכל נוסח הספרי, ובמקרא שם כתוב על פי שני עדים, והשוה למטה פסוק ו׳ על פי שנים עדים או שלשה עדים יומת המת: 8 בקרבך [הגר״א מוחק]: 11 להלן [כאן צריך לומר להיפך, הגר״א. ועיין כתובות מ״ה ע״ב, ולשון רש״י „מה שעריך האמור למעלה״, אבל ת״א ות״י לתרע בית דינך, ויונתן תרגם לתרע בירת דיניכון] והשוה לקמן פי׳ קמ״ט: 13 את האיש [את האיש בתרא שבפסוק ה׳ דמיותר, ר׳ הלל. ועיין סנהדרין נ׳ ע״א, ופ״ט ע״ב, ור״ש פליג וס״ל דמדיחי עיר הנדחת בחנק] ועיין למעלה פי׳ פ״ו (ע׳ 151, שורה 4): 15 אחד, ברוב הנסחאות, וביניהם דפוס וויניציא, הגרסה עד אחד [וכבר הגיה במאיר עין אחד על פי המובא למעלה פי׳ צ״ג, ע׳ 154, שורה 4, „אנשים ולא נשים, וכן אנשים אין פחות משנים״, סנהדרין קי״א ע״ב, במשנה, ובז״א מגיה „לא ע״פ יחידים״ והגר״א מגיה „לא ע״פ יחיד ולא ע״פ נשים״, ולעיל לפי שמצינו וכו׳ מגיה איש או אשה

אשר יעשה את הרע בעיני ה׳ אלהיך לעבור בריתו, קרוי חמשה שמות חרם תועבה שנאוי משוקץ ועוול והמקום קרא לו חמשה שמות רע ומפר ברית מנאץ מכעים וממרא וגורם חמשה דברים מטמא את הארץ ומחלל את השם ומסלק את השכינה ומפיל את ישראל בחרב ומגלה אותם מארצם. אין לי אלא זה בלבד עובד מנין תלמוד לומר וילך ויעבוד אלהים אחרים, מנין אף המשתחוה תלמוד לומר וישתחו להם ולשמש או לירח או לכל צבא השמים אשר לא צויתי. °לעבדם, להביא את המשתף. דברים כח יד

רבי יוסי הגלילי אומר מכלל שנאמר °אשר חלק ה׳ אלהיך אותם לכל שם ד יט
העמים יכול שחלקם לאומות תלמוד לומר °אלהים אשר לא ידעום ולא חלק שם כט כה
להם. רבי יוסי אומר אלעזר בני אומר בו שלשה דברים °אשר לא צויתי בתורה, ירמיה יט ה
°ולא דברתי בעשרת הדברות, °ולא עלתה על לבי שיקריב אדם את בנו על גב שם שם
המזבח. אחרים אומרים אשר לא צויתי על יפתח, ולא דברתי על מישע מלך מואב, ולא עלתה על לבי, שיקריב אברהם בנו על גבי המזבח סליק פיסקא

קמט.

(ד) והוגד לך ושמעת ודרשת היטב, ולהלן הוא אומר °ודרשת דברים יג טו

מה ת״ל לפי שמצינו בעיר הנידחת שמרובין שעבדו בסייף יכול אף מועטין ת״ל והוצאת את האיש או את האשה ההיא לפי שמצינו שהנדחים וכו׳] ועיין ברמב״ן: 1 קרוי וכו׳, פ״ז, לקמן פי׳ רכ״ו ופי׳ רצ״ה, תו״כ קדושים ריש פרק ד׳ (פ״ט ע״א), שם פרק ח׳ ה״ד (צ״א ע״א): 4 אין לי וכו׳ [הגר״א גורס „אין לי אלא עובד מנין למשתחוה ת״ל וישתחו וכו׳ השמים כשהוא אומר אשר לא צויתי להביא את המשתף״, ובמאיר עין פירש בשם ר״ה זה מפיר ברית וכופר בעיקר, וז״א פירש מדיח]: 7 להביא את המשתף, השוה למעלה פי׳ מ״ג (עמ׳ 98, שורה 2) בשם רשב״ג, מכילתא משפטים פרשה י״ז (צ״ד ע״ב, ה—ר ע׳ 310), מכילתא דרשב״י כ״ב י״ט (עמו׳ 150), סנהדרין ס״ג ע״א: 9 יכול וכו׳, השוה מגילה ט׳ ע״ב: 11 בעשרת הדברות [הגר״א גורס לנביאים]: 12 על יפתח [תענית ד׳ ע״א] והשוה בראשית רבה פרשה ס׳ סי׳ ג (ע׳ 642), ויקרא רבה פרשה ל״ז סי׳ ד׳, רד״ק ירמיה ז׳ ל״א ועוד בספר אגדות היהודים לרל״ג ח״ו ע׳ 203· — על מישע וכו׳, תענית שם, ועיין עוד בספר אגדות היהודים ח״ו ע׳ 314:

14 ולהלן וכו׳, השוה למעלה פי׳ צ״ג (ע׳ 154, שורה

רבטלדמ | יכול יהו פטורין [פטור ד] רבטלדאה, ל׳ מ — 1 אשר יעשה—אלהים אשר לא ידעום ולא חלק להם] ל׳ ה | יעשה] יעשו ל | את—בריתו] ל׳ לה | בעיני—בריתו ד מ, ל׳ רבטא — 2 חרם תועבה דאמפ, חרם ותועבה רב ט [פ״ז], תועבה חרם ל | שנאוי—ועול] רע שנאוי ומשוקץ פ | משוקץ לדאמ [פ״ז], ומשוקץ רבט | ועוול ר, ועול ט אמ, עוול לד, ועויל [פ״ז], ל׳ ב ; ב מוסיף <עוד> | המקום קרא לו] הרי קרוי פ | והמקום טמ, המקום רב, ד״א המקרא לר, והמקרא א, דבר אחר הקב״ה [פ״ז] — 3 מכעים רבדמ, ומכעיס טלא | וממרא] ממרא ד [פ״ז] | וגורם ר בטאמ [פ״ז], ל׳ לד | חמשה] וחמשה ד | מטמא טלאמ [פ״ז], מטמ׳ ב, מטמיא ר, מטמאים ד | ומחלל] מחלל ד [פ״ז] | ומסלק—מארצם] ל׳ ד — 5 תלמוד לומר בטלד מ, שנ׳ רא | אלהים אחרים דמ, ל׳ רבטלא | מנין רב טלא, ומניין ד, ל׳ מ | המשתחוה רבלאט׳, למשתחוה ד, משתחוה ט׳, ל׳ מ | תלמוד לומר] ל׳ מ — 6 ולשמש] ל׳ ט | או—צויתי דאמ, וגו׳ ר, ל׳ בטל — 7 לעבדם ב לאט׳, לעובדם ר, לעובדים ט׳, כשהוא אומר לעובדים ד | המשתף בטלדמ, המשתיף ר, המשתתף אפ — 8 אותם לכל העמים אמ, אתם וגו׳ ר, אותם ל, וגו׳ בם, אותך לכל העמים ד — 9 שחלקם] שחולקים ל | לאומות] רב מוסיפים <העולם> | אלהים בטדמ, ל׳ רלא | אשר רבטאמ, ל׳ לד | ידעום] ידעתם ל — 10 ר׳ יוסי—דברים] אשר לא צויתי לאומ׳ לעבדן זה אחד מן הדברים שכתבו לתלמי המלך אשר לא צויתי ולהלן הוא אומר (יר׳ י״ט ה׳) אשר לא צויתי ולא דברתי ולא עלתה על לבי ה [ועיין למעלה בשנויי נוס׳ סוף פי׳ קמ״ז] | אלעזר] אליעזר א | אשר—על המזבח] חסר כאן בכ״י ר, ומובא למעלה כמסומן בשנויי נוסחאות אחר המלים בזבח דברתי ולא דברתי בזובח בסוף פי׳ קמ״ז | אשר לא צויתי דרטאמה, ל׳ בל — 12 על יפתח—על מישע מלך מואב אמ, על יפתח—על מלך מואב ט, ליפתח ולא דברתי למישע ה, ל׳ בלד — 13 שיקריב [שהקריב ז] אברהם בנו [את בנו ז] אמז, שיקריב אברהם את יצחק בנו ה, שהקריב אדם את בתו לד, שיקריב אדם בנו ט, ל׳ ב | על גבי המזבח [מזבח ר] רטדמ, על גבי המזבח אלא נכוין הוא [היה הי׳] ה, ל׳ בלא | סליק פיסקא ד, פ׳ ר, ל׳ בלא —

14 והוגד—ועבדים מנין תלמוד לומר] ח׳ ה | ודרשת היטב ב, ושאלת היטב טדמ, ודרש׳ ר, ל׳ לא ; ט מוסיף

וחקרת ושאלת היטב היטב לגזירה שוה מלמד שבודקים אותו בשבע חקירות אין לי אלא חקירות בדיקות מנין תלמוד לומר והנה אמת נכון הדבר. אם סופנו לרבות בדיקות מה תלמוד לומר חקירות חקירות אמר אחד איני יודע עדותם בטלה בדיקות אמר אחד איני יודע ואפילו שנים אומרים אין אנו יודעים עדותם קיימת אחד חקירות ואחד בדיקות בזמן שמכחישים זה את זה עדותם בטילה.

בישראל, אין לי אלא ישראל גרים ונשים ועבדים מנין תלמוד לומר והוצאת את האיש ההוא או את האשה ההיא.

(ה) אל שעריך, שומע אני שער שנמצאו בו ושער שנדונו בו תלמוד לומר שעריך
דברים יז ב שעריך לגזירה שוה נאמר כאן שעריך ונאמר להלן °שעריך מה שעריך האמור
להלן שער שנמצאו בו ולא שער שנדונו בו אף שעריך האמור כאן שער שנמצאו בו ולא שער שנדונו בו.

ההוא ולא אנוס ולא שוגג ולא מוטעה, ההיא ולא אנוסה ולא שוגגת ולא מוטעת.

וסקלתם באבנים, יכול באבנים מרובות תלמוד לומר באבן אי באבן יכול באבן אחת תלמוד לומר באבנים, אמור מעתה לא מת בראשונה ימות בשניה

סליק פיסקא

קנ.

(ו) על פי שנים עדים או שלשה עדים יומת המת, יכול אין לי אלא זה

<כת' הכא ודרשת היטב> | ולהלן הוא אומר] ל' א | ודרשת וחקרת ושאלת היטב טדמ, ודרשת וחקרת ושאלת רבל, ודרשת א, ודרשת היטב א' – 1 מלמד רדאמ, מכאן ט, מיכן ב, מניין ל | בשבע] שבע א – 3 אם ר בטלא, ל' דמ | מה תלמוד–בטלה בדיקות] ח' ד | חקירות רבטל, ל' א | אמר אחד–בטלה בדיקות] ח' ט | אמר אחד] אחד אמר ל | עדותם] עדותו ל – 4 אמר אחד] אחד אמר ל – 5 שמכחישים] שמכחשות ר, שמכחשין ד; ל מוסיף <א'> – 6 בישראל] ל' ב | אין לי] יכול אין לי ב | ישראל] בישראל א | גרים ונשים רבטדאפ, נשים גרים למ – 7 ההוא] ל' ט | או–שעריך רא, ל' ט, או את האשה ההיא אשר עשו את הדבר הרע הזה אל שעריך לדמה, וגו' ב; ה מוסיף <ההיא לא אנוסה ולא שוגגת ולא מוטעת> – 8 שומע–ונאמר להלן שעריך] שער שעבד בו אתה אומר שער שעבד בו או אינו אלא שער שנידון בו נאמר שעריך למטה ונאמר שעריך למעלה ה, ל' ט | שנמצאו] שמצאו ד | בו] ל' א; ל מוסיף <ולא> | ושער] או שער א | שעריך שעריך] שער שער ר – 9 נאמר לר, ל' רבטאמ | כאן–להלן שעריך דה, ל' רבטלאמ | מה שעריך–ולא שער שנדונו בו וכו'–עד שנדונו בו] ח' ט | מה] מנ' ר | האמור רדאמה, האמורה בל – 10 שנמצאו] שעבד ה | בו] ל, א | ולא–בו] ל' ה | אף שעריך [שער דאה] האמור רדאמה, אף שעריך האמורה ל, ל' ב | כאן] למטה ה | שנמצאו] שעבד ה – 12 ההוא–ולא מוטעה רבטדאמ, ההוא [ולא לי] אנוס ולא מוטעה ולא שוגג ל, ל' ה, לא אנוס ולא מוטעה [פ"ז] | ההיא–ולא מוטעת] ח' ה [ועיין למעלה בשנויי נוסחאות לע' זה שורה 7] | ולא אנוסה בטלדמה, לא אנוסה ולא אנוכה רא. – 13 וסקלתם באבנים] א מוסיף <ומתו> | יכול–לומר באבנים] ח' ה | מרובות א' מוסיף <ירגמו אותם> | אי באבן] או באבן ר, ל' א | יכול] ר מוסיף <אפילו>, ט' מוסיף <אפ' לא מת> – 14 אמור מעתה] ל' מה | בראשונה] באבן אחת ה | בשניה] רפ מוסיפים <שתהא סקילתן [סקילה פ] מיתתן>; ה מוסיף <וסקלתם באבנים ומתו שתהא סקילתן מיתתן> – 15 סליק פיסקא ד, ל' רבלא – 16 על פי–שלשה עדים רבלדאמ, ח' טה | יומת המת רלדאמ, ל' בטה | יכול רבטלאמ, ל' דה | אין לי אלא זה אמ.

8) ובהערה שם: 2 אין לי אלא וכו', השוה למעלה שם: 8 שומע אני וכו', למעלה פי' קמ"ח (ע' 202, שורה 9): 12 ולא אנוס וכו', למעלה פי' פ"ו (ע' 150, שורה 8), לקמן פי' קנ"ה, תו"כ צו פרק י"ד ה"ז (ל"ח ע"א), שם פרק ט"ו ה"ז (ל"ח ע"ד), שם אחרי פרק ט' ה"ב (פ"ד ע"א), שם קדושים פרשה י' ה"ה ושם ה' י"ג (צ"א ע"ג), ספרי זוטא ט' י"ג (ע' 260), שם ט"ו ל' (ע' 286), ספרי במדבר פי' קי"ב (ע' 120), מכילתא דרשב"י י"ב ט"ו (ע' 15), שם י"ב כ' (ע' 19), קדושין מ"ג ע"א, זבחים ק"ח ע"ב, ועיי"ש בתוספות ד"ה שוגג: 13 יכול וכו', למעלה פי' צ' (ע' 153, שורה 1), ובציונים שם: 14 בשניה, ברפ נוספה כאן ברייתא ממכילתא לדברים, ומובאה במ"ת על הכתוב וסקלתם באבנים ומתו· „שתהא סקילתן מיתתן", ופירש ר"ה „ולא דסוקלין אותן והדר ממיתין אותן", ולדעתי יש לפרש שתנא זה חולק על המקובל במשנתנו, שהיא משנת ר"ע, שהנסקל מומת אם אפשר מקודם בהשלכה מבית הסקילה שהוא גבוה שתי קומות, ואם לא מת אז מניחים אבן עליו, ומפרש תנא דברייתא שצריך שימות בסקילה· אמנם המובא עוד ברמא"ש בשם כ"י ר"ה „מנין לרבות שאר המומתין בסקילה ת"ל יומת המת" שייך לקמן ריש פיסקא ק"נ: 16 יכול וכו', פ"ז:

בלבד מנין לרבות שאר המומתים תלמוד לומר על פי שנים עדים או שלשה עדים יומת המת.

מנין שלא ילמד עד אחד חובה תלמוד לומר לא יומת על פי עד אחד, ומנין שלא ילמד תלמיד חובה תלמוד לומר לא יומת על פי עד אחד סליק פיסקא

קנא.

(ז) יד העדים תהיה בו בראשונה להמיתו, מצוה בעדים להמיתו מנין לא מת ביד העדים ימות ביד כל אדם תלמוד לומר ויד כל העם באחרונה. ובערת הרע מקרבך, בער עושי הרעות מישראל סליק פיסקא

קנב.

(ח) כי יפלא, מלמד שבמופלא הכתוב מדבר. ממך, זו עצה. דבר, זו הלכה. למשפט, זה הדין. בין דם לדם, בין דם נדה לדם יולדת לדם זיבה. בין דין לדין, בין דיני ממונות לדיני נפשות לדיני מכות. בין נגע לנגע, בין נגעי אדם לנגעי בגדים לנגעי בתים. דברי, אלו ערכים וחרמים והקדשות. ריבות, זו השקית

1 מנין וכו׳, ספרי במדבר פי׳ קס״א (ע׳ 221, שורה 8), סנהדרין ל״ג ע״ב: 3 מנין וכו׳, חסר ברוב הנסחאות, ונוסף מגליון, ואינו מעיקר הספרי, ועיין משנה סנהדרין פ״ה:

5 מצוה וכו׳, פ״ז, לקמן פי׳ ש״ו, ספרי במדבר פי׳ קי״ד (ע׳ 123), משנה סנהדרין פ״ו מ״ד: 7 בער וכו׳, למעלה פי׳ פ״ו (ע׳ 151, שורה 7):

8 כי יפלא וכו׳, [בבלי סנהדרין פ״ז ע״א, וירושלמי פי״א ה״ג (ל׳ ע״א)], פ״ז· — שבמופלא, [לאפוקי תלמיד שלא הגיע להוראה כדאיתא במשנה ואין מופלא כאן כבשאר דוכתין, תוספות סנהדרין פ״ז ע״א ד״ה במופלא, ואולי יש לפרש על פי התוספתא סנהדרין פ״ז ה״א (עמוד 425) דהחולק על חבריו ומופלא שבב״ד באים ושואלים]· — עצה, [בבבלי הגרסה יועץ, ומפרש שיודע לעבר שנים]: 9 הלכה [הלכה למשה מסיני, רש״י ור״ה; אבל בירושלמי הגרסה „זו אגדה״]· — הדין [דבר הלמד בגזרה שוה, רש״י, אבל על פי הרוב דין הכוונה ק״ו]· — לדם [וכן בירושלמי גרסינן „בין דם נידה לדם בתולים בין דם נידה לדם זיבה לדם צרעת]: 10 לדיני נפשות [בירושלמי הגרסה „לדיני נפשות בין דין לדין בין הנסקלין לנשרפין לנהרגין לנחנקין]· — לנגע [בירושלמי גרסינן „בין מצורע מוסגר למצורע מוחלט בין נגע לנגע בין נגעי אדם לנגעי בגדים ולנגעי בתים״ ות״י „וביני מכתש צורעא למכתש נתקא״ ות״א „בין מכתש סגירו למכתש סגירו״]: 11 דברי

אין לי מת כסדר הזה רלדה, אין מת כסדר הזה אלא זה ב, אין לי מת כסדר הזה אלא זה ט — 1 על פי–יומת המת ר טידמה, על פי שנים עדים או שלשה עדים בא, על פי שלשה עדים ל, לא ימות על פי עד אחד טי — 3 שלא רדאה, לא בטלמ ׀ ילמד עד אחד חובה מ, ילמד עליו חובה עד אחד א, ילמד לא עד ולא תלמיד חובה ה, ילמד עד חובה רבטלד ׀ לא] ל׳ ד ׀ ומנין–על פי עד אחד רלד, ל׳ ב טאמה ׀ ומנין שלא] מניין לא רל — 4 תלמיד ר, תלמוד ל, תלמוד עליו ד ׀ לא יומת] ל׳ ל ׀ סליק פיסקא ד, ל׳ רכלא —

5 בראשונה] ל׳ ר ׀ להמיתו בטלדמה, ל׳ רא; ד מה, מוסיפים <ויד כל העם באחרונה> ׀ בעדים רבטלדה, ביד העדים ה׳, ביד עדים מ, בכל עדים א ׀ מנין ר א, ומניין ל, מנ׳ אם ה, ומניין שאם דמ, ל׳ בט — 6 לא מת ביד העדים בטא, לא מת ביד עדים רדמל׳, לא מת בעדים ל, אין כח בעדים ה ׀ העדים] בט מוסיפים <מנין> ׀ ימות ביד כל אדם] מצוה ביד כל העם להמיתו ה ׀ ימות רלא, שימות ד, יומת מ, להמיתו ב ׀ אדם] העם אה ׀ באחרונה ר מוסיף <וגו׳> — 7 ובערת וכו׳ עד סוף הפיסקא] ל׳ ה ׀ מקרבך] ל׳ ל ׀ עושי] העושה ד ׀ הרעות בלדמה, הרע ר, רשעות א ׀ מישראל] בישראל ל ׀ סליק פיסקא ד, סל׳ פסו׳ ר, ח׳ בלא —

8 כי יפלא וכו׳ עד סוף הפיסקא] ח׳ ט, ובמקומו מובא ברייתא כעין זו מן הגמרא ׀ יפלא] ב מוסיף <דבר ממך למשפט> ׀ מלמד שבמופלא] במופלא שבבית דין ה, מלמד שבמופלא שבבית דין [פ״ז] ׀ זו עצה מ, זו עיצה רבלדא, זה יועץ הפ [פ״ז], ובה נוסף <וה״א ממך יצא חושב על ה׳ רעה יועץ בליעל> ׀ זו] זה ב — 9 הלכה] רפ מוסיפים <ד״א כי יפלא ממך דבר מקצתו ולא כולו וכ׳ ה׳ או׳ ונעלם דבר מעיני הקהל מקצתו ולא כולו> ׀ לדם יולדת [ילדות ר] לדם [ולדם ל] זיבה רלא [פ״ז], לדם לידה לדם זיבה ה, לדם זיבה לדם יולדת דמ ׀ זיבה] ר מוסיף <ד״א בין דם לדם אילו דיני הרוגים ודיני גלות מנ׳ ת״ל בין דין לדין דבר שהוזק בגופו בין דם לדם ול׳ כל הדם בין נגע לנגע ולא כל נגע דברי כלשון ראשון לא כלשון האחרון> ובפ מובא עם הערות מאת ר״ה כדרכו, ונראה שבטופס הספרי שלפניו היה כתוב: „בין דם לדם, אלו הן הרוגין דייני גלות מנין ת״ל בין דין לדין... שהוזק בגופו... ת״ל בין דם לדם ולא כל הדם· בין נגע לנגע, ולא כל נגע דבר כלשון ראשון״ — 10 לדיני מכות] ולדיני מכות ב ׀ בין נגע] ובין נגע ל — 11 בגדים...בתים] בתים...בגדים רהפ ׀ לנגעי [ולניגעי ב] בגדים רבמה [פ״ז], ובגדים א׳, ל׳ לדא ׀ ערכים וחרמים

סוטה ועריפת עגלה וטהרת מצורע. בשעריך, זה לקט שכחה ופיאה. וקמת מיד, וקמת בבית דין, מיכן אמרו שלשה בתי דינים היו שם אחד על פתח הר הבית ואחד על פתח העזרה ואחד בלשכת הגזית באים לזה של שער הר הבית ואומר כך דרשתי וכך דרשו חבריי כך לימדתי וכך לימדו חבריי אם שמעו אמרו להם ואם לאו באים לזה שעל פתח העזרה ואומר כך דרשתי וכך דרשו חבריי כך לימדתי וכך לימדו חבריי אם שמעו אמרו להם ואם לאו אלו ואלו באים לבית דין הגדול שבלשכת הגזית שמשם תורה יוצאה לכל ישראל שנאמר מן המקום ההוא אשר יבחר ה׳.

וקמת ועלית, מגיד שארץ ישראל גבוהה מכל הארצות ובית המקדש גבוה מכל ארץ ישראל סליק פיסקא

קנג.

(ט) ובאת, לרבות בית דין שביבנה. אל הכהנים הלוים, מצוה בבית דין שיהיו בו כהנים ולוים יכול מצוה ואם אין בו יהא פסול תלמוד לומר ואל השופט, אף על פי שאין בו כהנים ולוים כשר.

אשר יהיה בימים ההם. אמר רבי יוסי הגלילי וכי עלת על דעתך שתלך אצל שופט שאינו בימיך אלא שופט שהוא כשר ומוחזק באותם הימים היה קרוב ונתרחק

[חרמים רב] והקדישות ר ברדה׳ [פ״ז], עו׳כים והקדשות ל, חרמין ועראכין [וערכאן מ] והקדשות אמ, הערכים והחרמים וההקדישות ה ׀ זו מ מוסיף <היא> — 1 ועריפת עגלה ר ה, ועריפת העגלה לד, עריפת עגלה ב, ועגלה ערופה אמ [פ״ז] ׀ שכחה] ושכחה ה ׀ וקמת מיד וקמת בבית דין רד א, וקמת וקמת מיד בבית [בית ב] דין בל, וקמת וקמת מיד וקמת מבית דין ה — 2 מיכן וכו׳ עד שנאמר מן המקום ההוא אשר יבחר ה׳] ל׳ ה ׀ שם] ל׳ מ ׀ על] ל׳ א ׀ ואחד על פתח העזרה וכו׳ עד אשר יבחר ה׳] וכו׳ אמ — 3 העזרה] עזרה ר ׀ ואחד] ואמ׳ ר ׀ בלשכת בל, שבלישכת ר, על לשכת ד ׀ הגזית] גית ל ׀ שער ר ל, ל׳ בד ׀ הבית] ד מוסיף <אם שמעו אמרו להם> ׀ ואומר–דרשו חברי רב, ל׳ לד — 4 חבריי] ר מוסיף <כך דרשתי וכ׳ חבי׳> ׀ כך לימדתי–שעל פתח העזרה] ל׳ ל ׀ ואם לאו–אם שמעו אמרו להם] ל׳ ר — 5 שעל פתח] בפתח ד — 6 אלו ואלו] ל׳ ל ׀ לבית [בבית ל] דין הגדול בלד, לבית הגדול ר ׀ הגזית] הגית ל — 7 לכל ישראל] לישראל ל ׀ מן] כל ד ׀ ההוא בל, ל׳ רד ׀ ה׳] ד מוסיף <אלהיך בו> — 8 וקמת רלדה, ד״א וקמת אמ, ל׳ ב ׀ ועלית] ב מוסיף <אל המקום וגו׳>, ר מוסיף <אל המק׳ אש׳ יבחר ה׳ א׳ בו>, אמ מוסיפים <אל המקום> ׀ מגיד באמ, מלמד רלדהפ ׀ שארץ ישראל–ארץ ישראל] שבית המקדש גבוה מכל ארץ ישראל וארץ ישראל גבוהה מכל הארצות ה ׀ שא״י גבוהה] שא״י גבוהא ר — 9 סליק פיסקא רד, ל׳ בלא —

10 ובאת–שביבנה] ח׳ ה ׀ שביבנה] שביבני ר ׀ הכהנים] ל מוסיף <אל> ׀ הלוים טלד, והלוים רבאמ ׀ מצוה בבית דין בטלמה [פ״ז], מצות בית דין ד, מצות בבית דין רא — 11 שיהיו רה, שיהו בטלד, שיש אמ ׀ כהנים] ל׳ ט׳ ׀ ולוים רבלד הט׳, ל׳ אמט׳ ׀ מצוה] ל׳ ה ׀ ואם בטדאמ, אם רלה ׀ יהא רבטלדה, יהיה אמ ׀ ואל בדאמהט׳, אל רלט׳ — 12 אעפ״י–כשר] בא הכת׳ ללמד שכל סנהדרין שהוא משלשת הרי זו משובחת ה — 13 אשר יהיה וכו׳ עד כי לא מחכמה שאלת על זה] ל׳ ט ׀ אמר ר׳ יוסי הגלילי] את זה דרש ר׳ יוסי הגלילי ובאתה אל הכ׳ הל׳ ואל הש׳ אש׳ יהי׳ בימ׳ הה׳ ה ׀ עלת רבל, תעלה דאהפ [פ״ז, רא״ם], עלתה מ ׀ דעתך דאמהפ [פ״ז, רא״ם], רעתינו רבל ׀ שתלך אמ, שאדם הולך ד [פ״ז], שאדם בא ה, ל׳ רבל [רא״ם] — 14 אצל שופט דה [פ״ז], לשופט אמ, שופט רבל [רא״ם] ׀ שאינו בימיך

וכו׳ [בירושלמי להפך „דברי זו השקאת סוטה וכו׳ ריבות אלו הערכין וכו׳]: 1 ופיאה [לפי שכתוב גבי עניים ואכלו בשעריך ושבעו (דברים כ״ו י״ב) רש״י]. — מיד [מדלא כתיב ועלית לחודיה משמע בזריזות, רד״ף]: 2 בבית דין [בבלי וירושלמי מבית דין, ורד״ף מפרש גם כאן דאף הב״ד או שלוחיהם צריכים לעלות]. — מכאן וכו׳ [משנה סנהדרין פרק אלו הן הנחנקין, ותוספתא פ״ז ה״א, בבלי פ״ח ע״ב]: 3 כך דרשתי וכו׳ [לכאורה נראה דדרשתי וכו׳ היא כך נראה בעיני וכך נראה בעיני חבירי, ולמדתי הוא דהוא אומר מפי השמועה והם מפי השמועה ועיין בבלי פ״ח ע״א]: 8 גבוהה [לעיל סוף פיסקא ל״ז (ע׳ 73, שורה 9), קדושין ס״ט ע״א, וזבחים נ״ד ע״ב], רש״י, פ״ז:

10 שביבנה [דחייב לעשות כהוראתו אבל אין חייב מיתה על הוראת בית דין שביבנה כדמפרש לקמן ונראה דזה גם כן דעת הירושלמי ל׳ ע״א „ר׳ זעירא אומר לשאילה״, ועיין אלו הן הנחנקין משנה ד׳ „אין ממיתין אותו וכו׳ ולא בב״ד שביבנה״ והלשון שם משמע דר״ל אין גומרין את דינו בב״ד שביבנה]. — מצוה וכו׳ [וכן מצינו בדברי הימים ב׳ י״ט ח׳ וגם בירושלם העמיד יהושפט מן הלויים והכהנים ומראשי האבות לישראל למשפט ה׳ ולריב, ועיין סנהדרין י״ד ע״ב, ות״י שתרגם כהניא דמשבט לוי וכן פירש רש״י ועיין רמב״ם פ״ב מהלכות סנהדרין] פ״ז, ועיין רש״י, וראה עוד בספר דרכה של תורה לפיניליש ע׳ 171, ובספר אורשריפט לגייגער ע׳ 115: 13 א״ר יוסי הגלילי וכו׳, רש״י, פ״ז, תוספתא ראש השנה פ״ב ה״ג (ע׳ 211), לקמן פי׳ ק״צ: 14 היה

כשר וכן הוא אומר °אל תאמר מה היה שהימים הראשונים היו טובים מאלה כי לא מחכמה שאלת על זה. ודרשת והגידו לך את דבר המשפט, אלו דקדוקי משפט סליק פיסקא קהלת ז י

קנד.

(י) ועשית על פי הדבר, על הורית בית דין הגדול שבירושלם חייבים מיתה ואין חייבים מיתה על הורית בית דין שביבנה.

(יא) על פי התורה אשר יורוך, על דברי תורה חייבים מיתה ואין חייבים מיתה על דברי סופרים. ועל המשפט אשר יאמרו לך תעשה, מצות עשה. לא תסור מן התורה אשר יגידו לך, מצות לא תעשה. ימין ושמאל, אפילו מראים בעיניך על ימין שהוא שמאל ועל שמאל שהוא ימין שמע להם סליק פיסקא

קנה.

(יב) והאיש אשר יעשה בזדון, אשר לא שמע מפי בית דין ומורה. אשר יעשה על מעשה הוא חייב ואינו חייב על הוריה. בזדון, על זדון הוא חייב ואינו חייב על שגגה. לבלתי שמוע, ולא שומע מפי שומע.

אל הכהן העומד לשרת, מגיד שאין שרות כשר אלא מעומד הא אם ישב ועבד עבודתו פסולה.

קרוב ונתרחק [שתי דרשות נתערבו, ובמדרש תנאים הגרסה „וכי תעלה על דעתך וכו׳ בימיו אלא זה שהיה קרוב ונתרחק" וכ"ה סנהדרין כ"ח ע"ב· ועוד דרשה דאין לך אלא שופט שבימיו אף דהראשונים היו טובים ממנו ועל זה מייתא ראיה מקהלת אל תאמר וכו׳, וכ"ה בראש השנה כ"ה ע"ב, ועיין רש"י, ולקמן פי׳ רצ"ח וקדושין ס"ו ע"ב, ועיין רמב"ן בפ׳ כי תבא, ורד"ף כאן] ורא"ם, ומ"ת עמו׳ 171: 2 אלו וכו׳, פ"ז:

4 על הורית וכו׳, פ"ז, והשוה למעלה פיסק׳ קנ"ג (ע׳ 206, שורה 10), סנהדרין י"ד ע"ב, ופ"ז ע"א, ירושלמי הוריות פ"א ה"א (מ"ה ע"ד): 6 על דברי וכו׳, פ"ז ועיין סנהדרין פ"ז ע"א, ומובא ברמב"ן בהשגותיו על ספר המצות שרש ראשון: 7 מצות עשה, פ"ז, רמב"ם עשין קע"ד: 8 מצות לא תעשה, רמב"ם לאוין שי"ב, פ"ז· — אפילו וכו׳, רש"י, פ"ז. רמב"ן בפירושו ובהשגותיו לספר המצות שרש ראשון, מנורת המאור נר ג׳ כלל י׳ חלק א׳ פרק ד׳ (סי׳ רל"ג), רוקח הלכות חסידות שרש קבלת חכמים, שיר השירים רבה על הכתוב כי טובים דודיך מיין סי׳ ב׳, ולהפך בירושלמי הוריות פ"א ה"א (מ"ה ע"ד), ועוד בהחלוץ שנה ה׳ ע׳ 49:

11 על מעשה וכו׳, פ"ז, סנהדרין שם: 13 אלא מעומד, פ"ז, תו"כ ריש שמיני ה׳ כ"ט (מ"ה ע"ב), ספרי במדבר פי׳ ל"ט (ע׳ 42), לקמן פי׳ קס"ז, ירושלמי תענית

רבמ [רא"ם], שאין בימיו ל, שאין בימים אלי, שאין בימים ההם א׳, שלא היה בימיו ה [פ"ז], שלא נמצא בימיו ד; ד מוסיף <אלא מה ת"ל אל השופט אשר יהיה בימים ההם> | אל׳א–שאלת על זה] אלא זה שהיה [שהוא ד׳] קרוב ונתרחק מיכן אמ׳ אם היה קרוב ונתרחק כשר ה | ומוחזק] באמ מוסיפים <לך> | היה מרל [רא"ם], שהיה בא, היו ד — 2 כי לא–על זה דאמ, וגו׳ ר, ל׳ בל ה | על] את ר | ודרשת–אלו דקדוקי משפט] ח׳ ה | אלו דקדוקי משפט] ל׳ ב — 3 סליק פיסקא ד, פ׳ ר, ל׳ ב לא —

4 ועשית–דבר] על פי התורה אשר יורו׳ ה׳ד מוסיף <אשר יגידו לך> | פי] ל׳ ר | הורית ה, הוראת רטל דאמ, הודאת ב, הוריות [פ"ז], על פי הוראת פ | בית דין] בין דין ב — 5 מיתה] ל׳ ר | על הורית] על דברי סופרין הוריית ר | שביבנה] שביבני רב — 6 על פי] ד"א על פי ה | על דברי תורה–על דברי סופרים] ל׳ ר | דברי תורה] דבר תורה א | חייבים] חייב ט׳ | מיתה] ל׳ ט׳ — 7 סופרים] טא מוסיפים <אשר יורוך> | ועל ד למהט׳, על רבאט׳ | אשר–תעשה דמה, אשר יאמרו לך א, ל׳ רבטל | תעשה] דמה מוסיפים <זו> — 8 לא לראמה, ולא רבט | מן התורה לד, מן הרבר ראמה, מכל הדבר ט׳, מכל דבר בט׳ | לך] דאה מוסיפים <זו> | ימין ושמאל–שמע להם] ח׳ ה — 9 מראים] מורין ט׳, דומה [פ"ז] | בעיניך] ל׳ ב; מ מוסיף <ואומרין> | ימין] שמאל ד | שהוא] שהיא ל | שמאל] ימין ד | שמאל] ימין ד | שהוא] שהיא ל | ימין] שמאל ד | סליק פיסקא ד, פ׳ ר, ל׳ בלא —

10 והאיש–ומורה] ל׳ ה | אשר יעשה בזדון בלדמ, ל׳ ראט | אשר לא שמע ט, אשר לא שומע א, ולא שמע רלד, ולא שומע מזפ, שלא שמע ב | ומורה רבטאזפ, מורה לד, מנודה מ — 11 מעשה] המעשה ה | ואינו רבטד, ואין לאמה | הוריה ט, הוראה בלאמ, הורייא ר, ההורייה ה | זדון רבטלאמ, הזדון דה | ואינו רטלדמ, ואין באה — 12 שגגה בטל אמ, השגגה רה, השוגג ד | שמוע] רדמה מוסיפים <אל הכהן> | ולא] שלא ב | שומע] שמוע א, שומיע א׳ — 13 לשרת דמה, ל׳ רבטלא | מגיד] ד מוסיף <הכתוב>, ל מוסיף <מלמד> | שאין–אלא מעומד רטדאמה. שאין שרות אלא כשר אלא מעומד ל, שירות ועומד כשר ב | הא אם טלדאמה, האם רב — 14 ועבד רבטל, ושרת אמ, ועמד דה | פסולה]

או אל השופט, זהו שאמרנו אף על פי שאין בו כהנים ולוים כשר. ומת האיש, בסתם מיתה האמורה בתורה בחנק. ההוא, לא אנוס ולא שוגג ולא מוטעה. ובערת הרע מישראל, בער עושי הרעות מישראל סליק פיסקא

קנו.

(יד) כי תבוא אל הארץ, עשה מצוה האמורה בענין שבשכרה תיכנס לארץ.
אשר ה׳ אלהיך נותן לך, בזכותך. וירשתה וישבתה בה, בשכר שתירש תשב.
ואמרת אשימה עלי מלך, רבי נהוריי אומר הרי זה דבר גניי לישראל
ש״א ח ז שנאמר [°]כי לא אותך מאסו כי אותי מאסו ממלוך עליהם אמר רבי יהודה והלא
מצוה מן התורה לשאול להם מלך שנאמר שום תשים עליך מלך, למה נענשו
בימי שמואל לפי שהקדימו על ידם. ככל הגוים אשר סביבותי, רבי נהוריי
שם ח כ אומר לא בקשו להם מלך אלא להעבידם עבודה זרה שנאמר [°]והיינו גם אנחנו ככל
הגוים ושפטנו מלכנו ויצא לפנינו ונלחם את מלחמתינו סליק פיסקא

קנז.

(טו) שום תשים, מת מנה אחר תחתיו. מלך, ולא מלכה. אשר יבחר ה׳ אלהיך בו, על פי נביא. מקרב, ולא מחוצה לארץ. אחיך, ולא מאחרים.

פסול בא — 1 זהו רטדאמ, זה הוא ה, זה ל, ל׳ ב | שאמרנו] כשאמרנו ב | אף על פי] ואע״פ ה, שאע״פ מ — 2 בסתם] סתם לד | האמורה בתורה] ל׳ ה | בחנק] זהו [וזהו א׳] חנק אמ — 3 ההוא—ולא מוטעה] ח׳ ה | ולא שוגג] לא שוגג מ | עושי הרעות [רעות א, הרע מ] מישראל באמ, עושי הרעות בישראל רטלז, עושי רעות בישראל ה, העושה הרעה בישראל ד — 4 סליק פיסקא ד, ל׳ ב לא, פ׳ ר —

5 כי רתבוא—ממלוך עליהם] ח׳ ה | כי תבוא] כי תבואו ל | שבשכרה בדאמט׳, שמשכרה ט׳, שבשבילה ל, ל׳ ר — 6 בזכותך רבטאמ, בזכותה ד, בזכותם ל | שתירש] שתוריש מ | תשב] ותשב ל — 7 ואמרת וכו׳ עד סוף הפיסקא] ח׳ ט | אומר] אמ׳ ל | הרי זה—לישראל רמאים [פ״ז], הרי דבר גנאי לישראל א, הרי זה גניי לישראל [לישר׳ ב] בל, הפסוק בגנאי ישראל הוא מדבר ד — 8 אותך] ל׳ ל | כי אותי מאסו לדאמ, וגו׳ ב, ל׳ ר | ממלוך עליהם רלדמ, וגו׳ ב, ל׳ א | אמר] רבלמ מוסיפים <לו> | והלא] ל׳ ה — 9 מצוה] מצוה היא ד, ל׳ א | להם] להו ב | מלך] ל׳ ל | שנאמר—מלך] ל׳ א | עליך מלך] בד נוסף <אשר יבחר ה׳ אלהיך בו> | למה—בקשו להם מלך] ל׳ א | למה רב, ולמה לד, אם כן למה מה — 10 לפי רבלד, על מ, ל׳ ה | על] את מ | סביבותי] סביבותינו ד | רבי נהוריי—ולא מלכה] ח׳ ה — 11 מלך] ל׳ ל | להעבידם] להעבירן ב | עבודה זרה רדפ, לעבודה זרה בלאמ | גם אנחנו] ל׳ א — 12 ושפטנו—מלחמתינו] רלדמ, וגו׳ ב, ל׳ א | ויצא—מלחמתינו] ל׳ ל | סליק פיסקא ד, פ׳ ר, ל׳ בלא —

13 שום תשים] ד מוסיף <עליך מלך אשר יבחר ה׳ אלהיך בו>; מ מוסיף <ה׳ אלקיך בו> | מת מנה [מני ר] רבטלדפ [רמב״ן], אם מת מנו אמ — 14 פי] ידי

פ״ד ה״א (ס״ז ע״ג), ועיין סנהדרין פ״ד ע״א: 1 זהו שאמרנו וכו׳, למעלה פי׳ קנ״ג, פ״ז: 2 בסתם וכו׳, פ״ז, סנהדרין נ״ב ע״ב, פ״ד ע״ב, פ״ט ע״א, ירושלמי שם פ״ז ה״ד (כ״ד ע״ג), מכילתא משפטים פ״ה (פ״א ע״ב, שתי פעמים, ה—ר ע׳ 266, ושם עוד ע׳ 267), מכילתא דרשב״י כ״א ט״ו (ע׳ 126), תו״כ קדושים פרק ט׳ הי״א (צ״ב ע״א), לקמן פי׳ קע״ת, פי׳ רמ״א, ופי׳ רע״ג: 3 לא אנוס וכו׳, למעלה פי׳ קמ״ט ובציונים שם. — בער וכו׳, למעלה פי׳ פ״ו (ע׳ 151, שורה 7), ובציונים שם:

5 עשה וכו׳, פ״ז, לקמן פי׳ ק״ע, ופי׳ רצ״ז, מ״ת ע׳ 259, מכילתא דרשב״י י״ג ה׳ (עמו׳ 32), ושם י״א (ע׳ 35), ועיין בספר Untersuchungen לר׳ חנוך אלבעק עמוד 16: 6 בזכותך, השוה למעלה פי׳ נ״ז (ע׳ 124, שורה 9) ובהערה שם. — בשכר וכו׳, למעלה שם, פ״ז, רמב״ן עשין ששכח הרמב״ם מצוה ד׳: 7 גניי [תוספתא סנהדרין פ״ד ה״ה (עמ׳ 421), בבלי כ׳ ע״א, דהתורה לא דברה אלא לפי שראתה שסופן לשאל להם מלך ודעת ר׳ יהודה היא לפי שהקדימו עמי הארץ על ידי הזקנים, ר״ה ומהר״ס בשם הראב״ד, (ובמאיר עין פירש לפי שלא הגיע עדין הזמן) ושם ביותר ביאור שאמרו והיינו גם אנחנו ככל הגוים ובבבלי דעת זו בשם ר״א ובתוספתא בשם ר״א בר״י אבל דעה זו אינה מובנת דהא בקרא גם כן כתיב ככל הגוים ואפשר לישב דס״ל גם כן דקרא בגנות ישראל הכתוב מדבר, אבל כאן בדברי ר׳ יהודה אי אפשר לפרש כן על כן נראה כפירוש רמא״ש. והגר״א מגיה ר׳ נהוראי אומר לא נאמרה פרשה זו אלא כנגד תרעומתן שנ׳ אשימה עלי מלך רא״א זקנים שבדור כהוגן שאלו שנ׳ תנה לנו מלך אבל עמי הארץ לא בקשו להם וכו׳ ואין נראה ובגמרא הגרסה „אבל עמי הארץ קלקלו״ ויש לפרש משום שאמרו ונלחם את מלחמתנו וכן פי׳ ר״ח ורש״י שם]: 8 א״ר יהודה וכו׳, השוה למעלה פי׳ ס״ז (עמ׳ 132, שורה 4), ובציונים שם, ויש להעיר שכמה פעמים נוטה ר׳ יהודה לצד המלכות, השוה לדוגמא למטה פיסקא קנ״ט ובתוספתא סנהדרין פ״ד ה״ו: 10 לפי שהקדימו על ידם, כבר העיר רל״ג בספרו אגדות היהודים ח״ו ע׳ 230, שכעין זה נמצא במיוחס לפילון פרק נ״ו א—ג, עיי״ש:

13 מת וכו׳, מדכתיב שום תשים, מפי׳ ר״ה [ופירש

תשים עליך מלך, והלא כבר נאמר שום תשים עליך מלך ומה תלמוד לומר תשים עליך מלך שתהא אימתו עליך, מיכן אמרו מלך אין רוכבים על סוסו ואין יושבים על כסאו ואין משתמשים בשרביטו ואין רואים אותו ערום ולא כשהוא מסתפר ולא בבית המרחץ.

דבר אחר שום תשים עליך מלך, מצות עשה. לא תוכל לתת עליך איש נכרי, מצות לא תעשה. איש נכרי, מיכן אמרו האיש ממנים פרנס על הציבור ואין ממנים האשה פרנסת על הצבור.

אשר לא אחיך הוא, כשהיה אגריפס מגיע לפסוק זה היה בוכה והיו כל ישראל אומרים לו אל תירא אגריפס אחינו אתה אחינו אתה סליק פיסקא

קנח.

(טז) רק לא ירבה לו סוסים, יכול לא ירבה למרכבתו ולפרשיו תלמוד לומר לו, לו אינו מרבה אבל מרבה הוא למרכבתו ולפרשיו, אם כן למה נאמר למען הרבות סוס סוסים בטלים מנין אפילו סוס אחד והוא בטל כדיי הוא שיחזיר את העם למצרים תלמוד לומר רק לא ירבה לו סוסים ולא ישוב והלא דברים קל וחומר

רד״ף דאולי קמ״ל שאם אין בן ראוי ימנו אחר]. — מרת מנה וכו׳ עד ע״פ נביא, מובא ברמב״ן בפירושו. — ולא מלכה, רמב״ם ה׳ מלכים פ״א ה״ה: 14 ע׳ הקו׳ ע״פ נביא, שם ה״ג, פ״ז. — ולא מחוצה לארץ, [עיין תוספתא סנהדרין פ״ד ה״י (ע׳ 422, שורה 17), „אין מעמידין מלך בחו״ל״]. — ולא מאחרים, פ״ז: 2 שתהא אימתו וכו׳, פ״ז, קדושין ל״ב ע״ב, סנהדרין כ׳ ע״ב, ושם כ״ב ע״א. — מיכן אמרו וכו׳, [משנה סנהדרין סוף פ״ב, תוספתא פ״ד ה״ב (עמ׳ 420, שורה 25) וירושלמי כ׳ ע״ג], פ״ז: 5 ד״א וכו׳, [הגר״א מגיה „מקרב אחיך תשים, כל משימות שאתה משים לא יהא אלא מקרב אחיך מכאן אמרו אין ממנים פרנס על הצבור עד שתהא אמו מישראל, מקרב אחיך תשים זו מצות עשה, לא וכו׳ איש נכרי זה העובד כוכבים, אשר לא אחיך הוא זה העבד כשהיה אגריפס וכו׳]. — שום [הגר״א ורד״ף מוחקים]. — מצות עשה, רמב״ם עשין קע״ג, חנוך שופטים סי׳ תצ״ג: 6 מצות לא תעשה, רמב״ם לאוין שס״ב, מגדל עוז מלכים פ״א ה״ד, חנוך שופטים תק״ט: 7 ואין ממנים וכו׳, פ״ז. רמב״ם מלכים פ״א ה״ה; ועיין בספר מלכי בקדש לר׳ חיים הירשענזאהן, ח״ב ע׳ 192 והלאה: 8 כשהיה אגריפס וכו׳, [סוטה פ״ז מ״ח, בבלי מ״א ע״ב, ירושלמי כ״ב ע״א], מ״ת, פ״ז: 10 יכול וכו׳, בבלי סנהדרין כ״א ע״ב, תוספתא פ״ד ה״ה (ע׳ 421), פ״ז, רש״י, והשוה ת״א ות״י: 11 אם כן למה נאמר וכו׳ [צ״ל למה נאמר סוסים בטלים ומנין אפילו סוס אחד

ה | מקרב] ל מוסיף <אחיך> | מחוצה] מחוץ ה | לארץ] לאחיך ל | מאחרים אמ, אחרים רבטלדפ, אחר ה — 1 והלא–ת״ל תשים עליך מלך רבטדאמ, ל׳ לה | עליך] ל׳ א | ומה לדא, מה רבטמ — 2 תשים] ל׳ א | מלך] ל׳ א | עליך] ב מוסיף <עליך> | מיכן] ומכאן טי | מלך רלד, ל׳ בטאמה | אין–בשרביטו] ל׳ ה | סוסו טלדא מ, סוסיו ר, סוסו של מלך ב — 3 משתמשים רטלדמ, משיבין משתמשין ב, משמשין א | אותו] ה מוסיף <לא כשהוא> | ערום] ל׳ ב, מסתפר ה׳ | ולא] לא ב | ולא כשהוא מסתפר] ל׳ ה — 4 ולא] ה מוסיף <כשהוא> | בבית המרחץ] רה מוסיפים <ולא כשהוא בבית המים אלא הוא יושב והכל עומדין הוא מדבר [ה אומר] דבר והכל שומעין לו הוא קוראן [ה קורא אותן] אחי ועמי כע׳ שנ׳ שמעוני אחיי ועמי (דהי״א כ״ח ב׳) והן קורין לו [ה קוראין אותו] אדונינו כענין שנ׳ אבל אדונינו המלך דוד המליך את שלמה (מ״א א׳ מ״ג)> [בכ״י ר חסרים המלים כענין שנ׳ אבל אדונינו] — 5 ד״א–אתה אחינו אתה] ח׳ ה | שום לדה, ל׳ רבכא | מלך] ד מוסיף <זו> — 6 נכרי] ד מוסיף <זו> | מיכן–פרנסת על הצבור] מיכן שאין ממנין אשה פרנסה על הצבור [פ״ז] | האיש ראמ, אין לר, ל׳ בט — 7 ואין–על הצבור מ, ואין ממנין פרנסת על הצבור א, ל׳ רבט לד — 8 מגיע רבטלדא, ל׳ אמ | לפסוק] על פסוק א | זה] הזה מ | בוכה אמ; ד מוסיף <עד שיהו גלגלי עיניו דמעות>, ל מוסיף <עד שזלגו עיניו דמעות>, ב מוסיף <עד שזולגות עיניו דמעות>, רט מוסיפים <עד שזולגות עיניו דמעות> | והיו–לו רלאמט, והיו כל ישר׳ אומ׳ טי, והיו אומרים לו כל ישר׳ בד — 9 אל תירא אגריפס רלדמ, אגריפס בט, אגריפס יוחינן בי, אגריפס אל תתירא א | סליק פיסקא ד, ל׳ רבלא —

10 רק–בטלים] ל׳ טה | ירבה] בלא מוסיפים <לו> | ולפרשיו] ולא לפרשיו ד | ת״ל] לדמ מוסיפים <לא ירבה> — 11 אינו] אין ד | מרבה] מובה ב [מרבה ב׳] | למרכבתו] למרכבותיו ב | אם כן למה נאמר] ת׳ ל׳ ר — 12 סוסים] ל׳ ב | מנין–כמה וכמה] ל׳ ה | אפילו רבלד, שאפילו טאמ | והוא בלדאמ, ל׳ רט | שיחזיר רטדאמ, להחזיר ל, שיחזור ב — 13 רק] ל׳ ל | לא ירבה לו סוסים] ל׳ ט | ולא ישוב דמ, ל׳ רטלא, וג׳ ב | והלא] והרי ל, והלי ר —

ומה מצרים שהברית כרותה עליה עבירה מחזירתם לשם שאר ארצות שאין הברית כרותה עליהן על אחת כמה וכמה סליק פיסקא

קנט.

(יז) ולא ירבה לו נשים, אלא שמונה עשרה רבי יהודה אומר מרבה הוא לו ובלבד שלא יהו מסירות את לבו רבי שמעון אומר אפילו אחת והיא מסירה את לבו לא ישאנה אם כן למה נאמר לא ירבה לו נשים אפילו כאביגיל.

לא ירבה לו נשים, אפילו כאביגיל וחברותיה שהן כשרות לא ישאנה וכגון איזבל וחברותיה שהן רעות היא מסירה לבו.

וכסף וזהב לא ירבה לו מאד, יכול לא ירבה לו כדי ליתן לאפסניא תלמוד לומר לא ירבה לו, לו אינו מרבה אבל מרבה הוא כדי שיתן לאפסניא.

דבר אחר כדי שיתן לאפסניא תלמוד לומר לא ירבה לו לו אינו מרבה אבל מרבה הוא
לאפסניות וכן עשה דוד שנאמר °והנה בעניי הכינותי לבית ה׳ אבל שלמה שינה כענין דהי״א כב יד
שנאמר °ויתן את הכסף בירושלים כאבנים סליק פיסקא מ״א י כז

1 מצרים ראמבי [וכן הגיה בא״א], מצוה טלד | עבירה מחזירתם לשם] עברה מחזיר לשם עבר המחזיר העם לשם א | שאין הברית כרותה עליהן [עליה רד, עמהן א׳ לי, ל׳ ל] רבטלד, ל׳ אמ — 2 כמה וכמה] בר נוסף <ד״א לא ירבה לו סוסי׳ מרבה הוא כדי מרכבה וכן עשה דויד כע׳ שנ׳ ויעקר דוד את כל הרכב ויותר ממנו מאה רכב (ש״ב ח׳ ד׳) [ועיין במ״ת עמוד 104, שורה 30, שהגרסה שם רק לא ירבה לו סוסים ואינו מרבה אלא כדי מרכבו וכן עשה דוד כמה שנאמר ויעקר דוד את כל הרכב ויותר ממנו מאה רכב שלמה לא עשה כן אלא ויהי לשלמה ארבעים אלף ארוות סוסים (מ״א ה׳ ו׳)] | סליק פיסקא ד, ל׳ בלא, ס׳ פ׳ ר

3 ולא–סליק פיסקא] ל׳ ט | ולא ה [מסורה], לא ר בלדאמ | אל״א] על ד, ל׳ ה [ר׳ דוד הופמאן הוסיף על] | שמונה עשרה] באמ נוסף <היו לו לדוד [א היו לדוד] שש נשים אמר לו הקב״ה ואם מעט ואוסיפה לך כהנה וכהנה> וכן מובא גם במגדל עוז | רבי יהודה–אפילו כאביגיל] ל׳ אמ — 4 לבו] שנאמר לא יסור לבבו> ד | והיא] ל׳ ר — 5 אם–נאמר] אלא מה אני מקים ה | לא ירבה–מסירה את לבו] ל׳ בדאמ ונמצא ברל ואינו מעיקר הספרי אלא הוספה מגליון — 6 לא–כאביגיל ל, ל׳ ר | וכגון] כגון ל — 7 היא] אפילו הכי והיא ל — 8 יכול–שיתן לאפסניא] מרבה הוא לו כדי ליתן אפסוניא ה | יכול לא ירבה לו כדי אמ, אלא כדי שיתן רל, אלא כדיי שיתן ב, יכול אפילו ליתן ד | לאפסניא ד, לאפסוניא מ, לאספמיא שלו א, לאספיניא ר, לאספניא ל, לאיספנית ב, לאכסניא פ — 9 לא ירבה לו] ל׳ ר | לו–לאפסניא] ל׳ אמ; ובא׳ הגרסה „לו אינו מרבה אבל מרבה הוא לו כדי ליתן לאספמיא שלו״ | שיתן בד, ליתן לפ | לאפסניא, כן נראה לנסח, והגרסאות המקובלות הן: לאפסונירת ר, לאספמיא פ, לאכסניות ל, לאיספנית ב, לאפסניות ד — 10 ד״א–בירושלם כאבנים] ל׳ באמ ונמצא ברל ומקצתו „וכן עשה דוד–באבנים״ גם בט ונראה שגם לפני ר״ה היתה גרסה זו ואינה מעיקר הספרי אלא נוספה מגליון, ועיין עוד במ״ת ע׳ 105 שורה 8 | לאפסניא, כן יש לנסח, אמנם גרסת כ״י ר היא אפסונית, ובכ״י ל הגרסה לאספניא· ול מוסיף עוד <תלמוד לומר לא ירבה לו לו אינו מרבה אבל מרבה הוא לאפסניות> — 11 שנאמר] ל׳ ט | שינה ר, עשה ט, עצה ל | כענין ט, בענין ר בעיניו ל — 12 סליק פיסקא ד, ל׳ רבלא —

וכו׳ ת״ל למען הרבות סוס, רד״ף], והגר״א מגיה „והוא בטל ת״ל למען הרבות סוס ומנין שכדאי הוא שיחזיר וכו׳ ת״ל רק לא וכו׳, סנהדרין פ״ב מ״ד, בבלי כ״א ע״ב, ירושלמי כ׳ ע״ג, תוספתא פ״ד ה״ד וה״ה והלשון שם צריך תקון· ות״י „לחוד לא יסגון ליה על תרין סוסוון״ וצ״ע מנין לו ואפשר משום דסתם סוסים שנים, ועיין מ״ת: 1 ומה מצרים וכו׳, מובא בכוזרי מאמר שני סי׳ כ״ב, הוצ׳ צפרונוביץ, ע׳ 91:

3 אלא שמונה עשרה [סנהדרין פ״ב מ״ד, תוספתא פ״ד ה״ה, ע׳ 421, בבלי כ״א ע״א, ירושלמי כ׳ ע״ג, תרגום יונתן], פ״ז, רש״י — אלא שמונה עשרה, ההוספה באמ מובאה בשם הספרי גם במגדל עוז הלכות מלכים פ״ג ה״ב, עיין בשנויי נוסחאות, והשוה פ״ז, ובבלי סנהדרין כ״א ע״א: 4 ובלבד וכו׳, כעין זה מתורגם בפשיטא „ולא נסגא לה נשא דלא נסטין לבה״ וכן בתרגום יונתן „דלא יטעוון לבה״ אבל בת״א „ולא יטעי לבה״, והשוה דברי ר׳ חיים העליר בספרו על הפשיטא עמוד 49: 8 ליתן לאפסניא [משנה, ירושלמי ובבלי שם] פ״ז, רש״י: 10 דבר אחר וכו׳, אין ברייתא זו חולקת על האמור למעלה, אלא מכפלתו ביותר ביאור, ומקורה לא בספרי אלא בקובץ אחר, ונמצאת בכ״י רל, ומקצתה במ״ת, וכן היתה בטופס הספרי שלפני ר״ה: 11 וכן עשה דוד וכו׳, השוה מ״ת כאן:

קס.

(יח) והיה כשבתו על כסא ממלכתו, אם עושה הוא כל האמור בענין כדיי הוא שישב על כסא ממלכתו. וכתב לו, לשמו שלא יהא נאות בשל אבותיו.

משנה, אין לי אלא משנה תורה, שאר דברי תורה מנין תלמוד לומר לשמור את כל דברי התורה הזאת ואת החקים האלה לעשותם אם כן למה נאמר משנה התורה שעתידה להשתנות אחרים אומרים אין קוראים ביום הקהל אלא משנה תורה בלבד.

על ספר, ולא על הלוח, על ספר ולא על הנייר, אלא על המגילה שנאמר על ספר.

מלפני הכהנים הלוים, שתהא מוגהת מלפני הכהנים הלוים.

על ספר׳ על גבי עור בהמה טהורה ומגיהים לו מספר עזרה על פי בית דין של שבעים ואחד׳ [מלפני הכהנים הלוים] מיכן דרש רבי אלעזר בן ערך שסוף תורה עתידה להשתכח

סליק פיסקא

קסא.

(יט) והיתה עמו וקרא בו כל ימי חייו, מיכן אמרו המלך יוצא למלחמה והוא עמו נכנס והוא עמו יושב בדין והוא אצלו מיסב והוא כנגדו שנאמר והיתה עמו

1 אם עושה וכו׳, לקח טוב, פ״ז: 2 לשמו וכו׳, [סנהדרין פ״ב מ״ד, תוספתא פ״ד ה״ז, ע׳ 421, בבלי כ״א ע״ב, ירושלמי כ׳ ע״ג, מ״ת, ושם הגירסה שלא יתגאה]: 5 להשתנות [תוספתא פ״ד ה״ז, בבלי כ״א ע״ב, ירוש׳ מגילה ע״א ע״ב, מ״ת], והשוה עוד בספר אגדות היהודים לרל״ג ח״ו ע׳ 443; ועוד בספרו Unbekannte Sekte ע׳ 306. — ביום הקהל, [משנה סוטה סוף פ״ז]: 7 על ספר וכו׳, [השוה לקמן פי׳ רס״ט, וספרי במדבר פי׳ ט״ז, ע׳ 21], פ״ז: 9 שתהא וכו׳, פס׳ זוט׳, [מ״ת, תוספתא סנהדרין פ״ד ה״ז ע׳ 421, בבלי כ״א ע״ב] והשוה רמב״ם ה׳ ספר תורה פ״ז ה״ב וה׳ מלכים פ״ג ה״א. — על גבי וכו׳, הוספה נמצאת ברפה ומקורה במכילתא לדברים: 11 מלפני הכהנים הלוים, כן יש להוסיף לפי דעתי, ובמ״ת הגירסה „ד״א את משנה״. — מיכן וכו׳, כלומר לפני הכהנים הלוים משמע דנשתכחה מישראל וכתבה לפני הכהנים הלוים דהיינו מספר עזרא, מפי׳ ר״ה. — להשתכח, ר׳ דוד הופמאן הגיה במ״ת להשתנות, וזהו על פי הגירסה שם שנקשרה הדרשה עם המבטא את משנה, אבל לדעתי אין צורך בהגהה, והשוה למעלה פי׳ מ״ח (ע׳ 113) ובציונים שם:

13 מיכן אמרו וכו׳, פ״ז. — יוצא למלחמה [תוספתא סנהדרין פ״ד ה״ז, ע׳ 421, ירושלמי כ׳ ע״ג, מ״ת, משנה פ״ב מ״ד, בבלי כ״א ע״ב, ועל מה דאיתא יושב בדין קשה דהא המלך לא דן ריש פ״ב ואינו יושב בסנהדרין תוספתא סוף פ״ב ומובא בבבלי י״ח ע״ב ובתוס׳ י״ט (משנה שם) תירץ דבמלכי בית דוד איירי או מלכי ישראל קודם התקנה, השוה בבלי י״ט ע״א וירושלמי כ׳ ע״א ושם חסר התירוץ, וסמוכין לדברי בירושלמי י״ט ע״ד והגרסה חסרה

1 והיה—אלא משנה תורה בלבד] ל׳ ה | הוא] ל׳ ב | בענין] ל׳ אמ — 2 כסא ממלכתו טלראמ. כסא מלכותו ב. מלכותו ר | שלא—אבותיו] שלא תהא משל אבותיו א, שלא באות בשביל אבותיו ב | נאות מ, נואית ר, גיאות ל, נאות ד, ל׳ מ — 3 שאר—אם כן למה נאמר משנה התורה] ל׳ ל | דברי] ל׳ ב — 4 ואת—לעשותם] ל׳ ד | לעשותם] <אלו חקי מלכות> א | אם כן] ואם כן ב — 5 התורה] תורה ה | שעתידה רטאמופ. משום שעתידה בד | להשתנות] ליהורת שונין אותה על פה ולהשנות לאחרים א, להיות שונין אותה על פה להשנות מ | אחרים] ל׳ א ונשלם באי — 7 ולא על הלוח—הנייר] ולא על נייר ולא על לוח ל | הלוח אמ. לוח רבטד | על ספר אמ, ל׳ רבטד | על הנייר רטאמ, מעל הנייר ב, על נייר ד | אלא] <יכתבנה> ד — 9 הלויים בטאמ [פ״ז], והלויים רד, ל׳ ל | שתהא מוגהת—הלוים מ [פ״ז], שתהא מוגהות מפי הכהנים והלוים א, ל׳ רבטלד — 10 על גבי—להשתכח] ל׳ בכל המקורות חוץ מרפ, ואינו מעיקר הספרי אלא נוסף מגליון, ומקצתו מובא במ״ת מן המכילתא לדברים, עיין מ״ת ע׳ 105, ושם הגרסה „על ספר מכאן אמרו כותב לו ספר תורה לשמו ומגיהין אותו מספר העזרה על פי בית דין של שבעים ואחד״, ועוד שם „ד״א את משנה מיכן דרש ר׳ אלעזר בן ערך שסוף תורה עתידה להשתכח״ — 11 מלפני הכהנים הלוים] כן נראה להוסיף ואעפ״י שחסר בכל המקורות — 12 סליק פיסקא ד, פ׳ ר, ל׳ בלא —

13 והיתה וכו׳ עד סוף פיסקא קס״ב] ח׳ ה | המלך] כשמלך ב | יוצא למלחמה] ל׳ מ — 14 והוא] והיא אמ | נכנס והוא עמו ר, נכנס והיא עמו מ, נכנס היא עמו ט, נכנס א, נכנס והוא ב, נכנס והוא אצלו ל, ל׳ ד | והוא] והיא אמ | שנאמר—חייו] ל׳ ט | שנאמר והיתה עמו] ל׳ מ | והיתה עמו] <ד״א והיתה עמו כשהיא פנוי וקרא בו שיהו עיניו בו בשעה

וקרא בו כל ימי חייו. ימי חייו, הימים, כל ימי חייו הלילות. למען ילמד ליראה את ה׳ אלהיו, מלמד שהמורא מביא לידי מקרא, מקרא מביא לידי תרגום, תרגום מביא לידי משנה, משנה מביאה לידי תלמוד, תלמוד מביא לידי מעשה, מעשה מביא לידי יראה.

לפי שמצינו ששוה הדיוט למלך בדברי תורה ישוה לו בדברים אחרים תלמוד לומר לשמור את כל דברי התורה הזאת, לדברי תורה שוה לו ואין שוה לו לדברים אחרים מיכן אמרו מלך פורץ לעשות לו דרך ואין ממחים בידו להרחיב לו סטרטיאות ואין ממחים בידו דרך המלך אין לו שיעור וכל העם בוזזים ונותנים לפניו והוא נוטל חלק בראש. דבר אחר ואת החקים האלה, אלה חקי מלכות סליק פיסקא

קסב.

(כ) לבלתי רום לבבו מאחיו, ולא משל הקדש. ולבלתי סור מן המצוה ימין ושמאל, שלא יסור מן המצוה ימין ושמאל. למען יאריך ימים על ממלכתו, אם עושה הוא מה שכתוב בענין כדיי הוא שיאריך ימים על ממלכתו. הוא ובניו, שאם מת בנו עומד תחתיו ואין לי אלא זה בלבד מנין לכל פרנסי ישראל

שהו [כן בכ״י] קורא בו כל ימי חייו בשעה שהוא פנוי> ר — 1 ימי חייו] ל׳ ל | ימי חייו—כל ימי חייו] ל׳ ב, לרבות בי | כל ימי חייו] כל ימי חייך ד — 2 אלהיו בט לדא [מסורה], אלהיך ר [וכן בתרגום השבעים] | מלמד—לידי מקרא] מלמד שהתלמוד מביא לידי יראה [פ״ז] | שהמורא] בלד, שהלמידה אמ, שהמראה ר, שמראה פ — 3 תרגום מביא—מביא לידי מעשה] תרגום מביא לידי מעשה ב | מביאה] מביא ד — 5 שמצינו] ששנינו ל | הדיוט] תלמוד ב | למלך] <הדיוט> ל | ישוה] יכול ישוה אמפ | בדברים אחרים] לדברים אחרים אמב׳ט׳ — 6 לדברי רלאמ, לדבר בד — 7 לדברים] לדברי ט | מלך] המלך אמ | לו] ל׳ ב [וכן בסמוך] | להרחיב—בידו] ל׳ א | להרחיב] להחריב ר — 8 סטרטיאות [פ״ז], סרטיאות ר בטל, טרסייאות ד, סרטאות מ | דרך] שדרך אמ | אין לו] אין לה דרך ואין ממחין בידו ר | העם] זה א [העם אין] — 9 ד״א—חקי מלכות] מובא כאן רק בכ״י רפ ועיין גם במ״ת סוף ע׳ 105. ולמעלה בש״נ לפי׳ ק״ס „לעשותם אלו חקי מלכות״ ואינה אלא הוספה שלא מעיקר הספרי, והכניסוה המעתיקים מן הגליון | מלכות] המלכות פ | סליק פיסקא ד, ל׳ רבלא —

10 הקדש] קודש ר, קדש פ — 11 שלא—ושמאל רד אמ, ל׳ בטל | המצוה] המצות מ — 12 הוא] ל׳ בט | מה שכתוב רבטלד, כל האמור אמ | ממלכתו] מלכותו מ — 13 שאם] שאם הוא ד | עומד] כדאי לעמוד א | ואין] אין

לפנינו ועיין בשרידי ירושלמי לר׳ לוי גינזבורג ושם איתא מלך ישראל, ובמצפה איתן פירש בדיני מלכות]: 1 ימי חייו, סוף פ״ק דברכות; והשוה פ״ז: 2 שהמורא [מהר״ס גורס שהמראה ובמאיר עין פירש דמורא היינו מראה והגר״א מגיה „מלמד שתלמוד מביא לידי יראה יראה מביא לידי שמירה שמירה מביא לידי מעשה לפי שמצינו וכו׳] ואלו דברי רמא״ש „הז״ר והז״א הניחו דבור זה בתימא ובכ״י בן ז״א גורס שהמראה אבל בכ״י ר״ה ובילקוט הגירסה כמו שהיא לפנינו ופי׳ ר״ה וכיון דהיא עמו ראה יראה אותה תמיד ומביאו לידי מקרא וכו׳ ולפי זה פירוש מורא משרש ראה וכבר פירשוהו כך באגדת ליל פסח״. ועיין בשנויי נוסחאות בגרסת אמ, ובפ״ז גורס שהתלמוד מביא לידי יראה וכן מובא בספר לקח טוב; והשוה ע״ז כ׳ ע״ב. ובהמגיד שנה ט״ו חוברת ד׳ ע׳ 30 מציע ר׳ יעקב רייפמאנן לגרס „מלמד שכתיבת התורה מביאה לידי מקרא וכו׳ תלמוד מביא לידי יראה יראה מביא לידי מעשה, עיי״ש: 7 מלך פורץ וכו׳, [סנהדרין פ״ב מ״ד, בבלי כ׳ ע״ב, ב״ב פ״ו מ״ז]: 9 אלה חוקי מלכות, השוה בשנויי נוסחאות למעלה ריש פיסקא ק״ס:

10 ולא משל הקדש, [הגר״א מגיה ולא מן העכו״ם, והראב״ד פירש דלא איצטריך משל הקדש דהא לא אפשר ובמאיר עין פירש כפשוטה שיטול משל הקדש אבל לא יטול מס מאת העם ורד״ף פירש למעוטי גובה לב בדרכי ה׳ כענין שנאמר ויגבה לבו בדרכי ה׳ (דהי״ב י״ז ו׳) דרשאי ומהרא״ן פירש שדורש מאחיו גדלהו משל אחיו ולא משל הקדש] וכן נראה שפירש בעל לקח טוב וז״ל „דרז״ל מאחיו זה כמו והכהן הגדול מאחיו גדלוהו משל אחיו, ובספרי מאחיו ולא משל הקדש״: 11 שלא יסור וכו׳, [אינו מובן ובמאיר עין פירש לאו מוסף במלך על לאו דלא יקים את דברי התורה ועיין רש״י „אפילו מצוה קל״ה של נביא״, והגר״א מגיה „אפילו מצוה קלה של נביא וכה״א נסכלת לא שמרת וכו׳ (ש״א י״ג י״ג). ימין ושמאל, אפילו אומר לך על ימין שהיא שמאל ושמאל ימין. למען וכו׳]: 12 אם עושה וכו׳, [ולא שיעשה בשביל כך, רד״ף]: 13 שאם מת וכו׳ עד כל שהוא בקרב ישראל בנו עומד תחתיו, הגה׳ מיימ׳ מלכים פ״א ה״ז; פ״ז. — תחתיו [הוריות י״א ע״ב, ירושלמי שם מ״ז ע״ג]. — מנין וכו׳, פ״ז ולקח טוב, והשוה הערת פונק במאנאטסשריפט שנה נ״ה עמוד 706, והדוגמא שמביא ר׳ שמואל קליין ממכתבה אחת על בית הכנסת שבגליל וכתוב בה שהבונה היה תיאודוטוס ראש הכנסת וגם אביו ואבי אביו היו ראשי כנסיות, ידיעות המכון למדעי היהדות ח״ב ע׳ 24; והשוה עוד תוספתא שקלים פרק ב׳ ה׳ ט״ו (ע׳ 177); ועיין עוד תו״כ שמיני פרק א׳ ה״ב (מ״ז ע״א); שם אחרי פרק ח׳ ה״ה (פ״ג ע״ב); תוספתא שקלים פ״ב הט״ו (ע׳ 177).

שכניהם עומדים תחתיהם תלמוד לומר הוא ובניו בקרב ישראל, כל שהוא בקרב ישראל בנו עומד תחתיו. רבי חנניה בן גמליאל אומר הרי הוא אומר °גם אשר מ"א ג יג
לא שאלת נתתי לך גם עושר גם כבוד על מה שלא התניתי בתורה ליתן נתתי לך על מה שהתניתי ליתן איני נותן לך אלא אם כן עשית וכן הוא אומר °ואתה אם שם ג יד
תלך בדרכי סליק פיסקא

קסג.

(יח א) לא יהיה לכהנים הלוים כל שבט לוי, מכלל שנאמר °ושרת דברים יח ז
בשם ה' אלהיו אין לי אלא תמימים בעלי מומים מנין תלמוד לומר כל שבט לוי. חלק, זו בזה. ונחלה, זו נחלת הארץ. אשי ה', אלו קדשי מקדש, קדשי הגבול מנין תלמוד לומר ונחלתו יאכלון סליק פיסקא

קסד.

(ב) ונחלה, זו נחלת שלשה. לא יהיה לו בקרב אחיו, זו נחלת חמשה. ה' הוא נחלתו כאשר דבר לו, להגיד מה גרם סליק פיסקא

ויקרא רבה פ"כ סי' י"א. במדבר רבה פ"ב סי' כ"ו, פסיקתא דרב כהנא (קע"ג ע"ב): 2 ר' חנניה בן גמליאל וכו', [הגר"א גורס לעיל קודם הוא ובניו, ועיין רש"י ורד"ק מלכים]:

6 מכלל שנאמר וכו' עד ת"ל כל שבט לוי, מובא בספר הזכרון ובלקח טוב· — ושרת בשם וכו' [אינו מובן ואולי צ"ל לעמוד לפני ה' לשרתו, דברים י' ח' דשם כתיב אח"כ על כן לא היה ללוי חלק ונחלה, ובמקום תמימים גורס הגר"א כהנים לויים מנין] ולדעתי נראה יותר לקיים הגרסה המקובלת, ופירושו מכלל שנאמר לקמן ושרת וכו', אין לי שהכהנים אוכלים בקדשים כשהם תמימים וראוים לשרת, כשהם בעלי מומים מנין ת"ל וכו': 8 חלק זו בזה וכו', מובא ברש"י, ברמב"ם לאוין ק"ע, ובסמ"ג לאוין רע"ו ובלקח טוב· — קדשי הגבול מנין [אינו מובן ורד"ף פירש מנין דבעלי מומים חולקין בקדשי גבול אבל מה ענינו לכאן ויותר נראה דרך הלשון שלא כהוגן והיה ראוי להיות ונחלתן אלו קדשי הגבול]:

10 זו נחלת שלשה, כבר נחלקו הראשונים בפירוש ברייתא זו ובגרסתה, והשוה רש"י, רמב"ן כאן ובשמות י"ג ה', ר"ת בספר הישר סי' תקל"ט, בעל כפתור ופרח, חזקוני, ועיד רבים· ונראה שהגרסה העקרית „ונחלה זו נחלת שלשה, לא יהיה לו בקרב אחיו, זו נחלת תשעה", ופירושו זו נחלת שלשה על שני שבטים וחצי שבט מנשה שנחלו בעבר הירדן. והשוה ספרי זוטא סוף קרח י"ח כ"ד (ע' 298), „אמרת לא ינחלו נחלה בעבר הירדן ובארץ שלשה אין לי אלא בעבר הירדן ובארץ שלשה ומניין אף בבזה שלמלחמה אמ' לא ינחלו נחלה אפילו בבזה שבמלחמה·" אמנם השוה שנויי נוסחאות, שבאמ מפורש שלשה על שלשה עממין, קיני קניזי וקדמוני, שעתידין לכבשם לעתיד לבא ושלא כבשום בימי יהושע ודוד. ועיין בקשר לפירוש זה ירושלמי שביעית פ"ו ה"א, ל"ו ע"א, בבלי ב"ב נ"ו ע"א, בראשית רבה מ"ד כ"ג (ע' 445) וספרי במדבר פי' קי"ט (ע' 145); ולפירושנו השוה מכילתא דרשב"י י"ב כ"ה (ע' 21), שם י"ג י"א (ע' 35), מכילתא בא ריש פרשה י"ז (כ' ע"א, ה—ר ע' 63), תו"כ מצורע ריש פרשה ה' (ע"ב ע"ד), שם קדושים ריש פרשה ג' (פ"ט ע"ד), אמור ריש פרשה י' (ק' ע"ב), ריש בהר הלכה ב' (ק"ה ע"א), ולקמן פי' רצ"ט וש"א, ומאמר ר' שמואל קליין בספר היובל לר' דוד הופמאן (ל"דוד צבי) עמוד 35 והלאה, ומאמר ר' ישראל לוי על מכילתא דרשב"י ע' 34, הערה ב'· והדרש מובא ברש"י, רמב"ן שמות י"ג ה', בספר הישר לר"ת סי' תקל"ט, בפי'

א — 1 תחתיהם] תחתם ר | שהוא] שהם ד — 2 חנניה] רבטא, חנינא לדמ | גמליאל] גמלא ד | הרי הוא אומר] ל' א — 3 ליתן רבטלא. ליתן לך ד, ל' מ | נתתי—ליתן] ל' א — 4 על מה] ומה ר | שהתניתי רל, שהתניתי בתורה מ, שהתנית ב, שלא התניתי ד, שהתניתי ליתן ט | איני נותן לאמ, אינו נותן רב, לא נתתי ט, לא אתן ד | ואתה] במסורה ל' — 5 בדרכי] בחוקותי כאשר הלך דוד אביך בתום לבב וביושר לעשות ככל אשר ציויתיך תוקיי ומשפטיי תשמור ד, בדרכי לשמור חוקי [את מצותי ר] כאשר הלך דוד אביך והארכתי את ימיך רל | סליק פיסקא ד, פ' ר, ל' כלא —

6 לא יהיה—כל שבט לוי] תמימין ובעלי מומין ה | לא] ולא ב | לוי] לוי חלק ונחלה ד — 7 אלהיו] אלהיך ד | בעלי] ובעלי ב | שבט] חלק א — 8 חלק] <חלק> א | זו בזה] בביזה ה [רמב"ם] | זו] וזו א | זו נחלת הארץ] בארץ ה [רמב"ם] | אשי] ואשי ר | מקדש] קדשים אמ | קדשי ראמפ, וקודשי רב, וקודש ל — 9 סליק פיסקא ד, ל' רבלא —

10 ונחלה] ונחלת ל | שלשה רבלדהפ [הזכרון], שאר ס"א שבעה ב', שאר ט, חמשה [לקח טוב], שלשה קיני קניזי וקדמוני אמ, [רש"י גורס „ונחלה לא יהיה לו זו נחלת שאר בקרב אחיו זו נחלת חמשה", וכן גורס ר"ת בספר הישר, וכן נראה שהיתה גרסת בעלי התוספות על התורה אעפ"י שבדפוסים הגרכה שם „ונחלה לא יהיה לו זו נחלת חמשה", אין זו אלא טעות ספר ועיין שם· וכן גורס גם רבינו בחיי וחזקוני אמנם רש"י הביא בשם רבינו קלונימוס הגרסה „ונחלה לא יהיה לו אלו נחלת חמשה בקרב אחיו אלו נחלת שבעה", וכן הביא רבינו תם בשם „יש ספרים", ורמב"ן גורס „ונהלה לא יהיה לו זו נחלת המשה עממין בקרב אחיו זו נהלת שני עממין" וגרסה זו מובאה בשמו גם בספר כפתור ופרח ובספר אהל דוד לר' דוד ששון, ח"א ע' 111 הביא מכ"י פירוש אחד שבידו הגרסה זו נחלת [שלשה] זו נחלת תשעה, ובאותו פירוש

קסה.

(ג) וזה יהיה משפט הכהנים, מלמד שהמתנות יוצאות בדיינים. יכול אף קדשים יהיו חייבים במתנות ודין הוא ומה חולין שאין חייבים בחזה ושוק חייבים במתנות קדשים שחייבים בחזה ושוק אינו דין שיהו חייבים במתנות תלמוד לומר וזה יהיה משפט הכהנים.

מאת העם, ולא מאת אחרים. מאת העם ולא מאת הכהנים. מאת זובחי הזבח, פרט לטריפה. מאת זובחי הזבח, אין לו בו אלא בשעת זביחה בלבד מיכן אמרו גר שנתגייר והיתה לו פרה נשחטה עד שלא נתגייר פטור משנתגייר חייב ספק פטור המוציא מחבירו עליו הראיה.

אם שור אם שה, לרבות כלאים, אם שור אם שה, בין בארץ בין בחוצה לארץ, והלא דין הוא חייב כאן וחייב בראשית הגז מה מצינו בראשית הגז נוהג בארץ ובחוצה לארץ אף מתנות נוהגות בארץ ובחוצה לארץ או כלך לדרך זו חייב כאן וחייב בתרומת ראשית מה תרומת ראשית אינו חייב אלא בארץ אף מתנות אינן נוהגות אלא בארץ נראה למי דומה דנים דבר שאין תלוי בארץ ובקדש מדבר שאין תלוי בארץ ובקדש ואל תוכיח תרומת ראשית שהיא תלויה בארץ ובקדש או כלך לדרך זו דנים דבר שנוהג בין במרובה בין במועט מדבר שנוהג במרובה ובמועט ואל יוכיח ראשית הגז שאינו נוהג אלא במרובה תלמוד לומר אם שור אם שה בין בארץ בין בחוצה לארץ.

מבואר ג׳ שבטים „ראובן וגד וחצי שבט מנשה נחלת תשעה היינו תשעה שבטים שנטלו ארץ כנען מעבר הירדן ואילך״] | לון] לך ד | זון] זה א | חמשה רבטלדה, חמשה והם [מ הם] חמשה גוים האמורין בפרשת תפילין אמ, שבעה [לקח טוב] — 11 ע׳ הקו׳ סליק פיסקא ד, פ׳ ר, ל׳ בלא —

1 וזה—ת״ל וזה יהיה משפט הכהנים] ל׳ ט | וזה—פרט לטריפה) ל׳ ה | וזה] זה ר | אף קדשים בלאמפ, אף כל הקדשים ד, אף הקדשים ר — 2 ודין] דין אמ | שאין בלאמ, שאינן רד — 5 מאת העם אמ, ל׳ רבטלדפ | ולא—הכהנים [כהנים ר] ראמ, מאת אחי הכוהנים ב, ומאת אחיו כהנים ט, ל׳ ל, ולא מאת אחיו הכהנים ד | מאת] ומאת ל — 6 לו [לי כ] בו רב, לי אלא בו א, לך בו מ, לי טלר, לו [לקח טוב] | בלבד] <מנין ת״ל> א | מיכן] מנ׳ ב — 7 אמרו רבמלדה, אתה אומר אמ | והיתה] והיה א | נשחטה ראמה, נשחטת רבטל | שלא נתגייר] שנתגייר א — 8 המוציא מחבירו] והמוציא מבידו ד — 9 אם שור—והקבה כמשמעו) ל׳ ה | כלאים] את הכלאים לפ — 10 והלא דין הוא—ת״ל אם שור אם שה בין בארץ בין בחוצה לארץ] ל׳ מ | והלא] והרי ל | מה מצינו בראשית הגז] ל׳ ל — 11 אף] אלא ל | נוהגות] <בין> לא | ובחוצה רבטד, בין בחוצה א, ובין בחוצה ל — 12 בתרומת] בתרומות ד | ראשית] ראשית הגז א [וכן בסמוך] | חייב] נוהג א, ל׳ ר | אף—אלא בארץ] ל׳ ב, ובבי׳ „אף מתנות אינן נוהג אלא בארץ״ | אינן [אין א] נוהגות רבלא, אינו חייב עליהם ד — 13 ובקדש] ומקודש ד [וכן בסמוך] | מדבר—ובקדש] ל׳ א — 14 ראשית] <הגז> א | שהיא] שאינה א — 15 מדבר—ובמועט] ל׳ ד | יוכיח] תוכיח טי — 16 שאינו] שאין רב — 17 לארץ] <כ״א> א —

בעל התוספות על התורה, ברא״ם, רבינו בחיי, חזקוני, ובכפתור ופרח כרק י״א ע׳ 260 בלקח טוב ובספר הזכרון ועיין בספר פני דוד לאזולאי, פרשה שופטים ובספר הזכרון על רש״י: 11 ע׳ הקו׳ להגיד וכו׳, למעלה פי׳ ע״ו (ע׳ 141) ובציונים שם:

1 מלמד וכו׳, פ״ז — בדיינים, חולין ק״ל ע״ב — יכול וכו׳, השוה משנה חולין ריש פ״י, תו״כ צו פרק י״ז ה״ו (מ׳ ע״ב), ובבלי חולין ק״ל ע״א: 3 ת״ל וזה וכו׳, [חסר לשון וצ״ל לפי הגמרא חולין ק״ל ע״א ת״ל ואתן אותם בענין שיהיו חולין חייבין בחזה ת״ל וזה יהיה משפט הכהנים וכן הגיה הגר״א אבל לפי הפ״ז אפשר שצ״ל ת״ל וזה יהיה משפט הכהנים מאת העם ולא מאת הקדש]: 5 ולא מאת אחרים, [אם ישראל שוחט לנכרי אע״ג דדין הכהן עם הטבח, ועיין חולין פ״י מ״ג, בבלי קל״ב ע״ב] ובפ״ז גורס „ולא מאת הקדש״ — הכהנים, [תוספתא פאה פ״ב הי״ג, ע׳ 20, חולין קל״א ע״ב]: 6 פרט לטריפה, פ״ז [חולין קל״ו ע״ב, אבל במשנה ותוספתא לא נזכר דין טרפה] והשוה לקמן פי׳ קס״ו — אין וכו׳ משנתגייר חייב, לקח טוב: 7 גר שנתגייר וכו׳, [חולין פ״י מ״ד, בבלי קל״ד ע״א]: 9 כלאים, [חולין קל״ב ע״א, תוספתא פ״י ה״א ועיין בבא קמא ע״ז ע״ב ולכאורה היה נראה לומר דכל היכא דכתיב שה סתם ממעטינן כלאים כמו בפטר חמור, בכורות י״ב ע״ב, וכל היכי דכתיב שום רבוי כמו מלת או גבי גגבה מרבינן כלאים וכן גם כאן אבל היכי דכתיב כשב ועז כמו גבי קדשים פ׳ אמור (ויקרא כ״ב כ״ז) וגבי בכור בפ׳ קרח (במדבר י״ח י״ז) ממעטין כלאים ועדין צ״ע בסוגיות הש״ס ובפ״ז גורס פרט לכלאים וט״ס היא]. — בין בארץ וכו׳, פ״ז — בחו״ל,

ונתן לכהן, לכהן עצמו. הזרוע, זרוע של ימין, והלחיים, זה לחי התחתון, והקבה כמשמעה. רבי יהודה אומר דורשי רשומות אומרים נתן לו זרוע תחת היד וכן הוא אומר °ויקם מתוך העדה ויקח רומח בידו הלחיים תחת תפילה וכן הוא אומר °ויעמד פינחס ויפלל קיבה תחת קיבה שנאמר °ואל האשה אל קובתה סליק פיסקא

במדבר כה ז
תהלים קו ל
במדבר כה ח

קסו.

(ד) ראשית דגנך תירושך ויצהרך, מלמד שאין תורמים אותו אלא מן המובחר. מה מצינו בשני מינים שבאילן אין תורמים מזה על זה כך שני מינים שבתבואה ושבירק אין תורמים מזה על זה.

ראשית הגז ולא ראשית שטף, ראשית הגז פרט לטריפה, ראשית הגז בין בארץ בין בחוצה לארץ.

צאנך, ולא של אחרים מיכן אמרו הלוקח גז צאנו של נכרי פטור מראשית הגז לקח גז צאנו של חבירו אם שייר המוכר חייב ואם לאו הלוקח חייב.

1 לכהן עצמו] ל׳ ב, לכהן לא עצמו פ | הזרוע] <עצמן> ב | של ימין] שלם אמ | והלחיים] ולחיים ד | התחתון] תחתון רב — 2 והקבה כמשמעה] ל׳ ט | כמשמעה רב ל, כמשמע א, כמשמעו ד | רבי יהודה—סליק פיסקא] ל׳ ט | רבי יהודה אומר רבלד, רבי אומר אמ, ל׳ ה, ר׳ יהושע אומר [פ״ז] | תמורות] בה׳: רשומות, ועל הגליון שם „נ״א חמורות״ | אומרים] היו אומרים ד | נתן לו רב לד, ונתן לכהן אמ, ל׳ ה | זרוע] <נותן לו זרוע> ר — 3 העדה] העם ר | הלחיים רלדמ, והלחיים בא [פ״ז], לחיים ה | תחת רבלאמ, כנגד ה, תחת זו ד, זו [פ״ז] — 4 תחת קיבה שנאמר ואל רבל, תהת קבה וכן הוא אומר ואל אמ, כמשמעה וכן הוא אומר ה, תחת ד [פ״ז] — 5 סליק פיסקא ד, פ׳ ר, ל׳ בלא —

6 דגנך] הגז א | אותו רלאמ, אותה ה, ל׳ ב, אותן ד — 7 מה מצינו וכו׳ עד סוף הפיסקא] ל׳ ה | מינים] מיני פרות אמ | שבאילן רטאמ [פ״ז], שבאילו לד, ל׳ ב | שבתבואה ושבירק רבלאמ, שבתבואה ט, ל׳ ד — 9 ראשית] וראשית ד | שטף] השטף ד | הגז בין] גז בין מ, בין א — 10 בין בחוצה] ובין בחוצה ב | בחוצה] בחוץ מ — 11 צאנו] צאן ד | נכרי] <מראשית> ר | מראשית הגז] ל׳ ט — 12 לקח גז רבטאמ, ל׳ לד —

חולין פ״י מ״א, והשוה לקמן פיסקא קס״ו. — 1 עצמו, [בפ״ז גורס „לכהן ולא לשלוחו״; פ״א למעוטי עיר שאין בה כהן דאין צריך להפריש ובז״ר פירש דאין הכהן יכול לזכות לאחר אם לא בתורת מתנה; ובמאיר עין מוחק מלת לכהן בפעם השנית ובאר דהוא נותן אבל אין הכהן רשאי ליטול מעצמו ויש לפרש ולא לשלוחו מאחר דשנינו בתוספתא חולין פ״י ה״ז, (עמוד 511) המפריש גז צאנו ואבד חייב באחריותו קמ״ל דאם נתנו לשליח לא נפטר מאחריות ודין זה הוא כנגד דעת רב חסדא במתנות דהמזיק מתנות דהוה פטור, חולין ק״ל ע״ב] ולי נראה דבא למעט עבדו ואשתו שמותר ליתן להם תרומה אבל אסור ליתן להם מתנות; וסובר תנא דספרי כר׳ יוסי האומר נותנין חלק לעבד כהן על הגרן, תוספתא יבמות פרק י״ב ה״ו ע׳ 255, בבלי שם צ״ט ע״ב; ואולי יש להגיה על פי מ״ת, וכפירוש רמא״ש „ונתן ולא שיטול מעצמו״, ועיין מ״ת ע׳ 107, שורה 21. — של ימין, תוספתא חולין פ״ט הי״ב, (ע׳ 511), בבלי שם קל״ד ע״ב; מ״ת ע׳ 107 שורה 23, פ״ז. — התחתון, משנה חולין סוף פ״י [והגר״א הגיה זה לחי עליון ותחתון], פ״ז: 2 ר׳ יהודה אומר, בפ״ז גורס ר׳ יהושע אומר, והשוה חולין קל״ד ע״ב, דאמר ר׳ יהושע כהנים נהגו בו עין יפה ונתנוהו לבעלים, ובתוספתא שם פ״ט הי״א, (עמוד 511) הובא בשם ר׳ יהודה, ואולי הברייתא שלפנינו קטיעה היא, ועיין הערת רמא״ש, ובמ״ת חסרים המלים „ר׳ יהודה אומר״. — דורשי רשומות וכו׳, חולין קל״ד ע״ב, וספר אגדות היהודים לרל״ג ח״ו ע׳ 138, ובציונים שם: 6 תירושך ויצהרך, [הגר״א מוחק] וזה מפני שלפי דעתו יש להוסיף המלים האלה למטה בקשר אל הברייתא מה מצינו וכו׳, עיין בסמוך. — מלמד וכו׳, פ״ז: 7 המובחר, [ספרי במדבר פי׳ קכ״ב, ע׳ 150] ספרי זוטא שם סוף קרח, והשוה יבמות פ״ט ע״ב, משנה תרומות פ״ב מ״ד. — מה מצינו, [הגר״א מגיה דגנך תירושך ויצהרך מגיד שאין תורמין מזה על זה ומה מצינו וכו׳]. — מה מצינו וכו׳, משנה תרומות שם, בכורות נ״ד ע״א, תמורה ה׳ ע״א, ספרי במדבר ק״כ (ע׳ 147): 9 ולא וכו׳, פ״ז. — שטף, דהיינו נוצה של עזים דההיא לאו אורחיה לגזוז אלא לשטפו ונתלש מאליו וגם הכי אם שטף ברחלים, מפי׳ ר״ה, ובפ״ז פירש כגון שמשטף עורות במים ועלה הצמר למעלה ועיין חולין קל״ז ע״א, רמא״ש [ולענין רחלים בשטף, עיין בבלי שם ותוספתא חולין פ״י ה״ד, עמ׳ 511]. — פרט לטריפה, [חולין קל״ו ע״ב, לפי דעת ר״ש, אבל בתוספתא פ״י ה״א, (ע׳ 511) איתא „ראשית הגז נוהג בטרפה״, ובגמרא שם ר״ש יליף נתינה ממתנות, ואח״כ אמר דיליף צאנך צאנך ממעשר והגר״א גורס „ולא ראשית התלישה. ראשית הגז בין בארץ וכו׳״]. והשוה למעלה פי׳ קס״ה, ע׳ 214, שורה 6. — בין בארץ וכו׳, משנה חולין ריש פרק י״א, והשוה גמרא שם קל״ו ע״א, ולמעלה פיס׳ קס״ה (ע׳ 214, שורה 9): 11 ולא וכו׳ עד פטור, לקח טוב. — ולא של אחרים. [חולין פי״א וגמרא קל״ה ע״ב למעוטי שותפות עכו״ם ואגב שיטפיה אמר דעדין לא ידענו אם של נכרי פטור אלא אגב ר׳ אלעאי] פ״ז. — מיכן אמרו וכו׳, [משנה חולין שם, תוספתא פ״י ה״ב (עמ׳ 511) גמרא קל״ח ע״ב, ירו׳ פיאה פ״ג ה״ו (י״ז ע״ג)]:

תתן לו, שיהא בו כדי מתנה מיכן אמרו כמה נותן לו משקל חמש סלעים ביהודה שהם עשר בגליל מלובן ולא צוי כדי לעשות ממנו בגד קטן שנאמר תתן לו שיהא בו כדי מתנה.

כמה צאן יהיה לו ויהא חייב בראשית הגז בית שמי אומרים שתי רחילות שנאמר
ישעיה ז כא ºוהיה ביום ההוא יחיה איש עגלת בקר ושתי צאן ובית הלל אומרים חמש שנאמר
ש״א כה יח ºוחמש צאן עשויות רבי עקיבה אומר ראשית גז שתים צאנך ארבע תתן לו
הרי חמש סליק פיסקא

קסז.

(ה) כי בו בחר ה׳ אלהיך מכל שבטיך, מגיד שאין שירות כשר בו אלא מעומד הא אם ישב ושרת עבודתו פסולה.

הוא ובניו כל הימים, בין בארץ ובין בחוצה לארץ סליק פיסקא

קסח.

(ו) וכי יבוא הלוי, יכול בבן לוי ודיי הכתוב מדבר תלמוד לומר מאחד שעריך, מי שלא נטלו שעריהם במקום אחר יצאו לויים שנטלו שעריהם במקום אחר. ושרת, בראוי לשרת יצאו לויים שאין ראוים לשרת.

מכל ישראל אשר הוא גר שם, בכל מקומות מושבותיהם. ובא בכל אות נפשו, מנין אתה אומר כהן בא ונושא את כפיו במשמר שאינו שלו תלמוד לומר

1 תתן ראמ, שנאמר תתן לד, ונתן ב | תתן—שנאמר וחמש צאן עשויות] ל׳ ט | שיהא בו] שיהיה לו ד | מיכן אמרו] ל׳ ר | נותן] נותנין א — 2 ביהודה שהם] ל׳ א | עשר] עשר סלעים רב | ולא צוי מ, ולא צורי א, ולא צרי ר, ולא ב, ולא צואי פבי [פ״ז], ולא צאוי ל, ל׳ ד | שנאמר] ל׳ א — 4 כמה] וכמה ד | ויהא רלאמב, יהיה ד, ויהיה ב | שתי בלדאמ, משתי ר, שתים כ — 5 והיה—יחיה] ל׳ א | ובית הלל] ב״ה אכ | חמש] ל׳ מ, מחמש ר — 6 גז ל [מסורה], הגז רבדאמ | צאנך רלמ, גז צאנך בא — 7 הרי חמש] כה חמש א | סליק פיסקא ד, ל׳ רבלא —
8 כי בו וכו׳, כל הפיסקא חסירה בה, ובט | שבטיך] שבטיו א | מגיד] מגיד הכתוב ד | שאין—אם ישב] ל׳ ר | שירות] <בו> ב | בו] ל׳ מ — 9 הא אם אמ, אם בל, ואם רד — 10 בין באפ, ובין רבלמ | סליק פיסקא ד, פ׳ ר, ל׳ בלא —
11 וכי יבא וכו׳ עד סוף הפיסקא] ל׳ ה | וכי יבא הלוי] ל׳ בל | יכול] הוא יכול ד — 12 מי שלא רבלא מ [הזכרון], ממי שלא טי, שלא טי, משלא ד | אחר ב [הזכרון], אחד רדאמ [וכן בסמוך] | לוים] הלוים א — 13 ושרת] ד״א ושרת אמ | לשרת רלאמ [רמב״ן, הזכרון], לשירות בד וכן בסמוך | שאין] שאינן ד — 14 הוא] ל׳ ד | מושבותיהם רבטל, ומושבו׳ א, מושבות מ, מושבותיכם ד | ובא] ונאמר ל — 15 מנין] מכאן א | את ראמ, ל׳ ר בטל | שאינו אפ, ל׳ רבטלד | תלמוד לומר רבטאמ.

1 שיהא וכו׳ עד שנ׳ תתן לו שיהא בו כדי מתנה, לקח טוב׳ — כדי מתנה [משנה שם, גמרא קל״ח ע״א, תוספתא פ״י ה״ה (ע׳ 511)]: 2 שנאמר וכו׳ עד מתנה [הגר״א מוחק]: 4 כמה צאן [משנה שם, גמרא קל״ז ע״א], מכירי ישעיה ז׳ כ״א (ע׳ 64): 6 שתים [דאין ראשית אלא אם שיש אחריה, תוכפתא פ״י ה״ד והגר״א גורס לקמן שלשה במקום ארבע וא״נ]:
9 מעומד [למעלה פי׳ קנ״ה (עמו׳ 207, שורה 13), זבחים כ״ג ע״ב] ותוספתא תענית פ״ד ה״א ע׳ 219: 10 בין בארץ, פ״ז [הגר״א גורס „בין בזמן הבית בין שלא בזמן הבית, בין בארץ בין בחו״ל״], ור״ה מפרש על נשיאות כפים שנוהג גם בחו״ל:
11 יכול וכו׳ עד שאינם ראוים לשרת, רש״י, פ״ז, ומובא ברמב״ן בהשגותיו לספר המצות, עשין ל״ו, ובספר הזכרון׳ — רת״ל וכו׳, [הגר״א מוחק עד שנטלו שעריהם במקום אחד, ור״ה פירש דהיינו כהנים שלא נתנו להם ערים ואע״ג דמצינו ביהושע שנתייחדו להם ערים לא נתנו אלא ללויים והושיבו גם כהנים ביניהם אבל הלשון במקום עדיין קשה, על כן פירש בז״ר דצ״ל איפכה מי שנטלו שעריהם במקום אחד ביהודה בנימן ושמעון שהיו סמוכין להדדי וכן הגיהו מהר״ס ורד״ף]: ולדעתי נראה לגרס במקום אחר, כג׳ כ״י ב, ורצה לומר מי שבא מתוך שעריך, שערי ישראל, יטול חלקו בקדשים, יצאו לויים שנתנו להם שערים לעצמם: 13 ושרת וכו׳, [רש״י אינו מביא אלא למוד זה]: 14 בכל מקומות וכו׳, [אפילו בחוצה לארץ, ז״ר; ובמאיר עין פירש שאינו יושב בעירו שלא נתנו להם ערים ומגרסת מדרש חכמים מושבות נראה כפירוש ראשון], פ״ז: 15 מנין וכו׳, השוה פ״ז [הגר״א גורס כאן „מנין לכהן שבא ומקריב בכל עת ובכל שעה שירצה תלמוד לומר ובא בכל אות נפשו״ מנין שכל המשמרות שוין כו׳ ולאחר מלת רגלים מוסיף „מנין לכהן שבא ונושא את כפיו במשמר שאינו שלו ת״ל ובא בכל אות נפשו ושרת בשם ה׳ אלהיו איזהו שרת שהוא בשם ה׳ זה ברכת כהנים״ ורד״ף

ובא בכל אות נפשו, מנין אתה אומר כל המשמרות שוים בקרבנות הרגל הבאים מחמת הרגל תלמוד לומר ובא בכל אות נפשו יכול לעולם תלמוד לומר מאחד שעריך, בשעה שישראל מכונסים בשער אחד בשלש רגלים סליק פיסקא

קסט.

(ז) ושרת בשם ה׳ אלהיו, על גבי הרצפה מיכן אתה אומר ערל טמא יושב עומד על גבי כלים או על גבי בהמה או על גבי רגלי חבירו פסול. מנין אתה אומר כל המשמרות שוים באימורי רגלים ובחלוק לחם הפנים תלמוד לומר חלק כחלק יאכלו, חלק לאכול חלק לעבוד חלק לאכילה כחלק לעבודה. יכול כל המשמרות שוים בקרבנות הרגל הבאים שלא מחמת הרגל תלמוד לומר לבד ממכריו על האבות מה מכרו אבות זה לזה אתה שבתך ואני שבתי סליק פיסקא

קע.

(ט) כי אתה בא אל הארץ, עשה מצוה האמורה בענין שבשכרה תכנס לארץ. אשר ה׳ אלהיך נותן לך, בזכותך. לא תלמד לעשות כתועבות הגוים ההם יכול אי אתה רשיי ללמוד להורות ולהבין תלמוד לומר לעשות אי אתה למד אבל אתה למד להורות ולהבין סליק פיסקא

קעא.

(י) לא ימצא בך, להזהיר בית דין על כך.

מוחק לגמרי הך דנשיארת כפים ופירש דמרישא ילפינן דמקריב קרבן שלו ומן מכל ישראל ילפינן לענין רגל בזמן שבאין כל ישראל לרגל] והשוה ב״ק ק״ט ע״ב: 3 בשלש רגלים, השוה סוכה נ״ה ע״ב:

4 ושרת, [הגר״א גורס „העומדים שם, עומד על גבי הרצפה מכאן אמרו יושב עומד ע״ג הכלים כו׳ ע״ג רגלי חבירו כו״]. — ע״ג הרצפה וכו׳, פ״ז. — ערל וכו׳, זבחים פ״ב מ״א, והשוה שבת צ״ג ע״ב. וערל טמא ויושב בכדי נקט להו, רמא״ש; והגר״א מוחק המלים „ערל טמא״. — יושב עומד, כך היא גרסת הגר״א, ועיין בשנויי נוסחאות: 5 מנין וכו׳, רמא״ש מוסיף לפני זה חלק כחלק יאכלו, כגרסת פ״ז: 6 כל המשמרות שוים וכו׳, סוכה פ״ה מ״ז: 7 חלק לאכול וכו׳, סוכה נ״ו ע״א, והשוה מ״ת ע׳ 108 שורה 30 וע׳ 109 שורה 12. — חלק לאכילה וכו׳, נראה שאין זה אלא הכפלת דברים מן האמור למעלה, והגר״א מוחקו. — יכול וכו׳, ירוש׳ סוכה פ״ה ה״ח (נ״ה ע״ד), בבלי נ״ו ע״א, ועיין בת״א ובת״י:

10 עשה יכו׳, פ״ז, ולמעלה פי׳ קנ״ו (ע׳ 208) ובציונים שם, והשוה מ״ת ע׳ 109 שורה 24: 11 בזכותך, פי׳ קנ״ו (ע׳ 208, שורה 6) ובציונים שם: 12 להורות ולהבין, פ״ז, לקח טוב, והשוה מ״ת עמוד 109 שורה 27, שבת ע״ח ע״א, ובציונים שם, ועיין עוד מנחות ס״ה ע״א, ובתוס׳ ד״ה בעלי כשפים:

14 להזהיר וכו׳, פ״ז, ולקמן פי׳ קפ״ג, קפ״ו, רכ״א, ור״ע, תו״כ אחרי פרק י״ג ה׳ כ״ב (פ״ו ע״ד), אמור פרק

שנאמר לד – 1 נפשו] <מנין אתה אומר כהן בא ומקריב קדשים במשמר שאינו שלו ת״ל ובא בכל אות נפשו> א, מנין אתה אומר כהן בא ומקריב קרבנות במשמר שאינו שלו ועורן ועבודתן שלו ת״ל ובא בכל אות נפשו> מ | מנין] מיכן ד | אומר] <המשמע> א | כל] ל׳ אמ | שוים רדפ, שוות טלא. היו שוות מ | הבאים מחמת הרגל] ל׳ ט — 2 ת״ל רבא, שנ׳ ד, ת״ל ונא׳ ל | מאחד רטלד, באחד אמ, מאחר ב – 3 מכונסים בלאמ, מוכנסין ר, נכנסים טד | בשלש לד, אלו שלש אמ, בשלשה רבט | סליק פיסקא ד, ל׳ רבלא –

4 ושרת–חלק לאכילה כחלק לעבודה] ל׳ ה | אתה אומר לאמפ, אמרו בטד | טמא] וטמא ל | יושב עומד] כן נראה לנסח, ע״פ המשנה, והנסחאות המקובלות הן: עומד יושב ראמ, עומד ב, יושב לד, עומד ישב ב – 5 כלים] הכלים ד | או] ל׳ אמ וכן בסמוך | או–חבירו] ל׳ ט | רגלי ראמ, רגל ל, ל׳ בד – 6 כל רבטלד, שהיו אמ | המשמרות] משמרות ר | שוים רטל ד, שוות באמ | רגלים בטאמפ, רגל ר, הרגלים לד – 7 חלק לאכול חלק [כחלק רבטלמ, פ״ז], לעבוד רבט לאמ [פ״ז] | חלק לאכילה כחלק לעבודה ד | חלק לאכילה כחלק [חלק רל] לעבודה רבטלאמ, חלק לעבודה כחלק לאכילה ד | יכול] יכול יהיו ד – 8 שוים רבטדמ, שוות לא | הבאים] שבאין א – 9 מכרו אבות אמה, מכרו האבות רב טלד | אתה שבתך ואני שבתי רלאמ, את בשבתך ואני בשבת׳ ה, אני שבתי ואתה שבתך ב, אני בשבתי ואתה בשבתך ד | סליק פיסקא ד, ל׳ רבלא –

10 כי–סליק פיסקא] ל׳ טה | האמורה] אמורה א – 11 בזכותך ראמז, בזכותה בל, בשכרך ד — 12 יכול–ת״ל לעשות] ל׳ ב | רשיי–ולהבין לאמ, רשיי ללמוד להורות ולהדין ר, רשאי ללמוד ולהבין ט, יכול להבין ולהורות ד | ת״ל–ולהבין] ל׳ ל – 13 להורות ולהבין בט, להורות ולהדין ר, להבין ולהורות אמד | סליק פיסקא ד, פ׳ ר, ל׳ בלא –

14 לא ימצא–ואם לאו לא שמענו] ל׳ טה | בית דין] לבית דין ר | על כך] ל׳ ד –

מעביר בנו ובתו באש, אין לי אלא בנו ובתו בן בנו ובן בתו מנין תלמוד לומר בתתו מזרעו למולך, עדיין אני אומר כאן באש ולהלן למלך מנין ליתן את האמור כאן להלן ואת האמור להלן כאן נאמר העברה העברה לגזירה שוה מה העברה האמורה כאן באש אף העברה האמורה להלן באש ומה העברה האמורה להלן מולך אף העברה האמורה כאן מולך נמצאת אומר עד שימסור ויעביר באש ובמולך הא עד שיאמרו שני כתובים ואם לאו לא שמענו.

קוסם קסמים, אחד קסם מרובה ואחד קסם מועט לחייב על כל קסם וקסם.
הושע ד יב איזהו קוסם זה האוחז במקלו ואומר אם לא אלך, וכן הוא אומר °עמי
בעצו ישאל ומקלו יגיד לו דבר אחר שועל בימינו ומשמאלו.

דבר אחר מעביר בנו ובתו באש זה הבועל ארמית ומעמיד ממנה בן אויב למקום
עונש שמענו אזהרה לא שמענו תלמוד לומר לא ימצא בך מעביר בנו ובתו באש
ירמיה לד יח רבי יהודה אומר זה שהוא מעביר בנו ובתו לעבודה זרה וכורת עמה ברית שנאמר °העגל
אשר כרתו לשנים ויעברו בין בתריו.

מעונן, רבי ישמעאל אומר זה המעביר על העין, רבי עקיבה אומר אלו נותני

1 באש—ובתו] ל׳ ל | אלא] <ליתן> א — 2 עדיין בלאמ. עדאן ר, ועדין ד | ולהלן] <אתה אומר> ל | מנין רבמ. מנין אתה אומר דא, מנין את ל | ליתן] ל׳ א — 3 את] ל׳ ד | להלן כאן] כאן להלן א | נאמר] ת״ל א, ל׳ רב — 4 להלן] כאן ד | ומה] מה ר | להלן ל, כאן רבדא — 5 כאן לד, להלן רבא | מולך רלאמ, למולך בד וכן בסמוך | נמצאת א מ, נמצא אתה ב, ונמצא אתה ל, נמצאת אתה ד, נמצא את ר | עד] ל׳ ד | ובמולך רבאמ, ולמולך ד, ויעביר למולך ל — 6 הא רלאמ, האמור ב, ל׳ ד | ואם רבלד, אם אמ | לאו] ל׳ א — 7 אחד—מועט מ, אחד קוסם מרובה ואחד קוסם מועט א, אחד קסמים אחד מרובה ואחד מועט רבל, אחד מרובה ואחד מועט ד, אחד קסמים מרובה ואחד קסמים מועט ט, אחד קסמים הרבה ה | לחייב רבטלה, קסמים לחייב ד, ולחייב אמ | קסם וקסם רטדאמ, קוסם וקוסם רב, קיסם וקיסם ל — 8 איזהו קוסם] כגון ה | במקלו] במקל רכ | ואומר] ואמר ד | אם רטדאמ, ואם בלה | לא אלך] <חייב> ר | וכה״א רבטלד, שנ׳ אמ, אעפ״י שאין ראיה לדבר זכר לדבר ה — 9 ישאל] ישראל א | דבר אחר—בין בתריו ד, ל׳ רבלאמז, והקטע ד״א מעביר בנו וכו׳ עד בין בתריו מובא בה ובט למעלה לפני המלים קוסם קסמים אחד וכו׳ — 10 ד״א—באש] ד״א לא ימצא בך למה נאמר לפי שהוא אומר ואל בני ישראל תאמר איש איש כי יתן מזרעו למלך מות יומת (ויקרא כ׳ ב׳) ר׳ ישמעאל אומר ה | זה הבועל הט, זה הוא הבועל ד, ובועל ט — 12 ר׳ יהודה אומר] ל׳ ד — 14 מעונן—

א׳ הי״ג (צ״ד ע״ג), שם פרק ד׳ הי״ד (צ״ז ע״א) והשוה אלבעק בספרו על מדרשי התנאים ע׳ 8 ועיין עוד ר״ה ו׳ ע״א, ולקמן פי׳ קפ״א, בשנויי נוסחאות: 1 אין לי וכו׳, פ״ז, סנהדרין ס״ז ע״ב, תו״כ קדושים פרשה י׳ ה״ו (צ״א ע״ג). — מנין וכו׳, סנהדרין שם, תו״כ קדושים פרשה י׳ ה״ג (צ״א ע״ב), ירו׳ סנהדרין פ״ז ה״י (כ״ה ע״ב): 5 עד שימסור וכו׳, משנה סנהדרין פ״ז מ״ז, תוספתא שם פ״י ה״ד (ע׳ 430): 7 קוסם קסמים וכו׳ עד יגיד לו, הגר״א ורמא״ש הגיהו בהעתקת מאמר זה לקמן אחר הברייתא המתחלת ד״א וכו׳ עד בתריו שהדפסתיה באותיות קטנות, ועל ידי שויון המקורות מבורר שכל הברייתא ההיא נוספת מגליון כמבואר למטה, ואין צורך בהגהה. — אחד קסם וכו׳, השוה לקמן פיסקא קע״ב. — לחייב וכו׳, פ״ז: 8 איזהו קוסם וכו׳, רש״י, פ״ז, רמב״ם לאוין ל״א (ע׳ 76), מכירי הושע ד׳ י״ב (עמו׳ 170), והשוה תוספתא שבת פ״ז (ח) ה״ד, (ע׳ 118), רמב״ם ה׳ עבודה זרה פי״א ה״ז, סמ״ג לאוין נ״ב, וטור יו״ד ריש סי׳ קע״ט: 9 שועל וכו׳, השוה לקמן נחש מימיני ושועל משמאלי. — שועל וכו׳ עד בין בתריו, נראה שכל זה נוסף מגליון ואינו מעיקר הספרי, אלא מקורו במכילתא לדברים, וידוע שאסכולת ר׳ ישמעאל פירשה מעביר בנו על בועל ארמית, אבל אסכולת ר״ע דחתה פירוש זה, ועיין משנה מגילה פ״ד מ״ט, ובסמוך בהערה: 10 זה הבועל ארמית וכו׳, קטע מברייתא שהיתה כתובה כנראה על הגליון והכניסו המעתיקים רק חלק ממנה אל תוך הספרי, ונמצאת בשלמותה במ״ת ע׳ 109 שורה 30, וז״ל שם „לא ימצא בך למה נאמר לפי שהוא אומר (ויקרא כ׳ ב׳) ואל בני ישראל תדבר לאמר איש איש כי יתן מזרעו למלך מות יומת ר׳ ישמעאל אומר זה הבועל ארמית וכו׳, והפירוש ההוא נמצא גם בת״י ויקרא י״ח כ״א על הכתוב ומזרעך לא תתן להעביר למלך, המתורגם שם „ומן זרעך לא תתן בתשמישתא לציד בת עממין״, והשוה משנה מגילה כמו שציינתי למעלה, וספר היובלים ל׳ י׳; ודברי ר׳ ישמעאל מובאים בשמו עוד בירוש׳ מגילה פ״ד ה״י, ע״ה ע״ג, ושם סנהדרין פ״ט ה״ט, כ״ז ע״ב: 12 שנאמר העגל וכו׳, באוצר נחמד שנה ג׳ ע׳ י״א, מעיר גייגער על הזרות שמביא פסוק של כריתת ברית לתורה ומצוה לסימן על מעביר בנו ובתו באש, ועיי״ש וברש״י על הכתוב: 14 מעונן וכו׳, פ״ז, תו״כ קדושים פרק ו׳ ה״ב (צ׳ ע״ג), תוספתא שבת שם הי״ד, בבלי סנהדרין ס״ה ע״ב, ועיין בערוך ע׳ זכורו. — ר׳ ישמעאל, כן הגרסה גם בתוספתא ובתו״כ, אבל בבבלי הגרסה ר׳ שמעון. — נותני העתים, ר״ע דורש מעונן מלשון עת ועונה, אבל ר׳ ישמעאל דורש מל׳ עין, ולדברי ר״ע השוה מה שהביא הח׳ דַלְמַן בספרו Arbeit und Sitte in Palästina עמוד 18, ועיין גם בספר Volksleben im Lande der Bibel להח׳ Bauer, ע׳ 226:

העתים כגון אלו האומרים למודי ערבי שביעיות להיות חטים יפות עקורות קטניות להיות רעות, וחכמים אומרים אלו אוחזי העינים.

ומנחש, איזהו מנחש כגון האומר נפלה פתי מפי נפלה מקלי מידי עבר נחש מימיני ושועל משמאלי ופסק צבי את הדרך לפני אל תתחיל בי שחרית הוא ראש חודש הוא מוצאי שבת הוא.

ומכשף, העושה מעשה ולא האוחז את העינים, רבי עקיבה אומר משם רבי יהושע שנים מלקטים קישואים אחד מלקט והוא פטור ואחד מלקט והוא חייב העושה מעשה הייב האוחז את העינים פטור סליק פיסקא

קעב.

(יא) וחובר חבר, אחד חובר מרובה ואחד חובר מועט ואחד חובר את הנחש ואת העקרב. ושואל אוב, זה פיתום המדבר משחיו. ידעוני, המדבר בפיו הם עצמם בסקילה והנשאל בהם באזהרה.

ודורש אל המתים; אחד המעלה בזכורו ואחד הנשאל בגולגלת מה בין מעלה בזכורו לנשאל בגולגלת, מעלה בזכורו אין עולה כדרכו ואין נשאל בשבת והנשאל בגולגלת עולה כדרכו ונשאל בשבת סליק פיסקא

2 וחכ״א וכו׳, הגהתי על פי התוספתא, ובכל המקורות חוץ ממ״ת המשפט וחכ״א וכו׳ עד אוחזי העינים נמצא אחר המלים נותני העתים, ובמ״ת נתקנה הגירכה על פי הגמרא סנהדרין שם. וז״ל מ״ת „ר׳ ישמעאל אומר זה המעביר שבעה מיני זכור על העין, וחכ״א זה האוחז את העינים ר׳ עקיבה אומר זה המחשב עתים ושעות ואומר היום יפה לצאת למחר יפה ליקח לימודי ערבי שביעית להיות חטים יפה עקורי קטניות להיות רעות״: 3 מנחש וכו׳, תוספתא שם הי״ג, סנהדרין שם, רמב״ם לאוין ל״ג, אמנם בתו״כ מפורש לא תנחשו כגון אלו שהם מנחשים בחולדה בעופית ובכוכבים, וכן מובא במ״ת ע׳ 110 שורה 13. ובסנהדרין ס״ו ע״א: 5 מוצאי שבת הוא, כן הגירסה במ״ת, ובתוספתא, אמנם השוה שנויי נוסחאות, וברובם הגירסה שהרי מוצאי שבת הוא. ונ״ל למחוק המלה שהרי כהכפלת המלה שחרית המובאה למעלה: 6 העושה מעשה וכו׳ עד האוחז את העינים פטור, סנהדרין פ״ז מי״א, ושם יש למחוק המלה חייב כמו שהעיר כבר בדקדוקי סופרים. — משם ר׳ יהושע, בתוספתא סנהדרין פי״א ה״ה (עמו׳ 431) מביא ר״ע המאמר בשם ר׳ אליעזר, והשוה גם ירוש׳ סוף פ״ז (כ״ה ע״ד) שר׳ יהושע בן חנניה אומרו בשם ר׳ אליעזר, ועיין בבלי סנהדרין ס״ח ע״א:

9 חובר מרובה וכו׳, פ״ז, והשוה למעלה פי׳ קע״א, ע׳ 218, שורה 7, וסנהדרין ס״ה ע״א. — ואחד חובר את הנחש וכו׳, רמב״ם לאוין ל״ה, חנוך שופטים, ספר הזכרון, סנהדרין שם, וי״ת „ואסרין חיוין ועקרבין וכל מיני רחשין״: 10 זה פיתום וכו׳ עד באזהרה, פ״ז, משנה סנהדרין פ״ז ה״ז, תו״כ קדושים פרק ז׳ ה״י (צ״א ע״ג), שם סוף פרק י״א, ועיין בת״י: 12 אחד המעלה וכו׳, לקח טוב, פ״ז, בבלי וירו׳ שם:

סליק פיסקא] ל׳ ט — 1 העתים] העינים ב | למודי ערבי רבלה, למוד ערבי אמ, למודי ערב ד | שביעיות] שביעת ל | חטים יפות אמ, חטים יפה ה, יפות רבלד | עקורות קטניות אמ, עקורי קטניות ה, עקידות קטנות ר, עקירות קטנות בלד — 2 וחכ״א–אוחזי העינים] בכל הנסחאות מובא למעלה אחר המלים „נותני העתים״, והגהתי על פי התוספתא, ועיין בהערות — 3 ומנחש] מנחש א | איזהו מנחש] ל׳ א | נפלה פתי מפי] פתו נפלה מפיו ה [אמנם בה׳ כבשאר הנסחאות] | פתי מפי] פתו מפיו ד | נפלה מקלי] מקלו נפל ה [אבל בה׳ נפל מקלי] | נפלה רבל ד, ל׳ אמ | מקלי] ומקלי א | עבר–הדרך לפני] בא קורא כלו [ה׳ לו] מאחוריו עורב קורא לו צבי הפסיקו בדרך עבר נחש מימינו שועל משמאלו ה | עבר] ל׳ ד — 4 צבי רבאמ, זנבו לד | אל תתחיל] והאומר אל תתחיל ב ד | בי רבלאמ, בו דהאי | שחרית הוא ה׳, שחרית ראמ בי׳, שהרי ב, שהרי הוא ד, שחרית אל תתחיל בי שהרי ל — 5 מוצאי שבת הוא ה, שהרי [שהא הרי ר, שחרית בי׳] מוצאי שבת הוא [היא בל] רבלאמז, שהרי ערב שבת ומוצאי שבת היא ד — 6 ומכשף] מכשף רל, איזו הוא מכשף זה ה | ולא האוחז] והאוחז א | העינים] העניים ר <וחכ״א אלו וחזי את עינים> ל | ר׳ עקיבה אומר] אמר ר׳ עקיבה ה | משם רב, משום לדאמה — 7 שנים] ל׳ ר | אחד מלקט–את העינים פטור] וכול׳ ל, ל׳ ר | מלקט אמ, לוקט בדה [וכן בסמוך] | והוא פטור אמ, ופטור ה, פטור בד | והוא חייב אמ, וחייב ה, חייב בד — 8 האוחז] והאוחז ה | את אה, ל׳ בדמ | סליק פיסקא ד, ל׳ רבלא

9 אחד חובר מרובה [הרבה רבל (הזכרון), גדול ה] ואחד חובר מועט [מעט בל (הזכרון), קטן ה] רבלאמה, ל׳ ד | ואחד–ואת העקרב] ואפילו נחשים ועקרבים ה | ואחד אמה, אחד רבלד | את הנחש] הנחש ד — 10 ואת העקרב אמ, ואחד חובר את העקרב רבלד | פיתום רדאפ, פיתוס למ, פיתים ב | משחיו רבדמ, משחין א, בשיחיו ל, מתוך שיחיו פ | ידעוני] וידעוני זה ל | בפיו] ועצם בפיו ל — 11 בהם] מהן א — 12 בזכורו] בזכור רל | ואחד הנשאל] והנשאל א | בגלגלת] בגולגלתו ד | המעלה ל — 13 מעלה רבלד, המעלה אמ | עולה] מעלה ד | והנשאל בגולגלת] נשאל בגלגלתו ד — 14 סליק פיסקא ד, ל׳ רבלא —

קעג.

(יב) כי תועבת ה׳ כל עושה אלה, יכול לא יהא חייב עד שיעבור על כולם תלמוד לומר כל עושה אלה אפילו על אחת מהם. ובגלל התועבות האלה ה׳ אלהיך מוריש אותם מפניך, אמר רבי שמעון מלמד שהוזהרו כנענים על כל המעשים האלו שאין עונשים את האדם עד שמזהירים אותו. כשהיה רבי אליעזר מגיע לפסוק זה היה אומר חבל עלינו ומה מי שמדבק בטומאה רוח טומאה שורה עליו

ישעיה נט ב — המדבק בשכינה דין הוא שתשרה עליו רוח הקודש ומי גרם °עונותיכם היו מבדילים ביניכם ובין אלהיכם.

תמים תהיה עם ה׳ אלהיך, כשאתה תם חלקך עם ה׳ אלהיך וכן דוד אמר

תהלים כו יא; שם מא יג — °ואני בתומי אלך פדני וחנני °ואני בתומי תמכת בי ותציבני לפניך לעולם. תמים תהיה עם ה׳ אלהיך, אם עשית כל האמור בענין הרי אתה תמים לה׳ אלהיך סליק פיסקא

קעד.

(יד) כי הגוים האלה אשר אתה יורש אותם, עשה מצוה האמורה בענין שבשכרה אתה יורש את הגוים האלה. אל מעוננים ואל קוסמים ישמעו, שמא תאמר להם יש במה להשאל ולי אין לי תלמוד לומר ואתה לא כן נתן לך ה׳ אלהיך. [נתן לך]׳ לך נתנה ואתה מניח דברי תורה ומתעסק בבטולה סליק פיסקא

1 כי—אלה] ל׳ ר | אלה] <ואפילו אחת מהם ובגלל התועבות האלה ה׳ אלהיך מוריש אותם מפניך> ד | לא] לו ד | יהא] יהיה ד — 2 על אחת רלד, אחד א, אחת בטמ — 3 מוריש אותם] מורישם רל | אמר ר׳ שמעון רלדאמה, א״ר שמואל ב, ל׳ ט | מלמד] מכאן טבי׳ | כנענים] הכנענים ל — 4 האלו] האלה א | את האדם] אותו ל | כשהיה—ובין אלהיכם] ל׳ טה, ובה נמצא למעלה על הכתוב ודורש אל המתים | אליעזר] עקיבה ה — 5 אומר] בוכה ואומר ה | חבל] הבל ר | ומה—ומי גרם] ומה המרעיב עצמו כדי שתשרה עליו רוח טומאה שורה עליו רוח טומאה המרעיב עצמו כדי שתשרה עליו רוח טהרה על אחת כמה וכמה אבל מה אעשה שעונותינו גרמו לנו שנ׳ ה | ומה לא, מה ב, ומה אם מ, ל׳ ר, מה אם ד | שמדבק רדאמ, שמודבק בל | רוח] ל׳ מ — 6 המדבק אמ, המידבק ר, המודבק בל, והמדבק ד | דין] לא דין א | שתשרה—הקדש רבלד, ששכינה שורה [תשרה מ] עליו אמ | עונותיכם—אלהיכם] ל׳ ר | עונותיכם בלד, עונותינו אמ — 7 ביניכם ובין אל׳היכם בדמ, וגומ׳ ל, וכו׳ א — 8 תם] תמים ה | חלקך] הרי חלקך אמ | דוד אמר רבלד, דוד הוא אומר מ, דוד אומר א [רא״ם] — 9 ואני] ואומר ואני מ — 10 תמים—הרי אתה תמים לה׳ אלהיך] ל׳ ד, ובבטל מובא למעלה אחר המלים ובין אלהיכם; וציינתי השנוים כאן, במקום שמובא לפי גרסת ראמ | תמים תהיה עם ה׳ [לה׳, רא״ם] אלהיך רבטל [רא״ם], ל׳ אמ | אם] ואם לא מ | כל האמור רבטל [רא״ם], את [את ל׳ א] כל הדברים האלה האמורין אמ | הרי רבטל [רא״ם], אי מ, ל׳ א — 11 סליק פיסקא ד, ל׳ רבלא —

12 כי—סליק פיסקא] ל׳ ה | אותם] את הארץ ל — 13 את הגוים האלה רמ, הגוים האלה א, אותם בטלד | קוסמים] <כמשמעו> א — 14 להשאל רבטל, לשאול ד מ | אין לי] <במה לשאול> אמ — 15 נתן לך] כן נראה להוסיף ואעפ״י שחסר בכל הנסחאות | לך—בבטולה] ל׳ רבטאמ [מהר״ס], ונמצא בלד | וארתה מניח] ומניח ל | בבטולה] בהבטל׳ה ל | סליק פיסקא ד, ל׳ רבלא —

1 יכול וכו׳, מכות כ״ד ע״א: 3 א״ר שמעון וכו׳, פ״ז, תוספתא עבודה זרה פ״ח (ט) ה״ו (ע׳ 743) וסנהדרין נ״ו ע״ב בשם ר׳ יוסי, ב״ר פ׳ ל״ד סי׳ ח׳ (ע׳ 317), בשם ר׳ איסי: 4 רבי אליעזר וכו׳, סנהדרין ס״ה ע״ב, בשם ר״ע: 8 תמים תהיה וכו׳ עד הרי אתה תמים לה׳ אלהיך, רא״ם, ילקוט תהלים רמז תש״ה: 10 אם עשית, פ״ז, ושם גורס אם לא עשית, אמנם בלקח טוב הגירסה כמו בכ״י אם עשית:

12 עשה מצוה וכו׳, פ״ז, למעלה פי׳ נ״ה (ע׳ 122, שורה 11) ובציונים שם: 13 שמא וכו׳, מובא בפירוש ר׳ מנחם ריקנאטי על התורה, ועיין בפ״ז: 14 נתן לך וכו׳, הוספה הנמצאת רק בלז וחסרה בכל שאר המקורות ומפריעה את מהלך המחשבה; והעיר רמא״ש „נראה דמפרש לקרא הכי ואתה לא כן כלומר לא תעשה כמוהם כי כבר נתן לך ה׳ אלהיך ענין אחר ועיין בתרגום יונתן וברש״י ונראה שכן דעת בעל הטעמים״:

קעה.

(טו) נביא מקרבך, ולא מחוצה לארץ. מאחיך, ולא מאחרים. יקים לך
ירמיה א ה ה׳ אלהיך, ולא לגוים ומה אני מקיים ״נביא לגוים נתתיך בנוהג מנהג גוים.
אליו תשמעון, אפילו אומר לך עבור על אחת מן המצות האמורות בתורה כאליהו בהר הכרמל לפי שעה שמע לו סליק פיסקא

קעו.

(טז) ככל אשר שאלת מעם ה׳ אלהיך בחורב, בזו זכו שיעמדו להם נביאים לא אוסיף לשמוע את קול ה׳ אלהי.

(יז) ויאמר ה׳ אלי היטיבו אשר דברו, כוונו לדעתי, נביא אקים להם הא למדת שבשכר יראה שיראו זכו שיעמדו להם נביאים.

(יח) ונתתי דברי בפיו, דברי בפיו אני נותן אבל איני מדבר עמו פנים בפנים. דבר אחר ונתתי דברי בפיו, מיכן ואילך הוי יודע היאך רוח הקודש ניתנת בפי הנביאים. ודבר אליהם, שלא להושיב את התורגמן. את כל אשר אצונו, אומר על ראשון ראשון ועל אחרון אחרון סליק פיסקא

קעז.

(יט) והיה האיש אשר לא ישמע אל דברי, שלשה מיתתם בידי שמים הכובש

---

1 מקרבך וכו׳ עד בהר הכרמל, פ״ז, לקח טוב· — מקרבך וכו׳ עד ולא מאחרים, מובא ברא״ם ושם מוסיף עוד „כמוני מה משה מדבר דבר ואינו מתירא אף נביא אומר דבר ואינו מתירא וכן הוא אומר רק אל יוסף פרעה התל וכן הוא אומר ביהושע ויאמר יהושע אל כל העם לא תוכלו לעבוד את ה׳ וכן אליהו אומר לא עבדת ה׳ וכן אלישע אמר מה לי ולך לך אל נביאי איזבל אמך יכול מה משה זקן ובן לוי אף נביא זקן ובן לוי ת״ל אליו תשמעון מכל מקום״, וכל זה כנראה הוספה מגליון אל הספרי ועקרו במכילתא לדברים, השוה מ״ת ע׳ 111· — ולא מחו״ל, השוה מכילתא פתיחתא לפ׳ בא (רמא״ש א׳ ע״ב, ה—ר עמו׳ 2), מכילתא דרשב״י שם י״ב א׳ (עמ׳ 5), ועיין עוד בספר הכוזרי מאמר שני סימן י״ב, וברמב״ן ורא״ם כאן· — ולא מאחרים, אמנם השוה ב״ב ט״ו ע״ב. ולקמן סוף פיסקא שנ״ז, וציונים הרבה במפרשח התלמוד לר׳ יחיאל מיכל גוטמאן ערך אומות העולם, סי׳ קע״ג והלאה: 2 ולא לגוים וכו׳ עד מנהג גוים, מובא בפי׳ רש״י ואבן נחמיאש לירמיה א׳ ה׳· — בנוהג מנהג גוים, כלומר ישראל הנוהגים מנהג גרים, כן משמע מפי׳ רש״י שם, וכן מבואר באבן נחמיאש ובפי׳ ר״ה, ובפ״ז גורס בהדיא אלו ישראל שנוהגים מנהג הכנענים: 3 אפילו אומר לך וכו׳, יבמות צ׳ ע״ב, והשוה סנהדרין צ׳ ע״א, והמאמר מובא ברמב״ם עשין קע״ב· — כאליהו בהר הכרמל, למעלה פי׳ ע׳, (ע׳ 134, שורה 3):

5 בזו זכו וכו׳, פ״ז, השוה מכילתא יתרו, בחדש, פרשה ט׳ (ע״ב ע״א), מכילתא דרשב״י שם כ׳ י״ט (עמוד 114), ועיין ברמב״ן ובפ״ז: 9 דברי בפיו וכו׳, הוספה וחסרה באמר, ועיין ספרי זוטא בהעלותך י״א ח׳ (ע׳ 276), יבמות מ״ט ע״ב, ובהקדמת הרמב״ם לפרק חלק, היסוד השביעי, ובספר המדע פ״ז ה״ו: 10 מיכן ואילך וכו׳ עד ועל אחרון אחרון, פ״ז: 11 להושיב, ועיין באכר בספרו Traditionsliteratur ח״א ע׳ 206:

1 מקרבך] <מאחיך כמוני יקים לך ה׳ אלהיך מקרבך> ד | ולא] לא ה | מחוצה רבטלאמפ, מחוץ ה, בחוצה ד | ולא] לא ה — 2 לגוים טרדה, מן הגוים רב לאמ | ומה] מה א | אני מקיים רטלדהפ, כתו׳ אני מ, ל׳ ב | גוים] בנים טי [ועל הגליון לנכון „גוים״] — 3 תשמעון] <זו מצות עשה> ה | לך] ל׳ מ | עבור] ל׳ ר א, ונמצא בא¹, לעבור ה | מן המצות רב, מן מצות א. מכל המצות מ, מכל מצוות לה. מכל מצוה ד | כאליהו בהר הכרמל] ל׳ ה — 4 סליק פיסקא ד, ל׳ רבלא —

5 בזו—אלהי] לא אוסיף לשמוע את קול ה׳ אלהי אלא קרב אתה ושמע באותה שעה זכו ישראל שיעמד להם המקום נביאים שנ׳ נביא אקים לכם מקרב אח׳ כמוך ה | בזו זכו שיעמדו בטא, בזו וכן שיעמדו מ, זכו׳ שיעמדו ר, בזכות שיעמדו ל, בזו זכו שעמדו ד — 6 לא רלא מ, דכתי׳ לא בטד — 7 ויאמר—נביאים] ל׳ ה | ויאמר] ואומר ויאמר מ | כוונו—להם] ל׳ מ | לדעת רבלאפ, לדעתי טד, לדעת אותי א¹ — 8 שיראו אמ, שנ׳ תיראו רל, ל׳ בטד | שיעמדו רבטלמ, שעמדו דא — 9 דברי—פנים בפנים] ל׳ רבאמ ונמצא בלדטה, והוא מן המכילתא לדברים אלא שנוסף אל תוך הספרי מגליון | בפיו אני נותן] אני נותן בפיו ט | אבל טד, אבל אני ל, ל׳ ה — 10 ואילך] ל׳ פ | הוי טלאפ, היו רבטד, אתה מ | בפי] ביד ל — 11 הנביאים] נביאים ט | להושיב מדא¹, להשיב ב טלדא | את התורגמן] תורגמן הפ — 12 אומר רבטאמ ה, הוי אומר ל, ל׳ ד | סליק פיסקא ד, ל׳ רבלא —

13 שלשה—סליק פיסקא] ל׳ ה | הכובש רבטל

נבואתו כיונה בן אמיתי והמותר על דברי נביא כחבירו של מיכה ונביא שעובר על דברי עצמו כעידוא ושלשה מיתתם בבית דין המתנבא מה שלא שמע כצדקיה בן כנענה ומה שלא נאמר לו כחנניה בן עזור שהיה שומע דברים מפי ירמיה שהיה מתנבא בשוק העליון וחוזר ומתנבא בשוק התחתון והמתנבא בשם עבודה זרה ואומר כך אמרה עבודה זרה אפילו כיון את ההלכה לטמא את הטמא ולטהר את הטהור סליק פיסקא

קעח.

(כ) אך הנביא אשר יזיד לדבר דבר בשמי, ומת בסתם מיתה האמורה בתורה בחנק.

(כא) וכי תאמר, עתידים אתם לומר איכה נדע הדבר ירמיה אמר הנה
כלי בית ה׳ הולכים בבלה וחנניה אומר °הנה כלי בית ה׳ מושבים מבבל ירמיה כז טז
ואיני יודע למי אשמע תלמוד לומר אשר ידבר הנביא בשם ה׳ ולא יהיה הדבר ולא יבא הוא הדבר אשר לא דברו ה׳ איזהו דבר שדברו המקום זה שאומר ובא.

בזדון דברו הנביא, על זדון הוא חייב ואינו חייב על שגגה. לא תגור ממנו, אל תמנע עצמך מללמד עליו חובה סליק פיסקא

קעט.

(יט א) כי יכרית ה׳ אלהיך את הגוים, בזכותך. וירשתם וישבת בעריהם ובבתיהם, מכלל שנאמר וישבת בעריהם ובבתיהם יכול אי אתה רשיי

ד, הכובש את אמ — 1 והמותר] והמותיר ר | נביא רבטל, הנביא דאמ | כחבירו] מחבירו ר | שעובר רבטלד, שעבר אמ — 2 כעידוא אמ, כעידו הנביא ט, ל׳ רבלד | ושלשה רטבי [וכן הוסיף בא״א], שלשה אמ, ל׳ בלד | מיתתם] מיתתו ד | בבית] בידי בית מ — 3 ומה שלא נאמר לו] ומה שנאמר לו א, ומה שנאמר לחבירו א׳ | שהיה] והיה ד — 4 וחוזר רל, והוא חוזר אמ, והולך בטד — 5 עבודה זרה] <פלוני׳> טא | אפילו] ואפי׳ א | הטהור ר לאמ <אין שומעין לו> בטד | סליק פיסקא ד, ל׳ רבלא

6 אך—בחנק] ל׳ ט, אך—ואינו חייב על שגגה] ל׳ ה — 7 בחנק רבלמ, חנק א, שהיא חנק א׳, זו חנק ד — 8 עתידים ראמ, עדיין עתידים כטלד | ירמיה] ר׳ ירמיה ר — 9 בית ה׳] בית ישראל ל | הולכים בבלה—מושבים מבבל מ, הולכים—שבים מבבל א, הולכים—חנניה או׳—מבבל רט, הוליכום בבלה חנניה אומר הנה כלי בית ישראל ה׳ מושיבם ל, הולכים בבלה חנניה—מושיבם מבבלה ב, מושיבם מבבל ד — 10 ואיני יודע] ל׳ ד | ולא—דברו ה׳] ל׳ ד — 11 איזהו אמ, ואיזהו לד, איזה הוא רבט | דבר ראמ, הדבר בטלד | שדברו רטאמ, אשר דברו בלד — 12 שאומר ובא בטל, שהוא אומר ובא ר, שהוא אומר ד, האומר נביא א, האומר בשם ה׳ ויהיה ויבא א׳ — 13 בזדון—שגגה] בזדון דברו הנביא להוציא את השוגג ה — 14 עליו חובה] חובה עליו ד | סליק פיסקא ד, ל׳ בלא, פ׳ ר —

15 כי יכרית וכו׳ עד סוף הפיסקא] ל׳ ה | בזכורתך] בזכותכם א — 16 מכלל—וישבת בארצם] ל׳ ל | וישבת בעריהם ובבתיהם א׳, וירשת אותם וישבת בארצם רבטד, וישבת אותם וירשת אותם ובבתיהם א | רשיי] ל׳ א |

13 ע׳ הקו׳ שלשה וכו׳ עד כעידוא, מכירי יונה א׳ ב׳, פ״ז· — הכובש וכו׳, סנהדרין פי״א מ״ה, תוספתא שם פי״ד הט״ו ע׳ 437, בבלי פ״ט ע״א וירו׳ ל׳ ע״ב: 1 כחבירו של מיכה, תוספתא שם, בבלי פ״ט ע״א, ועיין ברש״י שם ד״ה חבריה דמיכה, ובירוש׳ ל׳ סוף ע״ב: 2 כעידוא, תוספתא, ובבלי שם, ורש״י ד״ה עדו, ועיין בספר אגדות היהודים לרל״ג ח״ו ע׳ 211 וע׳ 345:

6 בסתם וכו׳, פ״ז, ולמעלה פי׳ קנ״ה ובציונים שם: 8 עתידים אתם וכו׳, רש״י, פ״ז, עקדת יצחק, לקח טוב· — הנה—הולכים בבלה, לא נמצא במקרא והגר״א הגיה „ירמיה אמר על הכלים הנותרים בית ה׳ בבלה יובאו ושם יהיו, (ירמיה כ״ז כ״ב)״: 13 על זדון וכו׳, פ״ז, לקח טוב: 14 אל תמנע וכו׳, פ״ז, לקח טוב, רמב״ם לאוין כ״ט, רא״ם:

15 בזכורתך, השוה למעלה פי׳ ג״ז (ע׳ 124, שורה 9) ובציונים שם, ועיין בפ״ז ושם הגירסה „בזכות שאתה מיחד את השם״: 16 מכלל שנאמר וכו׳ עד לבנות

להוסיף על הבנין תלמוד לומר וישבת בארצם כל מקום שאתה רוצה לבנות בנה דברים יב כט
סליק פיסקא

קפ.

(ב) שלש ערים, ערים ולא טירים, ערים ולא כרכים, ערים ולא כפרים. תבדיל לך, ולא לאחרים. בתוך ארצך ולא בספר. אשר ה׳ אלהיך נותן לך לרשתה, מה שתירש תכבוש.

(ג) תכין לך הדרך, תכין לך סטרטיאות שיהו מפורשות לתוכה. ושלשת את גבול ארצך, שלא יהיו מפוזרות אלא יהיו מכוונות כשתי שורות שבכרם. אשר ינחילך ה׳ אלהיך, לרבות עבר הירדן. והיה לנוס שמה כל רוצח, שלא יהיה גולה מעיר לעיר סליק פיסקא

קפא.

(ד) וזה דבר הרוצח, מיכן אתה אומר רוצח שגולה מעיר לעיר מקלט.

מכלל שנאמר פן ירדוף גאל הדם אחרי הרוצח אין לי אלא רודף וגואל רודף ולא גואל גואל ולא רודף לא רודף ולא גואל מנין תלמוד לומר רוצח רוצח ריבה.

מכלל שנאמר כי יחם לבבו אין לי אלא מי שיש לו חמות הלב האב את הבן והבן את האב מנין תלמוד לומר רוצח רוצח ריבה.

בנה, לקח טוב: 1 וישבת בארצם, כן נראה להגיה ע״פ הגר״א — כל מקום וכו׳, פ״ז:

3 טירים, מלשון ואת כל טירותם שרפו באש, (במדבר ל״א י׳). טיר עיירה קטנה, וכן במכות י׳ ע״א „ערים הללו אין עושין אותם לא טירין קטנים ולא כרכים גדולים אלא עיירות בינוניות״, והשוה ספרי במדבר פי׳ קנ״ט (ע׳ 215), תוספתא מכות פ״ג (ב) ה״ח (ע׳ 441), ירוש׳ פ״ב ה״ז, ל״א ע״ד, ספרי זוטא ריש מסעי ע׳ 331, ת״י שם ל״ה י״א, ועיין עוד לקמן פי׳ קצ״ס, רי״ג, ירוש׳ פרק חלק ה״ז (כ״ט ע״ג): 4 ולא לאחרים, פ״ז ולמעלה פי׳ קט״ז (ע׳ 174, שורה 18) ובציונים שם — ולא בספר, פ״ז, והשוה למעלה פי׳ צ״ג (ע׳ 154): 5 מה שתירש וכו׳, פ״ז, לקמן פי׳ רצ״ו, והשוה למעלה פי׳ קי״ד. אמנם הגר״א ורמא״ש הגיהו על פי המובא בספרי במדבר פיסקא קנ״ט משתירש ותכבש, אבל לפי נוסחי כ״י, ואחר ההשואה עם הנוסח בפי׳ קי״ד ורצ״ו אין מקום להגהה זו: 6 שיהו וכו׳, פ״ז, מכות פ״ב מ״ה: 8 לרבות עבר הירדן, עיין מאמרו של ר׳ שמואל קליין בספר לדוד צבי, לכבוד ר׳ דוד הופמאן, ע׳ 34. — שלא יהיה וכו׳, דלהכי כתיב כל רוצח לאשמועינן דאי הרג אחד מאנשי עיר מקל״ט שלא יהא גולה דרך התם לעיר מקלט אחרת אלא גולה משכונה לשכונה והכי תנן הרג באותה העיר גול״ה משכונה לשכונה (מכות פ״ב מ״ז), מפי׳ ר״ה; והשוה ספרי במדבר סוף פי׳ ק״ס (ע׳ 220); תוספתא מכות פ״ג ה״ח (ע׳ 441), בבלי י״ב ע״ב, שם זבחים קי״ז ע״א:

10 מיכן אתה אומר, מדכתיב וזה דבר הרוצח מכאן אתה אומר בפרק דאלו הן הגולין רוצח שגלה לעיר מקלטו ורצו אנשי העיר לכבדו יאמר להם רוצח אני אמר אעפ״י כן יקבל מהם שנאמר וזה דבר הרוצח (מכות פ״ב מ״ח), מפי׳ ר״ה, והשוה תוספתא שם ה״ח, (ע׳ 441), פ״ז: 11 אין לי וכו׳, השוה מ״ת ע׳ 115, שורה 4, ספרי במדבר פי׳ ק״ס (ע׳ 219), סנהדרין מ״ה ע״ב: 13 האב את הבן,

1 וישבת בארצם] כן נראה לגרס, ובנוסחאות מובא הכתוב בלשון זה „וירשת וישבת בעריהם ובבתיהם א, וישבת בעריהם ובבתיהם בטלד, וישבת בעריהם ובא׳ ר | כל] בכל ד | לבנות רטד, ל׳ בל — 2 סליק פיסקא ד, ל׳ ב לא, פ׳ ר —

3 שלש—ולא כפרים] ל׳ ה | ערים רטלדמ, ל׳ ב א | ולא טירים רלאמפ, לא טירים ב, ולא עירים ד — 4 ולא בספר] ולא בכפר א — 5 מה שתירש תכבוש רט לאמ, מי שתכבוש ותירש ב, משתכבוש תירש ד — 6 תכין רבלדט׳, תקן אמ, תכוון ט׳ | לך רלאמ, ל׳ בל ד | סטרטיאות] כן נראה לגרס, והנוסחאות המקובלות הן טרטיאות א, סטרטאות ר, סרטיאית ל, סרטיאות בטד | מפורשות] מפולשות ל — 7 יהיו רלדא, יהו מ, יהוא ב | מכוונות] משונות ט׳ — 8 שלא—לעיר] ל׳ ה | יהיה רלדמ, יהא בטא — 9 סליק פיסקא ד, ל׳ רבלא —

10 אתה אומר] אמרו דט׳ | מקלט רדא, <ידבר ויאמר רוצח אני> ט, ואם רצו אנשי העיר לכבדו אומר להם רוצח הוא ואם אמרו לו אעפ״כ מקבל מהם ב, <ורצו אנשי העיר לכבדו יאמר להם רוצח אני אמ׳ לו אע״פ כן יקבל מהם שנא׳ וזה דבר הרוצח> ה, <ורוצים בני העיר לכבדו אומר להם איני רוצה> מ — 11 מכלל—והאב את הבן מנין ת״ל רוצח רוצח ריבה] ל׳ ה | רודף וגואל] רודף גואל פ — 12 רודף ולא [ואינו א] גואל גואל ולא [ואינו א] רודף בטאמ, גואל ולא רודף רודף ולא גואל רלפ | לא רודף ולא גואל] ל׳ א — 13 יחם] ירום ד | חמות רבט לדפ, חמימות אמ | האב] <שרודף> א׳ — 14 והבן]

מה תלמוד לומר שמה שמה שלשה פעמים שם תהא דירתו שם תהא מיתתו שם תהא קבורתו.

מה תלמוד לומר רעהו רעהו רעהו שלשה פעמים רעהו פרט לאחרים, רעהו פרט לגר תושב רעהו כבר קראתו התורה רעהו אשר יכה את רעהו בבלי דעת והוא לא שונא לו הא אם שונא לו אינו גולה. מתמול שלשם, רבי יהודה אומר תמול שנים שלשם שלשה סליק פיסקא

קפב.

(ה) ואשר יבוא את רעהו ביער, מה יער רשות לניזק ולמזיק ליכנס שם אף כל שהוא רשות לניזק ולמזיק ליכנס לשם יצאת חצר של בעל הבית שאין רשות לניזק ולמזיק ליכנס שם.

לחטוב עצים, אבא שאול אומר מה חטיבת עצים רשות אף כל שהוא רשות יצא האב המכה את בנו והרב הרודה את תלמידו ושליח בית דין סליק פיסקא

<שרודף> אי | את האב רלאמ, <האב את האב והבן את הבן> בטד – 1 שם–מיתתו] ל׳ טי | תהא] תהיה ד וכן בכמוך | דירתו טהפ [פ״ז], רידתו אמ, ירידתו רבלד – 3 מה ת״ל–סליק פיסקא] ל׳ ה | רעהו] ל׳ א וכן בסמוך – 4 תושב] ל׳ ד | קראתו התורה [תורה טי] רבטאמז, קראו התורה ל, קראתו הכתוב ד | אשר] שנאמר אשר ד – 5 הא אם–אינו גולה רבטל [פ״ז], הא אם שונא לו לא גולה אמ, ל׳ ד – 6 ר׳ יהודה אומר רבטאמ [פ״ז], ל׳ לד | תמול רבטאפ, מתמול לדמ | שלשה] תלתא פ, <דברי ר׳ יהודה> ל, <על כן אנכי מצוך לאמר להזהיר בית דין על כך> ד | סליק פיסקא ד, ל׳ רבלא –

8 אף כל שהוא–שאין רשות לניזק ולמזיק ליכנס שם] ל׳ ר – 9 שם] לשם ה – 10 אף כל שהוא רשות לניזק ולמזיק ליכנס לשם דמ, ל׳ בטלא, אף כל שיש לו רשות לניזק ולמזיק ליכנס לשם בי, אף כל מקום שיש רשות לניזק ולמזיק להכנס לשם אי | של] ל׳ אה | אף–ושליח בית דין] וכו׳ ט | אף כל שהוא רשות ד, ל׳ רבטאמ, אף כל רשות איבי – 11 ושליח] ושלוח רה | בית דין] <שאינן גולין ולא נידונין למיתה> אי | סליק פיסקא ד, ל׳ רבלא –

דלית להו חמות הלב דאי הוה גואל הדם האב או הבן דלית להו חמות הלב להרוג האב את בנו והבן את אביו, מפירוש ר״ה, וכן מפורש גם במגדל עוז ה׳ רוצח פ״א ה״ג, ועיין בירו׳ מכות פ״ב ה״ה, ל״א ע״ד: 1 מה ת״ל שמה שמה, שלשה שמה, כתיבי בפרשת מסעי גבי עיר מקלט, מפי׳ ר״ה, ועיין שם במדבר ל״ה י״א, ט״ו, כ״ה — שם תהא וכו׳, פ״ז, מכות פ״ב מ״ז, בבלי שם י״ב ע״א וירו׳ שם, תוספתא שם פ״ג (ב) ה״ה, עמ׳ 441, מכילתא דרשב״י כ״א י״ג, ע׳ 125, ועיין עוד במגדל עוז הלכות רוצח, פ״ה ה״א, ומובא עוד בספר המצות לרמב״ם עשין רכ״ה, אמנם שם מיוחס אל הספרי במדבר על הכתוב וישב שם, וזה נוסח הברייתא על פי הציטט שם, „וישב שם, אינו יוצא משם לעולם שנאמר שם שם תהא דירתו, שם תהא מיתתו, שם תהא קבורתו״. בנוסח המקרא שלפנינו אינו כתוב וישב שם אלא וישב בה (במדבר ל״ה כ״ה), אמנם גרסת השבעים והוולגאטא היתה, כנראה, וישב שם. המאמר מובא עוד במשנה מכות פ״ב מ״ז, ולפי הנוסח הרגיל זו צורתו שם, „אינו יוצא משם לעולם שנאמר אשר נס שמה (במדבר ל״ה כ״ה) שם תהא דירתו, שם תהא מיתתו, שם תהא קבורתו״. במשנה הוצ׳ לעוו, ובכת״י המשנה של פארמא, ובמשנה שבירושלמי, וגם במשנה שבבבלי דפוס ויניציאה, דפוס קראקא וכת״י מינכען, חסרות המלים אשר נס וכתוב רק „שנאמר שמה, שם תהא וגו׳״. בכת״י בודאפעסט נשמטה המלה שמה ונוספה על הגליון, וכן בברייתא בירושלמי (שם) הגרסה „שנאמר שמה שם תהא וכו׳״. לפי דעתי קרוב הדבר שהגרסה העקרית בכל אלו המקורות היתה שנאמר שם, וסומכים על הכתוב וישב שם, כמו שהוא בנוסח הספרי המובא ברמב״ם הדומה לסגנון המשנה מלה במלה:

3 מה תלמוד לומר וכו׳, פ״ז — רעהו שלשה פעמים, בפסוק ד׳ וה׳ — פרט לאחרים, דאי הרג גוי בשגגה אינו גולה דרעהו כתיב, מפי׳ ר״ה, ועיין מכות ח׳ ע״ב: 4 פרט לגר תושב, דאינו גולה על ידו דלא רעהו הוא דהא לא שייך במצות כישראל, מפי׳ ר״ה, ועיין מכות פ״ב מ״ג, תוספתא שם ה״ז, עמ׳ 440, ספרי במדבר פי׳ ק״ס, ע׳ 216, שורה 15 ובהערה שם, וגם במ״ע שם אות ו׳, מכילתא דרשב״י כ״א י״ד, ע׳ 126 — כבר קראתו וכו׳, ומוציא אני את השונא, כך יש לפרש לפי דעתי, וכן משמע בהדיא מיד בסמוך: 5 הא אם וכו׳, פ״ז: 6 ר׳ יהודה וכו׳, פ״ז, לקמן פיסקא קפ״ג, והשוה מכילתא דרשב״י כ״א כ״ט, ע׳ 132, ועוד כ״ב ל״ו, ע׳ 136, ומכילתא שם פ״י (פ״ו ע״ד, ה—ר ע׳ 284) משנה ב״ק פ״ב מ״ד, תוספתא שם פ״ב ה״ב, ע׳ 348, בבלי שם כ״ג ע״ב — שלשם שלשה, כלומר שלא דבר עמו שלשה ימים מפני איבה, ועיין מ״ת י״ט ד׳, ע׳ 113, וסנהדרין כ״ז ע״ב:

7 מה יער וכו׳, פ״ז, מכות פ״ב מ״ב, בבלי שם ז׳ ע״ב, והשוה ב״ק ל״ב ע״ב: 10 אבא שאול וכו׳, פ״ז, מכות ח׳ ע״ב, והשוה מכילתא משפטים פ״ד (פ׳ ע״ב, ה—ר 263): 11 ושליח בית דין, תוספתא מכות פ״ב ה״ה, עמוד 439:

קפג.

ונדחה ידו בגרזן לכרות העץ, מיכן אתה אומר נתכוון לקוץ את האילן ונפל על אדם והרגו הרי זה גולה.

ונשל הברזל מן העץ המבקע, רבי אומר מן העץ המתבקע.

ומצא, במצוי מיכן היה רבי אליעזר בן יעקב אומר אם משיצאת אבן מידו הוציא הלה את ראשו וקבלה הרי זה פטור.

הוא ינוס אל אחת הערים האלה וחי, שלא יהא גולה מעיר לעיר.

(ו) פן ירדוף גואל הדם אחרי הרוצח, מצוה ביד גואל הדם לרדוף. כי יחם לבבו והוא לא שנא לו, הא אם שונא אינו גולה. מתמול שלשם, זו שרבי יהודה אומר תמול שנים שלשם שלשה.

(ז) על כן אנכי מצוך לאמר, להזהיר בית דין על כך סליק פיסקא

קפד.

(ח) ואם ירחיב ה׳ אלהיך את גבולך. עשה מצוה האמורה בענין שבשכרה ירחיב ה׳ אלהיך את גבולך. כאשר נשבע לאבותיך, הכל בזכות אבותיך. ונתן לך את כל הארץ, הכל בזכות אבותיך סליק פיסקא

קפה.

(ט) כי תשמור את כל המצוה הזאת לעשותה. ויספת לך עוד שלש ערים על השלש האלה, מיכן אתה אומר שלש ערים הפריש משה בעבר הירדן וכשבאו לארץ הפרישו עוד שלש ולעתיד לבוא מפרישים עוד שלש, שלש על

1 מיכן וכו׳, פ״ז — נתכוון וכו׳, תוספתא מכות ריש פ״ב, ע׳ 439: 3 מן העץ המבקע וכו׳, פ״ז, מכות פ״ב מ״א, והשוה תוספתא שם פ״ב ה״ו, וה׳ י״א, ע׳ 440: 4 במצוי וכו׳, מכות ח׳ ע״א, ב״ק ל״ג ע״א, ירו׳ מכות פ״ב ה״ג, ל״א ע״ג; ובפ״ז הגירסה „פרט לממציא את עצמו מיכן א״ר אליעזר בן יעקב וכו׳״: 6 שלא יהא וכו׳, פ״ז, לעיל פי׳ ק״פ, ע׳ 223, שורה 8· והעיר רמא״ש, „פי׳ בו המפרשים כדלעיל שם ול״נ דבא לומר שאין מגלין אותו ממקלט למקלט אלא כיון שהגיע למקלט אחד ישב שם״: 7 מצוה וכו׳, פ״ז, ספרי במדבר פי׳ ק״ס (ע׳ 218, שורה 12), סנהדרין מ״ה ע״ב: 8 הא אם שונא וכו׳, למעלה פי׳ קפ״א, (ע׳ 224, שורה 5); וסוף הפסוק דורש, כי יחם לבבו והשיגו כי ירבה הדרך והכהו נפש ולו אין משפט מות כי לא שונא הוא לו מתמול שלשום: 9 זו שר׳ יהודה וכו׳, למעלה שם: 10 להזהיר וכו׳, פ״ז, ולמעלה פי׳ קע״א, (ע׳ 217) ושם נסמן:

11 עשה וכו׳, פ״ז, והשוה למעלה פי׳ ע״ה (ע׳ 139): 12 הכל וכו׳, פ״ז, ולמעלה פי׳ צ״ו (ע׳ 157, שורה 9) ובציונים שם: 13 הכל וכו׳, סוף הפסוק דורש ונתן לך את כל הארץ כאשר דבר לתת לאבתיך:

15 מיכן וכו׳, ירוש׳ מכות ל״א סוף ע״ד והשוה עוד רש״י, מ״ת ע׳ 114, ועיין משנה מכות ב׳ ד׳; תוספתא שם

1 ונדחה—המתבקע] ל׳ ה | אתה] אני פ — 2 אדם רבא, האדם טלמ — 3 ונשל—הרי זה פטור] ל׳ ט | הברזל] הגרזן א — 4 במצוי] פרט לממציא את עצמו ה | מיכן—אומר] אמר ר׳ אליעזר בן יעקב הזורק את האבן ה | אם משיצאת] ואחר שיצאת ה, מי שיצאת מ | משיצאת] משיצא ל | אבן] ל׳ ה | הוציא רבטלד, והוציא אמ — 6 אל—וחי] ל׳ ד | יהא] יהיה ד | מעיר] ל׳ א | לעיר] אל עיר מ, לעיר אחרת א׳ — 7 פן ירדף—שלשם שלשה] ל׳ ה | אחרי הרוצח] ל׳ ד | לרדוף] ל׳ א ובאי לרדוף הרוצח — 8 והוא—שונא לו ט, ולא שונא א, וג׳ רב, ל׳ לד | שונא רבלאמ, שונא לו ד | אינו] לא א | זו רל דא, זו היא בטמפ — 10 סליק פיסקא ד, ל׳ רבלא —

11 ואם—סליק פיסקא] ל׳ ה | האמורה בענין] ל׳ ל — 12 כאשר בטדא׳, אשר ראמ, וכאשר ל | אבותיך רלא מ, אבות בטד | ונתן—אבותיך] ל׳ ל — 13 הארץ ר, הארץ וג׳ ט, הארץ אשר נשבע לאבותיך דאמ, הארץ נשבע לתת ב, הארץ אשר נשבע לתת לאבותיך א׳ [הארץ אשר דבר לתת לאבתיך, מסורה] | אבותיך ראמ, אבות ב טד | סליק פיסקא ד, ל׳ רבלא —

14 כי תשמר—לכך נאמר כי יהיה איש שנא לרעהו וארב לו וקם עליו] ל׳ ה | תשמור] תשמע ר | המצוה] המצוות ר | עוד—האלה בט, ערים על השלשה האלה א, ל׳ רדמ, עוד שלש ערים וג׳ ל — 16 וכשבאו רטלדמ, ומשבאו א, כשבאו ב | הפרישו טדאמ, הפריש רבל | מפרישים עוד רטלדמ, עתידים עוד להפריש ד, עוד א —

שלש הרי שש ועוד שלש הרי תשע. רבי נהוריי אומר שלש על שלש ועוד הרי תשע על השלש הרי שתים עשרה, רבי שאול אומר שלש על שלש ועוד הרי תשע על השלש הרי שתים עשרה האלה הרי חמש עשרה.

קפו־קפז.

(י) ולא ישפך דם נקי, והיה עליך דמים, להזהיר בית דין על כך.

(יא) כי יהיה איש שונא לרעהו וארב לו וקם עליו, מיכן אמרו עבר אדם על מצוה קלה סופו לעבור על מצוה חמורה עבר על ואהבת לרעך כמוך סופו לעבור על °לא תקום ולא תטור ועל °לא תשנא את אחיך ועל °וחי אחיך עמך עד שיבא לידי שפיכות דמים לכך נאמר כי יהיה איש שונא לרעהו וארב לו וקם עליו, מיכן היה רבי יוסי ברבי יהודה אומר ההורג את הנפש בין בשוגג בין במזיד הכל מקדימים לערי מקלט בית דין שולחים ומביאים אותם משם, מי שנתחייב מיתה הרגוהו שנאמר ושלחו זקני עירו ולקחו אותו משם מי שלא נתחייב מיתה פטרוהו שנאמר °והצילו העדה את הרוצח, מי שנתחייב גלות מחזירים אותו למקומו שנאמר והשיבו אותו העדה. רבי אומר רוצח גולה לעיר מקלט כסבור שקולטתו כדרך שקולטתו שוגג זקני העיר שולחים ומביאים אותו משם שנאמר ושלחו זקני עירו.

ויקרא יט יח
שם יט יז
שם כה לו
במדבר לה כה

ומת ביד גואל הדם, מנין לא מת ביד גואל הדם ימות ביד כל אדם תלמוד לומר ונתנו אותו ביד גואל הדם ומת, לא תחוס עינך עליו ובערת דם

1 הרי שש] הרי כאן שש ל | על שלש ועוד] שש ט | ועוד רלאמ, ועוד שלש בכד – 2 הרי תשע רטלאמבי, הרי הם תשע ד, ל׳ ב | על השלש רלאמ, ועוד שלש טד, ל׳ ב | רבי] אבא ט | אומר] <הרי> ל | ועוד רלאמ, ועוד שלש בטד – 3 חמש עשרה] חמשה עשר ד, שתים עשרה ב –

4 ולא–נקי רא, ל׳ ט, ולא ישפך דם נקי בקרב ארצך בל, ולא ישפך דם נקי בקרב ארצך אשר ה׳ אלהיך נתן לך נחלה ד | והיה–על כך אמ, ל׳ רבטלד – 5 כי רבטלד, וכי אמ [מסורה] | עבר] עובר ד – 6 מצוה] מצוה אחת ד | מצוה חמורה] <סליק פיסקא ואהבת לרעך כמוך אם עבר על מצוה קל״ה סופו לעבור על מצוה חמורה> ד | עבר על ואהבת לרעך כמוך] ואהבת לרעך כמוך אם עבר ב, ואהבת לרעך כמוך אם עבר על מצוה ואהבת לרעך כמוך ט | כמוך] <וחי אחיך עמך> ר – 7 על] על לא תשנא ועל ד | ולא תטור] ועל לא תטור ד | ועל לא [ולא פ, פ״ז] תשנא את אחיך בטלמ [פ״ז], ועל לא תשנא את אחיך בלבבך ואהבת לרעך כמוך רא, ל׳ ד | ועל וחי אחיך עמך ט במ, וחי אחיך עמך רלא, וסופו לעבור על וחי אחיך עמך ד, ל׳ [פ״ז] – 8 שיבא לאמפ [פ״ז], שבא רבטד | כי] וכי מ – 9 מיכן–משם שנאמר ושלחו זקני עירו] ל׳ ט – 10 בשוגג] שוגג מ | במזיד] מזיד מ | מקלט] המקלט ר | בית דין] ל׳ א, ובית דין אי | ומביאים] וקוראים אמ | אותם] אותו א – 11 מי שנתחייב] משנתחייב ר | מי] ומי א – 12 מי שנתחייב גלות] <מגלין אותו מי שלא נתחייב גלות> אמ – 13 והשיבו] והשיב ר | לעיר] לערי ד – 14 שקולטתו] שקולטו ד, <מזיד> ב | כדרך] כשם ד | שקולטתו] שקולטו ד | שוגג] <כך קולט מזיד> ד | העיר] עירו מ – 16 מנין] ל׳ ט | ת״ל]

פ״ג (ב) ה״א, עמו׳ 440; בבלי ט׳ ע״ב: 2 רבי שאול, ובירו׳ הגירסה אבא שאול:

4 להזהיר וכו׳, פ״ז ולמעלה פי׳ קע״א ובציונים שם: 5 מיכן אמרו וכו׳, רש״י, פ״ז, לקמן פי׳ רל״ה והשוה אדר״נ נו״א פ׳ כ״ו (מ״ב ע״א), ועל פי הברייתא ההיא מפורש הכפל של ואהבת לרעך כמוך, שבעיקר הובאו כל הכתובים על הנושא אשה שאינה הוגנת לו, ואחרי כן הוסבו על כל העובר עברה קלה, כמו ואהבת לרעך כמוך, והכתובים לא זזו ממקומם אלא שבמקורות אחדים „נתקן" הגירסה בהשמטת ואהבת לרעך כמוך", ועיין עוד תוספתא סוטה פ״ה הי״א, ע׳ 302 -- עבר וכו׳, עיין בשנויי נוסחאות: בכל הדפוסים מדפוס ראדוויל ואילך מתחיל כאן פיסקא חדשה, אעפ״י שאין כאן מקום להבדל, ולא ראיתי לקיים טעות זו: 9 מיכן וכו׳, פ״ז; מכות פ״ב מ״ו; ספרי במדבר פי׳ ק״ס (ע׳ 220); בבלי שם י׳ ע״ב: 16 מנין וכו׳. ספרי במדבר פי׳ ק״ס (עמוד 220, שורה 17); והשוה מכות פ״ב מ״ז; תוספתא פ״ג ה״ז, (עמ׳ 441, שורה 11), בבלי י״ב ע״א:

הנקי. שמא תאמר הואיל ונהרג זה למה אנו באים לחוב בדמו של זה תלמוד לומר לא תחום עינך עליו ובערת דם הנקי בער עושי הרעות מישראל סליק פיסקא

קפח.

(יד) לא תסיג גבול רעך, והלא כבר נאמר (ויקרא יט יג) לא תגזול ומה תלמוד לומר לא תסיג מלמד שכל העוקר תחומו של חבירו עובר בשני לאוים יכול בחוצה לארץ תלמוד לומר בנחלתך אשר תנחל בארץ ישראל עובר בשני לאוים בחוצה לארץ אינו עובר אלא משום לאו אחד בלבד. מנין לעוקר תחומים של שבטים שעובר בלא תעשה תלמוד לומר לא תסיג גבול רעך, מנין למחליף דברי רבי אליעזר בדברי רבי יהושע ודברי רבי יהושע בדברי רבי אליעזר ולאומר על טמא טהור ועל טהור טמא שהוא עובר בלא תעשה תלמוד לומר לא תסיג גבול רעך, מנין למוכר קבר אבותיו שעובר בלא תעשה. תלמוד לומר לא תסיג גבול רעך, יכול אפילו לא נקבר בו אדם מעולם תלמוד לומר בנחלתך אשר תנחל הא אם קבר בו אפילו נפל אחד ברשות עובר בלא תעשה.

1 שמא ר תאמר וכו׳, רש״י, פ״ז, רמב״ן לאוין ששכח הרמב״ם י״ג, לקח טוב: 2 בער וכו׳, למעלה פיסקא פ״ו ובציונים שם:

3 לא תסיג וכו׳ עד הא אם קבר בו אפילו נפל אחד וכו׳, ספר יראים סי׳ רנ״ח, הוצ׳ שיף סי׳ קכ״ט· — והלא וכו׳, רש״י, פ״ז, רמב״ן, רמב״ם לאוין רמ״ו, וה׳ גנבה ז׳ י״א, חנוך שופטים, סמ״ג לאוין קנ״ג, כפתור ופרח פ״י (עמ׳ קע״ב), עקדת יצחק, לקח טוב: 6 מנין וכו׳, עקדת יצחק: 7 מנין למחליף וכו׳, פ״ז, ספר הסידים סי׳ תקפ״ו, הוצ׳ פריימאנן סי׳ תתתקל״ב (ע׳ 415), פי׳ ר׳ שלמה בן היתום על משקין ח׳ ע״ב (הוצ׳ חיות ע׳ 39), ועוד שם כ״ד ע״ב (ע׳ 114): 9 מנין למוכר קבר וכו׳, לקח טוב ועיין נדה נ״ז ע״א, וברש״י שם ד״ה לא תסיג: 11 אפילו נפל אחד וכו׳, תוספתא אהלות פ׳ ט״ז הי״ב (ע׳ 614), ובפי׳ ר״ש על המשנה שם סוף פ׳ ט״ז: 12 עובר, כן הגרסה במ״ת וכן הגיה רמא״ש אבל רחש״ה העיר „נפל אחד וכו׳ דלאו בר נחלה הוא ולשון אפילו הכי דייק דלא מיבעי לא נקבר בו אדם מעולם אלא אפילו נפל גם כן אינו עובר ובמדרש תנאים הגרסה ברשות עובר בלא תעשה ואינו גורס אינו וכן מגיה במאיר עין ואולי צ״ל ברשות עובר בלא תעשה שלא ברשות אינו עובר בלא תעשה ונשמטו המליכ שבין ברשות ושלא ברשות ומרא״נ הגיה יכול אפילו נקבר בו אדם מעולם וכו׳ וה״פ אפילו נקבר בו נפל אחד שאינו מבני משפחה ברשות אבותיו שוב אינו עובר עליו דלא קרינן בו נחלתך דאינו מיוחד לאבותיו ועיין ב״ב ק׳ ע״ב המוכר וכו׳״ — בלא תעשה, ההוספה שהעתקתי בשנויי נוסחאות מהגהות מהר״ס, והמובאת גם בפי׳ ר״ה, אינה מעיקר הספרי, ומקורה במכילתא לדברים ולכן נמצאת בשלימותה במ״ת, עיי״ש ע׳ 115 שורה 15 ושורה 20, ובהערות ר׳ דוד הופ־מאן [ועיין ירו׳ סוף נזיר], והשוה שמחות פי״ד (ע׳ 201), תוספתא ב״ב פ״א הי״א (ע׳ 399), ותוספתא נדה פ״ב ה״ז (ע׳ 643), אדר״נ נו״א פל״ה (נ״ב ע״ב), ועיין במאמרו של ר׳ י׳ נ׳ אפשטיין, תרביץ שנה ב׳ ע׳ 293:

שנ׳ רל – 17 עמ׳ הקו׳ לא] ולא ד — 1 תאמר טדאמ, תאמרו רבל | ונהרג זה] ונהרג את זה מ, ונהרוג זה א — 2 ובערת דם הנקי בט, ובערת הרע לד, ל׳ ר, ובערת הרע מקרבך דם הנקי מישראל וטוב לך א, ובערת הרע דם הנקי מישראל וטוב לך מ | הרעות] רעות מ | סליק פיסקא ד, פ׳ ר, ל׳ בלא –

3 לא תסיג–לא תגזול ומה ת״ל] ל׳ ל | תסיג רד [מסורה], תשיג בלאמה | רעך <אשר גבלו ראשונים> ד | והלא כבר] וכבר ר | ומה] מ׳ ר — 4 תסיג ר, תשיג בלדאמ [וכן בכל הענין חוץ מבפעם האחרונה שבה נמצא בך תסיג בסמ״ך] | מל׳מד] מנין ב, <שכל המשיג גבולו של חבירו> ל | שכל] כל ר | יכול–בשני לאוים] ל׳ א — 5 בארץ–בשני לאוים] הא אם עובר בארץ בשני לאוין ל — 6 אינו] אין ט | משום לאו אחד] בלאו אחד א, משם לאו אחד ר | מנין–ועל טהור טמא שהוא עובר בלא תעשה ת״ל ולא תסיג גבול רעך] ל׳ ה | לעוקר תחומים] לעובר תחום א | בלא תעשה] על לא תעשה א — 7 גבול רעך] גבול עולם ד | בדברי] לדברי א וכן בסמוך | בדברי רבי] ברבי ט² וכן בסמוך — 8 ודברי ר׳ יהושע] ל׳ ר | ולאומר מ, ולומר א, לומר רבטלד–על טמא טהור ועל טהור טמא] על טהור טמא ועל טמא טהור ד — 9 שהוא עובר רבטד, שעובר לאמ | ת״ל] שנא׳ א | לא] ולא ד | מנין–גבול רעך] ל׳ ב — 10 ת״ל] שנ׳ א — 11 בו אדם] אדם בו ד | אפילו] ל׳ מ — 12 נפל] נופל ד | נפל אחד ברשות] ברשות נפל אחד מ | ברשות בטלה, ברשותו רד, ל׳ א | עובר ה, אינו עובר רבטלדא | בלא תעשה] <פ׳> ר, <ד״א לא תסיג גבול רעך במשנה תחומין של שבטים ומה שתחם יהושע בן נון הכתוב מדבר ד״א לא תסיג גבול רעך במשנה גבול קבר מלך וקבר נביא רע״א בנושא מעוברת חבירו ומינקת חבירו הכתוב מדבר> מהר״ס, ומקצתו מובא בפירוש ר״ה, וז״ל, לפי כ״י פ, „במשנה קבר מלך קבר נביא הכתוב מדבר דכל הקברות מתפנין חוץ מקבר מלך ומקבר נביא כדגרסינן בסוף נזיר בגמרא ולהכי קאמר במשנה

(טו) לא יקום עד אחד באיש, אין לי אלא לדיני נפשות לדיני ממונות מנין תלמוד לומר לכל עון, לקרבנות מנין תלמוד לומר ולכל חטאת למכות מנין תלמוד לומר בכל חטא אשר יחטא, להעלות לכהונה ולהוריד מן הכהונה מנין תלמוד לומר לכל עון ולכל חטאת, אין לי אלא לעדות איש לעדות אשה מנין תלמוד לומר לכל עון ולכל חטאת בכל חטא אשר יחטא, אם סופנו לרבות אשה מה תלמוד לומר איש לעון אינו קם הוא באשה להשיאה דברי רבי יהודה רבי יוסי אומר לעון אינו קם קם הוא לשבועה אמר רבי יוסי קל וחומר הדברים ומה אם במקום שאין פיו מצטרף עם פי עד אחד למיתה הרי זה נשבע על פי עצמו מקום שפיו מצטרף עם פי עד אחד לממון אינו דין שיהא נשבע על פי עצמו לאו מה לנשבע על פי עצמו שכן משלם על פי עצמו ישבע על פי עד אחד שכן אין משלם על פי עד אחד תלמוד לומר לכל עון לעון אינו קם קם הוא לשבועה.

על פי שנים עדים או על פי שלשה עדים יקום דבר, לא על פי כתבם ולא על פי תורגמן. [על פי שנים] מיכן אמרו המקנא לאשתו רבי אליעזר אומר

1 לא יקום וכו׳ עד קם הוא לשבועה, הגה׳ מיימ׳ עדות פ״ה ה״א, ספר יראים רמ״ד, הוצאת שיף ר״ד, לקח טוב, רא״ם· — לדיני ממונות וכו׳, עיין בת״י לכל סרחן דנפש ולכל חוב ממון: 2 לקרבנות, כריתות ריש פ״ג: 3 להעלות לכהונה וכו׳, עיין כתובות כ״ג ע״ב: 6 קם הוא וכו׳, משנה סוף יבמות, בבלי שם קכ״ב ע״ב, ספרי במדבר פי׳ קס״א (ע׳ 221, שורה 9): 7 קם הוא לשבועה, רש״י, פ״ז, כתובות פ״ז ע״ב· — א״ר יוסי וכו׳, השוה מ״ת ריש ע׳ 116, תוספתא שבועות פ״ה ה״ד (ע׳ 451)· ולדעתי יש להגיה כאן ובתוספתא שם, „ומה אם במקום שאין פיו מצטרף עם פי עד אחר למיתה הרי זה נשבע על פי עצמו, מקום שפיו מצטרף עם פי עד אחר למיתה אינו דין שיהא נשבע על פיו״ ופירושו ומה אם הוא עצמו שאינו יכול להצטרף לעד אחד לחייב את עצמו למיתה אע״פ כן יכול לחייב את עצמו שבועה בהודאה במקצת, עד אחד המצטרף עם עוד אחד לחייב הנדון למיתה, אינו דין שיוכל לחייבו שבועה בלי שום סיוע· ובמובן זה הגיה הגר״א „מקום שעד אחד מצטרף עם עד אחד לממון אינו דין שיהא נשבע על פי עד אחד״: 12 לא על פי כתבם וכו׳ עד תורגמן, ירו׳ סוף יבמות ט״ז ע״א ומובא בספר העיטור ד׳ בירורין, ובכפתור ופרח פי״ב (ע׳ 332), ועיין יבמות ל״א ע״ב, ופירושו נראה שאין בית דין מקבלים עדות המובאה לפניהם בכתב, אמנם ברוב הנסחאות, וביניהם זה של ר״ה הגרסה, מפי כתבם, ופי׳ ר״ה „ע״פ כתבם דאי חתימי בשטר ואמרי כתב ידנו הוא זה מקיים ההוא שטר ואעפ״י דעל פי עדים קרינא ביה ואע״ג דמתו והיה כתב ידן מוחזק בבית דין או עדים מעידין על חתימות ידיהן דכתב ידן הוי, מקויים ההוא שטר דעל פיהן הוא״: ולפי דעתי משפט זה נוסף בזמן קדום אל הספרי מגליון, וראיה לזה המאמר שאחריו, „מכאן אמרו״ הנקשר ישר עם הפסוק ולא עם דרשה זו, ועיין רש״י ולקמן בהערה: 13 ולא על פי תורגמן, השוה רש״י ומכות פ״א מ״ט, ור״ה פירש „דאי הוה חד תורגמן לתרווייהו כעד אחד דמי ולא מיתקרא עוותן״· — מיכן אמרו וכו׳, אין קשר לזה עם המאמר מפיהם ולא מפי כתבם, אלא מחובר ישר אל הכתוב על פי שנים עדים, וכן פירש ר״ה; ולכן הוספתי הציון אל הכתוב, והגר״א הגיה בהוספת המלים יקום דבר לפני מכאן אמרו· — המקנא לאשתו וכו׳, משנה ריש

קבר מלך דאי פינו מקומם עובר משום לא תסיג וכו׳· מעוברת חבירו משום דניזוק ולד של חבירו״, אבל שם בפי׳ ר״ה מובא כל זה לפני המאמר „מנין לעוקר תחומים של שבטים״, ועיין בהערות — 1 אחד] חמס ל | באיש] <מנין ת״ל לכל חטא אשר יחטא> א | לדיני נפשות לדיני ממונות] בדיני נפשות בדיני ממונות א [רא״ם] — 2 לקרבנות מנין ת״ל] ל׳ ב, לקרבנות מנין ר | ולכל— למכות מנין תלמוד לומר] ל׳ א | ולכל ט׳ [מסורה], לכל רדמט׳ — 3 לומר] ל׳ ר | בכל חטא בטדה, לכל חטא אמ, לכל חטאת ר, לכל עון ולכל חטאת ל | אשר יחטא רדאמה, ל׳ בטל | להעלות—ת״ל בכל חטא אשר יחטא] ל׳ ל — 4 ת״ל לכל עון ולכל חטאת] לכל עון ולכל חטאת אינו קם קם הוא באשה לזכות מכאן א״ר עקיבה משיאין את האשה על פי עד אחד ה | אין לי אלא—אבל קם הוא לשבועה] ל׳ ה | לעדות] עדות ד — 5 לכל—יחטא ד, לעוון ולכל חטאת—יחטא ר, לכל חטא אשר יחטא א מ, לכל עון ולכל חטאת בט — 6 אשה] האשה ד | מה] מנ׳ ר | קם הוא רבטד, אבל קם הוא לאמפ | יהודה ב טלאמ, יהו׳ ר, יהושע ד — 7 קם רבט, אבל קם לדאמ | הדברים טאמ, דברים רב, ל׳ לד — 8 אם] ל׳ ד | מצטרף עם פי עד אחד] מצטרפת על פי עד אחד ל | עם פי עד אחד רב, עם פי אחד [אחר מ] טאמ, עם עד אחד ד | זה] הוא אמ — 9 מקום—שיהא נשבע על פי עצמו] ל׳ ל | עם פי עד ד, עם עד רבט, עם פי אמ | אחד] אחר מ | שיהא נשבע רבטד, שישבע אמ | על פי] מפי ד — 10 עד] ל׳ מ | שכן—עד אחד] ל׳ רל | שכן אין בטאמ, שכן ד — 11 קם הוא רבטל, אבל קם הוא דאמ — 12 לא—תורגמן] מפיהם ולא מפי כתבם ה | לא ד [עטור, כפתור ופרח, ירושלמי], ל׳ בטלאמפ | על פי] מפי [עטור, כפתור ופרח, ירושלמי] — 13 ולא על רבטלם, ועל ד א, ולא מפי [עטור, כפתור ופרח] | תורגמן בלאמ, התורגמן ש [עטור, כפתור ופרח], תורגמנס ר, מתורגמן ד | על פי שנים] כן נראה להוסיף, ואעפ״י שחסר בכל הנסחאות, ועיין

מקנא על פי שנים ומשקה על פי עד אחד שהיה בדין מה אם עדות הראשונה שאינה אוסרתה איסור עולם אין מתקיימת פחות משנים עדות האחרונה שאוסרתה איסור עולם אינו דין שלא תתקיים בפחות משנים תלמוד לומר ועד אין בה כל שיש בה לא היתה שותה סליק פיסקא

קפט.

(טו) כי יקום עד חמס באיש לענות בו סרה, אין חמס אלא גזלן. לענות בו סרה, אין סרה אלא עבירה שנאמר °כי דבר סרה, ואומר °השנה אתה מת כי סרה דברת על ה׳. [לענות בו] מגיד שאינו חייב עד שיכחיש את עצמו מיכן אמרו אין העדים נעשים זוממים עד שיזומו את עצמם כיצד מעיד אני באיש פלוני שהרג את הנפש וכו׳ סליק פיסקא

דברים יג ו
ירמיה כח טז

קצ.

ועמדו׳ הדיינים יושבים ובעלי דינים עומדים· דבר אחר אזהרה לבעל דין שלא ישמיע דבריו לדיין קודם שיבא בעל דין חבירו·

סוטה: 1 שהיה בדין וכו׳, סוטה פ״ו מ״ג: 3 כל שיש בה וכו׳, השוה ספרי במדבר פי׳ ז׳ (עמוד 12) ופי׳ קס״א (ע׳ 221):

5 אין חמס וכו׳, פ״ז· — אלא גזלן, שמעיד בחבירו לגזלו ממון או נפשות, מפי׳ ר״ה, והשוה ב״ר פ׳ ל״א סי׳ ה׳ (ע׳ 279): 6 אין סרה אלא עבירה, ואם כן לפנינו שני מיני עדות, עד שקר של ממון והוא גזלן, ועד שקר בדברי עבירה. וכעין זה דורש בתוספתא מכות פ״א ה״ז, (עמו׳ 439), „שבעסקי ממון הוא אומר לא תענה ברעך עד שקר ובעסקי מכות הוא אומר ועשיתם לו כאשר זמם לעשות לאחיו״: 7 מגיד וכו׳, אין לזה קשר עם הדרשה הקודמת, אלא מתחבר יפה אל הכתוב כי יקום וכו׳, ועיין מכות ה׳ ע״א, ואולי נוסף מגליון, שהרי חסר במ״ת, ולבירור הדברים הוספתי המלים לענות בו שעמהן קשור הדרש· — מגיד וכו׳, פ״ז· — מיכן אמרו וכו׳, מכות פ״א מ״ד: 8 מעיד אני, ובמשנה הגרסה אמרו מעידין אנו: 9 את הנפש וכו׳, ושם מסיים „אמר להן היאך אתם מעידין שהרי נהרג זה או ההורג היה עמנו אותו היום במקום פלוני אין אלו זוממין אבל אמרו להם היאך אתם מעידין שהרי אתם הייתם עמנו אותו היום במקום פלוני הרי אלו זוממין ונהרגין על פיהם״:

10 ועמדו וכו׳ עד חבירו, כל זה נוסף מגליון וחסר ברוב הנסחאות, ועיין בשנויי נסחאות· כרגיל בהוספות כזה יש בו הכפלת דברים מן האמור למטה, ונראה שלקוח ממכילתא לדברים ולכן נמצא במ״ת· — הדיינים יושבים וכו׳, עיין לקמן בסמוך· — אזהרה לבעל דין וכו׳, מכילתא משפטים מסכת אם כסף פ״כ (צ״ח ע״א, ה–ר ע׳ 322), מכילתא דרשב״י שם כ״ג א׳ (ע׳ 154), שבועות ל״א

בהערות | מיכן וכו׳ עד סוף הפיסקא] ל׳ ה | רבי אליעזר—שותה] וכו׳ מ | אליעזר] אלעזר ר — 1 מקנא—ומשקה על פי עד אחד] וכו׳ א | מקנא] מקנה ר | ומשקה] <לה> ד | מה אם רבל, ומה א, ומה אם טד | עדות הראשונה [ראשונה פ] בלטיפ, העדות הראשונה א, עדות הראשונים ט², עדות הראשון ד | שאינה—ת״ל] וכו׳ מתני׳ א — 2 איסור עולם] לעו׳ ר | עדות—פחות משנים] ל׳ ר | עדות האחרונה בל, עדות אחרונה ט, עדות שנייה ד — 3 בפחות בט, פחות לד | ועד] עד א — 4 סליק פיסקא ד, ל׳ בלא, פ׳ ר —

5 לענות אמה, שנ׳ לענות רבטלד | אין] ואין ד | חמס] חמסן פ — 6 שנאמר רבטלדה, וכן הוא אומר א מ | כי דבר סרה ואומר טראמ, ל׳ רבלה — 7 כי סרה דברת רטלאמ, דברת סרה בד | לענות בו] כן נראה להוסיף ואעפ״י שחסר בכל הנסחאות | מגיד—סליק פיסקא] ל׳ ה | שאינו] שאין אדם ל | עד] אלא עד מ | את עצמו] עד עצמו ר — 8 נעשים] ל׳ ד | זוממים] חמסים ב, זוממים בי | שיזומו רטדאמ, שיזממו ב, שיזימו ל | כיצד] כאיזה צד ב, באיזה צד א | מעיד אני ראמ, מעידני לד, מעידים אנו בט | באיש רבטאמ, איש לד — 9 וכו׳ א מ, הדיינין יושבין ובעלי דינין עומדין ר, אמרו לו היאך אתם מעידין שהרי נהרג זה או הורג זה היה עמנו במקום פלוני אין אילו זוממין אבל אמרו להן היאך אתם מעידין שהרי עמנו הייתם אותו היום במקום פלוני [במקום פלוני אותו היום ט¹] הרי אילו זוממין בט¹, אמרו לו—היה עמנו ביום פלוני אלו זוממין אבל—שהרי הייתם אותו היום במקום פלוני הרי אלו זוממין ט², ל׳ לד | סליק פיסקא ד, פ׳ ר, ל׳ בלא —

10 הדיינים—עומדים] בכ״י פ הגרסה כאן הדיינים יושבים וכו׳, אבל מן הפירוש מבורר שגרסת ר״ה היתה הדיינים יושבים והעדים עומדים, ועיין בשנויי נסחאות למעלה על המלה וכו׳ לפי כ״י ר, ונראה שהמשפט הוקדם על פי טעות סופר למעלה לפני הציון פ׳, ומקומו כאן, וכל המאמר מקורו מגליון וחסר ברוב הנסחאות, רק ברפ נמצא | ד״א—חבירו] חסר בכל הנסחאות חוץ מרדהפ, ונראה שמקורו במכילתא לדברים ונוכף אל הספרי מגליון | אזהרה] הרי זו אזהרה ה | לבעל דין פ, לבעלי דין ה, לבית דין ר | ישמיע דהפ, ישמע ר — 11 דבריו לדיין] דבריו לדיאן ר | קודם—חבירו] עד

ועמדו, מצוה בנדונים שיעמדו. שני האנשים, אין לי אלא בזמן שהם שני
אנשים איש עם אשה ואשה עם איש שתי נשים זו עם זו מנין תלמוד לומר אשר להם
הריב מכל מקום, יכול אף אשה תהא כשירה לעדות נאמר כאן שני ונאמר להלן
°שני מה שני האמור כאן אנשים ולא נשים אף שני האמור להלן אנשים ולא נשים. דברים יט טו
אשר להם הריב, יבוא בעל השור ויעמוד על שורו. לפני ה׳, הם סבורים
לפני בשר ודם הם עומדים ואינם אלא לפני המקום. לפני הכהנים והשופטים
אשר יהיו בימים ההם, זו היא שאמר רבי יוסי הגלילי וכי עלתה על דעתינו שופט
שאינו בימיך אלא שופט שהוא כשר ומוחזק לך באותם הימים היה קרוב ונתרחק כשר
וכן הוא אומר °אל תאמר מה היה. קהלת ז י
(יח) ודרשו השופטים היטב ולהלן הוא אומר °והוגד לך ושמעת ודרשת דברים יז ד
היטב היטב לגוירה שוה מלמד שבודקים אותו בשבע חקירות אין לי אלא
חקירות בדיקות מנין תלמוד לומר °והנה אמת נכון הדבר מנין שהעד עושה עצמו שם יג טו
שקר תלמוד לומר והנה עד שקר העד ומנין שעושה את חבירו שקר תלמוד לומר
והנה עד שקר העד יכול אף משנחקרה עדותם בבית דין תלמוד לומר שקר ענה
באחיו אמור מעתה כל זמן שבית דין צריכים להם ולא משנחקרה עדותם בבית דין.
כשתמצא אומר זומם מזומם ואפילו הם מאה.

שיהא בעל דינו עמו ה — 1 מצוה—ולא נשים] ל׳ ה | בנדונים אמפ, ביאנים ר, בעדים טלד, בדיינים ב | אין לי—שני אנשים] ל׳ ל | שני] ל׳ ב — 2 איש—איש] אשה עם איש ואיש עם אשה ט | ואשה עם איש בלד, ל׳ א, ואיש עם איש ר | מנין] ל׳ר — 3 תהא] תהיה ד | לעדות] <ת״ל> א | כאן] כך יש לגרוס, ובכל הנסחאות הגרסה להלן; וכעין זה בסמוך הגהתי להלן, אעפ״י שבכל הנסחאות הגרסה כאן — 4 אנשים ולא נשים] שני אנשים מ | אף שני—ולא נשים] ל׳ לא, אף שני האמור להלן אנשים ולא נשים אי | אנשים] שני אנשים מ — 5 הם—המקום] הרי זו אזהרה לדיין שיאמר להם מה אתם סבורים לפני בשר ודם אתם עומדים אין אתם עומדין אלא לפני מי שאמר והיה העולם ה | הם אמ, שהם רבטד, ל׳ ל — 6 ואינם לאמ, ואינו ר, אין עומדים ב, ואין עומדים טד | לפני—נפש בנפש] ל׳ ה — 7 זו היא רטאמ [רא״ם], וזו היא ב, זהו לד | וכי—דעתינו ראמ [רא״ם], וכי עלה [עלת ל] על דעתינו בט ל, וכי עלה על דעתך ד — 8 שאינו] שאין ל — 9 וכן הוא—תאמר מה היה] ל׳ בט | היה] שהיה ד, היה שהימים הראשונים היו טובים מאלה כי לא מחכמה שאלת על זה אמ — 10 והוגד—היטב ארבטמ, ודרשת וחקרת ושאלת היטב לד — 11 היטב היטב] היטב בהיטב ר, היטב בל | אותו] אותן ר, ל׳ ל | אין לי אלא חקירות אמ, ל׳ רבט לד — 12 מנין] ומניין ל | שהעד] שהוא אמ | עושה] <את> רט — 13 ת״ל] שנ׳ טא | ומנין—שקר העד רט, ומנין שהוא עושה—והנה עד שקר העד אמ, ל׳ בלד — 14 אף] ל׳ ל | משנחקרה] מי שנחקרה א | בבית דין] <שאין בית דין צריכין להם> א | תלמוד לומר—עדותם בבית דין] ל׳ ב — 15 מעתה] להן מ — 16 כשתמצא אומר רבאמ, כשתמצא, לו פ, כשתמצא לומר לד —

ע״א, סנהדרין ז׳ ע״ב: 1 מצוה בנדונים, למעלה בסמוך שורה 10, שבועות ל׳ ע״א, ירו׳ שם פ״ד ה״א, ל״ה ע״ב, ירו׳ נדרים פ״י ה״י, מ״ב ע״א: 2 מנין, דמצות הללו נוהגין בהן, מפי׳ ר״ה: 3 נאמר כאן וכו׳, ירו׳ יומא פ״ו ה״א (מ״ג ע״ב)· — כאן—להלן, כן נראה לגרס על פי הגהת רמא״ש ואעפ״י שבכל הנסחאות הנוסח להלן—כאן, ואולי מקומה העיקרי של ברייתא זו הוא למעלה על הכתוב שני עדים: 5 יבא בעל השור וכו׳, פ״ז, ב״ק קי״ב ע״ב, סנהדרין י״ט ע״א· — הם סבורים וכו׳, סנהדרין שם ודף ו׳ ע״ב, ירוש׳ שם פ״א ה״א (י״ח ע״א, ושם ע״ב), מ״ת ע׳ 116, פ״ז: 7 זו היא שאמר וכו׳, פ״ז, רא״ם, ולמעלה פי׳ קנ״ג, ובהערה שם: 10 ולהלן וכו׳, למעלה פי׳ צ״ג (עמו׳ 154) ובציונים שם: 12 מנין וכו׳, לומר שמגיד ווזור ומגיד להכחיש עדותו הראשונה וגם עדותו של חבירו עד שתחקר עדותו בבית דין וכן פי׳ מהר״ס, אמנם במכות ה׳ ע״א למדו מכאן שאין העדים נעשים זוממים עד שיזומו את עצמם, והשוה למעלה פיסקא קפ״ט (ע׳ 229, שורה 8), ועיין תוספתא כתובות ריש פ״ב, (עמו׳ 261), וירו׳ שם פ״ב ה״ג, כ״ו ע״ב, „העדים שאמרו מעידין אנו באיש פלוני וכו׳ עד שלא נחקרה עדותן ואמרו מבודין אנו הרי אלו נאמנין משנחקרו עדותן ואמרו מבודין אנו אין נאמנין״: 16 זומם מזומם וכו׳, לפי דעתי דורש יתרון המלים והנה עד שקר העד, שקר ענה באחיו, ומפרש המשפט הראשון על כת הזוממים, והמשפט השני על כת המזימים, שאף אותם אפשר להזים ע״י כת שלישית אפילו עד מאה כתות· אבל ר״ה ומהר״ס פירשו אפילו הם מאה אפילו הזוממים מאה יש ביד כת אחת להזים אותם, ולכאורה ראיה לפירושי מן המשנה מכות א׳ ה׳, „באו אחרים והזימום באו אחרים והזימום אפילו מאה כולם יהרגו,״ ואעפ״י שפירש רש״י שם „אפילו אם הם מאה כתות זו אחר זו וכת אחת הזימתן כולן יהרגו״, מבואר מן התוספתא שם פ״א ה״י (ע׳ 439, שורה 9) שבמזימי מזימין המשנה מדברת וזה לשון התוספתא „מעידין אנו באיש פלוני שהרג את הנפש ובאו אחרים והזימום הנידון כשר, כת הראשונה חייבת, ובאו אחרים והזימום הנידון חייב וכת הראשונה פטורה וכת השנייה חייבת, כת אחת נכנסת וכת אחת יוצאה אפילו הן

(יט) ועשיתם לו כאשר זמם לעשות לאחיו, אם ממון ממון אם מכות מכות אם עונשים עונשים עונש שמענו אזהרה מנין תלמוד לומר [לא תענה ברעך עד שקר].

ועשיתם לו, מיכן אמרו אין עדים זוממים נהרגים עד שיגמר הדין שהרי צדוקים אומרים עד שיהרג שנאמר °נפש בנפש (דברים יט כא). רבי יוסי הגלילי אומר מה תלמוד לומר ועשיתם לו כאשר זמם לעשות לאחיו, לפי שמצינו בכל עונשים שבתורה שהשוה מיתת האיש למיתת האשה ווממיהם כיוצא בהם אבל בת כהן ובועלה לא השוה מיתת האיש למיתת האשה אלא מיתת האיש בחנק ומיתת האשה בשריפה אבל זוממים לא שמענו מה יעשה להם תלמוד לומר ועשיתם לו כאשר זמם לעשות לאחיו כמיתת אחיו מיתתו ולא כמיתת אחותו.

ומנין שהמבייש משלם ממון נאמר כאן לא תחום עינך ונאמר להלן °לא תחום עינך (שם כה יב) מה לא תחום עינך האמור להלן ממון אף לא תחום עינך האמור כאן ממון, רבי יהודה אומר נאמר כאן יד ורגל ונאמר להלן °יד ורגל (שמות כא כד) מה יד ורגל האמור להלן ממון אף יד ורגל האמור כאן ממון.

רבי יוסי הגלילי אומר מנין שלא יצא למלחמה עד שיהו לו ידים ורגלים ועינים

מאה כולן פטורין ר׳ יהודה אומר איסטיטית היא זו ואינה נהרגת אלא כת הראשונה בלבד״ ומתוספתא זו למד הרמב״ם דין זה בה׳ עדות פ״כ ה״ו ולא כפי׳ הכסף משנה שם שמק״ו למדה· והדין עצמו הוא בניגוד לדברי הירושלמי מכות פ״א סוף ה״ו (ל״א ע״א) עיי״ש, אמנם הגר״א מחק את כל המאמר והגיה במקומו „עד שנים, העד אפילו מאה״: 1 אם ממון וכו׳, פ״ז, מכילתא דרשב״י כ׳ ט״ו (עמו׳ 112): 2 אם עונשים וכו׳, דהיינו מיתה, מפירוש ר״ה׳ — עונש שמענו וכו׳, מכילתא דרשב״י שם, מכילתא יתרו פ״ח (ע׳ ע״ב, ה—ר ע׳ 233), מכות ד׳ ע״ב, ואודות הסגנון השוה עוד למעלה פי׳ קע״א (ע׳ 218) ובציונים שם· — לא תענה ברעך עד שקר, כן יש להוסיף על פי הגירסה במכדרשב״י שם, ועי׳ גם במכילתא דר״י ומכות שם, וכבר העיר הז״ר שכן מצא מוגה בספרי וכן הגיה הגר״א, ובמופס הספרי של ר״ה היה כתוב ת״ל כאשר זמם והציע להגיה על פי הגמרא מכות או כר״מ או כרבנן, והעיר שמצא ספרים שתסרות בהם המלים ת״ל, וזה מתאים לגרסת כ״י ר: 4 מיכן אמרו וכו׳, פ״ז׳ — מיכן, מן הכתוב כאשר זמם, ולא כאשר עשה, ור׳ יעקב רייפמאן בהמגיד שנה י״ח חוברת כ״ד ע׳ 215, מציע להוסיף אחר „מיכן אמרו״ הרגו אין נהרגין, ואין נראה׳ — אין עדים זוממים וכו׳, מכות פ״א מ״ו, רש״י: 5 ריה״ג וכו׳, רש״י, פ״ז, סנהדרין צ׳ ע״א, והשוה משנה שם סוף פרק אלו הן הנחנקין, ובתוספתא ע׳ 437 שורה 32, ירו׳ סנהדרין פ״ז ה״א (כ״ד ע״ב): 6 לפי שמצינו וכו׳ עד ולא כמיתת אחותו, לקח טוב, רש״י, סנהדרין צ׳ ע״א, תוספתא וירושלמי סוף סנהדרין: 11 ומנין וכו׳, עי׳ לקמן פי׳ רצ״ג, והשוה ב״ק פ״ד ע״א, וירו׳ שם פ״ח ה״א (ו׳ ע״ב), ומקומה העיקרי של ברייתא זו לקמן על הכתוב דברים כ״ה י״ב, ונעתקה הנה בצורתה הקדומה, ולכן המבטה האמור להלן רומזת על פסוק זה שלפנינו, והפסוק המתואר בכאן הוא שם בפרשת כי תצא: 12 להלן—כאן, ר״ה והגר״א ורמא״ש גורכים כאן—להלן, ועיין בהערה הקודמת: 13 ר׳ יהודה אומר, לקמן פי׳ רצ״ג מובאה הדרשה הראשונה בשם ר׳ יהודה׳ — נאמר כאן, לפי דעתי גם ברייתא זו מקומה העיקרי לא על הכתוב הזה, אלא על הפסוק בשמות שם, ואעפ״י שחסרה במכילתא ובמכילתא דרשב״י ובדרשה זו לומד התנא מעדים זוממין שגם החובל משלם ממון ואינו נענש בגופו: 15 ריה״ג וכו׳, במ״ת בשם ר״ע, רש״י:

1 ממון] ל׳ ר | אם] ואם א — 2 אם עונשים עונשים] ל׳ בט, אין עונשים ר | אם לד, ואם אמ | עונש [עונשין ב] שמענו בטדאמ, שמענו עינושין רל, שומע אני עונשין פ | אזהרה] באזהרה פ | ת״ל] ל׳ ר | לא—עד שקר] כן הוסיף ר״ה ואע״פ שחסר בכל הנסחאות, ובכ״י פ ת״ל כאשר זמם — 4 אמרו] <מניין> ל | עדים זוממים לד, העדים זוממין רבט, העדים אמ [ובכ״י המשנה של פארמא ובודאפעסט הגרסה העדים הזוממים] | שיגמר הדין] שיגמור את הדין ל | שהרי] שהיו מ | צדוקים] הצדוקים ט [וכן בכ״י המשנה שבפארמא ובבודאפעסט] — 5 שיהרג] הנידון ד | שנאמר] ל׳ ל | נפש בנפש] כן הגרסה בכל נוסחי הספרי, אבל בכ״י בודאפעסט ופארמא הגרסה במשנה שם „נפש תחת נפש״, וכן בדפוס, אבל בכ״י מינכען וברש״י ובראש הגרסה נפש בנפש | ר׳ יוסי— ולא כמיתת אחותו] ל׳ ט — 7 שהשוה רבא, שוה דמ, שוין ה, ל׳ ל | מיתת האיש אמה, מיתות איש רבל, מיתת איש ד | למיתת האשה אמה, למיתות אשה רבד, למיתת אשה ל, <מיתת האיש בחנק ומיתת האשה> אמ | וזוממיהם רבלדה, וזומם א, והזוממים מ — 8 מיתת] מיתות ר | האיש אמ, איש רבלד | האשה אמ, אשה רבלד | אלא מיתת רדה, שמיתת אמ, אלא שמיתת בלד | האיש] איש ה | בחנק] חנק ה | האשה] אשה ה — 9 זוממים] זוממיה ד | להם רבלדה, בהם אמ — 10 כמיתת] במיתת רב | אחותו ראמה, אחותו מיתתו בד, אחותו מיתת ל — 11 ומנין—וכי סוס אחד היה וכו׳] ל׳ ה | ומניין] מנ׳ רב | שהמבייש] שהמכה א | משלם] ישלם אמ — 12 מה לא תחום—כאן ממון] ל׳ ב | האמור] האמורה א [וכן בסמוך] | להלן] כאן זפ — 13 כאן] להלן זפ | להלן בא, כאן רטלד | כאן בא, להלן רטלד — 15 הגלילי] ל׳ א | שלא רבטלד, שאם א, שאין מ | יצא] יוצא א, יוציא ר | שיהו]

ושנים תלמוד לומר לא תחום עינך נפש בנפש וג׳ כי תצא למלחמה. אמר רבי יהודה במה דברים אמורים במלחמת מצוה אבל במלחמת חובה הכל יוצאים אפילו חתן מחדרו וכלה מחופתה· [(כ א) סוס ורכב] כשישראל עושים רצונו של מקום כל הגוים נעשים
שמות טו א לפניהם כסוס אחד שנאמר °סוס ורוכבו רמה בים וכי סוס אחד היה כו׳·

(כ א) כי תצא למלחמה על אויביך, במלחמת הרשות הכתוב מדבר. על אויביך, כנגד אויביך אתה נלחם.

וראית סוס ורכב, מה הם יוצאים עליך בסוס ורכב אף אתה צא עליהם בסוס ורכב מה הם יוצאים עליך בעם רב אף אתה צא עליהם בעם רב.

לא תירא מהם כי ה׳ אלהיך עמך המעלך מארץ מצרים, מי שהעלך מארץ מצרים הוא עמך בעת צרה סליק פיסקא

קצא.

(ב) והיה כקרבכם אל המלחמה, יכול זה יום הקריבם בו למלחמה כשהוא אומר ואמר אליהם שמע ישראל אתם קרבים היום למלחמה הרי יום הקריבם בו למלחמה אמור ומה תלמוד לומר והיה כקרבכם אל המלחמה כיון שמגיעים לספר כהן מתנה עמהם כל התנאים האלו ואומר אליהם שמע ישראל סליק פיסקא

קצב.

מי האיש הירא ורך הלבב· ויספו השוטרים· למה נאמרו כל הדברים האלו

ל׳ א | לו ראמ, בו בטלד | ידים—ושנים רבלד, עינים ושנים וידים ורגלים אמ — 1 וג׳ רב, וסמיך ליה פ. עין בעין אמ, ל׳ לד | אמר רבי יהודה—וכי סוס אחד היה וכו׳] ל׳ ראמ אבל נמצא בבטלד, ואינו אלא הוספה מגליון, אבל לא מעיקר הספרי — 2 יוצאים] יוצא ד — 3 סוס ורכב] כן נראה להוסיף, וחסר בכל הנסחאות | כשישראל—סוס אחד היה וכו׳] ל׳ ט, ונמצא למטה אחר המלים צא עליהם בסוס ורכב | נעשים לפניהם טל, לפניהם נעשים ד, עושין לפניהם ב — 4 כו׳ ב, וכו׳ ל, מתנית׳ ד, והלא כבר נאמר ויקח שש מאות רכב וכת׳ מרכבות פרעה אלא כשישראל עושין רצונו של מקום וכו׳ [ט׳ עושין וכו׳] כיוצא בו וראית סוס ורכב וכי סוס אחד והכת׳ עם רב ממך וכו׳ ט [וכעין זה בפ״ז] — 6 כנגד אויביך] ל׳ ב — 7 מה—אף אתה צא עליהם בסוס ורכב] ל׳ א | עליך רבמה, אליך ד, ל׳ ל | עליהם רבמה, אליהם לד | בסוס ורכב—אף אתה צא עליהם] ל׳ רבטלד — 8 מה הם—אף אתה צא עליהם בעם רב] ל׳ מ — 9 מהם—בעת צרה] ל׳ ל | ה׳] ל׳ ד | עמך ראה, עומד לך בטלד, יהיה עמך מ — 10 סליק פיסקא בד, סליק פירקא ר, ל׳ אל —

11 זה יום] יום ה, יום זה הי׳ | הקריבם רפ, שקרבים טה, הקרבים בלדאמ [רא״ם] וכן בסמוך | בו] ל׳ א — 12 ואמר ברמהאי [רא״ם], ואמרת ר, ואומ׳ לא | יום בטאמ, היום רלדה [רא״ם] — 13 אמור] ל׳ ה | ומה ד, הא מה רבטלד [רא״ם], מה אמ | כיון רבטלדה [רא״ם], אלא כיון אמ — 14 עמהם א, עליהם בטלדמ [רא״ם], אליהם ר | האלו בלאמה, הללו רטד [רא״ם] | ואומר—שמע ישראל אמ, ל׳ רט, ואמר אליהם שמע ישראל בלד, אלא שבד נמצא המשפט אחר המלים „סליק פיסקא״ כאילו הוא מתחיל הברייתא השניה — 15 סליק פיסקא ד, ל׳ רבלא —

16 מי האיש וכו׳ עד ומים יורדים בין ברכיו ד״א] ל׳ ראמה, אבל נמצא בבטלד, ואינו מעיקר הספרי

1 א״ר יהודה וכו׳. הנדפס באותיות קטנות נוסף מגליון, וחסר בכמה נסחאות, עיין בשנויי נסחאות, ואין לדברי ר׳ יהודה קשר עם דברי ריה״ג, כמבואר בציונים המובאים בסמוך· — א״ר יהודה וכו׳, סוטה פ״ח מ״ז, בבלי שם מ״ד ע״ב, ירו׳ כ״ג ע״א, תוספתא סוף פ״ז (ע׳ 309), והשוה לקמן פי׳ קצ״ח· ומכל המקורות האלה מבואר שדברי ר׳ יהודה מקושרים אל המובא לקמן פי׳ קצ״ח, ואין להם ענין כאן, אלא שנוספו אל תוך הספרי מגליון: 3 כשישראל וכו׳, מ״ת, מכילתא בשלח, מסכת אז ישיר, פ״ב (ל״ו ע״א, ה—ר ע׳ 124), מכילתא דרשב״י שם ט״ו א׳ (ע׳ 58)· וי״ת „לא תדחלון מנהון ארום כלהון חשיבין כסוסיא חד וכרתיכא חד״: 4 כו׳, מסיים במ״ת „ורכב אחד הוא והלא כבר נאמר ויקח שש מאות רכב בחור אלא בזמן שישראל עושין רצון המקום אינו לפניהן אלא כסוס ורוכבו״, וכאן נקצר הלשון מחוסר מקום בגליון: 5 במלחמת הרשות, פ״ז, לקמן פי׳ קצ״ה, קצ״ט, ר״ג, רי״א: 6 כנגד אויביך וכו׳, פ״ז, פי׳ ר״י, ופי׳ רנ״ד: 7 אף אתה צא עליהם בסוס ורכב וכו׳, כן יש לגרס על פי מ״ת ושוין כ״י אמ, וכעין זה הגיהו רד״ף ומהר״ס והגר״א, אמנם רמא״ש הגיה באופן אחר ללא צורך: 9 מי שהעלך וכו׳, פ״ז, לקח טוב:

11 יכול וכו׳, עיין סוטה מ״ב ע״א, ותוספתא שם פ״ז הי״ח, (ע׳ 308), רש״י ועקדת יצחק: 16 מי האיש

שלא יהו ערי ישראל נשמות כדברי רבן יוחנן בן זכיי. בוא וראה כמה חס המקום על כבוד הבריות מפני הירא ורך הלבב כשהוא חוזר יאמרו שמא בנה בית שמא נטע כרם שמא ארס אשה וכולם היו צריכים להביא עדותם חוץ מן הירא ורך הלבב שעדיו עמו שמע קול הגפת תריסים ונבעת קול צהלת סוסים ומרתת קול ליעוז קרנים ונבהל רואה שימוט סייפים ומים יורדים בין ברכיו. דבר אהר ואמר אליהם שמע ישראל אתם קרבים היום למלחמה על איביכם, ולא על אחיכם לא יהודה על שמעון ולא שמעון על יהודה שאם תפלו בידם ירחמו עליכם כענין שנאמר ויאמרו למה ה׳ אלהי ישראל (שופטים כא ג) היתה זאת בישראל וחזרו וישיבו את השבט במקומו ולא כענין שנאמר וישבו (דהי״ב כח ח) בני ישראל מאחיהם מאתים אלף נשים בנים ובנות ושם היה נביא לה׳ עודד שמו ויצא לפני הצבא הבא לשמרון ויאמר להם הנה בחמת ה׳ אלהי אבותיכם על יהודה נתנם בידכם ותהרגו בם בזעף עד לשמים הגיע. ועתה בני יהודה ובני ירושלם אתם אומרים [לכבש לעבדים ולשפחות לכם] ועתה שמעוני והשיבו השביה אשר שביתם מאחיכם כמה שנאמר להלן ויקומו האנשים אשר נקבו בשמות ויחזיקו בשביה וכל (שם כח טו) מערומיהם הלבישו מן השלל וילבישום וינעילום ויאכילום וישקום ויסוכום וינהלום בחמרים לכל כושל ויביאום יריחו עיר התמרים אצל אחיהם וישובו שמרון על אויביכם אתם הולכים שאם תפלו בידם אין מרחמים עליכם.

אל ירך לבבכם אל תיראו ואל תחפזו ועל תערצו מפניהם, אל ירך לבבכם, מפני צהלת סוסים, אל תיראו מפני הגפת תריסים ושפעת עקלגסים ואל תחפזו מקול הקרנות ואל תערצו מקול הצווחה כנגד ארבעה דברים שאומות העולם עושים מגיפים ומריעים וצווחים ורומסים. כי ה׳ אלהיכם ההולך עמכם, הם באים בנצחונו של בשר ודם ואתם באים בנצחונו של מקום. סליק פיסקא

וכו׳ עד בין ברכיו, נוסף מגליון וחסר ברוב הנסחאות, וכרגיל בהוספות אלה נשתנה מקומו מן הסדר הראוי, ומובא במ״ת במקומו לקמן כ׳ ח׳ (ע׳ 120), וכן נראה שר״ה גורס אותו שם: 1 בוא וראה וכו׳, כריה״ג בסוטה פ״ח מ״ה, ועיין ירו׳ שם פ״ח ה״י (כ״ג ע״א): 3 וכולם וכו׳, ירו׳ שם ובבלי מ״ד ע״ב. — שמע קול וכו׳, מפרש הירא ורך הלבב כפשוטו כדברי ר״ע במשנה שם: 5 ואמר אליהם וכו׳ עד סוף הפיסקא, משנה סוטה ריש פ״ח: 6 ולא על אחיכם וכו׳, רש״י, פ״ז, עקדת יצחק: 20 מפני צהלת סוסים וכו׳, רש״י: 22 כי ה׳ אלהיכם וכו׳ עד בשר ודם, כן יש להוסיף לפי דעתי על פי המשנה ומ״ת עמו׳ 119, שורה 28:

אל״א נוסף מגליון; ומהר״ס העיר על זה „אינו כתוב בנוסחאות ישנות״, ור״ה גרס לה, כנראה, לקמן לפני הכתוב והיה ככלות השוטרים וכו׳, ששם הוא מעיר על ברייתא זאת | מי—השוטרים] ויספו ט | נאמרו] נאמר ל | האלו] הללו ד — 1 כמה] במה ד — 2 שמא נטע כרם] ל׳ ד — 3 היו] ל׳ ט | עדותם בט, עדותו לד | שעדיו ט, ושעידיו לר, ושעיריו ב — 4 ליעוז ט, לועיז ב, לועין ל, תקיעת ד | ונבהל] ל׳ ב — 5 ד״א עד סוף פי׳ קצ״ד] ל׳ ט — 6 ולא] לא ר | לא יהודה—שאם תפלו בידם אין מרחמים עליכם] ל׳ מ | לא יהודה—אשר שביתם מאחיכם] ל׳ א | על יהודה בלד, על בנימין ה [משנה] — 7 ויאמרו—במקומו ולא כענין שנאמר ה, ל׳ בלד — 9 ושם—לשמים הגיע ה, ושם איש נביא לה׳ וגומ׳ ל, ושם היה איש נביא וג׳ ב, ושם היה איש נביא לה׳ ד, ושם היה נביא לה׳ ושמו ר — 12 ובני ירושלם] וירושלם ר | לכבוש—לכם] כן הוכפתי מן המקרא — 14 כמה שנאמר להלן רבדא, במה שנאמר להלן ל, ל׳ ה | אשר נקבו—אין מרחמים עליכם] ל׳ א — 15 הלבישו] הלבישום ד | מן השלל—וישובו שמרון ה, ל׳ רבלד — 19 לבבכם] לבבך ר | ואל החפזו—בניצחונו של מקום] ל׳ אמ — 20 אל תיראו] ואל תיראו ד, <מפני צהלת סוסים> ל | עקלגסין רד, הקלגסין בל, קלגסים פ, [ור״ה מביא עוד הגירסות גלגסים, והיא גרסת פ״ז, וגם קלגסין] — 21 כנגד ד׳ דברים ר, כדרך ארבעה דברים בל, כדרך ד — 22 כי—בנצחונו של בשר ודם ה [פ״ז, משנה], וחסר בכל שאר הנסחאות — 23 בנצחונו] בניצות [פ״ז] | סליק פיסקא ד, פ׳ ר, ל׳ בל —

קצג.

(ד) כי ה' אלהיכם ההולך עמכם, מי שהיה עמכם במדבר הוא יהיה עמכם
שמות יד יד — בעת צרה וכן הוא אומר °ה' ילחם לכם ואתם תחרישון.

להלחם לכם עם אויביכם להושיע אתכם. משרפים ועקרבים ורוחות הרעים. [ודברו השוטרים] עד כאן משוח מלחמה מדבר מיכן אילך ודברו השוטרים. [אשר נשא אשה] אפילו אלמנה אפילו שומרת יבם אפילו שמע שמת לו אחיו במלחמה חוזר. [ילך וישב לביתו] הכל שומעים דברי כהן מערכי המלחמה והם חוזרים ומספקים מים ומזון לאחיהם ומתקנים את הדרכים.

דברים כ ח — ודברו השוטרים, יכול דברים אחרים כשהוא אומר °ויספו השוטרים לדבר אל העם מלמד שהם הדברים ומה תלמוד לומר ודברו השוטרים כיון שהתחיל שוטר לדבר כהן משמיע להם כתנאים הללו.

קצד.

(ה) מי האיש אשר בנה, אין לי אלא בנה ירש לקח ניתן לו במתנה מנין תלמוד לומר מי האיש אשר בנה.

בית אין לי אלא בית, מנין לרבות בונה בית התבן ובית הבקר ובית העצים ובית האוצרות תלמוד לומר אשר בנה, יכול אף הבונה בית שער אכסדרה ומרפסת תלמוד לומר בית מה בית מיוחד שהוא בית דירה יצאו אלו שאינם בית דירה. ולא חנכו, פרט לגזלן.

ילך וישב לביתו, ילך וישמע דברי כהן מערכי מלחמה ויחזור. פן ימות במלחמה, אם אינו שומע לדברי כהן לסוף הוא מת במלחמה.

---

1 מי–תחרישון] ל' ה | עמכם במדבר] במדבר עמכם ל | יהיה] ל' ר — 2 ה'–תחרישון ראמ, ל' בלד — 3 משרפים—ומתקנים את הדרכים] ל' ראמ ונמצא בבל ד ומקצתו גם בה, ובן נראה שנמצא עד מיכן ואילך ודברו השוטרים, שהשאר נמחק שם | משרפים בלה, מנחשים ד | הרעים] הרעות ה — 4 ודברו השוטרים] כן נראה להוסיף, ועיין בהערות | עד כאן—כתנאים האלו] ל' ה | אשר נשא אשה] כן נראה להוסיף, ועל מקרא זה סובב הדרש — 5 יבם בל, <או>ד | אחיו בד, ל' ל | ילך וישוב לביתו] כן הוספתי כמו למעלה — 6 המלחמה ד, מלחמה ל, במלחמה ב — 8 ודברו–ומה ת"ל] ל' א — 9 מלמד] למדנו ר | הדברים] דברים מ | ומה ת"ל] מ' ת"ל ר — 10 כתנאים [תנאים בל] הללו [האלו ד] רבלד, כדברים הללו מ, בדברים האלו א —

11 אין לי–אשר בנה] ל' ל | בנה רמ, אשר בנה א, בונה רד | ירש לקח רבדה, לקח ירש אמ | ניתן] נותן ה ובד' ניתן — 13 לרבות בונה ה, לבונה אמ, לרבות ר בלד | ובית הבקר] ל' מ, בית הבקר א | ובית העצים] בית העצים א — 14 האוצרות] האוצר ד | אכסדרה] אכסדרא ר | ומרפסת] ומכפסת א — 15 שאינם] שאין ד — 17 מערכי מלחמה] ל' ה | מלחמה רבלא, המלחמה דמ | ויחזור ב אה, וחוזר מד, חוזר ל — 18 אם] ואם מ, או ל | לדברי]

3 להלחם לכם עד הדרכים, לכאורה נוסף מגליון, וחסר בראמ וגם ר"ה לא פירש עליו כלום, וכנראה לא היה בטופס הסכרי שלפניו. ברייתא ראשונה משרפים ועקרבים ורוחות הרעים מקורה במכילתא לדברים ולכן מובאה במ"ת כאן וגם לקמן כ"ג ט"ו (ע' 148, שורה 8): וכרגיל בהוספות אלו נתחברו לקטע אחד ארבע ברייתות נפרדות שאין להן קשר יחד, הראשונה מפרשת יתרון המלים להושיע אתכם, השניה מטעמת הצווי ודברו השוטרים, השלישית מקימה להלן על הכתוב ומי האיש אשר ארש אשה, והרביעית מבארת את המשפט ילך וישוב לביתו. וגם הגר"א מחקו: 4 עד כאן וכו', עיין סוטה מ"ג ע"א, ירוש' שם פ"ח ה"ט (כ"ג ע"א): 5 אפילו אלמנה, משנה סוטה ח' ב': 6 הכל שומעים וכו', משנה שם: 8 יכול וכו', השוה למעלה שורה 3, וציונים שם: 9 שהם הדברים, שהשוטרים אומרים אותם מעצמם, וכן משמע בגמרא שם:

11 אין לי אלא וכו', סוטה מ"ג ע"א, ירו' שם פ"ח ה"ד (כ"ב ע"ד), והשוה משנה סוטה ח' ב'. ואודות הסגנון עיין לקמן פי' רכ"ט: 13 בית וכו', בבלי וירו' שם. — בית התבן וכו', אודות סגנון זה עיין למעלה פי' ל"ו (ע' 67, שורה 6): 16 פרט לגזלן, בבלי שם: 17 ילך וישמע וכו', אבל אלו המנויים במשנה שם ח' ד' אינם זזים ממקומם כל עיקר. אמנם הגר"א הגיה שומע לדברי כהן וכו'. ועיין לקמן פיסקא קצ"ה, ופי' קצ"ו, ותוספתא סוטה ז' כ' (ע' 309): 18 אם אינו שומע וכו', רא"ם, לקח טוב, פ"ז, לקמן פי' קצ"ה, תוספתא סוטה ז' כ"ב (ע' 309, שורה 17) בשם ר' שמעון, רש"י, פירוש ריקאנטי על

ואיש אחר יחנכנו, יכול דודו ובן דודו נאמר כאן אחר ונאמר להלן °אחר (דברים כ ז) מה אחר האמור להלן נכרי אף אחר האמור כאן נכרי סליק פיסקא

קצה.

(ו) ומי האיש אשר נטע, אין לי אלא נטע ירש לקח ניתן לו במתנה מנין תלמוד לומר ומי האיש אשר נטע.

כרם, אין לי אלא כרם מנין לנוטע חמשה אילני מאכל ואפילו מחמשת המינים תלמוד לומר אשר נטע יכול אף הנוטע ארבעה אילני מאכל וחמשה אילני סרק תלמוד לומר כרם רבי אליעזר בן יעקב אומר אין לי במשמע אלא כרם.

ולא חללו פרט למבריך, ולא חללו פרט למרכיב.

ילך וישוב לביתו, ילך וישמע דברי כהן מערכי המלחמה ויחזור. פן ימות במלחמה, אם לא ישמע לדברי כהן לסוף הוא מת במלחמה. ואיש אחר יחללנו, יכול דודו ובן דודו נאמר כאן אחר ונאמר להלן °אחר (שם כ ז) מה אחר האמור להלן נכרי אף אחר האמור כאן נכרי.

קצו.

(ז) ומי האיש אשר ארש אשה, אחד המארס את הבתולה ואחד המארס את האלמנה ואפילו שומרת יבם ואפילו שמע שמת אחיו במלחמה חוזר ובא לו. ולא לקחה, באשה הראויה לו פרט למחזיר גרושתו ואלמנה לכהן גדול גרושה וחלוצה לכהן הדיוט ממזרת ונתינה לישראל ובת ישראל לנתין ולממזר. ילך וישוב לביתו, ילך וישמע דברי כהן מערכי מלחמה ויחזור סליק פיסקא

התורה, והשוה ת״י: 1 יכול וכו׳, להלן פי׳ קצ״ה, תוספתא שם עמוד 309 שורה 18. — להלן אחר, ציינתי על פי פירושו של ר״ה אל הפסוק אשה תארש ואיש אחר ישכבנה, אמנם הגר״א מפרש כנראה על איש אחר של פסוק ז׳, ואיש אחר יקחנה, ולכן הגיה יכול בנו ובן אחיו:

3 אין לי אלא וכו׳, סוטה מ״ג ע״ב, ירו׳ שם פ״ח ה״ה (כ״ב ע״ד), ועיין במשנה שם ח׳ ב׳, והשוה למעלה ריש פי׳ קצ״ד: — אין לי אלא וכו׳, בבלי וירו׳ שם, תוספתא סוטה פ״ז הי״ח (ע׳ 308). מכילתא משפטים ריש פ״כ (צ״ח ע״א, ה–ר 321): 8 פרט למבריך וכו׳, בבלי וירושלמי שם: 9 ילך וישוב וכו׳, למעלה פי׳ קצ״ד (ע׳ 234, שורה 17): 10 אם לא ישמע וכו׳, פ״ז, ועיין למעלה פי׳ קצ״ד: 11 יכול וכו׳, שם:

13 אחד המארס וכו׳, פ״ז, לקח טוב, והשוה למעלה פי׳ קצ״ב (ע׳ 233, שורה 2), משנה סוטה ח׳ ב׳, תוספתא שם ז׳ י״ט (ע׳ 308, שורה 24), בבלי מ״ד ע״א: 15 באשה וכו׳, פ״ז, משנה שם ח׳ ג׳, בבלי מ״ד ע״א: 16 ילך וכו׳, למעלה פי׳ קצ״ד (ע׳ 234, שורה 17): 17 ויחזור, באמ

דברי מ | לסוף הוא רה, לסוף אמ, סוף שהוא בלד [פ״ז] | מת] ימות אמ — 1 אחר] אחיך ר וכן בסמוך — 2 סליק פיסקא ד, ל׳ רבלא —

3 ומי–פרט למרכיב] ל׳ ט | נטע–אין לי אלא] ל׳ לא | נטע בדה, נוטע רמ | ירש לקח] לקח ירש מ | ניתן] נותן ה — 4 ומי–אשר נטע] ל׳ מ | ומי] מי ד — 5 כרם] נטע כרם מ | לנוטע–וחמשה אילני סרק א, לנוטע–יכל אף הנוטע חמשה אילני מאכל וחמשה אילני סרק ר, לנוטע–אפלו מחמשת המינים–וחמשה אילני סרק ה, לנטע–מחמשת מינין מנין–ארבעה אילני מאכל מ, לנוטע חמשה אילני מאכל וחמשה אילני סרק בל, חמשה אילני מאכל וחמשה אילני סרק ד — 7 ר׳ אליעזר–פרט למרכיב] ל׳ ה — 8 פרט] לפרט ד | למבריך–למרכיב] למבריך ומרכיב פ — 9 ילך] ל׳ ל | דברי אמהפ, לדברי רבלד | מערכי מלחמה] ל׳ ה | מלחמה רבל, המלחמה ד אמ | ויחזור רבלדה, וחוזר אמ — 10 לא ישמע] אינו שומע ט, לא שמע [ישמע ה׳] ה | לדברי] דברי ה [ובה׳ לדברין] | לסוף הוא מת רמה, לסוף הוא ימות א, סוף שהוא מת בטל, אף הוא מת ד — 11 יכול] ויכול ר | ובן דודו] או בן דודו ה | נאמר כאן–האמור כאן נכרי] כול׳ ר, וכו׳ א, וכו׳ כאמור לעיל מ, כולו ב, ומובא בשלימותו בלדה בשנוים המפורטים | אחר האמור לד, ל׳ ה | להלן ה, כאן לד — 12 אף אחר האמור לד, אף ה —

13 ומי–הירא ורך הלבב כמשמעו] ל׳ ט | ארש רדמ [מסורה], אירס לה, ארס ב | אחד המארס את הבתולה ואחד אמה [פ״ז], אחד רבלד — 14 את האלמנה] אלמנה בל | אחיו] אביו ל | ובא] יבא ב — 15 באשה] האשה מ | גרושתו <משנשאת> א | ואלמנה] ואלמנתו ר — 16 לנתין ולממזר דאמה, לממזר ולנתין רבל [פ״ז] | ילך–ויחזור] כראשון ה — 17 דברי מ, לדברי רבלדא | מערכי [מעורכי א] מלחמה [המלחמה אמ] באמ, ל׳ רלד | ויחזור ב, ויחזור בו רד, וחוזר

קצז.

(ח) ויספו השוטרים לדבר אל העם ואמרו, למדנו שהם הדברים. מי האיש הירא ורך הלבב, שיש עבירה בידו בסהר, ילך וישוב לביתו, רבי עקיבה אומר הירא ורך הלבב כמשמעו רבי יוסי הגלילי אומר הירא ורך הלבב שהוא בעל מום.

ולא ימס את לבב אחיו כלבבו, מלמד שאם היה אחד מהם מתירא מן העבירות שבידו כולם חוזרים ובאים סליק פיסקא

קצח.

(ט) והיה ככלות השוטרים, בעקיבם של עם מעמידים וקפים מלפניהם ואחריהם וכשילים של ברזל בידיהם וכל המבקש לחזור הרשות בידם לקפח את שוקיו שתחילת נפילה ניסה שנאמר °נס ישראל מפני פלשתים וגם מגפה גדולה היתה בעם במה דברים אמורים במלחמת הרשות אבל במלחמת מצוה הכל יוצאים אפילו חתן מחדרו וכלה מחופתה סליק פיסקא

ש"א ד יז

אמ, <פן ימות במלחמה אם אינו שומע לדברי כהן לסוף הוא מת במלחמה, ואיש אחר יקחנה יכול דודו או בן דודו נאמר כאן אחר וכו'> א, <פן ימות במלחמה ואם אינו שומע לדברי כהן סוף הוא מת במלחמה· ואיש אחר יקחנה יכול דודו ובן דודו נאמר כאן אחר וכו' כאמור לעיל> מ | סליק פיסקא ד, פ' ר, ל' בלא —

1 ויספו—חוזרים ובאים] ל' ד | מי האיש ראמ, ל' בלד — 3 רבי יוסי—ובאים] וכו' מתני' א | רבי יוסי—בעל מום] וכו' מתני' מ — 4 שהוא בטל, ת"ל שהוא ר, זה ד | בעל מום] כן נראה לגרס והגרסות המקובלות הן: בן ארבעים בל [סמ"ג, יראים, הגה' מיימ'] בן מ' ר, בן ארבעים שנה טד, שנה פ, ונראה שהנוסח העקרי היה בעל מום ומפני שנכתב בר"ת בע"מ נשתבש המעתיק וקרא בן מ' ומזה נתהוו עוד טעיות אחרות, ור"ה מפרש „ואית ספרים דמסיימי בה שנאמר ולא ימס את לבב אחיו כלבבו בגמטריא ארבעים הויין וסבירא לי דשיבוש הוא בספרים הא דתני ורך הלבב שהוא בן ארבעים שנה" — 5 מן העבירות רבלט[2], מן העבירה ד, מהעברות ט[1], מעבירות מ | שבידו] וחוזר מ | סליק פיסקא ד, פ' ר, ל' בלא —

7 והיה—סליק פיסקא] ל' ט | השוטרים] <לדבר כיון שגורמין [מא' שגומרין] דבריהם> אמ | בעקיבם פ, בעקיבו בלדה, בעריבו ר, ועקיבו א | מעמידים—ואחריהם] ל' ה | זקפים] זוקפים א — 8 ואחריהם] ר, ומאחריהם בלפ, ומאחוריהם [א"א], אחרים לאחריהם מ, ואחרים לאחריהם א, ל' ד | וכשילים רלדמה, וכשלין א, וכשולין ב | בידיהם ראמה [א"א], בידן ב, ל' ל, מאחריהם ד | וכל—מהופתה] וכו' מתני' אמ, וכל מי שרוצה לנוס הרשות בידו לקפח את שוקיו א[1] | הרשות] רשות ר | בידם ד, בידו רבלד — 9 נפילה ניסה ד, ניסה [נוסה ל] נפילה רלד, נסה נפילה ב | נכ] אמר נס לד — 10 הרשות] רשות ר | יוצאים] יוצא ר — 11 סליק פיסקא ד, סל' פ' ר, ל' בלא

גורס גם בבבא זו „פן ימות במלחמה אם אינו שומע לדברי כהן וכו'" עיין בשנויי נסחאות, וכן הביא הרא"ם וז"ל „וכן שנו בספרי בכל מקום מהג' מקומות שכת' בהן פן ימות במלחמה אם אינו שומע לדברי כהן לסוף הוא מת במלחמה":

1 למדנו וכו', למעלה פיס' קצ"ג, (ע' 234, שורה 8): 2 שיש עבירה בידו וכו', כריה"ג במשנה סוטה ח' ה', ועיין למעלה פי' קצ"ב (ע' 232, שורה 16)· — ר"ע אומר וכו', מ"ת כ' ח' (ע' 120), משנה סוטה פ"ח מ"ה, תוספתא שם ח' כ"ב (עמ' 309): 3 ריה"ג אומר וכו', מובא בסמ"ג עשין ק"כ, הגה' מיימ' ה' מלכים פ"ז הט"ו, ספר יראים רצ"ה, הוצ' שיף רט"ו: 4 שהוא בעל מום, הגהתי על פי הכברא ומה שנמצא למעלה פי' ק"צ (ע' 231, שורה 15) שר' יוסי הגלילי אוסר בעל מום לצאת למלחמה, ומפני שלא הבין המעתיק את הענין שבש את הגרכה וקרא את האותיות „בע"מ" בן מ'· ועיין בשנויי נסחאות· וכבר העירותי על זה בספר השנה להאקידימיה האמיריקאית שנה 1931—20, עמו' 39, הערה 24· ודוגמאות כעין זו נמצאות במכילתא ג"כ, השוה מאמרו של לוטערבאך בספר הזכרון לפריידמ"ס ע' 140 והלאה, ובירושלמי, עיין רל"ג בספר השנה Students Annual, שנה 1914 ע' 138 והלאה· אמנם לפי המקורות האמורים (משנה, תוכפתא, ומ"ת) מפרש ריה"ג הירא ורך הלבב „שמתירא מן העברות" ופירוש שלפנינו נמצא רק בספרי, המבארים נדחקו מפאת קושי הגרסה ואחדים מהם פירשו בן ארבעים לא שהוא איש בן ארבעים שנה אלא שהוא בר מלקות, ור"ה הגיה במחיקת כל המשפט, בטופס הספרי שבידי הוצאת רמא"ש הוגה על הגליון במקום בן מ', „כו' מ'" זאת אומרת „כולי מתניתין" ולפי הגהה זו נרמז כאן כדרך הספרי על כוף המשנה „זה המתירא מן העבירות שבידו", כדרך הספרי במקומות הרבה: 5 מלמד וכו', כריה"ג במשנה סוטה שם, ר"ה גורס כאן „וכולן צריכין להביא עדותן חוץ מהירא וכו'," ועיין למעלה פי' קצ"ב (ע' 232, שורה 16):

7 בעקיבם של עם וכו', משנה שם: 10 בד"א וכו', משנה שם והשוה למעלה פי' ק"צ (ע' 232, שורה 2)· — במלחמת וכו', פ"ז, ולמעלה פי' ק"צ, ע' 232, ועיין ברש"י וברמב"ן, ולפי דברי הרמב"ן חייבים בקריאת שלום בכל מלחמה, ואף במלחמת מצוה, כאשר עשה משה לסיחון

קצט.

(י) כי תקרב אל עיר, במלחמת הרשות הכתוב מדבר. אל עיר, ולא לכרך. אל עיר, ולא לכפר.

להלחם עליה, ולא להרעיבה ולא להצמיאה ולא להמיתה מיתת תחלואים.

וקראת אליה לשלום, גדול שלום שאפילו מתים צריכים שלום גדול שלום שאפילו במלחמתם של ישראל צריכים שלום גדול שלום שדרי רום צריכים שלום שנאמר °עושה שלום במרומיו גדול שלום שחותמים בו ברכת כהנים ואף משה איוב כה א
היה אוהב שלום שנאמר °ואשלח מלאכים ממדבר קדמות אל סיחון מלך דברים ב כה
חשבון דברי שלום.

ר.

(יא) והיה אם שלום תענך, יכול אף מקצתה תלמוד לומר ופתחה לך כולה ולא מקצתה. והיה כל העם הנמצא בה, לרבות כנענים שבתוכה. יהיו לך למס ועבדוך, אמרו מקבלים אנו עלינו מסים ולא שיעבוד שיעבוד ולא מסים אין שומעים להם עד שיקבלו עליהם זו וזו.

(יב) ואם לא תשלים עמך ועשתה עמך מלחמה, הכתוב מבשרך שאם אינה משלמת עמך לסוף שהיא עושה עמך מלחמה. וצרת עליה, אף להרעיבה אף להצמיאה אף להמיתה במיתת תחלואים.

ונתנה ה׳ אלהיך בידך, אם עשית את כל האמור בענין לסוף שה׳ אלהיך

---

1 ז׳ל עיר] לעיר ד, ל׳ ה — 2 לכפר] לספר ל — 3 מיתת רבלד [פ״ז], במיתת אמ — 4 גדול–שאפילו מתים צריכים שלום] ל׳ ה | גדול השלום] ל׳ א | שלום רט, השלום בלמ | גדול שלום רבטלד, גדול הוא השלום ה, גדול אמ | שאפילו] שאף ה — 5 במלחמתם של ישראל ב ל, ביוצאי המלחמה א, בנות המלחמה מ, בשעת מלחמתן של יש׳ ר, במלחמה של ישראל ד, במלחמה ה | שלום] <שנ׳ וקראת אליה לשלום וה״א ואשלח מלאכים ממדבר קדמות דברי שלום לאמר (דברים ב׳ כ״ו) ואומ׳ וישלח יפתח מלאכים אל מלך בני עמון לאמר (שופטים י״א י״ב)> ה | גדול שלום–מלך חשבון דברי שלום] ל׳ ה | גדול שלום] גדול אמ | שדרי רום [דום ד] רבלד, שדרי [שהרי מ] מעלה אמ — 6 גדול שלום ר אמ, גדול השלום בלד | בו רבאמ, ל׳ לד | ברכרת] בברכת מ | אף ראמ, אפילו בלדפ, ל׳ ה —

9 מקצתה רטהפ, מקצתן בלדאמ — 10 יהיו] והיו ד — 11 אנו רבלאה [רמב״ן], ל׳ טדמ — 12 עד–עליהם] ל׳ ה [ונמצא בה[1]] — 13 ואם] אם ד | שאם–לסוף] ל׳ ה — 14 שהיא עושה רבלאמהט[2], שעושה ט[1], שהוא עושה ד | עמך מלחמה רבטלד, מלחמה עמך אמ | אף–תחלואים] אף להצמיאה ולהמיתה מיתת תהלואים מ, ולהצמיאה ולהמיתה מיתת תחלואים א | אף] או ל וכן בסמוך — 15 במיתת] במיתה ב | תחלואים] <פ׳> ר — 16 עשית] תבעת שלומה ועשית ה | את] ל׳ בה | בענין] <ולא קבלה עליה> ה | שה׳ אלהיך] שהמקום ה —

ויהושע לל״א מלכים וזה גם דעת הרמב״ם, ה׳ מלכים פ״ו ה״א וז״ל „אין עושין מלחמה עם אדם בעולם עד שקוראין לו שלום אחד מלחמת הרשות ואחד מלחמת מצוה״, ולפי פירוש זה המשפט „במלחמת הרשות״ מיותר ויש למחקו או יש לפרשו על האמור למטה כן תעשה לכל הערים הרחוקות וכו׳:

1 ולא לכרך, ולא לכפר, גם זה לכאורה אשגרא, כי במה נשתנה דין כרך וכפר משל עיר לענין קריאת שלום· והמבארים הבדילו כדרכם בשנוים דחוקים, ומובא למעלה פי׳ ק״פ (ע׳ 223, שורה 3), ולקמן פי׳ ר״ג, ובלקח טוב: 3 ולא להרעיבה וכו׳, פ״ז· — ולא להרעיבה, שלא תצור עליה להרעיבה וכו׳, מפי׳ ר״ה: 4 גדול שלום, ספרי במדבר פי׳ מ״ב (ע׳ 46), פרק גדול השלום ה״ט (הוצ׳ היגער, בספרו מסכתות זעירות ע׳ 109)· — גדול שלום וכו׳, ספרי ופ׳ גדול השלום שם, דברים רבה פ״ה סי׳ י״ב, ויק״ר פ״ט סי׳ ט׳. במדבר רבה פ׳ י״א סי׳ ז׳: 5 גדול שלום וכו׳, ספרי שם (ע׳ 47, שורה 12), פרק גדול השלום ה״כ (ע׳ 110), ויקרא רבה פ״ט סי׳ ט׳, במדבר רבה פי״א סי׳ ז׳, דברים רבה פ״ה סי׳ י״ב, והשוה עוד פרק שלום נו״א, ע׳ 100, נו״ב ע׳ 104: 6 שחותמים בו וכו׳, ספרי שם (ע׳ 46, שורה 12), ויק״ר שם, דברים רבה שם, פרק גדול השלום ה״ז (ע׳ 108), פרק שלום נו״א (ע׳ 102), נו״ב (ע׳ 105):

9 והיה וכו׳ עד מקצתה, לקח טוב: 10 לרבות וכו׳, עיין לקמן פיסקא רי״א, ועיין ברש״י, ברא״ם ובלקח טוב: 11 אמרו וכו׳ עד זו וזו, מיימ׳ עשין קצ״ו, מגדל עוז מלכים פ״ו ה״א, חנוך שופטים תק״ג, רש״י, רמב״ן, לקח טוב, רא״ם: 13 הכתוב וכו׳, לקח טוב: 14 עושה וכו׳, ולכן יותר טוב שאתה תלחם בה מיד, ומותר אתה אף להרעיבה וכו׳, וכן פירש רש״י — אף וכו׳, רש״י, פ״ז, לקח טוב: 16 אם עשית וכו׳, לקמן פי׳ רי״א, רנ״ח:

נותנה בידך. והכית את כל זכורה לפי חרב, שומע אני אף הקטנים שבתוכה תלמוד לומר רק הנשים והטף והבהמה או אינו אלא טף של נקיבות אמרת ומה מרין שהמית את הגדולות החיה את הקטנות כאן שהחיה את הגדולות אינו דין שיחיה את הקטנות הא אינו אומר כאן טף אלא טף של זכרים מנין שעושה עמך מלחמה תלמוד לומר רק הנשים והטף והבהמה.

וכל אשר יהיה בעיר כל שללה תבוז לך, יכול תהא ביזתם אסורה לך תלמוד לומר תבוז לך ואכלת את שלל אויביך סליק פיסקא

רא.

(טו) כן תעשה לכל הערים הרחוקות, הרחוקות בתורה הזאת ואין הקרובות בתורה הזאת. אשר לא מערי העמים המה, אין ערי הגוים האלה בתורה הזאת.

(טז) רק מערי העמים האלה לא תחיה כל נשמה, בסייף.

(יז) כי החרם תחרימם, יכול תהא ביזתם אסורה לך תלמוד לומר ובתים מלאים כל טוב. החתי והאמורי הכנעני והפריזי והחוי והיבוסי, כשהוא אומר כאשר צוך ה׳ אלהיך לרבות את הגרגשי. דברים ו יא

רב.

(יח) למען אשר לא ילמדו אתכם לעשות, מלמד שאם עושים תשובה אין נהרגים. וחטאתם לה׳ אלהיכם, אם לא עשיתם כל האמור בענין נקראים אתם חטאים לה׳ אלהיכם סליק פיסקא

רג.

(יט) כי תצור אל עיר, במלחמת הרשות הכתוב מדבר. אל עיר, ולא לכרך אל עיר ולא לכפר.

ימים רבים, ימים שנים רבים שלשה, מיכן אמרו אין צרים על עיר של גוים פחות משלשה ימים קודם לשבת.

1 נותנה] מוסרה ה | אף] ל׳ א — 2 הנשים והטף] הטף והנשים א | והבהמה] <אין טף האמור כאן אלא טף של זכרים> ה — 3 את הגדולות רמהפ [הזכרון], את הגדולים א, את הנקבות הגדולות בטלד | כאן שהחיה–את הקטנות] ל׳ ר | כאן] ל׳ ה — 4 של] כל ד | מנין–ת״ל רבלא מ, ל׳ טד — 6 וכל–לך] ל׳ טאמ | וכל אשר יהיה בעיר רה, ואת ה, ל׳ בל | רתהא] תהיה ד — 7 סליק פיסקא ד, ל׳ רבלא —

8 הרחוקות–מערי העמים] ל׳ ה | הרהוקות] ל׳ ל | בתורה] כתורה רא [וכן בסמוך] | הקרובות רטאמ, קרובות בלד — 9 אין–הזאת ר, אין ערי גוים כתורה הזאת א, אין ערי גוים האלה בתורה הזאת מ, ל׳ בטלדה — 11 כי–הגרגשי] ל׳ ה | תהא] תהיה ד —

14 אשר] ל׳ד | ילמדו] <ליראה> א | מלמד–אלהיכם] ל׳ ה — 15 נהרגים] מקבלים אותם מ | נקראים אתם אמ, נקראים ד, נקראתם רבט[1], שקראתם ל, וקראתם ט[2] — 16 לה׳ אלהיכם ראמבט, לה אלקיך ל, ל׳ ד | סליק פיסקא ד, ל׳ בלא, סליק פס׳ ר —

18 ולא לכפר] ולא לספר ל — 19 צרים] צריך א | של גוים] שגוים [גוים פ], דרים בה רפ —

1 שומע אני וכו׳, רמב״ם ה׳ מלכים פ״ו ה״ג: 4 מנין שעושה עמך מלחמה, קטן שיודע לעשות מלחמה ועוסק בה מותר אתה להרגו: 5 ת״ל רק, ואכין ורקין מיעוטין: 10 בסייף, מכילתא משפטים פי״ו (צ״ד ע״ב, ה—ר 309), סנהדרין ס״ז ע״א: 13 הגרגשי, רש״י כאן ושמות ל״ד י״א, פ״ז, ירו׳ שביעית פ״ו ה״א (ל״ו ע״ג), מ״ת ע׳ 122, שורה 1, ויק״ר פי״ז סימן ה׳, דברים רבה פ״ה סי׳ י״ד, לקח טוב, והשוה מכילתא בא פי״ח (כ״ב ע״א, ה—ר 70), תוספתא שבת סוף פ״ז (ח), ע׳ 119 שורה 15:

14 מלמד וכו׳, סוטה ל״ה ע״ב, ובתוספות שם ד״ה לרבות, והשוה רש״י ורמב״ן, תוספתא סוטה פ״ח ה״ו (ע׳ 311, שורה 4): 15 אם לא וכו׳, לקח טוב:

17 במלחמת וכו׳, פ״ז, ולמעלה פי׳ ק״צ (ע׳ 232) ובציונים שם· — ולא לכרך וכו׳, למעלה פי׳ קצ״ט (ע׳ 237) ובציונים שם: 19 ימים וכו׳, פ״ז· — מיכן אמרו

להלחם עליה לתפשה, ולא לשבותה. לא תשחית את עצה לנדוח עליו גרזן, אין לי אלא גרזן מנין אף למשוך הימנה אמת המים תלמוד לומר לא תשחית את עצה בכל דבר. דבר אחר כי תצור אל עיר מגיד שתובע שלום שנים שלשה ימים עד שלא נלחם בה וכן הוא אומר ° וישב דוד בצקלג ימים שנים ואין צרים ש"ב א א

על עיר בתחילה בשבת אלא קודם לשבת שלשה ימים ואם הקיפוה ואירעה שבת להיות אין השבת מפסקת מלחמתה זה אחד משלשה דברים שדרש שמיי הזקן אין מפליגים את הספינה לים הגדול אלא קודם לשבת שלשה ימים במה דברים אמורים בדרך רחוקה אבל בדרך קרובה מפליגים אותה. כי ממנו תאכל, מצות עשה ואותו לא תכרת, מצות לא תעשה.

כי האדם עץ השדה, מלמד שחייו של אדם אינם אלא מן האילן. רבי ישמעאל אומר מיכן חס המקום על פירות האילן קל וחומר מאילן ומה אילן שעושה פירות הוהירך הכתוב עליו פירות עצמם על אחת כמה וכמה.

לבוא מפניך במצור, הא אם מעכבך לבוא מפניך במצור קצצהו סליק פיסקא

רד.

(כ) רק עץ אשר תדע, זה אילן מאכל. כי לא עץ מאכל הוא, זה אילן סרק אם סופנו לרבות את אילן מאכל מה תלמוד לומר עץ מאכל מלמד שאילן סרק קודם לאילן מאכל יכול אפילו מעולה בדמים וכדברי רבי אלעזר ברבי שמעון תלמוד

וכו׳, פ״ז, תוספתא ערובין פ״ג ה״ז (עמ׳ 142, שורה 14), בבלי שבת י״ט ע״א, ירו׳ שבת פ״א (ד׳ ע״א). ועיין למטה שורה 5: 1 ולא לשבותה, פי׳ ר״ה כמו להשביתה מהיות עיר, אבל ר׳ דוד הופמאן מפרש לקחת אותן לשבויים, ובפ״ז גורס „ולא לבזות אותה״: 2 מנין אף למשוך וכו׳, פי׳ בכ״י ל כדי לייבש עצה, וכן פסק הרמב״ם הל׳ מלכים פ״ו ה״ח: 3 דבר אחר וכו׳ עד מפליגים אותה, חסר באמ״ה רק שבה מובא קטע ממנו לפני הברייתא במלחמת וכו׳, ונראה שכל זה נוסף מגליון, והקטע הנמצא במ״ת כבר העיר עליו ר׳ דוד הופמאן שהוא ממכילתא, וגם רמא״ש כתב „ונ״ל דהאי דבר אחר הוה נוסחא אחרינא מהא דלעיל ובכ״י (ז״א כ״י של פי׳ ר״ה) ליתא״: 4 ואין צרים וכו׳, למעלה שורה 19, ובציונים שם: 5 אין השבת מפסקת וכו׳, לקנין פי׳ ר״ד: 6 זה אחד וכו׳, שבת י״ט ע״א, מ״ת ע׳ 123, והשוה תוספתא ערובין פ״ג וירו׳ שבת פ״א, ד׳ ע״א: 8 מצות עשה וכו׳, פ״ז — מצות לא תעשה, מכות כ״ב ע״א: 9 מלמד וכו׳, פ״ז, לקח טוב — ר׳ ישמעאל וכו׳, פ״ז, לקח טוב, והשוה מ״ת ע׳ 123, ואולי מאמר זה קטוע ממנו: 12 הא אם וכו׳, פ״ז, לקח טוב — קצצהו, עשין שכח הרמב״ם ו׳:

13 זה וכו׳, ב״ק צ״א ע״ב — מאכל, כן נראה לגרס ע״פ נוסח ר״ה, וכן הגיה הגר״א, ובמ״ת הגירסה כל דבר, ואין זו אלא הגהה על פי הברייתא בב״ק צ״א ע״ב:

1 ולא לשבותה <ולא לבזוז אותה> אמ — 2 אין—גרזן] ל׳ ה | גרזן אמט׳, ברזל רבלרט² | הימנה רבלאמפ, ממנה טרה — 3 בכל] לכל ה | ד״א—מפליגים אותה] ל׳ ראמ ונמצא בבטלד ומקצתו גם בה, ונראה שנוסף מן הספרי ומקורו במכילתא לדברים | ד״א] ל׳ ב | שתובע] שהוא תובע ה — 4 ימים שנים דה, וג׳ ט׳, ימים רבים ימים שנים רבים שלשה מ², ימים שלשה ב, ימים שגים רבים ל | ואין צרים —מפליגים אותה] ל׳ ה — 5 בתחילה בט, תחילה לד — 6 זה] זו ד | אין—שלשה ימים] אין מפליגין אותה ל — 7 אלא—ימים בט, אלא קודם לשבת שלשה ימים ד | במה—אותה] ל׳ ל — 8 ואותו לא תכרת—לא תעשה אמ הפ [פ״ז], ל׳ רבטלד — 9 כי—השדה אמהפ [פ״ז], ל׳ רבטלד | מלמד ראמהפבי [פ״ז], מכלל פ. ל׳ בטל ד | שחייו דאמ, משל חייו בלט², שחיין ר | אינם] אינו ל׳ר | אלא רדאמהב׳, ל׳ בטל | מן האילן] מין אילן ב | רבי ישמעאל—על אחת כמה וכמה] אמר ר׳ ישמעאל ומה אם על האילן חס הכתוב על פירות האילן על אחת כמה וכמה [פ״ז, לקח טוב], ל׳ ה — 10 המקום בלד, הכתוב ר, הקב״ה אמפ, הק׳ ט | פירות האילן רבטלדפ, הפירות אמ | ומה אילן שעושה רבטל, ומה אילן שהוא עושה א מ, ומה אילו שעושים ד — 11 הוהירך] הזהירו ב | וכמה] בפירושו של ר״ה נמצא כאן עוד „מכאן אמרו העוקר את האילן דהיינו אילן העושה פירות עובר בשלשה לאוין היינו דכתיב לא תשחית את עצה, לא תכרות, ומשחית נמי פירותיו משום דנעקר ועובר משום דעוקר ועובר משום לא תשחית ומשום לא תכרות. מה טעמו של דבר דקאמר לא תשחית את עצה כי האדם עץ השדה וכו׳ בתמיה ולא כאדם עץ השדה לבא מפניך במצור ולהכי לא תשחית את עצה. ומה שנראה שהוא מן הספרי ציינתי בפזור האותיות — 12 הא אם—במצור אמה, הא אב מעכבך לבא מפניך [פ״ז], והבא עליך במצור פ, ל׳ רבטלד | סליק פיסקא ד, ל׳ רבלא —

13 רק—ונדביאות] ל׳ ט — 14 אם] ל׳ א | אם סופנו] ומאחר שסופינו ה | את אילן מאכל פ, את אילן סרק רבל, כל דבר ה, אילן סרק אמ | מה] ומה ד | מלמד—קודם] להקדים אילן סרק ה — 15 מעולה אמה, מעולה ממנו רד, עולה ממנו

לומר אותו תשחית וכרתה, עושה אתה ממנו תיקים ונדביאות. ובנית מצור על העיר, עושה אתה לה מיני מטרנייאות, מביא אתה לה מיני בלסטריאות. עד רדתה, ואפילו בשבת סליק פיסקא

רה.

(כא א) כי ימצא, ולא בשעה שמצוי מיכן אמרו משרבו הרצחנים בטלה עגלה ערופה משבא אלעזר בן דיניי ותחינא בן פרישה. [בן פרישה] היה נקרא חזרו לקרותו בן הרצחן.

חלל, ולא חנוק. חלל, ולא מפרפר. באדמה, ולא טמון בגל. נפל, ולא תלוי באילן. בשדה, ולא צף על פני המים.

אשר ה׳ אלהיך נותן לך, לרבות עבר הירדן רבי אלעזר אומר בכולם היו עורפים אמר לו רבי יוסי ברבי יהודה וכי אינו אלא חנוק ומושלך בשדה שמא היו עורפים אלא בכולם אם היה חלל עורפים.

ב, עולה ממנה ל | וכדברי ראמ, ובדברי בלד | וכדברי–ת״ל] ל׳ ה | ר׳ אלעזר [אליעזר א] בר׳ שמעון דאמה, ר׳ אלעזר בר׳ ישמע׳ רבל – 1 עושה אתה ראמ, עשה את בלדה | תיקים רלה, תיקון בדאמ | ונדביאות ה, ונדבואות אמ, ונדכיאות ר, ונדכיאיות בל, וכדכייאות ד – 2 לה רבלמ, לו טדאה | מטרניאות] מטרסאות ט, <ובנית מצור על העיר> ד | מיני רבטאמה, ל׳ לד | בלסטריאות ד, בליצטראות טלבי, בליטראות ב, בלצטיאות ראמה – 3 ואפילו] אפי׳ ט׳ | סליק פיסקא ד, סל׳ פס׳ ר, ל׳ בלא –

4 כי ימצא–בן הרצחנים] ל׳ ה | שמצוי] שיצר ל – 5 משבא–בן הרצחן] ל׳ אמ | אלעזר בטל, ר׳ אלעזר רד | ותחינא בן פרישה [פרישא בל] בטלד. ותחתא בן פרישא ר | חזרו לקרותו רבל, חזרו לקרותם טד – 6 בן הרצחן] כן נראה להגיה על פי גרסת המשנה והגרסות המקובלות הן: בן הרצחנים רב, מן הרצחנין ל, בן הרוצחנים ט – 7 חלל–פני המים] ל׳ ט | חלל–מפרפר] חלל לא חנוק ולא מפרפר ה | ולא] לא ה וכן בסמוך | ולא–באילן] ולא טמון בגל ל – 9 ר׳ אלעזר] רבי אליעזר ד | ר׳ אלעזר–לא היו עורפים ת״ל וענו ואמרו–את הדם וג׳] ל׳ ה | ר׳ אליעזר–סליק פיסקא] ל׳ ט – 10 אלא] ל׳ ר | היו עורפים] עורפים היו אמ – 11 אלא בכולם ברמ

1 תיקים, העיר ר׳ דוד הופמאן כי מעקה ת״א „תיקא״, והיא מן המלה היונית Θήκη שפירושה תיבה· – ונדביאות, ר׳ דוד הופמאן הגיה ונדבכאות „והוא נדבכין ע׳ כלים פ״כ מ״ה ופי׳ הרמב״ם שם״, ועיין עוד בספר ברכת אברהם לכבוד ר׳ אברהם ברלינר עמוד 99, שהגיה ר״ש פריינקל כרביאורת מל״י καράβιον אניה, וכעין זה פירש ר׳ אברהם גייגר במ״ע שלו Jüd. Zeitschrift שנה ט׳ עמ׳ 20 אלא שהוא גורס ודוגיאות: 2 מטרנייאות, פירש ר׳ דוד הופמאן כמו טרמנטאות והוא מל״ר Tormenta, וציין על מכילתא דרשב״י ע׳ 47, ברד כנגד אבני בלוסטא, גחלי כנגד טורמנטא, ועי׳ במלונו של קרויס, ה״ב ע׳ 333· – בלסטריאות, מכונות להשליך אבנים, ועיין במלונים: 3 ואפילו בשבת, פ״ז, למעלה פי׳ ר״ג (ע׳ 239, שורה 5), מ״ת ע׳ 123 שורה 3, ובציונים המובאים למעלה שם:

4 ולא בשעה שמצוי, השוה סוטה מ״ה ע״ב „כי ימצא פרט למצוי״, וירו׳ ריש פ״ט „לא בשעה שהן מצויין״· – משרבו הרצחנים וכו׳, [סוטה פ״ט מ״ט, תוספתא ריש פי״ד (ע׳ 370) „לפי שאין עגלה ערופה באה אלא על הספק ועכשיו בגלוי הן רוצחין״ ומובא בשנוי קצת בבבלי מ״ז ע״ב וכן מ״ת על הפסוק לא נודע לפי שבגלוי היו עושין והגר״א הגיה „ולא במצוי פרט לספר ועיר שרובה גוים״ על פי הבבלי מ״ה ע״ב דממעט ספר ועיר שרובה נכרים מן לא ימצא פרט למצוי, אבל לפי זה ההמשך מכאן אמרו וכו׳ אינו עולה יפה]: 5 אלעזר בן דיניי, נזכר עוד בשה״ש רבה פרשה ב׳ סימן י״ט, ועיין בקדמוניות ליוסיפון ספר כ׳ ריש פרק ו׳, ועוד בספרו מלחמת היהודים ספר ב׳ פרק י״ז סי׳ ד׳, ואולי הוא האיש שעל שמו נקרא תנור בן דיניי מ׳ כלים פ״ה ה״י· ועיין במ״ע Jüd. Zeitschrift לר״א גייגער שנה ה׳ ע׳ 269· — ותחינא וכו׳, [סוטה פ״ט מ״ט שב, ועיין בתוי״ט שמוסיף בן פרישה ועוד מביא השערה שצ״ל ותחלה במקום ותחינה ולפי הגירסה שלפנינו צ״ל דתחינה בן פרישה קאי אאלעזר בן דינאי שנשתנה שמו ב׳ פעמים ועיין שהש״ר פ״ב לפסוק השבעתין] ועיין עוד כתובות כ״ז ע״א, וירו׳ סוטה פ״ט ה״ח (כ״ד ע״א), והגהתי על פי הצעת בעל תוספות יום טוב, ועיין בתולדות היהודים לגרץ ח״ג ע׳ 431 הערה 5: 6 הרצחן, הגהתי על פי הגרסה הנכונה במשנה, עיין בירו׳ שם: 7 ולא חנוק וכו׳, [סוטה פ״ט מ״ב ושם ליתא חנוק ומפרפר, ותוספתא ט׳ א׳, (ע׳ 312), ירושלמי כ״ג ע״ג, בבלי מ״ה ע״ב, ושנויים הרבה בכאן בתוספתא „ר׳ אלעזר אומר בכולן היה חלל היו עורפין״, וכן בבלי שם בשם ר״א ובירו׳ בשם ר׳ אליעזר נמצא חנוק ותלוי באילן לא היו עורפין והכוונה אחת ובדברי ר׳ יוסי ב״ר יהודה ג׳ התוספתא „אמר לו ר׳ יוסי בר׳ יהודה וכי אם היה חנוק ומושלך בשדה שמא היו עורפין לכך נאמר חלל אם כן למה נאמר נופל אלא אפילו הרוג ותלוי באילן לא היו עורפין״ וכן בירושלמי „אריב״י אין צ״ל חנוק ותלוי באילן מנין אפילו מושלך ת״ל נופל מה ת״ל חלל אלא״, וצ״ל „ת״ל חלל מה ת״ל נופל״, „אלא אפילו הרוג ותלוי באילן לא היו עורפין״: ובבבלי „אמר ר׳ יוסי בר׳ יהודה אמרו לו לר״א אי אריתה מודה שאם היה חנוק ומוטל באשפה שאין עורפין אלמא חלל ולא חנוק הכא נמי באדמה ולא טמון בגל וכו׳״ אבל לפי גרסת הספרי ר״א מרבה הכל וריב״י סבירא ליה דחנוק ותלוי באילן לא עורפין דלא עדיף ממושלך בשדה אבל הרוג ותלוי עורפין, והגר״א הגיה „בכולן אם היה חלל עורפין אריב״י אמרו לו לר״א וכי חנוק או מושלך באשפה שמא היו עורפין אף בכולן לא היו עורפין, וזה הוא לפי סגנון הבבלי, ועיין ת״י, ולענין מפרפר עיין ג״כ ירו׳ סוטה כ״ג ע״ב בסוף]: 9 לרבות עבר הירדן, [מ״ת],

לא נודע מי הכהו. הא אם נודע מי הכהו ואפילו אחד מהן ראהו לא היו עורפים רבי עקיבא אומר מנין ראוהו בית דין שהרג ולא היו מכירים אותו לא היו עורפים תלמוד לומר וענו ואמרו ידינו לא שפכה את הדם הזה וגו׳.

(ב) ויצאו זקניך, זקניך שנים, ושופטיך שנים, אין בית דין שקול מוסיפים עליהם עוד אחד הרי כאן חמשה דברי רבי יהודה. רבי שמעון אומר זקניך ושופטיך שנים אין בית דין שקול מוסיפים עליהם עוד אחד הרי כאן שלשה.

ומדדו אל הערים, מן החלל אל הערים ולא מן הערים אל החלל, מיכן אמרו נמצא ראשו במקום אחד וגופו במקום אחר מוליכים את הראש אצל הגוף דברי רבי אליעזר רבי עקיבה אומר הגוף אצל הראש. נמצא סמוך לספר או לעיר שיש בה גוים או לעיר שאין בה בית דין לא היו מודדים אין מודדים אלא לעיר שיש בה בית דין

סליק פיסקא

רו.

(ג) והיה העיר הקרובה, הקרובה שבקרובות מיכן אמרו נמצא מכוון בין שתי עיירות שתיהן מביאות שתי עגלות דברי רבי אליעזר וחכמים אומרים עיר אחת מביאה ואין שתי עיירות מביאות שתי עגלות ואין ירושלם מביאה עגלה ערופה.

תוספתא, בבלי וירו׳ שם: 1 הא אם נודע, [בבלי מ״ז ע״ב, ירוש׳ כ״ג ע״ב]: 2 ר״ע אומר וכו׳, [בבלי שם, וירושלמי אלא שיש שם חסרון וצריך להשלים על פי הירו׳ ר״ה נ״ח ע״ג]: 4 שנים וכו׳, [סוטה פ״ט מ״א, סנהדרין פ״א מ״ג, ירו׳ סנהדרין י״ט ע״א, שם סוטה כ״ג ע״ג, בבלי סוטה מ״ד ע״ב, סנהדרין י״ד ע״א, מ״ת ות״י], פ״ז: 7 ולא מן הערים וכו׳, פ״ז [מ״ת מוסיף מכאן אמרו, וכתב ר״ה דמשבשתא היא דמאי שומעני דכתיב ומדדו אל הערים אשר סביבות החלל דמן החלל וכו׳, והגיה ומדדו וגו׳ סביבות החלל דהיינו סביבות דהיה החלל ונהרג שם ולא סביבות שלא נהרג והיה שם חלל מכאן אמרו נמצא ראשו וכו׳ ע״כ ומהר״ס מפרש דמצות מדידה כך אעפ״י שהכל אחת וכן נראה דעת הז״ר]. — מיכן אמרו וכו׳, כדי למדוד מן החלל, צריך להביא את הראש אצל הגוף או הגוף אצל הראש: 8 נמצא וכו׳, פ״ז [סוטה פ״ט מ״ג, ירושלמי כ״ג ע״ג מפרש רבי אלעזר דלקבורה נחלקו וכן בבבלי מ״ה ע״ב, בשם ר׳ יצחק והוכרחו לפרש כן מאחר דלר״א מטיבורו מודדין מאי נ״מ במאי דמוליכין הראש אצל הגוף וכן לר״ע איפכא דמוליכין הגוף מאחר דמחוטמו מודדין] ולדעתי יש לפרש ששניהם, ר״א ור״ע, עומדים בשיטותיהם, לר״א האומר מטיבורו מודדים, מביאים הראש אצל הגוף ואעפ״י שאין צריך למדידה, גזירת הכתוב היא שיש למדוד מן החלל כאשר הוא בשלימותו הראש אצל הגוף, ולכן לר״ע האומר מחוטמו מודדין, אין לשאת את הראש אצל הגוף, כי בזה תפסל המדידה, אלא הגוף אצל הראש: 9 נמצא וכו׳ עד שיש בה בית דין, פ״ז, [הגר״א מוחק כאן ועיין סוטה פ״ט מ״ב, תוספתא פ״ט ה״ב, ע׳ 312 שורה 13, מ״ת ע׳ 123 שורה 19, בבלי מ״ה ע״ב „כי ימצא פרט למצוי״, וירושלמי כ״ג ע״ג „אני אומר ערביים הרגוהו וכו׳״, ובמ״ת „פרט לממציא את עצמו״]. — שיש בה, כן הגירסה במ״ת ובתוספתא, וגם במשנה לפי נוסח הירושלמי וכ״י פארמא וקופמאן ומתניתא דבני מערבא, וכן מובא ברמב״ם ה׳ רוצח ט׳ ג׳, אבל במשנה שבבבלי הגירסה שרובה גוים, וכן הגירסה גם במשנה דפוס נאפולי, ועיין בשנויי נסחאות: 10 אין מודדים וכו׳, [משנה ותוספתא שם, וקמ״ל דמניחין אותה העיר ומודדין לעיר שיש בה בית דין כדמפרש בבלי מ״ה ע״ב ועיין ירו׳ כ״ג ע״ג וצריך לדקדק עוד בתוספתא, עיי״ש]:

12 הקרובה וכו׳ עד ר׳ אליעזר, פ״ז. — שבקרובות [הגר״א מגיה ולא הקרובות ועיין סוטה פ״ט מ״ב, בבלי מ״ה ע״ב, ירו׳ כ״ג ע״ג דר״א יליף מן ומדדו אל הערים וחכמים מן הקרובה ועיין בבלי בכורות י״ז ע״ב, ודע דבמשנה שבירושלמי הגירסה וחכ״א עיר אחת מביאה עגלה ערופה ואין שתי עיירות מביאות שתי עגלות ובשאר נסחאות ליתא דעת חכמים כלל אבל לפי הברייתא בבבלי בכורות י״ח ע״א כתנאי נמצא מכוון בין שתי עיירות לא היו עורפין משמע דלא היו מביאין כלל ומש״ה מוחק הגר״א בדברי חכמים מלות שתי עגלות ועוד מוחק כאן מלות „ואין ירושלים וכו׳״ ועיין מ״ת והיה העיר הקרובה אל החלל מיכן אמרו שתי עגלות דברי ר״א], ועיין תוספתא נגעים פ״א הי״ג (ע׳ 619), ואולי יש

[ובגליון ל], ל׳ רלא | היה] אינו אמ | עורפים] לא היו עורפים אמ — 1 הא–מי הכהו רבל, ל׳ דאמ — 2 ראוהו רבל, שאם [אם דמ] ראוהו דאמ | בית דין] ל׳ ל | לא רבד, שלא אמ, ולא ל — 3 לא שפכה את הדם הזה וג׳ מ, ידינו לא שפכה א, ל׳ בלד, וגו׳ סל׳ פס׳ ר — 5 אחד] אחר ר | כאן אה, ל׳ רבלד [וכן בסמוך] | יהודה] יהושע א | שמעון] ישמעאל ר — 6 מוסיפים–אחד] ל׳ אמ | עליהם] ל׳ ר — 7 מן החלל–החלל] אל הערים ולא מן הערים ל | אל הערים] אל ערים ד | מיכן אמרו ראמהפ, ל׳ בלד — 8 נמצא–במקום אחר] נמצא גופו במקום אחד וראשו במקום אחר ב | במקום אחד] במקומו אחד ר | במקום אחר] במקומו א׳ ר — 9 נמצא–סליק פיסקא] ל׳ ה | לספר או לעיר] לספר לעיר ב | או–אין מודדין אלא] ל׳ ר | שיש בה אמה [פ״ז], שרובה ב לדפ — 10 אין] שאין א׳ | בית דין] בבית דין ר — 11 סליק פיסקא ד, ל׳ רבלא —

12 והיה–ואין ירושלם מביאה עגלה ערופה] ל׳ ט | והיה] והיתה ד — 13 שתיהן] שתים ד | דברי ר״א–שתי עגלות] ל׳ אמ [פ״ז] | וחכ״א–שתי עגלות ד, ל׳ רבלה — 14 ואין ירושלם מביאה עגלה ערופה רבלד, ל׳

ולקחו זקני העיר ההיא, ולא זקני ירושלם.

עגלת בקר, רבי אליעזר אומר עגלה בת שנתה ופרה בת שתים וחכמים אומרים עגלה בת שתים ופרה בת שלש ובת ארבע דבר אחר עגלת בקר שיהא בה שני דרכים הא כיצד בת שתים עגלת בקר. דבר אחר רחיצה בזקנים וכפרה בכהנים.

אשר לא עובד בה, כל עבודה מנין בעול תלמוד לומר אשר לא משכה בעול סליק פיסקא

רז.

(ד) והורידו זקני העיר ההיא, מצוה בזקני העיר ההיא. את העגלה אל נחל איתן, כמשמעו קשה ואף על פי שאינו איתן כשר.

עורפים אותה בקופיץ מאחוריה ומקומה אסור מלזרוע ומלעבוד יכול יהא אסור לסרוק שם פשתן ולנקר שם את האבנים תלמוד לומר אשר לא יעבד בו ולא יזרע, זריעה בכלל היתה ולמה יצאת להקיש אליה מה זריעה מיוחדת שהיא עבודת קרקע יצאו אלו שאין עבודת קרקע.

שמות יג יג

וערפו שם, נאמר כאן עריפה ונאמר להלן °עריפה מה עריפה האמורה כאן עורפה בקופיץ מאחריה וקוברה ואסורה בהניה אף עריפה האמורה להלן עורפה בקופיץ מאחוריה וקוברה ואסורה בהניה. בנחל, אף על פי שאינו איתן.

ה — 2 עגלת—בת שלש ובת ארבע] ל׳ ה | אליעזר רט למ, אלעזר דא, ל׳ ב | שתים] שנתה ד — 3 ופרה] פרה ר | ארבע] ארבעה ד | ד״א—וכפרה בכהנים] ל׳ ראמ, ונמצא בבטלד ומקצתו בה, ונראה שנוסף מגליון ואינו מעיקר הספרי | ד״א בטלד, ל׳ ה | בקר] <בן בקר> ה | שיהא—עגלת בקר] ל׳ ט׳ — 4 בת שתים ה, בשתים ב לדט׳ | ד״א—בכהנים] ל׳ ה | ד״א] ל׳ ל | רחיצה] ורחצו רחיצה ל — 5 מנין רבלא, ומנין ד, ומנין אף מ — 6 סליק פיסקא ד, ל׳ רבלא —

8 כמשמעו] במשמע ה, במשמעו ר | שאינו] שאין ד | כשר] קשה ל — 9 בקופיץ בלרמהפא׳, בקפיץ ר א | מאחוריה ראמה, מאחריה בלד | ומקומה—בנחל אע״פ שאינו איתן] ל׳ ה | ומקומה א, ומקומו ד, מקומה רבל | מלזרוע ראמפ, ליזרע ד, לזרוע בל | ומלעבוד באמ, מלעבוד ר, ולמעבוד בו ל, ומלעבדו ד — 10 לסרוק ר אמ, מלסרוק ל, מלהדוק ד, מלסקוד ב | ולנקר ראמ, ומלנקר בלד | אשר—לא יזרע] אשר לא יעבד בו ולא יזרע ד, לא יעבוד בו ולא יזרע בל — 11 אליה] <מזריעה> א | עבודת בזפ [סמ״ג], חובת רלדאמ וכן בסמוך אלא שבפ נמצא חובת קרקע בפעם השלישית — 12 שאין] שאינו ד — 13 להלן] כאן זפ — 14 עורפה זפ, עורפו ב טלאמ, עורפים ד, ל׳ ר | בקופיץ] בקפיץ א | מאחריה ד אמפ, מאחריו רבטל, מאחורי׳ ז | וקוברה ואסורה בהנאה א, וקוברו ואסור בהניה ט, ואסור בהנאה וקוברו בלד, ואסורה בהנאה וקוברה מ | בקופיץ] בקפיץ א — 15 ואסורה בהניה בטלאמ, ואסור בהנאה ד, ואכור בהניא ר | בנחל—איתן] ל׳ ט | אעפ״י] ואעפ״י ר | איתן] <פ׳> ר —

גם להשוות יבמות ס׳ ע״ב: 14 ע׳ הקו׳ ואין ירושלם וכו׳, משנה סוטה שם: 1 ולא זקני ירושלם, ולא זקני בית דין הגדול שבירושלם, ובניגוד לאלה האומרים בזקני בית דין הגדול הכתוב מדבר, עיין מ״ת סוף עמו׳ 123, ובבלי סוטה מ״ד ע״ב מ״ה ע״א; כן נראה לפרש על פי הגירסה שלפנינו, ועוד אפשר שהמלים „וחכמים אומרים וכו׳ עד ואין ירושלם מביאה עגלה ערופה״, החסרות במ״ת, ורובן גם באמר, נוספו מגליון ואינן מעיקר הספרי, והמשפט „ולא זקני ירושלם״ הוא רק סגנון שונה מן האמור למעלה „ואין ירושלם וכו׳״: 2 ר״א אומר וכו׳, ריש משנה פרה, ספרי במדבר פי׳ קכ״ג (ע׳ 152), תוספתא פרה ריש פ״א (ע׳ 630), שם פ״ב (א) ה״ו (ע׳ 631), תו״כ חובה פרק ג׳ ה״א, בבלי סוטה מ״ו ע״א, ר״ה י׳ ע״א, ת״י ופ״ז: 3 דבר אחר וכו׳ עד בכהנים, הוספה שלא מעיקר הספרי, וחסרה באמר. והחלק המובא במ״ת ודאי מקורו במכילתא לדברים. — שני דרכים, עגלה ובקר: 4 בת שתים, כן הגירסה במ״ת וכבר הגיה הגר״א כן בספרי. — דבר אחר רחיצה וכו׳, השוה מ״ת כ״א ו׳ (ע׳ 125, שורה 24), ומאמר זה מקומו לקמן על הכתוב ירחצו ידיהם (פי׳ ר״ט) אלא שמובא כאן כרגיל בהוספות מגליון אלה לחבר לאחת כמה ברייתות נפרדות, והגר״א הגיה „כיוצא בו ונגשו הכהנים וכל זקני העיר ההיא הא כיצד רחיצה בזקנים וכפרה בכהנים:״ 5 מנין בעול וכו׳, השוה ספרי במדבר פי׳ קכ״ג (ע׳ 153), סוטה מ״ו ע״א, ירו׳ שם כ״ג ע״ד, ועיין עוד תוספתא פרה פ״ב (א) ה״ג (ע׳ 631):

7 מצוה וכו׳, פ״ז, ולקמן פי׳ רי״ט ופי׳ ר״צ: 8 כמשמעו וכו׳, פ״ז, משנה סוטה ט׳ ה׳, ברייתא בבלי מ״ו ע״א, ועיין בהערת ר׳ דוד הופמאן למ״ת עמוד 124. — ואעפ״י וכו׳, למטה בסוף הפיס׳: 9 עורפים אותה וכו׳, משנה שם. — יכול וכו׳, משנה וגמרא שם, מ״ת, ועיין במשנה שבירושלמי ושם גירסה ומקומה אסור מלזרוע ומלעדר״: 11 זריעה וכו׳ עד יצאו אלו וכו׳, סמ״ג לאוין קס״ו: 13 נאמר כאן וכו׳, מכילתא דרשב״י י״ג י״ג (ע׳ 33), שם ל״ד כ׳ (ע׳ 164), והשוה מכילתא משפטים פ״י (פ״ו ע״א, ה—ר 282) ושם בא פי״ח (כ״ב ע״ב, ה—ר 71), מ״ת ע׳ 124, כתובות ל״ז ע״ב, בכורות י׳ ע״ב. — להלן, בפטר חמור. לפי רוב הגרסאות נשנה ברייתא זו בעיקרה שם במכילתא, אלא שבכרתי נוסחת זפ שלפיה מתאים הגרסה אל הספרי כאן. עיין בש״נ: 15 אעפ״י וכו׳, השוה למעלה שורה 9:

רח.

(ה) ונגשו הכהנים בני לוי, מכלל שנאמר °שרת בשם ה׳ אלהיו אין לי אלא תמימים בעלי מומים מנין תלמוד לומר בני לוי. דברים יח ז

כי בם בחר ה׳ אלהיך [לשרתו ולברך בשמו] מגיד שאין ברכת כהנים כשירה בבעלי מומים.

לשרתו ולברך בשם ה׳, מקיש ברכה לשירות מה שירות בעמידה אף ברכה בעמידה.

ועל פיהם יהיה כל ריב וכל נגע, מקיש ריבים לנגעים מה נגעים ביום אף ריבים ביום מה ריבים שלא בקרובים אף נגעים שלא בקרובים או מה ריבים בשלשה אף נגעים בשלשה ודין הוא אם ממונו בשלשה גופו לא יהא בשלשה תלמוד לומר °או אל אחד מבניו הכהנים ללמדך שכהן אחד רואה את הנגעים סליק פיסקא ויקרא יג ב

רט.

(ו) וכל זקני העיר ההיא, ואפילו הם מאה. לפי שאמרנו להלן שלשה וחמשה יכול אף כאן כן תלמוד לומר וכל זקני העיר ההיא ואפילו הם מאה.

ירחצו את ידיהם על העגלה הערופה בנחל, על מקום עריפתה של עגלה יכול יעלו מן הנחל ויאמרו תלמוד לומר בנחל שתהא עניתם ואמירתם בנחל סליק פיסקא

רי.

(ז) ועני ו ואמרו, בלשון הקדש. ידינו לא שפכה, וכי עלת על לבנו שוקני

1 אין לי וכו׳, השוה למעלה פי׳ קס״ג (ע׳ 213): 3 מגיד וכו׳, מן ההיקש לשרתו ולברך, מי שראוי לשרת ראוי לברך. – שאין ברכת וכו׳, השוה ירושלמי תענית ריש פ״ד (ס״ז ע״ב), ועיין בשנויי נסחאות. בכרתי הגירסה שאין ברכת כהנים וכו׳ מפני שיש לה סמך ברוב הנסחאות החשובות, והיא גרסת כ״י אמ וגם בכ״י רבל הגרסה ברכת כהנים כשירה ולא שברכת כהנים כשירה, מגירסה מוזרה זו נראה ברור שהנוסח העיקרי היה שאין ברכת וכו׳, אלא שנשמט המלה שאין בכ״י אלו. וכן „נתקן״ „ברכת כהנים״ לגרסתנו שברכת כהנים, וגם לפני בעל פ״ז היתה הגירסה „שאין ברכת כהנים וכו׳״ שהרי פוסק „ומה שרות בתמימין אף ברכה בתמימין״: והנה במשנה מגילה פ״ד מ״ז שנינו „כהן שיש בידו מומין לא ישא את כפיו״ ואעפ״י שממשנה זו אין ראיה מבוררת להתיר שאר בעלי מומין לברכת כהנים אפשר ללמד מן האמור בגמרא שם (כ״ד ע״ב) „אם היה דש בעירו מותר״, וכן מובא בירושלמי ריש תענית, ברייתא של הספרי חולקת על ההלכה המקובלת בתלמודים וסוברת שבעלי מומים פסולים לברכה, ועיין גם בתוס׳ מנחות ק״ט ע״א, ובט״ז או״ח סי׳ קכ״ח ס״ק כ״ז: 5 מקיש וכו׳, ספרי במדבר פי׳ ל״ט (ע׳ 42), סוטה ל״ח ע״א, ירו׳ תענית ריש פ״ד (ס״ז ע״ג), פ״ז: 7 מקיש וכו׳, תו״כ תזריע פרשת נגעים סוף פ״א (ס׳ ע״ב), סנהדרין ל״ד ע״ב, נדה נ׳ ע״א, יבמות ק״ד ע״א, דברים רבה ריש פ״ה, ועיין עוד ירושלמי נדרים פ״ט ה״א, מ״א ע״ב, פ״ז. — מה נגעים ביום אף ריבים ביום, כן יש לנסח על פי מ״ת, ותו״כ, ובבלי שם:

11 ואפילו וכו׳, רמב״ם ה׳ רוצח פ״ט ה״ג, פ״ז: 13 על מקום וכו׳, פ״ז, סוטה מ״ו ע״ב, ואולי נרמז אל הלכה זו בפשיטה שתרגמו לעיל מן עגלתא, ועיין בספר לחקרי הפשיטא לר׳ חיים העליר, ע׳ 43: 14 שתהא וכו׳, רמב״ם, ה׳ רוצח פ״ט ה״ג:

16 בלשון הקדש, מכילתא יתרו מסכת בחדש פ״ב (ס״ב ע״ב, ה–ר ע׳ 207), שם פ״ט (ע״ב ע״א, ה–ר ע׳ 238),

1 מכלל–אלהיו] ל׳ ה | אין לי–ת״ל בני לוי] בין תמימין בין בעלי מומים ה, – 3 מגיד–מומים] ל׳ ה | שאין ברכת אמ, ברכת רב, שברכת טלד – 7 ועל–סליק פיסקא] ל׳ ט | ריבים לנגעים] ריב לנגע א | לנגעים] <ונגעים לריבים> ה | נגעים ה, ריבים רבטלמ, ריב א – 8 ריבים ה, נגעים רבטלאמ | מה] אי מה אמ | או מה רבט, ואי מה לד, מה אמ – 9 ודין בלרה, דין ראמ | אם רבלד, מה אמ, מה אם א׳, ל׳ ה | לא יהא ר בלמ, לא יהיה א, לא כל שכן ה, אינו דין שיהא ד | בשלשה] ל׳ ה – 10 ללמדך שבהן] הא למדת שאפלו כהן ה | סליק פיסקא ד, ל׳ רבלא –

11 לפי–סליק פיסקא] ל׳ ה, ת״ל בנחל א | לפי–ואפילו הם מאה] ל׳ מ | לפי רבל, ל׳ ד | להלן ר, למעלה בלד – 14 יעלו] יעלם ר, ל׳ ט | שתהא–בנחל] ל׳ מ | עניתם ואמירתם] אמירתם ועניתם ד – 15 סליק פיסקא ד, ל׳ רבלא –

16 וענו–ששופך דמים חוטא עד יוצאי מצרים] ל׳

בית דין שופכי דמים הם אלא שלא בא לידינו ופטרנוהו בלא מזונות ולא ראינוהו והנחנוהו בלא לויה׃

(ח) הכהנים אומרים כפר לעמך ישראל. כשהוא אומר אשר פדית ה׳, מלמד שכפרה זו מכפרת על יוצאי מצרים. כפר לעמך׳ אלו החיים׳ אשר פדית׳ אלו המתים׳ מגיד שהמתים צריכים כפרה׃ נמצינו למדים ששופך דמים חוטא עד יוצאי מצרים׃ אשר פדית׃ על מנת כן פדיתנו שלא יהיו בינינו שופכי דמים׃ דבר אחר על מנת כן פדיתנו שאם נחטא אתה מכפר עלינו׃ ורוח הקדש אומרת כל זמן שתעשו ככה הדם מתכפר לכם׃

(ט) ואתה תבער בער עושי הרעות מישראל סליק סידרא

ט ׀ בלשון הקדש רבדפ, בלשון קודש ל, ל׳ אמ ׀ שפכה] שפכו ד ׀ וכי–לבנו בד, וכי על לבינו עלת ל, וכי עלה על לבינו רמ — 1 שלא בלד, ל׳ ר, לא אמ ׀ בלא מזונות אמה [משנה שבבבלי]. בלא לויה ד, ל׳ רבל, בלא מזונות ובלא לויה בי׳ ׀ ולא] לא ב — 2 והנחנוהו] ופטרנוהו מ ׀ בלא לויה אמה [משנה שם], ל׳ רבלד — 3 הכהנים ר בלד, והכהנים אמ ׀ כשהוא–יוצאי מצרים] ל׳ ה — 4 על יוצאי רבד, ליוצאי ל, לכל יוצאי אמ ׀ כפר לעמך–ככה הדם מתכפר לכם] ל׳ אמ, ונמצא בבדלה, ומקצתו בט׃ וגם ברפ מובא, אל״א שמקומו בשניהם לפני הברייתא המתחלת ידינו לא שפכה׃ וכלו נוסף מגליון ואינו מעיקר הספרי׃ ובספר הזכרון הגרסה „הכהנים אומרים כפר לעמך ישראל ורוח הקדש אומרת כל זמן שתעשו ככה הדם מתכפר לכם״ — 5 מגיד רה, מלמד בלד ׀ כפרה] <מלמד שכפרה זו מכפרת על יוצאי מצרים> ה ׀ ששופך] שהשופך ה ׀ עד יוצאי מצרים רהזפ, ל׳ בלד — 6 יהיו בינינו רבל, יהא בינינו ה, יהיו בנו ד ׀ שאם–מכפר עלינו] שנהא חוטאים ואתה מכפר ה — 7 ורוח–מתכפר לכם] ל׳ ר ׀ ורוח] רוח ה ׀ אומרת] אומר ד ׀ כל זמן] אימתי ה ׀ מתכפר ה, מכפר בלד — 8 ואתה–מישראל] ל׳ ה ׀ סליק סידרא ד, סליק סיפרא א, ל׳ בל, סל׳ פס׳ ר, <ורוח הקדש אומרת כל זמן שתעשו ככה הדם מתכפר לכם ס״ג בריתא> ר —

מכדרשב״י י״ט ו׳ (ע׳ 95), כ׳ כ״ב, (ע׳ 114), ספרי במדבר פי׳ ל״ט (ע׳ 42), מ״ת כ׳ ב׳, (ע׳ 119), כ״א ז׳, (ע׳ 125), לקמן פי׳ רצ״א, פי׳ ש״א, סוטה ל״ב ע״א, ל״ג ע״ב, ל״ח ע״א, ירו׳ סוטה פ״ז ה״ב, (כ״א ע״ג), במדבר רבה נשא פי״א סי׳ ד׳׃ — וכי עלת וכו׳ עד והנחנוהו, סוטה פ״ט מ״ו, וזו היא הגירסה הנכונה שם, המלים בלא מזונות ובלא לויה נתוספו אל המשנה על פי מאמרו של ר׳ יהושע בן לוי, גמרא ל״ח ע״ב, וירו׳ שם ה״ו (כ״ג ע״ד)׃ וגם בנסחאות אחדות של הספרי נוספו מן הגליון כמו שכבר העיר רמא״ש: 3 הכהנים וכו׳, פ״ז, משנה שם, תוספתא פ״ט ה״ב (עמוד 312)׃ — כשהוא אומר וכו׳, ירו׳ סוטה פ״ט ה״ו (כ״ד ע״א), כריתות כ״ו ע״א, הוריות ו׳ ע״א: 4 מלמד וכו׳ מכפרת על יוצאי מצרים, מובא בסוף ספר שו״ת להרשב״א ז״ל וזולתו מן הרבנים והגאונים זצ״ל (קושטא רע״ו)׃ — כפר לעמך וכו׳ עד ככה הדם מתכפר לכם, נוסף מגליון וחסר בכ״י אמ וגם בר מקומו שונה מבשאר הנסחאות׃ — כפר לעמך אלו החיים וכו׳ עד מצרים, מובא בשבלי הלקט סי׳ פ״א ל׳ ע״ב, ועוד הפעם בסי׳ רל״ט, קי״א ע״א, וגם במרדכי יומא, והשוה תנחומא א׳ האזינו סי׳ א׳, והקטע כפר–צריכים כפרה, מובא בלקח טוב: 5 מגיד וכו׳, מובא במחזור ויטרי סי׳ שנ״ג, ע׳ 392, והשוה ספר חשמונאים ב׳ י״ב מ״ד, מ״ה, והגר״א מביא סמך ממאמר זה למנהג של הזכרת נשמות, עיין בהגהותיו לאו״ח ה׳ שבת סי׳ רפ״ד ס״ז, ועיין במרדכי שציינתי למעלה׃ — יוצאי מצרים, כי טעונין כפרה, מפי׳ ר״ה: 6 על מנת וכו׳, לקח טוב: 7 ורוח הקדש וכו׳, סוטה פ״ט מ״ו והשוה תוספתא סוטה פ״ט ה״ב, ע׳ 312 שורה 17, וירושלמי ה״ז (כ״ג סוף ע״ד): 8 בער וכו׳, פ״ז, למעלה פי׳ פ״ו (עמ׳ 151, שורה 7) ובציונים שם:

פרשת כי תצא.

ריא.

(כא י) כי תצא למלחמה, במלחמת הרשות הכתוב מדבר. על איביך, כנגד אויביך, ונתנו ה׳ אלהיך בידך, אם עשית כל האמור בענין סוף שה׳ אלהיך נותנו בידך. ושבית שביו, לרבות כנענים שבתוכה.

(יא) וראית בשביה, בשעת שביה. אשת, ואף על פי שהיא אשת איש. יפת תואר, אין לי אלא בזמן שהיא נאה מנין אפילו היא כעורה תלמוד לומר וחשקת בה אף על פי שאינה יפת תואר. ולקחת לך לאשה, שלא תאמר הרי זו לאבה הרי זו לאחי סליק פיסקא

ריב.

(יב) והבאתה אל תוך ביתך, ולא לבית אחר. וגלחה את ראשה ועשתה את צפרניה, רבי אליעזר אומר תקוץ רבי עקיבה אומר תגדל אמר רבי אליעזר נאמרה עשיה בראש ונאמרה עשיה בצפרנים מה עשיה האמורה בראש העברה

1 במלחמת וכו׳, רש״י, פ״ז, למעלה פי׳ ק״צ (ע׳ 232) ופי׳ ר״ג (ע׳ 238) וכל המאמר עד נותנו בידך, מובא בעקדת יצחק, וקטע ממנו גם ברש״י ובתוס׳ שאנץ סוטה ל״ה ע״ב, ובלקח טוב: 3 לרבות כנענים, רש״י, פ״ז, ס׳ הזכרון, רא״ם, למעלה פי׳ ר׳ (עמ׳ 237) ופי׳ ר״א (ע׳ 238), והשוה סוטה ל״ה ע״ב: 4 בשעת שביה וכו׳ עד הרי זו לאחי, קדושין כ״א ע״ב בסגנון שונה מעט. — בשעת שביה, כלומר בשעת שביה הוא דמותר ביפת תואר ולא שלא בשעת שביה [ר״ה ומהר״ס]. — ואעפ״י שהיא אשת איש, דאשת סתמא כתיב ומשמע בין שהיא פנויה בין שהיא אשת איש, כשאינה רוצה להתגייר הכתוב מדבר היא בתורה הזאת אבל אם רוצה להתגייר מגיירה ונושאה לאלתר. מפי׳ ר״ה, וכן כתב בספר הזכרון שמצא בפירוש הראב״ד לספרי. — אעפ״י וכו׳, רש״י, פ״ז: 5 מנין וכו׳ עד שאינו יפת תואר, רמב״ן: 6 שלא תאמר וכו׳ עד לאחי, רמב״ן, והשוה מ״ת:

8 ולא לבית אחר, פ״ז, רק בבית שמשתמש בו, ז״ר, ועיין לקמן פי׳ רי״ג וגם פי׳ רכ״ג וקדושין כ״ב ע״א, ואפשר דהכא נמי הכי קאמר שאינו מותר בה אלא בביתו [רמא״ש] ובמ״ת מפרש שלא ילחיצנה במלחמה, וראה הערת העורך שם, וכן אוסר פילון בעילת יפת תואר במלחמה, עיין בספרו *περὶ φιλανθρωπίας* סי׳ ק״י, וגם יוזיפוס מביא הלכה זו בספרו קדמוניות היהודים ספר ד׳ פרק ח׳ סימן כ״ג ורמב״ן מביא מקדושין כ״א ע״ב להתיר ביאה ראשונה, אבל מן הירושלמי (מכות פ״ב ה״ז ל״א ע״ד) מדייק שגם ביאה ראשונה אסורה. — וגלחה וכו׳ עד ולא עשה שפמו, פ״ז, ברייתא בבלי יבמות מ״ח ע״א, ובסגנון אחר שמחות פ״ז (ע׳ 141): 9 ר״א אומר תקוץ, וכן מתורגם

1 למלחמה] בלד מוסיפים <על אויביך> | אויביך איביך ר [וכן בסמוך] — 2 כנגד אויביך] אמ מוסיפים <אתה נלחם> | בידך] ל׳ טא | כל] עקידת יצחק מוסיף <הסדר> | בענין] ל׳ ל | סוף רבטלדה, לסוף אמג׳ — 3 נותנו רבטלאמג׳, נותנן ה, נתנו ד | שבתוכה] שבה ד פ — 4 וראית—אשת איש] ל׳ ט | אשת] אשת יפת תאר אשת ד | ואף על פין ל׳ מ | איש] בפ נוסף כאן מאמר מר״ה שעל פיו נוכל לדון שהיה לפניו הוספה בספרי וז״ל „בשאינה רוצה להתגייר הכתוב מדבר היא בתורה הזאת אבל אם רוצה להתגייר מגיירה ונושאה לאלתר״; והמלים המובלטין בפזור האותיות ודאי היו בטופס הספרי של ר״ה — 5 תואר] ב מוסיף <מנין> | נאה אמדהג, יפת תואר רטר, יפת תואר תואר ל | מנין—וחשקת בה] ל׳ ר | אפילו אמדהג׳. אף על פי בטלד | היא א, שהיא דטלמ ה, ל׳ כג׳ — 6 בה בטלאמה, ל׳ רד | יפת תואר] נאה ה | שלא—לאחי] ח׳ ה | תאמר] תומר ר — 7 לאחי] לאחר ג׳ | סליק פיסקא ד, ל׳ רבלא —

8 וגלחה—שפמו] ל׳ ט | את ראשה] וג׳ ר — 9 ועשתה את צפרניה באה, וגומ׳ רל, ל׳ דמ | רבי] ור׳ ה — 10 נאמרה טמה, נאמרה כאן רבלדא | עשיה] עשויה ב | ונאמרה רלדמ, ונא״ בא, ונאמר ה | בצפרנים] בצפורנים מ [וכן בכל הענין] | מה—בצפרנים העברה] מה להלן להעביר אף כאן להעביר ה | האמורה] ל׳ א —

אף עשיה האמורה בצפרנים העברה רבי עקיבה אומר נאמרה עשיה בראש ונאמרה עשיה בצפרנים מה עשיה האמורה בראש ניוול אף עשיה האמורה בצפרנים ניוול וראיה לדברי רבי אליעזר °ומפיבושת בן שאול ירד לקראת המלך לא עשה (ש״ב יט כה)
רגליו ולא עשה שפמו.

ריג.

(יג) והסירה את שמלת שביה מעליה, מלמד שמעביר ממנה בגדים נאים ומלבישה בגדי אלמנות שהגוים ארורים הם בנותיהם מתקשטות במלחמה בשביל להזנות אחרים אחריהן. וישבה בביתך, בבית שמשתמש בו נתקל בה ונכנס נתקל בה ויוצא דומה לקרויה ורואה בניוולה. ובכתה את אביה ואת אמה ירח ימים, אביה ואמה ממש דברי רבי אליעזר רבי עקיבה אומר אין אביה ואמה אלא
עבודה זרה שנאמר °אומרים לעץ אבי אתה. ירח ימים, שלשים יום. דבר (ירמיהו ב כז)
אחר ירח אחד ימים שנים הרי שלשה חדשים כדי בגדי נויה שהיו עליה וחמדה ותיקון הוולד כדברי רבי עקיבה בין זרע ראשון לזרע שני רבי אליעזר אומר ירח ימים כמשמעו וכל כך למה

1 רבי עקיבה אומר] אמר ר׳ עקיבה ה | נאמרה רטד, נאמ״ בא, נאמר למה | ונאמרה רבטד, ונאמ״ למה, ונאמר ה — 2 מה—בצפרנים ניוול] ל׳ ה | האמורה בראש] בראש ר — 3 לדברי רבי אליעזר ראמה [א״א, רמב״ן], לדבר ב לד | ירד] ירד מרוגלים ר (ועיין בש״ב י״ט ל״ב) | לקראת] דה מוסיפים <דוד> | לא עשה רגליו לאה, ולא עשה רגליו רד, ולא רגליו ב, ל׳ מ — 4 ולא עשה שפמו ר טד, ולא עשה שפמו וגומ׳ בל, ל׳ א; בלד מוסיפים <ד״א עד די שעריה [שער רישיה ט] כנשרין רבא וטופרוה [וטפרוהי בל] כציפרין [כציפרים ד, כציפריז ל]>, ה מוסיף <הא עשייה העברה היא ולר׳ עקיבה אעפ״י שאין ראיה לדבר זכר לדבר שנאמר עד די שעריה כנשרין רבא וטופרוהי כציפרין> — 5 והסירה—יום] ח׳ ט | שמלת] שמואל ר | שביה מעליה] ח׳ א | ממנה] ח׳ א — 6 הם בנותיהם מ, הם ובנותיהם הג״נ, בנותיהם [ובנותיהם ר] הם רבד, הם במלבושיהם ובגופיהם א, הן ובנותיהם הן לה״ | מתקשטות] מתקשט א, מתקשטות א׳ — 7 אחרים] ל׳ ר | אחריהן רבלמהנ, עמהם ד [רש״י], תחתיהם א | שמשתמש בטדמהפ, שנשתמש רלא — 8 ויוצא] ויצא א | דומה [רואה א׳] לקרויה לאמהג״נפ, לקרויה דומה ר, דומה בקרויה ב, רואה בקרויה ד | ורואה—בניוולה] ל׳ נ׳ | ורואה רבטלדא, ורואה אותה מהנ | ירח ימים] ל׳ א — 9 אביה ואמה ממש דברי ר׳ אליעזר] ר׳ אליעזר אומר אביה אביה ממש אמה אמה ממש נ | רבי אליעזר] ר׳ אליש׳ ר׳ — 10 עבודה זרה] ר מוסיף <כענ׳> | שנאמר בלראמ. וה״א ה, וכן הוא אומר נ, כענין שנ׳ ר | אתה] ראמנ מוסיפים <ולאבן את ילדתנו>, א מוסיף <ולאבן את ילדתינו>, ב מוסיף <וג׳> | ד״א—כמשמעו בטלד, ל׳ ראמהג״נ ואינו מעיקר הספרי אלא נוסף מגליון, אמנם גם בטופס הספרי שלפני ר״ה היה כתוב, ועי׳ בהערות — 11 ירח] ל מוסיף <ימינ> | אחד] ל׳ ב | חדשים] ל׳ ד | נויה] גויה ד, נוויה פ | עליה] ב מוסיף <ונויה> — 12 עקיבה] ד מוסיף <ל״הבחין> | כמשמעו] כמשמע ד | וכל כך—בעילת זנות] ראמ [ואינו מעיקר הספרי אלא נוכף מגליון] | וכל בטל״ד, כל הנ —

בת׳ השבעים, בפשיטא, בתרגום יונתן, בוולגאטא, ובספרו של פילון הנזכר והשוה אורשריפט של גייגער ע׳ 472: 2 וראיה וכו׳ עד שפמו, רמב״ן — שפמו, ההוספה דבר אחר עד די שעריה וכו׳, הנמצאת בבטלד נלקחת כנראה ממכילתא לדברים, ומן הפסוק ראיה לדברי ר״ע כמבואר במ״ת ושם הגרסה: ולר״ע אעפ״י שאין ראיה לדבר זכר לדבר כמה שנאמר עד די שעריה כנשרין רבא וטפרוהי כציפרין וכעין זה בשמחות שם וכדברי ר״ע תרגם אונקלוס ותרבי ית טופרהא:

5 מלמד וכו׳ עד אחריהן, לקח טוב — מלמד וכו׳, כל זה לשיטת ר״ע שלגנותה מתכוין הכתוב; ויוזיפוס פירש שמסירה שמלת שביה ולובשת בגדי אבילות: 7 בבית וכו׳ עד בניוולה, רש״י: 8 דומה לקרויה (עיין ר״ה שהביא בנאיר עין דומה לדלעת ועיין ירו׳ קדושין פ״א ה״ב, נ״ט ע״ד, יגלחנו כדלעת) וכעין זה גם בב׳ סוטה ט״ז ע״א והלכתא מגלח כדלעת ואלו דברי ר״ה: „דומה לקרויה דכיון דהיא מגולחת מתנוולת בבגדי אלמנותה ומגולחת ראש דומה לדלעת ורואה בניוולה״, וגרסה מוטעת נזדמנה לו לרמא״ש אבל הוא כוון לנוסח האמיתי בהגהתו, עיי״ש. — אביה וכו׳ עד שלשים יום, יבמות מ״ח ע״ב והשוה פ״ז: 9 אביה ואמה ממש, וכן מפרשים פילון ויוזיפוס בספריהם הנזכרים: 10 עבודה זרה, וכן בת״י טעוות בית אבה ואמה. — שלשים יום, תוספתא יבמות פ״ו ה״ח (ע׳ 248). — דבר אחר וכו׳ עד בעילת זנות, חסר באמר ונמצא בבלטדפ וכן מובא בהגהות מיימ׳ ה׳ מלכים פ״ח ה״ו ובלקח טוב ובמ״ת חסר מדבר אחר עד כמשמעו. ונראה שכל הקטע אינו מעיקר הספרי: 11 הרי שלשה חדשים, בתוספתא שם איתא „יפת תואר התורה נתנה לה שלשים יום אבל אמרו חכמים צריכה להמתין שלשה חדשים מפני תיקון הולד רשב״א מביאו מן המקרא שנ׳ ירח ימים ואחר כן״, וכעין זה בבבלי שם מ״ח ע״ב. וי״ת ותשהי תלת ירחין די תידע אין היא מעברא. — כדי בגדי נויה, כלומר כדי לבלות אותם: 12 וכל כך למה וכו׳, לשיטת ר״ע ולא לשיטת ר״א. —

שתהא בת ישראל שמחה וזו בוכה בת ישראל מתקשטת וזו מתנוולת· ואחר כן תבא אליה ובעלת· הא אם לא עשה בה את כל המעשים האלו ובא עליה הרי זו בעילת זנות·

ואחר כן תבוא אליה ובעלתה, אין לך בה אלא מצות בעילה. והיתה לך לאשה, כענין שנאמר שארה כסותה ועונתה לא יגרע סליק פיסקא ריד. שמות כא י

ריד.

(יד) והיה אם לא חפצת בה, הכתוב מבשרך שאתה עתיד לשנאותה. ושלחת לנפשה, ולא לבית אלהיה. ושלחתה בגט כדברי רבי יונתן ואם היתה חולה ימתין לה עד שתבריא קל וחומר לבנות ישראל שהן קדושות וטהורות· ומכור לא תמכרנה בכסף, אין לי אלא שלא ימכרנה בכסף מנין שלא יתננה במתנה ולא יעשה בה טובה תלמוד לומר ומכור לא תמכרנה בכסף. לא תתעמר בה, שלא תשתמש בה. דבר אחר לא תתעמר בה כדברי רבי יונתן· דבר אחר הרי זו אזהרה לבית דין·

תחת אשר עניתה, אפילו לאחר מעשה יחידי.

רטו.

(טו) כי תהיין לאיש שתי נשים· שיש בהם הויה יצאו שפחה ונכרית שאין בהם

וכל כך למה עד מתנוולת, רש״י: 3 אין לך וכו׳ עד לא יגרע, רמב״ן, והשוה פ״ז:

5 הכתוב וכו׳ עד לשנאותה, רש״י: 6 ולא לבית אלהיה, לקח טוב, ורמב״ן גורס ולא לבית אביה, עיי״ש· במה״ג ובכ״י נ נוסף כאן עוד „מלמד שאם לא רצת להתגייר לאחר שלשים יום מגלגל עליה כל שנים עשר חדש לא רצת מקבלת שבע מצות שנצטוו בהן בני נח לא רצת לקבל אחר שנים עשר חדש הורגין אותה״ ואולי כל זה מעיקר הספרי והשמיטוהו המעתיקים משום איבה ויותר נראה שהוא ממכילתא לדברים· ועל כי מאמר זה פסק רמב״ם בהלכות מלכים פ״ח ה״ט ובחינם תמה עליו בעל כסף משנה· — ושלחת וכו׳ עד וטהורות, הוספה שלא מעיקר הספרי, ועיין בשנויי נסחאות· וידוע שר׳ יונתן הוא מתלמידי ר׳ ישמעאל, ועיקר הספרי הוא מאסכולא של ר״ע, וכבר העיר בעל תורה תמימה שברייתא זו לא היתה לא לפני הרמב״ם ולא לפני הרמב״ן· הרמב״ם פוסק בה׳ מלכים פ״ח ה״ו ואם לא חפץ בה משלחה לנפשה, ואינו מזכיר צורך גט, ורמב״ן בפירושו נושא ונותן בדבר אם צריכה גט ואם לאו ובודאי היה מביא ברייתא זו לו היתה בנוסח הספרי שלו, ולפי עדות הרב המגיד (ה׳ נשים פ׳ י״ד ה׳ י״ז) הביא הרשב״א את הקטע הזה וז״ל: אבל הרשב״א ז״ל כתב תניא בספרי ושלחת לנפשה מלמד שאם היתה חולה ימתין לה עד שתתרפא ופרשוה הראב״ד ז״ל במוטלת על המטה וכל שכן בבנות ישראל הקדושות אם היא מוטלת על המטה שאינה יכול לגרשה עד שתתרפא״· — בגט, פ״ז, וכן איתא בת״י ותפטרינה לבלחודה בגטא, ועיין מה שכתב רד״ה במ״ת, ע׳ 128 הערה כ׳: 7 קדושות וטהורות, שכטר בספרו Some Aspects of Rabbinic Theology ע׳ 205, הערה 4, מעיר שכל מקום שנזכר קדושה הוא כנגד זנות, ועיין עוד מה שהעיר רל״ג בספרו Unbekannte Sekte ע׳ 225: 9 לא תשתמש בה, רש״י, רמב״ן, רמב״ם לאוין רס״ד, חנוך תצא תק״ס, מגדל עוז מלכים פ״ח ה״ו· — שלא תשתמש בה, כפי׳ ר׳ יהודה לקמן פי׳ רע״ג וכן פי׳ פילון ויוזיפוס בספריהם הנזכרים למעלה: 10 ד״א וכו׳ עד לבית דין, הוספה וחסר בראמה· וגם בשאר הנסחאות לקוי הקטע· דברי ר׳ יונתן מתפרשים על פי הברייתא במ״ת: ר׳ יונתן אומר אחר הבעילה הכתוב מדבר או אינו מדבר אלא אחר כל המעשים ת״ל ויקח אותה וישכב אתה ויענה (בר׳ ל״ד ב׳) הרי אתה דן נאמר כאן ענוי ונאמר להלן ענוי מה ענוי שנאמר להלן אחר הבעילה הכת׳ מדבר אף ענוי שנ׳ כאן אחר בעילה הכת׳ מדבר· ודברי ר׳ יונתן אלה מובאים גם בכ״י נ· — הרי זו וכו׳, למעלה פי׳ קע״א (ע׳ 217) וש״נ: 11 אפילו וכו׳, רמב״ן, לקח טוב:

12 שיש בהם וכו׳ עד מכל מקום, הוספה ואינה מעיקר הספרי ולכן הכוה בראמ, ובה, מובאים דברי ר׳

1 בוכה] ברכה ט | בת ישראל ט, זו בת ישראל ב, בת ישראל זו ל, שתהא ה, זו דנ | מתנוולת] מנוולת ה; וה,נ מוסיפים <כדי שיקוץ בה> | ואחר כן תבא אליה ובעלת ה, ל׳ בטלנ — 2 אם] ה,נ מוסיפים <בעלה עד> | לא ב טד, ל׳ ל, שלא ה,נ | את בלד, ל׳ טה,נ — 3 ואחר כן רבאהט[1], ואחר כך למט[2] | אליה] עליה ל | ובעלתה] ל׳ ל | לך] לה ל | בה] בא ב — 4 שארה] ל׳ ט[2] | סליק פיסקא ד, ל׳ בלא, פ׳ ר —

5 הכתוב מבשרך] מבשרך הכת׳ ט[1] | שאתה עתיד] שעתיד אתה א | לשנאותה בטלאמ, לשנותה ה, לשמחה ר [ועל הגליון לשנאה] — 6 לבית אלהיה] לבית אביה ל [רמב״ן] | ושלחתה–וטהורות] ל׳ ראמ,נ אמנם נמצא בבטלדפ ואינו מעיקר הספרי רק נוסף מגליון ועיין בהערות] | ושלחתה] ושלחת ד, ושלחה פ, ד״א ושלחת לנפשה ד,ה | בגט כדברי רבי יונתן] ל׳ ה | כדברין] דברי פ | ואם] שאם ה | ימתין] תמתין פ — 7 שתבריא] שיבריא ל, וה, מוסיף <אם כך חס המקום על בנות הגוים הטמאות> | לבנות] על בנות ה | שהן קדושות וטהורות] הטהורות ה, | תמכרנה] ימכרנה ה, | בכסף רא, ל׳ טדמה,נ — 8 שלא ימכרנה] ל׳ נ | ימכרנה] ימכר ד | ולא רא מפ, שלא ה, ושלא בטלד,נ — 9 בכסף] ל׳ ה,נ | לא] ולא ב | שלא תשתמש בה] ל׳ בא | שלא טלמה,נפ, לא רד | ד״א–לב״ד ד, כדברי ר׳ יונתן ד״א הרי זו אזהרה לבית דין בט, ד״א הרי זו אזהרה לבית דין לה, ל׳ ראמ [וכל זה נוסף מגליון ואינו מעיקר הספרי] — 11 יחידי] ר מוסיף <פ׳>, ל׳ ראמה —

12 כי תהיין–וילדו לו מכל מקום] ל׳ ראמה ואינו

הויה משמע מוציא את אלו ומוציא את היבמה ומוציא את הארוסה שאין להן הויה [תלמוד לומר שתי נשים].

רבי ישמעאל אומר בדרך ארץ הכתוב מדבר מגיד שסופו להיות שונא אותה ואוהב אחרת.

וילדו לו בנים, להוציא את הספק בן תשעה לראשון בן שבעה לאחרון אין לי אלא היוצא ממקום הלידה יוצא דופן מנין תלמוד לומר וילדו לו מכל מקום.

דבר אחר כי תהיין לאיש שתי נשים, אין לי אלא שהן שתים מנין אפילו הן מרובות תלמוד לומר נשים אין לי אלא בזמן שהן מרובות ומקצתן אהובות ומקצתן שנואות מנין אפילו כולן אהובות כולן שנואות תלמוד לומר אהובה האהובה, שנואה השנואה, ריבה הכתוב אין לי אלא בזמן שהן מרובות וכולן אהובות או כולן שנואות מנין אפילו הן שתים תלמוד לומר שתי נשים אין לי אלא בזמן שהן שתי נשים אחת אהובה ואחת שנואה מנין אפילו אחת והיא אהובה אפילו אחת והיא שנואה תלמוד לומר אהובה אהובה שנואה שנואה ריבה הכתוב, איזו היא אהובה אהובה לפני המקום שנואה שנואה לפני המקום יכול אין לי אלא אנוסה ומפותה שאינן לו כדרך כל הנשים מנין אלמנה לכהן גדול גרושה והלוצה לכהן הדיוט תלמוד לומר שנואה שנואה ריבה את העריות שהן בלא תעשה ועדין לא ארבה את

מעיקר הספרי אלא נוסף מגליון, ובפ נמצא למטה אחר המלים „יצאו אלו שאין בהן הויה". ועי' בהערות | נשים] טר מוסיפים <במי> | שאין בהם הויה] ל' ל — 2 משמע ט, שתי משמע בל, שתי כמשמעו ד | מוציא את אלו] מוציא אילו את [את אילו לי] ל | ומוציא בט, מוציא לד, ומוציא אני פ [מהר"ס] | ומוציא את הארוסה—הויה ט, ל' ד, ובבלפ ומהר"ס מובא למטה אחר המלים „ואוהב אחרת" | ת"ל שתי נשים, כן נראה לי להוסיף ועיין בהערות — 3 ישמעאל] בבטלד הגרסה שמעון, והגהתי ע"פ מ"ת ע' 128 | שסופו] שסופן ט[2] | אחרת] בל מוסיפים <ומוציא את הארוסה שאין לה הויה> פ, [מהר"ס] מוסיפים <ומוציא את האסורה שאין לה הויה>, ועיין למעלה — 4 לראשון] ד מוסיף <או> | בן לד, ובן בט | לאחרון טל, לאחרונה ב, לשיני ד | אין לי—שתי נשים] ל' ל — 5 הלידה] לידה ט — 6 דבר אחר בטדה, ל' ר אמ | שהן שתים רבטל, בזמן שהן אמ, ל' דה | שתים] שתי נשים א | מנין] ומנין א | אפילו] שאפילו ד | הן רב טל, הם ד, ל' אמה — 7 אין לי] ל' ר | ומקצתן רבל דמפא[1], מקצתן טא | ומקצתן אהובות ומקצתן שנואות] ומקצתן שנואות ומקצתן אהובות ה — 8 מנין אפילו כולן אהובות] ל' ה | אהובות] אוהבות ל | כולן שנואות רט, אפי' כולן שנואות אמ, אפילו כולן שנואות בלדה | אהובה] ל' א — 9 שנואה] השנואה א' | אין לי אלא—ת"ל שתי נשים] ל' בלה — 10 שתי נשים בלדאמ, שתים רטהג[3] — 11 אהובה] האהובה ל | אחת] האחת הג[3] | ואחת] והאחת ה | מנין טמ, מניין רלדא, ומנ' ה | אהובה] שנואה ה, אמנם בה[1] אהובה | אפילו בטלדמ, ואפילו ר, ל' אה — 12 שנואה] אהובה ה, אמנם בה[1] שנואה | אהובה אהובה שנואה שנואה ריבה הכתוב רלדמ, אהובה אהובה שנואה שנואה ריבה ט, האהובה האהובה השנואה השנואה ה, ל' אב | איזו היא] ל' אב — 13 אהובה] ל' ט[2], וה מוסיף <ושנואה> | המקום] מקום ר וכן בסמוך | שנואה שנואה רבלאמט[1], שנואה ושנואה ה, ל' ט[2] | לפני המקום] ל' ט[2] — 14 שאינן לו רבלדאמהט[1], שאינו לו ט[2], שלא א | כדרך] בדרך ב | מנין טמ, מנ' ה, מניין רבלד, ומנין א | וחלוצה] ל' ל — 15 שנואה] ל' א | ריבה] ריבה ריבה ר, ריבה הכתוב ה | את] אלא ב [את ב[1]] | בלא תעשה] ב מוסיף <ועדיין לא ארבה את העריות שהן בלא תעשה> | ועדין לא ארבה] מנ' לרבות ה | ועדין] ועד אין ג[3], ועדן ר —

ישמעאל למטה אחר הברייתא יצאו אלו שאין הולדות שלו. וגם ר"ה מפרש כל המאמר שם אחר הברייתא ההיא, ועיין בהערת רמא"ש. — יצאו שפחה ונכרית וכו', ע' יבמות כ"ב ע"א וקדושין ס"ח ע"ב: 1 ומוציא את היבמה, כלומר שבנה קרוי על שם בעל"ה הראשון ולא יהיה בכור לנחלה של היבם וכן פי' ר"ה, והראב"ד לפי עדות רד"ף, ורמא"ש פירש „יכול שאוציא בן היבמה דלא הות בה הוית קידושין וכן אם הוליד בן מארוסתו דלא הות בה הוית נישואין." ומהרא"ן הקשה על פירוש הראשון „ודין חדש הוא זה לא מצאנו לשום פוסק שיאמר דבר זה גם מה שכתב יקום על שם דקאי אוולד דבר תימה הוא שהרי אמרו רז"ל דאיבם קאי שיקום לנחלת אחיו וצ"ע ודברים ברורים הם ואיברא תמה אני אם יצאו דברים הללו מפ' קדוש הראב"ד ז"ל". — ת"ל שתי נשים, כן הוסיף רמא"ש, ובנסחאות חסר: 3 ר' ישמעאל אומר, כן יש להגיה על פי מ"ת פסוק ט"ו (ע' 128) אעפ"י שבכל הנסחאות הגרסה כאן ר"ש: 4 להוציא את הספק וכו', עיין בכורות מ"ו ע"א, יבמות ק' ע"א. וכתב מהר"ס על ברייתא זו: נלע"ד דלא גרסינן ליה ושבוש הוא דאפילו כפשוט לא יקח דאזיל הכא מדחי ליה ואזיל הכא מדחי ליה ומהיכי תיסק אדעתין שיקח כבכור דאיצטריך למעוטי ולקמן קתני הבכור ולא הספק היינו ספק בכור ספק פשוט ולא ספק בן ט' לראשון וכו'. וגם רד"ף הסכים להגהה זו: 5 יוצא דופן וכו', בכורות מ"ז ע"ב, וכדברי ר' שמעון: 6 אין לי וכו', פ"ז: 12 איזו היא

העריות שחייבין עליהן כרת בידי שמים תלמוד לומר שנואה שנואה ריבה את העריות שחייבים עליהן כרת בידי שמים ועדין לא ארבה את העריות שחייבים עליהן מיתת בית דין תלמוד לומר שנואה שנואה ריבה יכול אפילו שפחה אפילו נכרית תלמוד לומר כי תהיין לאיש מי שיש לו בהן הויה יצאו אלו שאין בהן הויה וילדו לו בנים, מי שהולדות שלו יצאו אלו שאין הולדות שלו. דבר אחר וילדו לו בנים, הבנים בתורה הזאת ואין הבנות בתורה הזאת, לפי שמצינו שהבנות נכנסות לנחלה תחת האחים לחלוק בשוה יכול תהא בכורה נוהגת בהן תלמוד לומר וילדו לו בנים, הבנים בתורה הזאת ואין הבנות בתורה הזאת. והיה הבן, ולא טומטום ואנדרוגינס. הבכור, ולא הספק. לשניאה, הכתוב מבשרך שבן הבכור לשניאה סליק פיסקא

רטז.

(טז) והיה ביום הנחילו את בניו, ביום מפילים נחלות ואין מפילים נחלות בלילה. את אשר יהיה לו, מלמד שהבן נוטל בראוי כבמוחזק. לא יוכל לבכר, מלמד שאינו רשיי לבכר יכול לא יבכר ואם בכר יהא מבוכר תלמוד לומר לא יוכל לבכר הא אם בכר אינו מבוכר. את בן האהובה, כיון שיצא ראשו ורובו בחיים פוטר את הבא אחריו מן הבכורה. על פני בן השנואה הבכור, אף על פי שבן הבכור לשנואה.

אהובה וכו׳, יבמות כ״ג ע״א, פ״ז: 5 מי שהולדות וכו׳, פ״ז: — יצאו אלו וכו׳, דהיינו שפחה ונכרית שאין הולדות שלו, [ר״ה], וכן בפ״ז גורס: „יצאו שפחה ונכרית שאין הולד הולך אלא אחריהן״: 7 בנים וכו׳, פ״ז: 8 ולא טומטום, ב״ב קכ״ז ע״א, פ״ז: 9 ולא הספק, שם. — הכתוב מבשרך וכו׳, פ״ז:

10 ביום מפילים וכו׳, פ״ז, ב״ב קי״ג ע״ב, ומפורש שם ביום דנין דין נחלות ולא בלילה אבל ר׳ הלל פירש כאן: „ביום מפילין נחלות דהיינו דמפילין גורלות לנחלות,״ והעיר עליו רד״ף „ונעלם ממנו ש״ס הנזכר ועוד לא ידעתי מה גורלות אצל נחלות ואולי כונתו על נחל׳ א״י״: 11 בראוי כבמוחזק, פ״ז, והשוה ב״ב קכ״ג ע״ב, ירוש׳ ב״ב פ״ח ה״ד (ט״ז ע״א): 12 מלמד וכו׳ עד מבוכר, מובא ברמב״ן לאוין שׁשכח הרמב״ם י״ב, והשוה פ״ז: 13 אינו מבוכר, ירו׳ שם פ״ח ה״ה (ט״ז ע״ב) ועיין במ״ת כאן. — כיון שיצא וכו׳, השוה בכורות מ״ו ע״ב, ודורש על פני, רד״ה בהערה למ״ת, ועיין הערת רמא״ש ופירוש רמב״ן על התורה: 14 אעפ״י שבן הבכור וכו׳, השוה פי׳ רס״ג בפי׳ י״ג מדות, נדפס ע״י שכטר בבית תלמוד שנה ד׳ ע׳ 238:

1 שחייבין עלידהן כרת רטמהג[3], שחייבין עליה כרת בלד, שהן בכרת א | בידי שמים] ל׳ ה | ריבה— כרת [מיתה ג[3]] ראמג[3], ריבה את העריות שהן בכרת בט, ריבה את העריות שהם בלא תעשה ל, ריבה את העריות שהן בלא תעשה וחייבין עליהן כרת ד, ל׳ ה — 2 בידי שמים—שנואה שנואה ריבה ראמג[3], ומג׳ לרבות שחייבין עליהן מיתת בית דין ת״ל שנואה שנואה ה, בידי שמים ועדין לא וגו׳ ב, ל׳ טלד | ועדין] ועדן ר, ועד אין נ[3] | שחייבים] שחייב מ | מיתת בית דין] מיתה בבית דין רא — 3 שנואה] ל׳ א | אפילו נכרית בטל, אפילו נוכרית ד, ואפילו נכרית ר, נכרית א, ונכרית הג[3]פ, עברית מ — 4 תהיין טלדאמה, תהיינה ר, תהיינ״ן ב | לאיש] א מוסיף <שתי נשים> | מי ראמהג[3], כל בטלד | שיש לו בהן רבלמהט[1], שיש להן א, שיש בהן ט[2]ג[3], שיש בה ד | שאין רבאפ, שאין לו טלמה, שאין לך נ[3] | בהן מ הג[3]פ, להן א, בה רבטלד | בנים] ל מוסיף <או בנות> — 5 מי—בנים] ח׳ מ | מי—שלו] משהוולד שלו פ | שלו] לו אנ[3] | יצאו—שלו] ל׳ ב | הולדות שלו רטלד, לו הולדות א, ולדות שלו ר׳ ישמעאל אומר בדרך ארץ הכת׳ מדבר שאם יהיה] לו שתי נשים סופו להיות אוהב אחת ושנא אחת, וילדו לו, להוציא את מי שהוא ספק בן תשעה לראשון או בן שבעה לאחרון ה | ד״א] ל׳ א — 6 ואין—הזאת] ל׳ א, איתא באי | ואין] ולא רפ וכן בסמוך | לנחלה בטאמהג[3], בנחלה רלד | האחים] אחים מ — 7 תהא רטלאמה, שתהא ב, תהיה ד, יהא נ[3] | לו] ל׳ ב | בנים—הבנות בתורה הזאת] ל׳ ה | הבנים] בנים ד — 8 בתורה] כתובין ר | הבן] הבכור ל | ולא] לא ה | ואנדרוגינס רפ, ואנדרגינס הנ[3], ואנדרוגינוס בטלד | הבכור] בבכור א[3] — 9 ולא] לא ה | הספק] ספק א | שבן הבכור רבטלדמ, שיהא הבכור א, שהבכור ה | לשניאה רבטלדה, לשנואה אמה | סליק פיסקא ד, ל׳ רבלא —

11 שהבן] שאין הבן א; א[1] מוסיף <בכור> | נוטל] ל׳ ר, איתא ר[1] | בראוי] כראוי ר | כבמוחזק] כמחזיק נ[3] | לא ט, ולא בלדאמה — 12 מלמד—לבכר] ר׳ אליעזר אומר העבודה שהוא יכול אלא שאינו רשאי ה | יכול—ת״ל לא יוכל לבכר] ל׳ א | יכול לא יבכר רמג[3] [רמב״ן]; יכול לא יהיה [יהא בט] רשאי לבכר בטר, יכול ה, ל׳ ל | ואם—יהא [יהיה ד] מבוכר רבטלד, ואם בכר הרי זה מבוכר מג[3], אם ביכר יהא מבוכר ה — 13 הא אם] האם ר | ראשו ורובו] רוב ראשו ה — 14 בחיים] ל׳ מ | הבכור] ל׳ ל — 15 לשנואה] לשניאה ד —

ריז.

(יז) כי את הבכור בן השנואה יכיר, יכירנו לאחרים מלמד שנאמן אדם לומר זה בני בכור רבי יהודה אומר כשם שנאמן אדם לומר זה בני בכור כך נאמן לומר זה בן גרושה וזה בן חלוצה וחכמים אומרים אינו נאמן.

לתת לו פי שנים, פי שנים בו או פי שנים בכל הנכסים הרי אתה דן הואיל ונוחל עם אחד ונוחל עם חמשה מה מצינו כשנוחל עם אחד פי שנים בו אף כשנוחל עם חמשה פי שנים באחד מהם או כלך לדרך זו הואיל ונוחל עם אחד ונוחל עם חמשה מה מצינו כשנוחל עם אחד פי שנים בכל הנכסים אף כשנוחל עם חמשה פי שנים בכל הנכסים תלמוד לומר והיה ביום הנחילו את בניו, ריבה נחלה לבנים, אחר שלמדנו שריבה נחלה לבנים הא אין עליך לדון אלא כדין הראשון הואיל ונוחל עם אחד ונוחל עם חמשה מה מצינו כשנוחל עם אחד פי שנים בו אף כשנוחל עם חמשה פי שנים באחד מהם וכן הוא אומר ואני נתתי לך שכם אחד על אחיך ואומר ובני ראובן בכור ישראל כי הוא הבכור ואומר כי יהודה גבר באחיו ולנגיד ממנו והבכורה ליוסף, הואיל ומצינו שהבכורה ליוסף ובכורה לדורות מה בכורה האמורה ליוסף פי שנים בו אף בכורה האמורה לדורות פי שנים באחד מהם. בכל אשר ימצא לו, מלמד שאין הבכור נוטל בראוי כבמוחזק. כי הוא ראשית אונו, ולא ראשית אונה של אשה. לו משפט הבכורה, מלמד שהבכורה יוצאה בדיינים סליק פיסקא

בראשי' מח כב
דה"א ה א
שם ה ב

ריח.

(יח) כי יהיה לאיש בן, ולא כשיהיה בן לאשה. בן, ולא בת. בן, ולא איש

1 כי את הבכור—קטן פטור שלא בא לכלל מצות] ל' ט | הבכור רבלאמ, בכור דה | יכירנו דאמה, שיכירנו רבל | מלמד שנאמן] מיכן אמר ר' יהודה נאמן ה | אדם] ל' ד – 2 בכור] בכורי ר | רבי יהודה—אומרים אינו נאמן] ל' ה | בכור] בכורי ר | נאמן] מ מוסיף <אדם> – 3 זה בן גרושה וזה בן חלוצה ראג', זה בן גרושה שלי וזה בן חלוצה שלי א, זה בני בן גרושה או בן [ויבן ד] חלוצה הוא בלד, בן גרושה זה בן חלוצה זה מ | אינו [אין רד] נאמן רלדאמ, זה נאמן ב – 4 פי שנים] ל' בל | פי—ריבה נחלה לבנים] פי שנים כאחד אתה אומר פי שנים כאחד או אינו אלא פי שנים בנכסים ודין הוא הלקו עם אחד וחלקו עם חמשה מה חלקו עם אחר פי שנים כאחד אף חלקו עם חמשה פי שנים כאחד או הלך לדרך הזו חלקו עם אחד וחלקו עם חמשה מה חלקו עם אחד פי שנים בנכסים אף חלקו עם חמשה פי שנים בנכסים ת"ל והיה ביום הנ' את בנ' התורה רבתה אצל בנים ה | בו רמא', באחד בפ, בששה ד, ל' לא | הנכסים] נכסים ר – 5 מה מצינו—ונוחל עם חמשה] ל' ל | בו אמ, באחד בד, ל' ר – 6 חמשה] מ מוסיף <נוטל> | באחד דא, בכל אחד ב, כאחד רמ | מהם] ל' ד | או] ל' ב | כלך] גלך מ | ונוחל עם] שנוחל עם מ – 7 מה] ל' ר | מצינו] ל' ב – 8 נחלה] ונחלה ד | לבנים] ר מוסיף <אחר שלמדנו שריבה נחלה לבנים> – 9 לדון] לדין ר; בד מוסיפים <כדין האחרון>, ה מוסיף <כלשון האחרון> | כדין] כלשון ה | הואיל ונוחל—באחד מהם] ל' ה | עם אחד—אף כשנוחל] ל' א איתא בא' – 10 בו רמא', באחד ד, באחו מהן ב, ל' ל – 11 באחד ר דאמ, כאחד בל | וכן הוא אומר לרא, וכן הוא מ, ואו' רב | אחיך] בל מוסיפים <וגומ'> | ובני] בני ה – 12 הבכור] ר מוסיף <ובחללו וגו'>, בל מוסיפים <וגומ">, ה מוסיף <ולא להתיחס לבכורה> | ואומר] ל' רל | כי—באחיו] ל' ה | ולנגיד—ליוסף מ, ל' רבלדאה – 13 מה בכורה—האמורה לדורות] ל' ר | מה אמ, מה מצינו בלדה | בכורה האמורה באמה, בבכורה אחת לד – 14 ליוסף] ביוסף מ | בו בלאמ, באחד ד, כאהד ה | באחד מהם רבדמ, כאחת מהן ל, כאחד ה – 15 בראוי] מ מוסיף <לבא> – 16 ולא—אשה] אונו של איש ולא אונה של אשה ה [ועיין בהערת רד"ה במ"ת] | יוצאה] יוצא ר – 17 סליק פיסקא ד, ל' בלא, פ' ר –

18 ולא—בן לאשה א, ולא כשיהיה לאשה מ, ולא כשיהיה בן לאיש רבל, ולא כשיהיה בן לבן ד, ולא בן

1 יכירנו לאחרים וכו', קדושין ע"ח ע"ב, פ"ז: 4 פי שנים וכו', קכ"ב ע"ב, וכעין זה בפ"ז: 15 מלמד וכו', ב"ב קכ"ד ע"ב, בכורות נ"ב ע"א, פ"ז: 16 ולא וכו', מ"ת, ב"ב קי"א ע"ב, פ"ז, לקח טוב· — מלמד וכו', פ"ז: 17 בדיינים, מדכתיב משפט, מפי' ר"ה:

18 ולא וכו', סנהדרין ס"ח ע"ב וס"ט ע"א, ירושלמי שם פ"ח ה"א (כ"ו ע"א) וע"ין לקמן פיסקא רל"ח וציונים

קטן פטור שלא בא לכלל מצוה. סורר, שתי פעמים. ומורה, שוטה. דבר אחר סורר מין שמורה לעצמו דרך אחרת. דבר אחר בשביל שאכל זה ממון אביו אמרת בן סורר ומורה ימות אלא נידון על שם סופו מוטב ימות זכיי ואל ימות חייב אביו של זה חשק יפת תואר והכניס שטן לתוך ביתו ונעשה בנו סורר ומורה וסופו להמיתו מיתה משונה· כי יהיה באיש חטא משפט מות והומת· לא בשבת ולא בימים טובים·

דבר אחר סורר על דברי אביו· ומורה על דברי אמו· סורר על דברי תורה· ומורה על דברי הנביאים· סורר על דברי עדים· ומורה על דברי דיינים·

אמר רבי יאשיה שלשה דברים סח לי זעירא משום אנשי ירושלם סוטה אם רצה בעלה למחול לה מוחל בן סורר ומורה אם רצו אביו ואמו למחול לו מוחלים זקן ממרא על פי בית דין אם רצו חביריו למחול לו מוחלים וכשבאתי והרציתי הדברים לפני רבי יהודה בן בתירה על שנים הודה לי ועל אחד לא הודה לי על סוטה ועל בן סורר ומורה הודה לי על זקן ממרא על פי בית דין לא הודה לי מפני שהיה מעמיד מחלוקת בישראל·

איננו שומע בקול אביו ובקול אמו, יכול אפילו אמרו לו אביו ואמו להדליק את הנר ולא הדליק תלמוד לומר איננו שומע איננו שומע, לגזירה שוה

שם: 1 ומורה שוטה, בלשון יון קורין לשוטה מורה (μωρός) מפי' ר"ה: 2 סורר מין, כן הגיה ר' נ· ברילל בספר השנתי שלו שנה א' ע' 134, ועיין בשנויי נסחאות, ולפי המובא ברמא"ש מן הכ"י שלפניו גורס ר"ה תורמין ומפרש „היינו שוטה שבשוטים"· ובכ"י פ ליתא· — דרך אחרת, דהיינו דהוי זולל וסובא [מפי' ר"ה]· — ד"א וכו' עד בימים טובים, כל זה חסר בכ"י ראמ· בפירוש ר"ה מובא לקמן אחר הברייתא מלקין אותו לפני ג'· במ"ת מובא קטע ממנו על פסוק כ"ב· ורק בבטלד מקומו כאן, ולכן נראה שנוסף אל הספרי מגליון· ועיקרו נראה שהוא ממכילתא לדברים ומקומו הראוי בסוף הפרשה ולכן נצטרף אליו הדרש על כי יהיה איש וכו' שבו מתחילה הברייתא השניה· ואין צורך להגהת רמא"ש: 3 אלא נדון על שם וכו', לקמן פיסקא ר"כ, סנהדרין פ"ח מ"ז, וירו' שם כ"ו ע"ב, ב' שם ע"ב ע"א, תנחומא א' שמיני י"א, שם תצא סי' א', תנהומא ב' שמיני, סי' ז' (י"ג ע"ב), שם תצא סי' א' (י"ז ע"א)· — חשק יפת תואר וכו'· מ"ת לקמן פסוק כ"ב, סנהדרין ק"ז ע"א, תנחומא א' וב' תצא סי' א': 5 לא בשבת וכו', סנהדרין ל"ה ע"ב, מכילתא ויקהל פרשה א' (ק"ה ע"א), מכילתא דר"ש שם ל"ה ג' (ע' 166), והשוה מכילתא שם פ' משפטים פרשה ד' (פ' ע"ב, ה—ר ע' 264), ירו' שבת פ"ז ה"א (ט' ע"ג), ושם סנהדרין פ"ד ה"ז (כ"ב ע"ב), ב' יבמות ו' ע"ב· וכבר ביארתי שכל הברייתא עיקר מקומה במכילתא לדברים בסוף הפרשה ונוספה אל הספרי מגליון, ולכן אין נראה לי למחוק קטע זה או להעתיקו מן הברייתא הזאת אל הפסוק לקמן, ומפירוש ר"ה נראה שגרס אחר משפט זה, מכאן אמרו האיש נסקל ערום וכו' כמו שמובא לקמן סוף פי' רכ"א: 6 סורר וכו' עד דברי דיינים, לקח טוב: 8 א"ר יאשיה וכו', מ"ת למעלה י"ז י"ב (ע' 103), סוטה כ"ה ע"א, סנהדרין פ"ח ע"א, ירוש' סוטה פ"ד ה"ג (י"ט ע"ג), שם סנהדרין פ"ח ה"ו (כ"ו ע"ב) ומובא מן הספרי בס' יראים סי' ג"ז, הוצ' שיף רע"ה: 13 יכול וכו' עד האמור כאן זולל

לבן ה, ולא שיהיה הבן איש פ | איש] ל' א — 1 קטן פטור] בן ולא קטן שהקטן פטור ה | סורר באמ, סורר סורר טל [וכן בין השטים בר], סורר סר סר ר, סורר ומורה ד | שתי לארי, שני רבטדמפ | שוטה—מין] ל' ה | שוטה] שטי ומריד רי [ואולי צריך לומר שטי ומריר שמוריד ריר על זקנו כדרך השוטים, עיין לקמן פי' שכ"ה „מי שהשד בו מריר] | ד"א סורר מין] כן הגיה ר' נ· ברילל, ועיין בהערות; והגרסות המקובלות הן תורמין רבטל, ור"ה לפי הגרסה המובאה ברמא"ש; ל' דאפ — 2 שמורה—אחרת] שמורה דרך אחרת לעצמו פ | ד"א—ולא בימים טובים] ל' ראמ, וגם בפ חסר כאן אבל נשלם שם למטה אחר המלים ומלקים אותו בפני ג', וגם במ"ת נמצא בסוף ע' 131 והבאתי השנוים כאן· ואינו מעיקר הספרי אלא נוסף מגליון | אמרת בן סורר ומורה] ל' פ — 3 ימות לדה, הוא נסקל פ, ל' בט | אלא] ל' טל | מוטב] ל' ב — 4 והכניס] הכניס זה ה | לתוך] בתוך ל | ונעשה בנו] והעמיד ממנה בן ה | וסופו—משונה] ומה סופו של בן סורר ומורה להיות ה | כי בטלה, שנאמר כי ד — 5 באיש בטלה, לאיש דפ | והומת] ל' ל | לא בשבת—טובים ד, לא בשבת ולא בשאר ימים טובים ל, לא בשבת אלא בשאר ימים ב, בחול ממיתין אותו ולא בשבת מכאן אמרו·· האיש נסקל ערום ואין האשה נסקלת וכו' פ — 6 דבר אחר—מחלוקת בישראל] ל' ראמ [וכל זה אינו מעיקר הספרי אלא נוסף מגליון] | דברי] שם ל [דברי ל[1]] | ומורה על דברי הנביאים—על דברי עדים] ל' ט[2] — 7 הנביאים דט[2], נביאים ל, נביאים וכתובים בהט[1] | דברי] דבר ט[2] | דיינים דט[1], הדיינים בלהט[2], ב"ד פ — 8 אמר רבי—מחלוקת בישראל] ל' ה | דברים] דברי ד | סח ד, אמר ב טל | זעירא] רבי זעירא ד | משוב—מחלוקת בישראל] כת' לעיל בפ' זקן ממרא ט[1], כתוב לעיל בפרשת ממרא ט[3] — 9 בן] ל' בד — 10 הביריו] בי' די' ב | מוהלים] ד מוסיף <לו> — 11 על] ועל ב — 12 על פי בית דין] ל' ל — 13 אפילו] ל' כאה [ובא נ' בין השטים] — 14 ולא הדליק טראה, ולא להדליק רב, ל' ל | תלמוד לומר] ל' א [ונוסף בין השטים] |

מה איננו שומע האמור להלן זולל וסובא אף איננו שומע האמור כאן זולל וסובא ומה איננו שומע האמור להלן עד שיגנוב משל אביו ומשל אמו אף איננו שומע האמור כאן עד שיגנוב משל אביו ומשל אמו. ויסרו אתו במכות. ולא ישמע אליהם, מלמד שמלקים אותו בפני שלשה.

ריט.

(יט) ותפשו בו אביו ואמו, מלמד שאינו חייב עד שיהו לו אב ואם דברי רבי מאיר רבי יהודה אומר אם לא היתה אמו ראויה לאביו אינו נעשה בן סורר ומורה. והוציאו אותו אל זקני עירו ואל שער מקומו, מצוה בזקני עירו ובשער מקומו.

(כ) ואמרו אל זקני עירו בננו זה, זהו שלקה בפניכם מלמד שאם מת אחד מהם אינו נסקל. היה אחד מהם גדם או חגר או אלם או סומה או חרש אינו נעשה בן סורר ומורה שנאמר ותפשו בו ולא גדמים והוציאו אותו ולא הגרים ואמרו ולא אלמים בננו זה ולא סומים איננו שומע בקולנו ולא חרשים. מתרים בו בפני שלשה ומלקים אותו חזר וקלקל נדון בעשרים ושלשה ואינו נסקל עד שיהו שם שלשה הראשונים שנאמר בננו זה זהו שלקה בפניכם. זולל וסובא, זולל בבשר
וסובא ביין ואף על פי שאין ראיה לדבר זכר לדבר °אל תהי בסובאי יין בזוללי משלי כג כ
בשר למו, ואומר °כי זולל וסובא יורש וקרעים תלביש נומה סליק פיסקא שם כג כא

איננו שומע איננו [אינו ד] שומע בטדמה, איננו שומע ר, איננו שומע בקולינו א, איננו איננו ל — 1 מה; איננו–זולל וסובא] ל׳ ה | להלן רבטאמ, כאן ל ד; דה מוסיפים <בן סורר ומורה>, ב מוסיף <בן>, טל מוסיפים <סורר ומורה> | איננו שומע לדאמ, איננו ר, ל׳ בט | כאן בטא, כן ר, להלן ל, להלן סורר ומורה ד | זולל–איננו שומע] ל׳ ל | וסובא] ל׳ מ — 2 ומה א, מה רבטלדמה | האמור להלן רמה, להלן בט, האמור כאן א, ל׳ ד | אמו] ט² מוסיף <וכו׳> | אף–ומשל אמו רא, אף האמ׳ כאן עד שיגנוב משל אביו ומשל אמו ט, אף איננו שומע האמור כאן מ, וכו׳ ב, ל׳ ל — 4 מלמד שמלקין] ומלקין ה —

5 ותפשו–רבי מאיר] ל׳ ט | מלמד שאינו חייב בל דאמ, כל שאינו חייב ר, ל׳ ה | שיהו ר, שיהיו ב, שיהיה לדאמ, שיהא ה — 6 רבי יהודה] ר׳ אליעזר א | ראויה שוה ה | לאביו] לדבר ר [ובין השטים נתקן לאביו] וה מוסיף <בקול במראה ובקומה> [וע׳ סנהד׳ ע״א ע״א] —

7 והוציאו] והוציא ד | ואל שער מקומו א, וגו׳ ר, ל׳ בטלדמה — 8 ואמרו–עירו] ל׳ ט | עירו] אמ מוסיפים <מצוה בזקני עירו> | זהו] זה הוא מ, ל׳ ט | בפניכם] ה מוסיף <מלמד שאינו נסקל עד שיהיו שם שלשה ראשונים> | שאם רבטלדפ, אם אמ, ואם ה | אחד מהם] מהן אחד ר — 9 היה אחד–תלביש נומה] ל׳ ט | גדם רדאמה, גירם בל | או סומה או חירש ר, או סומא או חרש לאמ, או סומאה או חרש ב, או חרש או סומא דה | אינו דאה, אין רבלמ | בן] בין ר — 10 בו] ה מוסיף <אביו ואמו> | אותו] או ל — 11 סומים] סומא ב | איננו] אינו ד | בקולנו] בקול ר | חרשים] חרש ה | מתרים–שלקה בפניכם] ל׳ ה | מתרים] ומתרים ד — 12 בעשרים ושלשה] בב״ד א | ואינו אמ, ואין רבלד | שיהו] שיהיו מ — 13 זהו אמ, והוא ר, ל׳ בלדה — 14 ואעפ״י אמה, אף על פי רבלד | ראיה לדבר] ראיה בדבר [לדבר אין א | אל] שנ׳ אל א | תהי] תהיו ה | בסובאי רבלד | בזוללי בשר למו] וגו׳ ר | בזוללי אמה, כזוללי ב, וכזוללי לד — 15 ואומר] ל׳ ר | זולל וסובא רלאמה, סובא וזולל בד [מסורה] | וקרעים תלביש נומה דמה, וגו׳ ר, ל׳ בלא | סליק פיסקא ד, ל׳ רבלא —

וסובא, לקח טוב: 1 להלן, פסוק כ׳, איננו שומע בקולנו זולל וסובא: 2 עד שיגנוב וכו׳, סנהדרין ע״א ע״א, והשוה מ׳ שם פ״ח מ״ג: 3 במכות, סנהדרין ע״א ע״ב, והשוה משנה שם פ״ח מ״ה וכן מתורגם בפשיטא, ראה הערת ר׳ חיים העליר בספרו Untersuchungen עמוד 14, וכן בת״י ויכסנון יתיה אבל בת״א ומלפן יתיה: 4 בפני שלשה, משנה שם. ורמא״ש העיר: „כיון דאמר קרא ויסרו אותו במלקות והדר קאמר ולא ישמע אליהם משמע למייסרים דמצוה לשמוע להן והיינו בית דין של שלשה ואולי צ״ל שמתרים אותו בפני ג׳ ועיין ברש״י ובירוש׳ פ״ח ה״ה דמוכח דמתניתין כפשוטה הוא דהתראתו בעיא שלשה״:

6 ר׳ יהודה אומר וכו׳, סנהדרין שם פ״ח מ״ד: 7 מצוה, השוה מכות י׳ ע״ב, ולמעלה פי׳ ר״ז ובציונים שם: 9 אינו נסקל, סנהדרין שם מ״ה, וירו׳ כ״ו ע״ב. — היה וכו׳ עד שלקה בפניכם, משנה שם: 12 ומלקים אותו וכו׳, כמפורש למעלה פי׳ רי״ח אלא שהולך ומעתיק המשנה בשלימותה: 13 זולל וכו׳, בבלי שם ע״א ע״א:

רכ.

(כא) ורגמוהו כל אנשי עירו, וכי כל אנשי עירו רוגמים אותו אלא במעמד כל אנשי עירו. באבנים, יכול באבנים מרובות תלמוד לומר באבן יכול באבן אחת תלמוד לומר באבנים, אמור מעתה לא מת בראשונה ימות בשניה, אמר רבי יוסי וכי מפני שאכל זה תרטימר בשר ושתה חצי לוג יין הוא נסקל אלא הגיעה תורה לסוף ענינו של זה ואמרה ימות זכיי ואל ימות חייב שמיתתם של רשעים הניה להם והניה לעולם ושל צדיקים רע להם ורע לעולם יין ושנה לרשעים הניה להם והניה לעולם ולצדיקים רע להם ורע לעולם שקט לרשעים רע להם ורע לעולם ולצדיקים הניה להם והניה לעולם. ובערת הרע, בער עושי הרעות מישראל.

רכא.

(כב) וכי יהיה באיש חטא משפט מות והומת, האיש נתלה ואין האשה נתלית רבי אליעזר אומר אף האשה נתלית אמר להם רבי אליעזר והלא שמעון בן שטח תלה נשים באשקלון אמרו לו שמונים נשים תלה ואין דנים שנים ביום אחד אלא שהשעה צריכה ללמד בה את אחרים.

ותלית אותו, יכול יהו כל הנסקלים נתלים תלמוד לומר כי קללת אלהים תלוי, אחר שריבה הכתוב מיעט הרי אנו למדים איתו מן המגדף מה מגדף מיוחד

1 אלא במעמד וכו׳, לקמן פי׳ ר״מ, ספרי במדבר פי׳ קי״ד (ע׳ 123), תו״כ אמור פרק י״ט ה״ג (ק״ד ע״ג): 2 יכול וכו׳, למעלה פי׳ קמ״ט (ע׳ 204) ובציונים שם: 3 אמר ר׳ יוסי וכו׳, סנהדרין ע״ב ע״א בשם ר׳ יוסי הגלילי, תנחומא א׳ וב׳ כי תצא סי׳ א׳ בשם ר׳ יוסי, ירו׳ כ״ו ע״ב, והשוה למעלה פי׳ רי״ח (ע׳ 251) ובציונים שם: 5 שמיתתם וכו׳, סנהדרין פ״ח מ״ז, פ״ז: 8 בער וכו׳, למעלה פי׳ פ״ו ובציונים שם:

9 האיש [מדכתיב וכי יהיה באיש וכו׳ סנהדרין פ״ו מ״ד, בבלי מ״ו ע״א], פ״ז: 13 יכול וכו׳, [משנה סנהדרין שם ובבלי מ״ה ע״ב]. פ״ז: — הנסקלים, רמא״ש הגיה המומתים ואין צורך, והשוה ב׳ שם:

1 עירו] ל׳ מוסיף <באבנים>, א מוסיף <באבנים יכול> [וקו נמשך תוך המלה יכול] — 2 מרובות] רבות מ | ת״ל באבן] לה, מוסיפים <או באבן> | באבן] אבן ב — 3 בשניה] באחרונה ר | א״ר יוסי—שקט—והניה לעולם] ל׳ ט | רבי יוסי] ה מוסיף <הגלילי> — 4 זה] ל׳ א | תרטימר רבאמה, טרטימר לד, תרמיטר ה׳ | יין] בשר ל | הוא נסקל אמ, נסקל רבד, אמ׳ רתורה יצא לבית דין ויסקל ה | לסוף] סוף מ — 5 ענינו של זה רבדאמ, דעתו של זה ל, דעתו של בן סורר ומורה שסוף מגמר נכסי אביו ומבקש למודו ואינו מוצא ויוצא לפרשת דרכים ומלסטים את הבריות ה | ואמרה] רד מוסיפים <זה>, אמרה תורה ה | שמיתתם של רבלדה, שמיתת אמ | הניה ה, הנאה אמ, נאה רבלד | להם] ל׳ ר | והניה ה, והנאה אמ, ונאה רבלד — 6 לעולם] ד מוסיף <רע> | ושל [של א] צדיקים אמ, ולצדיקים ה, לצדיקים רבלד | יין ושנה לרשעים הניה להם והניה לעולם ולצדיקים רע להם ורע לעולם] ל׳ אמ | הניה ה, נאה רבד, רע ל | והניה ה, ונאה רבד, רע ל — 7 ולצדיקים—ורע לעולם] לצדיקים נאה להם ונאה לעולם ל, ובה נוסף <פזור לרשעים הנייה להם והנייה לעולם ולצדיקים רע להם ורע לעולם כנוס לרשעים רע להם ורע לעולם ולצדיקים הנייה להם והנייה לעולם> | ולצדיקים ה, לצדיקים רבל | ולצדיקים דה, לצדיקים רבלדאמ | הניה—והניה ה, נאה ונאה רבלדאמ | להם] לו ר — 8 הרע] רא מוסיפים <מקרבך>, ב מוסיף <מישר׳> | עושי] ל׳ ל, איתא לי, עושה ר | הרעות רבלדה, רעות טאמ | מישראל] ל׳ דה —

9 וכי—והומת] ל׳ ט | וכי אמה, כי רבלד | באיש] לאיש א | חטא] ל׳ א | משפט מות והומת דמה, וג׳ ר, משפט מות ותולין [ותלית א׳] אותו על עץ א, ל׳ בל | האיש—כדרך שהמלכות עושה ת״ל והומת] ל׳ ט — 10 רבי אליעזר אומר—ללמד בה את אחרים] ל׳ ה | האשה] אשה א | אמר רבלד, ואמר אמ — 11 תלה] א מוסיף <פ׳>, מ מוסיף <שמכים> [צ״ל שמונים] | אמרו לו] א מוסיף <והלא>, בל מוסיפים <שמעון בן שטח> | שמונים נשים תלה לד, שמנים אשה תלה רב, ל׳ אמ | ואין רבלד, אין אפ, והלא אין מ — 12 שהשעה רבלד, שעה אמ | צריכה] אמ מוסיפים <היתה> | בה את אחרים] אחרים א — 13 ותלית אותו ד, אותו ה, ל׳ רבלאמ; וה מוסיף <יכול כל המומתין נתלין ת״ל כי קללת אלה׳ מה מקלל זה בסקלה ונתלה אף כל הנסקלים נתלין דברי ר׳ אליעזר> | יכול יהו] ר׳ יהושע אומר שומע אני ה | כל] ל׳ א | הנסקלים] הנתחים ל, המומתים ז — 14 תלוי] א׳ מוסיף <וכ׳> | אחר שריבה—מן המגדף] ל׳ ה | הרי רא

שפשט ידו בעיקר והרי הוא נתלה כך כל הפושט ידו בעיקר הרי הוא נתלה, רבי אליעזר אומר מה מגדף מיוחד שהוא נסקל והרי הוא נתלה כך כל הנסקלים נתלים יכול יהו תולים אותו חי כדרך שהמלכות עושה תלמוד לומר והומת ותלית אותו על עץ.

אותו, ולא את כליו, אותו, ולא את עדיו, אותו ולא את זוממיו, אותו ולא שנים ביום אחד.

על עץ, יכול בעץ התלוש או בעץ המחובר תלמוד לומר כי קבור תקברנו בעץ שנקבר עמו אמור מעתה בעץ התלוש ולא בעץ המחובר.

(כג) מנין למלין את מתו שהוא עובר בלא תעשה תלמוד לומר לא תלין נבלתו על העץ, הלינו לכבודו להביא לו ארון ותכריכים יכול יהא עובר עליו תלמוד לומר על העץ מה עץ מיוחד שהוא ניוול לו אף כל שהוא ניוול לו יצא המלין לכבודו שאין ניוול לו. לא תלין נבלתו על העץ, מצות לא תעשה. כי קבור תקברנו, מצות עשה כיצד עושים לו ממתינים לו עד חשיכה ותולים לו ומתירים אותו ואם לן עוברים עליו בלא תעשה שנאמר לא תלין נבלתו על העץ.

כי קללת אלהים תלוי, כלומר מפני מה זה תלוי מפני שקלל את השם ונמצא שם שמים מתחלל.

האיש נסקל ערום ואין האשה נסקלת ערומה׳ רבי יהודה אומר אחד האיש ואחד האשה

מ, מה בלד | למדים אמ, למדים אותה רבל, למדים אותו ד | מגדף] המגדף ב – 1 ידו] עצמו ל | והרי הוא] והוא ד | ידו] עצמו ל | הרי הוא אמ. והרי הוא ב, יהא רלה | רבי אליעזר– הנסקלים נתלים] ל׳ ה – 2 מגדף רלא. המגדף בדמ – 3 כדרך [בדרך ר] שהמלכות עושה ראמהז, ל׳ בלד | והומת] ה מוסיף <ממיתין אותו ואחר כך תולין אותו> | ותלית אותו] ותלית רא | על עץ] ל׳ רבלא – 4 אותו ולא את כליו] ל׳ א | את] ל׳ בטל | אותו] ל׳ ר | זוממיו רלדט¹, זוממין בט², דהזוממין אמ; ר מוסיף <ת״ל> | ולא אמ, מלמד שאין דנים רבטלדה – 6 על] מלמד על ר | על עץ–אמור מעתה בעץ התלוש ולא בעץ המחובר] ל׳ טה | או בעץ המחובר–מעתה בעץ התלוש] ל׳ בלד – 8 מנין–על העץ] לא תלין נב׳ ואם לן עוברין עליו בלא תעשה ולא זה בלבד אלא כל המלין את מתו עובר בלא תעשה ה, ל׳ ט | מנין] ומנין א | שהוא עובר בלאמ, שעובר ד, שהוא עובר עליו ר | תלמוד לומר ר דמ, שנאמר בלא – 9 על העץ דא, על עץ ר, ל׳ ב ל, ומ מוסיף <כי קבור תקברנו ביום ההוא> | הלינו– ת״ל על העץ] ל׳ ט | יהא] יהיה ד | עובר] ל׳ ר – 10 העץ ל, עץ רבדאמה | שהוא ניוול] שניוול הוא ט | אף– שהוא ניוול לו] ל׳ רבלא [ואיתא בא׳] | יצא–ניוול לו] אמ, עובר עליו ה, יצא דבר שאין ניוול לו ר, מכאן הלינו למתו לכבודו להביא לו ארון ותכריכין אינו עובר עליו ט, ל׳ בלד – 11 לא–לא תעשה] ל׳ ט | על העץ רדא, ל׳ בטל | מצות] זו מצות אמ – 12 כיצד–ומתירים אותו] ל׳ טה | לו] ל׳ ר | חשיכה רבאמ, שחשיכה לד | לו] אותו מ | אותו לדא, אותו מיד ר, לו במ | ואם–על העץ] ל׳ טה | לן רלאמ, לאו ד, ל׳ ב – 13 עוברים עליו ר, עוברים א, עובר מ, עובר עליו בלדה | על׳ העץ אמ, וגו׳ רבדה, ל׳ ל – 14 כי–מתחלל] ל׳ ט | כי קללת אלהים תלוי אמ ה, ל׳ רבלד | כלומר] ל׳ ה | זה] ל׳ ה | שקלל רלדא, שבירך בה – 15 שם שמים אמה, ל׳ רבלד – 16 האיש–שכולה ערוה

2 יכול וכו׳, [סנהדרין מ״ו ע״ב]: 4 ולא את כליו, שם מ״ו ע״א׳ – עדיו, שהוזמו דאע״ג דממיתין אותם משום ועשיתם לו כאשר זמם אין תולין אותן, רמא״ש מפי׳ ר״ה׳ – ולא את זוממיו, דהיינו שהזימו את העדים והוזמו על ידי אחרים, רמא״ש בשם ר״ה׳ — ולא שנים ביום אחד, סנהדרין מ״ו ע״א: 6 יכול וכו׳, [סנהדרין מ״ו ע״ב, משנה פ״ו מ״ד]: 8 מנין למלין וכו׳, שם פ״ו מ״ד, ובגמרא מ״ו ע״ב, והשוה פ״ז: 11 מצות ל״ת, מובא ברמב״ם ל״אוין ס״ו, ובמגדל עוז ה׳ סנהדרין ט״ו ז׳: 12 מצות עשה, ירו׳ נזיר פ״ז ה״א (נ״ה ע״ד), מובא ברמב״ם עשין רל״א, וברמב״ן ס׳ המצות שרש ראשון׳ — כיצד וכו׳, בבלי שם מ״ו ע״ב, תוספתא פ״ט ה״ו (עמ׳ 429): 14 מפני מה וכו׳, משנה שם, והשוה תוספתא פ״ט ה״ז (ע׳ 429), פ״ז: 16 האיש וכו׳ עד שכולה ערוה, חסר ברא מה, ונראה שנוסף מגליון׳ ור״ה גורס כל הברייתא בקשר אל המובא למעלה גם כן מגליון, פי׳ רי״ח כי יהיה באיש חטא משפט מות והומת לא בשבת (ע׳ 251)׳ וזה לשונו שם „בחול ממיתין אותו ולא בשבת כדתני בסוף מכילתא לא תבערו אש בכל מושבותיכם למה נאמר לפי שנאמר וכי יהיה באיש חטא משפט מות והומת שומע אני בין בחול בין בשבת ומה אני מקיים מחלליה מות יומת וכו׳ כדתני התם בחול הוא מת ולא בשבת מכאן אמרו וכו׳ כלומר מדכתיב ותלית אותו על עץ מכאן אמרו במס׳ סנהדרין בפ׳ נגמר הדין האיש נסקל ערום ואין האשה נסקלת ערומה משום דכתיב ורגמו וכו׳ מאי אותו אילימא אותו ולא אותה והכתיב והוצאת את האיש ההוא או את האשה ההיא [אלא לומר לך] שהאנשים נסקלים בלא כסות הא אותה בכסותה והכי מפרש לה התם בהלכהא רחוק מבית הסקילה, ר׳ יהודה אומר אחד האיש ואחד האשה ערום״׳ ועוד כתב „האי דתני מכאן אמרו לאו אהאי נסקל ערום קאמר דהא הכא לא מיירי בנסקל

אלא שהאיש תולים אותו ופניו כלפי העם ואחוריו כלפי העץ והאשה פניה כלפי העץ ואחוריה כלפי העם האיש סרט אחד מלפניו והאשה שני סרטים אחד מלפניה ואחד מלאחריה מפני שכולה ערוה. ולא תטמא את אדמתך אשר ה׳ אלהיך נותן לך נחלה, להזהיר בית דין על כך סליק פיסקא

רכב.

°כי תראה יכול אפילו רחוק ממנו מלא מיל תלמוד לומר °כי תפגע אי כי תפגע שמות כג ה / שם כג ד
שומע אני כמשמעו תלמוד לומר כי תראה, הא כיצד שיערו חכמים אחד משבעה ומחצה במיל
שהוא ריס. [וחדלת מעזוב לו עזוב תעזוב עמו] נמצינו למדים שהוא עובר על מצות
עשה ועל מצות לא תעשה. עזוב תעזוב עמו זו פריקה, הקם תקים עמו זו טעינה
דברי רבי יהודה בן בתירה.

(כב א) לא תראה את שור אחיך, מצות לא תעשה ולהלן הוא אומר °כי שם כג ד
תפגע מצות עשה. שור אחיך, אין לי אלא שור אחיך, שור אויבך מנין תלמוד
לומר °אויבך מכל מקום אם כן למה נאמר אחיך אלא מלמד שלא דברה תורה שם
אלא כנגד היצר. או את שיו נדחים, כדרך הדחתם מיכן אתה אומר איזו היא

ערום אלא אמאי דתני האיש תולין אותו וכו׳ דר׳ יהודה סבר אחד האיש ואחד האשה נתלין דהאי דכתיב ותלית אותו לא שנא אותו ואותה ורבנן דפליגי עליה סברי אותו ולא אותה״. — נסקל ערום וכו׳, [סנהדרין פ״ו מ״ג גמרא שם מ״ה ע״א, תוספתא פ״ט ה״ו (עמ׳ 429) ושם ר׳ יהודה בשם ר׳ אליעזר: 1 אלא שהאיש תולים אותו [לכאורה היה ראוי לומר בתחלה אלא שהאיש מכסין אותו פרק אחד וכו׳ אבל משום דר׳ יהודה כר׳ אליעזר סבירא ליה דתולין את האשה וסבירא ליה גם כן כרבי אליעזר דכל הנסקלין נתלין מביא גם כן החלוק שבין איש לאשה וענין תליה מיותר דכל מקום שיש סקילה יש גם כן תליה לר׳ אליעזר סנהדרין פ״ג מ״ד, בבלי מ״ה ע״א, ירושלמי כ״ג ע״ג]: 2 סרט, כלומר חתיכת בגד ובשאר המקורות הגרסה פרק [ופרש״י בסנהדרין מ״ה ע״א, ד״ה פרק, מעט מלפניו ויש אומרים פרק חתיכת בגד]: 3 להזהיר וכו׳, פ״ז, ועוד מובא בהשגות הרמב״ן על ס׳ המצות שורש חמישי, ועיין למעלה פי׳ קע״א (ע׳ 217), ובציונים שם:

5 כי תראה וכו׳ עד דברי ר׳ יהודה בן בתירה, כל זה אינו מן הספרי, והוא דרש לשמות כ״ג ה׳, ונמצא שם במכילתא משפטים פרשה כ׳ (צ״ט ע״א) עיי״ש, וחסר בארמ אבל נמצא בבלד ומקצתו גם בט; בפי׳ ר״ה מקומו אחר המלים כי תפגע מצות עשה, ובמ״ת נשתנה סגנון הברייתא להתאימה אל הכתוב בדברים, וזהו נוסח של מ״ת כאן: „לא תראה את שור אחיך למה נאמר לפי שהוא אומר כי תפגע שומע אני כמשמעו תלמוד לומר כי תראה או כי תראה שומע אני אפילו רחוק ממנו מלוא עיניו תלמוד לומר כי תפגע הרי זה ששיערו חכמים אחד משבעה ומחצה למיל וזה הוא רוס״. — יכול וכו׳, מכילתא שם, ב״מ ל״ג ע״א, ירוש׳ שם פ״ב ה״י (ח׳ ע״ד) והשוה מכילתא דרשב״י כ״ג ד׳ (ע׳ 155), תוספתא ב״מ פ״ב ה׳ כ״ה (ע׳ 375): 7 וחדלת וכו׳ עד עמו, כן נראה להוסיף על פי המכילתא. — עזוב תעזוב וכו׳, השוה מכילתא שם צ״ט ע״ב ושאר הציונים למעלה. בירושלמי מובא חלק זה של הברייתא בסגנונו פה אלא שחסרים המלים דברי ר׳ יהודה בן בתירה, ואולי יש להוסיפם, ועיין עוד בבבלי ב״מ ל״א ע״א ול״ב ע״א: 10 לא תראה וכו׳ עד מצות עשה, מובא ברמב״ם לאוין רס״ט, ובמגדל עוז ה׳ גזילה ואבידה פי״א ה״א, ובלקת טוב, והשוה פ״ז: 13 כנגד היצר, האי שור אחיך ושור אויבך מצוה בשור אויבך כדי לכוף היצר וכי האי גוונא גרסינן בסוף פרק אלו מציאות (ל״ב ע״ב),

ל׳ ראמה ונמצא בבטלד [ואינו מעיקר הספרי אלא נוסף מגליון] | האיש] האשה ט² | האשה] האיש ט² — 1 אלא שהאיש] ל׳ ל | ופניו] פניו ט² | ואחוריו—שכולה ערוה] ל׳ ט | והאשה—כלפי העם ד, והאשה כלפי העץ ופניה כלפי העץ [העם ל״ן] ל — 2 האיש—מלפניו] האיש מכסים אותו פרק אחד מלפניו ד | סרטים] פרקי׳ ד — 3 תטמא] תטמאו ר | את] ל׳ ד | אדמתך אמה, אדמתך גמצא [ונמצא רד] שם שמים מתחלל רבטלד [רמב״ן] — 4 סליק פיסקא ד, ל׳ בלא, סל׳ פסו׳ ר —

5 כי תראה—רבי יהודה בן בתירה] ל׳ ראמ, ונמצא בבטלדפ ומקצתו גם בה, ואינו מעיקר הספרי אלא נוסף מגליון | כי תראה] כי תראה את שור אחיך למה נאמר לפי שהוא אומר כי תפגע שומע אני כמשמעו ת״ל כי תראה או כי תראה ה | יכול] שומע אני ה | אפילו] ד מוסיף <הוא> | מיל] עיניו ה | תלמוד לומר] ל׳ בל | אי כי תפגע—הא כיצד ט, ל׳ בלה — 6 שיערו] הרי זה ששיערו ה | ומחצה] ל׳ בלד [מהר״ס] | במיל] למיל ה — 7 שהוא ריס] וזה הוא רוס ה [וכן במכי׳ דרשב״י ע׳ 155 שורה 9 הגרסה רוס] | וחדלת—עמו] [הוספתי על פי הענין וחסר בכל הנסחאות | נמצינו—לא תעשה ט; בל מוסיפים <ולהלן הוא אומר>; לא תראה את שור אחיך מצות לא תעשה ולהלן הוא אומר כי תפגע מצות עשה ה — 8 עזוב—כנגד היצר] ל׳ ה | זו פריקה] זה פריקה ל — 10 אחיך] ר מוסיף <שור אחיך>, א מוסיף <זו> — 11 תפגע] א׳ <שור אויבך>, א מוסיף <זו> | הלמוד לומר] בט מוסיפים <שור> — 13 כדרך בטלדה, כנגד אמ, בדרך ר | הדחתם אמה, הנידחתן ר, הנדהתן בפ, הנידחים טלד | אומר] למד מ —

אבדה מצא חמור או פרה רועים בדרך אין זו אבדה חמור וכליו הפוכים פרה ורצה בין הכרמים הרי זו אבדה.

והתעלמת מהם, פעמים שאתה מתעלם ופעמים שאין אתה מתעלם כיצד היה כהן והיא בבית הקברות או שהיה זקן ואינה לפי כבודו או שהיתה שלו מרובה משל חבירו פטור לכך נאמר והתעלמת פעמים שאתה מתעלם ופעמים שאין אתה מתעלם.

השב תשיבם, החזירה וברחה החזירה וברחה אפילו חמש פעמים חייב שנאמר השב תשיבם, החזירה למקום שראוה אחרים לא יטפלו בה נגנבה או אבדה חייב באחריותה. לעולם חייב באחריותה עד שיכניסנה לרשותו שנאמר השב תשיבם לאחיך סליק פיסקא

רכג.

(ב) ואם לא קרוב אחיך. אין לי אלא קרוב רחוק מנין תלמוד לומר ולא ידעתו. ואספתו אל תוך ביתך, ולא לבית אחר. והיה עמך עד דרוש אחיך אותו. וכי עלת על דעתך שאתה נותן לו עד שלא יתן סימנים אם כן למה נאמר עד דרוש אחיך אותו עד שתדרוש את אחיך אם רמיי הוא אם אינו רמיי. והשבותו לו, אף את עצמו אתה משיב לו סליק פיסקא

1 אבדה] הנידחתן בידה ר | חמור—בדרך רד, חמור ופרה רועים בדרך ה, פרה או חמור רועים בדרך אמ, חמור וכליו בדרך בלט², חמור וכליו כדרכן ט¹ | אין זו] אי זו הי ר | פרה [ופרה ל] ורצה רלדא, ופרה [פרה ט] רצה טה, רצה ב, פרה רבצה מ — 2 בין] בית ר | הכרמים בטלאמה, כרמים רד — 3 והתעלמת—לכך נאמר והתעלמת פעמים שאתה מתעלם ופעמים שאין אתה מתעלם] ל׳ ט | ופעמים—מתעלם] ל׳ ר | שאין במה, שאי רלדא — 4 והיא בלאמ, והוא רד, והיה ה | שהיה] ל׳ מה | שהיתה רמ, שהיה בלדאה — 5 פטור] ל׳ מה | אתה] ל׳ א — 6 החזירה וברחה] ל׳ רא, מכן [מכאן ה׳] החזירה וברחה ה | חמש רבטלאמ, ארבעה וחמשה דה | חייב רבטלאמ, שחייב להחזירה ה, ל׳ ד | שנאמר] ת״ל ה — 7 החזירה—השב תשיבם לאחיך] ל׳ ה | שראוה אמפ, שראוהו ר, עד שראוה בטד | למקום—עד שיכניסנה] ל׳ ל | אחרים] האחרים ד | לא יטפלו בה] ולא נטפלו בה ד | אבדה] שאבדה אמ — 8 לעולם—באחריותה א, ולעולם חייב באחריות פ, לעולם אינו חייב באחריותה רבמ, ל׳ טד | שנאמר אמ, לכך נאמר רבטלד — 9 סליק פיסקא ד, ל׳ רבלא —

10 ואם] אם ר | ולא [לא א] ידעתו ראמהז [רמב״ן], ל׳ בטלד — 11 אחר] אחיך ה | והיה—משוה פרוטה] ל׳ ט — 12 וכי] ל׳ רב | עלת] תעלה אמ | שאתה—יתן רד, שאת [שאי אתה ל, שאין אתה א] נותן לו עד שיתן [שלא יתן מ] בלאמ, שאת נותן לו עד שלא יתבעוהו ה | סימנים לדאמ, סימניו רב, ל׳ ה — 13 שתדרוש את אחיך] שתדרשנו אמ | אם אינו רמיי] ל׳ א — 14 אף—משיב לו]

מפירוש ר״ה, וז״ר פירש כנגד היצר שאומר לך אויבך הוא כתבה התורה שאחיך הוא· והשוה מכילתא דרשב״י כ״ג ד׳ (ע׳ 155), ולמטה פיסקא רכ״ה· — מיכן וכו׳, פ״ז· — איזו וכו׳, ב״מ פ״ב מ״ט: 3 פעמים וכו׳ עד לכך נאמר והתעלמת פעמים שאתה מתעלם ופעמים שאי אתה מתעלם, ב״מ ל׳ ע״א, והשוה פ״ז: 6 חמש פעמים, ב״מ פ״ב מ״ט, מכילתא דר״ש כ״ג ד׳ (ע׳ 155) והשוה לקמן פי׳ רכ״ה, רכ״ח: 7 לא יטפלו בה, דהיינו דלא מחייבי אינהו להטפל בה להחזירה לבעלה אלא איהו דנטפל בה מתחלה הוא דמחייב בה, מפירוש ר״ה· [והגר״א מגיה על פי התוספתא ב״מ פ״ב ה׳ כ״ג (עמ׳ 375) והובאה בגמרא ב״ק נ״ז ע״א „המוצא בהמת חברו חייב ליטפל בה עד שיכניסנה לרשותו (ב״א עד מתי חייב ליטפל בה עד שיכניסנה לרשותו) הכניסה למקום שיראנה לא יטפל בה (בגמ׳, אינו חייב ליטפל בה) נגנבה או אבדה חייב באחריותה וכו׳ ועל פי זה גורס גם כאן החזירה למקום שיראנה אינו חייב ליטפל בה אבל נוסחא שלפנינו יותר נכונה דאם החזירה למקום שראוה אחרים אבל אחרים לא רצו להיטפל בה כל האחריות עליו ולפי גרסת התוספתא צריך לפרש דהכי קאמר דאם החזירה למקום שיראנה שוב אינו חייב ליטפל בה אבל אם לא ראו אותה הבעלים עדיין חייב באחריותה וסיפא דתוספתא לעולם הוא חייב באחריותה יש לפרש דרצה לומר אפילו אם החזירה למקום שיראנה כל זמן שלא ראה אותה הוא חייב בגנבה ואבדה ואין צריך לפרש דלעולם בא לרבות אפילו מגיתו ונוכל לומר לפי זה דשומר אבדה כשומר חנם כרבה וכן הסברה מכרעת וכן דעת ר׳ יוחנן דאמר הטוען טענת גנב באבדה משלם תשלומי כפל] ור״ה פירש חייב באחריותה דהוה ליה שומר שכר דאית ליה שכר מן השמים: 8 לעולם וכו׳, תוספתא ב״מ ב׳ כ״ג (ע׳ 375), ב״ק נ״ז ע״א; ועיין במכילתא דרשב״י כ״ג ד׳ (עמ׳ 155) ובמ״ת כאן ע׳ 133 שורה 8:

10 אין לי וכו׳, השוה מכילתא משפטים פרשה כ׳ (צ״ט ע״א), ופ״ז· — אין לי וכו׳, [מהר״ס: הכי גרסינן במכילתא אין לי אלא בזמן שהוא קרוב ורחוק אם אינו מכירו מנין ת״ל ולא ידעתו והגר״א מגיה „שיכול אין לי אלא קרוב רחוק מנין ת״ל ואם לא קרוב אחיך אליך אין לי אלא רחוק וקרוב שמכירו אין מכירו מנין תלמוד לומר ולא ידעתו· ואספתו מציאה שדרכה להיאסף להביא השבורה· והיה עמך ברשותך עד דרש וכו׳·" ולשון הפ״ז „ואם לא קרוב לעשות רחוק כקרוב]": 11 לבית אחר, [שיטפלו בה אחרים כדלעיל, ורד״ף פירש דמדין שומר שמסר לשומר נגעו בה] והשוה למעלה פי׳ רי״ב (ע׳ 245, שורה 8) ופ״ז: 12 וכי עלת

רכד.

(ג) וכן תעשה לחמורו, היתה חמור עושה ואוכלת כסות מנערה אחת לשלשים יום שוטחה לצרכה אבל לא לכבודו כלי כסף וכלי נחשת משתמש בהם לצרכם אבל לא לשחקם כלי עץ משתמש בהם כדי שלא ירקבו. אף השמלה היתה בכלל כל אלו ולמה יצאת להקיש אליה מה שמלה מיוחדת שיש לה סמנים ויש לה תובעים כך כל שיש לו סמנים ויש לו תובעים אין לי אלא אלו בלבד שאר אבדה מנין תלמוד לומר לכל אבדת אחיך. אשר תאבד ממנו, פרט לפחות משוה פרוטה רבי יהודה אומר ומצאת לרבות פחות משוה פרוטה. לא תוכל להתעלם, ליתן עליו בלא תעשה סליק פיסקא

רכה.

(ד) לא תראה, מצות לא תעשה ולהלן הוא אומר °כי תראה מצות עשה. שמות כג ה
חמור אחיך, אין לי אלא חמור אחיך חמור שונאך מנין תלמוד לומר °חמור שם
שנאך מכל מקום אם כן למה נאמר אחיך, מלמד שלא דברה תורה אלא כנגד היצר. או שורו נופלים, ולא עומדים. בדרך, ולא ברפת מיכן אמרו מצאה ברפת אין חייב בה ברשות הרבים חייב בה.

והתעלמת, פעמים שאתה מתעלם ופעמים שאין אתה מתעלם כיצד היה כהן והם בבית הקברות או שהיה זקן ואינו לפי כבודו או שהיתה אבידה שלו מרובה משל

וכו׳, מכילתא שם, ב״מ פ״ב מ״ז, בבלי כ״ח ע״א ומובא ברא״ם והשוה פ״ז· — עד שלא יתן סמנים, [ר״ה מגיה על פי הגמרא עד שלא ידרשנו]: 14 עמוד הקודם אף את עצמו, [תוספתא ב״מ ב׳ כ״ח, ע׳ 375, בבלי סנהדרין ע״ג ע״א, ב״ק פ״א ע״ב, עיין קושית הגמרא בסנהדרין שם ולכאורה היה אפשר לישב דמן והשבות לו ילפינן אם תועה בדרך ומן לא תעמוד על דם רעך אם טובע בנהר] ועיין בפ״ז:

1 היתה חמור [הגר״א מוחק שתי המלים האלה, ועיין ב״מ פ״ב מ״ז]· — כסות, שם פ״ב מ״ח, בבלי ל׳ ע״ב: 3 אף השמלה, [עיין ב״מ פ״ב מ״ה, בבלי כ״ז ע״א]: 6 פרט וכו׳, [ב״מ כ״ז ע״א]: 7 לרבות וכו׳, בגמרא הגרסה פרט לפחות משוה פרוטה גם בדברי ר״י, ודפוסי הספרי „נתקנו״ על פיה, אבל הגרסה לרבות פחות משוה פרוטה עקרית, ולפיה הרבה יש בין ר״י לת״ק ואין צורך לתירוץ הגמרא משמעות דורשין איכא בינייהו:

9 לא תראה וכו׳ עד כנגד היצר, השוה למעלה פי׳ רכ״ב, ומובא בפי׳ ריב״א על פ׳ כי תצא· — מצות לא תעשה וכו׳, רמב״ם לאוין ר״ע: 12 מיכן אמרו וכו׳, ב״מ פ״ב מ״י ופ״ז: 14 פעמים וכו׳, למעלה פי׳ רכ״ב

לרבות אבדת גופו ה | עצמו אמ, לא [לא ל׳ פ] את עצמו [עצמך רפ] רב, את עצמו ל, מת עצמו ד | אתה רבא, ל׳ לדמ | לו] ל׳ א | סליק פיסקא ד, ל׳ רבלא —

1 היתה—שלא ירקבו] ל׳ ה | ואוכלת רא, והיא אוכלת בלדמ | אחת בלד, אחד אמ, אחר ר — 2 לצרכה רא מ, לצורכה בל, לצורכיה ד | כלי כסף] ר מוסיף <וכלי זהב>, פ מוסיף <כלי זהב וכלי זכוכית לא יגע בהן עד שיבא אליהו> — 3 לצרכם רבאמ, לצורכו כ״ד | לשחקם] לשוחקו ד | ירקבו] ירקיבו ר | אף] את א, ל׳ דה | היתה] ל׳ ל — 4 כל] ל׳ ר | ולמה] למה א | אליה] ל׳ ל | לה] בה ה — 5 כך רבלדמ, אף הא׳. ל׳ א | כל] ה מוסיף <דבר> | לו] בו ה | סימנים] תובעים מ | לו] לה ב | תובעים] סימנין מ | אין לי אלא—לכל אבידת אחיך] ל׳ ה | אבדה בלד, אבידות רמ, האבידות א — 6 אשר תאבד ממנו] ל׳ בלא, ר מוסיף <ומ׳> | פרט לפחות משוה פרוטה] פרט לאבידה שאין בה שוה פרוטה ה — 7 רבי יהודה—משוה פרוטה] ל׳ ה | לרבות פחות משוה פרוטה רבלאמ, פרט לפחות משוה כרוטה ד, פרט לאבידה שאין בה שוה פרוטה פ | ליתן—בלא תעשה] ט׳ — 8 בלא] לא מ | תעשה] ל׳ ל | סליק פיסקא ד, ל׳ רבלא —

9 תראה] ד מוסיף <חמור שונאך זו>, ה מוסיף <את חמור שונאך הרי זו> | מצות] ל׳ מ | תעשה] ט׳ מוסיף <ליתן עליו בלא תעשה> | ולהלן—עשה רבטראמל׳, ולהלן הוא אומר לא תראה מצות אחיך עשה ל, מצות עשה ה מנין ת״ל כי תראה ה — 10 חמור—היצר] ל׳ ה | חמור אחיך ראמ, ל׳ בלד | לי אלא] ל׳ ר — 11 נאמר] א מוסיף <חמור> | מלמד ראמ, אלא מלמד בלד — 12 או שורו טא, או ל, או שהיו רב, ל׳ דמה | נופלים] דמ מוסיפים <בדרך>, ה מוסיף <בדרך שיהיו נופלים> | ברפת] ברכת א, בפרשת דרכים א׳ וכן בסמוך | מיכן—חייב בה] ל׳ ה | מצאה רבטלמ, מצאו ד, מצא א | אין] אינו א, ל׳ מ — 13 הרבים] שהוא חייב ה — 14 והתעלמת] רדא מוסיפים <מהם> | ופעמים שאין אתה מתעלם] ל׳ רדהט׳, וכו׳ ט׳ | ופעמים] פעמים ב | שאין ד, שאי לאמ | מתעלם] ל מוסיף <מהם> | כיצד] כגון ה | היה] ל׳ ה — 15 והם ר, והוא רא, והיא בלמ, והבהמה ה | שהיה] ל׳ ה | ואינו דא, ואינה בלמה, אינה ר |

חבירו פטור שנאמר והתעלמת פעמים שאתה מתעלם ופעמים שאין אתה מתעלם. הקם תקים עמו, העמידה ונפלה העמידה ונפלה אפילו חמש פעמים חייב שנאמר הקם תקים עמו, הלך וישב לו ואמר לו הואיל ועליך מצוה אם רצית להקים תקים פטור שנאמר הקם תקים עמו יכול אפילו זקן ואפילו חולה ואפילו מוכה שחין תלמוד לומר הקם תקים עמו סליק פיסקא

רכו.

(ה) לא יהיה כלי גבר על אשה, וכי מה בא הכתוב ללמדנו, שלא תלבש אשה כלי לבנים והאיש לא יתכסה צבעונים תלמוד לומר תועבה, דבר הבא לידי תועבה זהו כללו של דבר שלא תלבש אשה כדרך שהאיש לובש ותלך לבין האנשים והאיש לא יתקשט בתכשיטי נשים וילך לבין הנשים רבי אליעזר בן יעקב אומר מנין שלא תלבש אשה כלי זיין ותצא למלחמה תלמוד לומר לא יהיה כלי גבר על אשה והאיש לא יתקשט בתכשיטי נשים תלמוד לומר ולא ילבש גבר שמלת אשה.

כי תועבת ה׳ אלהיך כל עושה אלה, קרוי חמשה שמות חרם תועבה שנאוי משוקץ ועול סליק פיסקא

או שהיתה–פטור] ל׳ ה | אבידה] ל׳ בלד | מרובה] ומרובה ד – 1 שנאמר–שאין אתה מתעלם] ל׳ ה | שנאמר] לכך נאמ׳ א | פעמים–מתעלם] ל׳ א | ופעמים לד, פעמים רבמ | שאין רד, שאי בלמ – 2 הקם–חמש פעמים חייב] ל׳ ה | עמו] ל׳ בא; ור מוסיף <הלך וישב לו ואמ׳ לו הואיל עליך מצוה> | העמידה ונפלה] ל׳ אמ | אפילו חמש] אפילו חמשה רבל, אפילו ארבעה וחמשה מ, אפילו ד׳ או ה׳ א | חייב] ל׳ ל | שנאמר–פיסקא] ל׳ ה, ובט כתוב למעלה מרמז שנא״ – 3 עמו] א׳ מוסיף <יכול> | הלך] אמ מוסיפים <בעלה> | אם–עמו מ, אם–עמו ואם לא רצה להקים פטור א, [ובין השטים נכחב שחייב להקים במקום פטור] אם רצית לפרוק פרוק פטור שנאמר הקם תקים עמו ר, לפרוק פרוק פטור שנאמר– עמו בלד – 4 אפילו זקן ואפילו [אפילו בל] חולה ר בלמ, אפילו חולה וזקן א, אפילו זקן ד | ואפילו רמ, אפילו בלד, או א | מוכה] מוכי ר – 5 סליק פיסקא ד, פ׳ ר, ל׳ בלא –

6 לא יהיה–שמלת אשה] ל׳ ט | על אשה] ל׳ בלא | מה] ל׳ ב | הכתוב] ל׳ ל [רא״ם] ובל נוסף בין השטים – 7 כלי רבלאה, כלים דמ [רא״ם] | והאיש ראמה [רא״ם], ואיש בלד | יתכסה רה [רא״ם], יתכסה בבגדי מ, יתכסה בגדי ד, יתכסה מיני ל, יתכסה בגדי מיני ב, יתכסה כלי א | תלמוד לומר] באי מוסיפים <כי> | הבא] המביא א – 8 תועבה] עבירה ה | זהו רבלדמה, וזהו פ, זה א, ל׳ [רא״ם] | אשה] האשה א | כדרך ראמ [רא״ם], מה בלד ה | לבין רבדה [רא״ם], בין א, לו בין מ, לבית ל – 9 לא] אל א; וה מוסיף <יתכסה ולא> | יתקשט] יתכשט ל | בתכשיטי רבלד [רא״ם], תכשיטי אמ, בתכשיט ה | לבין] בין א | הנשים] אנשים מ | מנין אמה [רא״ם], מכאן פ, ל׳ רבלד – 10 למלחמה] בלד מוסיפים <ומה>, ר מוסיף <מנ׳> | לא] שלא ה | על אשה] ל׳ בלד – 11 והאיש בלאמ [רא״ם], האיש ר ד, ומנ׳ לאיש ה | יתקשט] תתקשט א | בתכשיטי רבלדה [רא״ם], תכשיטי אמ | שמלת אשה] ר״ה מפרש „דהיינו לא ילבש חלוק של צורורת כי היכי דנשים לובשות ולא טלית של שליטים דהיינו טלית מרוקמת ונמר חברבורותיו מתרגמינן וגמר שליט דקמתיה הכי מפורש בערוך״. מדבריו אלה נראה שג׳ בספרי ולא טלית של שליטין – 12 אלהיך כל עושה אלה מ, אלהיך כל עושי אלה כל עושה אלה ר, אלהיך וגומ׳ בל, וכו׳ א, אלהיך ד, ל׳ טה | קרוי–ועול] ל׳ ה | קרוי] א מוסיף <לו> – 13 שנאוי בל, שנוי רא, שנואי טדמ | ועול רבטד, עול אמ, ומעול ל | סליק פיסקא לד, סל׳ פס׳ ר, ל׳ בא –

(עמוד 256): 3 הלך וישב לו וכו׳, ב״מ פ״ב מ״י: 5 עמו, [הגר״א מוחק המלה עמו ואי גרסינן לה אפשר דהכי קאמר דעמו משמע דוקא בשוה לו אז פטור ביושב בטל אבל לא כשבעל המשא זקן או מוכה שחין]:

6 וכי וכו׳, נזיר נ״ט ע״א, ומובא בספר יראים סימן צ״ו, הוצ׳ שיף סי׳ שפ״ה. ומפרש מהר״ס בתמיה, שהרי דרך איש בכלים לבנים ודרך האשה בבגדי צבעונים. — שלא וכו׳, [הגר״א מגיה „אם ללמד שלא תלבש צבעונים והלא כבר נאמר תועבה אלא שלא תלבש האשה מה שהאיש לובש וכו׳״ ובדברי ראב״י גורס „מנין שלא תצא אשה בכלי זין על מלחמה ת״ל לא יהיה כלי גבר על אשה ומנין שלא יתקן האיש בתיקוני נשים ת״ל ולא ילבש וכו׳. ועיין נזיר נ״ט ע״א וההגהה בדברי ת״ק לא הבינותי והתקון בדברי ראב״י הוא לפי הגמרא שם וגם כן אין צריך אלא שבגרסה „ולא יתקן בתקוני נשים״ נכללו יותר דברים כמו העברת שער בית השחי וכדומה, ות״א כראב״י אבל יונתן תרגם כלי גבר היינו ציצית ותפילין ושמלת אשה שלא יספר בית השחי והערוה ורד״ף פירש דלת״ק אינו אסור אלא אם משנה עצמו באופן שאינו ניכר ויל״ך לבין הנשים וכן היא לבין האנשים ולראב״י אסור תכשיט איש לאשה ולהפך אע״פ שנכרים]: 9 ראב״י אומר וכו׳, פ״ז, והשוה יוזיפוס, קדמוניות ספר ד׳ פרק ח׳ סי׳ מ״ג: 12 קרוי וכו׳, השוה למעלה פי׳ קמ״ח. ופירוש ר״ה דמשמע להו תועבה לג״ש מעובד ע״ז כדמפרש ליה התם גבי עובד ע״ז:

רכז.

(ו) כי יקרא, פרט למזומן, מעוט אפרוחים שנים מעוט ביצים שנים, מנין אין שם אלא אפרוח אחד או ביצה אחת חייב לשלח תלמוד לומר קן קן מכל מקום. מכלל שנאמר בדרך והאם רובצת על האפרוחים או על הביצים יכול שאני מוציא אווזים ותרנגולים שקננו בפרדס תלמוד לומר לפניך, אין לי אלא ברשות היחיד ברשות הרבים מנין תלמוד לומר בדרך, על האילנות מנין תלמוד לומר בכל עץ, על הארץ מנין תלמוד לומר או על הארץ. והאם רובצת על האפרוחים או על הביצים, מה אפרוחים בני קיימא אף ביצים בני קיימא יצאו מוזרות מה ביצים צריכות לאמן אף אפרוחים צריכים לאמם יצאו המפריחים שאין צריכים לאמם. והאם רובצת, כשהיא רובצת עליהם פרט למעופפת יכול אף על פי שכנפיה נוגעות בקן תלמוד לומר והאם רובצת על האפרוחים אף על פי שאינה עמהם יכול עוף טמא רובץ על ביצי עוף טהור ועוף טהור רובץ על ביצי עוף טמא יהא חייב לשלח תלמוד לומר והאם רובצת עד שיהיו כולם מין אחד.

לא תקח האם על הבנים, מכלל שנאמר ולקח למטהר שתי צפרים ויקרא יד ד
חיות טהורות יכול יקחנה לטהר בה את המצורע תלמוד לומר לא תקח האם על הבנים אפילו לטהר בה את המצורע.

לא תקח האם, מצות לא תעשה סליק פיסקא

1 פרט למזומן, [משנה חולין ריש פרק י״ב, בבלי שם קל״ט ע״ב, פ״ז, מ״ת]. — מיעוט אפרוחים, [הגר״א מגיה „מכלל שנאמר אפרוחים או בצים שומע אני מיעוט וכו׳, ביצה אחד מנין שהוא חייב לשלח. חולין פי״ב מ״ג, בבלי קמ״א ע״א, פ״ז]: 2 מכלל שנאמר וכו׳, [הגר״א גורס כאן: צפור, בטהורה הכתוב מדבר או אף בטמאה ת״ל כל וכו׳ זה בנה אב וכו׳ מדבר מכלל וכו׳]: 3 והאם [נראה דצ״ל בדרך וגו׳ והאם רובצת כאשר הגיה במ״ע והגר״א אינו מעיר כלום ומהר״ס מגיה מכלל שנ׳ בדרך ונאמר והאם רובצת ורד״ף צדד להגיה מכלל שנ׳ כי יקרא דמלשון זה משמע דבדרך מקרה מצאן ולא היו מעולם שלו מנין אווזין ותרנגולים שמרדו וקננו בפרדס, חולין פי״ב מ״א, פ״ז, בבלי קל״ט ע״ב] ואני נסחתי על פי כ״י פ שהוא טופס פי׳ ר״ה שלפני: 4 ברה״י, [חולין קל״ט ע״ב]: 7 מה אפרוחים וכו׳, פ״ז. — אף ביצים וכו׳, [חולין פי״ב מ״ג, ובגמ׳ קמ״א ע״א, מפרש דדריש מדלא כתיב עליהם על כרחך לאקושי אתי, תוספתא שם פ״י ה״י וי״א, ע׳ 512, ושם שורה 5, יש להגיה „בצים מוזרות פטור מלשלח״]: 9 פרט למעופפת, פ״ז [שם פי״ב מ״ג, בבלי ק״מ ע״ב, ובברייתא שם הגרסא „אפילו כנפיה נוגעות בקן פטור מלשלח״, אבל בתוספתא פ״י ה״י מחלק כבמתניתא בין נוגעת ובין אינה נוגעת]. — אעפ״י [ופירוש על סמוך וצ״ל אעפ״י שאינה עליהם, רמא״ש. ועיין בגמ׳ ק״מ ע״ב דהלמוד הוא מדלא כתיב יושבת]: 10 יכול עוף וכו׳, [פי״ב מ״ב, תוספתא פ״י ה״י ע׳ 512, בבלי ק״מ ע״ב]: 12 ת״ל והאם, [נראה דס״ל דבעי אם דוקא ולפי זה אפילו טהור הוה ליה מין אחר וכן מפורש בתוספתא אבל בגמרא שם ק״מ ע״ב דייקינן להפך דטהור וטהור חייב ואולי יש להשלים בספרי עוף טהור על ביצי עוף טהור אחר עיין שווארץ בתוספתא ועל כן נראה דגם לפי הספרי צפור עוף טהור משמע וגם לתנא דספרי עוף טמא על ביצי עוף טמא פטור]: 15 אפילו לטהר בה וכו׳, [כן מוסיף גם הגר״א, ועיין חולין פי״ב מ״ה, תוספתא פ״י הט״ז, עמ׳ 512, גמרא קמ״א ע״א. ויליף מדלא כתיב

1 כי יקרא פרט למזומן] ל׳ טה | מיעוט—שאין צריכים לאמם] ל׳ ט | מנין] אי מוסיף <שאם> — 2 אחד] ל׳ ר | מכלל שנאמר—או על הארץ] ל׳ ה — 3 בדרך זפ, ל׳ רבלדאמ | האפרוחים] הבנים א | על—תלמוד לומר] ל׳ א — 5 בכל עץ רבדאמ, בכל העץ א׳, על העץ ל — 6 על הארץ מנין רבלדמ, מנין על הארץ א׳, או על הארץ א | או] ל׳ א | הארץ] ל מוסיף <והאם רובצת על הבנים כשהיא רובצת עליהם פרט למעופפת יכול אף על פי שכנפיה נוגעין בהן תלמוד לומר> | והאם רובצת] ל׳ בל | על] ל׳ ב | האפרוחים] אפרוחים ב | או על הביצים א, או בצים ב, ל׳ רלדמה — 7 קיימא ה, קיימא יצאו מתים רדאמ, קיימא יצאו בל | אף—יצאו] ל׳ ב | צריכות במה, צריכים רלדא | יצאו—צריכים לאמם] ל׳ ל — 8 צריכים] צריכות ה | לאמם—לאמם ד, לאימן—לאימן ר ב, לאמן—לאמן א, לאימן ל | המפריחים ה, המפרחין רבא, מפורחים מ, האפרוחים ד | שאין] שאינן ה, ל׳ ר — 9 כשהיא רובצת רלד, כשרובצת ט, ל׳ במה | עליהם] ל׳ בלמה | למעופפת] למעפעפת ה | אף על פי רבלדאפ [פ״ז], אף מ, אפילו ז׳ | נוגעות בהפ, נוגעים רלדאמ | בקן רלאמהפ [פ״ז], בהם ד, בהן רב — 10 על האפרוחים] ל׳ א, וה מוסיף <או על הביצ׳>, ר מוסיף <א׳ ע׳ ה׳ וגו׳> | עמהם] ה מוסיף <והאם רובצת על האפרוחים> | יכול—סליק פיסקא] ל׳ טי — 11 רובץ] הרובץ ד | ביצי] ביצה ל | ועוף טהור אמה, וטהור רבלד | יהא] ל׳ אם — 12 והאם] ל׳ א [ואיתא באי] | שיהיו] שיהו רמ | מין] ממין א — 13 לא תקח—הבנים] ל׳ ה | למטהר רבלאיטי, המטהר דאמ | האם על הבנים רא, ל׳ בלדמ — 15 אפילו

רכח.

(ז) שלח תשלח, מצות עשה. שלחה וחזרה שלחה וחזרה אפילו חמש פעמים חייב לשלח שנאמר שלח תשלח. האווזים ותרנגולים שמרדו ושקננו בפרדס חייב לשלח בבית פטור מלשלח. אפרוחים או ביצים, מה אפרוחים שיש בם צורך יצאו מתים שאין בהם צורך אף ביצים שיש בהם צורך יצאו ביצים מוזרות שאין בהם צורך מעוט אפרוחים שנים מעוט ביצים שנים ואפילו אין שם אלא ביצה אחת או אפרוח אחד חייב לשלח דבר אחר כי יקרא קן צפור לפניך מכל מקום. בדרך בכל עץ או על הארץ, מה דרך רשות יצאו מקושרים שהן ברשות אחר. דבר אחר שלח תשלח בטהורה הכתוב מדבר או אף בטמאה תלמוד לומר כל צפור טהורה תאכלו זה בנין אב, כל מקום שנאמר צפור בטהורה הכתוב מדבר כדברי רבי יאשיה. הא אם שלחה והחזיר בדרך את פניו פטור מלשלח. שלח תשלח בנקיבות הכתוב מדבר ולא בזכרים. קורא זכר רבי אליעזר מחייב בשילוח שנאמר שלח תשלח וחכמים פוטרים שנאמר והאם, פרט לקורא זכר. הנוטל אם מעל הבנים רבי יהודה אומר לוקה ואינו משלח וחכמים אומרים משלח ואינו לוקה, וכו׳ מתני׳ עד מצות חמורות שבתורה סליק פיסקא

לטהר—המצורע רפ, אפילו לטהר המצורע א, אפילו לטהר בהן את המצורע מ, ל׳ בלד – 16 ע׳ הקו׳ לא תקח—תעשה] ל׳ ה | סליק פיסקא ד, ל׳ רבלא –

1 שלח תשלח—סליק פיסקא] ל׳ ט | מצות עשה רב לאמ, זו מצות עשה ד, ל׳ ה | שלחה רב, ושלחה לדה, ל׳ אמ | וחזרה] ל׳ אמ | חמש אמ, ארבעה חמשה ר, ארבעה וחמשה בלדהפ – 2 חייב לשלח] מנ׳ שחייב לשלח ה | שנאמר] ת״ל ה | תשלח] ל מוסיף <מכל מקום>, ב מוסיף <קן זכר> | האווזים—הכתוב מדבר ולא בזכרים] ל׳ ראמ, ונמצא בבלד, ואינו אלא הוספה שלא מעיקר הספרי, ובה חסר עד „והחזיר בדרך את פניו פטור מלשלח״, ונראה שגם בטופס הספרי שלפני ר״ה היה חסר | בפרדס בל, פרדס ד – 3 שאין בהם] שאין להן ל – 4 אף ביצים—בהם צורך] ל׳ ל | ביצים] ל׳ ב | מעוט אפרוחים—ביצים שנים] בכל הנסחאות שנמצא בהם קטע זה, והם בל ד, מובא משפט זה למעלה לפני המלים מה אפרוחים, והגהתי מן הסברא – 5 ואפילו] אם ד | דבר אחר ד, ל׳ ב ל – 6 בדרך בד, בכל דרך ל | בכל עץ] ל׳ ל – 7 תשלח] ל׳ ד | בטמאה] ד מוסיף <הכתוב מדבר> – 10 בזכרים] בל מוסיפים <מי אמ׳> | קורא זכר ראמה, קן זכר בל | בשילוח שנאמר שלח תשלח] ל׳ ה | שנאמר אמז, ל׳ ר בלד – 11 זכר] ר מוסיף <מיכן אמרו> | הנוטל—ואינו לוקה] ל׳ ה | אם] את האם ר – 12 רבי יהודה—וכו׳ מתני׳ עד] ל׳ רבל, ובר נשאר חלק בלי כתב שאר שורה זו, וחצי שורה שאחריה להראות על החסרון | רבי יהודה א, רבי ברבי יהודה מ, רבי יוסי ברבי יהודה ד | וחכמים אומרים משל״ח] ל׳ א [ואיתא אי] | וכו׳ מתנ׳ עד מצות חמורות שבתורה מ, מתני׳ מצות חמורות שבתורה א, זה הכלל כל מצוה שיש בה קום ועשה אין חייבים עליה· לא תקח האם על הבנים אפילו לטהר בה את המצורע והרי דברים ק״ו ומה מצוה קלה שהיא באיסור אמרה תורה למען ייטב לך והארכת ימים כתוב בה אריכות ימים שאר

לא תקחנה, ר״ה, מהר״ס בשם הראב״ד בגמ׳ שם מדכתיב שלח תשלח ולפי הפשט אפשר לומר דלאו מקרא דהכא יליף אלא הכי קאמר לא יקח אפילו לטהר את המצורע כדילפינן בגמרא וטעמו אפשר דסבירא ליה דאין עשה דוחה לא תעשה ועשה ורד״ף רוצה לפרש על פי זה ולגרוס „ת״ל לא תקח האם מצות לא תעשה שלח וכו׳ זו מצות עשה, וכולה חדא מילתא היא, ואין נראה· ובתוספתא מפרש מפני שנעבדה בה עבירה ונראה דר״ל דהוה מצוה הבאה בעבירה ומה שכתב בהגיון אריה ליתא ואינו אלא פטפוטי דברים]:

1 חמש פעמים, [חולין פ״י מ״ג, גמרא קמ״א ע״ב והשוה למעלה פי׳ רכ״ב (ע׳ 256): 2 האווזים וכו׳ עד ולא בזכרים, הוספה שלא מעיקר הספרי וחסרה בראמ ורק קטעים ממנה מובאים בה, וגם הגר״א מחק עד את פניו פטור מלשלח, מפני שכל זה מפריע את הענין. ויש בו גם כפל דברים מן האמור למעלה בסגנון אחר· וכבר העיר רמא״ש שכל זה אינו נזכר בפי׳ ר״ה ונראה שלא היה בנוסח הספרי שלו וכתב רמא״ש „ונראה דכל זה הוא תוספת לפנינו מגליון ושייך מקצתו לפי׳ דלעיל ומקצתו לפי׳ דהכא ואולי הוא מספרי זוטא·״ וז״ל רחש״ה בהערות שלו כ״י „האווזים, מכאן עד את פניו פטור מלשלח מוחק הגר״א ומהר״ס כתב מכאן עד קורא זכר ליתא בנסחאות ישנות שרוב אלה הדברים כבר כתוב לעיל״· — האווזים וכו׳, למעלה פי׳ רכ״ז (ע׳ 259), והשוה מ״ת: 3 או ביצים וכו׳, בכל נוסחי קטע זה נמצא כאן „מיעוט אפרוחים שנים מיעוט ביצים שנים״ ומהר״ס הגיה בהעתקת המשפט למטה· וכן נסחתי אחריו, וכן נראה מן הנוסחא במ״ת עמ״ש· — מה אפרוחים וכו׳, למעלה פי׳ רכ״ז (ע׳ 259): 5 ואפילו וכו׳, למעלה ריש פי׳ רכ״ז: 6 מכל מקום, כלומר בכל מקום שהן בין ברשות היחיד בין ברשות הרבים בין על האילנות ובין בבורות כדלעיל, רמא״ש· והשוה תוספתא פ״י הי״ג, ע׳ 512, ומ״ת עמוד 135, שורה 8· — רשות, [שרשות בידו ליטלן יצאו מקושרות שאסור ליטלן, תוספתא פ״י הי״ג, ובז״א מגיה מוקדשים] והשוה ב״מ כ״ה ע״ב גוזלות מקושרין „ה״ז לא יגע בהן״: 7 בטהורה וכו׳, למעלה פי׳ צ״ח (ע׳ 159) ובציונים שם, ועיין חולין קל״ט ע״ב, ומשנה פ״י מ״ב, ומ״ת ע׳ 135, שורה 9: 9 והחזיר וכו׳, [האי ברייתא קטיעא רישא ונראה דדריש לפניך בדרך לענין שאם אחר שזכה בהן חזר ומצאה בתוך הקן רשאי ללוקחה דהו״ל מזומן, עיין חולין קל״ט ע״א, רמא״ש· ורד״ף פירש דקאי אהא דתנן

רכט.

(ח) כי תבנה בית חדש, אין לי אלא בונה לקח ירש ונתן לו במתנה מנין תלמוד לומר בית מכל מקום. לא תשים דמים בביתך, אין לי אלא בית מנין לבונה בית התבן בית הבקר בית העצים בית האוצרות תלמוד לומר ולא תשים דמים בביתך, יכול אף הבונה בית שער אכסדרה ומרפסת תלמוד לומר בית, מה בית מיוחד שהוא בית דירה יצאו אלו שאינם בית דירה.

ועשית מעקה לגגך, אין לי אלא גג מנין לרבות בורות שיחים ומערות חריצים ונעיצים תלמוד לומר ולא תשים דמים בביתך, אם כן למה נאמר גג פרט לכבש בית לרבות היכל, גג פרט לאולם. חדש, רבי אומר משעת חדשו עשה לו מעקה. כמה הוא מעקה מעגילו שלשה טפחים בית דורסו עשרה.

שלחה וחזרה וכו׳ חייב לשלח וקמ״ל דדוקא אם שהה שם אבל אם החזיר את פניו ללכת לדרכו אפילו יודע דודאי תזרה אין צריך לחזור לאחוריו ואין נראה]: 10 ע׳ הקו׳ קורא זכר, [מ״ת, משנה חולין פי״ב מ״ב, גמרא ק״מ ע״א, תוספתא פ״י ה״ט, ע׳ 512]: 11 ע׳ הקו׳ הנוטל וכו׳, [שם פי״ב מ״ד מ״ת גמ׳ קמ״א ע״א, מכות ט״ז ע״א, תוספתא חולין פ״י הט״ו עמ׳ 512, ומאי דאמר ר׳ יוחנן אנו אין לנו אלא זאת ועוד אחרת פי׳ דבכל מקום לאו שקדמו עשה לוקה אבל בשלוח ואונס אינו לוקה עיין פירושים וביאורים לר׳ אברהם קראכמל:] 12 ע׳ הקו׳ וכו׳ מרת״ני׳, עיין שנויי נסחאות ובמשנה הגרסה: זה הכלל כל מצות ל״ת שיש בה קום עשה אין לוקין עליה לא יטול אדם אם על בנים אפילו לטהר בה את המצורע ומה אם מצוה קלה שהיא כאיסר אמרה תורה למען ייטב לך והארכת ימים ק״ו על מצות חמורות שבתורה:

1 אין לי וכו׳ עד עשרה, מובא בסמ״ג עשין ע״ס, וע׳ פ״ז: 2 מכל מקום וכו׳, כלומר באיזה בית שיהיה לך לא תשים דמים בביתך· והגר״א הגיה ע״פ הפ״ז בהשמטת המלים בית מכל מקום, וכן דעת רחש״ה בהערותיו כ״י: 3 ולא וכו׳, [הגר״א מגיה כי תבנה נראה שמגיה כן על פי הספרי לעיל פי׳ קצ״ד ואין צורך והרמב״ם בריש פי״א מהלכות רוצח פסק דבית האוצרות ובית הבקר פטור ותמה עליו הכסף משנה ונמשך אחר מדרש תנאים דשם ממעיט בית התבן ובית הבקר ורד״ף נדחק]: 4 ומרפסת, השוה משנה מועד קטן סוף פ״א: 5 יצאו אלו וכו׳, מובא בהגה׳ מיימ׳ הלכ׳ רוצח פי״א ה״א: 6 ועשית, [הגר״א מוסיף קודם לזה „חדש רבי אומר משעת חדושו וכו׳״]· — אין לי וכו׳ עד עשרה, מובא בהגהות מיימ׳ שם: 7 לכבש, ר״ה פירש כבש מזבח, וכן פי׳ מהר״ס ורד״ף כתב דיש לפרש כבש דעלמא]: 8 לרבות היכל, עיין מדות פ״ד מ״ו — לאולם, [כתב מהר״ס דהוא אכסדרה והקשה דיותר היה לו למעט ממלת בירת ורד״ף מביא כאן בשם מהר״ס לשון אחר דלא מיירי מגג האול״ם אלא מצד צפון ודרום שלא היה ליה שם כרתלים וכו׳ עיין שם כל הלשון ורד״ף כתב הטעם דהוה אכסדרה ולפנינו הרי מהר״ס נותן טעם זה]: 9 מעגילו, בית דורסו, פירש הראב״ד בהשגותיו להלכות רוצח פי״א ה״ג מקום דור׳׳זו מקום הנמוך שבו, כלומר הצד הנמוך בגג משופע לצד אחד; ומעגילו הוא שאר צדדים שאין צריך בהם יותר משלשה טפחים, וזה נראה לפי הגרסה המקובלת ברוב הנסחאות· וכעין זה פי׳ ר׳ שלמה בן היתום בפי׳ למס׳ משקים סוף פ״א (ע׳ 43) אבל במדרש חכמים כ״י הגרסה „וכמה הוא מעקה מעגילו שלשה טפחים בית עשרה״, וכעין זה גם גרסת הסמ״ג עשין ע״ס, ופירש הוא „כמה הוא מקום מעגלו פירוש גובהו בבור שלשה טפחים ובבית גובהו עשרה״, וכן בסמ״ק עשין קנ״ב פסק וכמה גבהו ג׳ טפחים ובבית עשרה טפחים· ורמב״ם לא הלק בין מקום נמוך למקום גבוה, בין בית לבור, ופסק סתמא „גובה המעקה אין פחות מי׳ טפחים״ (ה׳ רוצח שם)· ואולי גרסה אחרת נזדמנה לו· אבל הגר״א בהגהותיו לחושן משפט סי׳ תכ״ז, ס״ק ג׳ מפרש שהרמב״ם סומך על משנה ב״ב ריש פ״ד „ולא את הגג בזמן שיש לו מעקה גבוה עשרת טפחים״, ואמרינן התם, ס״ד ע״א, כיון דגבוה עשרה טפחים חשיב, וכעין זה גם בירו׳ שם· וע״ע במגדל עוז ובכסף משנה על הרמב״ם שם· ועיין פי׳ רד״ף ואהלי יהודה· רד״ף מעיר על הסתירה שבין השגות הראב״ד ומה שמובא בשמו במהר״ס ומסיק „והנה פי׳ זה שכתב הרב בשם הראב״ד בדמותו וצלמו נמצא בפי׳ ר״ה שבידינו כ״י אבל הראב״ד יש לו פירוש

מצות חמורות שבתורה על אחת כמה וכמה ד, זה הכלל כל מצוה שיש בה קום עשה אין חייבים עליה לא תקח האם על הבנים אפילו לטהר בה את המצורע והרי דברים ק״ו ומה מצוה קל״ה שהיא באיסר אמרה תורה למען ייטב לך והארכת ימים ק״ו למצות חמורות שבתורה ה — 13 ע׳ הקו׳ סליק פיסקא ד, פ׳ ר, ל׳ אבל —

1 בירת חדש דמ, בית ר, ל׳ בלא, בית חדש ר׳ ישמעאל אומ׳ בא הכתוב ללמדך שאין את יודע כיצד את נידון שנ׳ כי גם לא ידע האדם את עתו ה | ירש ונתן א מ, וירש ונתן דה, ירש ניתן בט, ירש נתן ל, כשניתן ר — 2 לא] ולא ב | לא תשים דמים בביתך] ל׳ ט | אין לי—מנין רבטלדא, מנין מ, יכול אף ה — 3 לבונה א מ, אף הבונה ר, הבונה בטלדה | בית] את בית ט | בית הבקר ראמ, ובית הבקר בטלדה [וכן בסמוך] | תלמוד לומר—אף הבונה] ל׳ ה | ולא רבאמ, לא טלד — 4 בביתך] מ״מ א | הבונה רבלדא, בונה טמ | אכסדרה בלדאמהט׳, אכסדרא רט׳ | ומרפסת] ה מוסיף <ובית שאין בו ארבע אמות על ארבע אמות> — 5 מיוחד—דירה] בית שהוא מיוחד לדירה ה | שהוא] שהיא ד — 6 לגגך] ל׳ א | גג] ל׳ מ | בורות] בית ל, ל׳ ה | ומערות] ל׳ ל | חריצים ב טאמ [סמ״ג, הגה׳ מיימ׳], ל׳ רלדה — 7 ולא א, לא ר בטלדמה — 8 חדש—דורסו עשרה] ל׳ ה | חדשו א, חידושו מ, חדשתו רבטלדפ | עשה] עשו ר — 9 כמה] וכמה מ | מעקה אמ, מקום רבטלדפ | מעגילו בדאמ, מעגילה פ, מעגלו ט, מעגילן רל, מעגילו בבור [סמ״ג], מעגלו גובהו [הגה׳ מיימ׳] | שלשה] ושלשה ד | דורסו ד א, דורסן רבטלפ, ל׳ מ, גובהו [כמ״ג], דורסו גבוהו [הגה׳

ועשית מעקה לגגך, מצות עשה. ולא תשים דמים בביתך, מצות לא תעשה.

כי יפול הנופל ממנו, ראוי זה שיפול אלא מגלגלים זכות על ידי זכיי וחובה על ידי חייב. ממנו, ולא לתוכו שאם היה רשות הרבים גבוה ממנו עשרה טפחים ונפל ממנו לתוכו פטור שנאמר ממנו ולא לתוכו. דבר אחר כי תבנה, רבי ישמעאל קהלת ט יב אומר בא הכתוב ללמדך [שאין אדם יודע] כיצד הוא נדון שנאמר °כי לא ידע האדם את עתו כדגים שנאחזים במצודה. [בית] מיכן אמרו בית שאין בו ארבע על ארבע פטור מן המעקה ומן המזוזה ומן העירוב ואין עושים אותו עיבור לעיר ולא טיבול למעשרות ואין נותנים לו ארבע אמות לפתחו הנודר מן הבית מותר לישב בו ואין מטמא בנגעים ואין צמית ביובל ואין חוזרים עליו מערכי המלחמה סליק [פיסקא]

רל.

ויקרא יט יט (ט) לא תזרע כרמך כלאים, מה אני צריך והלא כבר נאמר °שדך לא תזרע כלאים מלמד שכל המקיים כלאים בכרם עובר בשני לאוים. אין לי אלא

מיימ'] | עשרה] <ספחים> [הגה' מיימ'] — 1 מצות] הרי מצות ה | ולא אמ, לא רבטלדה | מצות] הרי זו מצות ה — 3 ממנו] ל' א | ראוי—חייב] ל' ה | זה] הוא א, היה פ | שיפול] ליפול ט | מגלגלין אמ [פ"ז], שמגלגלים רבטלד — 4 היה רלראמ, היתה בטה | גבוה אל, גבוהה רבטדמה — 5 ונפל ממנו לאה, ונפל ממנה ר בטדמ | ולא] לא א | לתוכו] מתוכו ל | ד"א—המלחמה] ל' ראמה, ונמצא בבטלד ואינו מעיקר הספרי אלא נוסף מגליון — 6 שאין אדם יודע] כן נראה להוסיף על פי המובא במ"ת, ראה בש"נ למעלה בתחלת הפיסקא, ועיין בהערות | כי] במקרא הגרסה כי גם — 7 שנאחזים] הנאחזים ט | במצודה ד, וגו' ט, ל' בל | בית מיכן אמרו] כן נראה להוסיף, וסמך להגהה זו בז הגורס מכאן אמרו | בית—המלחמה] בית שאין בו ד' אמות ברמז תקס"ה ט¹, בית שאין בו ד' אמות כתוב ברמז תקס"ה ט², בית שאין בו ארבע על ארבע פטור מן המזוזה פטור מן המעקה ואינו מטמא בנגעים ואינו נחלט בבתי ערי חומה ואין חוזרין עליו מעורכי המלחמה ואין מערבין בו ואין מניחין בו עירוב ואין עושין אותו עבור בין שתי עיירות ולא טבל למעשרות הנודר מן הבית מותר לישב בו ואינו מטמא בנגעים ואינו בדין בתי ערי חומה ואינו נצמת ביובל ואין חוזרין עליו מעורכי המלחמה פ, וכולו מובא בפ למעלה אחר המלים ונתן לו במתנה מנין ת"ל בית מכל מקום | ארבע על ארבע] ארבעה על ארבעה ל — 8 עיבור ד וכן בפ כמבואר למעלה בסמוך, עירוב ב, ל' ל — 9 צמית פ [ירושלמי], צמות בד, צמיתות ל — 10 מערכי ד, מן בל | סליק ד, פ' ר, ל' בלא —

11 לא תזרע רבדא, ולא תזרע ל, ל' ט | והלא] הלא ה | שדך—כלאים] לא תזרע כרמך כלאים ל — 12 מלמד]

אחר לא כמר ולא כמר כנראה בהדיא בהשגות שם פ' י"א... ומהכא מוכח בהדיא שהיה לפני מהר"ס פירוש ספרי כ"י דהמעתיקים סברו שהוא פירוש הראב"ד וכתבו שמו עליו וקושטא הוא דלאו מיניה דמר אלא מרבי' הלל", וכן העיר גם המנוח רחש"ה וכתב „פי' מהר"ס בשם הראב"ד (והוא ר"ה) דאם לא היה עשוי לתשמיש בני אדם אלא לעגלו במעגילה כדי שלא ידלוף הבית סגי בג' טפחים ואם עשוי לדריסה צריך עשרה", ועיין במבוא: 1 מצות עשה וכו', סמ"ג עשין ע"ט, תוספות קדושין ל"ד ע"א ד"ה מעקה, רמב"ם עשין קפ"ד, סמ"ק עשין קנ"ב, ס' החנוך, מגדל עוז ה' רוצח פי"א ה"א: 3 ראוי וכו', שבת ל"ב ע"א בשם ר' ישמעאל. — שמגלגלים וכו', פ"ז, תוספתא יומא פ"ה הי"ב (ע' 191), סנהדרין ח' ע"א, ב"ב קי"ט ע"ב, ספרי במדבר פי' קי"ד (עמ' 123), ופי' קל"ד (עמ' 177) מכלתא דרשב"י כ"א י"ג (עמ' 125), ירו' סנהדרין פ"י ה"ב (כ"ח ע"ב), במדבר רבה פרשה י"ג סי' י"ח: 4 ולא לתוכו וכו', ב"ב נ"א ע"א, פ"ז: 5 ד"א וכו' עד סוף הפיסקא חסר בראמ ואינו מעיקר הספרי רק נוסף מגליון. — ר' ישמעאל וכו', במ"ת בתחלת הפסוק כי תבנה, וזהו נוסחו שם „ר' ישמעאל אומר בא הכתוב ללמדך שאין את יודע כיצד את נידון שנ' וכו'". ועיין שבת שם, והשוה רש"י ותרגום יונתן ות"י: 6 שאין אדם יודע, הוספתי על פי המובא במ"ת שם, ומן הסברא. ועיין בספר השנתי להאקדימיא האמריקאית שנת 1932 ע' 33: 7 בית וכו', ירוש' מעשרות פ"ג ה"ז (כ"ה ע"ד), סוטה פ"ח ה"ד (כ"ב ע"ד) והשוה ב' סוכה ג' ע"א ותוספו' שם ד"ה בית, ומ"ת: 8 ומן העירוב, שמותר להכניס לתוכו ולהוציא ממנו אל החצר ואל המבוי בלא עירוב, ובבבלי הגרסה „ואין מניחין בו עירוב". עיבור לעיר, בירו' הגרסה חיבור לעיר, אבל בב' סוכה הג' עיבור בין שתי עיירות, ולכל הנסחאות הכונה שאין בירת קטן כזה כדאי לאחד על ידיו קרפפי שתי עיירות ולחשבן לעיר אחת. — ולא טיבול למעשרות, כלומר ואינו טובל למעשרות וכן גרסינן להדיא בירו' שם. — ואין נותנים וכו', עיין סוכה ג' ע"ב: 9 צמית, כדין בתי ערי חומה:

11 מה וכו' עד בשני לאוים, רא"ם, והשוה תו"כ קדושים ויקרא פרק ד' הט"ז (פ"ט ע"ב) וירו' כלאים פ"ח ה"א (ל"א ע"ב). מה אני וכו', [הגר"א גורס כאן „יכול לא יזרע זה בפני עצמו וזה בפני עצמו ת"ל כלאים אבל זה בפני עצמו וזה בפני עצמו מותר ד"א כלאים למה נאמר והלא כבר נאמר שדך לא תזרע כלאים לחייב משום

כרם שלם מנין אפילו גפן יחידי ועושה פירות תלמוד לומר כרם מכל מקום מנין לכלאי הכרם שאסורים בהניה נאמר כאן קדש ונאמר להלן קדש מה קדש האמור להלן אסור בהניה אף קדש האמור כאן אסור בהניה.

פן תקדש המלאה הזרע, מאימתי המלאה הזרע מתקדשת משתשריש וענבים משיעשו כפול לבן. הזרע, פרט לזרע שיצא עם הזבלים או עם המים הזורע והרוח מסערתו יכול שאני מוציא הזורע והרוח מסייעתו תלמוד לומר אשר תזרע. המקיים קוצים בכרם רבי אליעזר אומר קדש שנאמר אשר תזרע וחכמים אומרים זרע פרט למקיים קוצים בכרם. ותבואת הכרם, מאימתי התבואה מתקדשת משתשריש וענבים משיעשו כפול לבן. אין לי אלא כרם שהוא עושה פירות כרם שאינו עושה פירות מנין תלמוד לומר כרם מכל מקום אין לי אלא כרם שלך כרם של אחרים מנין תלמוד לומר לא תזרע כרמך כלאים מכל מקום. המותח זמורה של גפן על גבי זרעים אפילו מאה אמה הגפן אסורה ופירותיה. [לא תחרוש בשור וחמור] יכול לא יחרש

כרם ומשום שדה מלמד שכל הזורע כלאים בכרם עובר וכו׳״ ונראה דהקושיא לרבי יאשיה דסבירא ליה דאינו חייב שני מינין בכרם ועיין ירושלמי כלאים ל״א ע״ב דאימר דלרבי יאשיה אתי קרא להתריה שאם התרו בו משום שדך לוקה, משום כרמך לוקה ועיין בר״ש פ״ח דכלאים שפי׳ דהיינו לעבור עליו בשני לאוין אבל לשון הירושלמי לפי זה אינו מדוקדק ולרבי יונתן אמר דבא הכתוב להחמיר עליו לעבור במין אחד ועוד שם אמר רבין בר חייא ליתן לו שעור אחרת מן ששה טפחים וכן ד׳ אמות ונראה דצריך לומר שעור אחר תמן ששה טפחים וכן (כמו כאן) ד׳ אמות. ונראה דלרבי יונתן הוא וקאמר דשעור הרחקה בזרעים הוא ששה טפחים אבל שעור דהרחקת הזרע מן הכרם הוא ד׳ אמות ואפשר לפרש גם לרבי יאשיה וענין לעבור על כלאי הכרם דעובר אם לא הרחיק ד׳ אמות]: 1 גפן יחידי, דאין חלוק בין כרם שלם לגפן יחידי העושה פירות אלא בשיעור ההרחקה אבל שתיהן מקדשין ועיין כלאים פ״ד מ״ה ונ״ל דיליף מותבואת הכרם וצ״ל ת״ל תבואת הכרם, רמא״ש: 2 נאמר כאן וכו׳ עד אף כאן אסור בהניה, מובא בס׳ יראים סי׳ קנ״ד הוצ׳ שיף סי׳ ע״ו, וכן בס׳ השרשים לרד״ק ש׳ קדש. ונאמר להלן קודש, רד״ק שם גורס נאמר להלן ואיש כי יקדיש את ביתו קודש (ויקרא י״ז י״ד), אבל ר״ה פי׳ על הכתוב ומעלה מעל מקדשי ה׳ (צ״ל כי תמעול מעל וחטאה בשגגה מקדשי ה׳, ויקרא ה׳ ט״ו) אבל בירוש׳ דורש מן הפסוק ולא יהיה קדש מבני ישראל (דברים כ״ג י״ח) וכן פי׳ בעל ז״א עיין שם: 4 מאימתי וכו׳ עד לבן, מובא בפירוש הר״ש כלאים פ״ז מ״ז. — מאימתי וכו׳, למטה שורה 8, ומשנה כלאים פ״ז מ״ז, תוספתא שם פ״ד ה׳ י״ב (ע׳ 79). — משתשריש. רשב״ם ב״ב צ״ב ע״א ד״ה כל סאה, גורס התבואה משתשריש, ור״ה גורס משתשליש וכן יש גורסים במשנה כלאים שם, ועיין בירו׳ שם ל׳ ע״א: 5 פרט וכו׳, פ״ה מ״ז, ובירוש׳ שם: 6 המקיים וכו׳, שם משנה ח׳, ובירו׳ שם וריש פ״א דכלאים (כ״ו ע״ד): 8 מאימתי וכו׳, למעלה שורה 4: 9 שאינו עושה פירות, ובהא שני כרם שלם מגפן יחידית דלעיל, מפי׳ ז״ר, רמא״ש, ועיין מ״ת ע׳ 138 שורה 1, והשוה כלאים פ״ז מ״ב: 10 אין לי וכו׳, שם פ״ז מ״ד, ירו׳ שם ל׳ ע״ד, ובפי׳ הר״ש: 11 המותח וכו׳ עד תזרע מכל מקום, הוספה ואינה מעיקר הספרי, וחסרה בראמה, ובפי׳ ר״ה מובאה למעלה על הכתוב פן תוקדש: 12 מאה אמה וכו׳, פי׳ ר״ה „דהיינו אי הוייא זמורה מתוחה על גבי זרעים מאה אמה הגפן אסורה היא

ר מוסיף <שאין> | עובר בשני לאוים] לוקה משום שני לאוין ל | לאוים] לווין ר — 1 שלם מנין אפילו גפן] ל׳ ר | מנין אפילו] ל׳ ה | גפן אמ, כרם בטלדהפ | יחידי ראמ, יחיד ל, יחידית רטלפ | ועושה רבטדאה, והוא עושה למ | פירות] ה מוסיף <מנין> | מנין—כדברי ר׳ יאשיה] ל׳ ה | מנין רבטל, ומנין דאמ — 2 שאסורים רבלאמ, שאסור דט׳, שאכורה ט² | קדש האמור אמ, ל׳ ר בטלד [וכן בסמוך] — 3 אסור בהניה] אסור בהניא ר, איסור [אסור מ] בהנאה אמ, איסור הניה ט׳, איסור הנייה ד, איסור הנאה בלט² | אף] א מוסיף <קדש האמור>, מ מוסיף <קודש האמור> | אמור בהניה] אסור בהניא ר, איסור בהנאה א, אסור בהגאה מ, איסור הניה ט׳, איסור הנאה בלדט² — 4 המלאה הזרע ר, מליאה זרע מ, מלאה זרע א, המלאה ב, המלאה טל, מליאה ד, ל׳ [ר״ש], התבואה פ | מתקדשת בטל דפ, ומתקדשת אמ, מתקדשות ר | משתשריש בטדאמ, משתשרישו רל, משתשליש פ | וענבים רלדאמפ, ענבים ב ט — 5 משיעשו רטלאמפ, משתעשה בד | לבן רבאמ, הלבן טפ, לבן המצרי לד | הזרע דמ, זרע רבטלא | שיצא] היוצא פ | עם ראמפ, מן בלד, מבית ט | הזבלים] הזבולין ר | והרוח] וברוח ט² — 6 מסערתו רבלאמפ, מסערתן ט׳, מסעייתו ט׳ | שאני] שני ר | מוציא הזורע בטלמפ, מוציא הזורע אם א, מרבה הזורע ד, מוציא הזרע ר | מסייעתו רב טדאמ, מסערתו לפ | תלמוד לומר] תלמוד ל — 7 רבי אליעזר] רבי אלעזר ר — 8 מאימתי] מימתיי ר | התבואה רבטלד, תבואה אמ — 9 לבן רא, הלבן בטדמ, לבן המצרי ל | אין] ואין ב | אלא] ל׳ ט² | שהוא עושה רדא מ, שעושה ל, שעושי ט׳, של עושה ב, שהוא ט² | כרם ר, ל׳ בטלדאמ | שאינו רמ, שאין בטלדא — 10 תלמוד לומר] ר מוסיף <ל׳ תזרע> | כרם] ל׳ טמ — 11 כרמך כלאים לא, כרמך רדמ, ל׳ בט | המותח—מכל מקום] ל׳ ראמ, ונמצא בבטלד ומקצתו גם בה, ואינו מעיקר הספרי אלא נוסף מגליון. וגם בפ מובא אלא ששם מקומו למעלה לפני הברייתא המתחלת מאימתי המלאה וכו׳; ושם מובא החלק השני פן תקדש פן תאסר וכו׳ לפני

על זה בפני עצמו· ועל זה בפני עצמו תלמוד לומר יחדיו· אבל זה בפני עצמו וזה בפני עצמו מותר· דבר אחר כלאים לחייב משום כרם ומשום שדה· דבר אחר פן תקדש המלאה· פן תאסר המלאה כדברי רבי יאשיה· אשר תזרע· אין לי אלא שזרע הוא זרע חבירו ורצה לקיימו מנין תלמוד לומר תזרע מכל מקום סליק פיסקא

רלא.

שמות כג יב (י) לא תחרוש בשור וחמור יחדו, יכול לעולם כשהוא אומר °למען ינוח שורך וחמורך כבר שור וחמור עושים מלאכה אם כן למה נאמר לא תחרוש בשור וחמור זה עם זה. שור וחמור אין לי אלא שור וחמור מנין לעשות שאר בהמה וחיה ועוף כיוצא בשור וחמור תלמוד לומר לא תחרוש מכל מקום אם כן למה נאמר בשור וחמור, בשור וחמור אי אתה חורש אבל אתה חורש באדם ובחמור.

לא תחרוש, אין לי אלא חורש מנין לרבות הדש והיושב והמנהיג תלמוד לומר יחדו מכל מקום. רבי מאיר פוטר ביושב. יחדו, פרט לרמך. יחדו, פרט לקושר את הסוס לצדי הקרון או לאחר הקרון ואת הלבדקס לגמלים.

המותח זמורה וכו׳ | המותח ד, מכאן אמרו המותח פ, המתיר בטל — 12 ע׳ הקו׳ מאה בטלפ, אמה על ד | לא תחרוש בשור וחמור] כן נראה להוסיף על פי הסברא — 1 תלמוד לומר—בפני עצמו] ל׳ לפ — 2 כרם] כלאים ל — 3 כדברי ר׳ יאשיה פ, כדברי רבי יהודה טלד, כר׳ יהודה ב | שזרע הוא הפ, שזרע בלד, שזורע ט — 4 תזרע] זרע ה | סליק פיסקא ד, פ׳ ר, ל׳ בלא —

5 יחדו] ל׳ ט | יכול—זה עם זה] ל׳ ה | לעולם] בא נוסף על הגליון „אסורים לעמוד יחדו" — 6 וחמורך בט לאמפ, וחמורך כמוך ד, וחמורך וינפש בן אמתך | כבר רמפ, ל׳ בטלדא [ובא נ׳ על הגליון א"כ] | עושים] ענשן ט² | מלאכה] בא נוסף על הגליון „ואסורין לעשותה יחדו" | לא תחרוש] ל׳ ט — 7 בשור וחמור טלדמ, בשור ובחמור בא, וגר׳ ר | זה עם זה רפ, ל׳ בטלדאמ | שור וחמור ר, ל׳ בטלדאמ | אין לי—למה נאמר בשור וחמור] ל׳ ל | שור וחמור] בשור ובחמור ט — 8 לעשות אמה, לרבות רבטדפ | שאר] ל׳ אמ | וחיה בטלדמה, חיה א, חייה ר | כיוצא בשור וחמור ה, כיוצא בשור ואדם ר, כיוצא בשור ד, כהם אמ, ל׳ בט | תלמוד לומר—למה נאמר בשור וחמור] ל׳ ר | מכל מקום אם כן] ל׳ מ — 9 וחמור ד, ובחמור בטאמה | בשור וחמור לד, בשור ובחמור רבטא, בשור ובחמור ללמדך ה, ל׳ מ | חורש—ובחמור רב, אבל אתה חורש באדם ובחמור [וחמור ה] טלדה, בשור ובאדם וחמור ואדם אמ [כפתור ופרח], ובא נ׳ בין השטים אבל אתה חורש; בשור ובאדם באדם ובחמור [סמ"ג, ס׳ יראים] — 11 לא תחרוש] ד"א לא תחרוש ד | הדש והיושב [היושב מ, ויושב ט¹] טמפ, חרש היושב א, [וקו נמשך תוך המלה חרש בכ"י], הדש והיוצא רבל, את הדש והיושב בקרון והיוצא ד, הזורע והמושך ה — 12 מקום] ל׳ ר | רבי מאיר—ת"ל שעטנז] ל׳ ה | ביושב] ד מוסיף <בקרון> — 13 לצדי [לסדי א] הקרון אמ, בצדי הקרון ט¹, בצידי [לצידי ר] קרון רבלדט² | הקרון

ופירותיה דהבא׳· ובתוספתא דכלאים בפרק רבן גמליאל ובית דינו (פ"ד ה"י, ע׳ 79) קתני לה האי לישנא זמורה של גפן שהיתה מודלה על גבי תבואה אפילו היו מאה אמה ב"ש אומרים הגפן אסורה ופירותיה", והשוה גרכת תוספתא דפוס צוקרמנדל שם· — יכול לא יחרוש, מקומו על הכתוב לא תחרוש בשור וחמור לקמן והובא כאן כרגיל בהוספות אלה שאינן מעיקר הספרי שהיו כתובות על הגליון והכניסן המעתיק פעמים שלא כסדרן: 1 בפני עצמו מותר, השוה לקמן פי׳ רל"א: 2 דבר אחר, אין זה נקשר עם שלפניו, אלא הסופרים העתיקוהו בסדר הזה· — לחייב וכו׳, לחייב משום כלאי הכרם ומשום הזורע שדה כלאים, מפי׳ ר"ה· — פן תאסר המלאה, השוה מה שכתב על זה רמא"ש במכילתא משפטים צ"ז ע"א הערה כ"ה, וצ"ע: 4 לקיימו, [כלאים פ"ח מ"א, תוספתא פ"א הט"ו, ע׳ 74, ירושלמי פ"ח ה"א, ל"א ע"ב, תו"כ קדושים פ"ד ה׳ ט"ז (פ"ט ע"ב), מועד קטן ב׳ ע"ב, מכות כ"א ע"ב, ע"ז ס"ד ע"א, ובע"ז הגרסה „ת"ל לא תזרע כלאים כמו בתו"כ אבל במועד קטן הגרסה „ת"ל כלאים שדך לא" ופי׳ דשדינן כלאים דכתיב גבי בהמה אשדך ובמכות הגרסה ת"ל בהמתך לא תרביע כלאים שדך לא תזרע כלאים" וגרסה זו יש לפרש גם כן הכי אבל הגירסה שבתו"כ צריכה ביאור ואין לפרש דדייק מדהקדים שדך דאם כן קשה איך נפרש לפי זה הלמוד בירושלמי לענין כרם דהרי שם כרמך מאוחר לא תזרע כרמך כלאים וגם הלמוד בספרי כאן צ"ע והגר"א מגיה ת"ל הזרע מכל מקום]:

7 אין לי וכו׳ עד ר"מ פוטר ביושב, מובא בסמ"ג לאוין רפ"ב, בספר יראים קנ"ו, הוצאת שיף סימן שפ"ח: 8 שאר בהמה וכו׳, משנה שם פ"ח מ"ב, ת"י, רש"י, והשוה ב"ק נ"ד ע"ב: 9 אם כן וכו׳ עד באדם ובחמור, ירו׳ כלאים פ"ח ה"ו, ל"א ע"ד, ומובא מן הספרי בפי׳ הר"ש משנה כלאים שם· בכפתור ופרח פ׳ מ"ה, ע׳ 771, ובאור זרוע ח"א ל"ט ע"א: 10 באדם, משנה כלאים פ"ח מ"ו, וע׳ ב"ק שם: 11 והיושב והמנהיג, שם מ"ג, וע׳ ב"מ ח׳ ע"ב: 12 לרמך, שם מ"ה· — פרט לקושר וכו׳, כר"מ בתוספתא פ"ה מ"ד (ע׳ 79), ובירוש׳ שם ה"ג (ל"א ע"ג), והשוה משנה פ"ח מ"ד: 13 ואת הלבדקס, שם מ"ד גרסינן הלובדקים, וכעין זה בתוספתא שם ועי׳ בירושלמי שם „ולא הלובדקס אית תניי תני ניבדקוס," וע׳ במלונו של קרויס ע׳ 306:

רלב.

(יא) לא תלבש שעטנז, יכול לא ילבש גיזי צמר ואניצי פשתן תלמוד לומר שעטנז דבר ששוע טווי ונוז. רבי שמעון בן אלעזר אומר נלוז ומליז הוא את אביו שבשמים עליו.

לא תלבש, אין לי אלא שלא ילבש מנין שלא יתכסה תלמוד לומר °לא יעלה (ויקרא יט יט) עליך יכול לא יפשילנו בקופה לאחריו תלמוד לומר לא תלבש לבישה בכלל היתה ולמה יצאת להקיש אליה ולומר לך מה לבישה מיוחדת שהיא הנית הגוף אף כל שהוא הנית הגוף. יחדו, יכול לא ילבש חלוק של צמר על גבי חלוק של פשתן וחלוק של פשתן על גבי חלוק של צמר תלמוד לומר יחדו. רבי חנניה בן גמליאל אומר מנין שלא יקשור סרט של צמר בשל פשתן לחגור בו את מתניו אף על פי שהרצועה באמצע תלמוד לומר יחדו מכל מקום, כשתמצא אומר השק והקופה מצרפים את הכלאים.

צמר ופשתים יחדו. אבל זה בפני עצמו וזה בפני עצמו מותר. הלבדים אסורים משום כלאים אף על פי שאין בהם משום אריג יש בהם משום שוע סליק פיסקא

רלג.

(יב) לא תלבש שעטנז גדילים תעשה לך. שניהם נאמרו בדבור אחד. זכור

1 יכול וכו׳ עד כל שהוא הנית הגוף, השוה תו״כ קדושים פרק ד׳ ה׳ י״ח (פ״ט ע״ב): 2 ששוע וכו׳, רש״י משנה שם פ״ט מ״ח. — נלוז וכו׳, משנה שם, תוספתא פ״ה הכ״א, עמ׳ 80: 4 אין לי וכו׳ עד ת״ל יחדו מכל מקום, סמ״ג לאוין רפ״ג והשוה ירו׳ כלאים פ״ט ה״א (ל״א ע״ד). — שלא יתכסה, ת״י, יבמות ד׳ ע״ב: 5 יכול וכו׳ עד אעפ״י שהרצועה באמצע ת״ל יחדו מכל מקום, מובא בספר ראב״ן סי׳ קי״ו (הוצ׳ ר׳ שלום אלבעק מ״ד ע״ג) וע׳ בהערות העורך שם: 7 יכול וכו׳ עד ת״ל יחדו, מאירי יבמות ה׳ ע״ב (הוצ׳ אלבעק עמ׳ 41). ועיין תוספתא כלאים פ״ה הט״ו (ע׳ 80): 8 מנין וכו׳, משנה סוף כלאים, ועיין בירו׳ ובפי׳ ר״ש שם ובתוספתא שם פ״ה ה׳ כ״ב, ע׳ 80, בשם ר׳ חנניא בן גמליאל: 10 יחדו מכל מקום, פי׳ הרמב״ם סוף כלאים, כפתור ופרח פ׳ נ״ט (עמוד 778). — כשתמצא אומר וכו׳, רמא״ש העיר שמכאן עד בפני עצמו מותר נראה לו כתוספת מגליון. אבל המשפט כשתמצא אומר עד מצרפים את הכלאים נמצא בכל הנסחאות וכן גרס אותו הרמב״ם בספרי כאשר מוכח מפירושו לכלאים שם. ונראה לפרש שאם תמצא ותידוק בדבר אומר לך מן הכתוב יחדו שגם השק והקופה מצרפים את הכלאים. ועיין הערתי בסמוך על המאמר צמר ופשתים וכו׳. — השק והקופה וכו׳, משנה כלאים שם, ועיין בפי׳ הרמב״ם ור״ש ובירו׳: 11 צמר ופשתים וכו׳ עד פי׳ רל״ד ובעלי שמונה, כל זה חסר בארמ ורק קטעים ממנו מובאים בה, ונראה שנוסף מגליון, וגם בטופס הספרי של ר״ה היתה גרסה משונה הרבה כרגיל בהוספות אלה; פי׳ רל״ג חסר לגמרי בפי׳ שלו, והברייתא למה נאמר וכו׳ מקומה בפירושו בסוף פיסקא רל״ד. — אבל זה בפני עצמו וכו׳, עיין למעלה פי׳ ר״ל (ע׳ 264, שורה 1). — הלבדים, כלאים פ״ט מ״ט ר״ה גורס מכאן אמרו הלבדים, ומפרש דאשטנז קאי, רמא״ש, והשוה למעלה פי׳ ר״ל (ע׳ 252, שורה 11):

13 שניהם וכו׳, השוה מכילתא יחרו מסכת בחודש פרשה ז׳ (ס״ט ע״א, רמא״ש 229), מ״ת ה׳ י״ב (עמ׳ 21), ב״ב י״ב (ע׳ 138), ילקוט תהלים תשפ״ג, ירו׳ נדרים פ״ג ה״א (ל״ז ע״ד), שבועות פ״ג ה״י (ל״ד ע״ד), ועיין עוד ספרי במדבר פי׳ מ״ב (ע׳ 47), מכלתא דרשב״י כ׳ ח׳ (ע׳ 107), ב׳ שבועות כ׳ ע״ב, ר״ה כ״ז ע״א, שמות רבה פ׳ כ״ח

טדאמ, קרון רבל | ואת] או ד | הלבדקס פ, הלובדקיס מ, הלוברקים א, הלופדקס ר, הדולפקס ד, הדלופקס ב, הדגלופקס ל | לגמלים] ר מוסיף <פ׳> —

1 לא תלבש—גדילים] ל׳ ט | יכול] ל׳ ל | ואניצי ב דמהפט׳, ועניצי רא, ואוני ל — 2 ששוע מ, ששווע א, ששע ר, שהוא שוע בלדהט׳ | טווי ונוז דא, וטווי ולוז רמ, טווי וניז ל, טווי נווז ה, טווי ומן ב | רבי שמעון—עליו] ל׳ מ | נלוז ומליז הוא ב, נלוז ומליז דמ ט׳, נלוז מילין הוא ר, בלוז ומליז א, נלוז מילוז הוא ל — 4 תלבש] א מוסיף <שעטנז> | יתכסה רבלדהפט׳, יכסה אמ — 5 בקופה [לקופה ל] לאחריו רלז, לקופה לאחוריו ב, קופה אחריו דט׳, בקופה לאחוריו [אחריו א מ] אמה | היתה] היית ל — 6 ולמה בלמה, למה רא, ממה רט׳ | אליה] אליך ל | ולומר לך דט׳, לומר לך ב לה, ל׳ ראמ | אף—הגוף איט׳, ל׳ בלדה, יצא דבר שאין הנאת הגוף ראמ, וא׳ מוסיף <יצא דבר שאין הוא הנאת הגוף> — 7 יחדו דא, ל׳ רבלמה | של צמר] שעל עמך ב — 8 יחדו רבאמה, יחדיו לדט׳ | רבי רמה, ל׳ בלדאט׳ — 9 שלא רראמהט׳, לא בל | יקשור סרט הפ, יקשור סרק ר [סמ״ג], יקשור מסרק מ, יקשור סדין א, יסרוק סרק בלדט׳ [ראב״ן] | צמר] פשתן ה | בשל פשתן ה, ושל פשתן רלאמט׳, ושל פשתים ב | לחגור א מ, לקשור רבלדט׳, לאגוד ה | את] ל׳ א | אעפ״י] שאע״פ ה — 10 כשתמצא אומר אמה, שתמציאו ר, כשתימצי לומר בלדט׳ | השק] א׳ מוסיף <של צמר> | והקופה] א׳ מוסיף <של פשתן> | הכלאים] הקופה א, בר נ׳ <פ׳> — 11 צמר ופשתים—משום שוע] ל׳ ראמה, ונמצא בבלדפ, ואינו מעיקר הספרי אלא נוסף מגליון — 12 סליק פיסקא ד, ל׳ בל —

13 לא תלבש וכו׳ עד סוף הפיסקא] ל׳ רטאמ ונמצא בבלדהז ואינו מעיקר הספרי אלא נוסף מגליון | לא תלבש

שמות לא יד במדבר כח ט ושמור שניהם נאמרו בדבור אחד. °מחלליה מות יומת °וביום השבת שני כבשים בני
ויקרא יח טז דברים כה ה שנה שניהם נאמרו בדבור אחד. °ערות אשת אחיך לא תגלה °יבמה יבא עליה שניהם
במדבר לו ח שם לו ט נאמרו בדבור אחד. °וכל בת יורשת נחלה °ולא תסוב נחלה ממטה אל מטה שניהם
תהלים סב יב נאמרו בדבור אחד מה שאי איפשר לבשר ודם לומר שני דברים כאחת שנאמר °אחת דבר
אלהים שתים זו שמענו סליק פיסקא

רלד.

במדבר טו לח גדילים תעשה לך. למה נאמר לפי שנאמר °ועשו להם ציצית שומע אני יעשה חוט אחד בפני עצמו תלמוד לומר גדילים כמה גדילים נעשים אין פחות משלשה חוטים כדברי בית הלל בית שמיי אומרים מארבעה חוטים של תכלת וארבעה חוטים של לבן של ארבע ארבע אצבעות והלכה כדברי בית שמיי במה דברים אמורים בתחילה אבל בשיריה ובגרדומיה כל שהוא. על ארבע. יצאו בעלי שלשה ובעלי חמש ובעלי שש ובעלי שבע ובעלי שמונה. דבר
שם אחר גדילים תעשה לך, זה לבן מנין לרבות את התכלת תלמוד לומר °ונתנו על ציצית הכנף פתיל תכלת. תעשה, ולא מן העשוי שלא יוציא נימים מן הטלית ויעשה.

על ארבע, ולא על שמונה. כסותך, פרט לטגא ולתובלא ולתיבלטירים

שעטנז] ל׳ ד | לך] ד מוסיף <אמור מעת׳>, ב מוסיף <אומר> | נאמרו] ל׳ ה — 1 שניהם ד, ל׳ בלד וכן בסמוך | בני שנה] ל׳ ל — 2 שניהם נאמרו בה, נאמרו ד, שניהם בדבור אחד נאמרו ל — 3 נחלה] בלה מוסיפים <ממטות בני ישראל> | אל מטה בל, למטה דה | שניהם נאמרו בדבור אחד בלה, בדיבור אחד נאמר ד — 4 שאי] שאין ה | כאחת בל, כאחד דה | שנאמר] כמו שנ׳ ה — 5 שתים] בקדשו שתים ה | שמענו בלדה, (במקרא שמעתי) ובל מוסיפים <וגו׳> | סליק פיסקא ד, ל׳ בל — 6 גדילים וכו׳ עד ובעלי שמונה ד״א] ל׳ ראמ, ונמצא בבטלדה וגם בפ נמצא אלא ששם מקומו בסוף פי׳ רל״ד, ואינו מעיקר הספרי אלא נוסף מגליון | גדילים] גדילה ה — 7 נעשים דפ, נעשות בטל, נעשית ה | חוטים] ל מוסיף <של תכלת> | כדברי בית—של תכלת] ל׳ ל — 8 בית שמיי] בית שמאי טהפ, ובית שמאי ב, ובית שמי ד | מארבעה בדט², מארבעת ט¹, ארבעה ה | חוטים—ארבע אצבעות] כמה תהא משולשת בית שמאי אומרים ארבע ובית הלל אומ׳ שלשה ושליש שבית הלל אומרים אחת מארבע לטפח של כל אדם ה | וארבעה] וארבע ט² — 9 כדברי בית שמיי] כבית שמאי ה | בתחילה בטד, בתחילתה לה | בשיריה ד, בשייריה הפ, בשאריה ט, בשיורה ב, בשיורהא ל | ובגרדומיה טדהפ, ובגרדומיהא ב, ובגרדומהא ל — 10 על ארבע—ובעלי שמונה] ל׳ מה | בעלי שלשה ד, בעלי שלש ובעלי ארבע בל | ד״א במלד, ל׳ ה — 11 את] ל׳ א — 12 מן] ממין מ | יוציא רבלדמהפט¹, יוצא ט², יקח א | נימים רבטלדהפ, ממין אמ | מן] ל׳ מ — 14 על ארבע—ראשו ורובו] ל׳ ה | ולא] או א | לטגא] כן נראה לגרס, ובמקורות נמצאות גרסות אלה: ליטגא רמ, ליטנא א, לטינא [עכור], ליגא בכלדה, לגוטא פ | ולתובלא למ, לתובלא [עטור], לתיבלא ר, ולתכלא דא, ולהכילא ב, ולתיכלא ט | ולתיבלטירים בלדא, לתיבלטירין ר,

סי׳ ד׳, וע׳ ר״ן מפתח שבת קל״ב ע״א ורא״ם כאן, ילקוט תהלים רמז תשפ״ג:

6 גדילים וכו׳ עד ארבע אצבעות, מובא בתוס׳ מנחות מ״א ע״ב ד״ה בית שמאי, ובתוספות בכורות ל״ט ע״ב ד״ה כמה חוטין, ובהרא״ש ה׳ ציצית, ובספר העטור שער ציצית, שער א׳ חלק ב׳, ובמרדכי פרק התכלת. — שומע אני וכו׳, ספרי במדבר פי׳ קט״ו (ע׳ 124), מנחות מ״א ע״ב, בכורות ל״ט ע״ב, מסכת ציצית ה״ג (הוצ׳ היגער בספרו שבע מסכתות קטנות, נ״א ע״א), וע׳ בס״ז עמוד 289, מה שהביא העורך מן המחזור ויטרי: 8 ד׳ חוטין של תכלת, כך נראה שהיתה ההלכה הקדומה שהצריכה שמונה חוטין, ובהתאם לה נהג עדיין ר׳ ירמיה, עיין מנחות מ״ב ע״א, ואין כאן טעות סופר כנראה מן הברייתא בספרי במדבר המתאימה לנוסח הספרי כאן. בבבלי הגרסה „כמה חוטין הוא נותן בש״א ארבעה״ ותו לא. ועל פי זה החליטו הפוסקים שחוטי התכלת הם בתוך מנין ארבעה, ונחלקו אם צריך שני חוטים של תכלת (רש״י ותוספות, מנחות ל״ח ע״א ובעל העטור), או חוט אחד (הראב״ד ריש הלכות ציצית) או חצי חוט, כלומר חוט של צמר חציו צבוע תכלת (הרמב״ם שם). ועיין בתוספות מנחות ד״ה התכלת שהאריכו בזה. — של תכלת, ר״ה אינו גורס המלים האלה, ולא נתברר אם היו חסרים בטופס שלפניו או מחקם בהתאם אל הברייתא במנחות, וז״ל כמה גדילים נעשים אין פחות משלשה כדברי ב״ה כדגרסי׳ לה בהתכלת דתנן דשלשה חוטין הוא נותן ב״ש אומרים מארבעה חוטין דכי כפיל להו הויין שמונה חוטין. וארבעה חוטין של ארבע אצבעות כלומר והאי ארבעה חוטין דמטיל בציצית צריכין להיות של ארבע אצבעות דהיינו דלהוו משולשים מן הכנף ארבע אצבעות אורך״. ובמ״ת הגרסה מתאמת עוד יותר לזו של הברייתא במנחות; „כמה גדילה נעשית אין פחות משלשה חוטין כדברי בית הלל בית שמאי אומרין ארבעה כמה תהא משלשת בית שמאי אומרים ארבע ובית הלל אומ׳ שלשה ושליש שבית הלל אומ׳ אחת מארבע לטפח של כל אדם והלכה כבית שמאי״: 9 במה וכו׳ עד כל שהוא, מנחות ל״ט ע״א, ככרי במדבר שם: 10 יצאו בעלי וכו׳, ספרי במדבר שם, והשוה זבחים י״ח ע״ב ומנחות מ״ג ע״ב: 11 גדילים וכו׳ עד פתיל תכלת, מובא בעטור שער ציצית: 12 תעשה וכו׳, עיין כוכה ט׳ ע״א. מנחות מ״ב ע״ב. — ולא מן וכו׳ ויעשה, עטור שב: 14

לתקרקים לבורסים לבורדסים לפי שאינם מרובעים רבי אליעזר בן יעקב אומר מנין שלא יתן על אמצע בגד אלא על שפתו תלמוד לומר על ארבע כנפות. כסותך, פרט לכר, כסותך פרט לסדין, תכסה פרט לסגום, בה פרט למעפורת שלא תכסה ראשו ורובו סליק פיסקא

רלה.

(יג) כי יקח איש אשה ובא אליה ושנאה, רבי יהודה אומר אם בא עליה לוקה ואם לאו אינו לוקה. [ושנאה], מיכן אתה אומר עבר אדם על מצוה קלה סופו
לעבור על מצוה חמורה עבר על °ואהבת לרעך כמוך סופו לעבור על °לא תקם ויקרא יט יח שם
ולא תטר ועל °לא תשנא את אחיך בלבבך ועל °ואהבת לרעך כמוך ועל שם יט יז
°וחי אחיך עמך עד שבא לידי שפיכות דמים לכך נאמר כי יקח איש אשה. שם כה לו

ושם לה עלילות דברים, יכול אפילו אמר לה הקדחת את התבשיל והיא לא הקדיחה תלמוד לומר עלילות דברים לגזירה שוה מה עלילות דברים האמור להלן טענת בתולים אף עלילות דברים האמור כאן טענת בתולים

ולא על שמונה, כדברי ראב"י בספרי במדבר פי' קט"ו (ע' 125) ועיין בהערת רמא"ש שם ל"ד ע"ב, סי' י"ט· — ולא על שמונה עד מרובעים, מובא בספר העטור שער ציצית שער ב' סוף חלק א'· — פרט וכו', מסכת ציצית ה"ב (נ' ע"ב), ספרי זוטא ט"ו ל"ח (עיי"ש בהערה ע' 289, שורה 5), ואודות השמות האלה עיין בספר Talm. Archaeologie של קרויס ח"א ע' 604, הערה 541, ובספר Trachten der Juden להח' אדאלף ברילל, עמוד 37, ועוד בספר Gesammelte Schriften של לעוו, ח"ד ע' 230· — טגא, Toga בל' רומי· — ולתובלא, עיין קרויס שם, ועוד במלונו ח"ב ע' 287· — ולתיבלטירים, ע"פ הג' במסכת ציצית, ופובלטרין מגיה קרויס פיבלטרין, והיא המלה היונית φιβλατώριον, ע' מלונו ח"ב ע' 587: 1 ראב"י וכו', השוה דבריו בספרי במדבר שם ובמנחות מ"ב ע"א: 3 פרט לכר, מובא בעטור שם בגרסאות שונות וזה לשונו, „כסותך פרט ללבד שאינו עשוי להנאת אדם ולבד היא כדאמרינן במס' כלאים הלבדין אסורין מפני שהם שועין ובספר אחר מצאתי כסותך לבד [צ"ל לכר] והא דאמר בפרשת ועשו משמע אילו ומוציא אני כרים וכסתות ת"ל אשר תכסה בה וכן עיקר"· — כסותך פרט לסדין וכו' עד ורובו, עטור שם· — פרט לסדין, ר"ה פירש דאתיא כבית שמאי, עיין מנחות מ' ע"א, וכן פי' בעל העטור „פרט לסדין, טלית של פשתן שאינו ראוי עם תכלת לככות וסתמא כבית שמאי וקי"ל סתם ספרא [צ"ל ספרין] ר"ש וסתם ספרי [צ"ל ספרא] ר"י וכולהו אליבא דר"ע" וכן תרגם יונתן כבית שמאי „ברם לאצטולי כיתן חוטי ציציית מן עמר תהון מרשן למעבד לכון"· — פרט לסדין, מובא בחדושי הר"ן שברת כ"ה ע"ב· — פרט לסגום, מל"י σάγος והוא בגד החיילים, עיין קרויס במלונו ח"ב עמוד 371 ובספרו Archaeologie ח"א ע' 170 ובהערותיו שם· — שלא תכסה וכו', פ"ז, דלהכי כתיב בה כרט למעפורת דמשמע בה כולו או רובו ולמעוטי מעפורת דלא הוי גדול כי היכי דלתכסה בה ראשו ורובו, רמא"ש מפי' ר"ה ועי' במ"ת:

ולתיכלטרין ט, לתיבליטר (?) מ, לתופלתרין [עטור] — 1 לתקרקים בלדט², ליתקירקם א, ליתקיקקס מ, לקרקיס ט¹, ליתקרקים ר | לבורסים רבטל, לבירסין מ, לבידסרן א, לסרסים ד | לבורדסים בלד, ולבורדסין ט¹, לברדסין ר, לבירדסין מ, לכרדסין א, ולבוררסין ט² | שאינם] שאין ר | אומר] ל' ל — 2 שפתו] שפמו ר | תלמוד לומר רא מ, שנאמר בטלד — 3 פרט לכר] ל' ד [וליתא כאן בט אמנם נמצא להלן ועיין בסמוך] | לסדין] ט מוסיף <כסותך פרט לכר> | לסגום בטדפ, לי סגום ר, לסגיס ל, לסכוס א, ליסגוס מ | תכסה ראמ, יכסה בה בלדט¹, יכסה עבה ט² — 4 סליק פיסקא ד, סלי"ק פסו"ק ר, ל' בלא —

5 ושנאה רבי יהודה אומר] ל' ר | רבי יהודה—כי יקח איש אשה] ל' ה | עליה] אליה ט — 6 ושנאה] כן נראה להוסיף ואעפ"י שחסר בכל הנסחאות | סופו] סוף ט¹ — 7 עבר ראמ, עבר אדם בטלד — 8 ולא תטר] ועל לא תטר ב | בלבבך ראי, ל' בטלדאמ | ועל א, ל' רב טלדמ | ואהבת לרעך כמוך] ל' רט | ועל א, ל' רבטל דמ — 9 שבא רבטד, שיבא לאמ | אשה] ר מוסיף <וב' א' וש'>, ב מוסיף <ושנאה> — 10 יכול—עלילות דברים עלילות דברים] ל' ל | אפילו] ל' ר | הקדחת] ד מוסיף <לי> | והיא לא ראמ, ולא רטה [פ"ז], לא ב — 11 עלילות דברים] ל' בא — 12 האמור] האמורים ט² | להלן רבטלדאמ, להן ר, למטה א¹ | טענת] מקום א |

5 [ושנאה וכו', הגר"א גורס כאן לפי שהוא אומר ואיש אשר ינאף את אשת איש וכו' (עיין לקמן עמ' 268, שורה 5) עד לידי להה"ר, מכאן אתה אומר עבר אדם על מצוה קלה וכו', ומוחק מאמר ר' יהודה הנשנה לקמן פיס' רל"ו, ועיין ירו' כתובות כ"ח ע"ב כתיב כי יקח איש אשה וכו' ושנאה לעולם אינו חייב עד שיכנוס ויבעול ויטעון טענת בתולים ועיין ב' כתובות מ"ה ע"ב ובפ"ז נראה דגורס כלפנינו] ומאמר ר"י נמצא בכל נוכחי הכפרי, אלא שהמלים ר' יהודה אומר חסרות בר, עיין בשנויי נוסחאות· וע' גם לקמן ע' 269, שורה 5, ושם הובאו דברי ר' יהודה לתוך הספרי מגליון· — ר' יהודה וכו', לקמן פי' רל"ו, כתובות מ"ה ע"ב ומ"ו ע"א, ירו' שם פ"ד ה"ד (כ"ח ע"ג), מ"ת, ועיין ת"י, ופ"ז: 6 ושנאה, כן הוסיף רמא"ש וליתא בנסחאות· — מיכן וכו', למעלה פי' קפ"ז (עמוד 226) ובציונים ובהערה שם, ועיין בפ"ז: 7 ועל ואהבת לרעך כמוך, עיין בהערה שם פי' קפ"ז· [רד"ף מגיה לא תלך רכיל בעמך ולא תעמוד על דם רעך]: 10 יכול וכו' עד מנין לרבות ביאה אחרת וכו', ירו' כתובות פ"ד ה"ד (כ"ח ע"ב), פ"ז, לקח טוב: 12 להלן, בסוף הפסוק:

אי מה עלילות דברים האמור להלן מקום בתולים אף עלילות דברים האמור כאן מקום בתולים מנין לרבות ביאה אחרת תלמוד לומר והוציא עליה שם רע.

ואמר את האשה הזאת, מלמד שאין אומר דבריו אלא בעמידתה. לקחתי ואקרב אליה ולא מצאתי לה בתולים, הרי עדים שזינתה בבית אביה.

ויקרא כ׳ כי יקח איש אשה, למה נאמר לפי שנאמר °איש אשר ינאף את אשת איש אחת שבאו לה עדים בבית בעלה שזינתה בבית אביה ואחת שבאו לה עדים בביה אביה שזינתה בבית אביה משמע שתהא נדונת על שער העיר והרי הכתוב, מוציא את שבאו לה עדים בבית בעלה שזינתה בבית אביה שתהא נדונת על פתח בית אביה לכך נאמר כי יקח איש אשה.

[ושנאה] רבי ישמעאל אומר בוא וראה מה שנאה גורמת שהיא מביאה לידי לשון הרע.

ולקח אבי הנערה ואמה, אין לי אלא שיש לה אב ואם יש לה אב ולא אם אם ולא אב לא אב ולא אם מנין תלמוד לומר נערה מכל מקום אם כן למה נאמר אבי הנערה ואמה הם שנגדלו גידולים רעים יבואו ויתנוולו עם גידוליהם.

והוציאו את בתולי הנערה, כמשמעו. ואמר אבי הנערה א

כאן] למעלה א | טענת] מקום א — 1 אי מה—מקום בתולים] ל׳ לאה | אי מה] כן נראה להגיה, והגרסות המקובלות הן ומה בטד, מה רם | להלן מקום בתולים ר מ, כאן מקום בתולים ט, כאן בתולים בד | האמור] האמורים ט׳ | כאן [כן ר] מקום בתולים רמ, להלן מקום בתולים בט, להלן טענת בתולים ד — 2 מנין] ל׳ ל | מנין—שם רע] ל׳ ה — 3 ואמר] ל׳ א | את האשה הזאת] ל׳ טל א | אומר רדאה, אומ׳ בטי, אומרין ל, אומרים ט״ | דבריו] דברים אלו ה, דברים ה׳ | בעמידתה] בעמידה ר — 4 אליה] ה מוסיף <ר׳ יהודה אומר לעולם אינו חייב אלא אם כן בעל> | ולא—בתולים ראמה, ל׳ בלד | הרי] והרי א — 5 כי יקח—לידי לשון הרע] ל׳ ראמה, ונמצא בבלדפ, אלא שבפ מקומו לפני פיס׳ רל״ה ואינו מעיקר הספרי אלא נוסף מגליון | כי יקח איש אשה ז, איש או אשה בלדפ, איש ואשה ט | שנאמר בטל, שהוא אומר ד — 6 אחת בלט׳, אחר דפט׳ | שזינתה] שזינת ב | שבאו—בבית אביה ואחת] ל׳ ל | ואחת בט׳, ואחר דפט׳ | שזינתה] שזנית ב — 7 העיר] ט מוסיף <ההיא> — 8 בבית אביה] מבית אביה ד | שתהא בט, שתהיה לד | אשה] ובפ מובא כאן עוד משפט <לומר ראו גדולים שגדלתם> — 9 ושנאה] כן נראה להוסיף ואעפ״י שחסר בנסחאותינו | שנאה] שנואה ל — 10 ואמה] ואמרה ל | יש לה] ל׳ רא | אב ואם] אב ויש לה אם ט, ל׳ ר | ולא] ואין לה ט, בלא א | יש לה—ולא אב] אם ולא אב מנ׳ אב ולא אם ר — 11 לא אב ולא אם רבלדמ [רא״ם], אין לה אב ולא אם ט, ל׳ אה — 12 יבואו] ל׳ אמ | ויתנוולו עם גידוליהם רבלמדהז, ונתנולו א, ויראו לעם גידוליהם ט — 13 והוציאו] והוציא א | הנערה] א מוסיף <אל השערה> |

1 להלן מקום בתולים, פי׳ ר״ה מה עלילות דברים האמורים [להלן] דהיינו בתולים בכדרכה דכתיב בתולי בתי אף עלילות דברים וכו׳ דטעין דכדרכה [זינתה] ולא מצא [בתולים] אלא נבעלה לאחר ורחש״ה העיר „להלן מקום בתולים כן היא גרסת מהר״ס אבל רד״ף גורס מה כאן מקום וכו׳ אף להלן מקום וכו׳ ופירוש דתנא דספרי כראב״י סבירא ליה דאינו חייב אלא כשבעל כדרכה דאי שלא כדרכה היכי שייך לומר לא מצאתי ויליף דאינו חייב אלא כשמביא עדים שזינתה כדרכה ואף על גב דבכל התורה כולה אתרבי שלא כדרכה כמו כדרכה, לעונש דמוציא שם רע ילפינן דדוקא בכדרכה וכדמסיק בגמרא אינו חייב עד שיבעול כדרכה ויוציא שם רע כדרכה ומה שאמר מנין ביאה אחרת מלתא באפי נפשה ופי׳ שהוציא שם רע על נשואין ראשונים וכן פי׳ מהרא״ן ואינו נראה ומהר״ס פי׳ להלן מקום בתולים דכתיב ואלה בתולי בתי מנין לרבות ביאה אחרת שאמרה שזינתה שלא כדרכה וגם זה ליתא אלא מה להלן מקום בתולים שאומר שזינתה כדרכה כדכתיב לא מצאתי לבתך בתולים, אף כאן מקום בתולים פי׳ שאינו חייב אלא אם כן בעל כדרכה, מנין אף ביאה אחרת שבא עליה שלא כדרכה ומביא עדים שזינתה כדרכה ת״ל והוציא וכן מפורש בירושלמי „אי מה עלילות דברים שלמטן מקום בתולים אף כאן מנין אפילו בא עליה ביאה אחרת ת״ל והוציא עליה שם רע מכל מקום (ירוש׳ כתובות פ״ד ה״ד כ״ח ע״ב) ועכשיו נראה לי להפך דמרבה אפילו אם הביא עדים שזינתה שלא כדרכה והוא פי׳ מהר״ס] ועיין בירוש׳ שם ובב׳ מ״ו ע״א: 2 מנין וכו׳, השוה למטה ריש פי׳ רל״ט: 3 מלמד וכו׳, רש״י — בעמידתה, דהיינו כשהיא בבית דין, מפי׳ ר״ה, ועיין לקמן פי׳ רל״ו: 5 כי וכו׳ עד לידי לשון הרע, הוספה מגליון וחסר ברא מ, ובפי׳ ר״ה מובא בצירוף אל ההוספה לפי׳ רל״ד אחר המשפט יצאו בעלי שלשה וכו׳ ועיין במ״ת ונראה שכל הברייתא לקוחה ממכילתא לדברים, ועלו בה הרבה שבושים כרגיל בהוספות אלו. — לפי וכו׳, [מהר״ס בשם הראב״ד מגיה „לפי שהוא אומר כי יהיה נערה בתולה מאורשה לאיש וגו׳״ ופי׳ דמקשה דהל״ל כי יארש איש אשה וכן הגיה ר״ה, ויש לפקפק דבמדרש תנאים איתא בתחלת הפרשה „כי יקח איש אשה ובא אליה ושנאה למה נאמר לפי שהוא אומר ואיש אשר ינאף וכו׳ הכל היו בכלל נואף ונואפת הוציא הכתוב את בת ישראל שהיא מאורשה בסקילה ואיפשר דצ״ל כאן גם כן כזה אלא שצריך להוסיף ונואפת וכשהוא אומר כי יהיה נערה בתולה מאורשה לאיש הוציא הכתוב נערה בתולה מאורשה בסקילה אחד וכו׳]: 9 ושנאה, כן נראה לי להוסיף על פי מ״ת׳ — ר׳ ישמעאל וכו׳, מ״ת, רש״י, לקח טוב: 10 אין לי וכו׳, כתובות מ״ד ע״ב: 12 הם וכו׳, רש״י כתובות מ״ה ע״א, ירו׳ שם פ״ד סוף ה״ה, (כ״ח ע״ד): 13 כמשמעו, עיין לקמן פי׳ רל״ז, ובדברי החולקים שם, כתובות מ״ו ע״א, ובת״י:

הזקנים, מיכן שאין רשות לאשה לדבר במקום האיש. את בתי נתתי לאיש הזה, מלמד שהרשות לאב לקדש את בתו קטנה סליק פיסקא

רלו.

לאשה וישנאה (יז) והנה הוא שם לה עלילות דברים לאמר לא מצאתי לבתך בתולים ואלה בתולי בתי, הרי עדים להזים עדיו של זה. רבי יהודה אומר אינו חייב לעולם אלא אם כן בעל. [ואמר אבי הנערה]· מלמד שתובע מתחיל בדברים תחילה·

(כב כב) בעולת בעל· רבי ישמעאל אומר בא הכתוב ללמדך על היבמה שהבא עליה אינו חייב עד שתבעל סליק פיסקא

רלז.

(יז) ופרשו השמלה· יחוורו דברים כשמלה זה אחד מן הדברים שהיה רבי ישמעאל
דורש מן התורה במשל כיוצא בו [0]אם זרחה השמש עליו דמים לו וכי עליו השמש שמות כב ב
זורחת ומה תלמוד לומר אם זרחה השמש עליו דמים לו מה השמש שלום לעולם אף זה
אם היה יודע שהוא שלום ממנו והרגו הרי זה חייב· כיוצא בו [0]אם יקום והתהלך בחוץ שם כא יט
על משענתו על בוריו וכן הוא אומר ופרשו השמלה יחוורו דברים כשמלה· רבי עקיבה

1 מיכן וכו׳, רש״י, פ״ז: 2 מלמד וכו׳, כתובות מ״ו ע״ב: 4 הרי עדים וכו׳, סתמא כר״ע להלן פיסקא רל״ז, ופ״ז: 5 ר׳ יהודה וכו׳ עד סוף הפיסקא חסר באמר ובפי׳ ר״ה גורס לה בצירוף אל ההוספות המובאות למעלה בפי׳ רל״ד ורל״ה, קודם שמביא הברייתא מיכן אתה אומר עבר אדם וכו׳· ונראה שגם זה הוספה מגליון וע׳ במ״ת· — אינו חייב, למעלה ריש פיסקא רל״ה· — ואמר אבי הנערה, כן נראה לי להוסיף על פי מ״ת· — מלמד שתובע וכו׳, השוה ב״ק מ״ו ע״ב: 7 ר׳ ישמעאל וכו׳, כרגיל בהוספות כאלה נצטרפה כאן ברייתא שמקומה למטה בפי׳ רמ״א, ועיין שם:

9 ופרשו וכו׳ עד עדי הבעל זוממים, ברייתא זו חסרה במא, וברפ מקומה אחר המלים דברים ככתבם, ונראה שגם היא נוספה מגליון ואינה מעיקר הספרי· — יחוורו וכו׳, כתובות מ״ו ע״א, ועיין בהערה הסמוכה· — זה אחד וכו׳, מכילתא משפטים פרשה ו׳ (פ״ב ע״ב ה—ר ע׳ 270) שם פרשה י״ג (פ״ט ע״א, ה—ר 293), ירו׳ כתובות פ״ד ה״ד (כ״ח ע״ג), שם סנהדרין פ״ט ה״ח (כ״ו ע״ג), ברייתא דל״ב מדות, מדה כ״ו: 11 מה השמש וכו׳, מכילתא דרשב״י כ״ב ב׳ (ע׳ 138), ב׳ סנהדרין ע״ב ע״א, תוספתא שם פ׳ י״א ה״ט (עמוד 432) ובציונים למעלה: 13 על בוריו, וכן בת״א שם על ברייה,

כמשמעו] כמשמעה ד | אל הזקנים] ל׳ ט, וה מוסיף <מגיד שהתובע פותח בדבריו תחלה> — 1 במקום] בפני מ — 2 שהרשות] שיש רשות ט | לאב רבטלד, ביד האב מ א׳, ביד א | את] ל׳ טמ | קטנה רבטלאה, הקטנה דמ | סליק פיסקא ד, ל׳ רבלא —

3 לאשה וישנאה רבא, לאשה וישנאיה ל, ל׳ טדמ ה | והנה—בתולים] ל׳ רט | לה] ל׳ ב — 4 ואלה] אלה ט | להזים—של זה] לזה ר | זה] בעל ה — 5 רבי יהודה—עד שתבעל] ל׳ אמר, ונמצא בבטלד ומקצתו גם בה וגם בפ נמצא אלא ששם מקומו לפני פי׳ רל״ה; ואינו מעיקר הספרי אלא נוסף מגליון | רבי יהודה—בעל בלד, את בתי נתתי ט, ל׳ ה אבל עיין למעלה בשנוים על ואקרב אליה | ואמר אבי הנערה] הוספתי על פי הסברא ואעפ״י שחסר בכל הנסחאות | מלמד—תחילה] ל׳ כאן בד, אמנם נמצא למעלה והשוה בשנויי נסחאות על המלים „ואמר אבי הנערה אל הזקנים״ | מלמד] מגיד פ — 6 שתובע] שהתובע טפ | בדברים] בדבריו ט | תחילה] ד מוסיף <והיא> — 7 בעולת—עד שתיבעל] ל׳ ה — 8 סליק פיסקא ד, ל׳ רבלא

9 ופרשו—הבעל זוממים] ל׳ אמ, וגם ברפ חסר כאן אבל נמצא להלן אחר המלה ככתבם; וגם זה אינו מעיקר הספרי אלא נוסף מגליון | השמלה] טדה מוסיפים <לפני זקני העיר> | יחוורו] וחוורו ב | דברים רט, הדברים בלדה [רא״ם], דבריהם פ | כשמלה] כשמלה [במשלה ה׳] חדשה ה | זה—כשמלה] ל׳ כאן בט כת׳ ברמז של״ב | זה] וזה ד | מן הדברים בלד, משלשה דברים פ [רא״ם], משלשה אתים ר [ונקוד בכ״י אתים], משלשה אימים ה — 10 במשל רבה [רא״ם], כמשל לד | כיוצא בון] ל׳ ה, כיוצא בו א׳ אר׳ רפ | וכי עליו—אף זה] ל׳ ה | עליו השמש זורחת רב, זרחה עליו השמש ל, עליו זורחת השמש בלבד ד — 11 עליו דמים לו רב, ל׳ לד; אמנם ר מוסיף <אלא> | השמש ר, שמש בלד | לעולם רב, בעולם לד — 12 אם היה יודע ר, היה יודע בל, אם הוא יודע ד, אם ידוע ה | בו) בו [בדבר פ] אתה אומר רפ — 13 בוריו בלד, בריו ה, בורין ר | וכן] וכאן ב | השמלה] ר מוסיף <ל׳ ז׳ ה׳> | יחוורו—זוממים] ל׳ בל | כשמלה] בשמלה ה׳ | רבי עקיבה—דברים ככתבם] ד״א ופרשו השמלה לשון כבוד מלמד שנושאין ונותנין בסרטרי הדבר ר׳ אליעזר בן יעקב אומר דברים ככתבן שמלה ממש ר׳ עקיבא

אומר הרי הוא אומר ופרשו השמלה לפני זקני העיר נמצאו עדי הבעל זוממים. ופרשו השמלה, יבואו עדיו של זה ועדיו של זה ויאמרו דבריהם לפני זקני העיר רבי אליעזר בן יעקב אומר דברים ככתבם.

(יח) ולקחו זקני העיר ההיא את האיש, ולא את הקטן. ויסרו אותו, במכות.

(יט) וענשו אותו, ממון. מאה כסף, כסף צורי. ונתנו לאבי הנערה, שיהו שלו. ונתנו לאבי הנערה, ולא לאבי הבוגרת. ונתנו לאבי הנערה, פרט לגיורת שהיתה הורתה שלא בקדושה ולידתה בקדושה שאין לה מאה כסף. כי הוציא שם רע, לא על זו בלבד הוציא שם רע אלא על כל בתולות ישראל.

ולו תהיה לאשה, מלמד ששותה בעציצו ואפילו היא חגרת ואפילו היא סומה ואפילו היא מוכת שחין, נמצא בה דבר זימה או שאינה ראויה לבוא בישראל יכול יהא רשיי לקיימה תלמוד לומר ולו תהיה לאשה, אשה הראויה לו. לא יוכל לשלחה כל ימיו, ואפילו לאחר זמן. [כל ימיו] משלחה הוא ליבם סליק פיסקא רלט.

(כ) ואם אמת היה הדבר, אין לי אלא כדרכה שלא כדרכה מנין תלמוד לומר היה. יכול שאני מרבה ביאה במקום אחר תלמוד לומר הזה. לא נמצאו בתולים לנערה, אין עדים להזים עדיו של זה.

אומ׳ ופ׳ השמ׳ לפ׳ זקני׳ הע׳ נמצאו עדי הבעל זוממים ה — 1 הרי הוא אומר] ל׳ ט | ופרשו] דבר אחר ופרשו ד | ופרשו השמל״ה] ל׳ ט, אמנם רא מוסיפים <לפני זקני העיר> — 2 ויאמרו] ויחוורו [רא״ם] | דבריהם רדא [פ״ז, רא״ם], דברים בל | רבי אליעזר—ככתבם בהז [פ״ז], ר׳ אליעזר אומ׳ דברי׳ ככתבם רלדמפ, עקיב׳ בן יעקב אומר דברים ככתבם א, ל׳ ט —

4 ההיא] ל׳ ט׳ — 5 וענשו] ל׳ א | ממון רבטלמ, בממון דא, ל׳ ה | מאה כסף] ל׳ א | כסף] ל׳ רל | ונתנו—שלו ר, ונתנו לאבי הנערה שיהו שלה אמ, ל׳ בטלדה — 6 ונתנו] ונתן ד | הבוגרת רבלאמט׳, בוגרת דהט׳ | ונתנו] ונתן ד, ל׳ א | פרט לגיורת] ולא לאבי גיורת ד — 8 לא—אלא] ל׳ ר | לא] ולא ד | אלא בטה, אמרו אלא לדאמ | כל אמה, ל׳ רבטלד — 9 ולו—הראויה לו] ל׳ ה | בעציצו] בעציציו ד | ואפילו] אפילו א | היא] ל׳ ר | היא סומה ב, היא סומא רלדאמ, סומא ט — 10 היא מוכת בלד, מוכת רטאמ | נמצא] מצא אמ | שאינה] שאין רפ — 11 יהא] יהיה ד | ולו בטלדמ, ולא א, ל׳ ר — 12 ואפילו] אפילו אמ | כל ימיו] כן נראה להוסיף כמבואר בהערות | משלחה—ליבם ראמ, משלחה ליבם פ, ת״ל כל ימיו הוא [משלחה הוא בל] לאחר זמן [הזמן ל] בלד, ל׳ ט, אבל משלחה הוא ליבם ה [וכן מובא בהגהות הז״א לסוף פי׳ רמ״ה; וגם בגליון א נ׳ המלה אבל] | סליק פיסקא ד, ל׳ רבלא —

13 היה] והיה א — 14 יכול—ת״ל הזה] ל׳ ד | שאני]

ובמכלתא דרשב״י כ״א י״ט (ע׳ 128): 1 נמצאו וכו׳, למעלה פי׳ רל״ו, (ע׳ 269, שורה 4). — ופרשו השמלה וכו׳, חוזר אל האמור למעלה הרי עדים להזים עדיו של זה, וע׳ בפ״ז, ומובא ברא״ם: 2 ראב״י וכו׳, בבלי וירו׳ שם, רמב״ן, פ״ז:

4 ולא את הקטן, פ״ז, למעלה פי׳ ט״ז (ע׳ 27), לקמן פי׳ רמ״ה, רנ״ה, רע״ג, והשוה גם פי׳ צ״ג ורי״ח, וכעין זה פעמים אין מספר בשאר מדרשי התנאים ובברייתות בתלמוד. — במכות, רש״י, פ״ז, לקח טוב, כתובות מ״ה ע״ב ומ״ו ע״א, ירו׳ פ״ג ה״א (כ״ז ע״ב), שם תרומות פ״ז ה״א (כ״ב ע״ג) ת״א ות״י וילקון ירתיה, וכעין זה בפשיטא ובוולגאטא, והשוה למעלה פיסקא רי״ח (ע׳ 252) ובציונים שם: 5 כסף צורי, לקח טוב, וע׳ כתובות מ״ו ע״א, לקמן פי׳ רמ״ה: 6 שיהו שלו, השוה מ״ת וירו׳ כתובות פ״ד ה״א (כ״ח ע״ב) תני רשב״י ונתן לנערה ונתן לאבי הנערה הא כיצד עמד בדין עד שלא מת אביה וכו׳, ועוד לקמן פי׳ רמ״ה. — ולא לאבי הבוגרת, לקמן פי׳ רמ״ד ורמ״ה, פ״ז, לקח טוב. — פרט לגיורת וכו׳, כתובות פ״ד מ״ג, בבלי שם מ״ד ע״ב, ירו׳ כ״ח ע״ב, פ״ז: 8 לא על זו וכו׳, השוה לקמן פי׳ ר״מ: 9 מלמד וכו׳, לקמן פי׳ רמ״ה, ירוש׳ פ״ג ה״ו (כ״ז ע״ד): 12 ואפילו לאחר זמן, אסור לו לגרשה. ואחר כך מובאה ברייתא שניה על הכתוב כל ימיו שדורש שיכול הוא לגרשה לאוסרה על היבם, לומר כל ימיו לא יוכל לשלחה, אבל משלחה באופן שתהיה פטורה מן החליצה ומן היבום, ושתי הברייתות נתאחדו כאשר אירע הרבה פעמים בספרות התנאים. ההוספה כל ימיו יש לה סמוכין בגרסות בלד, עיין בשנויי נסחאות. ועיין גם למטה סוף פיסק׳ רמ״ה ושם מובאה רק הברייתא משלחה הוא ליבם לפי רוב הגרסאות:

13 אין לי וכו׳, השוה למעלה ריש פיס׳ רל״ה: 15 אין עדים וכו׳, פ״ז, לקח טוב, כל זה לדברי ר״ע, עי׳

(כא) והוציאו את הנערה אל פתח בית אביה, אין לי אלא שיש לה אב ויש לה פתח בית אב יש לה פתח בית אב ואין לה אב מנין תלמוד לומר והוציאו את הנערה מכל מקום אם כן למה נאמר אל פתח בית אביה מצוה סליק [פיסקא]

רמ.

וסקלוה כל אנשי עירה, וכי כל אנשי עירה רוגמים אותה אלא במעמד כל
אנשי עירה. באבנים, יכול באבנים מרובות ת״ל °באבן אי באבן יכול באבן אחת ויקרא כ כז
תלמוד לומר באבנים אמור מעתה אם לא מתה בראשונה תמות בשניה. כי עשתה
נבלה בישראל, לא עצמה בלבד ניוולה אלא כל בתולות ישראל. לזנות בית
אביה, נאמר כאן אביה ונאמר להלן °אביה מה אביה האמור להלן זנות עם זיקת שם כא ט
הבעל אף אביה האמור כאן זנות עם זיקת הבעל. ובערת הרע מקרבך, בער
עושי הרעות מישראל.

רמא.

(כב) כי ימצא איש, בעדים. שכב עם אשה, כל שכיבה. בעולת בעל, להביא את שנבעלה בבית אביה ועדיין היא ארוסה. ומתו, בסתם מיתה האמורה בתורה בחנק. שניהם, ולא העושים מעשה הירודים, כשהוא אומר גם שניהם לרבות הבאים מאחריהם.

למעלה פי׳ רל״ז: 1 אין לי וכו׳, כתובות פ״ד מ״ג; פ״ז:

4 וכי כל וכו׳, פ״ז, ספר הזכרון, רא״ם, ולמעלה פי׳ ר״כ (ע׳ 253) ובציונים שם: 5 יכול וכו׳, למעלה פי׳ צ׳ (ע׳ 153) ובציונים שם: 7 לא עצמה וכו׳, פ״ז, והשוה למעלה פי׳ רל״ח (ע׳ 270, שורה 8): 8 מה אביה וכו׳, סנהדרין נ׳ ע״א, תו״כ אמור פרק א׳ ה׳ ט״ו. ברייתא זו מקומה בתו״כ והועתקה הנה על ידי אשגרא, כי בכתוב הזה ברור שבאשת איש עסקינן, ורק שם צריך הוכחה: 9 בער וכו׳, למעלה פי׳ פ״ו (ע׳ 151) ובציונים שם, ת״י ות״א כאן; פ״ז:

11 בעדים, למעלה פי׳ קמ״ח ובציונים שם, פ״ז׳ — כל שכיבה, פ״ז, ולקמן פיסקא רמ״ב, רמ״ד, רמ״ה: 13 בחנק, למעלה פי׳ קנ״ה (עמוד 208) ובציונים שם, בת״י ובפ״ז׳ — מעשה הירודים, השוה ב״ב ג׳ ע״ב, ובד הגרסה מעשה חדודים, וכן ברש״י ובלקח טוב ועיין סנהדרין ס״ו ע״ב, ועיין ברמב״ן ובמהר״ס שפירשו „וי״ג מעשה הדודין פירוש שיבא עליה לאחר מיתה כמעשה דבת חשמונאי שטמנה בדבש והיה בא עליה״׳ ונראה שגם ר״ה גרס מעשה הורדוס, שפי׳ „ולא העושה מעשה וכו׳ דהטמינה לבת חשמונאי מתה בדבש ובא עליה״, ובספר הזכרון כתב „אבל כל נסחאות ספרי וסנהדרין שבידינו כלהו גרסי׳ להוציא מעשה הירודוס והראב״ד ז״ל בפי׳ ספרי ובעל הערוך והרמב״ם ז״ל בפי׳ המשנה כולהו נמי גרסי הורודוס״; ועיין עוד באוצר נחמד ח״ג ע״ו, ובהערות ר׳ שלמה באבער לתשובות הגאונים, בהוצאתו סי׳ ט״ו: 14 מאחריהם, עיין רש״י ורמב״ן ועקידת יצחק, ולקח טוב, ובערא״ם על דברים

שני ר | ביאה אמ, את מאה ר, אף ביאה בטל — 15 ע׳ הקו׳ להזים רטאמה [רא״ם], להזם בלדפ — 1 את] ל׳ ד — 2 בית אב] ל׳ א, בית האב ר | יש לה אב ואין לה פתח בית אב] ל׳ בטלד | בית אב ה, בית האב ר, בית אביה מ, ל׳ א | בית אב רבלדה, בית אביה מ. ל׳ א — 3 אם כן–מצוה רבלאמפ, אם כן למה נאמ׳ אביה למצוה ט | סליק ד, ל׳ רבלא —

4 כל אנשי עירה] אנשי עירו ר | וכי–במעמד כל אנשי עירה] ל׳ ב | וכי כל אנשי עירה ראמה [רא״ם, הזכרון], וכי כל האנשים ט, וכי האנשים לד | רוגמים] סוקלין ר — 5 יכול באבנים] ל׳ ל | אי–בשניה] כול׳ ר | יכול בטאמה, יכול אפילו לד — 6 כי–בתולות ישראל] ל׳ ה — 8 נאמר כאן–להלן אביה] ל׳ ר | להלן–כאן] כאן–להלן פ | עם זיקת הבעל] ל׳ א | זיקת טלדמה, זקיקת רב — 9 ובערת–מישראל] ל׳ דה | מישראל] <סליק פסו׳> ר —

11 כל שכיבה אמ [פ״ז], ל׳ רבטלדה — 12 שנבעלה בטלדהפ, שנבעלת ד, שנבעל ר, הבעולה אמ | בבית] בית א | ועדיין] עדיין ה, ועדאן ר | ארוסה] ד מוסיף <ד״א בעולת בעל ר׳ ישמעאל אומר בא הכתוב ללמדך על היבמה שהבא עליה אינו חייב עד שתבעל>׳ ה מוסיף <ר׳ ישמעאל אומר בא הכתוב ללמד על היבמה לעולם כל הבא עליה לא יהא במיתה> | בסתם] סתם ט — 13 בחנק] חנק טה | שניהם רבאמה, גם שניהם טד, בשנים ל | העושים רבאמה, העושה טלד | הירודס ר, הורודוס מט׳, הורדוס ה, חידודים ט׳ [וכן על הגליון בט׳], חדודם ל, הדודם ב, הידודין [מהר״ס בשם יש גורסין], הודודום א, וגם ר״ה גורס הורדוס, כנראה מפירוש „דהטמינה לבת חשמונאי בדבש״, וע׳ בהערות | גם שניהם ראמ, גם לדה, גם הוא ב — 14 הבאים] הבא ה | מאחריהם בטלראמה, אחריהם ר [רא״ם], עליה אחריהם א׳, מאחוריהם [רמב״ן], אחרים פ —

האיש השכב עם האשה, ואף על פי שהיא קטנה. והאשה, אף על פי שנבעלה לקטן. ובערת הרע, בער עושי הרעות מישראל סליק פיסקא

רמב.

(כג) כי יהיה נערה בתולה מאורשה לאיש, מלמד שאינו חייב עד שתהא נערה בתולה מאורשה לאיש. ומצאה איש בעיר, אילו לא יצאת בעיר לא היה מסתקף לה. בעיר ושכב עמה, מלמד שהפרצה קוראה לגנב. ושכב עמה, כל שכיבה. והוצאתם את שניהם אל שער העיר ההיא, זו היא שאמרנו שער שנמצאו בו ולא שער שנדונו בו. וסקלתם אותם באבנים, יכול באבנים מרובות (ויקרא כ כז) תלמוד לומר °באבן אי באבן יכול אפילו באבן אחת תלמוד לומר באבנים אמור מעתה אם לא מתו בראשונה ימותו בשניה. את הנערה על דבר אשר לא צעקה, כשהוא אומר על דבר על פי התריה, להביא את המוידה בהתרית עדים. ואת האיש על דבר אשר ענה את אשת רעהו, כשהוא אומר על דבר על פי התריה.

(כה) אין לי אלא בעיר בשדה מנין תלמוד לומר ואם בשדה ימצא האיש. ושכב עמה, פרט לשאחד מחזיק ואחד שוכב דברי רבי יהודה. ומת האיש אשר שכב עמה לבדו, הראשון בסקילה והשני בחנק סליק [פיסקא]

1 ואעפ״י] אעפ״י ל | שהיא קטנה והאשה] ל׳ ב | אעפ״י שנבעלה לקטן רבטלדפ [פ״ז, רמב״ן], אעפ״י שבעלה קטן א, ואפילו שבעלה קטן מ, לרבות שנבעלה מבן תשע שנים ויום אחד ה — 2 מישראל] בכ״י ר נכפל כאן <מעשה הרודס כשהוא אומר–הבאים אחריהם–ואעפ״י קטנה–הר׳ מיש׳> | סליק פיסקא ד, פ׳ ר, ל׳ בלא —
3 כי יהיה–עד שתהא נערה בתולה מאורשה לאיש] ל׳ טה | לאיש] ל׳ בד — 4 נערה בתולה] בתולה נערה ר | מאורשה] מאורסה ר | יצאת בעיר] יצאת לעיר ר — 5 מסתקף] מתתקף ל | ושכב עמה] ל׳ ד | שהפרצה רלמפט׳, שהפריצה א, שהפירצה ב, שפרצה דט׳, הפרצה ה | כל ראמזפ [פ״ז], על בלד, על עסקי ט, בכל ה — 6 זו היא] זה א — 7 שנמצאו אמ, שנמצאת רבלדהט׳, שנמצא ט׳ | שנדונו אמה, שנידיינו ר, שנידונת בטלד | יכול–בשניה] ל׳ ה — 8 אי באבן–בשניה] וכו׳ ט, כוליה ר — 9 אם בלאמ, ל׳ ד — 10 כשהוא–בהתרית עדים] כן נראה לגרס, והגרסות המובאות בנסחאות שלנו הן: להביא את המזידה בהתריית עדים כשהוא אומר על דבר ואעפ״י שהתרה [שהתראה פ] רפ, כשהוא אומר על דבר ואעפ״י [אעפ״י לדא] שהתרה [שהתראה בלרא] להביא את המזידה [המזיד א] בהתריית עדים להביא את המזידה [המזיד א] בהתריית עדים [בלד ל׳ „להביא–עדים״ בפעם שניה] בטלדא, כשהוא אומר על דבר אעפ״י התראה להביא את המזידה בהתראת עדים להביא את המזידה בהחריה ה, אעפ״י שהתראה להביא את המזידה בהתראת עדים ד — 11 כשהוא–התריה] להביא את המזיד בהתרייה ה | על פי] כן נראה להגיה והגרסות המקובלות הן: ואעפ״י שהתרה רט׳, אפי׳ שהתרו בו א, אפילו התראה מ, ואעפ״י [אעפ״י לד] שהתראה בלדט׳ — 14 לשאחד ראהפ, לאחד בטלד, כשאחד מ | דברי–שכב עמה] ל׳ א | יהודה] מאיר ר׳ יהודה אומר מ — 15 לבדו] ה מוסיף <הרי שבאו עליה עשרה ועדין היא בתולה כולן בסקילה רבי אומר> | והשני] וכולן ה | בחנק] <שנאמר ומת האיש אשר שכב עמה לבדו> ה | סליק ד, ל׳ רבלא —

כ״ג י״ט: 1 ואעפ״י וכו׳ עד לקטן, מובא ברמב״ן, ובפ״ז: 2 בער וכו׳, ת״י, פ״ז ולמעלה פי׳ פ״ו (ע׳ 151) ובציונים שם:
3 מלמד וכו׳, סנהדרין ס״ו ע״ב: 5 מסתקף, אודות מלה זו עיין לקמן סוף פי׳ שמ״ט· — מלמד וכו׳, פ״ז· — כל שכיבה, פ״ז, ולמעלה פי׳ רמ״א (ע׳ 271, שורה 11): 6 זו היא שאמרנו וכו׳, למעלה פי׳ קמ״ח (ע׳ 202) בפ״ז: 7 יכול וכו׳, למעלה פי׳ צ׳ (ע׳ 153): 10 על פי התריה, כן הג׳ בפ״ז וכן הגיהו ז״א וז״ר בכל המקורות הגרסה אעפ״י שהתראה, וכעין זה הגיה גם הגר״א, ועיין בסמוך· ולדעתי לפנינו ברייתא דו־סגנונית, לומר שנתאחדו בה שתי ברייתות בענין אחד, הראשונה דורשת על דבר על פי התראה; והשניה דורשת, על דבר להביא וכו׳· במ״ת הובאה רק הברייתא השניה, וכן יש לפרש גם לקמן על פי התריה וכו׳· — על פי התריה, עיין בשנויי נסחאות והגהתי כמו במשפט הקודם· ובפ״ז הגרסה בהתראה והשוה סנהדרין מ״א ע״א בשם תנא דבי רבי, ועיין למעלה פי׳ צ״ג (עמוד 154) ובציונים שם: 14 פרט לשאחד וכו׳, יש לומר שלא יתחייב המחזיק אלא השוכב בלבד אי נמי שאינו יכול לשכ: עמה זה בלא חבירו שהחזיק והוה ליה עשאוהו שנים פטור גם השוכב כן פסק הראב״ד ז״ל ויש אומרים שאינו פטור השוכב עמה אלא מסקילה דגזירת הכתוב הוא אבל הוא חייב חנק, מהר״ס: 15 הראשון וכו׳, השוה מ״ת, וזה לשטת רבי, ועיין סנהדרין ס״ו ע״ב:

רמג.

(כו) ולנערה לא תעשה דבר, מלמד שפטרה הכתוב מן המיתה מנין אף מן הקרבן תלמוד לומר חטא מנין אף מן המכות תלמוד לומר חטא מות.

כי כאשר יקום איש על רעהו ורצחו נפש, מלמד שכל אנוסים שבתורה פטורים ומצילים אותם בנפשם אין לי אלא זה מנין אף הרודף אחר חבירו להרגו ואחר הזכור תלמוד לומר כן הדבר הזה, יכול אף הרודף אחר הבהמה והמחלל את השבת והעובד עבודה זרה תלמוד לומר הזה זה בסקילה ואין כל אלו בסקילה.

(כז) כי בשדה מצאה, יכול בעיר חייבת בשדה תהא פטורה תלמוד לומר צעקה הנערה המארשה ואין מושיע לה. הא אם יש לה מושיע בין בעיר בין בשדה חייבת ואם אין לה מושיע בין בעיר בין בשדה פטורה. צעקה, פרט לשאמרה הנח לו דברי רבי יהודה סליק פיסקא

רמד.

(כח) כי ימצא איש נערה, בתולה, נאמר כאן בתולה ונאמר בתולה במפתה מה אונס חמור אינו חייב אלא על בתולה מפתה הקל אינו דין שלא יהא חייב אלא על בתולה או חילוף אם מפתה הקל הרי הוא חייב על בתולה ועל שאינה בתולה אונס

1 מלמד וכו׳, השוה מ״ת, פ״ז ולקח טוב· — מלמד וכו׳ עד אין לי אלא זה מנין, מובא בהשגות הרמב״ן על ספר המצות, שורש ח׳, ובמגיד משנה אסורי ביאה פ״א ה״ט, ובתשובות ריב״ש סי׳ קע״א (הוצ׳ קושטא, ש״ו) ועל פי גרסתם נסחתי אנוסים (ועיין בשנויי נסחאות)· אבל רד״ף ורמא״ש בכרו בגרסה מלמד שמכל עונשים שבתורה פטורה ומצילים אותה בנפשו, הנמצאת בכ״י ז ובפי׳ מהר״ס, (לפי עדות רד״ף, ובפי׳ מהר״ס הנדפס חסר)· ורמא״ש העיר שמצא כן גם בפי׳ ר״ה, אבל בטיפס פירושו שלפני הגרסה מלמד שכל עונשין שבתורה, אלא שמפרש דמדכתיב אין לנערה חטא מות מלמד שפטורה מכל עונשים שבתורה״, וע׳ מ״ת ע׳ 143 וב״ק כ״ח ע״ב, ובפ״ז: 2 חטא מות, ומלקות במקום מיתה עומדת רמא״ש מפי׳ ר״ה: 4 ומצילים וכו׳, סנהד׳ פ״ח מ״ז, בבלי ע״ג ע״א, תוספתא פי״א הי״א (עמ׳ 432), ירוש׳ כ״ו ע״ג· ואודות הגרסה. אותם בנפשם עיין תוס׳ סנהדרין ע״ג ע״א ד״ה להצילו: 6 זה בסקילה וכו׳, העיר רמא״ש „דבור זה תמוה ורבינו הלל מחקו וגרס אלו מצילין, ואין כל אלו מצילין והז״א נדחק בו ולי נראה דקטיעה היא וצ״ל יכול אף אלמנה לכהן גדול גרושה וחלוצה לכהן הדיוט וכן אינך חייבי לאוין ת״ל הזה דבר שהיא בסקילה ניתן להצילה בנפשו לאפוקי כל אלו שאינן בסקילה״: 7 יכול וכו׳, השוה מכילתא משפטים פ׳ כ׳ (צ״ח ע״א) ופ״ז: 8 אם יש לה וכו׳, השוה מ״ת, מכילתא משפטים פ׳ י״ג (פ״ט ע״א, ה–ר ע׳ 293, ובהערות שם), מכילתא דרשב״י כ״ב ב׳ (ע׳ 138): 9 פרט וכו׳, תוספתא, בבלי וירו׳ שם, משמע שאם אמרה הנח לו אין מצילין אותה, ועי׳ קפ״ז:

11 במפתה, שאין ת״ל בתולה במפתה שהרי בק״ו יש ללמוד מאונס, מה אונס וכו׳: 13 או חילוף וכו׳, אילו לא נאמר בתולה במפתה הייתי דן לחייב באונס בין בבתולה בין בשאינה בתולה, והייתי מפרש מה ת״ל בתולה

1 ולנערה–ואין כל אלו בסקילה] ל׳ ה — 2 ת״ל חטא] ל׳ ל | חטא] חטאת ד — 3 כי–ורצחו נפש אמ, ל׳ רבטלד | מלמד–ואחר הזכור ת״ל] ל׳ אמ | שכל אנוסים [רמב״ן, ריב״ש], שכל אונסים [מגיד משנה], שכל עינושין ר, שכל עונשים בטלדפ, שמכל עונשין ז — 4 פטורים רבלדט׳, פטורה ז, ל׳ ט׳ [ועל הגליון בט׳ פוטרים] | אותם] אותה ז | בנפשם] בנפשו ר, בנפשה ז | מנין אף רט, מנין בל, ל׳ ד | אחר] את ר — 5 יכול–ואין כל אלו בסקילה כי בשדה מצאה] ל׳ א | אף] ל׳ ט | הבהמה בטמפ, בהמה רלד — 6 זה מרפט׳, הזה בד, ל׳ לט׳ — 7 חייבת רלדמ, רתהא חייבת בט | בשדה] ובשדה ה | תהא פטורה רבטמה, פטורה לד — 8 צעקה–לה מושיע [מושיעים מ]–ואם אין [ואין א] מושיע [מושיעים מ]–פטורה [אינה חייבת א] אמה, צעקה אם יש לה מושיעים בין בעיר בין בשדה חייבת ואם אין לה מושיעים [מושיע פט׳] בין בשדה בין בעיר [בין בעיר בין בשדה ט] פטורה רטפ, צעקה אם [אמ׳ ב, ואם ד] אין [יש ל] לה מושיעים בין בעיר בין בשדה פטורה ואם אין לה מושיעים בין בעיר בין בשדה פטורה [חייבת ד] בלד — 9 פרט–ר׳ יהודה] ל׳ ה | לשאמרה ראמפ, לשאמרה לו בטל, לשאמר לו ד — 10 הנח לו רטאמפ, הנח לה ד, הנח בל | סליק פיסקא ד, ל׳ רבלא —

11 כי ימצא וכו׳ עד ושכב עמה כל שכיבה] ל׳ ה | נערה בתולה ראמ, ל׳ בטלד | נאמר כאן בתולה ונאמר בתולה במפתה רמ, נאמר בתולה במפתה א, במפתה טל, מפתה ב, במפותה דז — 12 מה] לא יאמר בתולה במפתה והלא דין הוא ט | מה] ומה ט | אלא] ל׳ ר וכן בסמוך | בתולה רבלאמז, נערה בתולה טד וכן בסמוך | יהא] יהיה ד — 13 בתולה ראמז, נערה בלד | שאינה בתולה ראמז,

חמור אינו דין שיהא חייב על הבתולה ועל שאינה בתולה מה תלמוד לומר בתולה באונס שיכול לא יהא נותן לאביה אבל יהא נותן לה תלמוד לומר בתולה פרט לבעולה אין לי אלא בעולה מוכת עץ מנין תלמוד לומר בתולה פרט למוכת עץ.

נאמר כאן אשר לא ארשה ונאמר במפתה אשר לא אורשה מה אונס חמור אינו חייב על שנתארסה ונתגרשה מפתה הקל אינו דין שלא יהא חייב על שנתארסה ונתגרשה או חילוף מה אם מפתה הקל הרי הוא חייב על שנתארסה ונתגרשה אונס חמור אינו דין שיהא חייב על שנתארסה ונתגרשה מה תלמוד לומר אשר לא אורשה באונס שיכול לא יהא נותן לאביה אבל יהא נותן לה תלמוד לומר אשר לא אורשה אשר לא אורשה שתי פעמים שלא יהא נותן לא לה ולא לאביה.

נאמר כאן נערה ולא נאמר נערה במפתה מה אונס חמור אינו חייב אלא על הנערה מפתה הקל אינו דין שלא יהא חייב אלא על הנערה או חילוף מה מפתה הקל הרי הוא חייב על נערה ועל שאינה נערה אונס חמור אינו דין שיהא חייב על נערה ועל שאינה נערה תלמוד לומר ונתן לאבי הנערה ולא לאבי הבוגרת והלא דברים קל וחומר ומה אונס חמור אינו חייב על הבוגרת מפתה הקל אינו דין שלא יהא חייב על

שאינה נערה בלד, נערה שאינה בתולה ט | אונס חמור—ועל שאינה בתולה רבט, אונס חמור לא כ״ש אמ, ל׳ ל דז — 1 מה] ומה דז — 2 שיכול לא יהא ראמפ, שיכול אין לי שלא יהיה ד, שיכול אין לי שלא יהא ט, שיכול אין לי אלא שלא יהא [יהיה ז] בלז | לאביה] כן הגיה הגר״א, ובכל הנסחאות המקובלות הגרסה לה, ועיין בהערות וכן בסמוך נסחתי לה ע״פ הגהת הגר״א; ובכל הנסחאות הגרסה לאביה | יהא] יהיה ד — 4 ארשה] אורסה ד | ונאמר—לא ארשה א, ונאמר אשר לא ארשה במפתה ר, ונאמר במפותה אשר לא אורסה מ, ונאמר להלן אשר לא אורסה במפתה בט, ונאמר להלן במפותה ל. ונאמר להלן אשר לא אורסה במפותה ד — 5 חייב] ל׳ א | על—ונתגרשה] אלא על הנערה ל | על רפ, אלא עד אמ, עד בטד | שנתארסה ונתגרשה פ, שנתארסה או שנתגרשה ר אמ, שנתארסה ועד שנתגרשה בטד | מפתה—ונתגרשה] ל׳ ט | שלא יהא אמ, שלא יהיה לד, שלא ר, שיהא ב | על—ונתגרשה] אלא על הנערה ל | על ר, עד בר, אלא על א מ | שנתארסה ונתגרשה פ, שנתגרשה או שנתארסה א, שנתארסה או שנתגרשה רמ, שנתארסה ועד שנתגרשה ל ד — 6 מה בדאמ, ל׳ רל | מפתה] מפותה ד | הרי הוא רטמ, הרי זה ד, הריהו בל, הוא א | על ראמ, עד בל ד | שנתארסה ונתגרשה] כן נראה לגרס, ובנסחאות המקובלות הגרסות: שנתארסה או שנתגרשה רא, שנתארסה או נתגרשה מ, שנתארסה או על שנתגרשה ט, שנתארסה או עד שנתגרשה בלד | אונס חמור—ונתגרשה] ל׳ בל — 7 על רטאמפ, עד ד | שנתארסה ונתגרשה [ושנתגרשה ר] רדפ, שנתארסה או נתגרשה אמ, נתגרשה ונתארסה ט | מה ת״ל רבטד, ת״ל אמ, ל׳ ל | אורשה] אורסה ד — 8 באונס—אשר לא אורשה] ל׳ בטלדאמ ונמצא בר, אלא שהגהתי במקצת כמו שמבואר לקמן | לאביה] בכ״י ר הגרסה לה, והגהתי על פי הענין כהגהת הגר״א למעלה לא יהא נותן לאביה, וכן בסמוך הגהתי לה אעפ״י שבכ״י ר הגרסה לאביה — 9 שלא] שיכול שלא א | יהא] יהיה ד | לא לה ולא לאביה בטלאמ, לה ולא לאביה ר, לה ולאביה ד — 10 ולא נאמר בטלדמ, ונאמר רא | במפתה] במפותה ד — 11 מפתה—אלא על הנערה] ל׳ רט | מפתה אמ, אף מפותה בלדט׳ | אינו—מה מפתה הקל] ל׳ א | יהא] יהיה ד | מה רמ, ומה בטלד | מפתה] מפותה ד — 12 הרי הוא] ל׳ מ | על נערה] על הנערה א | אונס—ועל שאינה נערה רמ, אונס חמור אינו דין שיהא חייב על שאינה נערה א, ל׳ בטלד — 13 ונתן] ונתנו אמ | והלא ראמ, והרי בטלד — 14 ומה רבטלד, מה אמ | יהא] יהיה ד —

באונס, מה שנזכר בתולה בכתוב לפוטרו מליתן לאביה אבל יהיה חייב מק״ו ליתן לה, ועיין כתובות ל״ח ע״א: 2 לאביה, בכל הנסחאות הגרסה לה והגר״א ורמא״ש הגיהו לנכון לאביה וכן בסמוך הגהתי על פיהם לה במקום לאביה: — ת״ל בתולה, בין במפתה בין באונס לפטור על בעולה בשניהם ועי׳ במכילתא דרשב״י כ״ב ט״ו (עמוד 148), ובירו׳ כתובות פ״ג ה״ד (כ״ד ע״ג), ובבלי ל״ח ע״א: 4 נאמר כאן וכו׳, עיין מכילתא משפטים פי״ז (צ״ד ע״א, ה—ר 308), והשוה כתובות פ״ג מ״ג, וירוש׳ שם כ״ז ע״ג, ובבלי ל״ח ע״ד׳ — מה אונס חמור וכו׳, ומדוע נזכר אשר לא אורשה במפתה? 5 ונתגרשה, ודאי כן היא הגרסה הנכונה והיא גרסת ר״ה והגר״א׳ רמא״ש בכר להגיה שנתארמלה או שנתגרשה ואין נראה לי׳ ובכתובות פ״ג מ״ד הגרסה הנכונה היא שנתארסה ונתגרשה אמנם במשנה בירושלמי משובש שנתארסה או שנתגרשה וכאלה רבים: 6 או חילוף, בלי הזכרת אשר לא אורשה במפתה הייתי אומר אם מפתה הקל חייב בין על מאורשה ובין על שנתאלמנה ונתגרשה, אונס חמור לא כל שכן ומאשר לא אורשה האמור באונס הייתי לומד לחייבו ליתן קנס לה ולא לאביה בנתאלמנה או נתגרשה: 8 לא יהא נותן לאביה אבל יהא נותן לה, כן גורס הגר״א ועיין בשנויי נסחאות: 9 לא לה ולא לאביה, כר׳ יוסי הגלילי כתובות פ״ג מ״ד ובניגוד לדברי ר״ע: 13 ולא לאבי הבוגרת, למעלה פי׳ רל״ח (ע׳ 270)

הבוגרת להחליף את הדין אי אתה יכול שהרי כבר נאמר נ ע ר ה נ ע ר ה שתי פעמים. ו ש כ ב ע מ ה, כל שכיבה. ו נ מ צ א ו, ב ע ד י ם סליק [פיסקא]

רמה.

(כט) ו נ ת ן ה א י ש, ולא הקטן. ה ש ו כ ב ע מ ה, כל שכיבה. ל א ב י ה נ ע ר ה, שיהו שלו. ל א ב י ה נ ע ר ה, ולא לאבי הבוגרת. ה מ ש י ם כ ס ף, כסף צורי. ו ל א ת ה י ה ל א ש ה, מלמד ששותה בעציצו ואפילו היא חיגרת ואפילו היא סומה ואפילו היא מוכת שחין נמצא בה דבר זימה או שאינה ראויה לבוא בישראל יכול יהיה רשיי לקיימה תלמוד לומר ולו תהיה לאשה, באשה הראויה לו.

תחת אשר ענה, לרבות את היתומה, מיכן אמרו יתומה שנתארמלה או שנתגרשה רבי אליעזר אומר האונס חייב והמפתה פטור. ל א י ו כ ל ש ל ח ה כ ל י מ י ו, משלחה הוא ליבם סליק פיסקא

רמו.

(כג א) ל א י ק ח א י ש א ת א ש ת א ב י ו, מכאן אמרו נושאים על האנוסה ועל המפותה והאונס והמפתה על הנשואה חייב, נושא אדם אנוסת אביו ומפותת אביו אנוסת בנו ומפותת בנו רבי יהודה אוסר באנוסת אביו ובמפותת אביו לכך נאמר ל א י ק ח א י ש א ת א ש ת א ב י ו.

ולקמן פי׳ רמ״ה: 1 ל ה ח ל י ף א ת ה ד י ן, ולומר שבאונס ג״כ חייב על הבוגרת, אלא שהקנס לה ולא לאביה, אי אתה יכול שנאמר שתי פעמים נערה, כ י י ה י ה נ ע ר ה, ו נ ת ן ל א ב י ה נ ע ר ה: 2 כ ל ש כ י ב ה, למעלה פי׳ רמ״ב (ע׳ 272) והשוה מ״ת· — ב ע ד י ם, פ״ז, ולמעלה פי׳ קמ״ח (ע׳ 202) ובציונים שם:

3 ו ל א ה ק ט ן, למעלה פי׳ רל״ח ובציונים שם· — כ ל ש כ י ב ה, למעלה פי׳ רמ״ב (ע׳ 272) ובציונים שם: 4 ש ל ו, פ״ז, ולמעלה פי׳ רל״ח (ע׳ 270)· — ה ב ו ג ר ת, שם פי׳ רל״ח (ע׳ 270) וכן בפ״ז· — כ ס ף צ ו ר י, שם, ופ״ז: 5 מ ל מ ד וכו׳, שם, וכתובות פ״ג מ״ה, ופ״ז כאן: 7 ה ר א ו י ה ל ו, מכילתא משפטים פי׳ י״ז (צ״ד ע״א, ה—ר 308) מכילתא דרשב״י שם כ״ב ט״ו (ע׳ 148), כתובות כ״ט ע״ב, ירו׳ שם ריש פ״ג: 8 ל ר ב ו ת א ת ה י ת ו מ ה, ירו׳ כתובות פ״ג ה״א (כ״ז ע״ב) ומובא מן הספרי בחדושי הראב״ד והרמב״ן והרא״ה כתובות מ״ד ע״ב (כולם הובאו בשטה מקובצת שם, וחדושי הרמב״ן נדפסו גם לבדם ומיוחסות לרשב״א), ובפ״ז כאן· — י ת ו מ ה וכו׳, כתובות פ״ג מ״ו, פ״ז, וכבר העיר ר׳ חנוך אלבעק במאמרו על נוסחות במשנה של האמוראים (מאמרים לזכרון ר׳ צבי פרץ חיות, ע׳ י׳) שבנוסח המשנה לפי הירושלמי היתה חסרה המלה יתומה, וממה שנמצא בספרי ראיה שמדרשי ההלכה נסדרו בזמן מאוחר, עיי״ש: 9 ו ה מ פ ת ה פ ט ו ר, השוה כתובות מ״ד ע״ב· — מ ש ל ח ה וכו׳, למעלה סוף פי׳ רל״ח, ועי׳ בהערות שם, שהמובא במ״ת ובכ״י א א פ י ל ו ל א ח ר ז מ ן הוא לפי דרשה אחרת:

11 נ ו ש א י ם וכו׳, השוה משנה יבמות ריש פ׳ י״א, ובבלי וירו׳ שם: 13 ר׳ י ה ו ד ה וכו׳, שם ותוספתא ריש פ׳ י״ב, ע׳ 254, ות״י:

1 שהרי כבר רבלדט², שכבר אמט׳ | שתי א, שני רב לרמט׳, ל׳ ט² – 2 כל] על ד | ונמצאו רבטאמ, ונמצא לד | סליק ד, ל׳ רבלא –

3 ונתן—לאבי הבוגרת] ל׳ ה | הקטן רבטלד, קטן אמ | השוכב עמה] לאבי הנערה ד – 4 שיהו רמ, שיהא בטל, שיהיה ד, שיהיו פ, שיהו אלו א — 5 לאשה] ה מוסיף <מצות עשה> | ששתה] ששותת ד [ובהוצ׳ רמא״ש נתקן ש ש ו ת ה] | ואפילו] אפי׳ ט וכן בסמוך | היא חיגרת] חגרת ה | ואפילו—הראויה לו] כול׳ ר | היא בד, ל׳ טל אמה | סומה מה, סומא בטלדא | ואפילו היא בטל דה, ואפילו אמ — 6 שחין בטה [א״א], עץ לדאמ | בישראל] בקהל לה | יכול—ת״ל] אינו רשאי לקיימה שנ׳ ה – 7 באשה אמה, אשה בט, ל׳ לד – 8 מיכן—פטור] ל׳ ה | שנתארמלה או שנתגרשה] שנתארסה ונתגרשה פ | שנתגרשה] נתגרשה ר – 9 ר׳ אליעזר אומר אמר [פ״ז], ל׳ בטלד | האונס חייב] חייב האונס מ | והמפתה רבטל, ומפתה מ, מפתה א | משלחה | ליבם רבטלדאמ פ, אבל משלחה הוא ליבם ז, אפילו [ואפילו א׳] לאחר זמן אבל משלחה הוא ליבם הא׳ – 10 סליק פיסקא ד, סל׳ פסו׳ ר, ל׳ בלא –

11 לא יקח—לכך נאמר לא יקח איש את אשת אביו] ל׳ ט – 12 והאונס—ובמפותת אביו] וכו׳ א, וכו׳ מתניתי׳ מ | והאונס בלה, האונס רד | נושא—ומפותת בנו] כול׳ מתני׳ ר | אנוסת בנו ומפותת בנו בלה, ל׳ ד – 13 באנוסת אביו רבדפ, בנו באנוסת אביו ה, אנוסת אביו ל | ובמפותת אביו רד, ובמפותת בנו בלד | אביו] <פסו׳> ר | לא—אחת מהן] ל׳ ט –

רמז.

(ב) לא יבוא פצוע דכא. איזהו פצוע דכא כל שנפצעו הבצים שלו ואפילו אחת מהן אין לי אלא כולן מנין אף מקצתן תלמוד לומר [דכא]. וכרות שפכה כל שנכרת הגיד אמר רבי ישמעאל ברבי יוחנן בן ברוקה שמעתי בכרם ביבנה מי שאין לו אלא ביצה אחת זהו סרים חמה. מה בין פצוע דכא לכרות שפכה אלא שפצוע דכא חוזר וכרות שפכה אינו חוזר זו הלכת רופאים. בקהל ה׳, רבי יהודה אומר ארבע קהלות הן קהל כהנים קהל לויים קהל ישראל קהל גרים וחכמים אומרים שלש סליק פיסקא

רמח.

(ג) לא יבא ממזר בקהל ה׳, בין איש בין אשה. לא יבא ממזר, כל שהוא ממזר איזהו ממזר כל שאר בשר שהוא בלא יבוא דברי רבי עקיבה שנאמר לא יקח איש את אשת אביו ולא יבא ממזר בקהל ה׳ מה אשת אב מיוחדת שהיא שאר בשר שהוא בלא יבוא והולד ממזר כך כל שאר בשר שהוא בלא יבוא הולד ממזר שמעון התימני אומר כל שחייבים עליו כרת בידי שמים הולד ממזר שנאמר לא יקח איש את אשת אביו ולא יבא ממזר מה אשת אב מיוחדת שחייבים עליה כרת בידי שמים הולד ממזר כך כל שחייבים עליו כרת בידי שמים הולד ממזר רבי יהושע

1 כל] זה א, ל׳ מ | ואפילו ראמה, אפילו בלד — 2 אין לי—כל שנכרת הגיד] ל׳ ה | כולן] כולו בלד | מנין—שמעתי בכרם] ל׳ ל | מנין אף מקצתן רא, מקצתן מנין מ, ומקצתן מנין ט״, מנין אף מקצתו בד. מקצת מנין ט״ | דכא] כהוספת הגר״א וחסר בכל הנסחאות, אמנם עיין בהערות — 3 הגיד דאמ, הגיד הפוסק רבטפ | ברבי ר בם, ביר׳ ה, בנו של רבי בן א, בנו של רבי ד | יוחנן] יוחאי א | ביבנה] ביבני ר | מי אמ, שמי רבטלד. כל ה — 4 ביצה אחת ראמה, ל׳ בטלד | זהו] אינו אלא ה, הרי זה מ | מה—זו מהלכת רופאים] ל׳ אמ, ונמצא בבטלדה [בשנוים] וגם ברפ, אלא ששם מקומו למעלה לפני המלים „אין לי אלא כולן״. ונראה שכל המאמר נוסף מגליון ומקורו במכילתא לדברים | לכרות] וכרות ר | שפצוע] זו הילכת הרופאים שפצוע ה — 5 זו] זו היא ר | הלכת ט״, מהלכת ד, הילכת רבטי, הולכת ל | בקהל —וחכ״א שלש] ל׳ ה — 6 כהנים] גוים א | ישראל בטלמ, ישראלים רדא | שלש] שלשה ד | סליק פיסקא ד, ל׳ רבלא —

7 לא יבא—אשה] ל׳ ר, אחד זכרים ואחד נקבות במשמע ה | כל שהוא—סליק פיסקא] ל׳ ט | כל שהוא] כלשוא ד — 8 ממזר רבאפ. מממזר למבי, מום זר ט, מומזר מום זר ד — 9 ולא—בקהל ה׳ רבלאמ, וכתי׳ לא יבא ממזר בקהל ה׳ ט, ולא יגלה כנף אביו ד | מיוחדת] שהיא מיוחדת ל, מיוחד ד | שהיא אמ, ל׳ רבטלד — 10 שהוא] והיא א, שהו ר | והולד רמ, וולד ד, והולך ב, הולד לא | כך—ממזר] ל׳ א. ועל הגליון „אף כל שהוא בלא יבא הולד ממזר״ | כך] אף מ | הולד] והולד ד — 11 שחייבים עליו רבט, שחייבים עליה לד, שחייב עליו אמ | הולד ממזר—הולד ממזר] ל׳ ל | שנאמר—כך כל שחייבים עליו כרת בידי שמים הולד ממזר] ל׳

1 איזהו וכו׳, משנה יבמות פ״ח מ״ב, תוספתא פ״י ה״ג, ע׳ 251, בבלי ע״ה ע״א, רש״י — כל וכו׳ עד סריס חמה, מובא בפ״ז — דכא, כן הוסיף הגר״א, ובכל הנסחאות ליתא, ור״ה ומהר״ס פירשו, ת״ל וכרות שפכה כל שכרות הגיד ושופך ואעפ״י שלא נכרת הגיד לגמרי והוא הדין לפצוע דכה במקצת דשמעינן ליה מכרות שפכה. ורחש״ה העיר „ולי נראה דצ״ל וכרות שפכה כל שנכרת הגיד שלו אין לי אלא כולו מקצתו מנין ת״ל וכרות״: 3 כל וכו׳, משנה שם, תוספתא ה״ה, ע׳ 252, רש״י, ות״י — א״ר ישמעאל וכו׳, תוספתא שם ה״ד, ירו׳ ה״ב, ט׳ ע״א, בבלי ע״ה ע״א: 4 ביצה אחת [ולא פליג את״ק דמתני׳ דקאמר ואפלו אחת מהן דנפצע גרע מנטל לגמרי, ר״ת, אבל הרמב״ן והרשב״א והרא״ש פירשו דבנטל בידי שמים איירי] — מה וכו׳ עד רופאים, חסר באמ ובר מקומו בריש הפיסקא וכן נראה שהיתה גרסת ר״ה שפירש קטע זה לפני הברייתא של איזהו פצוע דכא, ונראה לי שכל הקטע נוסף מגליון ואינו מעיקר הספרי — מה בין וכו׳ עד הלכות רופאים, ירו׳ שם ט׳ ע״ב, ומובא מן הספרי בספר יראים סי׳ ר׳ (הוצ׳ שיף סי׳ ב׳): 5 אינו חוזר [ביראים סימן ר׳ מקשה מכאן על הא דתניא נקב פסול נסתם כשר וזהו פסול שחוזר להכשרו ומתרץ דהתם לענין הולד מיירי דאם נקב הגיד אז הולד ממזר משום דאינו מוליד ובנסתם כשר הולד אבל הוא בעצמו לעולם כשר משום דאינו אלא עקור אבל אינו בכלל פצוע דכא וכרות שפכה] — ר׳ יהודה וכו׳, פ״ז, [קדושין פ״ד מ״א, תוספתא פ״ה ה״א, (ע׳ 341), ירו׳ יבמות שם וקדושין פ״ד ה״ב (ס״ה ע״ד), בבלי קדושין ע״ג ע״א], והשוה מ״ת: 6 שלש, [הגר״א מגיה וחכ״א אינן אלא שלשה]:

7 בין איש וכו׳, פ״ז, מ״ת, יבמות פ״ח מ״ג, [והגר״א מגיה בקהל ה׳ מום זר כל שהוא מום זר בין איש בין אשה איזהו וכו׳] — ממזר, רמב״ן. ת״י, יבמות ע״ו ע״ב, ירו׳ קדושין פ״ג הי״ג (ס״ד ע״ג): 8 איזהו וכו׳, פ״ז, ועקדת יצחק, יבמות פ״ד מי״ג: 9 את אשת אביו [הגר״א

אומר כל שחייבים עליו מיתת בית דין הולד ממזר שנאמר לא יקח איש את אשת אביו ולא יבא ממזר מה אשת אב מיוחדת שחייבים עליה מיתת בית דין והולד ממזר כך כל שחייבים עליו מיתת בית דין הולד ממזר.

דור עשירי, נאמר כאן דור עשירי ונאמר להלן דור עשירי, מה דור עשירי האמור למטה עד עולם אף דור עשירי האמור כאן עד עולם סליק פיסקא

רמט.

(ד) לא יבא עמוני ומואבי בקהל ה׳, בזכרים הכתוב מדבר ולא בנקיבות. עמוני ולא עמונית מואבי ולא מואבית דברי רבי יהודה וחכמים אומרים על דבר אשר לא קדמו אתכם בלחם ובמים מי דרכו לקדם אנשים ולא נשים שהיה בדין ומה ממזר שלא נאמר בו עד עולם עשה בו נשים כאנשים עמונים ומואבים שנאמר בהם עד עולם אינו דין שנעשה בהם נשים כאנשים או חילוף מה עמונים ומואבים שנאמר בהם עד עולם לא עשה בהם נשים כאנשים ממזר שלא נאמר בו עד עולם אינו דין שלא נעשה בו נשים כאנשים תלמוד לומר לא יבא ממזר בין איש בין אשה אחר שריבה הכתוב מיעט הא אין עליך לדון אלא כדין הראשון ומה ממזר שלא נאמר בו עד עולם עשה בו נשים כאנשים עמונים ומואבים שנאמר בהם עד עולם אינו דין שנעשה בהם נשים כאנשים תלמוד לומר עמוני ולא עמונית דברי רבי יהודה.

אם נאמר דור עשירי למה נאמר עד עולם מופנה להקיש ולדון גוירה שוה

מוסיף כאן לא יבא ממזר ועיין יבמות סוף פ״ד, בבלי מ״ט ע״א וירו׳ שם. ולפי הפשט ר״ע יליף מאשת אב מה אשת אב שהוא בלאו ואע״ג דאית ביה כרת ומיתת בית דין לא איכפת ליה משום דעל כל פנים כאן שבא ללמד לא כתיב אלא לאו ור״ש התימני אית ליה דוקא היכא דיש כרת משום דאתקשו גבי כרת ונכרתו הנפשות]: 4 נאמר וכו׳, פ״ז, לקמן פיס׳ רמ״ט, יבמות פ״ח מ״ג: 5 למטה [גבי עמוני ומואבי]:

6 בזכרים, רש״י, ת״י, משנה [יבמות פ״ח מ״ג, ובבבלי וירו׳ שם]. ועיין בש״נ שכל המשפט נוסף מגליון: 7 עמוני וכו׳ עד ולא נשים, יבמות ע״ז ע״א, פ״ז. — ולא עמונית וכו׳, יבמות ס״ט ע״א, ובציונים שם, ירו׳ שם פ״ח ריש ה״ג (ט׳ ע״ג), רות רבה פ״ב סי׳ ט׳, ושם פ״ד סי׳ א׳, ועוד פ״ז סי׳ ז׳. — דברי וכו׳, [הגר״א מוחק מכאן ועד ולא נשים] משום שמסקנת המשא ומתן המתחיל שהיה בדין וכו׳ הוא ת״ל עמוני ולא עמונית וכו׳, וזה רק לר׳ יהודה. ולדעתי יש לקיים הגרסה המקובלת ובפיסקא זו נתאחדו ברייתות נפרדות. בראשונה מסורה מחלוקת ר״י וחכמים, בשניה משא ומתן לדברי ר״י — וחכ״א, בברייתא שם הגרסא ר׳ שמעון אומר: 12 בין איש וכו׳, למעלה ריש פיסק׳ רמ״ח [הגר״א מגיה מום זר בין איש וכו׳]: 13 מיעט, [ריבה דכתיב ממזר בין איש ובין אשה מיעט דלא כתיב ביה עד עולם ר״ה והביאו מהר״ס בשם הראב״ד, והקשה מהר״ס דאיפכא היה לו לומר אחר שמיעט הכתוב ריבה וכתב דאפשר דהכי משמע שמיעט כולם מלבא בקהל מדכתיב ממזר וריבה שמרבה הנשים מדלא כתיב עד עולם ולפי זה ריבה ומיעט משונה משאר ריבה ומיעט ועוד כתב דאפשר דהכי קאמר אחר שריבה ומיעט והריבוי הוא לחומרא דבין אנשים ובין נשים והמיעוט הוא לקולא נלך לחומרא נדין בדין שהוא לחומרא ואחרי כל אלה הדברים נראה לי דכל הלשון הוא מיותר]: 17 אם נאמר וכו׳,

לד — 13 עמוד הקו׳ והולד בט. הולד ראמ | כך—הולד ממזר] ל׳ א. ועל הגליון „אף כל שחייב עליו כרת הולד ממזר״ | כך ר, אף בטמ | עליו ר. עליה ב, ל׳ מ. עליהם דא — 1 מיתת באמ, כריתות ד, מיתות ר — 2 עליה רבטל, עליהם דמ, עליו א | מיתת] מיתות ד [וכן בסמוך] — 3 כך רבטלד, אף אמ | עליו לאמ, עליהם טד, על ר, עליה ב | הולד בלמ, והולד רדא — 4 דור רבא, גם דור בטד, עד דור ל | להלן באמ, למטן רלדבי, למטה ט — 5 למטה טלאמפ, למטן רבד | סליק פיסקא ד, פסו׳ ר, ל׳ בלא —

6 בזכרים—ולא בנקיבות רבטלדפ, בזכרים הכתוב מדבר ד, ל׳ אמ, ונראה שכולו מקורו בגליון ואינו מעיקר הספרי שהרי נכפל מיד בדברי ר׳ יהודה „עמוני ולא עמונית וכו׳״, ולכן נדפס באותיות קטנות. ועוד סימן שהוא מגליון שבבד חסרות המלים ד״א בברייתא השניה, ואעפ״י שנוספו ברטל — 7 עמוני בדאמ, ד״א עמוני ר טל — 8 מי דרכו דאמ, מי דירכם ר, מה דרכן בל, מה דרכו ט — 9 ממזר] ממזר חמור א | נשים כאנשים] אנשים כנשים א וכן בסמוך | עמונים ומואבים] עמוני ומואבי ט — 10 בהם רט. ל׳ בלדאמ | או—אינו דין שנעשה בהם נשים כאנשים] ל׳ מ | מה ראט*, ומה בלדט׳ — 11 שלא] ל׳ א | בו רבטל, בהם דא — 12 בו] בהן ל — 13 הא אין] האין ר | לדון] לדין ר — 14 עמונים ומואבים בט א, עמוני ומואבי רד | בהם] ל׳ א — 17 אם רבלאמ, ואם טד | נאמר] נאמר בו ר | מופנה ראמ, אלא מופנה בטל

נאמר כאן דור עשירי ונאמר למעלה דור עשירי, מה דור עשירי האמור כאן עד
עולם אף דור עשירי האמור למעלה עד עולם סליק [פיסקא]

רנ.

(ה) על דבר אשר לא קדמו אתכם בלחם ובמים. כשהוא אומר על
מיכה ו ה דבר אף על העצה וכן הוא אומר °עמי זכר נא מה יעץ בלק מלך מואב.
בדרך, בשעת טירופכם. בצאתכם ממצרים, בשעת גאולתכם. ואשר שכר
עליך את בלעם בן בעור, הרי דבר נוי לבלעם. (ו) ולא אבה ה' אלהיך
לשמוע אל בלעם, מלמד שהמקלל הוא המקולל ויהפך ה' אלהיך לך את
הקללה לברכה מלמד שאף המקלל מתקלל מפני מה כי אהבך ה' אלהיך
סליק פיסקא

רנא.

דברים כ י (ז) לא תדרוש שלומם וטובתם, מכלל שנאמר °כי תקרב אל עיר
להלחם עליה וקראת אליה לשלום יכול אף כאן כן תלמוד לומר לא
שם כג יז תדרוש שלומם. וטובתם, מכלל שנאמר °בטוב לו לא תוננו יכול אף כאן
כן תלמוד לומר וטובתם. כל ימיך לעולם, ולעולמי עולמים סליק פיסקא

רנב.

(ח) לא תתעב אדומי, מפני מה כי אחיך הוא וגדולה אחוה. לא תתעב

ד | ולדון] לדון בל | גזירה] לגזרה ר — 1 למעלה אמ, להלן בטד, למעלן ר, כאן ל — 2 למעלה אמ, למטן ד, למעלן רבל. להלן ט | סליק ד, ל' רבלא —

3 כשהוא אומר–אף] ל' ה — 5 בדרך] ל' א —

6 עליך את אה, את עליך ר, עליך בלדמ | הרי בטד ז., והרי אמ, הרי זה ר, הוי ל | דבר] הדבר ה | נוי בל, נויי ה, ניול רפ, גניי ט [א"א], גנאי הוא אמ, ל' ד | לבלעם] בלעם ר | ולא–סליק פיסקא] ל' ה — 7 מלמד שהמקלל–הקללה לברכה] ל' בטלד ונמצא רבאמפ | שהמקלל אמ, שהמקלל את ישראל פ, שכל המקלל ר | הוא אמ, הרי זה ר, הרי הוא פ | המקולל אמ, מקולל ר פ | ויהפך אמ, שנאמר ויהפך רפ — 8 שאף–מתקלל מ, שהמקלל מתקלל א, שאף המקלל נתקלל רבטלד — 9 סליק פיסקא ד, פ' ר, ל' בלא —

10 מכלל–ת"ל לא תדרוש שלומם] ל' בטל | מכלל שנאמר] לפי שהוא אומר ד, לפי שנאמר [רמב"ן] | שנאמר אמ, שאומר רד | כי–לשלום ה [רמב"ן], וקראת אליה לשלום דאמ, כי תקרב אל עיר ר — 11 יכול–כן] שומע אני [יכול, רמב"ן], אף עמון ומואב [<במשמע ה'>] ה [רמב"ן] | כאן כן ר, אלו כן ד, כאן אמפ — 12 שלומם] שלומם מכל מקום ר | וטובתם–כן] וטובתם למה נאמר לפי שהוא אומר עמך ישב בקרבך בטוב לו לא תוננו יכול אף עמונים ומואבים כן ה | וטובתם ראמ, ל' בטלד | כאן כן ר, זה כן בט, אלו כן לד, כאן אמ — 13 סליק פיסקא ד, פס' ר, ל' בלא —

14 מפני מה–אחוה] אמר ר' יהושע בן קרחה גדולה היא (האהבה) [האחוה] שאלו לא (האהבה) [האהוה] בדין

למעלה פי' רמ"ח ובציונים שם. — דור עשירי [צ"ל אם נאמר עד עולם למה נאמר דור עשירי ועיין ירו' ט' ע"ג דלר"ש דור אחד עשר שבממזר כשר ולראב"ש על כל פנים נקבות כשרות מדור אחד עשר יבמות ע"ח ע"ב, פ"ח מ"ג, פ"ז]:

3 כשהוא וכו', [הגר"א מגיה שאין ת"ל על דבר אלא אף]: 4 אף על העצה, רש"י, והשוה לקמן פי' רנ"ב, ע' 279: 5 בשעת טירופכם וכו', לקמן פיסקא רע"ה ופיסקא רצ"ו: 7 מלמד וכו', [הגר"א מגיה „ויהפוך מלמד שהמקלל נתקלל"; וכעין זה בפ"ז „ויהפך ה' אלהיך לך את הקללה לברכה מלמד שהמקלל מתהפכת עליו הקללה". ולפי הגרסות שלפנינו נראה לי לבכר הנוסח הנמצא בכ"י אמ ולפרש שיש כאן שתי דרשות: לפי הראשונה מדויק מהזכרת שם בלעם שהוא נתקלל בקללתו את ישראל, ומזה מבורר שהמקלל הוא המקולל. והשנית סובבת על הכתוב ויהפך וכו', ואומרת שלולי חסדי ה' היה גם המקולל מתקלל, עד שהוצרך הקב"ה להפך הקללה לברכה. ולפי זה צריך לנקד בפעם השניה המקלל; ואולי רק הכפלת ברייתות לפנינו, לפי גרסה אחת נתלת בכתוב ולא אבה, ולפי השניה בויהפך:

10 מכלל שנאמר וכו', [רש"י, רמב"ן], רא"ם, רמב"ם לאוין נ"ו, ה' מלכים פ"ו ה"ו, מגדל עוז שם, ספר החנוך, סמ"ג לאוין רכ"ח, והשוה במדבר רבה פ' כ"א סי' ה': 13 ולעולמי עולמים, השוה ת"י [אפשר שבא לרבות לימות המשיח, ז"ר]:

14 וגדולה אחוה, פ"ז, [לפי שהיה ראוי לך

מצרי, מפני מה כי גר היית בארצו אמר רבי אלעזר בן עזריה המצרים לא קבלו את ישראל אלא לצורך עצמם וקבע לדם המקום שכר והלא דברים קל וחומר אם מי שאין מתכון לזכות וזכה מעלה עליו הכתוב כאילו זכה המתכוין לזכות על אחת כמה וכמה. רבי שמעון אומר מצרים הם טבעו את ישראל במים ואדומים קדמו את ישראל בחרב ולא אסרם הכתוב אלא עד שלשה דורות עמונים ומואבים מפני שנטלו עצה להחטיא את ישראל אסרם הכתוב איסור עולם ללמדך שהמחטיא את האדם קשה לו מן ההורגו שההורגו אין מוציאו אלא מן העולם הזה והמחטיאו מוציאו מן העולם הזה ומן העולם הבא סליק פיסקא

רנג.

(ט) בנים, בנים ולא בנות דברי רבי שמעון וחכמים אומרים אשר יולדו להם לרבות את הבנות. אמר רבי שמעון קל וחומר הדברים ומה אם במקום שאסר זכרים איסור עולם התיר את הנקבות מיד מקום שלא אסר את הזכרים אלא עד שלשה דורות אינו דין שנתיר את הנקבות מיד אמרו לו אם הלכה נקבל ואם לדין יש תשובה אמר להם לא כי הלכה אני אומר והכתוב מסייעני בנים ולא בנות.

דור שלישי, יכול ראשון ושני מותר ושלישי יהא אסור תלמוד לומר דור שלישי יבא להם בקהל ה׳ אמור מעתה ראשון ושני אסור ושלישי מותר. אמר רבי יהודה בנימן גר מצרי היה לי חבר מתלמידי רבי עקיבה ואמר אני גר מצרי ונשוי אני אשה גיורת מצרית והריני הולך להשיא את בני אשה בת גיורת מצרית כדי שיהא

לשנאותו, ז״ר, ועיין ברש״י): 1 אראב״ע וכו׳, [עיין תו״כ ויקרא, חובה פרשה י״א ה׳ י״ג, תוספתא פאה פ״ג ה״ח, עמו׳ 22], פ״ז· — המצרים וכו׳, השוה ברכות ס״ג ע״ב ושהש״ר פ״ב סי׳ ט״ו: 2 אלא לצורך עצמם, אלא שהוצרכו לעצת יוסף: 4 רש״א, [רש״י ופ״ז]: 8 ומן העולם הבא, תנחומא א׳ ריש פינחס, תנחומא ב׳ שם, במדבר רבה פ׳ כ״א, קרוב לראש:

9 ולא בנות וכו׳, [יבמות פ״ח מ״ג, בבלי ע״ז ע״ב, ירושלמי ט׳ ע״ג]: 12 יש תשובה [משום דאיכא למימר עריות יוכיחו, בבלי ע״ז ע״ב, ירו׳ שם ט׳ ע״ג, אבל הרמב״ם מפרש משום דגבי עמוני מפורש הטעם על דבר אשר לא קדמו]: 14 יכול וכו׳, השוה יבמות ע״ח ע״א· — ראשון ושני מותר, יכול דור ראשון ושני לנתינת התורה יהא מותר לבא בקהל, אבל אחר כך יהא אסור, ת״ל דור שלישי יבא, מעתה יש לחשוב הדורות מזמן הגיור וראשון ושני אסור ושלישי מותר· ורחש״ה העיר „כלומר דהאי דור שלישי אבנים אשר יולדו להם קאי דהוה דור רביעי, מ״ע, ואפשר דיליף מן להם, מנה ג׳ דורות מהם, ומהר״ס מגיה יכול בן ראשון ושני יהיה אסור ושלישי יהיה מותר ת״ל דור שלישי״: 15 א״ר יהודה וכו׳, פ״ז, תוספתא קדושין פ״ה ה״ד, ע׳ 342, יבמות ע״ח ע״א, ירו׳ קדושין פ״ד ה״ג (ס״ו ע״א): 17 בת גיורת וכו׳, [וכן

היה שלא יבא אדומי בישראל ה | וגדולה ראמ, גדולה ב טלד | לא תתעב–סליק פיסקא] ל׳ ה — 1 אלעזר] אליעזר ד | המצרים] מצרים א | לא קבלו את ישראל] ל׳ ר — 2 את בטאפ, ל׳ לד | המקום] ל׳ אמ | והלא אמפט[1], והרי רבלדט[1] | אם רבלאמט[2], ומה פ, ומה את ד, ל׳ ט[1] — 3 שאין מתכון [נתכוין מ] אמ, שלא מתכוין [נתכוין בטלד] רבטלד | וזכה–כאילו זכה] כך ט[2] | וזכה בלדאט[1], וזיכה מ, ל׳ ר — 4 במים רבטלמ, בים ד א | ואדומים] <הב> ד | את] ל׳ ד — 6 איסור עולם] ל׳ מ | שהמחטיא את האדם ראפ, שמחטיאו של אדם בט למ, שמחטיא האדם ד | לו] ל׳ ר — 7 אלא רטאמ, ל׳ בלד | הזה] <ומהעולם הבא> ד | והמחטיאו] ומחטיאו ר — 8 סליק פיסקא ד, ל׳ רבלא —

9 בנים—ושלישי מותר] ל׳ ט — 10 הדברים] ל׳ א, דבר ל, דב׳ ב | ומה] מה ה | אם רה, ל׳ בלדאמ — 11 זכרים רא, את הזכרים מהבלד | איסור עולם אמהג[3], עד עולם ר, לעולם בלד | מיד] ל׳ ג[3] — 12 אינו—מסייעני] כול׳ ר | מיד באמה, ל׳ לד | אמרו לו–אמר להם] ל׳ ל | ואם לדין אהפ, אם לדון ד, אם לדין במג[3] — 13 לא כי מג[3], לא כי אלא א, ל׳ בלד | והכתוב] דהכתוב ל, ועוד מקרא ה | מסייעני רטד, עמי אמ, עמוני בל | בנות] ה מוסיף <נמצארת אומר המחטיא את חבירו בדבר עבירה קשה ממי שהוא הורגו> [ועיין למעלה פי׳ רנ״ב] — 14 יכול–אמור מעתה] ל׳ ה | מותר ראמפ [ור״ה מגיה אסור], ל׳ בטלד | ושלישי] והשלישי אמ | יהא] יהיה ד | אכור] כן הגרסה בכל הנסחאות, אמנם ר״ה הגיה מותר — 15 יבא להם–ושלישי מותר א, יבא—והשלישי מותר מ, ל׳ רבטלדפ | ראשון] דור ראשון ה — 16 בנימין] מנימין א | מצרי רבטאמ, המצרי לדה | ואמר–מצרי] ל׳ ט | ואמר] אמר לא | גר מצרי] מצרי ראשון א, מצרי ה | ונשוי אני ר [ושם נכתב ונסוין], ונשוי בדט[2], נשוי ט[1], ונשאתי לאה, ונשאני מ — 17 אשה גיורת

בן בני ראוי לבוא בקהל לקיים מה שנאמר דור שלישי יבוא להם בקהל ה׳.

רנד.

(י) כי תצא מחנה על איביך, כשתהא יוצא הוי יוצא במחנה. על איביך, כנגד אויביך אתה נלחם. ונשמרת מכל דבר רע, שומע אני בטהרות ובטמאות ובמעשרות הכתוב מדבר תלמוד לומר ערוה אין לי אלא ערוה מנין לרבות עבודה זרה ושפיכת דמים וקללת השם תלמוד לומר ונשמרת מכל דבר רע, אי ונשמרת יכול בטהרות ובטמאות ובמעשרות הכתוב מדבר תלמוד לומר ערוה, מה ערוה מיוחדת מעשה שגלו עליו כנענים ומסלק את השכינה כך כל מעשה שגלו עליו כנענים ומסלק את השכינה כשהוא אומר דבר אף על לשון הרע.

דבר אחר ונשמרת, הזהר שלא תהרהר בעבירה ותבא לידי קרי.

רנה.

(יא) כי יהיה בך, ולא באחרים. איש, פרט לקטן. אשר לא יהיה טהור מקרה לילה, אין לי אלא קרי לילה קרי יום מנין תלמוד לומר אשר לא יהיה טהור מכל מקום, אם כן למה נאמר מקרה לילה מגיד שדבר הכתוב בהווה. ויצא אל מחוץ למחנה, מצות עשה. לא יבא אל תוך המחנה, מצות לא

מצרית רבלדמ, גיורת מצרית מצרית ראשונה א, גיורת מצרית טה | והריני–גיורת מצרית] אשיא לבני מצרית שניה א | והריני] ואני מ, הריני ט | הולך] הולך אני ר | להשיא] להסיא ר | את בני] לבני ט | אשה בת גיורת מצרית רב טד, אשה בת מצרית ל, בת גיורת מצרית מ, בת גיורת מצרית שהיא מצרית שניה ה — 1 ראוי אמה, כשר רבטל ד | מה] ל׳ ר | להם בקהל ה׳] וגו׳ ד, בר נ׳ <סל׳ פס׳>

2 כי תצא–אף על לשון הרע] ד״א ונשמרת מכל דבר רע מכל דבר שגלו עליו כנענים שהוא מסלק את השכינה ואף מלשון הרע ה | כשתהא] כשתהיה ד | הוי] היה אמ — 3 ובטמאות ובמעשרות] וטומאות ומעשרות אמ — 4 עבודה זרה] ע״ז וגלוי עריות א [רמב״ן], ובא נמצא עגול סביב המלים וגלוי עריות להראות שיש להשמיטם — 5 וקללת השם בטראמ [רמב״ן], וברכת השם רל — 7 עליו ראמ [רמב״ן], עליה פ, בה בטלד | ומסלק [ומסלקת ל] את השכינה בלמ [רמב״ן], מסלק שכינה ר, ומסלק השכינה א, ומסלק בה שכינה ד, ל׳ ט | כך] אף אמ | עליו ראמ [רמב״ן], בה ד, בו בט, ל׳ ל — 8 ומסלק [מסלק בל] את השכינה [שכינה ד] בלדאמ [רמב״ן], מסלק שכינה רט | דבר] דבר רע ד | על אמרבט [רמב״ן], ל׳ לד — 9 דבר אחר–קרי] חסר בכל הנסחאות חוץ מרפ, ונסחתי על פי גרסת ר אלא שהגהתי הִזָּהֵר במקום הזהיר שבכ״י, ובפ מובא הקטע בסגנון זה „שלא תהרהר ביום ויבא לידי טומאה בלילה״: וכעין זה מובא במ״ת ע׳ 147 וכל המשפט אינו אלא הוספה מגליון ואולי עיקרו במכילתא לדברים | קרי] קרה ה: [וכן בסמוך], מקרה פ —

11 לילה–יום] יום–לילה ר — 12 מגיד אמה, אלא מגיד ר, ל׳ טנ, מלמד ל, אלא מלמד בד | שדבר רבאמהלי, דבר טלנ — 13 מצות עשה–זו מחנה שכינה] זו מצות עשה ומחנה האמורה כאן היא מחנה שכינה לא יבא אל תוך

הוא בבבלי ע״ח ע״א, אבל בירוש׳ ט׳ ע״ב איתא שמתחלה היה סבור להשיאו לגיורת מצרית ואמר לו ר״ע דצריך להשיאו לבת גיורת מצרית כדי שיהא שלשה דורות מכאן ושלשה דורות מכאן ובתוכפתא קדושין מסופר שהיה סבור להשיאו גיורת מצרית ואמר לו ר״ע טעית לפי שכבר נעקרו כל האומות ממקומן ועיין תוספתא ידים פ״ב הי״ח וגירסת התוספתא במקום בנימן מניימין וכן בבבלי מנימן]:

2 כשתהא וכו׳, השוה פ״ז· — במחנה, דהיינו בעם רב, ר״ה: 3 כנגד וכו׳, פ״ז, למעלה פי׳ ק״צ (ע׳ 232), ובציונים שם· — נלחם, [הגר״א מגיה יוצא]· — שומע אני וכו׳, רמב״ן על הפרשה וגם בלאוין ששכח הרמב״ם מצוה י״א: 4 ע״ז ושפיכת דמים, השוה ת״י „ותסתמרון מכל פתגם דביש מפולחנא נוכריא וגילוי עריתא ושדיות אדם זכאי״: 6 ערוה, ולא יראה בך ערות דבר: 7 מעשה שגלו עליו וכו׳, השוה תו״כ סוף קדושים: 8 לשון הרע, פ״ז, והשוה כתובות מ״ו ע״א [וכ״ה בת״י]; ועיין עוד ויקרא רבה פ׳ כ״ד סי׳ ו׳ ולא יראה בך ערות דבר ערות דבור רשב״ג אומר זה נבול הפה: 9 ד״א ונשמרת, להוספה הזאת הנמצאת רק ברפה, השוה ע״ז כ׳ ע״ב וגם חולין ל״ז ע״ב· — הִזָּהֵר, כן יש לגרס לפי דעתי. ועיין בש״נ:

10 בך ולא וכו׳ עד מצות ל״ת, מובא בספר יראים הוצ׳ שיף סי׳ שצ״א· — ולא באחרים, [שאין הנכרים מטמאין בקרי מן התורה, נדה ל״ד ע״א], והשוה הו״כ מצורע ריש פרק זבים· — פרט לקטן, [תו״כ שם פרק ו׳ ה״א, ונדה ל״ב ע״ב], ועיין לעיל פי׳ רל״ח (עמ׳ 270) ובציונים שם: 12 מגיד, בך ובנסחאות המנוים בשנויי נסחאות הגרסה אלא מלמד, [והגר״א מחק המלה מלמד] וכן הגיה רמא״ש: 13 מצות עשה וכו׳, רש״י, פ״ז· — מצות לא תעשה, רמב״ם לאוין ע״ח:

תעשה. רבי שמעון אומר ויצא אל מחוץ למחנה זו מחנה לויה, לא יבא אל תוך המחנה, זו מחנה שכינה סליק פיסקא

רנו.

(יב) והיה לפנות ערב ירחץ במים, מלמד שהקרי פוטר בזיבה מעת לעת. וכבא השמש, ביאת שמשו מעכבתו ליכנס לפנים מן המחנה ואין זיבתו מעכבתו ליכנס לפנים מן המחנה סליק פיסקא

רנז.

(יג) ויד תהיה לך מחוץ למחנה, אין יד אלא מקום שנאמר והנה מציב לו יד ואומר איש על ידו לדגליהם. ויצאת שמה חוץ, ולא בעמידה. ש״א טו יב / במדבר ב יז

(יד) ויתד תהיה לך על אזנך, אין אזנך אלא מקום זיונך. והיה בשבתך חוץ, ולא בישיבה. וחפרת בה ושבת וכסית את צאתך, שומע אני יהא חופר באחת ומכסה באחת תלמוד לומר וחפרת בה רבי שמעון אומר מנין שלא יהא אדם הופך מתניו כלפי דרום תלמוד לומר וחפרת בה ושבת וכסית את צאתך

סליק פיסקא

1 זה מחנה לויה וכו׳, פסחים ס״ח ע״א, והשוה רש״י, ופ״ז, ורמב״ן, ומובא בספר יראים סי׳ ר״ד, הוצ׳ שיף רצ״א: 3 מלמד וכו׳, זבים פ״ב מ״ג, והשוה נזיר ס״ו ע״א, והברייתא מובאה ברש״י שם ד״ה מ״ד כל מעת לעת, ובתוס׳ ד״ה במאי, ועיי״ע ברכות כ״ו ע״א: 4 ביאת שמשו וכו׳, פ״ז, ומובא בספר יראים סי׳ ר״ד, הוצ׳ שיף רצ״א· — ואין זיבתו וכו׳, עיין בשנויי נכחאות שכן היא גרסת ר״ה [ומפרש דאלו חזי׳ זוב בהאי מעת לעת בקרי אינו מעכבתו מליכנס, וז״ר גורס רק ביאת שמשו מעכבתו מליכנס לפנים מן המחנה ומבאר שאין כפרתו מעכבתו מליכנס לפנים מן המחנה שגם מחוסר כפורים מותר ליכנס] ולדעתי יש להגיה זבחו מעכבו במקום זיבתו מעכבתו: 6 אין וכו׳ עד לו יד, מובא ברמב״ם עשין קצ״ב, מגדל עוז מלכים פ״ו הי״ד, ספר החנוך תקמ״ג, ובכתר תורה סי׳ קצ״ז· — אלא מקום, רש״י, פ״ז, ת״א, ות״י ובשאר התרגומים: 7 ולא בעמידה, כתר תורה שם, [הגר״א מגיה ולא במחנה], ולי נראה לגרס כאן ולא בישיבה, ובסמוך להגיה ולא בעמידה במקום „ולא בישיבה״ האמור שם, וכן משמע מן הכתובים ויצאת ולא בישיבה, וישבת ולא בעמידה, ועוד שלפי דברי ר׳ יונתן, ברכות כ״ה ע״א, מדבר בפסוק זה ממי רגלים, וכן מתורגם בת״י ובפשיטא; ובניגוד להשערתי עיין ברכות מ׳ ע״א וצ״ע: 8 ויתד וכו׳ עד ומכסה באחת, כתר תורה שם· — אין וכו׳ עד זיונך, מובא ברמב״ם עשין קצ״ג, מגדל עוז מלכים פ״ו הי״ד, ספר יראים רצ״ד, הוצ׳ שיף תל״ב· — זיונך, [מקום כלי זיינך שיהא מוכן לך, ר״ה· ובפ״ז מפרש דהיינו צד שמאל ועיין ת״י על מני זיניכון, ורש״ין]: 9 ולא בישיבה, לדעתי יש להגיה ולא בעמידה כמו שהעירותי למעלה בסמוך, וכן הגרסה בכתר תורה שם, וכן הגיה הגר״א· — שומע אני וכו׳, השוה תוספתא מגילה פ״ד (ג) ה׳ כ״ה (עמו׳ 227): 11 מתניו, [הגר״א מגיה אחוריו כלפי המחנה ת״ל ושבת] ואין שום סמך בנכחאות להגהה זו, ולכן נראה לקיים הגרסה המקובלת ומתניו לשון נקיה הוא, ור״ש הדר בגליל אוסר להפוך מתניו כלפי דרום שהוא לצד ירושלם ובית הבחירה, והשוה ברכות ס״א ע״ב „ובגליל לא יפנה אלא מזרח ומערב״, ואין מקום לפירוש רמא״ש שהאיסור להיות פרוע כלפי מערב שבו נמצאת השכינה, רעיון זה ששכינה במערב הוא בבלי בעיקרו, עיין ב״ב כ״ה ע״א, ולא היה ידוע לתנאי א״י, ועיין בירו׳ פ׳ הרואה ה״ח, י״ד ע״ב, שם מובאות שתי ברייתות אחת גלילית „המיסך רגליו הרי זה הופך פניו כלפי דרום״, ואחת עתיקה יותר, ודרומית, „המיסך רגליו לא יתן פניו למזרח ואחוריו למערב אלא לצדדין״, ועל זו

המחנה זו מצות לא תעשה ומחנה האמורה כאן היא מחנה שכינה ה [וכעין זה בכ״י נ „ויצא אל מחוץ למחנה זה מחנה שכינה לא יבא אל תוך המחנה זו מחנה לויה, ובספרי ר״ש להיפך ויצא וכו׳ זו מחנה לויה, לא יבא וכו׳ זו מחנה שכינה״] | מצות] זו מצות ד וכן בסמוך — 1 ר׳ שמעון–סליק פיסקא] ל׳ ה | ר׳ שמעון] ר׳ שמעון התימני ד | אומר] ל׳ ר | זו] זה ד, הרי פ וכן בסמוך — 2 סליק פיסקא ד, ל׳ רבלא —

3 מלמד–מעת לעת] ל׳ ה | שהקרי] שהקירי ר — 4 השמש–מעכבתו] ל׳ ל | ביאת] מלמד שביאת ה | ליכנס ראמהג׳, מליכנס בטלדפ | מן] מיד ד, מין ג׳ | המחנה] החומה ה | ואין–לפנים מן המחנה רמפג׳, ל׳ בטלדאה — 5 סליק פיסקא ד, ל׳ רבלא —

6 ויד תהיה לך מחוץ למחנה טמהג׳, ויתד תהיה לך על אזניך מחוץ למחנה בלדא, ויד תה׳ לך מחוץ למחנה ויד תה׳ לך מ׳ למ׳ ר — 7 ידו לדגליהם] דגלו ר | ולא בעמידה] בישיבה ולא בעמידה ט — 8 אלא מקום] מקום אלא ר | זיונך אמהג׳ [רמב״ם, מגדל עוז], זיינך רבטד פ, זינך ל | והיה–סליק פיסקא] ל׳ ה — 9 ולא בישיבה רבלאמג׳, בישיבה ד, ולא בעמידה ט | ושבת–צאתך ר אמ, ל׳ בטלד | יהא] יהיה ד — 10 ת״ל וחפרת בה רא מ, ת״ל ושבת וכסית את צאתך מלמ׳ שחוכף [שתופר ט] ומכסה באחת בט, ל׳ לדג׳ | ר׳ שמעון רל, ר׳ ישמעאל בטדאמג׳ — 12 סליק פיסקא ד, ל׳ רבלא —

רנח.

(טו) כי ה׳ אלהיך מתהלך בקרב מחניך, מיכן אמרו לא יקרא אדם את שמע בצד משרה של כובסים ולא יכנס לא למרחץ ולא לבורסקי וספרים ותפילין בידו. להצילך ולתת אויביך לפניך, אם עשית כל האמור בענין לסוף שהוא מצילך ונותן את אויביך לפניך. והיה מחניך קדוש, קדשהו מיכן אמרו לא יכנס אדם להר הבית במקלו ובמנעלו ובאפונדתו ובאבק שעל גבי רגליו. ולא יראה בך ערות דבר ושב מאחריך, מלמד שעריות מסלקות את השכינה סליק פיסקא

רנט.

(טז) לא תסגיר עבד אל אדניו, מיכן אמרו המוכר עבדו לגוים או לחוצה לארץ יצא בן חורים. אשר ינצל אליך מעם אדוניו, לרבות גר תושב.

(יז) עמך ישב, ולא בעיר עצמו. בקרבך, ולא בספר. במקום אשר יבחר, במקום שפרנסתו יוצאה. באחד שעריך, בשעריך ולא בירושלם כשהוא אומר באחד שעריך שלא יהא גולה מעיר לעיר. בטוב לו, מנוה הרע לנוה היפה. לא תוננו, זו הונית דברים. דבר אחר לא תסגיר עבד אל אדניו. בגוי שנצל מעבודה זרה הכתוב מדבר סליק פיסקא

1 בקרב מחנך] בקרבך ר, ל׳ ט | אדם דאמט[1], ל׳ רבלט[2] | את שמע רבלה, קרית שמע טדאמ — 2 בידו] בידיו ר — 3 לסוף ראמג[3], סוף בטלד, בסוף ה | שהוא] הוא ה — 4 ונותן ראמהג[3], ויתן בטלד | את] ל׳ ה | לפניך ראמהג[3], בידיך טד, בידך בל | קדשהו] ל׳ ה, קדש יהי ל — 5 אדם] ל׳ ר | להר ראמהג[3], בהר בטל ד | ובמנעלו] במנעלו אמ | ובאפונדתו אמהג[3], ל׳ בטלד, אפונדהו פ | ובאפונדתו–רגליו] כול׳ ר | ובאבק] באבק א, ולא באבק מ | שעל בטלדהג[3]. שעל גבי ראמ | רגליו] בנוסח הספרי שלפני ר״ה נראה שהיה נוסף כאן ורקיקה מק״ו שכך מובא בפ כאן, ורקיקה מק״ו כדקתני לה בסוף תוספתא ומה מנעל שאין דרך בזה וכו׳ — 6 שעריות רמהג[3], שהעריות בטלדפ, עריות א | את השכינה] שכינה מישראל ה | סליק פיסקא ד, פס׳ ר, ל׳ בלא —

7 מיכן–בן חורים] ל׳ ה | עבדו ראמ, עבד בטלד | לגוים] לגוי ד | לחוצה לארץ טאמ, לחוץ מכאן ד, לחוץ לא׳ ל, לחוץ ב, בחוצה לא׳ ר — 8 בן הורים] לחירות ר | תושב] ותושב ב — 9 עצמו] עצמה [מאירי] | בספר מ הבטלפ, לספר ר, בכפר ד, באתר נ[3], בספר עצמו א [במ נקוד בסֵפר] — 10 במקום שפרנסתו [פרנסתו פ] רבטל דפ [פ״ז], מקום שפרנסתו אמג[3] | יוצאה ראמפ [פ״ז], יוצא רבלדהג[3] | באחד שעריך] ל׳ א — 11 יהא] יהיה ד | מנוה] מנוי ר | לנוה] לנוי ר | היפה] יפה מ, ל מוסיף <זו או׳> — 12 דבר אחר–הכתוב מדבר] נמצא רק בר; ובכ״י פ, וכן בטופס פי׳ ר״ה שהביא רמא״ש, ציטט גוי הניצל מע״ז, ופירש דמשמע לא תסגיר מי דהוה עובד לעבד ועבד לע״ז ופריך התם מאי מעם אדוניו מעם אלהיו מיבעיא ליה ומוקים אעבד שברח מאדוניו מחוצה לארץ, ועיין גטין מ״ה ע״א — 13 סליק פיסקא ד, ל׳ רבלא —

נחלקו כבר ר׳ יהודה ור׳ יוסי ור״ע אם נוהג האיסור גם כשאין בית המקדש קיים, עיי״ש. והשוה עוד ברכות ה׳ ע״א, ומ״ת על הכתוב הזה ולמטה על ושב מאחריך. — ת״ל, סוף הכתוב דורש כי ה׳ אלהיך מתהלך וכו׳:

1 מיכן אמרו וכו׳, פ״ז, והשוה ברכות פ״ג מ״ה וירו׳ שם ו׳ ע״ד: 2 ולא יכנס וכו׳, סנהדרין כ״א ע״ב: 3 אם עשית וכו׳, למעלה פי׳ ר׳ (ע׳ 237): 4 מיכן וכו׳, פ״ז, ברכות פ״ט מ״ה: 6 מלמד וכו׳, והשוה למעלה פי׳ רנ״ד (ע׳ 280), ובהערה שם, ומובא בפ״ז ובס׳ יראים סי׳ י״ב, הוצ׳ שיף סי׳ שצ״ב:

8 בן חורים, השוה גטין מ״ג ע״ב ומ״ה ע״א, וירו׳ שם פ״ד ה״ו. — גר תושב, השוה מסכת גרים פ״ג ה״ד (הוצ׳ היגער, בספר שבע מסכתות קטנות, ע׳ ע״ד): 9 ולא בעיר עצמו, מובא בפי׳ ר׳ מנחם מאירי ליבמות מ״ח ע״ב (הוצ׳ ר׳ חנוך אלבעק, ע׳ 199), אלא שהוא גורס ולא בעיר עצמה ומפרש שאסור לו לגר תושב, שעליו הכתוב מפורש שם, לדור בעיר עצמה. אמנם ר׳ אברהם גייגער ורמא״ש הגיהו ולא בעצמו, והעיר רמא״ש שכן מצא בטופס פירושו של ר״ה שהיה לפניו. אבל בכ״י הפירוש שבידי הגרסה בעיר עצמו, ובודאי היא גרסת ר״ה כמבואר מפירושו שהביא רמא״ש ונמצא ג״כ בכ״י פ וז״ל „עמך ישב ולא בעיר באנפיה נפשיה״ הרי לפנינו שר״ה גורס המל״ה בעיר בנוסח הספרי שלו. ועיין דברי ר׳ אברהם גייגער במ״ע Jüd. Zeitschrift שנה ט׳ עמ׳ 167. — ולא בספר, השוה למעלה פי׳ צ״ג (ע׳ 154, שורה 5), מסכת גרים שם: 10 ולא בירושלם, השוה לקמן פי׳ רע״ח כגרסת ראמפ. בשעריך ולא בירושלם, ובענין ישיבת גר תושב בירושלם השוה תוספתא נגעים פ״ו ה״ב (ע׳ 625), ואדר״נ פרק ל״ה (נ״ב ע״ב): 11 מנוה הרע, מסכת גרים שם: 12 זו הונית דברים, ב״מ פ״ד מ״ח, תוספתא שם פ״ג ה׳ כ״ה (ע׳ 378), בבלי שם נ״ח ע״ב, נ״ט ע״ב, מכילתא משפטים נזיקין ריש פי״ח (צ״ה ע״א, ה—ר ע׳ 311), מכילתא דרשב״י שם כ״ב כ׳ (ע׳ 150), תו״כ קדושים פרק ח׳ ה״ב (צ״א ע״א), שם בהר ריש פרק ד׳ (ק״ז ע״ד), מסכת גרים ריש פ״ד (הוצ׳ היגער עמוד ע״ו), תנחומא וירא סי׳ י״ד, תנחומא ב׳ שם סי׳ ל״ב, סדר אליהו רבה פי״ח. — בגוי

רם.

(יח) לא תהיה קדשה מבנות ישראל, אי אתה מוזהר עליה באומות ולא יהיה קדש אי אתה מוזהר עליו באומות שהיה בדין ומה אם קדשה קלה אתה מוזהר עליה בישראל קדש חמור אינו דין שתהא מוזהר עליו בישראל או חלוף אם קדש חמור אי אתה מוזהר עליו באומות קדשה קלה אינו דין שלא תהא מוזהר עליה באומות מה תלמוד לומר קדש צריך לאמרו שאילו נאמר קדשה ולא נאמר קדש הייתי אומר אם קדשה קלה אתה מוזהר עליה בישראל קדש חמור אינו דין שתהא מוזהר עליו באומות תלמוד לומר לא תהיה קדשה מבנות ישראל אי אתה מוזהר עליה באומות ולא יהיה קדש אי אתה מוזהר עליו באומות. [דבר אחר לא תהיה קדשה] זו אזהרה למופנה שנאמר לא היתה בזה קדשה סליק פיסקא — בראשי׳ לח כא

רסא.

(יט) לא תביא אתנן זונה, אין לי אלא אתנן זונה אתנן כל העריות מנין תלמוד לומר אתנן מכל מקום. איזה הוא אתנן זונה האומר לזונה הילך טלה זה בשכרך אפילו מאה כולם אסורים האומר לחבירו הילך טלה זה והלין שפחתך אצל עבדי רבי אומר אינו אתנן וחכמים אומרים אתנן.

ומחיר כלב, איזהו מחיר כלב האומר לחבירו הילך טלה זה תחת כלב זה יכול אפילו העבירו ברגלו בעזרה יהא הייב נאמר כאן תועבה ונאמר להלן תועבה מה

שנצל וכו׳, הוספה בכ״י רפ ואינה מעיקר הספרי, עי׳ בשנויי נסחאות:

1 אי אתה וכו׳, רמב״ן: 8 זו אזהרה וכו׳, גם ברייתא זו נמצאת רק בכ״י רפ, ונכנסה אל הספרי מגליון:

10 אין לי וכו׳ עד אף תועבה האמורה כאן לשם זבח, פ״ז׳ — אין לי וכו׳ עד אתנן מכל מקום, מובא בספר חפץ, נדפס ברבעון האנגלי שנה ה׳ ע׳ 380 — ת״ל אתנן [אינו מובן והגר״א הגיה ת״ל תועבת מ״מ ועיין תמורה ל׳ ע״א דשם מרבה לו ממלת תועבת]: 11 איזה הוא [תמורה פ״ו מ״ב, תוספתא פ״ד ה״ו, ע׳ 555, בבלי כ״ט ע״א]: 12 אפילו מאה וכו׳, [בגמרא מפרש דקמ״ל דאפילו לא החנה אלא חד ויהיב לה יותר]. — רבי אומר וכו׳, [ובמשנה שם בקצת נסחאות ר׳ מאיר. ובתוספתא פ״ד ה״ז, עמוד 555, שורה 35, הגירסה להיפך „רבי אומר אתנן ר׳ יוסי בר׳ יהודה אומר אינו אתנן וכו׳ ובבבלי שם ל׳ ע״א מפרש דמיירי באין לו אשה ובנים אבל מן התוספתא שם משמע דפלוגתא דלדעה אחת הוה אתנן אפילו מביאת היתר כל שמקבל שכר על הביאה]: 14 איזהו מחיר וכו׳, [תמורה פ״ד מ״ג, תוספתא פ״ד ה״ד, ע׳ 555, שורה 30:] 15

1 לא תהיה–סליק פיסקא] ל׳ ה | אי אתה–ולא יהיה קדש אי אתה מוזהר עליו באומות אמג׳ [רמב״ן, רא״ם], אין את מוזהר עליה באומות ולא יהיה קדש מבני ישראל אין את מוזהר עליו באומות רז, לא תהיה [תהא ט] מוזהר עליהם [עליה בל] באומות בטלד — 2 שהיה בדין–סליק פיסקא] ל׳ מ | שהיה בדין–קדשה קלה אינו דין שלא תהא מוזהר עליה] ל׳ ל | שהיה] שיהיה ד | ומה אם א, ומה בטד, אם ר | אתה] אי אתה א — 3 שתהא] שיהא ד | בישראל–קדשה קלה אינו דין שלא תהא מוזהר עליה] ל׳ א — 4 באומות] ל׳ ד | מה] ומה ד — 5 קדשה] קדש א | קדש] קדשה א — 6 עליה] עליו ר | אינו דין שתהא] לא תהא ד | באומות] ביש׳ רג׳ — 7 אי אתה מוזהר עליה [עליו בל] באומות רבטלאג׳, ל׳ ד — 8 ולא יהיה–באומות] ל׳ בטל | זו אזהרה וכו׳, נמצא בר, וגם בפ מציין אזהרה למופנה, וכפרש ר״ה דהיינו פנויה שלא תזנה וכו׳, ובטופס הפירוש שהיה לפני רמא״ש נמצא בהגהה, ליתיה בכפרי שלנו ואפשר דסיומא דברייתא הכי הוה דלכך כתיב מבנות ישראל לומר דאף הן מוזהרות בלאו אבל לאו בקדש לא אצטריך דכבר אזהרה רחמנא על משכב זכור ולא אתי קרא אלא לאזהיר ב״ד על כך, וגם במ״ת (עמוד 149, שורה 22), מובאה ברייתא זו „הרי זו אזהרה למופנה שנ׳ ויאמ׳ לא היתה בזה קד״ — 9 סליק פיסקא ד, פסו׳ ר, ל׳ בלא —

10 זונה] <ומחיר כלב> ב | אין–ת״ל אתנן] ל׳ אמ | אין–מכל מקום] ל׳ ט | העריות] <ואתנן זכור> ה — 11 איזה [ואיזה רד] הוא רדאה, ואיזהו בל, איזהו מט׳ | זונה] ל׳ ר | האומר] זה אומר ד | טלה בכאפ, ל׳ רלדמ | זה בשכרך] שכרך מ [ועל הגליון: בשכרך] — 12 אפילו] <נתן לה> ה | האומר] והאומר ה | האומר–כלב זה] ל׳ ט׳ | הילך] הא לך ה | אצל] ל׳ א | רבי אומר–וחכ״א אתנן] ל׳ ה ועיין במ״ת עמוד 150 שורה 6 שנשלם בציטט מן הרמב״ם — 13 אומרים] <הרי זה> ד — 14 איזהו מחיר כלב] ל׳ א | האומר] זה האומר ה | הילך] הא לך ה | כלב זה רה, כלב א, כלב וכו׳ מתניתין מ, כלב כלב זה מחיר בלד — 15 יכול אפילו–לשם זבח] ל׳ ה | בעזרה רבמאם, לעזרה לד | יהא] יהיה ד |

תועבה האמורה להלן לשם זבח אף תועבה האמורה כאן לשם זבח. נדר, פרט לדבר הנדור כשהוא אומר לכל נדר לרבות במה.

בית ה׳ אלהיך, פרט לפרת חטאת שאינה באה לבית דברי רבי אליעזר וחכמים אומרים להביא את הריקועים.

לכל נדר, להביא את העוף שהיה בדין ומה מוקדשים שהמום פוסל בהם אין אתנן ומחיר חל עליהם עוף שאין המום פוסל בו אינו דין שלא יהא אתנן ומחיר חל עליהם תלמוד לומר לכל נדר להביא את העוף, יכול אפילו שכר פקעתה יהא אסור תלמוד לומר כי תועבת ה׳ גם שניהם, שנים ולא ארבעה. הם, ולא ולדותיהם ולא חלופיהם סליק פיסקא

רסב.

ויקרא כה לו (כ) לא תשיך לאחיך, זה לוה, מלוה מנין תלמוד לומר °אל תקח מאתו נשך ותרבית. מכלל שנאמר כספך ולא כסף אחרים, אכלך, ולא אכל אחרים או כספך ולא כסף מעשר אכלך ולא אכל בהמה כשהוא אומר נשך כסף לרבות כסף מעשר נשך אכל לרבות אכלי בהמה אין לי אלא נשך כסף נשך אכל מנין לרבות כל דבר תלמוד לומר נשך כל דבר אשר ישך. רבי שמעון אומר מנין שלא יאמר לו צא ושאל שלום פלוני או דע אם בא איש פלוני ממקום פלוני תלמוד לומר נשך כל דבר אשר ישך.

חייב] <ת״ל כי תועבה> ד | תועבה] תועבת ב — 1 לשם ר, בשם בטלד, לשום [פ״ז], משום אמ | זבח] כן נראה לגרס, אעפ״י שבכל הנסחאות נמצא זובח וכן בסמוך | תועבה האמורה] ל׳ א | האמורה] האמור בל | לשם] כן יש לגרס כמו למעלה, והגרסות המקובלות הן: בשם רבטלד, משום אמ, בשום [פ״ז] | פרט לדבר] להוציא את ה — 2 כשהוא– עליהם] ל׳ ה | לכל] כל בל — 3 בית–להביא את העוף] ל׳ ט | לבית] בית ה׳ ל, אלא א | דברי] לדברי א — 4 להביא אמ [פ״ז], לרבות רבלדפ (וכן בסמוך) — 5 שהיה בדין ראמ, ל׳ בלד — 6 אתנן] <זונה> א | ומחיר] <כלב> א | חל] חלין אמ | עוף–ומחיר חל עליהם] ל׳ ל | ומחיר] ל׳ מ, ומחיר כלב א | עליהם] עליו ב — 7 להביא] לרבות ב | יכול–אסור] ל׳ ה | שכר] ל׳ א | יהא] יהיה ד — 8 ה׳] אלהיך בל | ה׳–סליק פיסקא] ל׳ ט | שנים ולא אמ, שני ולא ב, ולא רל, שניהם ולא ד, שנים להוציא ה, להוציא את ה — 9 ולא חלופיהם אה, הם ולא חלופיהן מ, ל׳ רבטלד | סליק פיסקא ד, פ׳ ר, ל׳ בלא

10 לא תשיך–כשהוא אומר] ל׳ ה | זה ראמפ, אין לי אלא בטלד | אל] לא בט׳ — 12 לרבות כסף מעשר] ל׳ א — 13 נשך אכל] מנין לרבות מעשר נשך אוכלך> א [ועל הגליון ת״ל נשך] | אכלי רלאמהט׳, אוכל ד ט², אכל ב | אין לי–ר׳ שמעון אומר] ל׳ ה | נשך כסף נשך אוכל] נשך אוכל נשך כסף ר | נשך אוכל] אוכל א — 14 שמעון] ישמעאל ט² [פ״ז] | שלא] של ל | יאמר בלד ט׳, יאמרו אמט², יומר ר | לו] ל׳ ר — 15 שלום רבטד, בשלום אמה [פ״ז], שלום איש ל | או דע] ל׳ א, או ראה ט² | אם] שאם ה | איש] ל׳ א | ממקום פלוני] ממקומו ד | נשך] ל׳ ה —

להלן, [דברים י״ז א׳]: 1 לשם זבח [הגר״א מגיה בזובח]. — נדר וכו׳ עד במה [הגר״א מוחק זה כאן וגורס לקמן אחר מלת הריקועים „כשהוא אומר לכל נדר לרבות את הבמה, נדר פרט לדבר הנדור״]. — לדבר הנדור [תמורה פ״ו מ״ד, תוספתא פ״ד ה״ט, עמ׳ 556, שורה 9, בבלי ל׳ ע״ב]: 2 במה [תוספתא שם ה״ז]: 3 פרט וכו׳ עד ר״א, פ״ז: 4 את הרקועים, תמורה ל׳ ע״ב: 5 את העוף [משנה שם פ״ד מ״ד, תוספתא פ״ד ה״ט], פ״ז: 7 פקעתה, [תוספתא שם פ״ד ה״ח, עמ׳ 556 שורה 6, בבלי כ״ט ע״ב], ובנוסח הרגיל בתמורה שם הגירסה שם שכר להפקעתה אבל רש״י ד״ה הבאות לו בעבירה ושטמ״ם גורסים גם שם פקיעתה, ורמב״ם ה׳ אסורי מזבח פ״ד ה״ט השמיט דין זה, וכבר תמה עליו הכסף משנה ולא תרץ כלום: 8 ת״ל וכו׳ [בכ״י גורס ת״ל שניהם והגר״א גורס „ת״ל כי תועבת: גם שניהם וכו׳״, פירוש ההלמוד הוא מן תועבת, וגם שניהם הוא דבור בפני עצמו וכן פי׳ בז״א ומהר״ס]. — ולא ארבעה [היינו אתנן כלב ומחיר זונה, משנה שם פ״ד מ״ג, בבלי ל׳ ע״א]. — ולדותיהם, [משנה שם, תוספתא פ״ד ה״ז, בבלי ל׳ ע״ב:]

10 זה לוה, [מכילתא משפטים פ׳ י״ט, צ״ו ע״א, ע׳ 316], רש״י, פ״ז ות״א ות״י, בבלי ב״מ ע״ה ע״ב: 11 כסף אחרים [כי הא דתניא ב״מ ע״א ע״ב „מלוה ישראל מעותיו של גוי מדעת הגוי בתוספתא ב״מ פ״ה הי״ח „וגוי שאמר לישראל הילך שכרך והלוה מעותי ברבית מותר אבל אסור מפני מראית העין״ ועיין עוד שם וב״מ בבלי ע״א ע״א, וירושלמי י׳ ע״א, או כי הא דתניא בתוספתא שם ה״כ, ע׳ 382, שורה 26, „ישראל שנעשה לגוי אפוטרופוס או סנטר מותר ללוות (כצ״ל עיין בשנויי נסחאות שם) הימנו ברבית ועיין רד״ף]: 12 לרבות כסף מעשר וכו׳, פ״ז, תו״כ בהר פרשה ה׳ ה״ג (ק״ט ע״ג), ב״מ ע״א ע״ב: 13 נשך [הגר״א מוחק זה וגם המלים אשר ישך]: 14 רש״א וכו׳, פ״ז בשם ר׳ ישמעאל, ועיין ב״מ ע״ה ע״ב, ירושלמי סוף פרק איזהו נשך (י׳ ע״ד): 15 או דע, [במשנה שם פ״ה מ״ו איתא „לא יאמר לו דע כי בא איש פלוני״ משמע שהלוה אומר למלוה כי בא איש פלוני אבל במשנה שבירו׳

רסג.

(כא) לנכרי תשיך ולאחיך לא תשיך, לנכרי תשיך מצות עשה. ולאחיך לא תשיך, מצות לא תעשה. רבן גמליאל אומר מה תלמוד לומר ולאחיך לא תשיך והלא כבר נאמר לא תשיך לאחיך אלא יש ריבית מוקדמת ויש ריבית מאוחרת כיצד נתן עיניו ללוות ממנו והיה משלח לו ואומר בשביל שילוונו זה הוא ריבית מוקדמת, לוה הימינו והחזיר לו מעותיו והיה משלח לו ואומר בשביל מעותיו שהיו בטילות אצלי זה הוא ריבית מאוחרת.

למען יברכך ה׳ אלהיך בכל מעשה ידיך, קבע לו הכתוב ברכה בשליחות יד. על הארץ אשר אתה בא שמה לרשתה, בשכר שתבא תירש

סליק פיסקא

רסד.

(כב) כי תדר נדר לה׳, נאמר כאן נדר ונאמר להלן נדר מה נדר האמור להלן נדר ונדבה אף נדר האמור כאן נדר ונדבה. ומה נדר האמור כאן לא תאחר לשלמו אף נדר האמור להלן לא תאחר לשלמו. לה׳ אלהיך, אלו ערכים וחרמים והקדשות. לא תאחר לשלמו, הוא ולא חלופיו. כי דרש ידרשנו, אלו חטאות ואשמות. ה׳ אלהיך, זה הקדש בדק הבית. מעמך, זה לקט שכחה ופיאה. והיה בך חטא, בך חטא ולא בקרבנך חטא סליק פיסקא

הגרסה דע אם בא וכו׳ וכן הוא בדפוס קאמבריגע משמע שהכוונה שהמלוה לא יאמר ללוה שישתדל לראות אם בא ויודיעהו ועיין בתוספתא פ״ו הי״ז, והרמב״ם פירש דע אם בא וכו׳ ותכבדו ותאכילו ותשקהו ועיין רד״ף שהקשה דאיך נפרש לשון הספרי ת״ל נשך וכו׳ והרי פי׳ לעיל דקרא בלוה מיירי על כן פירש שהלוה אומר צא ושאל בשלום פלוני שכבר בא אי נמי דע אם וכו׳ שעדין לא בא אבל קרוב לבא]:

1 מצות עשה, עיין רש״י, לקח טוב, רמב״ם עשין קצ״ח, רמב״ן בהשגותיו שער ששי, סמ״ג לאוין קצ״א. כתר תורה מבוא, מעשה נסים לר׳ אברהם בן הרמב״ם עמו׳ 91, חנוך תצא סימן תקמ״ה, ראב״ד הל׳ מלוה ולוה פ״ה ה״א: ונחלקו הראשונים בפירוש ברייתא זו, לפי הרמב״ם מצות עשה היא להשיך לגוים שנ׳ לנכרי תשיך, אבל הראב״ד ורוב הראשונים חולקים עליו וסוברים „זו מצות עשה״ ופירושו משום דהוה ליה לאו הבא מכלל עשה שלא ישיך לישראל״: 2 מצות ל״ת, פ״ז, ובמקורות המסומנים למעלה בסמוך. — ר״ג אומר וכו׳, פ״ז, משנה סוף פרק איזהו נשך: 7 בכל מעשה, במסורה בכל משלח, ובתרגום השבעים ἐν πᾶσι τοῖς ἔργοις וכעין זה בוולגאטא in omne opere tuo משמע שהיתה גם לפניהם הגרסה מעשה, והשוה למעלה פי׳ ס״ד (עמוד 131): 8 בשליחות יד, פ״ז — בשכר וכו׳, למעלה פי׳ נ״ה (ע׳ 122) ובציונים שם:

10 נאמר וכו׳, [עיין כל הענין ר״ה ה׳ ע״ב], פ״ז — להלן [בר״ה „להלן אם נדר או נדבה ויקרא ז׳, וצ״ע הא כתיב בהדיא כאן נדרת לה׳ אלהיך נדבה]: 11 אף נדר, [אפשר דאפי׳ לתת ערכין קאי, תו״כ בחוקותי פרשה ג׳ ה״ג, אבל קשה דהא דורש לקמן ערכין מן לה׳ אלהיך ואפשר דדרשה דבל תאחר היא לישנא אחרינא ולשון ראשון דורש נדר נדר מן ויקרא ז׳ ולהאי לישנא יליף ערכין מן לה׳ אלהיך ובר״ה ליתא לדרשה דבל תאחר] ועיין עוד ספרי במדבר פי׳ קנ״ג (ע׳ 199): 12 לה׳ אלהיך [דבכולהו כתיב לה׳, תוס׳ שם ד״ה ערכין]: 13 חלופיו [מפרש בבבלי שם לענין דאינו מצטרף עם עיקר הקרבן לענין ג׳ רגלים ועיין ירושלמי]. — אלו חטאות וכו׳ עד ופיאה, ירו׳ ר״ה נ״ו ע״ג: 14 חטאות, [בגמ׳ שם מוסיף עולות ושלמים, ופי׳

1 לנכרי תשיך ולאחיך לא תשיך דאמ, ל׳ רבטל | מצות עשה] זו מצות עשה ה — 2 מצות] זו מצות ה | אומר] היה אומר ה [ובה׳ אומר] | מה] ומה ד | והלא ר לאמהט׳, והרי ב, הרי ד | ומה ת״ל] ל׳ ה — 3 תשיך] <מצות לא תעשה> בל — 4 כיצד–שתבוא תירש] ל׳ ה | עיניו] עינו מ | והיה–מעותיו] ל׳ ל | והיה–מאוחרת] כול׳ מתני׳ ר | לו] <דורון> א׳ | שילוונו] שלווני א — 5 מעותיו] את מעותיו בא | משלח לו] <דורון> א׳ | מעותיו] ל׳ א — 6 שהיו דאמ, שהרי בל, שהן ט | אצלי] אצלו ב | זו היא] זהו א — 7 מעשה ידיך] מעשי ידיך ד א, מעשיך בטל, מעשי ר — 8 יד ראמ [פ״ז], ידו בט ל, ידיו ד | על הארץ רבטאמל׳, על האדמה ד, אל הארץ ל — 9 סליק פיסקא ד, ל׳ בלא, פ׳ ר —

10 כי תדר–סליק פיסקא] ל׳ ט | כאן] להלן ר | להלן] כאן ר — 11 ונדבה רלדב, נדבה ב, או נדבה א מ | ומה דא, מה רבלמ | ומה נדר–לא תאחר לשלמו] ל׳ ה — 12 אף–לשלמו] ל׳ ל | להלן] כאן א [להלן א׳] | לה׳–והקדשות] ל׳ אה | ערכים מ, הערכים רבד, הדמים פ — 13 והרמים רמ, והחרמים בד | והקדשות רמ, וההקדשות בד | לא לשלמו] ל׳ א | הוא] ל׳ ר | חלופיו] חליפיו רמפ — 14 זה הקדש] אילו הקדש ר | הקדש] ל׳ ה [ונמצא בה׳] | בדק] בעל רד | הבית] <והערכים והחרמים וההקדשות> ה — 15 ולא בקרבנך חטא] ל׳ ב | בקרבנך] בקרבך ה | סליק פיסקא ד, ל׳ רבלא —

רסה.

קהלת ה ד (כג) וכי תחדל לנדור, רבי מאיר אומר טוב אשר לא תדור משתדור ולא תשלם טוב מזה ומזה שלא תדור כל עיקר רבי יהודה אומר טוב אשר לא תדור טוב מזה ומזה נודר ומשלם.

(כד) מוצא שפתיך, מצות עשה. תשמור, מצות לא תעשה. ועשית, הרי זו אזהרה לבית דין שיעשוך. כאשר נדרת, זה נדר. לה' אלהיך, אלו ערכים וחרמים והקדשות. נדבה, זו נדבה. אשר דברת, זה הקדש בדק הבית. בפיך, זו צדקה סליק פיסקא

רסו.

(כה) כי תבא בכרם רעך, יכול לעולם תלמוד לומר ואל כליך לא תתן, בשעה שאתה נותן לתוך כליו של בעל הבית. רעך, פרט לאחרים. רעך, פרט לגבוה. ואכלת, ולא ממצץ. ענבים, ולא תאנים מיכן אתה אומר היה עושה בתאנים לא יאכל בענבים בענבים לא יאכל בתאנים אבל מונע את עצמו עד שמגיע למקום היפות ואוכל. רבי אלעזר חסמה אומר מנין שלא יאכל פועל יותר על שכרו תלמוד לומר כנפשך וחכמים אומרים שבעך מלמד שאוכל פועל יותר על שכרו.

1 וכי] כי בל | טוב אשר לא תדור–עיקר] ר' מאיר אומר טוב מזה ומזה שלא תדור כל עיקר שנ' טוב אשר לא תדור משתדור ולא תשלם ה | תדור] <משתדור ולא תשלם> רא, <משתדור> ב – 2 ר' יהודה אומר] ל' ה – 3 ומזה] מזה ב | נודר אמ, שנודר רבלד – 4 מוצא–סליק פיסקא טל [ובמקומו מובאה ברייתא מר"ה ו' ע"א] | מצות ר, זו מצות בדאמהפ, זה מצות ל | מצות לא תעשה] ל' א | מצות רמ, זו מצות בה, זה מצות לד | הרי זו רד, הרי זה אמ, זה בלד – 5 שיעשוך] שיעמוד ל | אלו–והקדשות] אילו חטאות ואשמות עולה ושלמים ה – 6 וחרמים רל, חרמים באמ | זו נדבה] כמשמעה ה, ל' אמ | אשר] כאשר ד | זה [זו ר] הקדש ר אמפ, אלו קדשי ה, ל' בלד | הקדש ראמ, ל' בלד – 7 סליק פיסקא ד, פסו' ר, ל' בלא –

8 כי תבוא–פיסקא] ל' ט – 9 שאתה] שאת ה | לתוך] ל' ד | הבית] <אבל בשעה שאין אתה נותן לתוך כליו של בעל הבית אתה יכול ליתן כליך> א' – 10 ממצץ א, ממציץ מ, ממצמץ ר, ממצצן פ, מצמצם ב, מוצץ לדנה [פ"ז] | ולא תאנים מכאן אמרו] ד"א ענבים וכי אין אנו יודעים שאין בכרם מה לאכול אלא ענבים ומה ת"ל ואכלת ענבים אלא שאם ה | תאנים] ענבים ותאנים א מ | אתה אומר מ, את' או' רפ, אמרו בלדא | עושה] עוסק מ | בתאנים–בתאנים אמה, בתאנים לא יאכל ענבים בענבים לא יאכל תאנים ר [פ"ז], בענבים לא יאכל בתאנים בתאנים לא יאכל בענבים בלד – 11 אבל–ואוכל] כול' מתני' ר | את אמ, ל' בלדה | למקום יפות בלדה, ליפות אמ – 12 ר' אלעזר–של בעל הבירת] ל' ה | אלעזר] לעזר ר | חסמה] בן חסמה ר, בן חסמא ד | מנין] ל' ר | שלא] לא ר | על שכרו ראמ, משכרו בלד – 13 כנפשך וחכמים אומרים] ל' א | מלמד] ל' בל –

רש"י עולות ראיה שלמי תגיגה]. — הקדש בדק הבית, [וצ"ע דהא כבר רבה הקדש בדק הבית ובגמרא שם הגרסה „אלו צדקות ומעשרות"]. — ופיאה [דכתיב את העני עמך]:

1 ר' מאיר אומר וכו', פ"ז, חולין ב' ע"א, ירוש' נדרים פ"א ה"א (ל"ו ע"ד), תוספתא חולין פ"ב הי"ז (עמוד 503), ויק"ר פ' ל"ז סי' א', קהלת רבה פ"ה סי' ד'. קהלת זוטא ריש פ"ה (ע' 102). תנחומא א' וישלח סי' ח', מדרש תהלים קט"ז סי' ד' (רל"ט ע"א), בבבלי בתוספתא בקהלת זוטא ובתנחומא הגרסה כמו בספרי, אבל בירושלמי, בויק"ר, ובמדרש תהלים להיפך ר' יהודה סובר טוב מזה ומזה שאינו נודר כל עיקר, ור"מ סובר טוב דהנודר ומקיים, עיין שם, ועיין גייגער בעתון Jüd. Zeitschrift שנה א' ע' 56: 4 מצות עשה וכו', רש"י, פ"ז, לקח טוב, ר"ה ו' ע"א, ירוש' ר"ה נ"ו ע"ג, רמב"ם עשין צ"ד, ספר הזכרון, רא"ם. — מצות עשה וכו', וכן ת"י „מצותא דכשרון לאתעובדא תעבדון ודלא כשרין לאתעובדא לא תעבדון". — תשמור מצות ל"ת, למעלה פי' ע' (ע' 133) ובציונים שם. — הרי זו וכו', פ"ז, לקח טוב, ר"ה ו' ע"א, ספר חפץ ברבעון האנגלי שנה ה' ע' 404: 5 זה נדר וכו', פ"ז, לקח טוב, ירו' ר"ה נ"ו סוף ע"ג, ר"ה ו' ע"א, ספר חפץ ברבעון האנגלי שם: 6 בדק הבית, וכן ת"י „וגבזביית בית מוקדשא דמללתון". — זו צדקה, וכן ת"י „ולענייי צדקתא מה דאמרתון בפומכון":

8 לעולם, [אפילו בשעה שלא נגמרה מלאכתו, מהר"ס, ר"ה, וכן פי' ז"ר, ובמ"ע משמע כאילו הז"ר מפרש באופן אחר דמעתיק „אפילו שלא בשעת מלאכה" אבל לפנינו הגרסה „אפילו שלא בשעת גמר מלאכה" והיינו כפירוש ר"ה ועיין ב"מ פ"ז מ"ב, תוספתא פ"ז ה"ז, בבלי פ"ט ע"א, ולכאורה היה אפשר לפרש אפילו שלא בשעת מלאכה והיינו מה דתנינן ב"מ פ"ז מ"ד „וכולן לא אמרו אלא בשעת מלאכה", ואי איפשר לפרש יכול לעולם כל אדם וקמ"ל דדוקא פועל שנותן לכליו של בעל הבית דאין הלשון משמע כן אבל לענין הדין בודאי גם דעת הספרי כן ועיין ת"א ארי תתגור, ות"י ארום תיעול למיסב אגרא כפועל ועיין רש"י ורא"ם] ועיין בירו' מעשרות נ' ע"א, ולקמן ריש פי' רס"ז: 9 לאחרים [ב"מ פ"ז ע"ב, לקח טוב: 10 ולא ממצץ [ב"מ בבלי שם, ירושלמי פ"ז ה"ב,

ואל כליך לא תתן בשעה שאתה נותן לתוך כליו של בעל הבית סליק פיסקא

רסז.

(כו) כי תבא בקמת רעך, יכול לעולם תלמוד לומר וחרמש לא תניף, בשעה שאתה מניף חרמש על קמת בעל הבית. רעך, פרט לאחרים. רעך, פרט לגבוה. וקטפת מלילות בידך, שלא תהא קוצר במגל. וחרמש לא תניף, בשעה שאתה מניף חרמש על קמת בעל הבית סליק פיסקא

רסח.

(כד א) כי יקח איש אשה ובעלה, מלמד שהאשה נקנית בכסף שהיה בדין ומה אמה העבריה שאינה נקנית בבעילה נקנית בכסף אשה שנקנית בבעילה אינו דין שתהא נקנית בכסף יבמה תוכיח שנקנית בבעילה ואינה נקנית בכסף ואף אתה אל תתמה על האשה שאף על פי שנקנית בבעילה שלא תהא נקנית בכסף תלמוד לומר כי יקח איש אשה, מלמד שהאשה נקנית בכסף. ובעלה, מלמד שהאשה נקנית בבעילה שהיה בדין ומה יבמה שאין נקנית בכסף נקנית בבעילה אשה שנקנית בכסף אינו דין שתהא נקנית בבעילה אמה העבריה תוכיח שנקנית בכסף ואין נקנית בבעילה ואף אתה אל תתמה על האשה שאף על פי שנקנית בכסף שלא תהא נקנית בבעילה תלמוד לומר ובעלה, מלמד שהאשה נקנית בבעילה. מנין אף בשטר דין הוא ומה כסף שאינו מוציא הרי הוא קונה שטר שהוא מוציא אינו דין שיהא קונה לא אם אמרת בכסף שקונה הקדשות ומעשר שני תאמר בשטר שאין קונה הקדשות ומעשר שני

(י"א ע"ב), תוספתא פ"ח ה"ט, ע' 388], פ"ז, לקח טוב· — ולא תאנים וכו', פ"ז, לקח טוב, והשוה ירושלמי מעשרות פ"ב ה"ז (נ' ע"א)· — היה עושה וכו', [ב"מ פ"ז מ"ד, ירו' י"א ע"ב, אבל בבלי שם פ"ז ע"ב דרשו „ולא ענבים ודבר אחר"]: 13 עמו' הקו' יותר על שכרו, [ב"מ פ"ח מ"ה, תוספתא פ"ח ה"ח, ירושלמי י"א ע"ב, בבלי צ"ב ע"א ודרשת ר' אלעזר חסמא משום דסובר כנפשך דבר שמוסר נפשו עליו והיינו שכרו, בבלי שם צ"ב ע"א], פ"ז, ירו' מעשרות שם: 1 בשעה [לפי הספרים דלא גרסי אפילו בשעה משמע דהיינו דרשה דלעיל דאינו אוכל אלא בשעה שנותן לכליו של בעל הבית וכן משמע ב"מ פ"ז ע"ב], פ"ז, ריטב"א ב"מ פ"ז ע"ב, הובא בשטה מקובצת שם, והשוה רש"י וירושלמי מעשרות שם:

2 יכול וכו', למעלה ריש פי' רס"ו, ירוש' מעשרות שם, ראי"ם: 3 פרט לאחרים, למעלה פי' רס"ו, פ"ז· — פרט לגבוה, פ"ז, לקח טוב, למעלה פי' רס"ו: 4 שלא תהא וכו', פ"ז, לקח טוב, סמ"ג לאוין קפ"ג, וז"ל „ותניא בידך ולא במגל ולא בחרמש", וראב"ד בהשגותיו לה' שכירות פי"ב ה"ג גורס „שלא יהא קוצר במגל ואוכל": 5 בשעה וכו', השוה ב"מ פ"ז ע"ב, פ"ז, ראב"ד שם:

6 מלמד וכו' עד אף הוייתה לזה בשטר, ירושלמי ריש קדושין בשם תני חזקיה, בבלי קדושין ד' ע"ב וה' ע"א, ועיין פ"ז:

1 בשעה] בשעת ר, בזמן ה', אפילו בשעה ד | סליק פיסקא ד, ל' רבלא —

2 בקמרת] בכרם ד | לא תניף] ל' טל — 3 קמת] קמתו של אמ | בעל הבית] רעך מכלל שנאמר ד | רעך—בעל הבית] ל' ל — 4 וחרמש—סליק פיסקא] ל' מה | לא תניף] ל' בטי — 5 קמת] קמתו של א | סליק פיסקא ד, פס' ר, ל' בלא —

6 שהאשה רבטאמה, שאשה לד | שהיה בדין] שיכול והלא דין הוא ה — 7 ומה] מה בל | שאינה] ל' ל | בבעילה] בביאה ה | בכסף] <שהיה בדין מה אמה העבריה נקנית בבעילה נקנית בכסף ואל תתמה> ל | אשה] זו ה | בבעילה] בביאה ה — 8 שתהא נקנית בלה, שנקנית רטה, שתקנה אמ | בבעילה] בביאה ה | ואף—נקנית בכסף] ל' ה | ואף רבמט', אף לדאט' — 9 שלא ראמ, לא בטלד | תהא] ל' ב — 10 מלמד—בכסף] ל' ה | ובעלה—בבעילה ראמז, ובעלה מלמד שנקנית בביאה ה, ובעלה מל' שהאשה נקנית בבעילה ב, ובבעילה ד, ובעילה ל | מלמד וכו' עד פי' רס"ט כול' מתני'] ל' ט — 11 שהיה בדין] שיכול והלא דין הוא ה | נקנית בבעילה] ל' בל | בבעילה] בביאה ה | אשה] זו א — 12 שתהא נקנית באמ, שנקנית לדה | בבעילה] בביאה ה וכן בסמוך | אמה—ואין נקנית בבעילה] ל' ד | תוכיח] <שאע"פ> ב — 13 ואף אתה—בבעילה] ל' א ה | ואף רבמ, אף לד | האשה דמ, האמה העבריה רבל | שאע"פ] אף על פי בל | שלא] לא ב — 14 מלמד—בבעילה] ל' ה | מנין אמ, ומנין רבלד, ומנין שהיא נקנית ה | דין ראמ, ודין בלר — 15 הרי הוא] ל' רה | קונה] מכניס ה | שהוא מוציא] שמוציא אה | שיהא קונה] שמכניס ה | לא—הקדשות] מה לכסף שכן פודין בו הקדשות ה | אם] ל' רבל | הקדשות] הקדש ד וכן בסמוך — 16 תאמר באמה, תומר ר, תוכיח לדא' | שאין—שני] שאין פודין בו מעשר שני והקדשות ה —

תלמוד לומר וכתב לה ספר כריתות ונתן בידה ושלחה מביתו, ויצאה והיתה לאיש אחר, מקיש הוייתה לזה ליציאתה מזה מה יציאתה מזה בשטר אף הוייתה לזה בשטר סליק פיסקא

רסט.

והיה אם לא תמצא חן בעיניו, מיכן היו בית שמיי אומרים לא יגרש אדם את אשתו אלא אם כן מצא בה ערוה שנאמר כי מצא בה ערות דבר ובית הלל אומרים אפילו הקדיחה תבשילו שנאמר דבר. אמרו בית הלל לבית שמיי אם נאמר דבר למה נאמר ערות ואם נאמר ערות למה נאמר דבר, שאם נאמר דבר ולא נאמר ערות הייתי אומר היוצאה מפני דבר תהא מותרת להנשא והיוצאה מפני ערוה לא תהא מותרת להנשא ואל תתמה אם נאסרה מן המותר לה לא תהא אסורה מן האסור לה תלמוד לומר ערות ויצאה מביתו והלכה והיתה לאיש אחר, ואם נאמר ערות ולא נאמר דבר הייתי אומר מפני ערוה תצא מפני דבר לא תצא תלמוד לומר דבר ויצאה מביתו, רבי עקיבה אומר אפילו מצא אחרת נאה הימנה שנאמר והיה אם לא תמצא חן בעיניו.

וכתב לה, לשמה מיכן אמרו כל גט שנכתב שלא לשם אשה פסול כיצד היה עובר בשוק כולי מתני׳.

וכתב, אין לי אלא כתב בדיו, בסם ובסיקרא בקומוס ובקונקנתום מנין תלמוד לומר וכתב מכל מקום.

4 מיכן היו בש״א וכו׳, משנה סוף גטין, בבלי וירושלמי שם: 14 לשמה, גטין כ׳ ע״א, ירושלמי פ״ב ה״ה (מ׳ סוף ע״ב), פ״ז׳ — מיכן אמרו וכו׳, משנה גטין ריש פ״ג. בבלי כ״ד ע״ב וירושלמי מ״ד ע״ג, פ״ז: 16 אין לי אלא וכו׳, משנה גטין ב׳ ב׳, בבלי י״ט ע״א, ירושלמי

1 וכתב–ויצאה] ויצאה היתה ה | ספר–אחר מ, וגו׳ ויצאה והיתה לאיש אחר א, ספר–בידה [בידה וגו׳ בל] ויצאה מביתו בלד, ויצאה מביתו ר — 2 הוייתה] הויה א | הוייתה–בשטר] הוייה ליציאה מה יציאה בשטר אף הויה בשטר ה | לזה רבמ, של זה לד, ל׳ א | ליציאתה בל ד, ליציאה א, כיציאתה רמ | מזה רבלמ, של זה ד, ל׳ א — 3 הוייתה] הויה א | לזה] מזה ד | סליק פיסקא ד, ל׳ רבלא — 4 מיכן היו ראמהפ, היו בל, ל׳ ד — 5 את] ל׳ מ | ערוה בלאמ, ערות דבר רדה | שנ׳–דבר] ל׳ ה — 6 תבשילו] את תבשילו ד | דבר אמה, כי מצא בה ערות דבר רבלד | אמרו–ת״ל דבר ויצאה מביתו] ל׳ ה — 7 ערות] ערוה ד [וכן בסמוך] | שאם–ערות] ל׳ א, אילו נאמר דבר ולא נאמר ערוה א׳ | דב׳–ערות] ערות דבר מ — 8 ערות ר, ערוה בלד | היוצאה לאמ, היוצא ר, היוצאת ד | היוצאה–והיוצאה] ל׳ ב | תהא רל, תהיה ד, ל׳ אמ | והיוצאה אמ, והיוצא רפ, והיוצאת ד | והיוצאת–להינשא] ל׳ ל — 9 תהא] תהיה ד | ואל] ואלא ד | תהא] תהיה ד — 10 ערות] ערוה ד | והלכה והיתה לאיש אחר אמ, וגו׳ ב, ל׳ רלד — 11 ואם נאמר–ויצאה מביתו] ל׳ ל | ערוה] ערות מ | דבר במ, ל׳ רדא — 12 נאה] שהיא נאה ה | הימנה] ממנה ב — 13 והיה אמ, ל׳ רבלד | תמצא] מצא בל [תמצא ל׳ן] — 14 כל גט–כולי מתני׳] ל׳ ה | לשם] לשום א | היה עובר] העובר א — 15 כולי מתני׳ ר, וכו׳ במתניתי׳ א, וכו׳ מתני׳ מ, ושמע קול הסופר מקרא איש פלוני מגרש את אשתו פלונית ממקום פלוני ואומר זה שמי וזה אשתי כשם אשתו פסול לגרש בו כתב לגרש את אשתו ונמלך מצא בן עירו א״ל שמי כשמו ושם אשתי כשם אשתו פסול לגרש בו יותר מכאן אמרו יש לו שתי נשים ששמותם שוים כתב לגרש בו את הגדולה לא יגרש בו את הקטנה יותר מכאן אמר ללבלר כתוב ואיזו שארצה אגרש פסול לגרש בו ד, ושמע קול סופרין מקרין איש פלוני מגרש את פלונית ממקום פלוני ואמ׳ [ל ואומר] זה שמי [ב מוסיף <כשמו>] ושם אשתי כשם אשתו [ל אשתך] פסול לגרש בו יתר על כן אמ׳ ללבלר כתוב ואיזו שארצה אגרש פסול אף על פי ששמותיהן שוין [במקום „אעפ״י—שוין״, הגרסה בב „יותר מכאן אמרו יש לו שתי נשים ששמותם שוים״] כתב לגרש בו את הגדולה לא יגרש בו את הקטנה יותר מיכן אמר ללבלר כתוב ואיזו שארצה אגרש [ל מוסיף <בו>] פסול לגרש בו [בל הגרסה במקום „לגרש בו״ וכו׳] ב ל, וגם בנוסת ר״ה נראה שהיתה כתובה כל המשנה שבפ מובא יתר מכאן כתב לגרש את אשתו... יתר מכאן יש לו שתי נשים–יתר מכאן אמר ללבלר וכו׳ — 16 וכתב] ל׳ רא | כתב] ל׳ ה | בדיו אמ, בדיו מנין בלדה, מנין בדיו ר | ובסיקרא רבלדאטי, בסיקרא מהטי | בקומוס] בקימוס ר | ובקונקנתום א, בקנקנתום מפ, בקלקנתום רטי, בקלקונתוס בה, ובקנקנתום לד | מנין אמ, ל׳ רבטלד | ת״ל] ל׳ א — 17 וכתב אמ, וכתב לה רבטלדה | מכל] ל׳ ב —

ספר, אין לי אלא ספר מנין עלי קנים עלי אגוז עלי זית עלי חרוב תלמוד לומר ונתן מכל מקום, אם כן למה נאמר ספר מה ספר מיוחד שהוא של קיימא יצא דבר שאינו של קיימא רבי יהודה בן בתירה אומר מה ספר מיוחד שהוא תלוש מן הקרקע יצא דבר שמחובר לקרקע.

כריתות, שיהא כריתות מיכן אתה אומר האומר לאשתו הרי זה גיטך על מנת שלא תלכי לבית אביך לעולם על מנת שלא תשתי יין לעולם אין זה כריתות על מנת שלא תלכי לבית אביך מכאן ועד שלשים יום על מנת שלא תשתי יין מכאן ועד שלשים יום הרי זה כריתות המגרש את אשתו ואמר לה הרי את מותרת לכל אדם אלא לפלוני רבי אליעזר מתיר וחכמים אוסרים לאחר מיתתו של רבי אליעזר נכנסו ארבעה זקנים להשיב על דבריו רבי טרפון ורבי יוסי הגלילי ורבי אלעזר בן עזריה ורבי עקיבה נענה רבי טרפון ואמר הלכה ונשאת לאחיו ומת בלא ולד היאך מתיבמת לא נמצא מתנה על מה שכתוב בתורה וכל המתנה על מה שכתוב בתורה תנאו בטל הא למדת שאין זה כריתות. אמר רבי יוסי הגלילי היכן מצינו בתורה שמותרת לאחד ואסורה לאחר אלא מותרת לאחר מותרת לכל אדם אסורה לאחר אסורה לכל אדם הא למדת שאין זה כריתות. אמר רבי אלעזר בן עזריה כריתות דבר הכורת בינו לבינה אמר רבי יוסי הגלילי רואה אני את דברי רבי אלעזר בן עזריה רבי עקיבה אומר וכי במה החמירה תורה בגרושה או באלמנה חמורה גרושה מאלמנה מה אלמנה קלה נאסרה מן המותר לה גרושה חמורה אינו דין שתהא אסורה מן האסור לה הא למדת שאין זה כריתות דבר אחר הלכה ונשאת לאחד והיו לו בנים ממנה ומת ואחר כך נשאת לזה לא נמצאו בניו של ראשון ממזרים הא למדת שאין זה כריתות.

מ׳ ע״ב, ספרי במדבר פי׳ ט״ז (ע׳ 21): 1 אין לי אלא וכו׳, תוספתא גטין פ״ב ה״ג (עמוד 325), והשוה משנה וירושלמי שם: 3 ר׳ יהודה בן בתירה וכו׳, תוספתא שם, ירושלמי פ״ב ה״ג (מ׳ ע״ב), ועיין משנה ב׳ ד׳: 5 שיהא כריתות וכו׳, פ״ז, תוספתא גטין פ״ז (ה) ה״ז (ע׳ 331), בבלי כ״א ע״ב: 8 המגרש וכו׳, פ״ז, משנה גטין ט׳ א׳, תוספתא שם ריש פ״ט (ז) עמוד 333: 9 לאחר מיתתו וכו׳, תוספתא שם, בבלי פ״ג ע״א, ירוש׳ ב׳ ע״א: 10 ר׳ טרפון וכו׳, עיין צוקרמנדל, Tosefta, Mischna u. Baraita ע׳ 368: 12 וכל המתנה וכו׳, כתובות פ״ט מ״א, ומשנה ב״מ סוף פ״ז, ובציונים שם: 17 מה אלמנה קלה וכו׳, אם היה זה שנאסרה עליו כהן, הרי הגרושה אלמנה אצלו, ואף על פי כן אסורה לו מפאת צד גירושין שבה, גרושה חמורה אינו דין שתיאסר לכל העולם עד שלא מת הבעל מפאת אישות שבה אצל זה שנאסרה עליו, ועיין

1 ספר] ל׳ ר | עלי זית] ל׳ אמ — 2 שהוא ראמה, ל׳ בלד | קיימא] <אף כל של קיימא> א׳ | יצא—שאינו ר אמהז, יצאו אילו שאינן בלד — 3 ר״י בן בתירה—כך כל דבר שהוא רשותה] ל׳ ט | שהוא] ל׳ אמ | הקרקע] <אף כל שהוא מיוחד ותלוש מן הקרקע> א׳ — 4 שמחובר] שאינו מחובר אמ — 5 שיהא כריתות] דבר הכורת בינו לבינה ה | כריתות] כורת א | אתה אומ׳] אמ׳ ה | האומר] אמר מ | לאשתו] לאשה ר | על מנת שלא תלכי—תשתי יין] על מנת שלא תשתי יין—לבית אביך ה — 6 לבית אביך] ל׳ בל | על מנת] ל׳ א — 7 על מנת—שלשי׳ יום] כל שלושים יום ה | ועד] על א | על מנת] ל׳ אמ | על] ועל ב | מכאן] ל׳ א | ועד] עד א — 8 יום] ל׳ ל | המגרש—דבר אחר הלכה ונשאת לאחד והיו לו בנים ממנה ואחר כך נשאת לזה לא נמצאו בניו של ראשון ממזרים הא למדת שאין זה כריתות] ל׳ ה — 9 מיתתו] מיתה אמ — 10 ר׳ טרפון] ור׳ טרפון ר | נענה ר׳ טרפון ואמר אפ, נענה ואמר ר׳ טרפון מ, ר׳ טרפון אומר [אמר ד] רבלד — 11 ונשאת בלמ, וניסת רדא | לאחיו] לא היו ד | ולד] בנים מ | היאך אמ, היאך זו בלד, היאך היא ר | לא] ולא ד | מתנה] זה מתנה ד — 12 מה שכתוב בתורה] הכת׳ שבתו׳ ר וכן בסמוך | וכל המתנה] וכל מה שמתנה בל — 13 זה] לו ר | א״ר יוסי הגלילי] ר׳ יוסי הגל׳ אמ׳ ב | היכן בלדמפ, היאך רא | לאחד] ל׳ אמ | ואסורה] ואסור ר | לאחר] לאחד ר — 14 אלא] אבל א | לאחד] לאחר אמ | אסורה—אדם] ל׳ א | הא למדת] הלמדת ר | שאין] ל׳ א — 15 אמ׳ ר׳ אלעזר בן עזריה אמ, ראב״ע אומר רב, ר׳ אליעזר בן עזריה אומר לר | כריתות—עזריה] ל׳ א — 16 ר׳ עקיבה—בניו של ראשון ממזרים הא למדת שאין זה כריתות] ל׳ מ | וכי במה] במה א, ויבמה ר — 18 אסורה] אסור בל | זה] זו ר — 19 ונשאת לפ, ונישת ב, ונסיתה א, וניסת רד | לאחד] ל׳ א | לו] לה ב ל | ומת ואחר כך] ל׳ ד | נשאת בל, ניסת רדמ | לא] ולא ר | נמצאו] נמצאת בל — 20 זה אמד, זו רבל —

בידה, אין לי אלא בידה מנין לרבות גגה חצרה וחורבתה תלמוד לומר ונתן מכל מקום, אם כן למה נאמר בידה מה ידה מיוחדת שהיא רשותה כך כל דבר שהוא רשותה.

ונתן בידה ושלחה מביתו, כיון שנותנו בידה משלחה מביתו מיכן אמרו הזורק גט לאשתו והיא בתוך ביתה או בתוך חצרה הרי זו מגורשת וכו׳ מתני׳ אמר לה כנסי שטר חוב זה או שמצאתו מאחריו וכו׳ מתני׳ סליק [פיסקא]

רע.

(ב) ויצאה מביתו, מלמד שהאשה יוצאה מלפני האיש. והלכה והיתה לאיש אחר, שלא תינשא עמו בשכונה. אחר, כבר קראתו התורה אחר.

(ג) ושנאה האיש האחרון, הכתוב מבשרך שאתה עתיד לשנאותה. או כי ימות האיש האחרון, הכתוב מבשרך שעהידה לקוברו אין לי אלא גרושה אלמנה מנין תלמוד לומר או כי ימות האיש האחרון. אם סופנו לרבות אלמנה מה תלמוד לומר גרושה אלמנה מותרת ליבם גרושה אסורה ליבם יכול אף שקלקלה על בעלה לאחר שנתגרשה תהא אסורה לחזור לו תלמוד לומר וכתב לה ספר כריתות ויצאה, היוצאה בגט תהא אסורה לחזור לו ולא שקלקלה על בעלה לאחר שנתגרשה תהא אסורה לחזור לו.

(ד) מנין לנותן גט ליבמתו שאסור לחזור עליה תלמוד לומר לא יוכל בעלה

1 בידה] ידה ה | מנין–וחורבתה] גגה או חצירה וקרפיפה מניין ה | גגה] גנה ר | חצרה] וחצרה א | וחורבתה ראמז, וקרפיפה ורחובה ד, ורחובה ב, וקרפיפה ל — 2 בידה] ידה ד | מה ראמהפ, אלא מה בלד | כך–רשותה] ל׳ ד | כך] אף א — 4 כיון–סליק פיסקא] ל׳ ה | כיון שנותנו בידה משלחה מביתו אמ, כיון שנותנו בידה ושלחה מביתו ר, עד שיאמר לה זה גיטיך ד, ל׳ בטל — 5 והיא בתוך ביתה–וכו׳ מתני׳ מ, והיא בתוך ביתה או בתוך חצירה הרי זו מגורשת וכו׳ א, זרקו לה בתוך ביתו או בתוך חצירו כולי מתני׳ ר, ל׳ בטלד | אמר לה–וכו׳ מתני׳ אמפ, אמ׳ לה כנסי שטר חוב כול׳ מתני׳ ר, ואמר לה כנסי שטר חוב זה ל, ואמר לה כנסי שטר חוב זה אינו גט עד שיאמר הוא גיטך ב, ואמר לה כנסי שטר או שמצאתו והרי היא גיטה אינו גט עד שיאמר לה הא גיטיך ד, ואמר [אמר טי] לה כנסי [הילך טי] שטר חוב אינו גט עד שיאמר הא גיטך ט — 6 סליק ד, ל׳ רבלא —

7 מלמד–האיש] ל׳ ה | מלמד] מגיד רפ | מלפני ר בטלדהפ, מפני אמ — 8 בשכונה] בשכונתו ה | כבר קראתו התורה] ל׳ א | התורה] תורה ה — 9 הכתוב] התורה ה | לשנאותה] לשנותה ה, לסנותה ר — 10 האיש האחרון] ל׳ טי | הכתוב–האחרון] ל׳ אל | הכתוב מבשרך רטדמ, מבשרך ב, מלמד [הל׳ גד׳] | אין לי–לאחר שנתגרשה תהא אסורה לחזור לו] ל׳ ה — 11 אם סופנו] ל׳ ר [הל׳ גד׳] — 12 ליבם] ליכנס ב | אסורה] אינה מותרת א | אף] ל׳ [הל׳ גד׳] | שקלקלה] שנתקלקלה א — 13 לאחר–לאחר שנתגרשה] ל׳ ל | ת״ל–לאחר שנתגרשה תהא אסורה לחזור לו] ל׳ ב — 14 ויצאה] ל׳ א | לחזור לו רדטי, לחזור טי, לו א, לה מ | לאחר שנתגרשה] ל׳ ד — 15 תהא רלא [הל׳ גד׳], תהיה ד, ל׳ ט | לחזור רדפ [הל׳ גד׳], ל׳ לאמ — 16 מנין]

בבבלי ובירושלמי שם: 1 אין לי וכו׳, גטין ע״ז ע״א, ירושלמי ריש פרק ח׳ (מ״ט ע״ב), בבלי ב״מ נ״ו ע״ב ועיין ספרי במדבר פי׳ קנ״ג (ע׳ 210, שורה 11), ומכילתא משפטים פ״ה (פ״א ע״ב, ה–ר 267), ושם פי״ג (פ״ט ע״ב, ה–ר 294), ותנא דבי ר׳ ישמעאל בירושלמי שם, ומכל אלה מוכח שאסכולת ר׳ ישמעאל סברה שידו היא רשותו, ובריית‌א של הספרי היא לפי בית מדרשו של ר״ע הסוברים שידו ידו ממש עד שירבה לך הכתוב בפירוש: במ״ת נתאחדו ברייתות משתי האסכולות, עיי״ש, ולפי הגירסה המובאה שם קשיא רישא לסיפא, ועיין עוד במכילתא דרשב״י כ״א ט״ז (ע׳ 127), חולק ר׳ יהודה על ת״ק המפרש ונמצא בידו מגיד שאינו חייב עד שיכניסנו לרשותו, שהפירוש ההוא לפי סברת ר׳ ישמעאל, ואומר עד שיכניסנו לרשותו וישתמש בו שנ׳ והתעמר בו ומכרו, ומן המלה ידו אין לומד מאומה, עיי״ש ולקמן פי׳ רע״ג: 5 הזורק וכו׳, משנה גטין ריש פ״ח — אמר לה וכו׳, שם משנה ב׳:

7 מלמד וכו׳, כתובות כ״ח ע״א, ירושלמי גטין פ״ח הי״א (מ״ט ע״ד), שמחות פ״ב, ועיין פ״ז: 8 שלא תינשא וכו׳, שם, פ״ז, לקח טוב — כבר וכו׳, גטין צ׳ ע״ב, פ״ז, לקח טוב: 9 הכתוב וכו׳, רש״י, ת״י, פ״ז: 10 הכתוב וכו׳, רש״י, ת״י, פ״ז, ועיין בבלי סוף גטין — הכתוב מבשרך וכו׳ עד סוף הפיסקא, מובא בהלכות גדולות הלכות גטין. הוצ׳ הילדעסהיימער עמ׳ 338, בשנוים קלים, ואעפ״י שאין שם ציון אל הספרי נראה שמקורו כאן, ועיין השנוים בחלופי גרסאות: 11 מה ת״ל גרושה, דנילף לה מכהן הדיוט, גרושה מק״ו מאלמנה, רמא״ש בשם ז״ר: 12 גרושה אסורה ליבם, כלומר מאחר שאלמנה זקוקה ליבם עדין אגודה בבעלה ולכך אף זו שיש לה בנים אסורה לבעלה הראשון דאגודה ביה בשני, אבל אי גירשה הו״א דמותרת לראשון. רמא״ש בשם ז״ר: 16 לנותן גט ליבמתו וכו׳

הראשון. מנין לאשה שהלך בעלה למדינת הים ואמרו לה מת בעליך ונשאת ואחר
כך בא בעלה שתצא מזה ומזה וצריכה גט מזה ומזה תלמוד לומר לא יוכל [בעלה
הראשון אשר שלחה לשוב לקחתה] לא יוכל לשוב לקחת את אשר שילח.

אשר שלחה, אין לי אלא מן הנשואים לנשואים מן הארוסים לארוסים מן
הארוסים לנשואים מן הנשואים לארוסים מנין תלמוד לומר לא יוכל בעלה
הראשון לא יוכל הראשון לקחת את אשר שילח, רבי יוסי בן כיפר אומר משום
רבי אלעזר בן עזריה מן הארוסים מותרת מן הנישואים אסורה שנאמר אחרי אשר
הוטמאה וחכמים אומרים בין מן הארוסים בין מן הנישואים אסורה אם כן למה
נאמר אחרי אשר הוטמאה לרבות סוטה שנסתרה וכן הוא אומר °הן ישלח איש ירמיה ג א
את אשתו והלכה מאתו.

כי תועבה היא, רבי יהודה אומר היא תועבה ואין הולד תועבה. ולא תחטיא
את הארץ, להזהיר בית דין על כך סליק פיסקא

רעא.

(ה) כי יקח איש אשה חדשה, אין לי אלא בתולה מנין לרבות אלמנה ושומרת

[יבמות נ״ד ע״ב-בשם ר״ע ושם הדרשה מפורשת יותר דמסיים אשר שלחה אחר שלות דאשר שלחה מיותר ומדייק דביבמה מיד אחר שלוח נאסרה אף אם לא נשאת]: 1 מנין לאשה וכו׳, משנה יבמות ריש פ״י, פ״ז: 4 מן הארוסים לארוסים [הגר״א מוחק וגורס לקמן קודם מנין]: 5 ת״ל וכו׳, [נראה דאינו אלא ט״ס וצ״ל ת״ל לא יוכל בעלה הראשון לשוב לקחתה לא וכו׳, וכן מגיה רד״ף ואפשר דממלת ראשון דייק דנאסרה אף אם לא היתה אלא ארוסה לראשון ומן אשר שלחה מרבה אף אם לא היתה אלא ארוסה לשני והגר״א מגיה ת״ל לא יוכל בעלה לקחתה הראשון לקחתה אשר שלחה לקחתה לשוב לקחתה]: 6 ר׳ יוסי בן כיפר וכו׳, [יבמות י״א ע״ב] ירושלמי ריש פ״י (י׳ ע״ג): 9 לרבות סוטה וכו׳, רש״י — וכן הוא אומר וכו׳, [אעקר טעמא דמחזיר גרושתו מייתא דטעמא כדאמר התם הלא חנוף תחנף וכו׳ מ״ע; והגר״א מגיה כי תועבה היא לפני ה׳ וכה״א אבל במדרש תנאים ג״כ מייתא לה אסוטה שנסתרה ואיפשר דהראיה מסוף הכתוב ואת זנית רעים רבים ואם כן מוכח דזונה גם כן אסורה לבעלה דהרי מדמי לה לנשאת לאחר אחר גירושין ועכשיו נראה לי דמייתי ראיה מדכתיב והלכה וכו׳ והיתה לאיש אחר ולשון הויה היא קדושין משמע דאף לאחר קדושין אסורה]: 11 ר׳ יהודה אומר וכו׳, פ״ז, לקח טוב, בבלי יבמות שם, ירושלמי שם פ״ו הי״ג (ו׳ ע״ב), קדושין פ״ג הי״ג (ס״ד ע״ג), וכן ת״י ארום מרחקא היא קדם ה׳ ולא מרחקין בנהא, והשוה למעלה פי׳ קמ״ז, ובהערה שם: 12 להזהיר וכו׳, עיין רמב״ן, ולמעלה פי׳ קע״א ובציונים שם, ובפ״ז ובלקח טוב: 13 אין לי וכו׳ עד פרט למחזיר גרושתו, הגה׳

ומנין ד | שאסור א [הלכות גדולות], שאסור לו מה, שאסורה בלד | עליה] לו ד | בעלה הראשון לראמ, בעלה [בעלה הראשון ט] לא יוכל הראשון רט, הראשון ב. בעלה הראשון לשוב לקחתה את אשר שילח [הל׳ גד׳] — 1 מנין] ומנין ד, מכאן מ | לאשה] שאשה ט | למדינת הים] לים א, למדינת הים ובאו [הל׳ גד׳] | לה] לו א | מת ראמה, הרי מת בטלד | ונשאת בטלמ ד, וניסת דא, וניסית ר — 2 שתצא אמה, תצא בלד, מנין שתצא [הל׳ גד׳] | וצריכה—ומזה] ל׳ ל | וצריכה] וצריכא ד | מזה ומזה רטרמ, מזה א, מזה וגט מזה ב, משניהם ה | לא—לקחתה] כן נראה להשלים את הכתוב ואע״פ שחסר בכל הנסחאות חוץ מד, ואודות הגרסה שם עיין לקמן | לא—שילח ראמ, לא יוכל בעלה הראשון—לקחתה את אשר שילח בלטי, לא יוכל בעלה הראשון אשר שלחה מביתו לשוב לקחתה להיות לו לאשה אחרי אשר הוטמאה ד — 3 אשר שלחה—וחכמים אומרים] ל׳ ה — 4 הנשואים] הניסואין ר | לנשואים] לניסואין ר | מן האירוסים לאירוסים רטלאה, לארוסים מן הארוסים דמ, ומן הארוסים לארוסים מן הארוסים לארוסים ב | מן] ומן ר — 5 לנשואים] בל נוסף <ומן האירוסים לנישואים> | ומן הנשואים לארוסים] ל׳ ל | ומן] מן אמ | לא—שילח רט, לא יוכל בעלה לא יוכל הראשון—שילח במ, לא יוכל בעל הראשון לשוב את אשר שילח לא, לא יוכל בעלה הראשון לקחתה לא יוכל הראשון לקחת את אשר שילח ד — 6 הראשון] ל׳ טי | הראשון] הראשון לשוב לא | כיפר] כופר ר — 7 ראב״ע] ר׳ אלעזר א [הל׳ גד׳], ראב״ע אומר בל | אשר] ל׳ טי — 8 וחכמים—הטמאה] ל׳ בל | בין] שלחה בין ה, ל׳ טי | בין—הנשואין] בין מן הנשואין בין מן הארוסין טי | בין מן הנשואים ראמטי, ובין מן הנשואים בלדטי | אסורה] <לחזור> ה — 9 אחרי] ל׳ א | אשר] ל׳ טי | סוטה] שוטה ה | שנסתרה] נסתרה א | הן] ל׳ א — 10 והלכה] ל׳ א — 11 כי—ואין הולד תועבה] כי תועבה היא ר׳ יהודה אומר נאמר כאן תועבה ונאמר להלן תועבה מה תועבה האמורה להלן כרת אף תועבה האמורה כאן לכרת [הל׳ גד׳] | היא ראמדה, היא לפני ה׳ בלד | ר׳ יהודה אומר] ל׳ ט | הולד תועבה] בניה תועבין א — 12 סליק פיסקא ד, פסו׳ ר, ל׳ בלא — 13 כי—למה נאמר] ל׳ ט | אלמנה] ארוסה ד —

יבם תלמוד לומר ושמח את אשתו מכל מקום אם כן למה נאמר חדשה מי שחדשה לו פרט למחזיר גרושתו ואלמנה לכהן גדול גרושה וחלוצה לכהן הדיוט ממזרת ונתינה לישראל בת ישראל לממזר ולנתין.

לא יצא בצבא, יכול לא יצא בצבא אבל יספק כלי זיין ומים ומזון תלמוד לומר ולא יעבר עליו לכל דבר אי לא יעבור עליו לכל דבר יכול אפילו בנה בית ולא חנכו נטע כרם ולא חללו ארס אשה ולא לקחה תלמוד לומר עליו עליו אינו עובר עובר הוא על כל אלו.

נקי יהיה לביתו, זה ביתו. יהיה, זה כרמו. ושמח את אשתו, זו אשתו. אשר לקח, להביא את יבמתו סליק פיסקא

רעב.

(ו) לא יחבל ריחים ורכב, אין לי אלא ריחים ורכב המיוחדים מנין לרבות כל דבר תלמוד לומר כי נפש הוא חובל, אם כן למה נאמר ריחים ורכב, מה ריחים ורכב מיוחדים שהם שני כלים ומשמשים מלאכה אחת וחייב על זה בפני עצמו ועל זה בפני עצמו כך כל שני כלים שמשמשים מלאכה אחת חייב על זה בפני עצמו ועל זה בפני עצמו. כי נפש הוא חובל, להגיד מה גרם סליק פיסקא

1 אשתו] אשתו אשר לקח בל – 2 לו] ל׳ א | למחזיר גרושתו] ל׳ ט | ואלמנה] לאלמנה ט | גרושה רטאה, וגרושה לדמ, גרושתו ב – 3 בת רטדאה, ובת בלמ | לממזר ולנתין רבטלה, לנתין ולממזר דאמ – 4 לא יצא–סליק פיסקא] ל׳ ט | יכול] יש ב | יכול–בצבא] יכול בצבא הוא בלא יצא ה | יספק כלי זיין] יתקן כלי זיין ויספק ה | יספק ראמפ, יספיק בטלד | ומים ומזון] ומזון ומים א | ומים] מים ה – 5 ולא] לא א | עליו] ל׳ אמ | לכל] כל ר, על כל ל | אי [או רל]–לכל דבר רבלאמפ, ל׳ ד | לא] ולא ר | יכול–ת״ל] ל׳ ה | יכול אמ, שומע אני רבלדפ | אפילו אמפ, אף רלד, ל׳ ב | בנה] ל׳ א – 6 ולא חנכו אמפ, וחנכו רבלד [וכבר העיר בספר הזכרון על זה וז״ל „וכל נסחאות הספרי שבידינו שכתוב בהן בית וחנכו, כרם וחללו, אשה ולקחה, נסחי דלאו דיקי נינהו״ | ולא חללו אמ, וחללו רבלד | ארס] וארש ר | ולא לקחה אמ, ולקוזה רבלד | עליו בלמ, ל׳ רדא | אינו עובר] הוא דאין אתה מעביר ה | אינו] אין ב – 7 עובר הוא–אלו] אבל אתה מעביר על אחרים ה | עובר הוא רבמ, הוא א, אבל עובר הוא לד [וכן בגליון א] | כל ראמ, ל׳ בלד – 8 יהיה] ל׳ א | ביתו] בית ד | זו אשתו] זו אשה ד – 9 סליק פיסקא ד, פ׳ ר, ל׳ בלא –

10 לא יחבל–סליק פיסקא] ל׳ ט | המיוחדים] מיוחדים א – 11 למה נאמר] מה ת״ל ה – 12 מיוחדים רבלאמ, המיוחדים ה, שהם מיוחדים ד | ומשמשים אמ, ועושים ר בלד | מלאכה] למלאכה א | וחייב] חייב ר | בפני עצמו] בעצמו אב | עצמו] עצמה ר – 13 בפני עצמו רמה, בעצמו בלא, בפני בעצמו ד | כל] ל׳ א | שמשמשים בל דמ, המשמשין א, שעושין ר, שמשתמשין ה | בפני עצמו דמה, בעצמו רבלא וכן בסמוך – 14 סליק פיסקא ד, פ׳ ר, ל׳ בלא –

מיימ׳ פ״ז ה״ז, כתר תורה כ״ב, לקח טוב, ועיין פ״ז· – אלמנה [בדפוס ויניציא הגרסה ארוסה אבל בדפוס ווילנא „ג״א אלמנה וגרושה״ וכן הוא בבבלי סוטה מ״ד ע״א, וגורס בסיפא ת״ל אשה מ״מ ועיין ירושלמי סוטה כ״ב ע״ד אשר ארס אשה אין לי אלא רובה שנשא ריבה וכו׳ ת״ל אשה מ״מ א״כ למה נאמר חדשה פרט למחזיר גרושתו״ ונראה דקאי אמתני׳ פ״ח מ״ב „אחד המארס את הבתולה ואחד המארס את האלמנה״ ולפי זה צ״ל דמאי דקאמר א״כ מת״ל חדשה היא אשגרת לשון דבפ׳ כ׳ פסוק ז׳ לא כתיב חדשה ואפשר דצ״ל בתחלה כי יקח איש אשה וכן נראה קצת דקאמר „רובה שנשא ריבה״ ועיין בת״י דמתרגם איתא חדתא בתולתא בא למעט אלמנה]: 2 פרט וכו׳, רש״י – ואלמנה לכ״ג וכו׳, [דכתיב אשתו משמע הראויה לו, מהר״ס, ואין נראה אלא כולה אשגרת לשון היא וכן מחק הכל הגר״א ועיין מ״ע]: 4 יכול וכו׳, פ״ז, לקח טוב· – אבל יספק וכו׳, [סוטה פ״ז מ״ד, תוספתא פ״ז הכ״ד, בבלי מ״ד ע״א]: 6 ולא חנכו, כן הגיה הגר״א, וכן הגירסה בכ״י אמ, ובבבלי סוטה מ״ד ע״א; והעיר רחש״ה בכ״י שלו „צ״ל ולא חנכו כרם ולא חללו ארס אשה ולא לקחה, הגר״א, וכן בבבלי מ״ד ע״א, ועוד דלא מסתברא דיחלוק על ההלכה הפסוקה במשנה שם דדין בית וכרם כדין אשה בשנה ראשונה וכ״ה בתוספתא פ״ז ה״כ ובירושלמי שם כ״ג ע״א, וקודם עליו אינו עובר נראה חסרון וצ״ל יכול אף ארס אשה ולא לקחה נטע כרם ולא חללו וכו׳ ועוד דלפי הגרסה שלפנינו סתירה מניה וביה דלקמן דורש להיפך דדין בית וכרם כדין אשה:] 8 זה ביתו [משנה שם], רש״י, לקח טוב: 9 להביא וכו׳, פ״ז:

10 המיוחדים [מיותר, הגר״א, וא״צ]: 11 ת״ל כי וכו׳, [משנה ב״מ סוף פ״ט]· – מה ריחים וכו׳, [תוספתא ב״מ פ״י הי״א (ע׳ 394), בבלי קט״ו ע״א, משנה סוף פ״ט, ירושלמי י״ב ע״ב]: 14 להגיד וכו׳, למעלה פיסקא ע״ו, ובציונים שם:

רעג.

(ז) כי ימצא, בעדים. איש, פרט לקטן. גונב נפש מאחיו, ולא מאחרים. מבני ישראל, להביא הגונב את בנו ומוכרו שהוא חייב דברי רבי יוחנן בן ברוקה וחכמים אומרים הגונב את בנו ומוכרו פטור.

והתעמר בו, מגיד שאינו חייב עד שיכניסנו לרשותו רבי יהודה אומר עד שיכניסנו לרשותו וישתמש בו שנאמר והתעמר בו ומכרו.

ומת הגנב, בסתם מיתה האמורה בתורה בחנק. ההוא, ולא הגונב את העבד. ההוא, ולא הגונב מי שחציו עבד והציו בן חורים. ובערת הרע מקרבך, בער עושי הרעות מישראל סליק פיסקא

רעד.

(ח) השמר, בלא תעשה. בנגע, זה שער לבן. הצרעת, זו מחיה, אין לי אלא עד שלא נזקק לטומאה משנזקק לטומאה ואחר הפטור מנין תלמוד לומר לשמור מאד ולעשות, אין לי אלא נגעי אדם נגעי בגדים ונגעי בתים מנין תלמוד לומר ככל אשר יורו אתכם הכהנים הלוים, אין לי אלא מתוך החלט מתוך הסגר מנין תלמוד לומר כאשר צויתים, אין לי אלא כולם מנין אף מקצתם תלמוד לומר לשמור. ולעשות עושה אתה בה והולך ואי אתה חושש שמא הלכה לה צרעתו

סליק פיסקא

1 בעדים [מכילתא משפטים פ״ה (פ״א ע״ב, ה–ר עמ׳ 267)], מכילתא דרשב״י שם ע׳ 127, רש״י, פ״ז, לקח טוב, רא״ם, ועיין למעלה פי׳ קמ״ח ובציונים שם· -- פרט לקטן, פ״ז, לקח טוב, ועיין סנהדרין פ״ה ע״ב, ומכילתא משפטים שם: 2 מבני ישראל וכו׳ עד ומוכרו פטור [הגר״א מוחק זה כאן וגורסו לקמן במקום ההוא ולא הגונב וכו׳ עד בן חורים, וא״נ]· – להביא הגונב וכו׳, סנהדרין פרק חלק מ״ב· — דברי ר׳ יוחנן בן ברוקה, כן הגרסה גם במשנה שבירושלמי. אבל במשנה שבבבלי הגרסה ר׳ ישמעאל בנו של ריב״ב: 4 מגיד וכו׳, משנה שם, מכילתא דרשב״י כ״א ט״ז, (ע׳ 127), פ״ז, לקח טוב: 6 בחנק, ת״י, פ״ז, לקח טוב, מכילתא ומכילתא דרשב״י שם, משנה סנהדרין ריש פרק אלו הן הנחנקין, ועיין למעלה פי׳ קנ״ה (ע׳ 208, שורה 2) ובציונים שם· — ולא הגונב את העבד, סנהדרין פ״ה סוף ע״ב: 7 ולא הגונב מי וכו׳, משנה שם, ועיין בבבלי פ״ו ע״א· — בער וכו׳, למעלה פי׳ פ״ו ובציונים שם:

9 השמר וכו׳ עד סוף הפיסקא, מובא בספר יראים סי׳ ש״ה, הוצ׳ שיף סי׳ שצ״ד, ובפירוש הר״ש נגעים פ״ז מ״ד, ובלקח טוב· – בלא תעשה [שבת קל״ב ע״ב, נגעים פ״ז מ״ד], פ״ז. רמב״ם לאוין ש״ח, חנוך תצא סי׳ תקצ״ג, ועיין למעלה פי׳ ע׳ (ע׳ 133, שורה 13) ובציונים שם· — אין לי וכו׳ עד ת״ל לשמור מאד ולעשות, רש״י שבת קל״ב ע״ב ד״ה נגעים טהורין· — אין לי וכו׳ עד מתוך הסגר, פ״ז· – אלא עד וכו׳, [הגר״א גורס „אין לי אלא כולם מקצתם מנין ת״ל״ וכן מובא בפירוש ר״ש נגעים פ״ז מ״ד, לכאורה היה ראוי להיות להיפך „אין לי אלא משנזקק לטמאה עד שלא נזקק לטמאה ולאחר וכו׳,״ ועיין תוספתא נגעים פ״ג ה״א, עמ׳ 620 ואפשר דעד שלא נזקק לטמאה משום דאהני מעשה כדתנן נגעים פ״ז מ״ד ולטהרה עד שלא בא אצל כהן טהור ועיין שבת צ״ד ע״ב]: 11 ונגעי בתים [תוספתא שם]: 12 החלט [תוספתא

1 ולא מאחרים] פרט לאחרים ה | מאחרים] ל׳ א — 2 מבני ישראל–ומוכרו פטור] ל׳ ה | הגונב את אמ, את הגונב את רבטל, את הגונב ד | שהוא חייב] ל׳ ט | ברוקה] ברוקא ט — 3 וחכמים—והתעמר בו ומכרו] ל׳ ט — 4 והתעמר בו–ר׳ יהודה אומר] ל׳ ה | ר׳ יהודה—לרשותו] ל׳ ל | עד שיכניסנו] משיכניסנו אמ — 5 לרשותו] ברשותו ל | וישתמש] ומשתמש א | שנ׳] ל׳ ר — 6 בסתם] סתם ט | בחנק] זו היא חנק במ | ההוא ולא הגונב את העבד] ל׳ ד | ההוא–בן חור׳] ל׳ ה – 7 מי] את ר — 8 עושי] עושין ב | הרעות] רעות אמ | סליק פיסקא ד, פס׳ ר, ל׳ בלא –

9 בלא תעשה ראמ [פ״ז], זה לא תעשה בלד [ר״ש, יראים] | זה] ל׳ מ | זו] זה לא | מחיה] המחיה א — 10 עד שלא בלדמפ, שלא טא, ל׳ ר | נזקק] מוקם ב | ואחר הפטור רבאמז [ר״ש], ואחר הפטר ה, ל׳ לד | ת״ל לשמור מאד ולעשות] ת״ל ככל אשר יורו את׳ ה – 11 אין לי— הכהנים הלוים] ל׳ ה | נגעי אדם] ל׳ ב | בגדים—בתים] בתים—בגדים מ | נגעי—בתים] נגעי בתים א | בגדים] מתים ל | ככל—צויתים] כאשר ציויתים מ | הלוים] ל׳ א — 13 צויתים] צויתיך ד | אלא כולם מנין אף מקצתם] אלא כלו מקצתו מנין [יראים, ר״ש] | מנין אף מקצתם] מקצתן מניין ה – 14 לשמור ולעשות] תשמרו לעשות א מ | בה] בא לד | שמא] ל׳ ל | לה] ל׳ ט, לו א | צרעתו] צרעתן ב, בה נוסף <אין אלא נגעי אדם נגעי בתים ונגעי בגדים מנין ת״ל ככל אשר יורו את׳> – 15 סליק פיסקא ד, פס׳ ר, ל׳ בלא —

רעה.

(ט) זכור אשר עשה ה׳ אלהיך למרים, וכי מה ענין זה לזה נתנו הענין לו ללמדך שאין נגעים באים אלא על לשון הרע, והלא דברים קל וחומר ומה מרים שלא דברה אלא שלא בפניו של משה ולהניתו של משה ולשבחו של מקום ולבנינו של עולם כך נענשה המדבר בגנותו של חבירו ברבים על אחת כמה וכמה שיענש. בדרך, בשעת טירופכם. בצאתכם ממצרים, בשעת גאולתכם אלא שתלה הכתוב במרים ללמדך שכל זמן שהיו הדגלים נוסעים לא היו הולכים עד שמרים מקדמת לפניהם וכן הוא אומר [י]ואשלח לפניך את משה אהרן ומרים סליק פיסקא מיכה ו ד

רעו.

(י) כי תשה ברעך, אין לי אלא מלוה מנין לרבות שכר שכיר והקפת חנות תלמוד לומר משאת מאומה. לא תבא אל ביתו, יכול לא ימשכננו מבפנים

1 נתנו הענין לו רלמ, נתנו הענין זו א, סמכו הענין לו בט. ל׳ ה, נתנו הענין אצלו ד — 2 על] <המהרהר אחר הזקנים ועל> ה | והלא אמ, והרי בטלדה, והלי ר | דברים] הדברים ה | ומה] מה אם ה, מה מ | שלא דברה אלא] שדברה ה — 3 שלא בפניו] בפניו רט | ולהניתו–עולם] ל׳ ה | ולהניתו של משה רבטלדפ, ולהנייתו א מ | של מקום] של הקב״ה בל — 4 כך נענשה] נעשה כך מ, עשה כך א | המדבר באמט׳. כל המדבר רלד | המדבר בגנותו] האומ׳ גנאו ה | בגנותו] גנותו אמ | חבירו] חברים ב | ברבים] בדברים ב, בפניו ה | אחת] ל׳ ר | שיענש אמ, ל׳ רבטלדה | בדרך–סליק פיסקא] ל׳ ה — 5 שתלה] שתולה ר | הכתוב] ל׳ רבטי | במרים אמפ, הכל רבטד, הכל בה ז, ל׳ ל — 6 שהיו הדגלים בלד, שהיו דגלים מ, שהיו הכלים א, שהדגלים רט | הולכים] מהלכין אמ | וכה״א] שנאמר ט — 7 ואשלח] ואשלח מלאכים ב | לפניך] לפניו ד | אהרן] ואהרון ד | סליק פיסקא ד, פס׳ ר, ל׳ בלא —

8 מנין] מנין אף מ | והקפת] ל׳ א | חנות בכ׳לד, החנות ר (רא״ם), חנות [חמת א] וחמור אמ, חנות [החנות ה׳] שזקפן עליו מלוה ה — 9 מבפנים] בפנים א —

שם]· — הסגר וכו׳, [הגר״א גורס הסגר ועד שלא נזקק לטומאה מנין ת״ל כאשר צויתים תשמרו לעשות, לעשות אי אתה עושה אבל עושה אתה בסיב שע״ג רגלו ובמוט שעל כתפיו ואם עברו עברו]: 14 ע׳ הקו׳ לשמור [ג׳ ר״ה לשמור מאד אבל בר״ש חסר מאד ובז״א הגיה תשמרו וכן הגיה מהר״ס תשמרון לעשות ולשון הפ״ז לשמור מאד משנזקק לטומאה לאחר הפטור ולעשות להביא אחד נגעי אדם ואחד נגעי בגדים נגעי בתים מנין ת״ל ככל אשר יורו אתכם הכהנים הלוים... כאשר צויתם תשמרו לעשות, בין מתוך החלט בין מתוך הסגר. ועיין גרסת מ״ח]· — עושה אתה וכו׳. השוה שבת קל״ג ע״א, תוספתא נגעים פ״ג ה״ב, ע׳ 621:

1 וכי וכו׳ עד לשון הרע, רא״ם: 2 שאין וכו׳, רש״י, ת״י. אדר״נ נו״א פ״ט (כ׳ ע״א), תו״כ מצורע פרשה ה׳ ה״ז (ע״ג ע״א), ויק״ר ריש פט״ז, רמב״ם סוף ה׳ טומאת צרעת· — והלא דברים ק״ו וכו׳, פ״ז, למעלה פי׳ א׳ (ע׳ 5, שורה 10), ספרי במדבר פ׳ צ״ט, (ע׳ 98 שורה 10), תו״כ שם, תנחומא א׳ מצורע סי׳ ד׳, תנהומא ב׳ שם סי׳ ו׳, (כ״ג ע״ב): 4 על אחת כמה וכמה, המובא בפי׳ הרמב״ן כאן ובהשגותיו על ספר המצות עשין ששכח הרמב״ם ז׳, וגם בלקח טוב, הוא מתו״כ ריש פרשה בחוקותי, ואולי צ״ל ספרא במקום ספרי, ועוד אפשר שבטופס הספרי שלפניהם הועתק הנה הברייתא ההיא מתו״כ: 5 בשעת טירופכם, למעלה פי׳ ר״נ (ע׳ 278, שורה 5), וכאן הובא ע״י אשגרא משם, כי מה ענין טירוד וטירוף הדרך לנגעי מרים· — בשעת גאולתכם, שם: 6 עד שמרים וכו׳, עיין בספר אגדות היהודים למורי ר׳ לוי גינזבורג, ח״ו ע׳ 92:

8 אין לי וכו׳ עד סוף הפיסקא, ספר יראים סי׳ רע״ג (הוצ׳ שיף סי׳ קל״ב), ובלקח טוב עד משאת מאומה: 9 ת״ל משאת מאומה, השוה ב״מ קט״ו ע״א, וכדי להתאים את הספרי עם הגמרא פי׳ ר״ה שזקפן במלוה· — ת״ל וכו׳ עד מבפנים [במ״ת חסר והגר״א מגיה „ת״ל והאיש אשר אתה נושה בו יוציא אליך וגו׳ יכול יכנוס בפנים ת״ל בחוץ תעמוד כשהוא אומר בחוץ תעמוד והאיש לרבות וכו׳״ ואין נראה: ולשון הפ״ז „לא תבוא אל ביתו יכול ימשכננו מבחוץ ת״ל לעבוט עבוטו: פס׳ בחוץ תעמוד והאיש, להביא שליח בית דין·״ והענין כמשנה ב״מ פ״ט הי״ג דלא ימשכננו כלל המלוה בעצמו וכ״ה בתוספתא פ״י ה״ח עמו׳ 394, „המלוה את חבירו אינו רשאי למשכנו״ ונראה דהיינו הברייתא קי״ד ע״ב וכפי מה שהגיה רב ששת וצ״ע דקושית הגמרא קי״ג ע״ב אם חבול תחבול וכו׳ בשליח ב״ד וצ״ע דאדרבא מברייתא זו יש להביא ראיה לדעת שמואל ומביא ראיה מן הכתוב לעבוט עבוטו בחוץ דמלמד שאינו רשאי למשכנו כלל וכ״ה במכילתא דרשב״י כ״ב כ״ה (ע׳ 151) ומדרש תנאים כאן, ומנא ליה להמקשן דלשון חבול הוא חבלה בבית ועיין ירושלמי י״ב ע״ב ושם יליף מאם חבול תחבול דאף שלא בב״ד הכתוב מדבר וצ״ע ב״מ ל״א ע״ב „אין לי אלא שמשכנו ברשות וכו׳״ והרי אדרבא היה לו לומר אין לי אלא שמשכנו שלא ברשות וכבר תמה על זה בספר תורה תמימה ומתרץ דס״ד דדוקא אם משכנו משום דאדעתיה דרבנן עביד אבל שלא ברשות ס״ד דא״צ להחזיר וזה דוחק והיה אפשר לומר דה״ק דוקא משכנו ברשות אינו מחזיר מיד מנין אף שלא ברשות אבל דוחק לפרש כן גבי השב תשיבנו דמחזיר ב״פ כסות יום בלילה וכסות לילה ביום עיין תמורה ו׳ ע״א ול״א כברש״י שם] ולדעתי יש לפרש „יכול לא ימשכננו מבפנים אבל ימשכננו בחוץ ת״ל לעבוט עבוטו בחוץ: ואהר כך שואל יכול לא ימשכננו בחוץ הוא

אבל ימשכננו מבחוץ תלמוד לומר לעבט עבטו בחוץ. יכול לא ימשכננו מבחוץ אבל ימשכננו מבפנים תלמוד לומר בחוץ תעמד כשהוא אומר והאיש לרבות שליח בית דין סליק פיסקא

רעז.

(יב) ואם איש עני הוא, אין לי אלא עני עשיר מנין תלמוד לומר ואם איש, אם כן למה נאמר עני ממהר אני ליפרע על ידי עני יותר מן העשיר. לא תשכב בעבטו, וכי תעלה על דעתך שישכב בעבוטו אלא שלא תשכב ועבוטו אצלך.

(יג) השב תשיב לו את העבוט, מלמד שמחזיר לו כלי יום ביום וכלי לילה בלילה סגום בלילה ומחרישה ביום אבל לא סגום ביום ומחרישה בלילה. ושכב בשלמתו וברכך, מלמד שהוא מצוה לברכך יכול אם ברכך אתה מבורך ואם לאו אי אתה מבורך תלמוד לומר ולך תהיה צדקה מעצמך אתה עושה צדקה. ולך תהיה צדקה, מלמד שהצדקה עולה לפני כסא הכבוד וכן הוא אומר °צדק לפניו יהלך וישים לדרך פעמיו. תהלים פה יד

רעח.

(יד) לא תעשוק שכיר עני ואביון, והלא כבר נאמר °לא תגזל מה תלמוד לומר לא תעשוק מלמד שכל הכובש שכר שכיר עובר משום ארבעה לאוים ויקרא יט יג

בעצמו אבל ימשכננו מבפנים ע״י שליח בית דין, ת״ל בחוץ תעמוד כשהוא אומר והאיש לרבות שליח ב״ד· ומפאת קושי הענין נשמט במ״ת ובכ״י מא על ידי המעתיקים:

4 אין לי אלא וכו׳ עד יותר מן העשיר, ס׳ יראים שם: 5 אם כן למה נאמר וכו׳ עד מן העשיר, מובא ברמב״ן: 6 וכי רתעלה, וב״מ קי״ד ע״ב, ושם הגירסה „הא עשיר שכיב ועבוטו אצלך״, אבל לפי הספרי אף עשיר אסור] ובכ״י ז גורס כמו בגמרא שם „הא עשיר שכוב ועבוטו עמך״, והעיר רמא״ש שברייתות חלוקות הן: 7 ועבוטו אצלך, חנוך תצא תקצ״ח, פ״ז, ספר הזכרון: 8 מלמד שמחזיר לו וכו׳, ב״מ פ״ט מי״ג, בבלי קי״ד ע״ב, ירושלמי שם פ״ט הי״א (י״ב ע״א), מכלתא משפטים פי״ט (צ״ו ע״ב, ה–ר ע׳ 316), מכלתא דרשב״י כ״ב כ״ה (ע׳ 152), ועיין בת״א ובת״י כאן ובשמות שם ועוד בהערת רמא״ש למכילתא שם אות ט״ו: 9 ומחרישה [צ״ע דהא הוא מדברים שעושין בהם אוכל נפש]· — ושכב וכו׳ עד וישים לדרך פעמיו, מכירי תהלים סוף מזמור פ״ה (ל״ג ע״א), ובלקח טוב עד לפני כסא הכבוד: 10 מלמד וכו׳, השוה מ״ת „לפנים משלש מחיצות חשך ענן וערפל, חשך מבחוץ. ענן מבפנים, ערפל לפני לפנים״:

14 והלא וכו׳, [תוספתא ב״מ פ״י ה״ג (ע׳ 393), מ״ת, בבלי ב״מ קי״א ע״ב, פ״ז, והגר״א מגיה „והרי כבר נאמר לא תעשוק את רעך ולא תגזול ובמקום ב„חמשה לאוין״ גורס ב„חמשה לאוין ועשה משום פעולת שכיר משום בל תעשוק ומשום ביומו תתן שכרו ומשום ולא תבא עליו השמש״] תו״כ קדושים פרשה ב׳ ה״ט (פ״ח ע״ד), רמב״ם לאוין רמ״ז, ספר יראים סימן רס״ב (הוצאת שיף קל״ד), ועיין ב״מ ס״א ע״א; ולדעתי הגרסה הנכונה היא זו של כ״י אמ שבכרתי והכתוב ביומו תתן שכרו נזכר רק מפני סופו ולא תבא עליו השמש, והתנא אינו חושב את העשה, ועיין עוד במדרש מנין, נדפס באוצר המדרשים כ״י לר׳ שלמה אהרן ווערטהיימער, סי׳ כ״ב:

1 ת״ל–מבפנים] ל׳ בה | רת״ל–עבטו בחוץ] ל׳ א | בחוץ] מבחוץ רלמ | יכול] מר, ל׳ טלדא — 2 אבל ימשכננו] ל׳ ל | ת״ל] ל׳ א | בחוץ טר, מבחוץ ראמ, ל׳ ל | שליח] שלוח ה — 3 סליק פיסקא ד, ל׳ בלא —

4 עשיר מנין] מנ׳ אפילו עשיר ר — 5 נאמר] ל׳ טי | ממהר אני] ממהרני ה | על ידי עני] מעני אמ | מן העשיר] מעשיר אמ — 6 וכי–אצלך] ל׳ ה | וכי תעלה [עלתה פ]–שישכב [שתשכב מ] בעבוטו אלא אמפ, עלתה על דעתך שלא ששכב [צ״ל תשכב] בעבוטו אלא [הזכרון], אלא ר, ל׳ בטלד — 7 ועבוטו] עבוטו בל | אצלך אמ, עמך רבלדפ [הזכרון]· בן גורס „הא עשיר שכוב ועבוטו עמך״ — 8 את העבוט] ל׳ א | וכלי] וכסות ה [וכלי ה׳] — 9 סגוס] סגום ד [וכן בסמוך] | לא] ל׳ בל — 10 מלמד] ל׳ ה | ברכך] מברכך ט | אתה] תהא טי | ואם לאו] ואי לא מ, ואי לא מברכך טי — 11 אי אתה ראמ, אין את ה, לא תהא בטל, לא תהיה ד | מעצמך אתה עושה צדקה [צדקה ל׳ א] ראמ, לפני ה׳ אלהיך מכל מקום ה, ל׳ בטלד | ולך–פעמיו] ל׳ ה | צדקה רבטלד, צדקה לפני ה׳ אלהיך אמז — 12 לפני] עד לפני טי | וכה״א ראמ, שנאמר בטלד — 13 וישים [וישם]–פעמיו ראמ, ל׳ רבטל, ובר נמצא כאן <פס׳> —

14 לא תעשוק–ולא תבא עליו השמש] ל׳ טה | עני ואביון ראמ, ל׳ בלד | והלא] והרי ד | מה–תעשוק אמ, ל׳ רבלד — 15 שכל] כל מ | משום ארבעה אמ, בחמשה רבטלד [ובגליון א נוסף <וא׳ עשה>] | לאוים] לווים ר —

(ויקרא יט יג) משום בל תעשק ובל תגזל ובל תלין פעולת שכיר ומשום ביומו תתן שכרו ולא תבא עליו השמש. מכלל שנאמר ואליו הוא נושא את נפשו, אין לי אלא מלאכה שהוא עושה בנפשו מלאכה שאין עושה בנפשו מנין גרדי וסורק מנין תלמוד לומר לא תעשוק מכל מקום. אין לי אלא עני ואביון מנין לרבות כל אדם תלמוד לומר לא תעשוק מכל מקום, אם כן למה נאמר עני ואביון ממהר אני ליפרע על ידי עני ואביון יותר מכל אדם. מאחיך, ולא מאחרים. או מגרך, זה גר צדק מלמד שעובר עליו בשני לאוים רבי יוסי ברבי יהודה אומר משום בל תעשק. בשעריך, זה גר תושב. אין לי אלא שכר אדם שכר בהמה שכר כלים מנין תלמוד לומר אשר בארצך כל שבארצך סליק פיסקא

רעט.

(טו) ביומו תתן שכרו, מלמד ששכר לילה גובה כל היום, ושכר יום גובה כל הלילה מנין תלמוד לומר לא תלין פעלת שכיר אתך עד בקר. ולא תבא עליו

1 ובל באמ, ולא ר, בל ד, ומשום בל טל | ובל] ולא ר | ומשום] ל׳ ר | ומשום ביומו] וביומו ב | ומשום—שכרו] ל׳ א | ולא] ומשום לא ד — 2 מכלל שנ׳] לפי שהוא אומר ה | נושא] נושה ד | את נפשו] ל׳ ר | אלא] <עני ואביון> א — 3 מלאכה] איתא בא אבל קו נמשך תוכו | שהוא עושה] שעושה טי | בנפשו] ל׳ ר | מלאכה—בנפשו] ל׳ ט | שאין] שאינו ה | מנין רבהאי, כגון דמ, ל׳ טלא | גרדי וסורק מנין] ל׳ ב | ת״ל] ל׳ ד — 4 אין לי—מכל מקום אמפ, ל׳ רבטלד — 5 ממהר אני] ממהרני מה — 6 יותר] יתר ה | גר צדק] גר אוכל נבלות פ — 7 מלמד—בל תעשק] ל׳ ה | ר׳ יוסי] ור׳ יוסי ר | אומר] ל׳ ר | משום בל תעשק בטלד, אף משום בל תעשוק ר, אף משום מ, ל׳ א — 8 בשעריך—כל שבארצך] ל׳ במלד ונמצא בראמפ | זה גר תושב ה, ולא בירושלם ראמפ | אין לי—כל שבארצך] ל׳ ה | שכר בהמה ר, ושכר בהמה אמ — 9 כל שבארצך ר, כל אשר בארצך אמ· ובשלשה הנסחאות וגם לפי גרסת מהר״ס נכפל כאן עוד הפעם <מלמד שעובר עליו בשני לאוין ר׳ [בר׳] יוסי אומר [אומר ל׳ ר] משום [משם ר, אף משום מ] בל [בלא א] תעשק> וברור שאין זה אלא הכפלת מה שמובא מקודם למעלה שטעה המעתיק להוסיפו עוד הפעם אחרי שהכניס הברייתא זה גר תושב וכו׳ מן הגליון אל תוך הספרי· ובבטלד ל׳, אמנם בנוסח הספרי שלפני מהר״ס היה נמצא, אבל היה חסר למעלה אחרי המלים זה גר צדק, ועיין בהערות | סליק פיסקא ד, ל׳ רבלא —

10 מלמד—מנין] זה שכיר לילה שהוא גובה כל היום אין לי אלא שכיר לילה שהוא גובה כל היום שכיר יום שגובה כל הלילה מנין ה | ששכר רדאמטי, ששכיר בלז פטי | לילה] יום ד | היום] הלילה ד | ושכר רדאמטי, ושכיר בלטיזפ | יום] הלילה ד — 11 הלילה] היום ד |

2 מכלל שנאמר וכו׳ עד גר צדק, יראים שס· — אין לי וכו׳, [הגר״א מגיה כי עני הוא ואליו הוא נושא את נפשו אין לי אלא עני עשיר מנין אין לי אלא מלאכה כו׳ מנין ת״ל לא תעשוק את רעך ולא תלין פעלת שכיר מ״מ כו׳]: 5 ממהר אני וכו׳, פ״ז, מכילתא דרשב״י כ״ב כ״ד (ע׳ 151), ועיין שם כ״ב כ״א (ע׳ 150), רמב״ן, רמב״ם לאוין רמ״ז: 6 ולא מאחרים וכו׳ עד משום בל תעשק, ב״מ קי״א ע״ב, ובירושלמי פ״ט הי״ג (י״ב ע״ב) הגרסה „לא תעשק עני ואביון, מאחיך אילו ישראל, מגרך זה גר צדק, בארצך לרבות הבהמה והעבדים, בשעריך לרבות המטלטלין״· — זה גר צדק, רש״י, רמב״ן: 7 מלמד שעובר וכו׳, [משובש ועיין בבא מציעא קי״א ע״ב ואפשר דצ״ל בשעריך זה גר תושב אין לי אלא שכר אדם וכו׳ ת״ל אשר בארצך כל אשר בארצך מלמד שעובר בשני לאוין ר״י בר׳ יהודה אומר גר תושב יש בו משום ביומו תתן שכרו ואין בו משום לא תלין וכו׳ כבגמרא שם ועיין הגר״א וגמרא, ובתורת כהנים קדושים פרשה ב׳ ה״ט יליף שכר בהמה וכלים וקרקעות מן לא תלין, ועיין ירושלמי ב״מ י״ב ע״ב, מ״ת ופ״ז] ולפי הגרסה שהבאתי מכ״י אמ אין קושי כלל, ועיין בשנויי נסחאות; וגרסת מהר״ס נראה כגרסת כ״י א, וז״ל „בשני לאוין פי׳ אחד של שכיר יום שבתו״כ דהיינו לא תלין פעולת שכיר וה״ה לכל מה שיש עמו ואחד שכיר לילה דהיינו הכתוב כאן ביומו תתן שכרו ולא תבוא עליו השמש וה״ה לכל שיש עמו ר׳ יוסי ב״ר יהודה אומר משום בל תעשוק בלבד פי׳ קאי אבהמה וכלים וה״ה דפליג אגר תושב אלא שלא נזכר בברייתא בכאן או שמא חסר מן הברייתא״, אמנם נראה שכל הברייתא בשעריך וכו׳ עד שבארצך, נוספה מגליון ואינה מעיקר הספרי· וראיה לזה שהדרשה על המלה בארצך באה אחרי הדרשה על בשעריך בהיפך מן הכתוב בשעריך בארצך· ועוד שלאחר הברייתא הזאת נכפל עוד הפעם המשפט מלמד וכו׳ עד ר׳ יוסי בר׳ יהודה אומר משום בל תעשוק כמבואר בשנויי נסחאות· ואי אפשר לבאר שר׳ יוסי בר׳ יהודה חלק אגר ואותה מחלוקה עצמה הכפיל גם אצל שכר בהמה וכלים שאינם דומים לענין גר כלל· אלא ודאי שהמעתיק הכניס ברייתא מגליון אל תוך הספרי ומפני שהיה כתוב על הגליון לא ידע אם מקומה לפני ברייתא זו של מלמד שעובר או לאחריה, ולכן הוכרח לשנות ברייתא זו שתי פעמים: 8 זה גר תושב, עיין בהערת ר׳ חיים שאול הארוויטץ שהבאתי בסמוך, ועל פיה והנמצא במ״ת נסחתי, אעפ״י שבכת״י ראמפ הגרסה „ולא בירושלם״ כי מה ענין ירושלים כאן, וכי בירושלים מותר לעשוק שכר שכיר· וכבר העיר על זה רבינו הלל ומחק את כל המשפט:

10 ששכר לילה וכו׳, [תו״כ קדושים פרשה ב׳ הי״ב; בבא מציעא פ״ט מי״א; מ״ת, פ״ז, תוכפתא פ״י ה״ב,

השמש כי עני הוא, פרט לשפסק מעמו. ואליו הוא נושא את נפשו, וכי למה עלה זה בכבש ומסר לך את נפשו לא שתתן לו שכרו בו ביום אם כן למה נאמר ואליו הוא נושא את נפשו אלא מלמד שכל הכובש שכר שכיר מעלה עליו הכתוב כאילו הוא נוטל את נפשו.

ולא יקרא עליך אל ה׳, יכול מצוה שלא לקרות תלמוד לומר °וקרא עליך אל ה׳, יכול מצוה לקרות תלמוד לומר ולא יקרא עליך אל ה׳, יכול אם קרא עליך יהיה בך חטא ואם לא קרא עליך לא יהיה בך חטא תלמוד לומר והיה בך חטא מכל מקום אם כן למה נאמר וקרא עליך אל ה׳ ממהר אני ליפרע על ידי קורא יותר ממי שאינו קורא סליק פיסקא דברים טו ט

רפ.

(טז) לא יומתו אבות על בנים, וכי מה בא הכתוב ללמדנו שלא יומתו אבות על ידי בנים ולא בנים על ידי אבות, והלא כבר נאמר איש בחטאו יומתו אלא שלא יומתו אבות בעדות בנים ולא בנים בעדות אבות כשהוא אומר ובנים לרבות את הקרובים ואלו הם הקרובים אחיו ואחי אביו ואחי אמו ובעל אחותו ובעל אחות אביו ובעל אחות אמו ובעל אמו וחמיו וגיסו. איש בחטאו יומתו, אבות מתים בעון עצמם ובנים מתים בעון עצמם סליק פיסקא

רפא.

(יז) לא תטה משפט גר, מה אני צריך והלא כבר נאמר °לא תטה משפט ולא דברים טז יט

ע׳ 393, בבלי ק״י ע״ב]: 1 כי עני הוא [הגר״א מוסיף ואליו נושא את נפשו]· — מעמו [הגר״א מגיה עמו] ור״ה פירש דהיינו שהמחהו אצל חנוני, עיין משנה ותוספתא שם, תו״כ שם, בבלי קי״ב ע״א· — וכי למה וכו׳, ב״מ קי״ב ע״א, ועיין בת״י א׳ וב׳, רש״י, פ״ז: 2 אם כן למה נאמר [אפשר דצ״ל ד״א ואליו הוא נושא את נפשו כאשר הוא בב״מ קי״ב ע״א, ומ״ת]: 5 יכול וכו׳, למעלה פי׳ קי״ז (ע׳ 176), ועיין ב״ק צ״ג ע״א, רש״י, פ״ז, לקח טוב, ראי״ם:

10 וכי מה וכו׳, סנהדרין כ״ז ע״ב, פ״ז, ועיין ברמב״ם לאוין רפ״ז: 12 בעדות בנים, רש״י, ת״י: 13 ואלו הם וכו׳, סנהדרין פ״ג מ״ז: 14 אבות וכו׳, רש״י שבת ל״ב ע״ב:

16 משפט גר, עיין בשנויי נסחאות, וכבר העירו ר׳ אברהם גייגר בספרו Urschrift עמו׳ 473, ובמ״ע Jüdische Zeitschrift שנה ד׳ ע׳ 101 ורמא״ש בהערה שהגרסה ואלמנה

פעלת–בקר אמ, וג׳ ר, ל׳ בטלד | ולא רבטדמ, לא ל א — 1 פרט–מעמו] ל׳ ה | מעמו] עמו ט | וכי–בכבש] מפני מה עלה זה בכבש ונתלה באילן ה — 2 עלה זה] זה עלה ר | לך] לו ט | את] ל׳ ב | נפשו] עצמו ה | לו] לך א | שכרו] שכרך א | שכרו בו ביום] את שכרו ה | בו ביום] ביום אמ, ביום ההוא א׳ | אם] אין ר | אם–נאמר] ד״א הפ, ל׳ ז — 3 אלא] ל׳ ז | מעלה עליו הכתוב] ל׳ לה | הכתו׳] ל׳ ר — 4 הוא נוטל אמה, הוא נושא רב טלד | נפשו] <ממנו> ה — 5 אל ה׳] ל׳ א | יכול–ולא יקרא עליך אל ה׳] ל׳ ל | לקרות] לקרוא בט | יכול–קרא עליך] יכול אם קרא עליך אל ה׳ א — 6 יכול–שאינו קורא] כולה ר | מצוה בטאה, מצות מ, מצותו לד | לקרות לה, לקרוא ט, לקרא א, לקרואת ב, לקראות מ | יכול–וקרא עליך על ה׳] ל׳ ה — 7 יהיה ברמ, יהא טלא [רא״ם] | ואם–חטא] ל׳ ב | לא קרא עליך] לאו מ | קרא] יקרא בטי | יהיה] יהא טי [רא״ם] — 8 אל ה׳] ל׳ מ | ממהר אני בלדרא [רא״ם], אלא ממהר אני מ, אלא ממהרני ה — 9 קורא] הקורא מ | יותר ממי שאינו קורא] ל׳ ב | יותר] יתר ה | ממי] מעל ידי מי אי | סליק פיסקא ד, ל׳ רבלא —

10 לא] ולא בל | וכי–ללמדנו] מה תלמוד לומר אם ללמד ה | וכי–ולא בנים בעדות אבות] ל׳ ט | הכתוב] ל׳ מ — 11 על ידי] בעון ה | ולא בנים–אבות] ובנים בעון אבות ה, ובנים לא יומתו אבות ב | אבות] אבותם מ | והלא בא, והלי ר, והרי לד, הרי ה | אלא ראמ, אלא מל׳ ל, ל׳ בר, אלא לא יומתו אבות על בנים ה — 12 יומתו] יומת א | בעדות מה, בעדותם של רבלד, על בנים א | ולא בנים] ובנים ה | בעדות מה, על עדות א, בעדותם של רבלד | כשהוא–הקרובים] מיכן אמרו ה | או׳] <אבות> ל | ובנים בט, בנים רלדאמ — 13 את רדאמ, ל׳ בטל | ואלו] אלו ה | הקרובים] קרובין רפ — 14 אחות אמו] אחותו אמו ב | ובעל אמו] ל׳ בלא | וגיסו] ואגיסו ר; אמ מוסיפים <הם ובניהם וחתניה׳ וחורגי לבדו> — 15 ובנים–עצמם] ל׳ ט | עצמם בל, אבותם דאמ, אבי׳ ר | סליק פיסקא ד, פס׳ ר, ל׳ בלא — 16 גר

תכיר פנים אלא מלמד שכל המטה דינו של גר עובר בשני לאוים ואם היה גר יתום עובר בשלשה לאוים. ולא תחבל בגד אלמנה, בין ענייה בין עשירה ואפילו היא כמרתא בת בייתוס. רבי שמעון אומר דברים שאתה חובל באיש אין אתה מחזיר לאשה שלא תהא הולך ובא אצלה שלא להשיאה שם רע סליק פיסקא

רפב.

(יט) כי תקצר קצירך, פרט לשקצרוהו ליסטים וקרסמוהו נמלים ושברתו הרוח או בהמה. קצירך, פרט לשקצרוהו גוים מיכן אמרו נכרי שקצר את שדהו ואחר כך נתגייר פטור מן הלקט ומן השכחה ומן הפיאה רבי יהודה מחייב בשכחה שאין שכחה אלא בשעת העימור.

קצירך, פרט לאחרים. קצירך, פרט להקדש כשתמצי אומר קצר הקדש ולקח ישראל פטורה קצר גוי ולקח ישראל פטורה. רבי יוסי הגלילי אומר מכלל שנאמר כי תקצר קצירך בשדך ושכחת עומר כל ומן שיש לו קציר יש לו

ראם, גר יתום במלה, גר יתום ואלמנה ד | מה— אלא] ל׳ ה | והלא] והא ב, והלי ר | ולא] ל״א מ — 1 אל״א ראם, ל׳ בטלד | ואם היה גר יתום [ויתום רא]—לאוים ראמהפנ, ל׳ בטלד — 2 ולא דאמ, לא רבל | בין עשירה] ובין עשירה רב | היא] ל׳ מה — 3 ר׳ שמעון—סליק פיסקא] ל׳ ה | אין רלד, אי בטאמ | מחזיר] מחזירם אמ — 4 לאשה] על האשה בל | ובא] ל׳ מ | שלא רמז, כדי בטלד, ל׳ א | סליק פיסקא ד, פס׳ ר, ל׳ בלא —

5 קצירך—בהמה] ל׳ א | לשקצרוהו טדמ, לשקצרוה רבלפ, לשקצרוהו גוים או ה | וקרסמוהו מ, קרסמוה פ, וקרסמוה ר, או קרסמוהו ה, וכירסמוהו בלד | נמלים] ומלין ל, גמלים ב | ושברתו דאמ, ושיברתה רבט׳, או שברתה ה — 6 קצירך—העימור] ל׳ ה | לשקצרוהו] לקצרוהו ט׳, לשקצרוה פ | נכרי] גוי א | את] ל׳ א — 7 מן הלקט—ומן הפיאה] מלקט שכחה ופאה ט׳ | ומן] מן ב ל | ומן—בשעת העימור] כול׳ מתני׳ ר | השכחה אמט׳, שכחה בלד | ומן הפיאה לאמט׳, והפיאה ד, מן הפיאה ב — 8 העימור בט, העומר לדא, עימיר מפ [רמא״ש גורס העימור מפני שבדפוס מינקאוויץ שנוסחו תפש נדפסת המלה העומר בו״ו קצר, „העימר״, וחשב רמא״ש שהקריאה הנכונה היא העימור כמו במשנה] — 9 קצירך פרט לאחרים] ל׳ בלט׳ | קצירך] קצירה א [קצירך א׳] | כשתימצי—מחייבים] ל׳ ה | אומר] לומר ל ד | קצר] קצרה ט׳ | הקדש] הגר מ — 10 פטורה] פטור רד | קצר גוי—פטורה] ל׳ א | גוי] הגוי ר | פטורה בלמ, פטור רטדא | הגלילי] ל׳ ט׳ — 11 בשדך טאי [מסורה, ע׳, פשיטא, ותרגומים], בשדה רבלדאמ | לו] ל׳ א, לך

מתאמת אל הנמצא בת״י „לא תצלי דין גיורא ויתמא וארמלא״, וכן הנוסח גם בתרגום השבעים προσηλύτου καὶ ὀρφανοῦ καὶ χήρας. — מה אני צריך וכו׳, לקח טוב, ספר יראים רמ״א, הוצ׳ שיף רט״ז: 1 שכל המטה וכו׳, רש״י, פ״ז, רמב״ם לאוין ר״פ — ואם היה גר יתום וכו׳, כן גורס הרמב״ם בספר המצות, וכן העתיק להלכה בהלכות סנהדרין סוף פ״כ, אבל בסמ״ג פסק „שכל מטה משפט עובר בשני לאוין ואם היה אביון עובר בשלשה ואם היה גר עובר בארבעה לאוין״, ואיני יודע זו מנין לו, ועיין בספר תורה תמימה שכבר תמה על זה: 2 ולא תחבל, עיין צוקרמנדל בספרו תוספתא משנה ובריית[א] ח״א עמוד 471 הערה 10b. — בין עניה וכו׳, פ״ז, לקח טוב, ב״מ קט״ו ע״א, ירושלמי פ״ט הי״ז (י״ב ע״ב), תוספתא פ״י ה״י (ע׳ 394), ועיין מכילתא דרשב״י כ״ב כ״א, עמוד 150: 3 כמרתא בת בייתוס, עיין יבמות ס״א ע״א, ובכמה מקומות: 4 להשיאה שם רע, וכן ת״י „ויפקון עלה טיב ביש כד תהדרון משכונה לה״:

5 פרט [פיאה פ״ב מ״ז וח׳, תוספתא פ״א ה״ח עמוד 19, תו״כ קדושים פרק א׳ ה״ו, ירושלמי פיאה י״ז ע״א, לדעה אחת בשקצרו לאבדה, ולר׳ הושעיא בר שמי אפי׳ שלא לאבדה], פ״ז, וכל המאמר עד בשעת העימור, מובא בספר יראים סי׳ קס״א, הוצ׳ שיף סי׳ קכ״ג, ובסמ״ג לאוין רפ״ח מובא בסגנון זה „קצירך פרט לשקצרוהו גוים קצרוהו לסטים״: 6 פרט וכו׳ [הגר״א מגיה „פרט להקדש ושל אחרים מכאן אמרו נכרי וכו׳, במקומות המפורטים לעיל ופאה פ״ד מ״ו, ופי׳ פרט לשקצרוהו גוים כגון שמכר קמתו לנכרי שא״צ ליתן מן הנשאר על הכל או שלקח קציר נכרי ועיין ירושלמי שם י״ז ע״א בשקצרוהו לעצמן, ותוספתא פ״ב ה״ט (עמוד 19) גוי שמכר קמתו לישראל ליקצר חייב בפיאה ישראל שמכר וכו׳ פטור] וכל זה מובא בפי׳ הר״ש פאה פ״ד מ״ו: 8 העימור [ירושלמי פיאה י״ח ע״ב, ואפשר דצ״ל ושכחת עומר, זו שכחת עומר, בשדה, זו וכו׳]: 9 פרט להקדש, לקמן פי׳ רפ״ד — קצירך עד ריה״ג, [הגר״א מוחק]: 11 יש לו עומר [הגר״א גורס „יש לו שכחה בעומרין כו׳ אין לו שכחה בעומרין כו׳ וחכמים מחייבין״ ובמ״ע פי׳ דמלות כשתמצי וכו׳ בפעם הראשונה כולה דר׳ יהודה וה״ק דבין בקציר עכו״ם ובין בקציר הקדש אין אנו הולכין אלא אחר שעת העימור ולפי זה הלשון סתום דהא ריה״ג נמי משתמש בלשון זה ומהר״ס כתב דריה״ג לפרש דברי ת״ק אתי אך קשה לו כשתמצי לומר וכו׳ דמיותר ורד״ף פירש כב„מאיר עין״ דריה״ג פליג אבל מפרש דברי ת״ק הכי כשתמצי לומר וכו׳ פטור מן הפיאה אבל בשכחה חייב וריה״ג פוטר אצל שכחה] ולדעתי יש לפרש שבין ת״ק בין ריה״ג חולקים על ר׳ יהודה המחייב קציר גוי בשכחה, ת״ק לומד מקצירך ולא קציר גוי; וריה״ג דורש סמוכים כי תקצור ושכחת,

עומר ויש לו שכחה כל זמן שאין לו קציר אין לו עומר ואין לו שכחה, כשתמצי אומר קצר הקדש ולקח ישראל פטורה קצר גוי ולקח ישראל פטורה.

בשדך, פרט למעמר בשדה חבירו דברי רבי מאיר וחכמים מחייבים מיכן אתה אומר העומר ששכחוהו פועלים ולא שכחו בעל הבית שכחו בעל הבית ולא שכחוהו פועלים עמדו העניים בפניו או שהיפוהו בקש הרי זה אינו שכחה סליק פיסקא

רפג.

ושכחת עומר, ולא הגדיש יכול אף לא שנים תלמוד לומר לגר וליתום ולאלמנה יהיה, מיכן אמרו שני עמרים שכחה שלשה אינם שכחה שני צבורי זיתים והרובים שכחה שלשה אינם שכחה שני גרגרים פרט שלשה אינם פרט.

בשדה, פרט לטמונים דברי רבי יהודה וחכמים אומרים בשדה לרבות את הטמונים.

בשדה, לרבות את הקמה שהיה בדין ומה עומר שהורע כח עני בו יש לו שכחה קמה שיפה כח עני בה אינו דין שיש לו שכחה לא אם אמרת בעומר שאינו מציל לא

אם יש לך קציר יש לך עומר (או עימור) ושכחה, אין לך קציר, הרי גם אם העימור ברשותך. אין לך עומר ואין לך שכחה: 3 בשדה חבירו [שלא מדעתו וחכמים ס"ל דכיון דעושה לו טובה שמעמר הוי כאילו עשאו שליח ומה שאמר אחר כך מכאן אמרו היא מלתא באפי נפשה וזה דוחק ואפשר דר"מ ממעט אפילו מדעתו כגון פועל וחכמים מחייבים ועל זה קאמר דכהאי גוונא צריך שישכחוהו פועלים ובה"ב ומכאן אמרו כמו וזו שאמרו ועיין פיאה פ"ה מ"ז, ותוספתא פ"ג ה"א ע' 20, וב„מאיר עין" פירש להפך דסתם מתניתין ר' מאיר וה"ק פרט למעמר בשדה חבירו דאז צריך שישכחהו גם בעל הבית ועיין ירושלמי י"ט ע"א דממעט פועל ולא שכחו בעל הבית מקצירך ולפי זה יש לפרש כן גם כאן אך צריך בירור מהו שכחו בעל הבית ולא שכחו פועלים וראיתי במשנה ראשונה שפירש כגון שעמר בעל הבית] וכל זה עד סוף הפיסקא, מובא בספר יראים שם, ובסמ"ג לאוין רפ"ח; ואולי יש להגיה על פי המובא בהוספת המוסגר „כי תקצור וכו' עד ושכחת", לפני המלים מיכן אתה אומר שדורש כי תקצור ושכחת, בשדך ושכחת, שצריך שכחת פועל ושכחת בעל הבית. וכן מפורש בירושלמי שם י"ט ע"א. ועיין בפ"ז — מיכן וכו' [הגר"א מוחק כאן וגורס לקמן אחר מודים שאין שכחה]:

6 ולא הגדיש, פ"ז — אף לא שנים [זו גרסת מהר"ס ולפי גירסה זו הגדיש היינו ג' עמרים: אבל לפי נוסח הדפוס, יכול אף שכחו פועלים יותר משנים. הגדיש היינו עומר שיש בו סאתים. וכ"ה במ"ת. אבל דוחק לפרש כן דלקמן ממעט סאתים מן לא תשוב לקחתו ועיין ב"ב ע"ב ע"ב, וירושלמי י"ט ע"ג] ולי אין ספק שגרסת מהר"ס, שהיא גם כן גרסת כ"י רוא היא הנכונה, ע"י ט"ס נוספו בכ"י לוב המלים לא שכחוהו פועלים אחר יכול אף, ואין להן ענין כאן כלל, ובדפוס „נתקן" המשפט לגרסה הרגילה — ר"ל וכו' [פיאה פ"ו מ"ה, תוספתא פ"ג ה"ה, ע' 21]: 7 שני עמרים וכו' [בירושלמי פאה פ"ו ה"ד (י"ט ע"ג). אמרו דב"ש דורשים מפסוק זה, וב"ה מפסוק לעני ולגר תעזוב אותם בויקרא, אבל אח"כ אמר דשניהם מקרא אחד דרשו מפסוק זה ונראה דטעמיה דב"ה מדלא כתיב וליתום ובמ"ת איתא גם כן כאן הלמוד דלעני ולגר אליבא דב"ה]. — צבורי [בירושלמי מדייק צבורים אין זיתים לא וכו' והכוונה גרגרים יחידים המונחים בארץ שלא עשאם עדין צבורים ומן התימא על הרא"ש שפירש דקאי אזיתים שבאילנות ומחוכר מלאכה היינו דבעי עלייה וחנטה וכו']: 9 פרט לטמונים, [כגון השום וכו' פאה פ"ו מ"י, ירושלמי י"ט ע"ד] וכל המאמר עד לרבות את הטמונים מובא בפירוש ר"ש פאה פ"ה ה"ז: 11 הקמה, [פאה

מ | יש לו] יש לך אמ — 1 ויש לו שכחה] ושכחה אמ | כל זמן] וכל זמן ד, ל' א | שאין] אין א | לו] ל' מ, לך א | לו] לך אמ | אומר ראמ, לומר בטלד; בר נוסף <קצירך פרט לאחרים קצירך פרט להקדש כשתימצי אומר> — 2 פטורה בטלמ, פטור רדא | קצר גוי— פטורה] ל' ל | גוי] גר א, הגוי ר | פטורה במה, פטור רא, פטורים ל — 3 בשדה] בתוך שדה אמ | חבירו] של חבירו מ | מחייבים—(פי' רפ"ג) פרט לטמונים דברי ר' יהודה] ל' מ | מחייבים] או' חייב א, אומרים כי תקצור קצירך בשדך [סמ"ג, יראים] | אתה אומר בלדאמ, אמרו רה — 4 ולא שכחו רבטלה ולא שכח דאמ | שכחו— אינו שכחה] כול' מתני' ר | שכחו בלדהט', שכח דאמ, ל' ט — 5 פועלים] בה, נוסף <שכחוהו אלו ואלו והיו שם אחרים עוברים ושבים ורואין אותו> | או—שכחה] וכו' מתניתין א | בקש] <והוא מוכר את הקש> ה | הרי זה] ל' ט' | סליק פיסקא ד, ל' רבלא —

6 ולא הגדיש—יהיה] ל' ה | הגדיש] הרגיש ט' | אף לא שנים ראז [מהר"ס]. אף לא שכחוהו פועליו שנים ב טל, אף שכחו פועלים יותר משנים ד | ליתום] וליתום ד — 7 שני עמרים] עמרים שנים א, שנים עמרים ט | שלשה] ושלשה רה | אינם] אינה ל | שני צבורי—אינם פרט] כול' מתני' ר | שני צבורי] אלא צבורי א — 8 וחרובים] והחריבן ב, והחרובין ט | שכחה] ל' ל | שלשה—אינם פרט] כולה מתניתי' א | שלשה] ושלשה ה | שני גרגרים— אינם פרט] שני חצני פשתן שכחה ושלשה אינן שכחה ה — 9 פרט לטמונים—בשדה] ל' ה | לטמונים] לטמונה ד | בשדה] ל' ר — 10 הטמונים] הטמונה ד — 11 שהיה בדין—לרבות את הקמה] ל' ה | ומה] מה ל | שהורע] שהזורע א | בו במט', ל' רלדאט' | שכחה] <בו> ר — 12 בה]

את העומר ואת הקמה תאמר בקמה שהיא מצלת את העומר ואת הקמה תלמוד לומר בשדה לרבות את הקמה.

לא תשוב לקחתו, פרט לראשי שורות מיכן אמרו ראשי שורות העומר שכנגדו מוכיח והעומר שהחזיק בו להוליכו לעיר ושכחו מודים שאין שכחה.

לא תשוב לקחתו, כולו כאחד וכמה יהיה בו שיערו חכמים בעושה סאתים מיכן אמרו העומר שיש בו סאתים ושכחו אינו שכחה שני עמרים ובהם סאתים רבן גמליאל אומר לבעל הבית וחכמים אומרים לעניים כול׳ מתני׳.

לא תשוב לקחתו, מיכן אמר רבי ישמעאל שבולת שבקציר וראשה מגיע לקמה אם נקצרת עם הקמה הרי היא של בעל הבית ואם לאו הרי היא של עניים בעל הבית המוציא מעניים עליו להביא הראיה שהמוציא מחבירו עליו הראיה ומנין שספק לקט לקט ספק שכחה שכחה ספק פיאה פיאה תלמוד לומר לגר ליתום ולאלמנה יהיה.

אמר רבי אלעזר בן עזריה מנין למאבד סלע מתוך ידו ומצאה עני והלך ונתפרנס בה מעלה עליו הכתוב כאילו זכה תלמוד לומר לגר ליתום ולאלמנה יהיה, והלא

בו א | שיש] ל׳ ב — 1 את אמ. לא את רבטלד | ואת אמ. לא את ר, ולא את בטלד | שהיא מצל״ת] שמצלת ט, שאין מצלת א — 2 בשדה] בשדך ר — 3 מיכן אמרו—שהמוציא מחבירו עליו הראיה] ל׳ ה — 4 מוכיח ראמ, יוכיח בטד, יוכיח והעומר יוכיח ל | והעומר—שכחה] וכלל אמ | והעומר] העומר ר | שהחזיק ר, שהחזיקו בטלד | לעיר—שכחה] כול׳ ר — 5 וכמה] כמה מא׳, למדה א — 6 אינו רטאמ, אין בלד | שני—כול׳ מתני׳ ר, כול׳ [וכו׳ מ] מתניתי׳ אמר להם אם בזמן שהוא עומר ובו סאתים ושכחוהו אינו שכחה וכו׳ מתני׳ אמ, שני עמרים ובהם סאתים רבן גמליאל אומר לבעל הבית אמר להם אם בזמן שהוא עומר ובו סאתים ושכחו אינו שכחה בטל, שני עמרים ובהם סאתים רבן גמליאל אומר לבעל הבית וחכמים אומרים לעניים אמר להם רבן גמליאל וכי מרוב העומרים יופי כח של בעל הבית או הורע כוחו אמר לו יופי כוחו אמר להם אם בזמן שהוא עומר אחד ושכחו אינו שכחה שני עמרים ובהם סאתים אינו דין שלא יהו שכחה ד — 8 א״ר ישמעאל] ר׳ מאיר או׳ א, היה ר׳ ישמעאל או׳ מ. אמרו פ | שבקציר ראמפ [מהר״י בן מלכי צדק], של קציר בטלד — 9 נקצרת] נקצרה ט | עם הקמה—של עניים] כול׳ ר | הקמה] <הרי היא של בעל הקמה> ל | לאו באמט׳, לא לד | בעל הבית] ספק בעל הבית ד — 10 המוציא] מוציא פ | מעניים] מיד עניים אמ | להביא אמ, ל׳ רבטלד | ומניין] מני׳ ה | שספק] לספק ד | לקט] ל׳ ד — 11 ספק שכחה] וספק שכחה אמ | לגר] ל׳ ר — 12 א״ר—ולאלמנה יהיה] ל׳ ה | מתוך ידו] ל׳ ט | ומצאה] ומצאו מ׳, ומצא ל | והלך] ל׳ טאמ | ונתפרנס] ומתפרנס א — 13 מעלה] מעלין ט׳ | הכתוב] ל׳ בט | זכה—כאילו זכה] ל׳ ל | זכה] זיכ׳ א |

פ״ו מ״ז וח׳, תוספתא פ״ג ה״ה וה״ו, ע׳ 21, ירושלמי י״ט ע״א] ועיין בפי׳ ר״ש משנה שם ובפ״ד מ״י והוא גורס „לרבות שכחת קמה״: 3 לראשי שורות [פאה פ״ו מ״ד, תוספתא פ״ג ה״ד (ע׳ 21), ורבו הפירושים אם ראשי שורות והעומר הם ענין אחד או שני ענינים והגר״א מפרש דהם ענין אחד ונדחק לפרש דמודים קאי נמי אראשי שורות ונראה כהפי׳ השני דהם שני ענינים וראשי שורות הם אפילו בשורה אחת והעומר שכנגדו בעשר שורות ושכח באמצע אכתי לא הוי שכחה עד שמעמר גם השורה השנייה ואז אנו רואים אם במקום הדלוג הוא מעמר בשורה שנייה אז הוי שכחה ואם מדלג גם בשורה שנייה אז אנו אומרים דרוצה לעשות שורה ממזרח למערב]: 4 והעומר שהחזיק וכו׳ [כל המפרשים טעו כאן בפירוש הרמב״ם לפי שהיתה להם נוסחא מוטעת]: 5 כולו כאחד וכו׳ עד אינו שכחה, מובא בפי׳ ר״ש פ״ו מ״ו ובספר הזכרון· — בעושה [הגר״א הגיה פחות מסאתים פאה פ״ו מ״ו, ירושלמי י״ט ע״ג]: 6 מיכן וכו׳ עד וראשה מגיע לקמה, מובא בפי׳ מהר״י בן מלכי צדק, ובפירוש הר״ש פאה פ״ה מ״ב: 8 שבולת שבקציר [פיאה פ״ה מ״ב, עדיות פ״ב מ״ד, ירו׳ פיאה י״ח ע״ד, ובפירוש המשנה נחלקו הרמב״ם ור״ש: הרמב״ם מפרש דקאי על לקט במחובר והסכים עמו הגר״א וא״נ והעקר כר״ש ולענין ההמשך יש לפרש דחסר ואם ספק לענים ועיין ירושלמי שם דמקשה על מאי דאמר ר׳ הושעיה כל זית שאת יכול לפשוט וכו׳ ומתרץ באומן שני שנו והפ״מ מפרש דהיא רחוקה מהקמה (אבל אם כן איך יכול לקוצרה) ור״א מפולדא מפרש דכל אמן ואמן נחשב לפיכך צריך להני תנאי וכ״ז אינו מובן ופשוט דהמקשה היה סובר דמיירי דבאותו הרגע נזכר אחר שעבר מעל השבלת ועל זה מתרץ דליתא דכבר עבר מכבר ולאחר שהגיע לאומן השני נזכר]: 9 בעל הבית [בדפוס וויניציא הגירסא ספק בעל הבית והגיה הגר״א „ספק לבעל הבית שהמוציא מחבירו עליו הראיה״ ואינו מובן ועיין פיאה סוף פ״ד· ותוספתא פ״ב הט״ו, וירושלמי י״ח ע״ג, ותו״כ קדושים פרק ג׳ ה״ז]: 12 ארא״ע וכו׳, תו״כ ויקרא פרשה י״ב הי״ג (כ״ז ע״א) והשוה תוספתא פאה פ״ג ה״ח (ע׳ 22), רש״י, פ״ז, ספר יראים שם· — מנין וכו׳ עד ולאלמנה יהיה, אור זרוע ח״א סי׳ י״ח (ח׳ ע״ד), ספר יראים סי׳ קס״א, הוצ׳ שיף סי׳ קכ״ג, פ״ז, ועיין פיאה פ״ד מי״א, וירושלמי שם סוף פ״ד ותו״כ קדושים פרק ג׳ ה״ז (פ״ח ע״ג)· ובריתא זו של הספרי מובאה בפי׳ ר״ש למשנה פאה שם, אבל הוא ציין מקורה בתו״כ פ׳ קדושים, ואולי חסרה שם שורה שלימה וצ״ל בתו״כ פ׳ קדושים תניא מנין וכו׳ ת״ל

דברים קל וחומר אם מי שלא נתכוון לזכות וזכה מעלה עליו הכתוב כאילו זכה המתכוון לזכות וזכה על אחת כמה וכמה סליק פיסקא

רפד.

(כ) כי תחבט זיתך, הראשונים היו חובטים זיתיהם והיו נוהגים בהם עין יפה מיכן אמרו הזית שהוא עומד על שלש שורות של שני מלבנים ושכחו אינו שכחה.

זיתך, פרט לאחרים. זיתך, פרט להקדש.

לא תפאר, לא תתפאר לעני בו מיכן אמרו מי שאינו מניח את העניים ללקט או שמניח אחד ואחד אינו מניח או שמסייע את אחד מהם הרי זה גוזל את העניים ועל זה נאמר °אל תסג גבול עולם. משלי כב כח

אחריך, מלמד שיש לו שכחה. אחריך, מלמד שיש לו פיאה.

לגר ליתום ולאלמנה, נאמר כאן גר ויתום ונאמר להלן גר ויתום, מה גר ויתום האמור להלן בעושה סאתים אף גר ויתום האמור כאן בעושה סאתים סליק פיסקא

לעני ולגר תעזוב אותם, וכן תניא בספרי מנין שספק וכו׳ ת״ל לגר ליתום ולאלמנה:

3 כי תחבט וכו׳ עד עין יפה, פ״ז, ומובא בפי׳ ר״ש פאה פ״ז מ״ב — הראשונים וכו׳, שלא היו מלקטים הזיתים מן האילנות אלא היו חובטים אותם וכל הנשאר באילן היה הפקר, מפי׳ ר״ה, ולדעתי יש לפרש ברייתא זו על פי מאמר ר׳ שמעון בן יקים בירו׳ שם כ׳ ריש ע״א, „לא אמר ר׳ יוסי שאין (שאין שכחה לזיתים) אלא בראשונה שלא היו הזיתים מצוין שבא אדריינוס הרשע והחריב את כל הארץ אבל עכשיו שהזיתים מצוין יש להם שכחה״, מדברי ר״ש אלו מוכח שלרגלי מלחמת אדריינוס נתייקרו הזיתים הרבה יותר ממה שהיו לפניה, וזהו שמספר התנא שהראשונים היו חובטים זיתיהם ונותנים בעין יפה, ועכשיו, זאת אומרת בימיו, בדורות האחרונים של התנאים בימי ר׳ יוסי ורבי, נתייקרו הזיתים ומתלקטים אחד אחד: 4 מיכן אמרו וכו׳, פאה פ״ז מ״ב, תוספתא שם פ״ג ה״י ע׳ 22; ופירש הר״ש במשנה שם כיון שהיו נוהגים עין יפה בזיתים בפאה ובשכחה הם עליהם כגרגרים של זיתים ואמרו דזה שעומד על שלש שורות אינו שכחה; אבל הגר״א מחק כל המאמר מכאן אמרו וכו׳, והוסיפו בסוף הפיסקא, אמנם קשה להגיה כן שהמאמר מובא כאן גם במ״ת ובכל שאר המקורות — על שלש, ובמשנה הגרסה בין שלש, אבל בתוספתא הגרסה כמו בספרי על שלש: 5 פרט לאחרים וכו׳, השוה למעלה פי׳ רפ״ב (ע׳ 298, שורה 9): 6 לא תפאר וכו׳, פ״ז — מיכן אמרו וכו׳, פיאה פ״ה מ״ו, והשוה תו״כ קדושים פרק ג׳ ה״ב (פ״ח ע״א) המניח כלכלה תחת הגפן בשעה שהוא בוצר הרי זה גוזל את העניים על זה נאמר לא תשיג גבול עולם: 8 עולם, כן הגרסה גם במשנה שבירושלמי, וגם בירושלמי שם ה״ו (י״ט ע״א), אבל במשנה דפוס נאפולי הגרסה עולים וכן בקטע שהבאתי מתו״כ למעלה: 9 מלמד וכו׳, למטה פי׳ רפ״ה, שורה 5, חולין קל״א ע״א, ירושלמי פ״ז ה״א (כ׳ ע״א) בשם ר״ע, ומובא ברש״י, ובספר יראים סי׳ קס״א, הוצ׳ שיף סי׳ קכ״ג: 10 נאמר וכו׳, למטה סוף פיס׳ רפ״ה ועיין משנה פיאה ג׳ ו׳, ובירושלמי שם (י״ז ע״ג), ופירש רמא״ש מה גבי עומר אין בו תורת שכחה אלא בשדה בית סאתים אף בזיתים כן, ור״ה פירש מה להלן בעושה סאתים אין בו שכחה אף כאן כן, ובמובן זה הגיה הגר״א „האמור להלן פחות מסאתים אף גר ויתום האמור כאן פחות מסאתים״:

והלא ראמהפ [רא״ם], והרי בטלדה׳ — 1 דברים] הדברים ה | אם אמ, ומה ט׳, ל׳ רבדפ [רא״ם] | אם — וכמה] מה אם עומר שכחה שהניחו בלא מתכוין הרי הוא מקבל עליו ברכה קל וחומר למניחו במתכוין—והלא הדברים קל וחומר ומה אם מי שלא נתכוין לזכות וזכה מעלין עליו כאילו נתכוין לזכות המתכוין לזכות וזכה על אחת כמה וכמה ה | לזכות] ל׳ א | וזכה רבטמ, ל׳ ד, וזיכה [רא״ם], זיכה א | כאילו זכה] ל׳ א | זכה] זיכה א | המתכוין ראמ [רא״ם], מי שנתכוין בדט׳, מי שמתכוין ט² — 2 וזכה רמ, וזיכה א [רא״ם], ל׳ בד | סליק פיסקא ד, פס׳ ר, ל׳ בלא —

3 והיו נוהגים] ונוהגים ד | בהם אמה׳, בו רבטל דה — 4 מיכן אמרו] אמרו א, מי אמרת ל | הזית— אינו שכחה] נראה שבנוסת ר״ה היה כתוב „זית שיש בו סאתים ושכחו אינו שכחה בד״א בזמן שלא התחיל בו אבל התחיל בו אפילו כזית הנטופה ושכרו יש לו שכחה״ שכל זה מובא בפ כאן, עם הערות קצרות לכל משפט ומשפט | הזית] זית ר | שהוא עומד] שעומד ט׳, עומד שלש ד | שני] שלש ט | ושכחו—שכחה] ל׳ בטל, כול׳ ר | ושכחו] ושכחן אמ | אינו] אינן ד | שכחה] <וכול׳ מתני׳> אמ — 6 לעני בו רמה׳, בו לעני ה, לעני וכו׳ א, לעני לד, ל׳ ב | את העניים] את העמים ב — 7 שמניח] מניח ד | את] ל׳ מ | אחד אמה, את האחד בטל, את אחד מהן רפ, האחד ד | ואחד אינו מניח אמ, ואת האחד לאו ל, והאחד לאו ט, ואחד לאו בה, ואת אחד לוו ר, ל׳ ד | את אחד רה, אחד בטלמ, אחת א, לאחר ד | מהם] ל׳ א | מהם] <ואחד לאו> ה | את] ל׳ ד | העניים] העולם ל | ועל טאמ, על רבלדה — 8 אל רבטד, לא לאמה | תסג] תשיג א, תסיג מה — 9 אחריך—סאתים סליק פיסקא] ל׳ ה — 10 ולאלמנה] ל׳ רטא | ויתום ראמ, יתום בטלד | גר] ל׳ ר | להלן גר ויתום ראמ, להלן גר יתום בטלד | מה גר ויתום רבטאמ, מה גר יתום לד — 11 האמור להלן] כאן א [להלן אי] | סאתים] <אף גר ויתום האמו׳ להלן בעושה סאתים> ב | ויתום רבטאמ, יתום לד |

רפה.

(כא) כי תבצר כרמך, מיכן היה רבי אליעזר אומר כרם שכולו עוללות לבעל הבית רבי עקיבה אומר לעניים.

לא תעולל, איזו היא עוללת כל שאין לה לא כתף ולא נטף יש לה כתף ואין לה נטף יש לה נטף ואין לה כתף הרי היא של בעל הבית ואם לאו הרי הם של עניים.

אחריך, מלמד שיש לו שכחה. אחריך, מלמד שיש לו פיאה מיכן אמרו איזו היא שכחה בעריס כל שאינו יכול לפשוט את ידו וליטלה, ברגליות משיעבור הימנה.

גר יתום, נאמר כאן גר ויתום ונאמר להלן גר ויתום מה גר ויתום האמור להלן בעושה סאתים אף גר ויתום האמור כאן בעושה סאתים סליק פיסקא

רפו.

(כה א) כי יהיה ריב בין אנשים, אין שלום יוצא מתוך מריבה וכן הוא אומר °ויהי ריב בין רעי מקנה אברם ובין רעי מקנה לוט מי גרם ללוט ליפרש מן הצדיק הוי אומר מריבה וכן הוא אומר כי יהיה ריב בין אנשים, מי גרם לזה ללקות הוי אומר זו מריבה. (בראשית יג ז)

בין אנשים, אין לי אלא אנשים איש עם אשה ואשה עם איש ושתי נשים זו עם זו מנין תלמוד לומר ונגשו אל המשפט מכל מקום. ושפטום, בעל כרחם.

והצדיקו, יכול כל המורשעים לוקים תלמוד לומר והיה אם בן הכות

כאן] להלן א | בעושה בטלמ, בעושי רא [בעושה א'] ובעושה ד | סליק פיסקא ד, פס' ר, ל' בלא —

1 היה–אומר] אמר ר"א ה | אליעזר] אלעזר ט' | שכולו] שכלו מ | עוללות] <כולו> א | ר' אליעזר אומ'> ר — 2 לעניים] <וכו'> א, <וכו' מתני'> מ — 3 לא תעולל–עניים] ל' ה | איזו רטד, אי זה אמ, איזהו בל | עוללת] עוללות א, עוללות וכו' מ | כל] ל' מ | לה רבאמט', לו לד | לא] ולא ד | יש לה–עניים] ואם ספק לעניים ר | ואין לה] ואין לו ד — 4 יש לה אמ. ל' בט לד | כתף] <כתף ואין לה נטף> ל | היא] הוא אמ — 5 מלמד–פיאה] זו שכחה מלמד שיש לו שכחה ופאה ה | שיש לו שכחה] שאין לו שכחה ל | אחריך אמ. ל' רבט לד — 6 בעריס] בעדים ט' | שאינו] שאין א | ידו ראמ ה, ידיו בטלד | ברגליות טרמ, וברוגליות ר, בריגליות א, ברוגלית ב, בריגלות ל, וברגליות ד | הימנה] ממנה מה' — 7 גר יתום ר, לגר ליתום ט, לגר וליתום בלד, גר יתום [ויתום א] ואלמנה אמ | נאמר כאן–סליק פיסקא] ל' ה | ונאמר להלן גר ויתום] ל' בל | גר ויתום–אף] ל' ל | האמור] ל' ר — 8 בעושה] בעושי רא [בעושה א'] | ויתום רבטא, יתום לד | האמור] האמורין מ | בעושה] בעושי רא [בעושה א'] | סליק פיסקא ד, פס' ר, ל' בלא —

9 בין אנשים רבטאם, ל' לד | מתוך] מידי ל — 10 ויהי ריב–מריבה] ל' ה — 11 ליפרש רלדפ, לפרוש בט [רא"ם], שיפרד מ, שיפרוש א | מן הצדיק אמ [רא"ם], מן הצדיק הה' ר, מן הצדיק ההוא לד, מאותו צדיק בטפ | הוי אומ' הוי אומר זו [זה פ] דפ [רא"ם] | הוי אומ' מריבה] מריבה שהיה ביניהם אמ | וכן הוא אומר ראמ, ל' בטלד | כי–אנשים] כן נראה להגיה ועיין בהערות, אמנם בכל הנסחאות הגרסה ועמדו שני האנשים אשר להם הריב — 12 ללקות] שילקה אמ | הוי אומר זו] ל' אמ | זו] ל' בטה — 13 בין אנשים] ל' ה | אנשים] <נשים מנין> ד | ואשה דאמ, אשה בטל, והאשה ר | ושתי נשים–עם זו בטלה, ל' ד — 14 מכל מקום ראמהז, ל' בטלד — 15 כל] ל' ל | המורשעים נה', המרשיעין ה, מרשיעין רב טלראמ, נ"א כל הרשעים ז | לוקים] יהו לוקים ה | בן] בין

1 מיכן היה וכו', פ"ז, פאה פ"ז מ"ז, תו"כ קדושים ריש פ"ג (פ"ח ע"א): 3 איזו היא וכו', רש"י, פ"ז, פאה פ"ז מ"ד, הוספתא שם פ"ג ה"י (עמוד 22): 4 ואם לאו, במשנה הגרסה „אם ספק", וכן בתוספתא „ספק לעניים": 5 מלמד וכו', למעלה פיסקא רפ"ד (עמוד 301, שורה 9) ובציונים שם· — מיכן אמרו וכו', משנה פאה סוף פ"ז, והשוה תוספתא שם פ"ג הט"ז (עמ' 22): 7 נאמר כאן וכו', למעלה סוף פי' רפ"ד:

9 כי יהיה ריב וכו', רש"י, פ"ז, רא"ם, מכילתא דרשב"י כ"א י"ח (ע' 127), שמות רבה פ"ל סי' י"ז, והשוה לקמן ריש פי' רצ"ב· — אין שלום, במכילתא דרשב"י שם הגרסה אין דבר טוב; ובשמות רבה אין דבר טוב ואין שלום: 11 כי יהיה ריב בין אנשים, כן הגיה הגר"א, ועכשיו נמצאו לו סמוכים במכילתא דרשב"י שגורס גם כן כי יהיה ריב וכו', אבל בכל נוסחי הספרי הגרסה „ועמדו שני האנשים אשר להם הריב (דב' י"ט י"ז)· — מי גרם וכו', עקידת יצחק: 13 אין לי וכו', השוה לקמן פי' רצ"ב, ובמכילתא דרשב"י שם: 14 בעל

הרשע פעמים לוקה פעמים אינו לוקה ועדין איני יודע אלו הם הלוקים תלמוד לומר לא תחסום שור בדישו, מה חסימת שור מיוחדת מצות לא תעשה והרי הוא לוקה כך כל מצות לא תעשה הרי הוא לוקה או כל מצות לא תעשה שיש בה קום עשה יהא לוקה תלמוד לומר לא תחסום שור, מה חסימת שור מיוחדת שאין בה קום עשה והרי הוא לוקה כך כל מצות לא תעשה שאין בה קום עשה הרי הוא לוקה. רבי שמעון אומר והצדיקו את הצדיק צדקהו כדי שלא יהא לוקה. והיה אם בן הכות הרשע, פעמים לוקה פעמים אינו לוקה.

והפילו השופט, אין מלקים מעומד.

והכהו, מלקה שליש מלפניו ושתי ידות מאחריו.

לפניו, שיהא לוקה ועיניו בו ולא שיהא לוקה ועיניו בדבר אחר יכול יהא לוקה ומת תלמוד לומר כדי רשעתו אין לוקה ומת יכול יהא לוקה ומשלם תלמוד לומר כדי רשעתו אין לוקה ומשלם.

(ג) ארבעים, יכול ארבעים שלימות תלמוד לומר ארבעים במספר מנין שהוא סוכם את הארבעים רבי יהודה אומר ארבעים שלימות היכן הוא לוקה את היתירה בין כתיפיו. יכנו, ולא על הקרקע. יכנו, ולא על כסותו.

כרחם, למעלה פיסקא קמ״ד (ע׳ 198 שורה 5): 2 מה חסימת וכו׳, רש״י, מכות י״ג ע״ב, והשוה תוספתא סוף מכות, ושם פ״ה (ד) הי״א (ע׳ 444 שורה 24): 6 צדקהו כדי וכו׳, דמשמע שצריך לבקש בזכותו כמו בדיני נפשות דמלקות במקום מיתה עומד דכתיב והצדיקו את הצדיק, מהר״ס: 8 אין מלקים מעומד, פ״ז, רש״י, משנה מכות פ״ג ט״ו: 9 שליש וכו׳, משנה שם: 10 שיהא וכו׳, עיין במ״ת, וכן פסק הרמב״ם ה׳ סנהדרין פט״ז ה״ט „שיהו עיניו של שופט בו לא שיהיה מביט בדבר אחר ומכהו״: 11 אין לוקה ומת וכו׳, תוספתא סוף מכות, ע׳ 445, בבלי י״ג ע״ב, ועיין שם עוד ד׳ ע״ב, וירושלמי תרומות ריש פ״ז (מ״ד ע״ג)· — יכול וכו׳, רש״י, פ״ז, ת״י, משנה מכות פ״ג מ״ב, ועיין בבבלי כ״ב ע״א, וראה מה שהעיר בזה ר׳ חיים העליר בספרו על הפשיטא ע׳ 13: 15 ולא על

כל — 1 פעמים] הרי פעמים ה | לוקה פעמים] ל׳ אמ | פעמים רבטל [רא״ם], ופעמים ד | ועדין—הלוקים] הא כיצד ה, ואינו יודע מי הן הלוקים [רא״ם] — 2 שור בדישו] ל׳ ר | חסימת שור ראמ [רא״ם], חסימת השור ה, חסימה בטלד | מצות] מצוה ל | מצות—הרי הוא לוקה] שהיא מצות לא תעשה שאין בה קיום עשה והרי הוא לוקה עליה כך כל מצות לא תעשה שאין בה קיום עשה הרי הוא לוקה עליה ה | והרי] ל׳ ד — 3 כך] אף ט [רא״ם] | כל ראמ [רא״ם], כל שהוא טלד, כל שהיא ב | הרי הוא] ל׳ ט | בה] בהם ר | עשה רטאמפ [רא״ם], ועשה בלד | עשה] <הרי הוא לוקה כך כל מצות לא תעשה שיש בה קום עשה> ד | יהא] הרי הוא ד — 4 חסימת שור] חסימה ד | שאין בה] שיש בה ל | עשה רטמ [רא״ם, הזכרון], ועשה בלד [וכן בסמוך] — 5 והרי] הרי מ [הזכרון] | והרי—עשה] ל׳ א | כך] אף ט [רא״ם] | הרי] והרי ל | ר׳ שמעון—יהא לוקה] ל׳ ה — 6 יהא לוקה אמ, ילקה רבטלד | והיה—אינו לוקה בא, והיה—ופעמים אינו לוקה למ, והיה אם בן הכות הרשע פעמ׳ לוקה ר, ל׳ טד — 7 פעמים אינו לוקה] <ועדיין אינו יודע אילו הן הלוקין ת״ל לא תחסום שור בדישו מה חסימה מיוחדת מצות לא תעשה והרי הוא לוקה כך כל שהוא מצות לא תעשה הרי הוא לוקה או כל מצות לא תעשה שיש בה קום עשה יהא לוקה ת״ל לא תחס׳ שור מה חסימת שור מיוחדת שאין בה קום ועשה והרי הוא לוקה כך כל מצות לא תעשה שאין קום ועשה יהא לוקה ר׳ שמעון או׳ והצדיקו את הצדיק צדקהו כדי שלא ילקה והיה אם בין הכות הרשע פעמים לוקה פעמים אינו לוקה> ב, <ועדין איני יודע אילו הן הלוקין תלמוד לומר לא תחסום שור בדישו מה חסימה מיוחדת מצות לא ר-תעשה> ל — 8 השופט] <והכהו> א | אין—מעומד] ל׳ רה | אין אמ, מלמד שאין בטלד | מלקין] <אותו> א — 9 מלקה אמ, מלקה אותו ר, ל׳ בטלד | מאחריו בלהטי, אחריו טי, מלאחריו א׳מ, לאחריו א, מאחוריו ר — 10 שיהא רבטמה, כשהוא א, שהוא ד | לוקה] <יהיו> א׳ | ועיניו] עיניו לא [ועיניו א׳] | ולא—אחר] לא כדרך שאחרים עושים שזה לוקה וזה עסוק בדבר אחר ה | שיהא] שיהיה מ | יכול—ומשלם] אין אדם לוקה ומשלם אין אדם לוקה ומת ה | יכול—ומת] ל׳ לא | יהא] יהיה ד — 11 ת״ל—אין לוקה ומת רטמ, ת״ל—ומת יכול יהא לוקה ומת ת״ל כדי רשעתו אין לוקה ומת ב, ל׳ טד | יכול—ומשלם] ל׳ ט — 13 יכול] יכול יהו אמ | יכול—לארבעים] ר׳ עקיבה אומר ארבעים חסר אחת אתה אומ׳ כן או אינו אלא ארבעים שלמים ת״ל ארבעים במספר מנין שהוא סמוך לארבעים ה | ארבעים—כתיפיו] ל׳ ט | ארבעים במספר] כן נראה לגרס, והנסחאות המקובלים הם: ארבעים כמספר ארבעים מ, מספר א, ארבעים ר, במספר ארבעים בלד — 14 שהוא סוכם אמ, שסמוך ר, סמוך בלד | את הארבעים אמ, לארבעים רבלד | רבי] ל׳ ב | היכן רא מ, והיכן בלד [וגם בא נוסף ר״ו למעלה מן המלה] | את היתירה אמה, יתירה רפ, ל׳ בלד — 15 יכנו—שנים כאחד] ל׳

יכנו, אין מלקים שנים כאחד.

לא יוסיף, אם הוסיף עובר בלא תעשה אין לי אלא בזמן שמוסיף על המנין על כל אומר ואומד שאמדוהו בית דין מניין תלמוד לומר פן יוסיף מכל מקום.

מכה רבה, אין לי אלא מכה רבה מכה מועטת מנין תלמוד לומר על אלה, אם כן למה נאמר מכה רבה מלמד שאין הראשונה מכה רבה.

ונקלה אחיך לעיניך, מיכן אמרו נתקלקל בין ברעי בין במים פטור רבי יהודה אומר האיש ברעי והאשה במים. דבר אחר ונקלה אחיך לעיניך, משלקה הרי הוא אחיך מיכן אמרו כל חייבי כריתות שלקו נפטרו מיד כריתם. רבי חנניה בן גמליאל אומר כל היום הכתוב קורא אותו רשע שנאמר והיה אם בן הכות הרשע אבל משלקה הכתוב קורא אותו אחיך שנאמר ונקלה אחיך. רבי שמעון אומר ממקומו הוא מוכרע שנאמר °כי כל אשר יעשה מכל התועבות האלה ונכרתו (ויקרא יח כט) הנפשות העושות מקרב עמם, ואומר °אשר יעשה אותם האדם וחי (שם יח ה) בהם, והלא דברים קל וחומר אם מדת פורענות מועטת הנטפל בעוברי עבירה הרי הוא עושה דינו כעוברי עבירה הנטפל לעושי מצוה על אחת כמה וכמה. רבי שמעון ברבי אומר הרי הוא אומר רק חזק לבלתי אכל הדם מה הדם שנפשו של אדם חתה ממנו הפורש ממנו מקבל שכר טוב גזל ועריות שנפשו של אדם מתאוה להם

ה | ולא] לא ב | כסותו] כסות ד — 1 מלקים] ל׳ א, לוקים מ | כאחד] יחד ט — 2 אם] הא אם ה | הוסיף אמה, היה מוסיף רבטלד | בלא תעשה ראמה, על לא תעשה בטלד | שמוסיף בטלד, שמוסיפים ראמה | המנין אמה, הארבעים ר [רמב״ם, מגדל עוז], מנין בטלד | על כל אומד ואומד] בזמן שמוסיף על האומד ה | על כל] מנין על כל אמ | אומד ואומד] אומר ואומר ד — 3 בית דין] <עובר בלא תעשה> א | מנין בטדאה, ל׳ רלמ | פן ראמה, לא בטלד [רש״י] — 4 אלא מכה רבה] אלא מכה מרובה ר ה | מועטת בטאמה, מעוטה רלד — 5 מלמד שאין הראשונה] לימד על הראשונות שהן ה | שאין] שאף ר | הראשונה] ראשונה א, הראשונים ל — 6 ונקלה—עד סוף כל הדורות] ל׳ ט | אמרו] אתה אר׳ ר | נתקלקל ראמ, מתקלקל בלד | בין ברעי בין במים רבדה, בין במים בין בריעי ל, בריעי או במים אמ | פטור] <אחד האיש ואחד האשה> ה | ר׳ יהודה—במים] ל׳ ה — 7 ד״א—משלקה הרי הוא אחיך ה, ל׳ רבלדאמ — 8 מיכן אמרו כל ה, מלמד שכל רבלדאמ | כריתות] ל׳ מ | רבי חנניה—שנאמר ונקלה אחיך] עד שלא לקה הרי הוא נקרא רשע שנ׳ והיה אם בן הכות הר׳ משלקה הרי הוא אחיך ה | בן גמליאל לאמ, גמלא ד, גמל׳ ב, ל׳ ר — 9 הכתוב קורא אותו אמ, הכתוב [כתוב ר] קוראו רפ, קורא אותו הכתוב בלד | שנאמר רבד, ל׳ לאמ — 10 הכתוב קורא אותו] הרי הוא ר | קורא אותו מ, קורא א, קוראו בלד | רבי שמעון—כל הדורות] ל׳ מ | רבי שמעון וכו׳ עד סוף הפיסקא] ל׳ ה — 11 הוא] ל׳ ר | מוכרע] מוכרת א | כי—האלה בלד, ל׳ רא — 13 והלא דברים א, והרי דברים בד, והרי ל, והלא כבר נאמר ק״ו ר | אם] ומה אם ד | מועטת א, ממועטת ר, ל׳ בלד | הנטפל רא, המיטפל בלד | בעוברי ר, לעוברי א, בהם בעוברי בלד | הרי—כעוברי עבירה] ל׳ ל — 14 עושה דינו רא, דינו ב, ל׳ ד | הנטפל רא, המטפל בלד | לעושי א, לעושה ר, בעושה בלד — 15 ברבי] ל׳ א | הרי הוא—אכל הדם ר, לא תאכל הנפש עם הבשר א, ל׳ בלד | מה—כל הדורות] כול׳ ר | מה א, ומה בלד — 16 חתה א [משנה], קצה אי [א״א], יוצאה ד, יוצא בל | ממנו ל, ממנה ב, הימינו

הקרקע, בפ״ז גורס הקדקד וכן הגיהו על פיו מהר״ס ורמא״ש, וא״נ: 1 אין מלקים וכו׳, רמב״ם שם: 2 אם הוסיף וכו׳ עד מכל מקום, מובא ברמב״ם לאוין ש׳, ס׳ יראים רמ״ז, הוצ׳ שיף רי״ז, מגדל עוז ה׳ סנהדרין פט״ז הי״ב׳ — אין לי וכו׳ עד ת״ל על אלה, מכות כ״ג ע״ב ומובא מן הספרי בהגהות מיימ׳ סנהדרין שם, וברש״י מכות כ״ג ע״א ד״ה אין לי אלא, מובא כל המאמר עד אין לי אלא מכה רבה: 6 מיכן אמרו וכו׳, מכות פ״ג מט״ז, פ״ז׳ — ד״א וכו׳ עד מיכן אמרו, הוספתי על פי מ״ת ופ״ז וחסר בשאר הנסחאות, עיין בשנויי נסחאות, וכעין זה כבר הגיהו הגר״א ורמא״ש: 8 כל חייבי כריתות וכו׳, משנה סוף מכות, והגרסא כאן שונה הרבה מגרסת המשנה שם וראיתי להעתיק נוסח המשנה לפ״י כ״י פארמא (וציינתי השנויים מן הדפוס) להשוותו עם נוסח הספרי „כל חייבי כריתות שלקו נפטרו ידי כריתן שנ׳ ונקלה אחיך לעיניך משלקה [ד כשלקה] הרי הוא כאחיך דב׳ ר׳ חנניה בן גמ׳ אמר ג׳ ר׳ חנניה בן גמל׳ ומה אם העובר עבירה אחת נפשו ניטלת [ד נוטל נפשו] עליה העושה מצוה אחת על אחת כמה וכמה שתנתן לו נפשו ר׳ שמעו׳ או׳ ממקומו הוא למד שנ׳ ונכרתו הנפשות העושות מקרב עמם ואו׳ אשר יעשה אתם האדם וחי בהם הא כל היושב ולא עבר עבירה נותנין לו שכר כעושה מצוה ר׳ שמעון ביר׳ או׳ הרי הוא או׳ רק חזק לבלתי אכל הדם כי הדם הוא הנפש ומה אם הדם שנפשו של אדם חתה [ד קצה] ממנו הפורש ממנו מקבל שכר גזל ועריות שנפשו של אדם מתאוה להם ומחמדתן הפורש מהן על אחת כמה וכמה שזכה לו ולדורותיו ולדורות דורותיו עד סוף כל הדורות:״ 9 כל היום וכו׳, רש״י, פ״ז, משנה שם, ועיין מדרש תהלים ע״ט ג׳ (ק״פ ע״ב):

ומחמדתן הפורש מהם על אחת כמה וכמה שיזכה לו ולדורותיו עד סוף כל הדורות רבי אומר הרי הוא אומר ה׳ מי יגור באהליך הולך תמים ופעל צדק לא רגל על לשונו נבזה בעיניו נמאס כספו לא נתן בנשך ובמקום אחר הוא אומר ואיש כי יהיה צדיק וגו׳ ובסוף הענין הוא אומר צדיק הוא חיה יחיה וכי מה עשה זה הא כל היושב ואינו עבר עבירה נותנים לו שכר כעושה מצוה

(תהלים טו א; שם טו ב; שם טו ג; שם טו ד; שם טו ה; יחזקאל יח ה; שם יח ט)

סליק פיסקא

רפז.

(ד) לא תחסם שור, אין לי אלא שור מנין לעשות שאר בהמה חיה ועוף כיוצא בשור תלמוד לומר לא תחסום מכל מקום אם כן למה נאמר שור שור אי אתה חוסם אתה חוסם את האדם.

בדישו, אין לי אלא דיש מנין לרבות שאר עבודות תלמוד לומר לא תחסם מכל מקום אם כן למה נאמר בדישו, מה דיש מיוחד שגידולו מן הארץ ותלוש מן הקרקע בשעת גמר מלאכה בשעה שהוא עושה הרי הוא אוכל כך כל דבר שגידולו מן הארץ ותלוש מן הקרקע בשעת גמר מלאכה בשעה שהוא עושה הרי הוא אוכל רבי יוסי ברבי יהודה אומר מה דיש מיוחד דבר שהוא עושה בידיו וברגליו ובגופו יצא העושה בידיו אבל לא ברגליו ברגליו אבל לא בגופו סליק פיסקא

רפח.

(ה) כי ישבו אחים, פרט לאשת אחיו שלא היה בעולמו, מיכן אמרו שני אחים

7 אין לי אלא וכו׳, רש״י, רא״ם, משנה ב״ק סוף פ״ה, ובבלי שם נ״ד ע״ב, ב״מ פ״ט ע״א׳ — שור וכו׳ עד את האדם, פי׳ ריב״א (נדפס עם פי׳ בעלי התוספות על התורה), ב״מ פ״ח ע״ב, ירושלמי מעשרות פ״ב ה״ו (נ׳ ע״א): 10 אין לי אלא וכו׳, בבלי ב״מ, ירושלמי מעשרות שם, תוספתא ב״מ פ״ח ה״ז (ע׳ 388): 14 ר׳ יוסי ב״ר יהודה וכו׳, ב״מ פ״ז מ״ד, בבלי צ״א ע״ב, ירושלמי י״א ע״ב, תוספתא פ״ח ה״ז (ע׳ 387), פ״ז:

16 שלא היה בעולמו, [משנה יבמות ריש פ״ב, ותוספתא שם, (עמוד 242). ואיצטריך כגון שהניח את אמו מעוברת, ירושלמי ג׳ ע״ג, דאל״כ פשיטא וכ״ה בתוספות י״ז ע״ב ד״ה אשת ולא הזכירו את הירושלמי] רש״י, ת״י, פ״ז׳ — מיכן אמרו [מלת יחדו בסוף דייק משמע שהיתה להם ישיבה אחת בעולם וכן מפורש בירושלמי יבמות ב׳ ע״ב, ג׳ ע״ג, ובבלי י״ז ע״ב], ספר הזכרון, רא״ם, ובשניהם מפורש דלאו יחדו דורש אלא כי ישבו, עיי״ש׳ — אחיו [הגר״א מוסיף על פי המשנה „ומרת

דא | הפורש ממנו–כל הדורות] וכו׳ מתני׳ א, הפורש ממנו זוכה לו ולבניו אחריו הפורש מגזל ועריות שנפשו של אדם מתאוה להם על אחת כמה וכמה א׳ — 2 רבי] רבי יהודה לד | ה׳] ל׳ ד | באהליך] <ואו׳ הוא> א, באהלך וגו׳ ט׳ | הולך] ואומר הולך מ | תמים] ל׳ ל | צדק] <ואו׳> אמ — 3 לא–בנשך] כל המזמור ר | לשונו] <ואו׳> אמ | נמאס] <ואו׳> אמ | ובמקום–אומר] ל׳ ר | אחר] אחד ט׳ — 4 הוא] ל׳ מ | כי יהיה] ל׳ א [איתא א׳] | וגו׳ מ, ל׳ א, ועושה משפט וצדק [וצדקה בט] בטל ד, וגו׳ אל ההרים לא אכל ר | ובסוף רבטאמ, וסוף ל | הענין] עינין ב, ענין ר | הוא אומר] אומר מ, ל׳ א | צדיק הוא רמ, ל׳ בטלד | חיה] חיו רל — 5 זה] ל׳ ר | הא רמ, אלא בטלדא | היושב רדאמ, השב בטל | ואינו עובר אמ, ולא עבר רבטלד | כעושה טדמ, כעושי רב ל, בעושי א — 6 סליק פיסקא ד, פסו׳ ר, ל׳ בלא —

7 לא תחסם–סליק פיסקא] ל׳ ט | שור] שור בדישו ד | מנין–כיוצא בשור ר [רא״ם], שאר בהמה חיה [חיה ועוף מ] מנין אמ, מנין לעשות שאר בהמה כשור ה, מנין לעשות חיה ועוף כיוצא בשור בלד — 8 שור אי אתה חוסם] את השור אי אתה חוסם ר [רא״ם] — 9 חוסם אתה ב, אתה חוסם ר, אבל אתה חוסם לדאמ [רא״ם] | האדם רלאמ [רא״ם], את אדם ב, אדם ד — 10 אין–דיש] ל׳ ה | דיש] בדישו ד | שאר] <כל> רה — 11 מה דיש–סליק פיסקא] ח׳ ה [ועיי״ש] | שגידולו] וגדולו א, שגידוליו ר — 12 מלאכה ראמ, מלאכתו בלד | בשעה ר, ובשעה בלדאמ | הרי הוא ראמ, ל׳ בל ד | אוכל] אוכלם ד | כך] אף ב | כך כל] כל כך א — 13 בשעת] בשעה שהוא א | בשעת גמר מלאכתו] ל׳ מ | מלאכה ראמ, מלאכתו בלד | בשעה רמ, ובשעה בלד | הרי–מיוחד דבר שהוא עושה] ל׳ ר | הרי הוא א, ל׳ בלדמ — 14 דבר בלאמ, ל׳ ד | שהוא עושה אמ, שעושה בלד | בידיו–ברגליו ברגליו ראמז, בידיו וברגליו בל, בידיו וברגליו ד | בגופו] בידיו ז — 15 סליק פיסקא ד, סל׳ פסו׳ ר, סל׳ פס׳ ב, סליק פיסקא ל, ל׳ א — 16 כי–ת״ל יחדו פרט לאחיו מאמו] ל׳ ט |

ומת אחד מהם ונולד להם אח ואחר כך ייבם השני כול׳ מתני׳. יחדו, פרט לאחיו מאמו לפי שמצינו שיש אחים בתורה שעשה בהם אח מן האם כאח מן האב יכול אף כאן תלמוד לומר יחדו פרט לאחיו מאמו.

ומת אחד מהם, אין לי אלא בזמן שהם שנים ומת אחד מהם מנין אפילו הם מרובים תלמוד לומר ומת אחד מהם מנין אפילו מתו כולם תלמוד לומר ומת אחד מהם אם כן למה נאמר אחד מהם אשת אחד מתיבמת ולא אשת שנים מיכן אמרו שלשה אחים נשואים שלש נשים נכריות ומת אחד מהם ועשה בה שני מאמר ומת הרי אלו חולצות ולא מתיבמות.

ובן אין לו אין לי אלא בן בן הבן ובת הבן ובן הבת ובת הבת מנין תלמוד לומר ובן אין לו מכל מקום אם כן למה נאמר ובן אין לו פרט לשיש לו מן השפחה ומן הנכרית.

לא תהיה אשת המת החוצה לאיש זר, למה אני צריך לפי שאמרנו להלן אשת אחד מתיבמת ולא אשת שנים יכול אף כאן תלמוד לומר לא תהיה אשת המת החוצה לאיש זר, כיצד היא עושה או חולצת או מתיבמת. הנותן גט

אחים] <יחדו> ב | לאשת אחיו ראמה, לאחיו בלד | בעולמו] בעולם ל | מיכן—כול׳ מתני׳] ל׳ ה — 1 אח] אחד ד | כול׳ מתני׳ ר, את אשת אחיו ומת פטורה [פטור השלישי אי׳] מן החליצה ומן היבום אמ [ספר הזכרון], את אשת אחיו ומת הראשונה יוצא [כ״ה בכ״י] משום אשת אחיו שלא היה בעולמו מיכן אמרו שני אחין ומת אחד מהן ונולד להן אח ואחר כך ייבם השני את אשת אחיו והשנייה משום צרתה | אחים ב, ל׳ לד | לאחיו מאמו ראמפ, לאחים מן האם בלד — 2 לפי שמצינו—מאמו] ל׳ ה | אחים אמ, באחים רבלד | בתורה רבאמ, מן התורה לד | שעשה בהם ראמ, ששוה בלד | האם] האב מ | כאח ראמ, לאח בלד | האב] האם מ | אף כאן ראמ, אף כאן כן בלד — 3 ת״ל] <לא> ד | מאמו] מן האם ל — 4 מהם] מאמו א | הם] ל׳ ה — 5 מנין—מהם] ל׳ לה | מנין—נאמר אחד מהם] ל׳ א | ת״ל ומת אחד מהם בד, ת״ל לא תהיה אש המת החוצה וכו׳ זפ, ת״ל מהם מ, ת״ל ר — 6 אם כן וכו׳] עד כאן נמצא בפי׳ ר״ה | אם כן למה נאמר רמה, ולא נאמר בלד, ולמה נאמר טז | מתיבמת] מבמת ב [מתיבמת ב׳] — 7 שלש] לשלש ה | נשים בטאה, אחיות לד | ומת—פרט לש״ש לו מן השפחה ומן הנכרית] וכו׳ ד, ל׳ ל | ומת] מת ב | שני] השני בטא | הרי] והרי ב | הרי—מתייבמות אמ, כול׳ ר, בבטלד נוסף <שנאמר ומת אחד מהם יבמה יבא עליה שעליה זיקת יבם אחד ולא שעליה זיקת שני יבמים> — 9 ובן אין לו—ומן הנכרית] ל׳ בט | אלא] ל׳ א | ובת הבן ובן הבת] ובת ה, ל׳ א, ובן הבת [מהר״ס] | ובת הבת] ובת בת הבת ר, <טומטום ואנדרגינס> ה — 10 לשיש אמה, ליש ר [מהר״ס] — 11 הנכרית] הנכריות ר [מהר״ס], <פרט לשיש לו מכל מקום> ר, <מ״מ> א, <שאינו קרוי בנו> ה — 12 לאיש זר] ל׳ א | שאמרנו] שנא׳ א, שאמר מ — 13 כאן ראמ, כאן כן בטלדא׳ | לא] ולא א — 14 היא א, הוא רבטלדמ | או חולצת או]

הראשונה יוצאת משום אשת אחיו שלא היה בעולמו והשניה משום צרתה״]: 1 יחדו [הגר״א מוסיף „המיוחדים בנחלה״ כיבמות י״ז ע״ב]. — פרט לאחיו וכו׳ [בבלי שם י״ז ע״ב, ושם עוד למוד אחר יליף אחים אחים מבני יעקב וכן בירושלמי ב׳ ע״ד ועוד מלשון ישיבה דכתיב וירשת וישבת ישיבה שיש עמה ירושה ועוד שם שישיבתן בבית אחד מה שאין כן באחים מן האם שזה הולך לבית אביו וזה הולך לבית אביו] רש״י, ת״י, פ״ז: 2 שעשה בהם [גרסת הדפוס ששוה, והגיה הגר״א „לפי שמצינו בעריות ששוה״]: 5 מרובים [הגר״א גורס „מרובים ומתו ת״ל ומת מהם״ א״כ מה ת״ל אחד אשת אחד וכו׳] פ״ז. — מנין אפילו מתו כולם ת״ל מהם, עד כאן נמצא מפי׳ ר״ה בכ״י: 6 מיכן אמרו וכו׳, יבמות פ״ג מ״י, בבלי ל״א ע״ב, ירושלמי ה׳ ע״א: 9 אין לי אלא וכו׳, פ״ז, רש״י, ראם, ועיין רמב״ם ה׳ יבום פ״א ה״ב, והשוה עוד ב״ב קט״ו ע״א שדרשו כן ובן אין לו על ענין נחלות, ועיין עוד יבמות כ״ב ע״ב: 10 פרט וכו׳, רמב״ם שם ה״ד: 13 יכול וכו׳, [הגר״א יכול תהא פטורה ת״ל וכו׳ עושה חולצת ולא מתייבמת ובמאיר עין מפרש אף כאן כן אם כנס השני, ואין נראה דמזה מיירי לקמן פי׳ רפ״ט אלא נראה דר״ל אם היו שלשה ומת אחד ואחר כך מת השני קודם שעשה בה מאמר והלמוד הוא מן מלת חוצה היינו עד שלא עשה בה אחד מאמר ועיין ירושלמי יבמות פ״א ה״ו דכותים היו דורשים חוצה דדוקא ארוסה מתייבמת וב״ש היו דורשים דצרת הבת זקוקה ליבם ומהר״ס גרס גם כן חולצות ולא מתייבמות ומפרש אף כאן כן כלומר יכול דאף לענין לא תהיה אשת המת החוצה נאמר אשת אחד ולא אשת שנים דאם עליה זיקת שני יבמין תנשא להם ת״ל וכו׳, ולא הבינותי כוונתו ואולי צ״ל תנשא לשוק; ועוד צ״ל דבמ״ת גורס לעיל מנין אפילו מרובין ת״ל ומת אם כן למה נאמר ומת אחד מהם אשת אחד ומה שבינתים חסר; ורד״ף מפרש אף כאן כן דאף לענין חליצה תהא פטורה ת״ל וכו׳ חולצת ולא מתייבמת; אבל לא הביא כלל דברי מהר״ס ודין דאשת אחד מתייבמת שנוי גם כן בתוספתא פ״ה ה״ז אשת אחד מתייבמת וכו׳; ירושלמי ח׳ ע״א תני ר׳ חייה אשת אחד וכו׳]: 14 הנותן גט וכו׳, למעלה פי׳ ר״ע (ע׳ 290, שורה 16), יבמות נ״ד ע״ב בשם ר״ע, תוספתא שם פ״ז ה״ב (ע׳ 248, שורה 23);

ליבמתו פסלה לעצמו ופסלה על ידי אחים יכול יהא גט פוטרה ודין הוא ומה חליצה שאינה פוטרת באשה פוטרת ביבם גט שפוטר באשה אינו דין שיפטור ביבם תלמוד לומר לא תהיה אשת המת החוצה לאיש זר אלא בחליצה. העושה מאמר ביבמתו קנאה לעצמו ופסלה על ידי אחים יכול יהא גומר בה תלמוד לומר יבמה יבא עליה ביאה גומרת בה ואין מאמר גומר בה.

יבמה יבא עליה, בין בשוגג בין במזיד בין באונס בין ברצון ואפילו הוא שוגג והיא מזידה הוא מזיד והיא שוגגת.

ולקח ולקחה, ויבם ויבמה פרט לצרת כל העריות מיכן אמרו חמש עשרה נשים פוטרות צרותיהן וצרות צרותיהן מן החליצה ומן היבום   סליק פיסקא

רפט.

(ו) והיה הבכור אשר תלד, יכול אם היה שמו יוסי יקרא שמו יוסי היה שמו יוחנן יקרא שמו יוחנן תלמוד לומר יקום על שם אחיו מכל מקום אם כן למה נאמר והיה הבכור אשר תלד מלמד שמצוה בגדול ליבם.

אשר תלד, פרט לאיילונית שאינה ראויה לילד. יקום על שם אחיו, ולא על שם אחי אביו. המת, לפי שאמרנו להלן אשת אחד מתיבמת ולא אשת שנים

ועיין במשנה ריש פ״ה וירושלמי שם: 1 גט פוטרה ודין וכו׳ [ירושלמי יבמות ו׳ ע״ג; בקדושין י״ד ע״א מקשה גם כן ותהא יבמה יוצאה בגט מק״ו ומתרץ דכתיב ככה אבל בירושלמי יבמות מתרץ באופן אחר אבל הא דפוסלה על עצמו נראה דיליף ממלת החוצה ומפרש החוצה שנתן לה עיין ירושלמי שהקשה ולא תפטור בה כלום ומתרץ כתיב לא תהיה וכו׳ מה אנן קיימין וכו׳ ופירשו המפרשים דכולא קרא יתירה אבל לפי זה אינו מובן מאי מתרץ דמקרא שמעינן דאינה יכולה להנשא לאחר אבל מהיכא שמעינן דאסורה לעצמו ונראה קצת דהסרה בבא אחת וה״ק אם בשבא עליה אשתו היא ואם כן איך קורא אותה החוצה ואם בשחלץ לה הרי מותרת לזה ואם בשלא חלץ לה הרי אינה חלוצה ועל כרחך בנתן לה גט וקמ״ל דאסורה לדידיה וגם לאחר ולפי זה אין צריך עוד לתירוץ הראשון ת״ל וחלצה ועוד למוד אחר שם כדתני חזקיה מן לא יוכל בעלה הראשון וכ״ה בבלי נ״ב ע״ב ולפי הבבלי נ׳ ע״ב גט מהני משום דמהני בעלמא וכן מאמר משום דמהני בעלמא ולענין הירו׳ לעיל י״ל דמפרש לא תהיה אשת המת החוצה לאיש זר לאיש שהיא זרה לו דהיינו היבם לפי שנתן לה גט עיין פ״ז דמפרש גם כן כעין זה לענין חייבי לאוין]: 3 העושה מאמר וכו׳, [יבמות נ״ב ע״א, ירושלמי ריש פ״ה וריש פ״ב, ושם יליף מן ולקחה לו לאשה ומן ויבמה יליף דאורעה כל הפרשה ליבום ור״ש ספיקא אם במאמר קונה או לא קונה ור״א בן ערך סובר מאמר קונה קנין גמור]: 6 בין בשוגג וכו׳, משנה יבמות ריש פ״ו, בבלי שם נ״ד ע״א, ירוש׳ ז׳ ע״ב: 8 פרט לצרת כל העריות [הגר״א גורס לצרות ועריות מכאן אמרו וכו׳ יבמות ח׳ ע״א, וכן מתניא שם בשם רבי, אבל מפורש דלערוה גופה לא צריך קרא ותרי קראי למיסר צרה ואידך איידא דקאמר ולקחה כתב נמי ויבמה]. – מיכן אמרו וכו׳, משנה ריש יבמות:

11 מכל מקום [הגר״א גורס כאן ולא על שם אחי אביו ומוחק לקמן, יבמות כ״ד ע״א]: 12 שמצוה בגדול ליבם, יבמות פ״ב מ״י, בבלי כ״ד ע״א, ירושלמי ד׳ ע״א, רש״י: 13 לאיילונית [משנה יבמות ריש פ״א ובבלי י״ב ע״א וירושלמי שם ולקמן (שורה 9) צריך למחוק מלת איילונית ולגרוס קטנה שאינה ואי גרסינן

חולצת ולא ז | הנותן] לפי שאמרו הנותן ה – 1 ליבמתו ראמה, לעצמו בלד, ל׳ ט | פסלה לעצמו] ל׳ טי | לעצמו] על עצמו ה | על ידי] מן אמ | יכול–בחליצה] ל׳ טי | יכול–על ידי אחים] ל׳ טי | יהא] יהיה ד | פוטרה במה ר׳, פוטרת א, פטורה רל, פוטר׳ ד | ודין–ביבם] ל׳ ה | ודין] דין מ – 2 פוטרת] פוטרה ל | שיפטור ר, שיהא פוטר בל, שתהא פוטרת א, שפוטר דמ – 3 המת ראמ, ל׳ בטלד | החוצה לאיש זר] וגו׳ ר | אלא בחליצה ראמז, בחליצה בטלד, אינה נפטרת אלא בחליצה ה – 4 על ידי אחים] ל׳ ל | על יוי רה, מן אמ, על בטד | אחים רה, האחים בטדאמ | יכול–סליק פיסקא] ל׳ ה | יהא] יהיה ד | גומר] גומרת ד – 6 יבמה–פרט לסריס שכבר שמו מחוי) ל׳ ט | יבמה] ל׳ ל | בין במזיד] ל׳ ל | ואפילו] אפילו ר | הוא שוגג והיא מזידה [מזידת ר] הוא מזיד והיא שוגגת ראמ, היא שוגגת והוא מזיד הוא [או הוא ד] שוגג והיא מזידה בלד, <כול׳> ר, <וכו׳ מתני׳> אמ – 8 ולקח] לקח מ | ויבם באמ, יבם רל, יבם ויבם ד | לצרת בלאמ, לצרות רד | כל] מכל ד | מיכן] וכן ד, והיכן ל – 9 צרותיהן ראמ, ל׳ בלד | וצרות–היבום כול׳ ר, כולו ב | וצרות] צרות ל | מן החליצה ומן היבום אמ, וכו׳ לד | סליק פיסקא ד, ל׳ רבלא –

10 והיה הבכור–לילד] ל׳ ה ועיין שם | אשר תלד] ל׳ ב | יקרא שמו–היה שמו] ל׳ א | היה שמו יוחנן רמ, היה יוחנן בל, יוחנן ד – 11 שמו יוחנן] אותו יוחנן ר – 12 אשר תלד אמ, אשר ר, ל׳ בלד | שמצוה] מצוה ר | בגדול ראמ, על הגדול בלד – 13 שאינה אמה, שאין ר, ושאינה בלד | ראויה] ל׳ ל | ראויה לילד] יולדת א | יקום–מחוי) נשמט ממקומו בט, ונמצא בסוף הפיסקא – 14 אביו ראמה, האב בלד | לפי–שנים] ל׳ ה | להלן] ולהלן ב | ולא] ואין א –

מנין מת ראשון ייבם שני מת שני ייבם שלישי תלמוד לומר המת, המת ריבה. ולא ימחה שמו מישראל, פרט לסריס שכבר שמו מחוי.

(ז) ואם לא יחפץ האיש, ולא שלא חפץ בה המקום מוציא אני את העריות שחייבים עליהן מיתת בית דין ועדין לא אוציא עריות שחייבים עליהן כרת בידי שמים תלמוד לומר מאן יבמי ולא שמיאן בה המקום מוציא אני את העריות שחייבים עליהן כרת בידי שמים ועדין לא אוציא את העריות שהן בלא תעשה תלמוד לומר לא אבה יבמי, ולא שלא אבה בה המקום.

לקחת את יבמתו, מה אני צריך מפני שנאמר והיה הבכור אשר תלד יכול שאני מוציא עקרה וזקנה וקטנה שאינן ראויות לילד תלמוד לומר יבמתו יבמתו ריבה.

ועלתה יבמתו השערה, מצוה בבית דין שיהא בנבוה שבעיר ושיהא בזקנים.

מאן יבמי, ולא שמיאן בה המקום. להקים לאחיו, פרט לסרים שאם רצה להקים אינו יכול.

שם, רבי יהודה אומר נאמר כאן שם ונאמר להלן שם מה שם האמור להלן נחלה אף שם האמור כאן נחלה ומה שם האמור כאן זרע אף שם האמור להלן זרע.

בישראל, ולא בגרים מיכן אתה אומר שני אחים גרים שהיתה הורתם שלא בקדושה ולידתם בקדושה פטורים מן החליצה ומן היבום שנאמר בישראל ולא בגרים. לא אבה יבמי, ולא שלא אבה בה המקום סליק פיסקא

1 מנין] ל׳ ט | ראשון] הראשון ה | ייבם] מתיבם א | שני] השני הט׳ | ייבם] מתיבם א | שלישי] השלישי ה | ריבה ר ה, ריבה הכתוב בטראמ — 2 שכבר שמו מר, ששמו בט לרא — 3 שלא] ל׳ ר | המקום] מקום ר, ל׳ מ. <יכול> א׳ | את העריות] עריות ר — 4 עליהן] עליו ד | מיתת] מיתות ד | ועדין—מוציא אני את העריות שחייבים עליהן כרת בידי שמים] ל׳ בטלד | ועדין] ועדן ר — 5 תלמוד לומר—מוציא אני את העריות שחייבים עליהן כרת בידי שמים] אמה, ל׳ ר — 6 לא] ולא ר — 7 יבמין ל׳ ט׳ | ולא] ל׳ ל | שלא] לא ל | המקום] מקום ר — 8 מפני] לפי ה — 9 שאני] שני ר | וזקנה וקטנה אמה, וקטנה זקנה ואיילונית ר, וזקנה [זקנה ל] ואיילונית וקטנה בטלד | שאינן ראויות רה, ושאינה ראויה אמבטלדז | לילד] ל׳ ד — 10 ריבה ט, ריבה הכתוב רבלדאמה — 11 שיהא] שהוא ר, שיהו ל | בגבוה ראה, בגובה טמ, בגובהה בלד | שבעיר ראמ, של עיר בטלדה | ושיהא רבטאמ, ושיהיה לדה — 12 ולא שמיאן בה [בה ל׳ א] המקום ר אמ, ל׳ בלדה | להקים] ליבם ה — 13 אינו] אין ר, שאינו ט — 14 שם האמור] ל׳ מ [וכן בסמוך] — 15 ומה אמ, מה רבטלד | כאן א, להלן בטלמה, לה׳ ר, לשם ד | אף] אם ר | שם האמור] ל׳ א | להלן א, כאן רבטלדמ — 16 אתה אומ׳ ראמה, אמרו בטלד | שני] שנים ד — 17 בקדושה] בקדושתן ד | שנאמר—בגרים] ל׳ ה — 18 יבמי] <זה הוא שאמרנו> ה | ולא שלא] ולא ר, שלא ל | שלא אבה] שאבה ר | בה] ל׳ ט׳ | סליק פיסקא ד, ל׳ רבלא

ושאינה אפשר דר״ל בשתתה כוס עיקרין] רש״י, רמב״ן. — ולא על שם אחי אביו, עיין יבמות כ״ד ע״א. ועל פי האמור שם מפרש רמא״ש שאין צריך להקרא בשם המת דאם כן יקום על שם אחי האב הוה ליה למימר אלא על דהיבם קאי שיטול נחלת המת בנכסי אביו, ועיין ברש״י; ובת״י, וברמב״ן, ואולי יש לפרש ביותר ביאור יקום על שם אחיו שהיבם יורש נכסי אחיו, ולא בנו על שם אחי אביו; 2 פרט לסריס, משנה יבמות ח׳ ד׳ [יבמות ע״ט ע״ב, משמע בין סריס חמה בין סריס אדם כדמפרש בירוש׳ שם ט׳ ע״ד]: 3 שלא חפץ בה המקום [ירושלמי יבמות ריש פ״א ה״א, ב׳ ע״ג] לקמן בסוף פיסקא זו ופיס׳ ר״צ: 9 יכול שאני וכו׳, בדפוס גורס וזקנה ואיילונית, ויגעו המפרשים לבארה, כי איילונית פטורה מן היבום ומן החליצה, ולפי הגרסה שלפנינו אין קושי כלל, ועיין בשנויי נסחאות; ועקרה אין זו אילונית, רק אשה שלא ילדה אבל לא נראו בה סימני איילונית: 11 בגבוה שבעיר, מ״ת כאן, ולמעלה י״ז ח׳ (עמ׳ 102), כ״א י״ט (עמ׳ 131), כ״ב ט״ו (עמוד 140), והשוה למעלה קנ״ב (עמ׳ 206, שורה 8) ובציונים שם, ובארחות חיים ח״ב ע׳ 187, מובא בשם הלכות חליצה מספר התרומה, „תניא בספרי ועלתה יבמתו צריכין לעלות בגובהה של עיר לחלוץ״. — בזקנים, [משנה יבמות ריש פרק י״ב, ואפילו שלשתן הדיוטות, ומפרש בבבלי ק״א ע״א שיודעין להקרות כעין דיינים ודוחק ואפשר לפרש דצ״ל ואפלו שלשתן וכו׳ כשר, ר״ל בדיעבד]: 12 פרט לסריס, למעלה ריש הפיסקא ועיין יבמות ע״ט ע״ב: 14 מה וכו׳, [הגר״א גורס „מה שם האמור להלן זרע אף כאן זרע פרט לסריס שאם רצה להקים לאחיו שם אינו יכול. בישראל ולא וכו׳] ומהר״ס הגיה וכתב „מה שם האמור להלן וכו׳ נראה דאיפכא גרסינן מה שם האמור כאן זרע אף שם האמור להלן זרע. וטעות נפל בספרים לגרוס כאן כמו התם בפ׳ פנחס״: 15 זרע [עיין ספרי פינחס פי׳ קל״ג ע׳ 177] ועיין יבמות כ״ד ע״ב: 16 ולא בגרים [יבמות

רצ.

(ח) וקראו לו זקני עירו, מצוה בזקני עירו. ודברו אליו, בהוגנת לו שאם היה הוא ילד והיא זקנה הוא זקן והיא ילדה אומרים לו כלך אצל כמותך ולמה לך להכנים קטטה לביתך.

ועמד ואמר, מלמד שאין אומר דבריו אלא בעמידה. לא חפצתי לקחתה, ולא שלא חפץ בה המקום סליק פיסקא

רצא.

(ט) ונגשה יבמתו אליו לעיני הזקנים וירקה בפניו, רוק הנראה לעיני הזקנים, מלמד שמתייחדת עמו לעיני הזקנים.

וחלצה נעלו, אין לי אלא נעלו שלו של אחרים מנין תלמוד לומר חלוץ הנעל מכל מקום אם כן למה נאמר וחלצה נעלו פרט לגדול שאין יכול להלך בו וקטן שאין חופה את רוב רגלו וסוליים שאין לו עקב שחליצתה פסולה.

מעל רגלו, נאמר כאן רגלו ונאמר להלן [י]רגלו מה רגלו האמור להלן ימנית ויקרא יד יד
אף רגלו האמור כאן ימנית. מעל רגלו, מיכן אתה אומר מן הארכובה ולמטה חליצתה כשירה מן הארכובה ולמעלה חליצתה פסולה.

פי"א מ"ב, תוספתא פי"ב ה"ב, ע' 254, בבלי צ"ז ע"ב]: 18 ע' הקו' יבמי, ולא שלא וכו', לפי דברי גייגער בספרו Urschrift ע' 437, ובמ"ע Jüd. Zeitschrift שנה ד' ע' 101 יש להוכיח מדרשה זו שהיו קוראים יְבָמִי כמו שקראו בעלי תרגום השבעים, וחלק עליו פיניליש בדרכה של תורה עמ' 191. — שלא אבה וכו', לקמן פי' ר"צ ולמעלה שורה 7:

1 בזקני עירו [סנהדרין ל"א ע"ב, ירושלמי יבמות י"ג ע"א, הגר"א מוסיף ולא בשלוחם]. — בהוגנת לו, ז"א אם היא הוגנת לו נותנים לו עצה ליבמה, אבל אם אינה הוגנת לו, שאם היה הוא ילד וכו' אומרים לו כלך אצל שכמותך: 2 אומרים לו [הגר"א גורס על פי הגמרא ק"א ע"ב אומרים לו מה לך אצל ילדה מה לך אצל זקנה כלך אצל שכמותך ואל תכניס קטטה וכו' ועיין משנה יבמות סוף פי"ב, ירוש' י"ב ע"ד]: 4 בעמידה [תוספתא פי"ב ה"י, ע' 255 שורה 24, החולצת מן הגדול בין עומד יושב וכן בבלי ק"ג ע"א, ובתוספות שם ד"ה בין מביא הספרי בזה"ל „ועמד אין דברים הללו אלא בעמידה" ולפי זה הכל בעמידה ולאו דוקא האמירה, ועיין יבמות ק"ו ע"א ובתוספות שם ד"ה ברתי] רש"י, והמאמר מובא בתוס' יבמות ק"ג ע"ב ד"ה בין, ובתוס' סוטה כ"ז ע"א ד"ה רב אשי, רמב"ן יבמות ק"ו ע"ב, מאירי שם, פסקי הרא"ש ק"ב ע"ב: 5 ולא שלא וכו', למעלה פי' רפ"ט (שורה 3, ושורה 5):

6 אליו לעיני וכו' [הגר"א גורס „לעיני הזקנים, מלמד שמהלכת אחריו אל הזקנים, לעיני הזקנים וירקה, רוק הנראה לעיני הזקנים. וחלצה נעלו, אין לי אלא נעלו שלו וכו' ת"ל נעל נעל]. — לעיני הזקנים, אין זו אלא הוספה אל הספרי מגליון ולכן חסרה באמר, וגם מפרעת הענין, שהברייתא המתחלת מלמד מתקשרת ישר אל הכתוב ונגשה. — רוק הנראה וכו', [משנה יבמות סוף פי"ב, מ"ת] ת"י, תוספתא פי"ב הט"ו (ע' 256, שורה 13), לקמן שורה 1, ועיין עוד יבמות ל"ט ע"ב ושם הגרסה „רוק דמתחזיא לבי דינא על ארעא", אבל בירושלמי י"ג ע"א הגרסא רוק דמתחזי על ארעא, אבל בתוספתא רוק דמרתחזי, ועיין למטה שורה 90 בשנויי נסחאות גרסת כ"י א: 7 מלמד וכו', לשון הפ"ז „לפני הזקנים מתיחדת עמו ולא חוץ מן הזקנים": 8 של אחרים וכו', יבמות קי"ג ע"ב, ועיין משנה שם ריש פי"ב 9 פרט לגדול, יבמות שם: 10 שאין לו עקב, ת"י,

1 וקראו—לביתך] ל' ט | ודברו אליו] ל' ל | בהוגנת לו רמ, עצה הוגנת לו א, בהוגנת לו מה הוגנת ל, שמשימין לו עצה בהוגנת לו מה הוגנת לו ב, שמשימין לו עצה ההוגנת לו ד, דברים הגונים מה הגונים ד — 2 הוא] ל' ל | והיא זקנה הוא זקן] ל' ר | אומרים—לביתך] ל' ר | אומרים לו אמה, ועמד ואמר שישאנה לו ד, ואמר שאשאנה אומרים לו ב. ועמד ואמר אשאינה אומרים לו ל | כלך—לביתך ל, כלך אצל כמותך ואל תכניס קטטה בתוך ביתך א, כלך אצל שכמותך מ, כלך אצל כמותך אומר לו ולמה לך להכניס קטטה לביתך ר, כלך אצל שכמותך ולמה לך להכניס קטטה לביתך ב, מה לך אצל ילדה [ילדה זו ה'] מה לך אצל זקנה [זקנה זו ה'] לך אצל שכמותך ואל תכניס קטטה לתוך ביתך ה — 4 אומר רבט, אומרים לדה, ל' אם | דבריו] דברים אלו ה — 5 ולא] ל' ל | סליק פיסקא ד, ל' רבלא —

6 וירקה—הזקנים לד, ל' רבטאמה [ונראה שאינו אלא הוספה מגליון, ואינו מעיקר הספרי] — 8 וחלצה] ל' א | וחלצה—שחליצתה פסולה] ל' ט | אין לי אלא ראמה, ל' בלד | נעלו שלו] נעל א | אחרים] כל אדם ה | חלוץ הנעל רבאמז, חלוץ הנעל חלוץ הנעל לד — 9 למה נאמר] מה ת"ל ה | נעלו] נעלו הראוי לו ה | להלך ראמ ה, לילך בלד — 10 וקטן אמ, ובקטן ר, ולקטן בלד | רגלו אמה, הרגל רבלד | וסוליים ר, ולסוליס א, פרט לסנדל וסולייס [ולסולים מ] מה, ל' בלד | שאין] ושאין ד | שחליצתה] שחליצתו ד | שחליצתה פסולה] ל' ה | פסולה ראמ, פסולה היא בלד — 11 רגלו האמור אמ, ל' רבטלדה [וכן בסמוך] | ימנית] הימנית ה [וכן בסמוך] | מעל רגלו ה [פ"ז], ל' רבלדאמ — 12 אתה אומר ראמ, אמרו רבלד | הארכובה] הרכובה אמ | חליצתה] חליצתו ד — 13 מן הארכובה [הרכובה אמ] ולמעלה [ולמעלן ר] חליצתה פסולה ראמה, ל' בלד, ובכל נ' <קראתה ורקקה

ויר קה בפניו, יכול בפניו ממש תלמוד לומר לעיני הזקנים רוק הנראה לעיני הזקנים מיכן אמרו חלצה ורקקה ולא קראתה חליצתה כשרה קראתה ורקקה ולא חלצה חליצתה פסולה חלצה וקראתה ולא רקקה רבי אליעזר אומר חליצתה פסולה ורבי עקיבא אומר חליצתה כשרה.

וענתה ואמרה, נאמרה כאן ענייה ונאמרה להלן ענייה מה ענייה האמורה להלן בלשון הקדש אף ענייה האמורה כאן בלשון הקדש.

ככה יעשה לאיש אשר לא יבנה את בית אחיו, רבי אליעזר אומר אשר לא בנה ואשר לא עתיד לבנות.

[ככה יעשה] אמר רבי אליעזר ככה יעשה בדבר שמעשה מעכב אמר לו רבי עקיבה משם ראיה ככה יעשה לאיש דבר שמעשה באיש רבי שמעון אומר חליצה מעכבת ורקיקה מעכבת. ונקרא שמו בישראל, רבי ישמעאל אומר חליצה בשכיבה ורקיקה כדי שכבת זרע.

ונקרא שמו בישראל, נאמר כאן בישראל ונאמר להלן בישראל מה בישראל האמור להלן פרט לבית דין של גרים אף בישראל האמור כאן פרט לבית דין של גרים.

בית חלוץ הנעל, מצוה בדיינים ולא מצוה בתלמידים רבי יהודה אומר מצוה

ולא חלצתה> — 1 ממש] ל' ד | הנראה בלראמ [רא״ם], שנראה רה — 2 לעיני הזקנים] לזקנים מ, לעינים א | מיכן—כשרה] ל' ה | אמרו] אתה אומר מ | חליצתה] חליצה א | ורקקה] ירקה ר — 3 חליצתה מא, חליצ' ר, חליצתו בלד | וקראתה] וקראה טי | ולא רא, אבל לא בלדמ — 5 וענתה—הקדש] ל' ט | ואמרה] ל' רל | נאמרה] נאמר לה, נא״ רב | ונאמרה] נ״ ר, ונאמ״ ב, ונאמר ל | האמורה] האמור ה, הא״ ר — 6 האמורה] האמור ה, הא״ ר | הקדש] <ד״א ככה יעשה לאיש דבר שהוא מעשה באיש מעכב מיכן אמרו חלצה ורקקה אבל לא קראה חליצתה כשרה קראה ורקקה אבל לא חלצה חליצתה פסולה חלצה וקראה אבל לא רקקה ר' אליעזר אומר חליצתה פסולה ר' עקיבה אומר חליצתה כשרה א״ר אליעזר ככה יעשה לאיש דבר שהוא מעשה מעכב אמר לו רבי עקיבה משם ראיה יעשה לאיש דבר שהוא מעשה באיש> ה — 7 אשר לא יבנה—משם ראיה ככה יעשה לאיש] ל' ל | את בית אחיו] ל' בט | את—בנה] ל' ר | ר' אליעזר—ורקיקה מעכבת] ל' ה ועיין שם — 8 ואשר לא אמ, ולא רבטלד | עתיד] עומד ר — 9 ככה יעשה [כן נראה להוסיף ועיין בהערות] | אמר ר״א אמז, ר״א אומר ר, ר' יהושע אומר בטלד | בדבר שמעשה] דבר שהוא מעשה ה — 10 דבר בטלדה, בדבר אמ, ל' ר | שמעשה רמאמ, שהוא מעשה בלדה | באיש] ברלדאמ יש כאן הוספה שמקומה למטה בסמוך אחר המלה מעכבת, עיי״ש | ר״ע—ורקיקה מעכבת] ל' ה | שמעון] ישמעאל ד — 11 ורקיקה מעכבת] ואין הרקיקה מעכבת ר [ובהוצאת ראדוויל נכצא הגהה זו מבן ז״א, „בנ״י מודק מלת ר' ישמעאל וגורס חליצה מעכבת ואין רקיקה מעכבת, כלומר שהכל דברי ר״ע וקאי לשיטתיה דלעיל דפליג על ר״א] | ונקרא—זרע] בכ״י אמ נמצאה ברייתא זו לפני המלים ר' שמעון אומר חליצה מעכבת; ברלד לא נשאר ממנה זולת המלים ונקרא שמו בישראל, שנמצאים לפני המשפט ר' שמעון וכו'. ובכ״י ב ל' לגמרי | ישמעאל מ, שמעון א — 13 ונקרא—פרט לב״ד של גרים] להוציא בית דין של גרים עד שיהא אביו ואמו מישראל ה | מה בישראל רבלד, מה ישראל טאמ — 14 של גרים רבלאמ, ל' טד | בישראל רבטלד, ישראל אמ — 15 מצוה—בתלמידים] ל' ה | יהודה] ל' ב —

ועיין במשנה ריש פי״א: 11 ע' הקו' ימנית, יבמות ק״ד ע״א, ירו' שם י״ב ע״ד: 12 ע' הקו' מיכן וכו', משנה יבמות ריש פי״ב ובבלי שם ק״ג ע״א: 1 רוק הנראה וכו', למעלה שורה 6, ובציונים שם, ועיין עוד בסמ״ג עשין נ״ב וז״ל „דתניא בספרי וירקה בפניו יכול בפניו ממש, ת״ל לעיני הזקנים": 2 מיכן אמרו וכו', משנה שם פי״ב מ״ג: ושם הגרסה „חלצה ורקקה אבל לא קראה [ד קראה] חליצתה כשרה קראתה ורקקה אבל לא חלצה חליצתה פסולה חלצה וקראת אבל לא רקקה ר״א אומר חליצתה פסולה ר״ע אומר חליצתה כשרה": 4 ור״ע אומר וכו', משנה שם, ותוספתא פי״ב הט״ו (ע' 256): 5 נאמרה כאן וכו', משנה סוטה ריש פ״ז, ועיין למעלה פי' ר״י (ע' 243, שורה 16) ובציונים שם: 7 ר' אליעזר אומר, הגר״א מוחק שלש מלים אלו׳ — אשר לא בנה וכו', יבמות י' ע״ב, ועיין במ״ת ע' 167 שורה 20: 9 ככה יעשה, כן נראה להוסיף על פי הענין׳ — אמר ר״א וכו', משנה יבמות פי״ב מ״ג, ועיין במ״ת עמ' 167 שורה 5, ועיין מה שהעיר ר' אברהם גייגער במ״ע Jüd. Zeitschrift שנה ד' ע' 37: 13 להלן, למעלה בפסוק להקים לאחיו שם בישראל, ועיין פי' רפ״ט, ע' 308, שורה 16: 14 להלן פרט לב״ד של גרים, הגר״א וז״א דגיהו פרט לגוים׳ — כאן פרט לב״ד של גרים, יבמות ק״א ע״ב, ירושלמי ריש פי״ב (י״ב ע״א): 16 מצוה וכו', משנה יבמות סוף פי״א;

על כל העומדים שם לומר חלוץ הנעל חלוץ הנעל אמר רבי יהודה פעם אחת היינו יושבים לפני רבי טרפון ואמר לנו ענו כולכם ואמרו הלוץ הנעל הלוץ הנעל סליק פיסקא

רצב.

(יא) כי ינצו אנשים, אין שלום יוצא מתוך ניצות וכן הוא אומר ויהי ריב בראשית יג ז
בין רועי מקנה אברם ובין רועי מקנה לוט מי גרם ללוט שיפרוש מאותו
צדיק הוי אומר זו מריבה וכן הוא אומר כי יהיה ריב בין אנשים מי גרם לזה דברים כה א
ללקות הוי אומר זו מריבה.

אנשים, אין לי אלא אנשים איש עם אשה אשה עם איש מנין תלמוד לומר יחדו מכל מקום.

איש ואחיו, פרט לעבדים שאין להם אחוה. וקרבה אשת האחד, ולא אשת שליח בית דין. להציל את אישה, רבי אומר לפי שמצינו שיש מזיקים בתורה שנעשה בהם שאין מתכוין כמתכוין יכול אף כאן תלמוד לומר והחזיקה במבושיו מגיד שאינו חייב על הבשת עד שיתכוין. במבושיו, אין לי אלא מבושיו מנין לרבות דבר שיש בו סכנה תלמוד לומר והחזיקה מכל מקום אם כן למה נאמר מבושיו מה מבושיו מיוחד שיש בו סכנת נפשות והרי הוא בוקצותה את כפה אף כל דבר שיש בו סכנת נפשות הרי הוא בוקצותה את כפה סליק פיסקא

תוספתא סוף פי"ב (עמוד 256): 1 א"ר יהודה וכו', תוספתא שם, בבלי ק"ו ע"ב:

3 אין שלום [לעיל פי' רפ"ו (ע' 302) ועיין ברש"י] פ"ז, ועיין עוד בירושלמי סנהדרין כ"ז ע"א, (וכל המאמר עד מכל מקום מובא מן הספרי במנורת המאור סי' ס"ד, ובראשית חכמה שער הענוה פרק ד' רכ"ד ב'): 5 כי יהיה ריב [כן הגיה הגר"א, והגרכה המקובלת ועמדו שני האנשים אשר להם הריב] ועיין למעלה פיסקא רפ"ו (ע' 302) ובהערה שם: 7 אין לי אלא אנשים [הגר"א מוסיף נשים] ועיין למעלה ריש פי' רפ"ו ובציונים שם, ובמנורת המאור הגרסה „אין לי אלא אנשים, שלום אשה עם חברתה אם ובת איש ואשה מנין ת"ל יחדו מכל מקום": 9 שאין להם אחוה [כתמא כר' יהודה ב"ק פ"ח מ"ג ועיין בבלי שם פ"ח ע"א ופירוש שאין לו אחוה דמותר באחותו ובאשת אחיו וכעין זה פירשו בסנהדרין פ"ו ע"א שאין לו אחוה אפילו עם אחיו בני אביו אבל בתוס' הקשו דא"כ גר ומשוחרר נמי עיין תוס' שם ב"ק ד"ה יצא וסנהדרין ד"ה יצא ע"כ פירשו שאין יוצאי חלציו קרוין אחיו, עוד פי' ר"ש בב"ק שאין לו אחוה עם ישראל דאינו מותר לבא בקהל]. – אחוה [הגר"א מוסיף „דברי ר' יהודה, וקרבה אשת האחד ושלחה ר"א"]. – ולא אשת וכו', ירושלמי ב"ק פ"ח ה"ג (ו' ע"ב), בבלי כ"ח ע"א, פ"ז: 11 ת"ל, [הגר"א גורס ת"ל וקרבה יכול עד שיהא מתכוין לבייש ת"ל והחזיקה ממשמע שנאמר ושלחה ידה איני יודע שהחזיקה ומה ת"ל והחזיקה לומר לך שאם נתכוונה להזיק אף שלא נתכוונה לבייש, במבושיו, אין לי וכו']: 12 מגיד, פ"ז, משנה ב"ק ח' ג', וביחוד לפי גרסת הירושלמי „שנאמר ושלחה ידה והחזיקה במבושיו אינו חייב על הבשת עד שיהא מתכוין". – אין לי אלא וכו', ברייתא זו סותרת זו שלפניה ולפיה בדין רודף נדרש הכתוב ולא בדין בשת, וחולקים בזה ר' ישמעאל ור"ע, עיין במ"ת ע' 168 ובהערת ר' דוד הופמאן שם: 14 מה מבושיו מיוחד וכו' עד הרי הוא בוקצותה, רמב"ם לאוין רצ"ג, ועיין קמ"ז

1 כל רבטד, ל' לאמ | שם] ל' א | חלוץ הנעל חלוץ הנעל רד, חלוץ הנעל בטא, בית חלוץ הנעל למ, חלוץ הנעל ג' פעמים ה | אמר–סליק פיסקא] ל' ה – 2 יושבים] ל' טי | טרפון רטאמ, שמעון ד, ל' בל | לנו] ל' ר | ואמרו] ל' א | חלוץ הנעל חלוץ הנעל רטלד, חלוץ הנעל באמ | סליק פיסקא ד, פס' רב, סליק פסקא ל, ל' א

3 מתוך רדאמ, מתחת בטל | ניצות ראמה [מנורת המאור], מצות ט, מצוות לד | וכן הוא אומר–זו מריבה] ל' ד – 4 שיפרוש רלדאמ, שפרוש ב, שיפרד ט | מאותו צדיק רבלד, מן הצדיק ההוא אמ, מן הצדיק [מנ' המאור] – 5 זו רא, זה מ [מנ' המאור], ל' בלד | כי–אנשים] כן נראה לדגיה ובכל הנסחאות דגרסה ועמדו שני האנשים אשר להם הריב | לזה] זה טי – 6 זו רבדא, זה מטי, ל' לטי | מריבה] מריבת א – 7 אשה] ואשה ד | עם איש] בבמלז נוסף <אשה עם אשה> – 9 איש ואחיו] ל' ל | איש ואחיו–אחוה] ל' ט | אחוה באמדה, אחוזה לד, אחווה ר | ולא ראמדה, אשת איש ולא בטלד – 10 שליח רדאמ, שלוח במלה | אישה] אשה ד – 11 שנעשה אמ, שעשת ר, שעשה בטלד | מתכוין כמתכוין] מתכוון כמתכוון ט | יכול] כביכול ל | כאן אמדה, כאן כן רבלדאי, זה כן בט – 12 מגיד–שיתכוין אמ, מגיד–שהוא מתכוין ר, ל' בטלד | אין לי–סליק פיסקא] ל' ה | לרבות] אל כל מ, ל' א – 13 סכנה] סכנת נפשות ר | אם כן–הרי הוא בוקצותה את כפה ראמה [רמב"ם, חנוך], ל' בטלד | מבושיו] במבושיו מ – 14 שיש בו] דבר שיש בו ר | בוקצות] בקצות ר | אף כל] כך כל ר – 15 שיש בו סכנת] שהוא

רצג.

(יב) וקצתה את כפה, מלמד שאתה חייב להצילה בכפה מנין אם אין אתה יכול להציל אותה בכפה הצילה בנפשה תלמוד לומר לא תחם עינך. רבי יהודה אומר נאמר כאן לא תחם עינך ונאמר להלן לא תחם עינך, מה לא תחם עינך האמור להלן ממון אף לא תחם עינך האמור כאן ממון (דברים יט כא) סליק פיסקא

רצד.

(יג) לא יהיה לך בכיסך אבן ואבן, יכול לא יעשה ליטרא וחצי ליטרא ורביע ליטרא תלמוד לומר גדולה וקטנה גדולה שהיא מכחשת את הקטנה שלא יהא נוטל בגדולה ומחזיר בקטנה רבי עקיבה אומר מנין שאין עושים סלע פחות משקל ולא דינר פחות מטרפעיקא תלמוד לומר לא יהיה לך, רבי יוסי ברבי יהודה אומר אם קיימת הרי הוא בלא יהיה לך.

(יד) לא יהיה לך בביתך איפה ואיפה, יכול לא יעשה תרקב וחצי תרקב ורביע תרקב תלמוד לומר גדולה וקטנה גדולה שהיא מכחשת את הקטנה שלא יהא נוטל בגדולה ומחזיר בקטנה. רבי אליעזר אומר מנין שלא יעשה אדם מדה בת ארבעת קבים להיות מודד בה בתוך ביתו תלמוד לומר לא יהיה לך. מנין שאין מעיינים במקום שמכריעים ואין מכריעים במקום שמעיינים תלמוד לומר אבן שלימה

בסכנת ר | בוקצות] בקצות ר | סליק פיסקא ד, ל׳ רבלא

1 וקצתה את כפה] ל׳ א | שאתה חייב] שחייב אתה ר | בכפה כטאמ, ל׳ רלדה | מנין–בכפה] ל׳ ר | אם א ה, שאם בטלד, ל׳ מ | אין אתה יכול] שלא יוכל מ, לא יכול א — 2 להציל אותה מה, להציל א, להצילה רב טלד | הצילה] מצילה מ, יציל א | ר׳ יהודה–ונאמר להלן לא תחס עינך]] ל׳ ה — 3 לא תחס] לא תחסום ל [וכן בסמוך] | מה לא תחוס עינך רמה, מה בלדא — 4 כאן] <נמי> ל | סליק פיסקא ד, ל׳ בלא, פ׳ ר —

5 וחצי] חצי ד — 6 ורביע ליטרא] ל׳ ט² | שהיא מכחשת] שמכחשת ט¹ | שלא ראמה [הזכרון], לא בטל ד — 7 יהא] יהיה ד | ר׳ עקיבה–בלא יהיה לך] ל׳ ה | מנין] ל׳ ר | שאין עושים אר, שאינו עושה מ, שלא יעשה בטלד | סלע בט, מעה מ, סאה רלדא — 8 מטרפעיקא] מטרפעיק א | לא] ל׳ לד | ר׳ יוסי בר׳ יהודה רטלד, ר׳ יהודה מ, ר׳ יהודה ברבי בא — 9 קיימת] קיימתה ב | הרי] הלא בל — 10 תרקב ראמה, סאה תרקב בט, קב תרקב לד — 11 וקטנה] ל׳ ל | שהיא מכחשת] שמכחשת רמט¹ | את] ל׳ ט¹ | שלא–בקטנה] ל׳ ר | שלא–לא יהיה לך] ל׳ ה — 12 יהא] יהיה ד | יעשה] ל׳ א [יהיה לו אין] | מדה] מדת ד | בת] בית ר — 13 בה] ל׳ אמ | בתוך רטאמ, לתוך בלד | מנין–יהיה לך] ל׳ ט | מנין–אגרנמוס על כך] ל׳ ה [ועיין במד׳ תנ׳ שסגנונו לקוח מן הגמרא ב״ב פ״ח ע״ב] | שאין מעיינים אמ, שאין מעיין ר, שלא יעיין בלד — 14 ואין מכריעים אמ, ולא יכריע רבלד | שמעיינים] שאין מעיינים ר | ת״ל–במקום שמעיינים] ל׳ בל | ת״ל ראמה, ת״ל לא יהיה לך ד |

ובחינוך סימן תקנ״ו, מגדל עוז ה׳ רוצח פ״א ה״ז מספר המצות של הרמב״ם:

1 וקצתה וכו׳ עד ת״ל לא תחס עינך, רמב״ם, ספר החנוך, מגדל עוז שם, וגם הראב״ד ה׳ רוצח פ״א ה״ז רמז למאמר זה בספרי, ומובא בהגה׳ מיימ׳ הל׳ רוצח שם. — מלמד וכו׳, ת״ק מפרש ברודף ובסכנת נפשות, ולכן מתיר להצילה בכפה ובנפשה, עיין סנהדרין ע״ד ע״א, ור׳ יהודה, שהוא מאסכולת ר״ע, מפרש בבשת, וקצות את כפה ממון. — להצילה, [הגר״א גורס להצילו]: 2 ר׳ יהודה אומר וכו׳, הגה׳ מיימ׳ שם, תוס׳ ב״ק ה׳ ע״א ד״ה תחת: 3 להלן, בעדים זוממים:

5 יכול וכו׳ עד שמכחשת את הקטנה, סמ״ג לאוין קנ״ב. — יכול וכו׳ עד בלא יהיה לך, פ״ז, ובספר הזכרון ובראב״ם עד ומחזיר בקטנה. — לא יעשה ליטרא [וא״ת הרי על כרחו צריך לשקול לקונה בערך אלה המשקלות יש לומר דס״ד יעשה משקל היותר קטן כגון רביע ליטרא ויצרפם למשקל גדול ובתורה תמימה פירש להיפך דלמד דאם צריך לליטרא וכו׳ לצרף שני חצאי ליטרא אבל אין הלשון משמע כן]: 7 בגדולה וכו׳ [שילוה בגדולה ויפרע בקטנה ועיין רש״י ות״י שתרגם מכלן רברבין למהוי זבין בהון ומכלין זעירין למהוי מזבין בהון כעין הדרש שלפנינו]. — סלע פחות משקל [כלים פי״ב מ״ז, תוספתא ב״מ פ״ג הי״ז, ע׳ 377, בבלי שם נ״ב ע״א, וגרסת הגר״א שלא יקיים סלע וכו׳]: 9 אם קיימת וכו׳, ועיין בויק״ר פ׳ ט״ו סי׳ ז׳ „אמר הקב״ה אני אמרתי לא תעשה איפה גדולה וקטנה ועשית חייך שאפילו בקטנה אינו מספיק אותו האיש״ ועיין עוד בפסיקתא דרב כהנא „א״ר לוי אף משה רמזה לישראל מן התורה לא יהיה בכיסך אבן וגו׳ לא יהיה לך בביתך איפה ואיפה אם עשית כן דע שהמלכות מתגרה בו באותו הדור״ (פסיקתא דר״כ זכור כ״ה ע״א): 13 ארבעת קבים [גרסת הגר״א, רע״א מנין שלא יקיים אדם מדה חסרה להיות מודד כו׳; והכוונה לעצמו כדי

יכול אפילו אמר הריני מעיין במקום שמכריעים לפחות לו מן הדמים או להכריע במקום שמעיינים להוסיף לו על הדמים תלמוד לומר וצדק יהיה לך. מנין שלא ינדוש במקום שמוחקים ולא ימחוק במקום שנודשים תלמוד לומר אבן שלימה יכול אם אמר הריני מוחק במקום שנודשים על מנת לפחות לו מן הדמים או הריני גודש במקום שמוחקים על מנת להוסיף לו על הדמים שאין שומעים לו תלמוד לומר וצדק יהיה לך.

יהיה לך, מנה אגרנמוס על כך, מיכן אמרו הסיטון מקנח מדותיו אחת לשלשים יום ובעל הבית אחת לשנים עשר חדש וכו׳ מתני׳ אלעזר בן חנניה בן חזקיה בן גרון אומר הרי הוא אומר °איפה לפר ואיפה לאיל ואיפה לכבש (יחזקאל מו יא) וכי מדת פרים ואילים וכבשים אחת היא והלא כבר נאמר °שלשה עשרונים לפר ושני עשרונים לאיל ועשרון אחד לכבש (במדבר כט ג) אלא מלמד שאיפה גדולה ואיפה קטנה קרויה איפה

סליק פיסקא

רצה.

למען יאריכון ימיך, זו אחת ממצות שבתורה שמתן שכרה בצדה והלא

שלא יטעה את המוכר שלא בכוונה, ז״ר, ב״ב פ״ט ע״ב לפי גרסת הגר״א, ולפי גרסת הדפוס עיין ב״ב צ׳ ע״א, תוספתא פ״ה ה״ט וה״י, ע׳ 405]· — מנין וכו׳, ב״ב שם: 1 יכול וכו׳, השוה ברייתא הסמוכה בענין יכול אם אמר הריני מוחק וכו׳ וסגנון ברייתא השנויה כאן הוא בנגוד גמור אל המובא בבבא בתרא שם אלא שברוב הנסחאות הגיהו המעתיקים על פי הגמרא· אמנם מן הנמצא בבבא ראשונה בכ״י ר ובבבא שניה בכ״י אמ עדין אפשר לתקן הגרסה: 2 יהיה לך וכו׳ לי״ב חדש, תו״כ קדושים פרק ח׳ ה״ח (צ״א ע״ב), ב״ב פ״ח ע״א, ובירושלמי ב״ב פ״ה ה״ח (ט״ו סוף ע״א) „יהיה לך, מנה לך אנגרמוס על כך״: 6 יהיה לך, כן הוסיף רמא״ש על פי הגרסה בתו״כ. וכן נמצא במ״ת ובירושלמי ובשאר הנסחאות חסר: 7 מנה, כן הגיה רמא״ש על פי הגרסה בתו״כ שם וכן הגרסה גם בירושלמי ועיין בשנויי נסחאות· — אגרנמוס, כן הגיה ר׳ דוד הופמאן על פי הגרסה בירושלמי שהבאתי למעלה, ועיין בשנויי נסחאות· והמלה אגרנמוס היא מלשון יונית ἀγορανόμος ממונה על השערים· — מיכן אמרו וכו׳, תו״כ שם, משנה ב״ב פ״ה מי״ב: 8 אלעזר וכו׳, מובא בילקוט יחזקאל רמז שפ״ג· — אלעזר בן חנניה וכו׳, אולי זו אחת מן הדרשות שנאמרו בעלית חנניה בן חזקיה בן גרון, כדי להתאים הלכות קרבנות שבספר יחזקאל עם אלה שבתורת כהנים, כמסופר בשבת י״ג ע״ב; ועוד אפשר שצ״ל שם אלעזר בן חנניה וכו׳: 9 ואיפה לכבש, במסורה „ולכבשים מתת ידו״, ולכן הגיה מהר״ם בספרי „ההו״א ואיפה לאיל יעשה מנחה וכי מדת פרים ואלים אחת היא והלא כבר נאמר שלשה עשרונים יהיה לפר ושני עשרונים לאיל אלא מלמד וכו׳״: 13 זו אחת וכו׳, השוה פ״ז:

שלימה] שלמה וצדק ד — 1 יכול אפילו אמר ר, מנין שאם אמר דאמה | לפחות–הדמים אמה. על מנת לפחות לו מן הדמים ר, ל׳ ד | או להכריע ראמ, או הרי אני מכריע ד, והריני מכריע ה — 2 להוסיף אמ, להוסיף לו ה, על מנת להוסיף ר, לפחות מן הדמים או להוסיף ב לד | על הדמים] בבלדה נוסף <שאין [מנין שאין ד] שומעין לו> וגם על הגליון בא נוסף <שעובר בעשה> | שלא] לא ר — 3 ולא ימחוק–על מנת] ל׳ לד | אבן שלימה ר, איפה שלימה וצדק ב, איפה שלמה אמ — 4 יכול אם אמ, מנין אם ב, מנין שאם ר | על מנת–מן הדמים או] ל׳ ב | לפחות לו] לפחות אמ | מן הדמים] דמים ר | או הריני במ, והריני א, או ר, הריני ב — 5 על מנת ראמ, ל׳ בלד | להוסיף] לא ימחוק להוסיף ל, לפחות מן הדמים או להוסיף ב | לו ר, ל׳ באמ | על הדמים] דמים ר | שאין–לו] ל׳ ר | שומעים לו] שומעים א [שומעים לו א׳] — 6 יהיה לך ה, ל׳ רבטלדאמ — 7 מנה] כן יש לגרס על פי התו״כ, ובכל נוסחי הספרי הגרסה מניח, חוץ מט׳ ושם הגרסה מניחין, ובה מלמד שמעמידין | אגרנמוס, כן יש להגיה, והגרסאות המקובלות הן: אגראדמוס ה, אגרדמים ט, גרדימין אמ, גדדמים ר, גירומין ל, גידומין ב, אגדדימים ד | על כך רכלמ, על המידות ד, ל׳ אה | מיכן–קרויה איפה] ל׳ ה | מיכן אמרו] בכ״י בל נוסף כאן מלה שאינני יכול לפותרה, וחסרה בשאר הנסחאות, ולפי הנראה בכ״י ב היא שלי פונייש, ובכ״י ל שלי פוטיש | מדותיו] את מדותיו ד, למדותיו ל | אחת–וכו׳ מתני׳] כול׳ ר | אחת] אחד מ ט׳ — 8 וכו׳ מתני׳ אמ, ל׳ במלד | אלעזר ראמ, רבי אליעזר בלטיט׳, רבי אלעזר דט׳ | חנניה רדאמ, חנינא בל, חנינ׳ ט | בן חזקיה בן גרון] ל׳ מ — 9 הרי הוא אומר רט, ל׳ בלדאמ | וכי–ואילים בטלאמ, וכי מדת פרים אילים ר, מידת אילים ד — 10 והלא–אחד לכבש] ל׳ ד | והלא] והלי ר | ושני] שני מ — 11 ועשרון אחד ר, ועשרון ט, עשרון בלמ | אלא רבטלד, ל׳ אמ | קרויה] קרוים ט׳ — 12 סליק פיסקא ד, ל׳ רבלא —

13 יאריכון] יאריכו ט | ימיך] ל׳ ל | ממצות] מכל מצות ד | שבתורה] האמורות בתורה ר | שמתן] שנותן ב |

דברים קל וחומר ומה גרוגרת שאינה אלא אחד ממאה באיסר נתנה תורה אריכות ימים עליה שאר מצות שיש בהן חסרון כיס על אחת כמה וכמה.

(טו) כי תועבת ה׳ אלהיך כל עושה אלה, יכול לא יהא חייב עד שיעבור על כולם תלמוד לומר כל עושה אלה אפילו אחת מהם.

[כל עושה עול] מיכן אמרו אין מערבים פירות בפירות ואפילו חדשים בישנים ואפילו סאה בדינר וסאה יפה דינר וטריסית לא יערבם וימכרם סאה בדינר.

כל עושה עול, קרוי חמשה שמות חרם תועבה משוקץ שנאוי עול סליק

רצו.

(יז) זכור, בפה, אל תשכח בלב וכן הוא אומר °שמעו עמים ירגזון. שמות טו יד

בדרך, בשעת טירופכם. בצאתכם ממצרים, בשעת גאולתכם.

(יח) אשר קרך, אין קרך אלא שנזדמן לך.

ויזנב בך כל הנחשלים אחריך, מלמד שלא היה הורג בהם אלא בני אדם שנמשכו מדרכי מקום ונחשלו מתחת כנפי הענן.

ואתה עיף ויגע ולא ירא אלהים, במדה שמדדת בה מדדו לך מה אתה עיף ויגע ולא ירא אלהים אף הוא עיף ויגע ולא ירא אלהים.

בצידה] בצד א | והלא אמ, והלי ר, והרי בלד | והלא–כמה וכמה] ל׳ ה — 1 גרוגרת] הגרוגרת ר | שאינה אלא ראמז, שאין בטלד | ממאה ראמ, מן מאה בטלד | באיסר רא, באיסר האיטלקי בטלדמ | נתנה תורה אמ, נתנה תו׳ ר, נאמר בה בטלד — 2 עליה ראמ, ל׳ בטלד | שאר] ל׳ א | שיש בהן רבל, שיש בה טדאמ | כיס] ל׳ א — 3 כי–אלה] ד״א כל עושה עול ה, כי תועבת ה׳ ד | יהא] יהיה ד | שיעבור] שעבור ר — 4 על ראמדט׳, את בלדט׳ | תלמוד לומר] ל׳ ב | אלה רלדמ, עול בט׳, ל׳ אט׳ — 5 כל עושה עול] כן נראה להוסיף על פי הענין ואף שחסר בכל הנסחאות | ואפילו הדשים בישנים] ל׳ א מ | ואפילו רטה, אפילו בלר | בישנים ד, בחדשים רב טלה — 6 ואפילו סאה רבאמה, אפילו סאה טלד | וסאה–וטריסית רה, ואפילו יפה דינר [בדינר בד] וטרסית [וטרייסות לד] בטלדאמ, בדינר וטריכית ז | סאה] מאה ל | בדינר] <כל עושה אלה> בטל, <לכך נאמר כל עושה עול> ה — 7 כל עושה עול–שנאוי עול] ל׳ ה | חרם–עול [ועול א] אמ, חרם ותועבה סנוי משוקץ ועול ר, עול [על לד] שנאוי [שטאי ד] משוקץ [ומשוקץ ל] חרם תועבה [ותועבה ל, ותועבת ד] בטלד | סליק ד, פס׳ רב, סליק פיסקא ל, ל׳ א —

8 זכור–ירגזון] ל׳ ה | זכור ראמ, זכור את אשר עשה לך עמלק זכור בלד, זכור את אשר עשה זכור ט | אל אמ, לא ר, ואל בטלד — 9 בשעת טירופכם רמא מה, בשעת טירופיכם ד, בטירופכם בל | ממצרים] ל׳ ד — 10 קרך] <בדרך> ד | שנזדמן רמאמה, נזדמן בלד — 11 בהם ראמ, ל׳ בטלד — 12 שנמשכו מהז, שומשכו וכרו א, שנימשכו ר, שנימנו ט׳, שנימכו ט׳, שנרכו בלד | מלום ראמ, המקום בטלד | הענן בטלמהז, ענן רא, הנקום ד — 13 במדה–ולא ירא אלהים מ, במדה שמדדת בה מדדו לך מה אתה עיף אף הוא עיף ר [מדר״ס], אף הוא עיף ויגע ולא ירא אלהים א, ל׳ בטלד —

3 יכול וכו׳, עיין סוף מכות: 5 כל עושה עול, כן הוסיפו הגר״א ורמא״ש; והגהתם נראה אעפ״י שאין להם סמך בנסחאות. — מיכן אמרו וכו׳, תוספתא ב״מ פ״ג רכ״ו (ע׳ 378), והשוה משנה שם סוף פ״ד: 7 קרוי וכו׳, למעלה פי׳ קמ״ח ובציונים שם:

8 זכור בפה וכו׳, תו״כ ריש בחוקותי, מ״ת כאן, מגלה כ״ט ע״א, ועיין ברמב״ן כאן ולמעלה כ״ד ט׳, רמב״ם לאוין נ״ט, מגדל עוז ה׳ מלכים פ״ה ה״ה. והשוה הערתי למעלה ע׳ 294, שורה 2, ועיין עוד מ״ת כ״ד ט׳ (ע׳ 157) וה׳ י״ב (עמוד 21). וברמב״ם עשין קפ״ט מובא עוד בשם הספרי הברייתא הנמצאת עוד במ״ת וז״ל „ולשון ספרי זכור את אשר עשה לך עמלק יכול בלבבך כשהוא אומר לא תשכח הרי שכחת הלב אמורה הא מה אני מקיים זכור שתהא שונה בפיך״ וכן מובא בספר החנוך תצא תקנ״ו ובמגדל עוז מלכים פ״ה ה״ה. — וכן הוא אומר וכו׳, ודאי הכרות כאן מלים אחדות, ואיני יודע להשלימן, ורמא״ש העיר על הדרש במכילתא על הפסוק שמעו עמים ירגזון, ועוד על המובא בפ״ז כאן, אמנם הגר״א הגיה בהעתקת המלים וכה״א — ירגזון למטה וז״ל „בשעת גאולתכם מדו אומר שמעו עמים ירגזון אבל זה ולא ירא אלהים״: 9 בשעת טירופכם, למעלה פי׳ ר״נ (עמוד 278, שורה 5), ופי׳ רע״ה (ע׳ 294, שורה 5): 10 שנזדמן, ת״א ות״י, רש״י, פ״ז: 11 מלמד וכו׳, רש״י, פ״ז, ת״י, פסיקתא דרב כהנא, זכור, כ״ז ע״ב, כר׳ נחמיה, פסיקתא רבתי זכור נ״ב ע״ב, פרקי דר״א פמ״ד, ועיין בספר אגדות היהודים לרל״ג ח״ו ע׳ 24: 13 במדה שמדדת וכו׳, השוה מכילתא פרשת ויבא עמלק פ״א (נ״ג ע״א, ה–ר ע׳ 177) „אחרים אומרים יבא עמלק כפוי טובה ויפרע מן העם כפויי טובה״; ואודות הסגנון עיין ב״ר פ״ט (ע׳ 73) ובציונים שם, ועליהם יש להוסיף לקמן פי׳ ש״ח, פי׳ שי״ח, מכילתא דרשב״י י״ד כ״א (ע׳ 40), י״ד כ״ו (ע׳ 53), כ״ו

(יט) והיה בהניח ה׳ אלהיך לך מכל אויביך מסביב, שלא תאגד עליך אגודה.

בארץ אשר ה׳ אלהיך נותן לך נחלה לרשתה. מה שתירש תכבש.
תמחה את זכר עמלק, ולהלן הוא אומר °כי מחה אמחה את זכר עמלק שמות יז יד
ואומר °כי יד על כס יה מלחמה לה׳ בעמלק מדור דור　סליק פיסקא שם יז טז

ד׳ (ע׳ 62), ט״ו ח׳ (ע׳ 64), מ״ת ל״א י״ד (ע׳ 178), ל״ב ה׳ (ע׳ 188), ל״ב ט״ו (ע׳ 194) שתי פעמים, ל״ב כ׳ (ע׳ 196): **3 מה שתירש תכבש**, פ״ז, בסמוך פיסקא רצ״ז, למעלה פי׳ ק״פ (ע׳ 223, שורה 5) ובציונים שם: **4 ולהלן הוא אומר וכו׳**, נראה שברייתא קטיעה היא זו, ועיין בפסיקתא דרב כהנא זכור (כ״ח ע״ב), ושם מפורש „כתיב תמחה את זכר עמלק וכתיב כי מחה אמחה את זכר עמלק כיצד יתקיימו שני כתובים הללו אלא [יבא הכתוב השלישי ויכריע ביניהם כי יד על כס יה מלחמה לה׳ בעמלק) עד שלא פשט ידו בכסא אמר תמחה את זכר עמלק ומשפשט ידו בכסאו של הקב״ה אמר כי מחה אמחה וכי אפשר בשר ודם יכול לפשוט ידו בכסאו של הקב״ה אלא על ידי שהחריב ירושלים דכתיב בעת ההיא יקראו לירושלם כסא ה׳ (ירמיה ג׳ י״ז) לפיכך נאמר כי מחה אמחה״; ועיין עוד במכילתא סוף בשלח:

1 תאגד אמ, תאגוד רטה, תאגור בלד – 2 עליך] עליו א – 3 מה–תכבש] מה שאתה יורש אתה מבקש [מכבש ז] דז – 4 ולהלן–את זכר עמל״ק] ל׳ בל – 5 סליק פיסקא לד, סלי׳ פס׳ ר, סל׳ פס׳ ב, ל׳ א –

פרשת כי תבוא.

רצז.

(כו א) והיה כי תבא אל הארץ, אין והיה אלא מיד. כי תבא אל הארץ, עשה מצוה האמורה בענין שבשכרה תיכנס לארץ. אשר ה׳ אלהיך נתן לך נחלה וירשת וישבת בה, מה שתירש תכבש. וירשת וישבת בה, משתירש תשב.

(ב) ולקחת מראשית כל פרי האדמה, יכול כל הפירות יהו חייבים
בבכורים תלמוד לומר מראשית ולא כל ראשית וצדין איני יודע איזה מין חייב ואיזה
מין פטור הריני דן נאמר הבא בכורי ציבור והבא בכורי יחיד מה בכורי ציבור
ויקרא כג יז האמורים °להלן משבעת המינים אף בכורי יחיד האמורים כאן משבעת המינים, מה
להלן חטים ושעורים אף כאן חטים ושעורים, מנין לרבות שאר מינים תלמוד לומר
שמות כג יט °בכורי אדמתך ריבה אחר שריבה הכתוב מיעט הא אין עליך לדון אלא כדין
הראשון, נאמר הבא בכורי ציבור והבא בכורי יחיד מה בכורי צבור משבעת המינים
האמורים בשבח הארץ אף בכורי יחיד משבעת המינים האמורים בשבח הארץ, ואלו
דברים ח ח הם °חטה ושעורה וגפן ותאינה ורימון ארץ זית שמן ודבש, זית זה זית
אגורי, ודבש זה דבש תמרים.

מראשית, אפילו אשכול אחד ואפילו גרגיר אחד.

3 מה שתירש אמהלד, משתירש רבטו | וירשת וישבת בה משתירש תשב אמ, וישבת בה משתירש תשב ר, וירשת וישבת בה מה שתירש תשב ה, ותשב בטלד — 5 הפירות] פירות ר | יהו חייבים אמר, כולן יהו חייבים ה, כולם חייבים בטלד — 6 מין] מהן מ [וכן בסמוך] | חייב] פטור ר | ואיזה מהטלד, איזה ארב — 7 פטור] חייב ר | הריני] הרי אתה א, ל׳ מ | נאמר הבא—ונאמר הבא בכורי יחיד] מביא בכורי יחיד ממביא בכורי צבור א | הבא] הכא לד | בכורי—והבא] ל׳ ב | והבא רה, והכא ל, ונאמר הבא מטד | מה בכורי ציבור—נאמר הבא בכורי יחיד ונאמר הבא בכורי צבור] ל׳ מ — 8 האמורים להלן] כן נ״ל לנסח, והנסחאות המקובלות הן: האמורין ה, ל׳ ר, האמור אטי, שנאמר בטילד | האמורים כאן ה, האמור כאן א, ל׳ לד, שנאמר כאן בט | מה ארב, ומה לד, או מה ט — 11 נאמר הבא—בכורי יחיד אר, ל׳ ה, נאמר הכא ביכורי יחיד ונאמר הכא ביכורי ציבור לד, נאמר הבא ביכורי יחיד ונאמר הבא ביכורי ציבור בט | ביכורי ציבור במל דה, ביכורי ציבור האמורין [האמור אר] להלן אמר — 12 אף בכורי—בשבח הארץ טה, אף בכורי יחיד האמור כאן משבעת המינים האמורים בשבח הארץ ר, אף בכורי יחיד האמורין משבעת המינים האמורים בשבח הארץ מ, ל׳ אבלד — 13 וגפן—ודבש בטלדה, וכו׳ א, ל׳ ר | ודבש אה, דבש מרבטלד — 15 אפילו] ואפילו בט | ואפילו מרבטלד, אפילו אה |

1 אין והיה וכו׳, למעלה פי׳ ב׳ (ע׳ 9, שורה 6): 2 עשה מצוה וכו׳, פי׳ פ׳ (ע׳ 145, שורה 9): 3 מה שתירש וכו׳, למעלה פי׳ קצ״ו ובציונים שם: 4 משתירש וכו׳, השוה למעלה פיסקא נ״ז (עמוד 124, שורה 10): 5 ולקחת וכו׳, אודות כל עניני הבכורים המפורטים כאן עיין משנה בכורים ועוד במאמרו של ר״י היינעמאן בספר היובל למלאת שבעים וחמש שנה ליסודו של בית מדרש הרבנים בברסלו ח״א ע׳ 17· — יכול וכו׳, פ״ז, ירושלמי בכורים פ״א ה״ג (ס״ד ע״ד), ספר יראים קס״ה, הוצ׳ שיף סימן קנ״ב; ועיין מכילתא דרשב״י ל״ד כ״ו (ע׳ 164), מנחות פ״ד ע״ב, משנה בכורים א׳ ג׳, רש״י, רא״ם: 7 בכורי ציבור, פי׳ בספר יראים היינו עומר ושתי הלחם, ויקרא כ״ג י״ז, ועיין בתו״כ ויקרא פרשה י״ג ה״ד (י״ב ע״ג): 9 להלן חטים ושעורים, תו״כ שם: 13 זה זית אגורי, רש״י; פ״ז, ירושלמי שם: 14 דבש תמרים, רש״י, פ״ז, ועיין במכילתא דרשב״י י״ג ה׳ (ע׳ 32), ירושלמי שם, ספר חפץ, ברבעון האנגלי שנה 5 עמוד 388, ת״י דברים ח׳ ח׳: 15

פרי, פרי אתה מביא בכורים ואי אתה מביא יין ושמן בכורים.

האדמה, פרט לעריסים ולחכורות ולסיקרקון ולגולן שאין מביאים משום אותו הטעם שנאמר ראשית בכורי אדמתך יכול אתה מביא כל זמן שאתה קורא תלמוד לומר אשר תביא מארצך, כל זמן שהם מצויים על פני ארצך, יכול שאתה קורא כל זמן שאתה מביא תלמוד לומר ואמרת ושמחת, אין קריאה אלא בשעת שמחה כשתמצא אומר מעצרת ועד החג מביא וקורא מהחג ועד חנוכה מביא ואינו קורא רבי יהודה בן בתירה אומר מביא וקורא.

אשר ה׳ אלהיך נותן לך, פרט לנוטע בתוך שלו ומבריך בתוך של יחיד או בתוך של רבים והמבריך מתוך של רבים או מתוך של יחיד לתוך שלו והנוטע בתוך שלו והמבריך בתוך שלו ודרך הרבים ודרך היחיד באמצע הרי זה אינו מביא רבי יהודה אומר כזה מביא מאיזה טעם אינו מביא משום שנאמר °בכורי אדמתך שמות כג יט
עד שיהו כל הגדולים מאדמתך סליק פיסקא

רצח.

ושמת בטנא, מלמד שטעונים כלי. והלכת אל המקום אשר יבחר ה׳ אלהיך בו, זה שילה ובית עולמים.

(ג) ובאת אל הכהן אשר יהיה בימים ההם, זו היא שאמר רבי יוסי הגלילי וכי עלתה על דעתנו כהן שאינו בימיך אלא כהן שהוא כשר ומוחזק לך באותם הימים היה קרוב ונתרחק כשר וכן הוא אומר °אל תאמר מה היה שהימים קהלת ז י
הראשונים היו טובים מאלה סליק פיסקא

אפילו אשכול אחד וכו׳, פ״ז, ועיין במשנה ריש פאה, ובירושלמי ביכורים ריש פ״ג: 1 פרי וכו׳, פ״ז, ועיין משנה תרומות י״א ג׳, וירושלמי שם מ״ז ע״ד, משנה חלה ד׳ י״א, וירושלמי שם ס׳ ע״ב, מכילתא משפטים פ״כ (ק״ב ע״א, ה—ר 335, ובהערה שם), חולין ק״כ ע״ב, ערכין י״א ע״א: 2 פרט וכו׳, פ״ז, משנה ביכורים א׳ ב׳, ירושלמי שם ס״ג ע״ד, מכילתא שם, מכילתא דרשב״י כ״ג י״ט (ע׳ 159), ושם ל״ד כ״ו (ע׳ 164): 3 כל זמן וכו׳, פסחים ל״ו ע״ב, רש״י שם ד״ה מהחג, רבינו בחיי: 6 מעצרת וכו׳, משנה ביכורים פ״א מ״ו, ובבלי פסחים שם, ועיין מכילתא דרשב״י ל״ד כ״ב (ע׳ 164): 8 פרט וכו׳, משנה ריש בכורים, וירושלמי שם: 11 מאיזה טעם וכו׳, ירושלמי שם:

13 מלמד וכו׳, פ״ז: 14 זה שילה ובית עולמים, פ״ז, ועיין למעלה פי׳ ע״ד (ע׳ 139, שורה 6), ואולי צ״ל אל המקום זה שילה, אשר יבחר וכו׳ זה ירושלם; ועיין עוד פי׳ ס״ו (עמ׳ 132, שורה 2) ובציונים שם, ועיין ברמב״ן: 15 זו היא וכו׳, רש״י, רא״ם, רמב״ן, למעלה פי׳ קנ״ג (ע׳ 206, שורה 13), ובציונים שם, ועיין בפ״ז:

1 פרי] גרגיר אחד אמרה״ז, גרוגרת בטל, גרוגרות ד — 2 כל פרי ד | בבורים] ל׳ א | ואי מרטבה, ואין אלד — 2 לעריסים אבלדה, לאריסים מרט | ולחכורות ה, ולהובירות א, ולחבורות רבלד, ולחוכירות מ, ולחכירות ט | מביאים] מביאים ביכורים ה | משום אותו הטעם ה, אותו הטעם משום אמר, משום טלד, שם אותו הטעם משום ב — 3 יכול–ת״ל אמרה, ל׳ בטלד — 5 ואמרת ושמחת אמרה״ז, ושמחת טל, ואכלת ושמחת בד — 6 כשתמצא אומר אה, כשתימצי ר, כשתימצי לומר לבט, כן תימצי לומר ד | מהחג אמה, מן החג רטד, מחג בל — 7 ר׳ יהודה–וקורא] ל׳ ה — 8 בתוך] לתוך א | שלו] ל מוסיף <והנוטע בתוך שלו והמבריך מתוך של רבים או מתוך של יחיד לתוך שלו> | ומבריך] והבריך ה — 9 או בתוך של רבים] ובתוך של יחיד ובתוך של רבים א | או בתוך] ובתוך מ | והמבריך] ולמבריך ה | מתוך של רבים] בתוך של רבים לתוך שלו ה, מתוך של יחיד ר | או מתוך] ומתוך מ | מתוך של יחיד] מרתוך של רבים ר | לתוך שלו] בתוך שלו ה א | והנוטע–והמבריך] והמבריך בתוך שלו והנוטע אמ — 10 ודרך] ורך אב | הרבים] היחיד ר | היחיד] הרבים ר | הרי–מביא] שאינו מביאן ה | אינו] ל׳ א — 11 רבי יהודה אומר בזה מביא] ל׳ ה | מאיזה טעם אמר, ומאיזו טעם ה, מן זה הטעם בלד | אינו אמהרד, הוא בלט׳, ל׳ ט׳ — 12 סליק פיסקא ד, ל׳ ארבל —

15 שאמר ריה״ג] שר׳ יוסי הגלילי אומר [רמב״ן] — 16 עלתה מה, עלת ארלב, עולה ט׳, תעלה ט׳ [רמב״ן] | דעתנו אמרה, ל׳ בטלד, דעתך [רמב״ן] | כהן] שתלך אצל כהן ד | שאינו] שלא ד | כהן] כיון ר | שהוא כשר ומוחזק [מוחזק וכשר רמב״ן]–ונתרחק כשר אמר [רמב״ן], שהוא כשר ומוחזק לך באותן הימים ה, ל׳ בטלד — 18 סליק פיסקא ד, ל׳ ארבל —

רצט.

ואמרת אליו, ולא כפוי טובה. הגדתי היום לה׳ אלהיך כי באתי, פעם אחת אתה קורא בשנה ואין אתה קורא פעמים בשנה.

כי באתי אל הארץ אשר נשבע ה׳ לאבותינו, פרט לגרים. לתת לנו, פרט לעבדים רבי שמעון אומר פרט לעבר הירדן שנטלתו מעצמך סליק פיסקא

ש.

(ד) ולקח הכהן הטנא מידך, מיכן אמרו העשירים מביאים בכוריהם בקלתות של כסף ושל זהב והעניים מביאים בסלי נצרים של ערבה קלופה והסלים והבכורים ניתנים לכהנים בשביל לרבות מתנה לכהנים.

מידך, מלמד שטעונים תנופה דברי רבי אליעזר בן יעקב. והניחו לפני מזבח ה׳ אלהיך, כל זמן שיש לך מזבח יש לך בכורים וכל זמן שאין לך מזבח אין לך בכורים. והניחו, מיכן אמרו נגנבו או אבדו חייב באחריותם נטמאו בעזרה נופץ ואינו קורא סליק פיסקא

שא.

(ה) וענית ואמרת, נאמר כאן עניה ונאמר להלן עניה מה עניה האמורה להלן בלשון הקדש אף עניה האמורה כאן בלשון הקדש מיכן אמרו בראשונה כל מי שהוא

1 ולא מרבטל, ולא תהיה א, שאינך ד | לה׳—באתי ארבל, ל׳ מהטד — 2 אתה קורא בשנה הד, את קורא בשנה בט, אתה קורא ל, קורא בשנה א, בשנה את קורא ר — 3 לאבותינו] לאבותיכם אד [אור זרוע] | פרט לגרים—לעבדים] ל׳ ה | לגרים] לגוים ר — 4 לעבר א מהר, לשבעבר בטדל | שנטלתו [שאת נטלתו ה] מעצמך א, שלא נטלתו מעצמך רמ, שנטלו מעצמם בטלד | סליק פיסקא ד, ל׳ ארבל —

5 העשירים] עשירים אמ | בכוריהם בלה, בכורים אמד, את בכוריהם ר — 6 ושל זהב—של ערבה קלופה] כול׳ מתני׳ ר | והעניים מביאים ה, עניים מביאים אותם אמ, ועניים בטלד | נצרים] נסרים א | והסלים [הסלים ה] והבכורים אמהרז, והסלים בט, והכלים ל, וסלים ד — 7 ניתנים] נותנן א, נותנים ב | בשביל לרבות אמר [נ״א בו] לרבות ה, בשביל לזכות טלבז, לזכות ד — 8 מידך] ל׳ א | מלמד] מכאן למדנו א | מלמד—תנופה] ל׳ ל | תנופה] תנופה רבה ז | דברי ראב״י ארה [פס׳ זוט׳], דברי ר׳ אלעזר בן יעקב מ. ר׳ אליעזר בן יעקב ב, ר׳ אליעזר בן יעקב אומר דטז, ראב״י אומר כל שטעונין תנופה ל | והניחו ארמבטז [מסורה], והנ׳ ה, והנחתו לד | מזבח ה׳ אלהיך] המזבח לה׳ א — 9 זמן] מקום א | וכל [כל ר] זמן שאין רבטלדה, אין אמ — 10 והניחו ה, ל׳ אמר בטלד | מיכן אמרו] מיכן אתה אומר ר, מכאן ט׳ | נגנבו—באחריותם] ל׳ ר | אבדו אה, שאבדו מבטלר | חייב אמהלר, חייבים בט | נטמאו] ניטמו ר | נופץ] נותן אמ — 11 ואינו אמרה, ואין בטלר | סליק פיסקא ד, ל׳ ארבל —

12 נאמר—כאן בלשון הקדש] ל׳ ט | עניה האמורה אמהר, ל׳ בלר וכן בזמוך -- 13 בראשונה אמרה, ל׳ ב

1 ולא כפוי טובה, רש״י, פ״ז: 2 פעם אחת וכו׳, רש״י, פ״ז, תוספתא בכורים פ״א ה״ד (ע׳ 100), וכן במשנה שם א׳ ט׳, וכן בירושלמי שם ס״ד ע״ב: 3 פרט לגרים, פ״ז, משנה בכורים פ״א מ״ד, תוספתא שם פ״א ה״ב (ע׳ 20); ולשון הטור, או״ח קצ״ט „ותניא בספרי אשר נשבעת לאבותינו פרט לגרים ולעבדים משוחררים״; אבל באור זרוע ח״א סי׳ ק״ז „ותניא בספרי אשר נשבע ה׳ לאבותיכם פרט לגרים לתת לנו פרט לעבדים״: 4 פרט לעבדים, פ״ז, משנה שם א׳ ה׳, לקמן פי׳ ש״א (ע׳ 320, שורה 11), מכילתא משפטים פ״כ (ק״ב ע״א, ע׳ 335). — לעבר הירדן וכו׳, ירושלמי בכורים פ״א הי״ב (ס״ד ע״ב) סתמא. ועיין משנה שם בשם ריה״ג, וכן לקמן פי׳ ש״א (ע׳ 319, שורה 14), מכילתא בא, מכבת פסח, פי״ז (כ׳ ע״א, ה--ר ע׳ 63), מכילתא דרשב״י י״ג ה׳ (ע׳ 32); ועיין עוד ספרי במדבר פי׳ קל״ד (ע׳ 181), ובספר לדוד צבי, לכבוד ר׳ דוד הופמאן ע׳ 35:

5 מיכן אמרו וכו׳, משנה שם ג׳ ח׳: 8 מלמד וכו׳, רש״י, פ״ז, ת״י, משנה בכורים ב׳ ד׳, ירושלמי שם ס״ה ע״א, בבלי סוכה מ״ז ע״ב, מכות י״ח ע״ב, מנחות ס״א ע״א, ועיין לקמן פי׳ ש״א (ע׳ 320, שורה 5): 9 כל זמן וכו׳, תוספתא שקלים פ״ג הכ״ד (ע׳ 179), ובמשנה שם סוף פ״ח, ועיין בבלי מכות י״ח ע״ב: 10 מיכן אמרו וכו׳, משנה בכורים א׳ ח׳, וירושלמי שם ס״ד ע״ב:

12 נאמר כאן וכו׳, למעלה פי׳ ר״י (ע׳ 243) ובציונים שם, פ״ז — להלן, וענו הלויים (דברים כ״ז י״ד): 13 מיכן אמרו וכו׳, משנה בכורים פ״ג מ״ו, ועיין

יודע לקרות קורא ושאינו יודע לקרות מקרים אותו נמנעו מלהביא התקינו שיהו מקרים את היודע ואת מי שאינו יודע סמכו על המקרא ועונית אין עניה אלא מפי אחרים.

ואמרת לפני ה׳ אלהיך ארמי אובד אבי, מלמד שלא ירד אבינו יעקב לארם אלא על מנת לאבד ומעלה על לבן הארמי כאילו איבדו.

וירד מצרימה, מלמד שלא ירד להשתקע אלא לגור שם. שמא תאמר שירד ליטול כתר מלכות תלמוד לומר ויגר שם, יכול באוכלוסים הרבה תלמוד לומר במתי מעט כענין שנאמר °בשבעים נפש ירדו אבותיך מצרימה. [דברים י כב] ויהי שם לגוי גדול, מלמד שהיו ישראל מצויינים שם. וירא את ענינו, כמה שנאמר °וראיתן על האבנים. ואת עמלינו, כמה שנאמר °כל הבן הילוד היאורה [שמות א טז; שם א כב] תשליכוהו וכו׳. רבי יהודה היה נותן בהם סימן דצ״ך עד״ש באח״ב.

(ט) ויביאנו אל המקום הזה, זה בית המקדש או יכול זה ארץ ישראל כשהוא אומר ויתן לנו את הארץ הזאת, הרי ארץ ישראל אמורה ומה תלמוד לומר ויביאנו אל המקום הזה בשכר ביאתנו אל המקום הזה נתן לנו את הארץ הזאת.

ארץ זבת חלב ודבש, נאמר כאן ארץ זבת חלב ודבש ונאמר להלן °ארץ [שמות יג ה] זבת חלב ודבש מה ארץ זבת חלב ודבש האמורה להלן חמשת עממים אף ארץ זבת חלב ודבש האמור כאן ארץ חמשת עממים. רבי יוסי הגלילי אומר אין מביאים בכורים מעבר לירדן שאינו זבת חלב ודבש.

(י) ועתה, מיד. הנה, בשמחה. הבאתי, משלי.

בירושלמי שם: 2 אין עניה וכו׳, ירושלמי שם, ספר יאר: 3 מלמד וכו׳, רש״י, פ״ז, ת״א, ת״י, הגדת ליל פסח, ועיין בספר אגדות היהודים למורי ר׳ לוי גינזבורג ח״ה ע׳ 301: 5 וירד מצרימה, בפסיקתא זוטרתי גורס כאן „אנוס על כרחו ע״פ הדבור שנאמר לאברהם אבינו כי גר יהיה זרעך״, וכעין זה בהגדת ליל פסח, אבל בנוסח הגדה שברמב״ם ליתא — מלמד וכו׳, הגדה שם, פ״ז, ונוסף כאן מתוך ההגדה של פסח, ועיין בשנויי נסחאות: 8 מצויינים שם, הגדה שם: 11 זה בית המקדש, רש״י, פ״ז: 14 ארץ זבת חלב ודבש וכו׳ עד שאינה זבת חלב ודבש, מכילתא דרשב״י י״ג ה׳ (ע׳ 32), ועיין עוד למעלה פי׳ רצ״ט (עמוד 318, שורה 4) ובציונים שם, ומובא ברמב״ן שמות י״ג ה׳, ובראב״ם דברים י״ח ב׳: 18 מיד, כשנגמר הפרי, רמא״ש בשם ז״ר, והמאמר מובא בפ״ז — בשמחה, פ״ז, ספרי במדבר פי׳ קי״ו (ע׳ 134), שם פי׳ קי״ט (ע׳ 145), ספרי זוטא י״ח ו׳ (ע׳ 292), שם

טלד | מי] ל׳ ל — 1 ושאינו—נמנעו מלהביא] ל׳ ר | ושאינו ה, ושאין אמ, וכל שאינו ל, וכל מי שאינו טב ד | נמנעו] נמצאו נמנעין ה | מלהביא] מלהביא בכורים כדי שלא יכלמו ה | התקינו] התחילו ה | שיהו אמהר, להיות בטלד — 2 היודע ואת מי] ל׳ ר | היודע אה, שיודע מט, מי שהוא יודע בלד | ואת מי בטלדה, ואת אמ | סמכו] וסמכו ה | על המקרא] למקרא מ, על המקרא הזה ה — 3 ירד] הלך ה | אבינו יעקב מרה, יעקב אבינו א, יעקב בטלד — 4 אלא] ל׳ מ | על מנת לאבד אמר, על מנת לאבד מן העולם ה, לאוגד בלד, לאבד טי, לאבדם כי | ומעלה] ומעלה עליו הכתוב א | איבדו] אבד מא — 5 מלמד—לגור שם] ל׳ אמהר ונמצא בבטלד ואינו מעיקר הספרי, אלא נוסף מגליון | להשתקע] ל׳ ט | שמא תאמר מבטדה, שלא תאמר א, ושמא ל, ל׳ ר | שירד אמהר, ירד בטלד — 7 כענין אמרל, כמה ה טד — 8 כמה] כעניין ה | כמה—וכו׳] כול׳ ר | כמה] כענין הבטי — 9 היאורה רתשליכוהו וכו׳] ל׳ בל — 10 וכו׳ ט, ועוד אמ, וכו׳ אגדה ד, ל׳ ה [ושם מובאות כל הברייתות כמו בהגדה של פסח, „ואת לחצנו, זה הדוחק שנ׳ וגם ראיתי את הלחץ אשר מצרים לוחצים אותם, ויוציאנו ה׳ ממצרים, לא על ידי מלאך ולא על ידי שרף ולא על ידי שליח אלא הקב״ה בעצמו״ עד „ד״א ביד חזקה שתים ובזרוע נטויה שתים ובמורא גדול שתים ובאותות שתים ובמופתים שתים אלו עשר מכות שהביא הקב״ה על המצרים במצרים ר׳ יהודה היה נותן בהם סימן״ וכו׳ | סימן מה, סימנים ארבטלד | עד״ש] ל׳ א — 11 המקדש] המקום ר — 12 הרי בטלה, הוי אומר זו ד, כבר אמ | אמורה] ל׳ ד — 13 הזה] <הרי זה בית המקדש ויביאנו אל המקום> ט | בשכר—הזאת] ל׳ ר | נתן מה, ניתן ארלט, נותן ב, נתנה ר — 15 מה ארץ זבת חלב ודבש האמורה להלן ר, מה זבת חלב ודבש האמורה להלן אמ, ל׳ בטלרה | אף—האמור כאן ר, אף זבת חלב ודבש האמור כאן מ, ל׳ אבטלדה — 16 רבי יוסי] מיכן היה ר׳ יוסי ד — 17 לירדן] הירדן ב | שאינו אמה, שאינה רבטלד | זבת אמבלד, ארץ זבת רטה | ודבש] ל מוסיף <נאמר כאן ארץ> — 18 מיד רהבטלד, ל׳ אמ | משלי] משלו ר —

את ראשית כל פרי האדמה, מיכן אמרו יורד אדם לתוך שדהו ורואה תאנה שבכרה אשכול שבכר רימון שבכר קושרים אותו בגמי ואומר הרי אלו בכורים.

אשר נתת לי ה׳, מיכן אמרו האפוטרופים והעבד והשליח אשה וטומטום ואנדרוגינוס מביאים ולא קורים שאין יכולים לומר אשר נתת לי ה׳.

והנחתו לפני ה׳ אלהיך והשתחוית לפני ה׳ אלהיך, מלמד שטעונים הנחה שתי פעמים אחת בשעת קריאה ואחת בשעת השתחויה.

(יא) ושמחת, בכל מיני שמחות. בכל הטוב, זה השיר.

אשר נתן לך ה׳ אלהיך ולביתך, מלמד שאדם מביא בכורים מנכסי אשתו וקורא.

אתה והלוי והגר אשר בקרבך, מיכן אמרו ישראל ממורים מתודים אבל לא גרים ועבדים משוחררים שאין להם חלק בארץ סליק פיסקא

שב.

(יב) כי תכלה לעשר, יכול בחנוכה הרי אתה דן נאמר כאן קץ ונאמר להלן קץ מה קץ האמור להלן רגל אף קץ האמור כאן רגל, אי מה קץ האמור להלן חג הסכות אף קץ האמור כאן חג הסכות, תלמוד לומר כי תכלה לעשר רגל שהמעשרות כלים בו הוי אומר זה פסח מיכן אמרו ערב יום טוב האחרון של פסח של רביעית ושל שביעית היה הבעור. (דברים לא ז)

בשנה השלישית, יכול אף שנת שבוע תהא חייבת במעשר תלמוד לומר

1 את ראשית אמר, מראשית בלד | כל] ל׳ מרב – 2 תאנה –שבכר] אשכול שביכר תאנה שבכרה ה [והגרסה במשנה כזו של הספרי] | אשכול–הרי אלו בכורים] וכו׳ רט | רימון] ורימון ל | קושרים–הרי אלו בכורים] מניחו בסל ובא ועומד באמצע עזרה ומבקש רחמים על ארץ ישראל ועל ישראל ועל עצמו שנאמר השקיפה ממעון קדשך מן השמים וברך את עמך ישראל ואת האדמה אשר נתת לנו אמ – 3 נתת] נתן בל | מיכן] ל׳ מ | אמרו אטלד, אמר ב, אתה אומר ר | האפוטרופוס אמר, האפטורפין ה, האפטרופין רט, הפיטרופין בט, האפוטרופין ל | והעבד והשליח רה, והעבד ושליח ד, ועבד ושליח בטל, והשליח והעבד אמ – 4 ואנדרוגינוס–קורים] כול׳ ר | ולא אמ ה, ואין בטלד | שאין [שאינן אר] יכולים אמרבטלה, שאין יכול ד – 5 שטעונים אמהבד, שטעונה ט, שטעון לר – 6 הנחה אמרה [ריב״א], הנפה בטלד [רא״ש, סמ״ג, ר״ש] | קריאה] הנחה ה | בשעת] בשער ר [וכן בסמוך] | השתחויה מהל [סמ״ג], השתחואה ארבטד – 8 שאדם מביא] שמביא אדם אמ – 10 אתה והלוי–שאין להם חלק בארץ] ל׳ ה | ממזרים] וממזרים ט | מתודים א מ, יכולים להתודות ר, מותרים בטלד – 11 ועבדים–בארץ] ל׳ ר | ועבדים] ולא עבדים אמ | בארץ] בארץ וכו׳ מתני אמ | סליק פיסקא בד, ל׳ ארל –

12 הרי אתה דן אמרה, ל׳ בטלד – 13 קץ האמור] ל׳ א וכן בסמוך | אי אמד, או רבטלה – 14 הסכות] המצות נאמר להלן חג הסכות ונאמר כאן חג הסכות ד | רגל שהמעשרות כלים בו אמהר, רגל שכלו בו המעשרות לד, איזהו חג שכלין בו המעשרות ט, שכלו בו המעשרות ב – 15 האחרון של פסח אמהט, הראשון של פסח רז, של פסח האחרון בלד – 16 הבעור רמה, ביעור אבטלד – 17 בשנה השלישית–שאינה חייבת במעשר] ל׳ ה –

י״ח כ״א (ע׳ 297). – משלי, פ״ז: 1 מיכן אמרו וכו׳, משנה בכורים ג׳ א׳, ועיין בירושלמי שם, תוספתא פ״ב ה״ח (ע׳ 101), וכל המאמר מובא בשם הספרי בספר יראים לרא״ם סי׳ רס״ה, הוצ׳ שיף קנ״ב: 3 מיכן אמרו וכו׳, בכורים פ״א מ״ה, במשנה שבירושלמי הסדר כמו בספרי „האפוטרופוס והעבד והשליח״, אבל במשנה דפוס נאפולי הסדר „האפוטרופוס והשליח והעבד״: 5 מלמד וכו׳. רש״י, פ״ז, סמ״ג עשין ק״מ, פי׳ ריב״א על התורה, נדפס עם פי׳ בעלי התוספות, ר״ש בכורים ג׳ ו׳; רא״ש שם, ועיין למעלה פי׳ ש׳ (שורה 8) ובציונים שם: 7 בכל מיני שמחות, פ״ז, למעלה פי׳ קמ״א (ע׳ 195, שורה 1). – זה השיר, משנה בכורים ב׳ ד׳, תוספתא שם פ״ב הי״ח (ע׳ 102), ערכין י״א ע״א: 22 מלמד וכו׳, פ״ז. גטין מ״ז ע״ב, ירושלמי בכורים פ״א ה״ה (ס״ד ע״א), ודורש ביתו זו אשתו, ועיין למעלה פי׳ ס״ד (ע׳ 131, שורה 2) ובציונים שם, ועליהם יש להוסיף ויקרא רבה פ״ה סי׳ ו׳: 10 מיכן אמרו וכו׳, פ״ז, משנה מעשר שני ה׳ י״ד:

12 יכול בחנוכה וכו׳, למעלה פי׳ ק״ט (ע׳ 169), פ״ז, רש״י, ספר יראים קע״ט, הוצ׳ שיף רס״ד, מפתח של רבינו נסים ריש ברכות, ירושלמי מעשר שני פ״ה ה״ו (נ״ו ע״ב): 15 מיכן אמרו וכו׳, מעשר שני פ״ה מ״ו: 17 יכול וכו׳, רש״י, פ״ז. למעלה פי׳ ק״ט (ע׳ 169, שורה 13) והשוה ת״י, ועיין באורשריפט של ר׳ אברהם גייגר, ע׳ 179, ובדרכה

בשנה השלישית שנת המעשר שנה שחייבת במעשר יצאת שנת שבוע שאינה חייבת במעשר יכול יהו שני מעשרות נוהגים בה תלמוד לומר שנת המעשר מעשר אחד נוהג בה ואין שני מעשרות נוהגים בה אין לי אלא מעשר עני שבו דבר הכתוב מנין לרבות שאר מעשרות תלמוד לומר מעשר תבואתך ריבה סליק פיסקא שב.

שג.

ונתת ללוי לגר ליתום ולאלמנה, תן לכל אחד ואחד לפי חלקו.

ואכלו בשעריך ושבעו, תן להם כדי שבעם מיכן אמרו אין פוחתים לעני בגורן מחצי קב חטים או קב שעורים דברי רבי יהודה רבי אומר חצי קב.

בשעריך, מלמד שאין מוציאים אותו מן הארץ לחוצה לארץ. אמרו משפחת בית נבלטה היתה בירושלם ונתנו להם חכמים שש מאות ככרי כסף ולא רצו להוציאם מירושלם.

(יג) ואמרת, בכל לשון. לפני ה' אלהיך, זה וידוי מעשר. בערתי הקדש מן הבית, זה מעשר שני ונטע רבעי. וגם נתתיו ללוי, זה מעשר לוי, וגם נתתיו, זה תרומה ותרומת מעשר. לגר ליתום ולאלמנה, זה מעשר עני לקט שכחה ופאה אף על פי שאין מעכבים את הוידוי. מן הבית, זו חלה. דבר אחר מן הבית, כיון שהפרשתו מן הבית אין את נזקק לו לכל דבר.

ככל מצותך, שאם הקדים מעשר שני לראשון אין בכך כלום. אשר צויתני, לא נתתיו למי שאינו ראוי לו.

לא עברתי ממצותיך, לא הפרשתי ממין על שאינו מינו, לא מן התלוש על המחובר ולא מן המחובר על התלוש ולא מן החדש על הישן ולא מן הישן על החדש.

שנת שבוע [השבוע ל] מרבל, שנת השביעית א, שנה [שנת ט] שביעית טר — 1 שנת המעשר] ל' ר | יצאת–שאינה חייבת במעשר] ל' א | שבוע מרבל, שנת [שנה ר] שביעית טר — 2 יהו אמהר, ל' דבלט | נוהגים] נוהג ד | תלמוד לומר–שני מעשרות נוהגים בה מ, ת"ל שנת המעשר מעשר אחד אתה נוהג בה ואין שני מעשרות נוהגין בה ת"ל ר, מה ת"ל שנת המעשר מעשר אחד ולא שני מעשרות א, מעשר שני ומעשר עני ת"ל שנת המעשר מעשר אחד נוהג בה ואין שני מעשרות נוהגין בה ה, ל' בטלד — 3 אין לי] אין לי צריך ודוי ה | עני] שני א — 4 מעשרות] המעשרות א | סליק פיסקא ד, ל' ארבל —

5 לפי חלקו אמרבטל, כפי חלקו ה, ל' ד — 6 שבעם רה, שובעם בטלד, שביעתן אמ | מיכן–רבי אומר חצי קב] ל' ה | לעני] לעניים ר — 7 בגורן] לגורן ל | מחצי קב–ר"א חצי קב] וכו' אמ | מחצי] פחות מחצי ל | דברי ר' יהודה רבי אומר רד, דברי רבי ר' יהודה אומר טל, דברי רבי יהודה אומר ב [ובמשנה, ר' מאיר אומר חצי קב] — 8 אותו] אותן מ — 9 נבלטה מהרטלז, נבלה א, נבטלה ד | שש] שבע מ | ככרי כסף מה, ככרים א, ככרי זהב רבלרט — 10 מירושלם אמר, לירושלם ה, חוץ לירושלם טלבד — 11 בכל לשון] בכל לשון שאתה אומר ה — 12 שני] עני א | רבעי] <מן הבית זו חלה> ה | וגם נתתיו] ל' ר | זה מעשר–ותרומת מעשר אמטבל, נתתיו ללוי זה מעשר ראשון וגם נתתיו זו תרומה ותרומת מעשר ה, מעשר לוי וגם נתתיו זו תרומה ותרומת מעשר ר, וגם נתתיו ללוי זה תרומה ותרומת מעשר ד — 13 ולאלמנה–ד"א מן הבית] ל' ל | לקט אמר, ולקט בטדה | שכחה] ושכחה ט — 14 אעפ"י שאין] <לקט שכחה ופיאה> ה | מן הבית] ד"א מן הבית ד | מן הבית–לכל דבר] ל' ה — 15 שהפרשתו] שהפרישום א | אין את] אתה מ, אין ל | לו אמר, ל' בטלד — 16 שני לראשון אמהרטל, לראשון ב, ראשון לשני ד | אין–כלום] אינו יכול להתודות ה | אשר] כאשר ד — 17 לו מרה, ל' בטלד —

של תורה לר' צבי מנחם פיניליש ע' 173 והלאה, ובמאנאטשריפט שנה 40, עמוד 7: 6 תן להם וכו', רש"י, פ"ז; למעלה פיסקא ק"י (ע' 171, שורה 7), משנה פאה ח' ה', תוספתא שם פ"ד ה"ב (ריש ע' 23): 8 מלמד וכו', פ"ז, למעלה פי' ק"י, (ע' 171), רמב"ם מתנות עניים פ"ו הי"ז· — אמרו וכו', למעלה שם, תוספתא פאה פ"ד הי"א (ע' 23), ירושלמי פ"ח ה"ח (י"א ע"א), בבלי כתובות ס"ח ע"א: 11 ואמרת וכו' עד וידוי מעשר, מפתח של רבינו נסים ריש ברכות· — בכל לשון, סוטה ל"ב ע"ב, ירושלמי סוטה ריש פ"ז (כ"א ע"ב), ובפ"ז, כנראה על פי טעות סופר, „ואמרת בלשון הקדש"· — זה וידוי מעשר, פ"ז: 12 זה מעשר שני וכו', פ"ז, רש"י, משנה מעשר שני פ"ה מ"י, ספר יראים סי' קע"ט, הוצ' שיף סי' רס"ד: 14 זו חלה, משנה שם, תוספתא פ"ה הכ"ג (ע' 96, שורה 25) בשם ר' יוסי· — ד"א וכו', תוספתא שם, פ"ז: 16 שאם וכו', משנה שם: 17 לא נתתיו וכו', פ"ז: 18 לא

ולא שכחתי, לא שכחתי מלברך ומלהזכיר שמך עליו.

(יד) לא אכלתי באוני ממנו, הא אם אכלו באנינה אינו יכול להתודות.
ולא בערתי ממנו בטמא, לא שאני טמא והוא טהור ולא שאני טהור והוא טמא.

ולא נתתי ממנו למת, לא לקחתי ממנו ארון ותכריכים למת דברי רבי אליעזר אמר לו רבי עקיבה אם למת אף לחי אסור מה תלמוד לומר למת שלא החלפתיו אפילו בדבר טהור.

שמעתי בקול ה׳ אלהי, והבאתיו לבית הבחירה. עשיתי ככל אשר ציויתני, שמחתי ושימחתי בו.

(טו) השקיפה ממעון קדשך, עשינו מה שגזרתה עלינו עשה עמנו מה שהבטחתנו השקיפה ממעון קדשך מן השמים וברך את עמך וכו׳ סליק סידרא

1 מלברך—עליו ארה, מלברכך ומלהזכיר [ולהזכיר ט] שמך עליו מבטל, לא שכחתי מהזכיר שמך ולברכך ד — 2 באנינה מר [משנה], באנינות אה, ל׳ בטלד — 3 לא—והוא טמא] בין שהמעשר טמא והאוכל טהור בין שהמעשר טהור והאוכל טמא ה | לא שאני טמא—והוא טמא אמ, לא שאני טמא והוא טהור ולא שהוא טהור ואני טמא ר, למי שניטמא והוא טהור והוא שמטהר והוא טמא ב, בין אני טמא והוא טהור בין אני טהור והוא טמא ל, בין שאני טמא והוא טהור בין שאני טהור ואני טמא ט, בין שהוא טמא ואני טהור או הוא טהור ואני טמא ד | ולא] לא ד — 4 לא—למת] לעשות לו ארון ותכריכים [רמב״ן] | דברי ר״א—אפילו בדבר טהור] ל׳ ה | אליעזר] אלעזר מ, ל׳ ט׳ — 5 למת] למת אסור [רמב״ן] | [והלא א׳] אף לחי אסור אמר [רמב״ן], אם לחי אמור בטלד | החלפתיו] החלפתי ד — 6 אפילו] אלא א | בדבר טהור מרבלד [רמב״ן], בטהור ט׳, בדמי טהור ט׳, לדבר טהור א — 7 אלהי] אלהיך ד — 9 עלינו אמהרט, בנו לד, לנו ב | עמנו] ל׳ מא | מה] ל׳ ט׳ — 10 וברך את עמך וכו׳ אמ, וברך את עמך בט, וברך את עמך ישראל ל, וגומר ד, וברך את עמך יש׳ בבנים ובבנות ואת האדמה אשר נת׳ לנו בטל ובמטר וביולדות בחמה ארץ זבת חלב ודבש כדי שתתן טעם בפירות ר | סליק סידרא ד, ל׳ אבל, פסו׳ ט׳, סלי׳ פסו׳ ט׳, בריתא ר —

הפרשתי וכו׳, רש״י, פ״ז, משנה שם: 1 ולא שכחתי, רש״י, פ״ז, משנה שם, ומובא בשם הספרי בפי׳ בעל הטורים על התורה: 2 הא אם אכלו וכו׳, פ״ז, משנה שם, ועיין ברש״י: 3 לא שאני טמא וכו׳, יבמות ע״ג ע״ב, רש״י כאן וביבמות שם ד״ה והיכן מוזהר, ספר יראים הוצ׳ שיף סימן שצ״ו, ועיין במשנה ובפ״ז: 4 לא לקחתי וכו׳, רש״י, פ״ז, משנה שם, בבלי יבמות ע״ד ע״א, רמב״ן כאן ויבמות שם, ועיין עוד ירושלמי שבת פ״ט ה״ד (י״ב ע״א), יומא פ״ח ה״א (מ״ד ע״ד), שם ה״ג (מ״ה ע״א), תענית פ״א ה״ו (ס״ד ע״ג), ספר יראים ק״פ (הוצאת שיף שצ״ו), ובספר יאר: 7 והבאתיו וכו׳, רש״י, פ״ז, משנה שם: 8 שמחתי וכו׳, רש״י, משנה שם, פ״ז: 9 עשינו וכו׳, רש״י, פ״ז, משנה שם, מנורת המאור של אלנקוה בשם הספרי ע׳ 158, והשוה תפלתם של הכהנים אחר שמברכים את העם, וגם למעלה סוף פי׳ מ״א (עמוד 88, שורה 12): 10 וברך וכו׳, בפירוש בעל הטורים על התורה מובא כאן „זהו שדורש בספרי וברך את עמך ישראל בבנים ובבנות״, ובנוסחי הספרי שלפנינו חסר, אבל נמצא במ״ת, ואולי נוסף מגליון אל תוך הספרי שלפני ר׳ יעקב בעל הטורים:

פרשת נצבים.

שד.

(לא יד) ויאמר ה׳ אל משה הן קרבו ימיך למות, רבי שמעון בן יוחי אומר ברוך דיין האמת אדון כל המעשים שאין עולה ומשוא פנים לפניו וכן הוא אומר °אל תאמינו ברע ואל תבטחו באלוף. מיכה ז ה

משיב משה לפני הקדוש ברוך הוא רבונו של עולם הואיל ואני נפטר בנסים גדול מן העולם הראיני אדם נאמן שיעמוד על ישראל שאצא ידיהם לשלום וכן הוא אומר °אשר יצא לפניהם ואשר יבא לפניהם ואומר °ויאמר ה׳ אל משה קח לך את יהושע בן נון ואומר °אחות לנו קטנה ושדים אין לה ארבע מלכיות מושלות בהם בישראל ואין בהם חכם ואין בהם נבון בימי אחאב מלך ישראל ובימי יהושפט מלך יהודה היו ישראל נפוצים על ההרים כצאן אשר אין להם רועה °ולא תהיה עדת ה׳ כצאן אשר אין להם רועה סליק פיסקא

במדבר כז יז / שם כז יח / שה״ש ח ח / במדבר כז יז

שה.

°ויאמר ה׳ אל משה קח לך את יהושע בן נון קח לך גברתן כמותך. קח במדבר כז יח

1 רשב״י וכו׳, רמא״ש מעיר על חגיגה ט״ז ע״א ושם נדרש פסוק זה על הקב״ה, „ואין אלוף אלא הקב״ה״; וכן נרמז בפי׳ הספרי בכ״י ם „אל תאמינו ברע זה יצר הרע, אל תבטחו באלוף בהקב״ה שישא, אחות לנו קטנה אלו ישראל שהם קטנים במצות, ושדים אין, הם המנהיגים כמו השדים שהולכים לפני האשה והם יופיה״: 3 ואל תבטחו באלוף, סיום הדרשה כנראה הוא כפי הגי׳ במ״ת וכאן נוספה אחר כן דרשה אחרת שאין לה קשר עם דברי רשב״י: 4 משיב משה וכו׳, אודות סגנון זה עיין במ״ת ובמכילתא דרשב״י ע׳ 3, שורה 8. — משיב משה וכו׳, עיין ספרי במדבר פי׳ קל״ט (עמוד 186), ספרי זוטא כ״ז י״ז (ע׳ 320 שורה 24), אדר״נ נו״א פי״ז (ל״ג ע״א), שהש״ר על הכתוב הגידה לי שאהבה נפשי (א׳ ז׳), מדרש זוטא, הוצ׳ באבער, עמ׳ 14, שמות רבה פ״ב סי׳ ד: 6 ואומר וכו׳ עד אין להם רועה, הגר״א מגיה על פי הנמצא בספרי במדבר פי׳ קל״ט „ואשר יבא לפניהם ואשר יוציאם ואשר יביאם ולא תהי׳ עדת ה׳ כצאן אשר אין להם רועה ועליו הוא מפורש בקבלה הגידה לי שאהבה נפשי שלמה אהיה כעוטיה מה השיבו הקב״ה אם לא תדע לך היפה בנשים מעולה שבנביאים צאי לך בעקבי הצאן מה שאני עושה עמהם בעקב ד׳ גליות משלו בישראל ולא הי׳ בהם רועה ולא נביא ולא חכם וכן נאמר בימי אחאב ראיתי את כל ישראל נפוצים על ההרים וכו׳״: 9 אין להם רועה, בדפוס וויניציא נוספו כאן המלים „סליק פיסקא״ ועל ידי זה נבוכו המבארים, ואין כאן סיום הדברים, אלא התנא הולך ומספר מה שענה לו הקב״ה: 11 קח לך וכו׳ עד לא במהרה ינתק, כבר העיר רמא״ש על זה

1 ויאמר רמהטלב, אתם נצבים ויאמר א, אתם נצבים היום כולכם ויאמר ד — 2 אדון המעשים [כל המעשים רמה] אמהר, ל׳ בטלד | שאין—משוא פנים] שאין לפניו לא עולה ולא משוא פנים ל | לפניו] לפניך ה | וכן הוא אומר—סליק פיסקא] ל׳ ה — 3 ואל] כן הג׳ בכל הנסחאות וגם בת׳ השבעים, בפשיטא, ובוולגאטא, אמנם במסורה הג׳ אל | באלוף בבטלד נוסף <כי כל אח עקוב יעקב> — 4 משיב משה וכו׳ עד תחת רגלי בהמתם של אומה שפלה בפי׳ ש״ה נמצא בט בסוף פי׳ ש״ה אחר המלים הגך שוכב עם אבותיך וקם, והעתקתי השנויים כאן | משיב] השיב מ | משה] משה ואמר מ | ואני —גדול] ואתה טרדני א | בנסים גדול ט׳ר, כינסים גדול ב, ביבסים גדול דל, ל׳ מ, בנסיון גדול ט׳ — 5 שאצא אמרבל, יוצא ט׳, אצא ט׳, שיוצר ד | ידיהם] מידיהם א — 6 ואומר—יהושע בן נון רבטלד, ל׳ אמ — 8 בהם ארבלד, ל׳ מט | חכם—נבון] נבון—חכם ד — 9 ובימי יהושפט רבטלד, ויהושפט אמ — 10 ולא—רועה אמ, ולא תהיה עדת ה׳ כצאן ר, ל׳ בטלד | סליק פיסקא ד, ל׳ ארבל —

11 ויאמר—ינתק] ל׳ ה | קח לך] ל׳ ד | כמותך]

לך אינו אלא בלקיחה לפי שאין חבר נקנה אלא בקשי קשין מכאן אמרו יקנה אדם חבר לעצמו
קהלת ד יט שיהא קורא עמו ושונה עמו אוכל עמו ושותה עמו וגולה לו סתריו וכן הוא אומר °טובים
שם ד יב השנים מן האחד °והחוט המשולש לא במהרה ינתק משיב הקדוש ברוך הוא
ואומר לו למשה תן לו תורגמן ליהושע ויהא שואל ודורש ומורה הוריות בחייך
שכשתפטר מן העולם לא יהו ישראל אומרים לו בחיי רבך לא היית מדבר ועכשיו
אתה מדבר ויש אומרים העמידו מן הארץ והושיבו בין ברכיו והיה משה וישראל
מגביהים ראשיהם לשמוע דבריו של יהושע מה היה אומר ברוך ה׳ אשר נתן תורה
לישראל על ידי משה רבינו כך היו דבריו של יהושע רבי נתן אומר היה משה מתעצב
בלבו שלא עמד אחד מבניו אמר לו הקדוש ברוך הוא במה אתה מתעצב בלבך שלא
עמד אחד מבניך והלא בני אהרן אחיך כאילו בניך הם אף אדם שאני מעמיד על
ישראל ילך ויעמוד על פתחו של אלעזר, משל למה הדבר דומה למלך בשר ודם
שהיה לו בן ולא היה ראוי למלכות נטל המלכות ממנו ונתנו לבן אוהבו אמר לו אף
על פי שנתתי לך גדולה לך ועמוד על פתחו של בני כך אמר הקדוש ברוך הוא ליהושע
במדבר כז כא אף על פי שנתתי לך גדולה לך ועמוד על פתחו של אלעזר שנאמר °ולפני אלעזר
הכהן יעמוד. באותה שעה נתגבר כחו של משה והיה מחזק את יהושע לעיני כל
דברים לא ז ישראל שנאמר °ויקרא משה ליהושע ויאמר אליו לעיני כל ישראל חזק
ואמץ אמר לו עם זה שאני מוסר לך עדין גדיים הם עדין תינוקות הם אל תקפיד

שכמותך כו׳ ט ׀ כמותך אמבלד, שכמותך ר, ל׳ ט ׀ קח לך—יעמד] כו׳ בפרשה פנחס על קח לך את יהושע ט [והעתקתי את השנוים משם] — 1 אינו אלא בלקיחה ר, אינו בלקיחה אמ, אין קח אלא לקיחה ט, אין קח לך אל״א לקיחה ל, אלא לקיחה ב, אין לך אלא לקיחה ד ׀ לפי] ל׳ מ ׀ קשין] קשאים מ — 2 שיהא קורא אמר, להיות קורא בט, להיות קונה ל, להיות קונה קורא ד ׀ ושונה עמו] ושונה ל ׀ אוכל עמו ר, אוכל אמ, ואוכל עמו ט׳בלד, ואוכל ט׳ ׀ סר־תריו] כל סתריו אמ ׀ טובים—מן האחד אמל, ל׳ רבטד — 3 לא—ינתק אמר, ל׳ ב, וג׳ רטל ׀ משיב—ועכשיו אתה מדבר] ל׳ ט ׀ משיב—ואומר לו למשה [ואומר לו מ] אמר, משיב [משיבו ד, משיבה ל] רוח הקדש למשה בלד, אמ׳ לו הקב״ה למשה ה — 4 תורגמן ליהושע מבל, ליהושע תורגמן ר, מתורגמן ליהושע אד, ליהושע מתורגמן ה ׀ ויהא אמהר, והוא בלד ׀ הוריות אמהר, בהוריות בלד — 5 שכשתפטר מן העולם אמה, כשתיפטר מן העולם ר, כשתיפטר בלד ׀ ישראל] ל׳ ה ׀ לו מרבדה, ל׳ אל ׀ לא היית מדבר] ל׳ ל — 6 העמידו רדהם, הגביהו אמ, שהעמידו בלד ׀ והושיבו] והעמידו ר ׀ והיה] והיו הם — 7 ראשיהם אמהרטם, ראשם בלד ׀ דבריו של יהושע אמבל, דברי יהושע הר, קול דבריו של יהושע ד ׀ מה היה אומר מ, מה היו אומ׳ ר, ומה היה אומר ה, מהו אומר א, ומהו אומר בטלד ׀ ברוך—נתן] ברוך שנתן ה ׀ אשר נתן] שנתן ר — 8 כך—יהושע] ל׳ ט ׀ היו אמרה, ל׳ בלד ׀ רבי נתן—סליק פיסקא] ל׳ ה ׀ היה משה אמרבטיל, משה הי׳, משה היה ד — 9 בלבו] ל׳ א, בלבבו מ ׀ עמד רבטלד, עמד תחתיו מ, העמיד תחתיו א ׀ אמר לו הקב״ה] ל׳ ל ׀ הקב״ה אמרד, הק׳ ט׳, הב״ה ט׳, המקום ד ׀ במה [למה א]—בלבך [בלבבך מ, ל׳ ר] אחד מבניך [<תחתיך> א] אמר, ל׳ בטלד — 10 אהרן אחיך] אחיך אהרן ד ׀ כאילו] כולן ל, כולו ב ׀ בניך הם אמ, הם בניך טרבל, מבניך הם ר ׀ אף אדם אמר, ואף מי בטלד — 11 משל] משלו משל א ׀ למה—דומה] ל׳ ר ׀ בשר ודם] ל׳ ר — 12 שהיה לו בן ולא היה אמ, שלא היה לו בן בטז, שהיה לו בן רדל ׀ המלכות] מלכות ר ׀ ממנו רבטלד, ל׳ אמ ׀ ונתן לבן אוהבו אמר, ונתנו לבן אוהבו בטל, ונתנו ביד אוהבו ד — 13 לך] ל׳ מ ׀ גדולה] גדולה זו אמ ׀ בני] בני אוהבך בל ׀ אמר] אמר לו מ ׀ ליהושע] ל׳ ל — 14 אעפ״י—גדולה ר, אעפ״י—גדולה זו אמ, ל׳ בטלד ׀ ועמוד] עמוד ל ׀ אלעזר] בני אלעזר ד ׀ שנאמר אמר, ל׳ בטלד — 15 לעיני כל ישראל [כל העם א] אמבטלד, ל׳ ר — 16 אליו] לו ר ׀ לעיני כל ישראל] ל׳ ר — 17 ואמץ] אמ מוסיפים <כי אתה תביא את העם הזה אל הארץ אשר נשבע ה׳ לאבותם לתת להם ואתה תנחילנה אותם וה׳ הוא ההולך לפניך הוא יהיה עמך לא ירפך ולא

שהוא תוספת ואינו מעיקר הספרי, אמנם נמצא בכל הנסחאות — גברתן כמותך, בפירוש הספרי כ״י ס, „מאיש אשר רוח בו יליף״: 1 מכאן אמרו וכו׳, אדר״נ נו״א פ״ח (י״ח ע״ב): 4 תן לו וכו׳, ספרי במדבר פי׳ ק״מ (ע׳ 186): 5 לא יהו ישראל וכו׳, עיין בספר אגדות היהודים ח״ו ע׳ 141: 8 ר׳ נתן וכו׳, השוה ספרי פינחס פי׳ קמ״א (ע׳ 187), ספרי זוטא שם כ״ז כ״ב (ע׳ 322): 10 כאילו בניך הם, עיין סנהדרין י״ט ע״ב: 11 על פתחו של אלעזר, ספרי וספרי זוטא שם, במדבר רבה פ׳ כ״א סי׳ ט״ו — משל למה הדבר דומה וכו׳, עיין בספר Königsgleichnisse לציגלר, ע׳ 452: 17 עם זה שאני וכו׳, אדר״נ פ׳ י״ז (ל״ג ע״א), ועיין עוד בספרי

עליהם על כל מה שהם עושים שאף רבונם לא הקפיד עליהם על כל מה שעשו וכן הוא אומר °כי נער ישראל ואוהבהו הושע יא א רבי נחמיה אומר אין לי רשות הא יש לי רשות אכניסם בצד אהלי רועים שיהו יושבים בו.

ומעשה ברבן יוחנן בן זכיי שהיה רוכב על גבי החמור והיו תלמידיו מהלכים אחריו וראה ריבה אחת מלקטת שעורים מתחת רגלי בהמתם של ערביים כיון שראתה את רבן יוחנן בן זכיי נתעטפה בשערה ועמדה לפניו ואמרה לו רבי פרנסני אמר לה בת מי את אמרה לו בתו של נקדימון בן גוריון אני אמרה לו רבי זכור אתה כשחתמת בכתובתי אמר להם רבן יוחנן בן זכיי לתלמידיו אני חתמתי על כתובתה של זו והייתי קורא בה אלף אלפים דינרי זהב של בית חמיה ושל בית ריבה זו לא היו נכנסים להשתחוות בהר הבית עד שהיו פורסים להם כלי מילת תחת רגליהם נכנסים ומשתחוים וחוזרים לבתיהם בשמחה וכל ימי בקשתי מקרא זה ומצאתיו °אם לא תדעי לך שה״ש א ח היפה בנשים צאי לך בעקבי הצאן ורעי את גדיותיך על משכנות הרועים אל תהי קורא גדיותיך אלא גויותיך שכל זמן שישראל עושים רצונו של מקום אין כל אומה ומלכות שולטת בהם וכשאין ישראל עושים רצונו של מקום מוסרם ביד אומה שפלה ולא ביד אומה שפלה אלא תחת רגלי בהמתם של אומה שפלה.

במדבר פי׳ קמ״א (ע׳ 187), שהש״ר א׳ ז׳, שמות רבה פ״ב סי׳ ד׳: 3 שיהו יושבים בו. כן יש להגיה לפי דעתי, ועיין בשנויי נסחאות. ונראה שהברייתא נשנית בשני סגנו־נים אחד „בצד אהלי רועים שיהו יושבים בו״, והשני „בצד אחר שיהו דורשים בו״, ושניהם נתחברו בכ״י עתיק כמו שנמצא עדין בא „בצד אהלי רועים (שהיו) [שיהו] יושבין בו בצד אחר שיהו דורשין בו״, בכ״י ר נתקבלה רק הגרסה השניה, שלפי דעתי גרועה היא מן הראשונה „בצד (אחד) [אחר] (שהיו) [שיהיו] דורשים בו״, בשאר הנסחאות יש הגהות שאינן מתקבלות אל הלב. בפי׳ הספרי בכת״י ם מבואר „בצד אהלי רועים, כלו׳ לירושלים שהיא סמוכה לחברון ששם האבות גנוזים״: 4 ומעשה וכו׳, מכילתא יתרו מסכת בחדש ריש פ״א (ס״א ע״א, ה—ר עמוד 203), תוספתא כתובות סוף פ״ה (ע׳ 267), אדר״נ נו״א פי״ז (ל״ג ע״א), בבלי כתובות ס״ו ע״ב ושם ס״ז ע״א, ירוש׳ כתובות סוף פ״ה (ל׳ ע״ג), איכה רבתי פ״א סי׳ מ״ח, פסוק על אלה אני בוכיה, פסיקתא רבתי, פרק כ״ט—ל, (ק״מ ע״א), ילקוט שיר השירים ר׳ תתקפ״ז: ונמסר המאורע בשתי נוסחאות, האחת היא זו של הספרי, מכילתא, אדר״נ, בבלי כתובות ס״ו ע״ב, ולפיה אירע הדבר ברבן יוחנן בן זכיי, ונראה שהנוסחא היותר עתיקה היא המובאת בבבלי כתובות ס״ז ע״א, ירושלמי ותוספתא שם סוף פ״ה, פסיקתא רבתי ואיכה רבה, ולפיהם המספר הוא ר׳ אלעזר בר׳ צדוק והוא אומר שראה את הריבה בעכו מלקטת שעורים מתחת טלפי סוסים: 9 ושל בית ריבה זו וכו׳, בבלי כתובות שם: 13 אל תהי קורא וכו׳, השוה מאמר ראזענצווייג בספר

יעזבך לא תירא ולא תחת> | אמר לו אמרבט, הנה ד, ל׳ ל | עם זה רבטל, עם זו אמ, עם ד | מוסר אמרט, מוסרם בלד | עדיין] עדאן ר | הם] ל׳ ד | עדין—הם] תנוקות הן עדין ט׳ | עדין בלט׳, עדן ר, ל׳ אמ. ועדין ד | תקפיד] תפקוד א — 1 עליהם] ל׳ א | על כל אמ, על רבטלד | הקפיד] הפקיד א | על כל ר, מכל אמ, על בטלד — 2 וכן [כן ר] הוא אומר אר, שנ׳ טדבל | רבי נחמיה—כי אם תחת רגלי בהמתם של אומה שפלה] ל׳ מ | נחמיה] נחמן ט׳ | אומר] <אמר משה ליהושע> א׳ | הא אטד, האם רב, הא אם ל — 3 רשות] ל׳ ד | בצד] בתוך ד | שיהו יושבים בו] כן יש לגרס לפי דעתי, והגרסות המקובלות הן „שהיו יושבין בו בצד אחר שיהו דורשין בו א, בצד אחד שהיו דורשים בו רם, ויהו רועים בצדו ט, כצד אמר מר שיהיו דורשים בו ב, אמר מר שהיו דורשים בו ל, אמר מר שיהיו דורשים בו ד ועיין בהערות — 4 ומעשה אר, מעשה בטלד | רוכב] רכוב ט | גבי] ל׳ טב | תלמידיו רט, תלמידים אבלד — 5 וראה] ראה ר | ריבה] רובה ר | מתחת] לפני א, מבין ט׳ | רגלי] גללי ר | בהמתם] בהמות ט׳ | כיון—זכיי] ל׳ אר — 6 ואמרה] אמרה ר | ואמרה—בת מי את] ל׳ א | לו רט ד, ל׳ בל | רבי] ל׳ ב — 7 בת מי רדט׳, בתי מי ל, בתי בת מי בט | לו] ל׳ ל | אני אבטד, ל׳ רלט׳ | אמרה לו רבי אר, ל׳ בטלד | זכור אר, ולא זכור בטל ד | כשחתמת אר, שחתמת בטלד — 8 בכתובתי אלד, על כתובתי רבט | רבן יוחנן בן זכיי רטלד, רבן יוחנן ב, ל׳ א | אני] ל׳ ט׳ | של זו] שלה ב | והייתי קורא בה] ל׳ ר — 9 אלף אלפים ארלד, אלף אלפי אלפים בט | של בית חמיה רבטד, של חמיה א, של בית אביה חוץ משל בית חמיה ל | ושל—זו בטד, של [ושל א] ריבה זו אל, ואביה ר, ושל בית אביה ט׳ | לא] ולא א | היו נכנסים] היה נכנס ר — 10 להשתחוות בהר [להר א] הבית אר, להר הבית להשתחוות בטלד | להם] לו ל | כלי] פילאי ל | רגליהם—לבתיהם] רגליו נכנס ומשתחוה וחוזר לביתו ל | נכנסים אבל, ונכנסים טד — 11 מקרא זה בטל, למקרא זה א, את המקרא הזה ר, מקרא זו ד | ומצאתיו] ולא מצאתיו עד הנה ל — 12 היפה—אלא גויותיך] וג׳ ט׳ — 13 אל תהי קורא אר, אל תיקרי בטלד | אלא ארבט, כי אם לד | גויותיך] גרנותיך א, גוויותיך א׳ — 14 אומה ומלכות אר, אומה ולשון בטלד | וכשאין] כשאין ר | ישראל טל, ל׳ רטיט׳ | מקום] מקום הקב״ה ל — 15 אומה שפלה ארטד, אומה שפלה שבאומות ב, שפלה

בשנה אחת מתו שלשה צדיקים משה ואהרן ומרים שוב לא מצאו ישראל נחת רוח אחרי משה שנאמר (זכריה יא ח) °ואכחיד את שלשת הרועים בירח אחד וכי בירח אחד מתו והלא בשנה אחת מתו שנאמר (תהלים מז י) °נדיבי עמים נאספו עם אלהי אברהם אלא מתה מרים בטלה הבאר וחזרה בזכות משה ואהרן מת אהרן בטל עמוד ענן וחזרו שניהם בזכות משה מת משה בטלו שלשתם ולא חזרו באותה שעה היו ישראל נפוצים וערומים מכל מצות נהלבצו כל ישראל אצל משה ואמרו לו אהרן אחיך היכן הוא אמר להם אלהים גנזו לחיי העולם הבא ולא היו מאמינים לו אמרו לו אנו יודעים בך שאכזרי אתה שמא אמר לפניך דבר שאינו הגון וקנסת עליו מיתה מה עשה הקדוש ברוך הוא הביא מטתו של אהרן והלאה בשמי שמים והיה הקדוש ברוך הוא עומד בהספד עליו ומלאכי שרת עונים אחריו ומה היו אומרים (מלאכי ב ו) °תורת אמת היתה בפיהו ועולה לא נמצא בשפתיו בשלום ובמישור הלך אתי ורבים השיב מעון. באותה שעה אמר הקדוש ברוך הוא למלאך המות לך והבא לי נשמתו של משה הלך ועמד לפניו אמר לו משה תן לי נשמתך אמר לו במקום שאני יושב אין לך רשות לעמוד ואתה אומר לי תן לי נשמתך גער בו ויצא בנזיפה הלך מלאך המות והשיב דברים לפני הגבורה שוב אמר לו הקדוש ברוך הוא לך והבא לי נשמתו הלך למקומו ובקשו ולא מצאו הל'ך אצל הים אמר לו משה ראית אותו אמר לו מיום שהעביר את ישראל בתוכי לא ראיתיו הלך אצל הרים וגבעות אמר להם משה ראיתם

שלאומות ל | אלא ארט, כי אם בלד | תחת רגלין] ביד ר, תחת רגליהן של ל | של אומה שפלה אר, ל׳ בטלד — 1 משה] מת משה ל | ואהרן] אהרן ר | ואהרן ומרים] ל׳ ל | שוב–אחרי משה] ל׳ ר — 2 אחרי משה בלד, מאחרי משה אמ, ל׳ ט — 4 אלא] ל׳ א | בטלה אמר, נסתלק ב, נסתלקה טלד | משה ואהרן מבטלד, שניהם ר, משה א | בטל עמוד ענן מרבט, נטל עמוד הענן ל, ביטל׳ עמוד ענן ד, נסתלקו ענני כבוד א — 5 שניהם] ל׳ א | שלשתם] ושלשתם ד | שעה] שעה שמת אהרן ר — 6 מצות אמרל, מצוה בד, ל׳ ט | נתקבצו] כשמת אהרן נתקבצו ט | כל ישראל] כולם ד | ואמרו] אמ׳ ר | אהרן אחיך היכן הוא אר, אחיך אהרן היכן מ, היכן הוא אהרן אחיך בלט׳, היכן אהרן אחיך דט׳ — 7 אלהים גנזו ר בלד, גנזו הקב״ה אמ, האלהים גנזו ט | לחיי העולם הבא אמר, לחיי העולם ט, לחיי עולם בלד | מאמינים] ישראל מאמינים א | לו ר, בו בטלד, ל׳ אמ — 8 אנו יודעים אמ, יודעים אנו רבמלד | בך] ל׳ ט | שאכזרי אתה רמ, שאתה אכזרי א, שקפדן אתה דט, שקופדין אתה בל — 9 הביא מטתו–והיה הקב״ה עומד בהספד] ל׳ ד | בשמי שמים ארט, בשמי השמים מבל — 10 עומד בהכפד אמר, מספיד בדט, מכפר ל | שרת רב, השרת אמטלד | עונים] היו עונים ר | מה היו אומרים] ל׳ ט | ומה אמרד, מה בל | אומרים אמר, אומרים זה הפסוק בלד — 12 אמר] אמר לו ד | והבא לי אמרד, והבא במל — 13 תן–אמר לו] ל׳ ד | אמר לו] אמר לו משה מ | יושב רבמלד, עומד אמ — 14 אומר לי ארטלד, אומר מ, אומר לו ב — 15 והשיב] השיב ט | דברים] דבריו ד | שוב אמ, שב ר, ל׳ בטלד | אמר] ואמר ר | הקב״ה רמ, המקום לד, הק׳ מב, ל׳ א | לך רמבל, למלאך המות לך אמד — 16 ובקשו אמר, בקשו במלד | משה ראית אותו אמ, ראית אהרן משה במלד, ראית את משה משה ראית ר | אמר לו] אמר ר — 17 שהעביר את ישראל] שהעבירו ישראל א | בתוכי רמבמד, בתוכו אל | לא] שוב לא ד | ראיתיו] ראיתי אותו מ | הלך רבמלד, הלך לו אמ | וגבעות אמרטל, ובקעות בד | אמר להם] ל׳ א | משה ראיתם אותו אמ, ראיתם את משה בטלד, משה ראיתם ר —

תפארת ישראל לכבוד ר׳ ישראל לוי ע׳ 244: 2 ואכחיד וכו׳ עד תורת אמת היתה בפיהו, מכירי זכריה י״א ח׳ — וכי בירח אחד וכו׳, סדר עולם רבא פ״י (הוצ׳ רטנר כ״ב ע״א והוצ׳ מארכס ע׳ 20), שהש״ר פ״ד פסוק ו׳ שני שדיך, ריש מדרש פטירת אהרן, בבית המדרש לר״א יעללינעק ח״א ע׳ 91: 4 אלא מתה מרים וכו׳, כן הוא לפי דברי ר׳ יהושע מכילתא בשלח, מסכת ויסע, סוף פ״ה (נ״א ע״ב, ה—ר ע׳ 173), ותוספתא סוטה פי״א ה״י (ע׳ 315) בשם ר׳ יוסי בר׳ יהודה, מ״ת ל״ד ח׳ (ע׳ 227), סתמא, וכן ב׳ תענית ט׳ ע״א בשם ר׳ יוסי בר׳ יהודה, ועיין עוד ויקרא רבה י״ז סי׳ ז׳, במדבר רבה פ״א סימן ב׳, שם סוף פרשה י״ג, תנחומא במדבר סימן ב׳, מדרש משלי ריש פי״ד, פרקי דר׳ אליעזר פ׳ י״ז׳ — מת אהרן וכו׳. השוה הציונים למעלה, ועוד ב״ר ס״ב סי׳ ד (ע׳ 675), ירושלמי סוטה פ״א ה״י (י״ז ע״ג), ספרי במדבר פי׳ פ״ב (ע׳ 79), תוספתא סוטה ריש פי״א (ע׳ 314), ירושלמי יומא פ״א ה״א (ל״ח ע״ב), בבלי ר״ה ג׳ ע״א, במדבר רבה חוקת פי״ט סי׳ כ׳, איכה רבה פ״א (פסוק שמעו כי נאנחה), אדר״נ נו״ב פ׳ כ״ה (כ״ו ע״א), ת״י דברים י׳ ו׳: 6 ואמרו לו וכו׳, במדבר רבה חוקת פ׳ י״ט סי׳ כ׳, תנחומא שם סי׳ י״ז: 12 באותה שעה וכו׳, מ״ת ל״ד ה׳ (סוף ע׳ 224), אדר״נ נו״א פי״ב (כ״ה ע״ב), נו״ב פ׳ כ״ה (כ״ו ע״א), ועיין עוד בדברים רבה

אותו אמרו לו מיום שקבלו ישראל את התורה על הר סיני לא ראינו אותו הלך אצל גיהנם אמר לה משה ראית אותו אמרה לו שמו שמעתי אותו לא ראיתי הלך אצל מלאכי שרת אמר להם משה ראיתם אותו אמרו לו לך אצל בני אדם הלך אצל ישראל אמר להם משה ראיהם אותו אמרו לו אלהים הבין דרכו אלהים גנזו לחיי העולם הבא ואין כל בריה יודעת בו שנאמר ויקבור אותו בגיא [דברים לד ו] וכיון שמת משה היה יהושע בוכה ומצעק ומתאבל עליו במרד והיה אומר אבי אבי רבי רבי אבי שגדלני רבי שלמדני תורה והיה מתאבל עליו ימים רבים עד שאמר לו הקדוש ברוך הוא ליהושע יהושע עד כמה אתה מתאבל והולך וכי לך בלבד מת משה והלא לא מת אלא לי שמיום שמת אבל גדול הוא לפני שנאמר ויקרא ה׳ אלהים ביום ההוא לבכי ולמספד וגו׳ [ישעיה כב יב] אלא מובטח לו שבן העולם הבא הוא שנאמר ויאמר ה׳ אל משה הנך שכב עם אבותיך וקם [דברים לא טז] סליק פיסקא

פי״א, ובבית המדרש של יעללינעק חדר ו׳ עמ׳ 75 ובספר אגדות היהודים למורי ר׳ לוי גינצבורג ח״ו ע׳ 112. — למלאך המות, עיין מה שהעיר בזה מורי ר׳ לוי גינצבורג בספרו אגדות היהודים ח״ו ע׳ 160: 5 שנאמר וכו׳, עיין סנהדרין צ׳ ע״ב:

1 אמרו לו מיום שקבלו—הלך אצל ישראל אמר להם משה ראיתם אותו] ל׳ בטלד ונמצא באמר | את התורה על הר סיני אמ, תורה מסיני ר | לא ראינו אמ, שוב לא ראינו ר — 2 גיהנם אמ, גהינם ר | אמר לה אמ, אמר לו ר | אותו] ל׳ ר | שמו] את שמו ר — 3 מלאכי שרת ר, מלאכי השרת אמ | אותו ל׳ אר | הלך] הלך בא ר — 4 אותו א, ל׳ רמ | אלהים גנזו רמבטד, וגנזו א, גנזו ל | לחיי העולם הבא בטל, לחיים העולם הבא ד, לחיי עולם רא | בריה מבטי, ביריה אד, ביריא טלרי — 5 שנאמר] ל׳ מ | וכיון אמר, כיון בטלד | ומצעק אמ, וצועק בטלד, ומצטער ר — 6 במרד—והיה מהאבל עליו] ל׳ בטלד, ונמצא באמר ועיין בשנוים לקמן | והיה אומר מ, וכן היה אומר א, והוא אומר ר | שגדלני] שגדלני מנעורי ר — 7 ימים רבים בטלד, ימים הרבים ר, ל׳ אמ | שאמר לו] שאמר ד | ליהושע] ל׳ ל | עד כמה] עד מתי ד — 8 מתאבל] <ימים הרבי [כן הוא בכ״י] עד שאמר> ר | בלבד] לבדך ד | מת משה אמ, משה מת ר, הוא מת בטלד | והלא] ולא ר | לא מת אלא לי אמר, והלא לי מת בטלד | אבל גדול הוא אמר, אבל בטלד — 9 ביום ההוא—וג׳ בטל, לבכי ולמספד ולקרחה ולחגור שק מ, צבאות לבכי ולמספד ר, צבאות לבכי ולמספד ולקרחה ולחגורת שק א, למספד ולבכי ד | אלא—שבן העולם הבא הוא מ, אלא מובטח לו שהוא בן העולם הבא א, ולא עוד אלא שמובטח שבן העו׳ הו׳ ר, ולא עוד אלא שהוא מובטח לעולם הבא בט, ולא עוד אלא שהוא מובטח בו לעולם הבא ל, ולא עוד אלא שהוא מובטח לחיי העולם הבא ד — 11 וקם ארבט, ל׳ מלד | סליק פיסקא רד, ל׳ אבל —

פרשת האזינו השמים.

שו.

(לב א) האזינו השמים ואדברה, רבי מאיר אומר כששהיו ישראל זכיים
יהושע כד כב הם היו מעידים בעצמם שנאמר °ויאמר יהושע אל העם עדים אתם בכם
הושע יב א קלקלו בעצמם כמו שנאמר °סבבוני בכחש אפרים ובמרמה בית ישראל
ישעיה ה ג־ד העיד בהם שבט יהודה ובנימן שנאמר °ועתה יושב ירושלם ואיש יהודה
שפטו נא ביני ובין כרמי מה לעשות עוד לכרמי קלקלו שבט יהודה
מלאכי ב יא מ״ב יז יג ובנימן שנאמר °בגדה יהודה העיד בהם את הנביאים שנאמר °ויעד ה׳ בישראל
דה״ב לו טז וביהודה ביד כל נביאיו קלקלו בנביאים שנאמר °ויהיו מלעיבים במלאכי
דברים ד כו ושם ל יט האלהים העיד בהם את השמים שנאמר °העידותי בכם היום את השמים
ירמיה ז יז ואת הארץ קלקלו בשמים שנאמר °האינך רואה מה הם עושים ואומר
שם ז יח הבנים מלקטים עצים והאבות מבערים את האש והנשים לשות בצק
שם ו יט לעשות כונים למלכת השמים העיד בהם את הארץ שנאמר °שמעי הארץ
הושע יב יב הנה אנכי מביא רעה קלקלו בארץ שנאמר °גם מזבחותם כגלים על תלמי
ירמיה ו טז שדי העיד בהם את הדרכים שנאמר °כה אמר ה׳ עמדו על דרכים וראו
יחזקאל טז כה קלקלו בדרכים שנאמר °אל כל ראש דרך בנית רמתך העיד בהם את הגוים
ירמיה ו יח שנאמר °לכן שמעי הגוים ודעי עדה את אשר בם קלקלו בגוים שנאמר
תהלים קו לה מיכה ו ב °ויתערבו בגוים וילמדו מעשיהם העיד בהם את ההרים שנאמר °שמעו

1 האזינו—ואדברה] ל׳ ד | ר׳ מאיר אמה, היה ר׳ מאיר רבלדכ, היה ר׳ בנאה טי, היה ר׳ בנאהו טי² — 2 הם היו אמרכי, היו הבטלדכי | מעידים] עדים אמ | בעצמם] ל׳ א | אל] אל כל אה — 3 כמו [כמה ה] שנאמר אה, שנאמר מרבטלדכ — 4 יושב אמהבטכ, יושבי רלד — 5 שבט] בשבט ה — 6 ובנימין אמהכ, ל׳ רבטלד — 7 כל נביאיו אמ, כל נביא וחוזה ר, כל נביא וכל חוזה ה, כל נביאי כל חוזה בכי, כל נביא כל חוזה טל, נביאים כל חוזה ד, כל נביאו כל חוזה כ² | שנאמר] כמו שנ׳ ה — 8 האלהים אהטיכי, אלהים טידלבכי, ד מוסיף <ומתעתעים בנביאיו> ובמקרא הגרסא „ובוזים דבריו ומתעתעים בנביאיו״ | היום] ל׳ אטכי — 9 מה—עושים] ל׳ ר | הם אמהדכ, המה לבט [מסורה] | עושים] עושים בערי יהודה ה | ואומר—למלכת השמים] ל׳ כ | ואומר א, וג׳ ב, ל׳ הטר, שנ׳ לד — 10 והאבות—השמים ד, והאבות—למלאכת השמים טל, והאבות מבערים את האש וג׳ ר, לעשות כונים למלכת השמים ה, ל׳ אמ — 11 הארץ אבהכ [מסורה], ארץ מרטלד — 12 אנכי ארהכ, אני בטלד | רעה] בר נוסף <אל העם הזה פרי> | גם] ל׳ ד — 13 שדי] ה מוסיף <העיד בהם את ההרים שנ׳ שמעו הרים את ריב ה׳ קלקלו בהרים ובגבעות כמו שנ׳ על ראשי ההרים יזבחו> | העיד בהם—בנית רמתך] ל׳ ל | כה—וראו אמהרכי, עמדו על דרכים וראו טב, כל ראש דרך גגות בנית רמתך שמעו את הגוים עמדו על דרכים ד, כה—הדרכים וראו כי — 14 קלקלו בדרכים—רמתך] קלקלו דרכים העיד בהם את הגגות קלקלו הגגות ד | העיד—מעשיהם] ל׳ א — 15 לכן—בם ר, לכן שמעו הגוים ודעי עדה הכי, לכן שמעו הגוים ודעו עדה מ, לכן שמעו גוים בטל, לכן שמעו הגוים כי, ל׳ ד | שנאמר] ל׳ טי — 16 וילמדו מעשיהם] ל׳ ר | העיד בהם—יזבחו] ל׳ ה —

1 ר׳ מאיר וכו׳, מכירי ישעיה ה׳ ג׳ (עמוד 39), שם ר״תהלים ק״ו נ״ה (פ״ד ע״א), שם הושע ד׳ י״ג, וי״ב א׳, ורשמתי השנוים בציונים אלה מכירי ישעיה כ1, מכירי תהלים כ2 ועיין עוד בפ״ז: 8 את השמים, עיין בספר אגדות היהודים למורי ר׳ לוי גינזבורג ח״ה ע׳ 38, ועוד

הרים את ריב ה׳ קלקלו בהרים שנאמר °על ראשי ההרים יזבחו העיד בהם את הבהמה שנאמר °ידע שור קונהו קלקלו בבהמה שנאמר °וימירו את כבודם בתבנית שור אוכל עשב העיד בהם את העופות שנאמר °גם חסידה בשמים ידעה מועדיה קלקלו בבהמה ובחיה ובעופות שנאמר °ואבוא ואראה והנה כל תבנית רמש ובהמה שקץ העיד בהם את הדגים שנאמר °או שיח לארץ ותורך ויספרו לך דגי הים קלקלו בדגים שנאמר °ותעשה אדם כדגי הים העיד בהם את הנמלה שנאמר °לך אל נמלה עצל °תכין בקיץ לחמה. רבי שמעון בן אלעזר אומר עלוב היה אדם זה שצריך ללמוד מן הנמלה אילו למד ועשה עלוב היה אלא שצריך ללמוד מדרכיה ולא למד.

עתידה כנסת ישראל שתאמר לפני הקדוש ברוך הוא רבונו של עולם הרי עדיי קיימים שנאמר העידותי בכם היום את השמים ואת הארץ אומר לה הריני מעבירם שנאמר °כי הנני בורא שמים חדשים וארץ חדשה אומרת לפניו רבונו של עולם הריני רואה מקומות שקלקלתי ובושתי שנאמר °ראי דרכך בגיא אומר לה הריני מעבירם שנאמר °כל גיא ינשא אומרת לפניו רבונו של עולם הרי שמי קיים אומר לה הריני מעבירו שנאמר °וקורא לך שם חדש אומרת לפניו רבונו של עולם הרי שמי קרוי על שם הבעלים אומר לה הריני מעבירו שנאמר °והסירותי

הושע ד יג | ישעיה א ג | תהלים קו כ | ירמיה ח ז | יחזקאל ח י | איוב יב ח | חבקוק א יד | משלי ו ו | שם ו ח | ישעיה סה יז | ירמיה ב כג | ישעיה מ ד | שם סב ב | הושע ב יט

שם ע׳ 102: 10 עתידה וכו׳ עד וקורא לך שם חדש, מכירי ישעיה ס״ב ב׳ (ע׳ 252), ובילקוט שמעוני ישעיה ר׳ שס״ו מובא עד כל גיא ינשא: 12 אומרת לפניו, המבארים נבוכו בפתרון מאמר זה, ולדעתי נתאחדו כאן שתי ברייתות. ברייתא הראשונה היא, „עתידה כנסת ישראל שתאמר לפני הקב״ה רבש״ע הרי עדיי קיימים וכו׳. אומר לה הרי אני מעבירם שנאמר וכו׳ אומרת לפניו רבש״ע הרי שמי קיים אומר לה וכו׳, ופירושו שאעפ״י שהשמים והארץ יהיו חדשים שמי ואשיותי לא ישתנו, ואזכור חטאי, ועונה לה הקב״ה שגם שמה ישתנה; בברייתא השניה מסופר הענין בסגנון שונה, וזהו „אומרת לפניו רבש״ע הריני רואה מקומות שקלקלתי ובושתי וכו׳ ואומר לה הריני מעבירם וכו׳, אומרת לפניו רבש״ע הרי שמי קרוי על שם הבעלים וכו׳ אומרת לפניו אעפ״כ בני בית מזכירים אותו וכו׳״, אבל לפי הגרסה שלפנינו אין לפרש איך אפשר לומר אחר שהבטיח הקב״ה לברא שמים וארץ חדשים, הריני רואה מקומות שקלקלתי, הלא כבר העברו עם שאר העולם; ועיין בגרסת מ״ת כמו

2 קונהו] קונהו וחמור אבוס בעליו לד | שנאמר] כמה שנאמר ה — 3 בתבנית–עשב] וגו׳ ר, בתבנית שור העיד בהם את הדגים שנאמר או שיח לארץ ותורך ויספרו לך דגי הים קלקלו בדגים כמו שנאמר ותעשה אדם כדגי הים ה | העופות ה, החיה אמרטיד, החיה והעוף בלכיז, החסידה ט״, את החיה ואת העוף כי — 4 מועדיה] ד מוסיף <ותור וסיס ועגור> | בבהמה ובחיה ובעופות אה, בבהמה בחיה ובעופות מ, בחיה ועוף ר, בחיה ובעוף בלכ, בחיה ד | שנאמר] כמו שנאמר ה | ואבוא–והנה] ל׳ כי | ואבוא רה [מסורה] ואשוב ב טלד, ל׳ אמ | והנה כל אמהר, והנה בלד, ל׳ ט — 5 תבנית רמש ובהמה שקץ ד, תבנית רמש ובהמה שקץ וכל גלולי בית ישראל מחקה על הקיר סביב סביב ה, תבנית בהמה חיה ועוף א, תבנית בהמה וחיה מ, תבנית רמש ר, תבנית כל רמש ובהמה ט, תבנית רמש ובהמה שקץ וגו׳ בל, תבנית כל תבנית רמש ובהמה כ | העיד–כדגי הים] ל׳ ה — 7 עצל אמהכי, עצל ראה דרכיה וחכם אשר אין לה קצין דט״, וגו׳ אשר אין לה קצין בל, וראה דרכיה וחכם וגו׳ ט״, עצל וגו׳ אשר אין לה קצין וגו׳ ר | תכין בקיץ לחמה אמבטלד, תכין–לחמה וגו׳ ר, ל׳ הכי | ר׳ שמעון בן אלעזר–ולא למד] ל׳ ה — 8 היה] הוא ם | זה] ל׳ כי | שצריך] שהוא צריך א | ללמוד] בכל הנסחאות ללמד, ובר ללמד מן הנמלה — 10 עתידה–רבונו של עולם] למחר כשיעמדו ישראל בדין כנסת ישראל אומ׳ לפני הקב״ה רבון העולמים ה | הקב״ה] הק׳ ט״, הב״ה ט״ — 11 היום] ל׳ ד | אומר בכ, אמר אמהרטל | לה] להם ל | הריני אבטהכ, הרי אני רלד, הנני מ — 12 כי הנני מהבטלד, כי הנה אנכי אר, הנני כ | שמים חדשים–חדשה מרכ, שמים חדשים אהט, השמים החדשים בלד | אומרת לפניו] בט״ מובאה בראשונה הבבא של שמי קיים, ואחר כך הרי שמי קרוי על שם הבעלים ולבסוף רואה אני מקומות שקלקלתי | אומרת–כל גיא ינשא] ל׳ ה | אומרת] אמרה מ, אומרין כ — 13 רבונו של עולם] ל׳ מ | הריני–רבש״ע] ל׳ כ | הריני] הרי אני מ | בגיא אבטל, בגי ר, בגיא דעי מה עשית ד — 14 אומר טב, ואומר ד, אמר מרל, אמר להם א | אומרת לפניו בטד, אמ׳ משה ר, אמרה לו אמה, אמ׳ לפניו ל | רבונו של עולם מרבלד, ל׳ אה ט | הרי] הנה מ, והרי ה — 15 קיים] קיים לעולם ה | אומר לה מבטלד, אומר ליה ר, אמר לה ה, ל׳ א | הריני מעבירו שנאמר] ל׳ ה | מעבירו] מעבירן רל | שנאמר] ל׳ א | אומרת–שמי] ל׳ א [ונשלם בין השטים] | אומרת בטלד, אמרה מרה אי | לפניו רבש״ע רבטלד, לו מהאי — 16 שמי מהט״אי, שמך רבטילד | קרוי על שם] כשם ה | אומר לה] כאן מתחיל קטע

את שמות הבעלים אומרת לפניו רבונו של עולם אף על פי כן בני בית מזכירים
הושע ב יט אותו אומר לה °ולא יזכרו עוד בשמם.

ירמיה ג א שוב למחר עתידה שתאמר לפניו רבונו של עולם כבר כהבת °לאמר הן ישלח
איש את אשתו והלכה מאתו והיתה לאיש אחר הישוב אליה עוד
הושע יא ט אומר לה כלום כתבתי אלא איש והלא כבר נאמר °כי אל אנכי ולא איש דבר
ישעיה נ א אחר וכי גרושים אתם לי בית ישראל והלא כבר נאמר °כה אמר ה׳ אי זה ספר
כריתות אמכם אשר שלחתיה או מי מנושי אשר מכרתי אתכם לו.

דבר אחר האזינו השמים משל למלך שמסר את בנו לפידגוג להיות יושב
ומשמרו אמר אותו הבן כסבור אבה שהועיל כלום שמסרני לפידגוג עכשיו הריני משמרו
כדי שיאכל וישתה ויישן ואלך אני ואעשה צרכיי אמר לו אביו אף אני לא מסרתיך
לפידגוג אלא שלא יהא מזייך כך אמר להם משה לישראל שמא אתם סבורים לברוח
איוב כ כז מתחת כנפי שכינה או לזוז מעל הארץ ולא עוד אלא שהשמים כותבים שנאמר °יגלו
שם שמים עוונו ומנין שאף הארץ מודעת שנאמר °וארץ מתקוממה לו.

עתידה כנסת ישראל שתעמוד בדין לפני המקום ואומרת לפניו רבונו של עולם איני
יודעת מי קלקל במי ומי שינה במי אם ישראל קלקלו במקום אם המקום שינה בהם
תהלים נ ו בישראל כשהוא אומר °ויגידו שמים צדקו הוי ישראל קלקלו במקום ואין המקום
מלאכי ג ו שינה בהם בישראל וכן הוא אומר °כי אני ה׳ לא שניתי.

נ׳ של הגניזה וממשיך עד (ע׳ 332, שורה 1) „בזמן שאין עושים רצונו של מקום מה נאמר בהם״ | הבעלים מהבט לד, בעלים רא | אומר לה מבטלד, אמ׳ לה ה, ל׳ א, אמ׳ ליה ר | הריני מעבירו שנאמר רדלבטא׳, ל׳ אמה — 1 הבעלים] ד מוסיף <מפיה> | אומרת–עולם בטד, אמרה לו מהאי, ל׳ א, אמ׳ לפניו–עולם רל | אעפ״י כן] והרי ה | בני בית] בני א, בני ביתי טי — 2 אותו] ל׳ אמ | בשמם] בשמים ד — 3 שוב] עוד מ | שוב–של עולם] אמ׳ כנסת ישראל לפני מי שאמר והיה העולם ב״ה ה | למחר] ל׳ א | רבש״ע רבטלד, ל׳ אמ | כתבת אמהרטיד, הכתבת טילב — 4 והלכה–עוד בטה, והלכה והיתה לאיש אחר לד, ל׳ מאר — 5 אומר ארבטד, אמר מהל | כתבתי אמרדטי, הכתבתי לך לד | והלא כבר נאמר רבטלד, וכתוב מ, ל׳ א, והלא כת׳ לא איש אל ויכזב (במדבר כ״ג י״ט) | דבר אחר אמ, ל׳ רבטלד — 6 וכי–אתכם לו] ד״א אם מוגרשין אתם לי איזה ספר כרירות אמכם ה | וכי] כי ד | כה–ה׳] ל׳ אט — 7 או–לו נר, או מי מנושי בטל, ל׳ אר — 8 האזינו השמים] ה מוסיף כאן הברייתא דמובאה לקמן היה ר׳ יהודה אומר משל למלך וכו׳ בשנוים המפורטים למטה שם | משל למלך–וארץ מתקוממה לו] ר׳ יהודה מושלו משל לה״ד למלך שמסר בנו לפידגוג על מנת שלא יהא מזיזו אמר אותו הבן סבור אבא שנתהנה כלום שמכרני לפידגוג עכשו אני יושב ומשמרו והוא אוכל ושותה וישן ואני הולך ועושה רצוני אמר לו אביו אף אני לא מכרתיך לפדגוג אלא שלא יהא מזיזך כך אמר משה לישראל יכולין אתם לעבור מתחת כנפי השמים או לזוז מעל הארץ ולא עוד אלא שהשמים מגלים שנ׳ יגלו השמים עונו ומנין שאף הארץ מודעת שנ׳ וארץ מתקוממה לו ה | לפידגוג] לפודגוג ר — 9 ומשמרו] א מוסיף <כדי שיאכל וישתה ויישן ואלך אני ואעשה צרכי> | הריני משמרו רטלד, הרי משמרו ב, אני משמרו מ, אני יושב ומשמרו א — 10 צרכיי] רצוני וצרכיי ד | אביו רבטלד, המלך אמ — 11 אלא אמ, אלא כדי רטיל, כדי במד | יהא אבלט, יהיה דרמ | מזייך רמבט, מזיק בך א, מזיקך לד, מזיזך מכאן טי׳ | להם] ל׳ מ — 12 מתחת כנפי שכינה ר, מתחת השמים אמ, מעל כנפי השכינה במלד | שהשמים כותבים רבטלד, שהשמים והארץ כותבים מעשיכם א, שהשמים כותבים מעשיכם מ — 13 ומנין–שנאמר] ל׳ ל | שאף] שנ׳ אף ר — 14 עתידה–ומי שינה במי] למחר כשיעמדו ישראל בדין אין אנו יודעים מי קלקל במי ה | עתידה–לפניו] ל׳ ל | שתעמוד בדין ר, שתעמוד לדין בטכ, שתעמיד לוים ד, שתעמיד דברים אמ | המקום] הק׳ טי, הקב״ה כ — 15 שינה] שינא ר | במקום אמ, לפני המקום [מקום ר] רבטלדני | אם רבט, ואם אד, או אם כ, ואין ל | שינה [שינא ר] בהם רבלדטי, שינה מטי, שינה את ה, ל׳ א — 16 במקום אמ, לפני מקום ר, לפני המקום ניבלמידה, לפני הק׳ טי | ואין המקום] והמקום לא כ | ואין] ולא ה — 17 שינה בהם בטלד, שינה אמ, שינא ר, שינה את ה | וכן הוא או׳ אמהני, שנאמר

שהובא בשנויי נסחאות: 3 עתידה וכו׳ עד איזה ספר כריתות, מובא בילקוט ירמיה ר׳ רס״ח: 8 משל למלך וכו׳, עיין ציגלר Königsgleichnisse ע׳ 422, וכל המאמר עד המלים מתקוממה לו מובא בילקוט איוב ר׳ תתק״ח: 11 מזיזך, כמו „מזיז ממך״: 14 עתידה וכו׳ עד לא שניתי, מכירי תהלים נ׳ י״ט (ע׳ 274), ובילקוט שמעוני מלאכי ר׳ תקפ״ט — עתידה כנסת ישראל וכו׳, הגרסה המקובלת אין לבארה, כי איך תאמר כנסת ישראל לפני הקב״ה איני יודעת מי קלקל במי, אלא נראה להגיה „עתידה כנסת ישראל שתעמוד לדין לפני המקום, איני יודע מי קלקל

דבר אחר האזינו השמים רבי יהודה אומר משל למלך שהיו לו שני אפוטרופים במדינה והשלים להם את שלו ומכר להם את בנו ואמר להם כל זמן שבני עושה רצוני היו מעדנים אותו ומפנקים אותו ומאכילים אותו ומשקים אותו וכשאין בני עושה רצוני אל יטעום משלי כלום כך בזמן שישראל עושים רצונו של מקום מה נאמר בהם °יפתח ה׳ לך את אוצרו הטוב את השמים (דברים כח יב) וכשאין עושים רצונו של מקום מה נאמר בהם °וחרה אף ה׳ בכם ועצר את השמים ולא יהיה מטר (שם יא יז) והאדמה לא תתן את יבולה.

דבר אחר האזינו השמים, רבי נחמיה אומר משל למלך שיצא בנו לתרבות רעה התחיל קובל עליו לאחיו והתחיל קובל עליו לאוהביו והתחיל קובל עליו לשכניו והתחיל קובל עליו לקרוביו לא זז האב ההוא להיות קובל והולך עד שאמר שמים וארץ למי אקבול עליך חוץ מאלו לכך נאמר האזינו השמים ואדברה.

דבר אחר האזינו השמים רבי יהודה אומר אילו אין דיין של צדיקים אלא שמרויחים את העולם שהם בתוכו שבזמן שישראל עושים רצונו של מקום מה נאמר בהם °יפתח ה׳ לך את אוצרו הטוב את השמים (דברים כח יב) ואין פתיחה אלא לשון הרווחה שנאמר °ויפתח את רחמה (בראשי׳ כט לא) ואילו אין דיין של רשעים אלא שדוחקים את

במי וכו׳, ועל זה מביא הכתוב ויגידו שמים צדקו, שהשמים יהיו עדים להקב״ה להצדיקו בדין, והמלים ואומרת לפניו רבש״ע נוספו על ידי אשגרא מהמאמרים הקודמים, ועיין בשנויי נסחאות הגרסה איני יודע במקום איני יודעת, ומזה יש עוד הוכחה להצעתי: 1 רבי יהודה וכו׳ עד חוץ מאלו לכך נאמר האזינו השמים, מובא בילקוט ישעיה ר׳ שפ״ז. — ר׳ יהודה אומר וכו׳, עיין ציגלר Königsgleichnisse ע׳ 428. — משל למלך וכו׳,

רבטלד — 1 ד״א—יבולה] ד״א האזינו השמים ואדברה מפני מה העיד בהן שמים וארץ ר׳ יהודה מושלו משל למה ה״ד למלך שהיה לו שני אפיטורפים והשלים להן את כל מה שיש לו ומסר להן את בנו אמר להן הרשות בידכם בשעה שבני עושה רצוני תהוא מאכילין אותו ומשקין אותו ומכסין אותו ובשעה שאין בני עושה רצוני אל יטעם משלי כלום כך בשעה שישראל עושין רצונו של הקב״ה מה נאמר בהן יפתח ה׳ לך את אוצרו הטוב ובשעה שאין ישראל עושין רצונו של הקב״ה מה נאמר בהן וחרה אף ה׳ בכם ה | רבי יהודה אמ, היה ר׳ יהודה רבמל׳ד | משל] משל למה הדבר דומה נ׳ | למלך] למלך בשר ודם נ׳ | שני אמב, ל׳ רדלמנ׳ — 2 אפוטרופים מרבטל, אפוטרופכין ד, אפטורפוס נ׳ | והשלים] והשליט מ | את שלו רבטלנ׳, כל שיש לו במדינה אמ — 3 רצוני אמגיבטל, לי רצוני ד, את רצוני ר | מעדנים אמרבטנ׳, מערבים ומעדנים ד. מערבים ל | אותו רבטדנ׳, ל׳ אמל | ומאכילים אותו] ומאכילים אמ — 4 בזמן] בשעה ה | נאמר בהם] כתיב טי׳ [וכן בסמוך] — 5 השמים] ד מוסיף <לחת מטר ארצכם בעתו> | וכשאין ארבלט, וכשאין ישראל דמ׳. ובשעה שאין ישראל ה | של מקום—בהם] ל׳ בטי׳, של הקב״ה ה — 6 מה] ל׳ ל | ועצר—יבולה מד, ועצר אל, ל׳ ניה, ועצר את השמים טב — 8 ד״א האזינו השמים] ל׳ טי׳ | ד״א—כי עצור עצר ה׳] ל׳ מ | ד״א האזינו השמים—לכך נאמר האזינו השמים ואדברה] ר׳ נחמיה מושלו משל לה״ד לאחד שיצא בנו לתרבות רעה קבל עליו לאחיו קבל עליו לשכניו קבל עליו לקרוביו ולא זז האב ליבל עליו והולך עד שאמר לו בני לשמים ולארץ למי אקבול עליך חוץ מאלו לכך נאמר האז׳ הש׳ וא׳ ה | ר׳ נחמיה אומר נ׳, היה ר׳ נחמיה אומר רבלטמ׳, ר׳ נחמן אומר מ׳, ל׳ אד | משל] מושלו משל למה הדבר דומה נ׳ | למלך] למלך בשר ודם נ׳ — 9 התחיל] והתחיל אנ׳ | קובל אנ׳, לקבול בטלד | לאחיו אנ׳ ר, באחיו בלדט | התחיל קובל עליו לאוהביו—לקרוביו] ובאורביו ובשכניו ובקרוביו ט׳, באוהביו בשכיניו ט׳, ולאביו ולשכניו ולקרוביו א | והתחיל רבטלנ׳, התחיל ד | קובל רמ׳בלנ׳, לקבול ד [וכן בסמוך שתי פעמים] | לאוהביו רנ׳, באוהביו מ׳בלד | והתחיל רבטיל, התחיל נ׳ד [וכן בסמוך] | לשכניו רנ׳. בשכניו בט׳לד — 10 לירוביו רנ׳. בקרוביו דט׳לב | לא זז] ולאי זה א | להיות קובל אנ׳, מלהיות קובל לד, מלהיות קובל עליו רבמ׳ט׳, מלקבול עליו ט׳ | שמים וארץ א. לשמים וארץ ר. אל שמים וארץ נ׳, לשמים בטלד — 11 עליך אבמלנ׳, עליו רד | מאלו] מאלו לאחיו ולאוהביו א — 12 ד״א האזינו—כי עצור עצר ה׳] ל׳ ה | האזינו—אילו] ל׳ א | ר׳ יהודה אומר רגיבל, ל׳ טד | אין ר, לא א, שאין בטלנ׳ | של צדיקים] לצדיקים ל — 13 שמרויחים ארטם, שמרוחין נ׳, שמרחיבים לד, שמהריבין ב | את אנ׳, על רבט לד | שבזמן אנ׳. שבזכות רבטלד — 14 את אוצרו—השמים נ׳ד, את אוצרו הטוב אבמל, וג׳ ר | ואין אטד, אילא נ׳, אין רבל | פתיחה א, לשון פתיחה רבטד, לשון פתיח ל, לשון פתוח נ׳ — 15 הרווחה] הרויח ר | ואילו—רשעים] ולא דיין לרשעים א | שדוחקים רטדנ׳, דוחקין כל —

דברים יא יז העולם שהם בתוכו שבזמן שאין עושים רצונו של מקום מה נאמר בהם °וחרה אף
בראשית כ יח ה׳ בכם ועצר השמים ואין עצירה אלא לשון הדחק שנאמר °כי עצור עצר ה׳.
דבר אחר האזינו השמים ואדברה, אמר לו הקדוש ברוך הוא למשה
אמור להם לישראל הסתכלו בשמים שבראתי לשמשכם שמא שינו את מדתם או שמא
קהלת א ה אמר גלגל חמה איני עולה מן המזרח ומאיר לכל העולם כולו אלא כענין שנאמר °וזרח
תהלים יט ו השמש ובא השמש ולא עוד אלא שהוא שמח לעשות לי רצוני שנאמר °והוא
כחתן יוצא מחופתו. ותשמע הארץ אמרי פי, הסתכלו בארץ שבראתי
לשמשכם שמא שינתה את מדתה שמא זרעתם בה ולא צמחה או שמא זרעתם חטים
והעלת שעורים או שמא אמרה פרה זו איני דשה ואיני חורשת היום או שמא אמר
ירמיה ה כב חמור זה איני טוען ואיני הולך וכן לענין הים הוא אומר °האותי לא תיראו נאם
ה׳ אם מפני לא תחילו אשר שמתי חול גבול לים שמשעה שגזרתי עליו שמא
איוב לח י שינה את מדתו ואמר אעלה ואציף את העולם אלא כענין שנאמר °ואשבר עליו
שם לח יא חקי ואשים בריח ודלתים ואמר °עד פה תבוא ולא תוסיף ופה ישית
בגאון גליך ולא עוד אלא שמצטער ואינו יודע מה לעשות כענין שנאמר
ירמיה ה כב °ויתגעשו ולא יוכלו והלא דברים קל וחומר ומה אלו שנעשו לא לשכר ולא
להפסד אם זוכים אין מקבלים שכר ואם חוטאים אין מקבלים פורענות ואין חסים על

עיין ציגלר, שם ע׳ 400: 3 אמר לו הקב״ה וכו׳, פ״ז, מכירי תהלים י״ט י״ז (ס״ה ע״ב). וכל המאמר עד לפיכך העיד בהם שני עדים שהם חיים וקיימים לעולם ולעולמי עולמים, מובא בילקוט שמעוני ישעיה ר׳ שפ״ז: 10 האותי לא תיראו וכו׳ עד שלא תשנו את מדותיכם, מובא בפירוש אבן נחמיאש ירמיה ה׳ י״ז, ומקצתו גם בילקוט שם ר׳ רע״ו: 11 שמא שינה ארץ

1 שבזמן—מקום מה נאמר בהם] שנ׳ א | שבזמן נ׳, שבשעה בטלד, שבעון ר | שאין] שאין יש׳ רנ׳ | וחרה—השמים ארבל, וחרה אף ה׳ בכם ועצר ט, ועצר השמים נ׳ | וחרה אף] עד כאן נמצא בקטע נ׳ של הגניזה — 2 ואין ד, אין ארבטל | עצירה א, לשון עצירה רבטלד | הדחק אר, דוחק בטלד | ה׳ ארבטל, ה׳ בעד כל רחם ד — 3 דבר אחר] רב אמ׳ א | אמר—לישראל] אמר להן ה | הקב״ה] הק׳ ט׳, הב״ה ט׳ — 4 להם] ל׳ מ | הסתכלו אמהרטב, הסתכלתי דלב | בשמים] בשמים ובארץ ד | שבראתי] מה שבראתי מ | שמא רבטלדה, כלום אמ | את אמרלהט׳, ל׳ בט | מדתם רבלט, סדרם אמ, דרכם ה | או שמא אמר ר, שמא אמר ה, או שאמ׳ א, או שמא מבטלד — 5 איני—כענין] יצא למערב ט׳ | איני רה, אינו אמטיט׳בלד | מן] אלא מן ד | לכל העולם כולו רט׳לד, לעולם כולו טב, על העולם א, על כל העולם מ, לכל באי העולם ה | אלא ה, לא אמרטל, ולא בד, ל׳ ט׳ — 6 שהוא שמח אמר, ששמח ט, שהוא שש ושמח ה, שמח ט׳ד, שמש בל | לעשות—רצוני] בשליחותי ט׳ | לעשות] לילך ולעשות ה | לי רצוני ארבלד, רצוני מבט, ל׳ ה — 7 מחופתו] ד מוסיף <ישיש כגבור לרוץ אורח>, ר מוסיף <וגו׳> | הסתכלו] אמר להם הסתכלו ה — 8 שמא בטלדה, כלום אמר | שינתה את מדתה שמא] ל׳ א | שינתה אמרד, שינת הבלט׳, שנה ט׳, שינה ט׳ | מדתה] סדרה מ | שמא] כלום מ | זרעתם] זרעת אמ | זרעתם בה ולא צמחה או] ל׳ ה | בה אמר, ל׳ בטלד | או] ל׳ ד | זרעתם רבטלד, זרעת בה אמ, זרעת ה — 9 והעלת] ועלית ד | שעורים] ה מוסיף <או שמא זרעת ולא העלתה> | אמרה פרה זו אמבט, אמרת פרה רט׳דה, אמרה פרה זו ל | איני] אינה דל | דשה] דשה היום ה | ואיני אמרבט, אינו ה, ואינה לד | היום] ל׳ ט | שמא—זה] חמור אמר ט׳ | שמא אמר מהרט, שמא בלד, שאמ׳ א — 10 זה] ל׳ ה | איני—ואיני אמרבט, אינו ואינו לד | טוען] טוען היום ה | ואיני] או איני ה | הולך רבטלד, הולך היום א, מהלך מ | הים] היום ל | הוא] ל׳ א — 11 אם—לים בטלד, אם מפני וכו׳ א, וגו׳ ר | שמשעה שגזרתי] משנגזרה ה | עליו] על הים ר, עליהם [נחמיאש] | שמא רבטלד, כלום אמה — 12 שינה] שינא ר | את] ל׳ ה | מדתו אמהט [נחמיאש], מדותיו רבט׳לד | ואמר] ואומר ד | אעלה—העולם] הריני עולה ומציף את כל באי העולם ה | אלא—שנאמר] והלא כבר נאמר ה | אלא] כן נראה לגרס ובכל הנסחאות הגרסה לא — 13 ואשים בריח ודלתים אמ, ל׳ רבטלדה | ולא—גליך מ, ולא תוסיף ופה אשית בגאון גליך אר, ולא תוסיף בטלד — 14 שמצטער רבטלדה, שהוא מצטער אמ | ואינו [ואין מ] יודע אמה, ואין יכול רבטלד — 15 ויתגעשו אהבט, ויתגעשו כי חרה מ, יהמו גליו רל, והמו גליו ד, והלא אמט׳, והרי בטלדה, ל׳ ר | דברים] הדברים ה | ומה] ומה אם ה | שנעשו—להפסד] שנבראו שלא לזכות ולא לחובה לא לשכר ולא להפסד ה | שנעשו אמבל, שלא נעשו נעשו רט, שלא נעשו ר | לא] אלא ר — 16 אם] ואם ל | זוכים רבטלד, עושים אמ, יזכו ה | חוטאים] יחטאו ה | ואין] ואם ב | ואין—בנותיהם] ל׳ ה —

בניהם ועל בנותיהם לא שינו את מדתם אתם שאם זכיתם אתם מקבלים שכר ואם חטאתם אתם מקבלים פורענות ואתם חסים על בניכם ועל בנותיכם על אחת כמה וכמה שאתם צריכים שלא תשנו את מדותיכם.

דבר אחר האזינו השמים, היה רבי בניה אומר בזמן שאדם מתחייב בדין אין פושטים בו יד תחלה אלא עדיו שנאמר [י]יד העדים תהיה בו בראשונה (דברים יז ז) ואחר כך בני אדם ממשמשים ובאים שנאמר [י]ויד כל העם באחרונה (שם) כך בזמן שאין ישראל עושים רצונו של מקום מה נאמר בהם [י]וחרה אף ה׳ בכם ועצר את (שם יא יז) השמים ואחר כך פורעניות ממשמשות ובאות שנאמר [י]ואבדתם מהרה (שם) ובזמן שישראל עושים רצונו של מקום מה נאמר בהם [י]והיה ביום ההוא נאם ה׳ אענה (הושע ב כג) את השמים ואומר [י]וזרעתיה לי בארץ. (שם ב כה)

דבר אחר האזינו השמים ואדברה היה רבי יהודה בן חנניה אומר בשעה שאמר משה האזינו השמים ואדברה היו השמים ושמי השמים דוממים ובשעה שאמר ותשמע הארץ אמרי פי הייתה הארץ וכל אשר עליה דוממים, ואם תמיה אתה על הדבר צא וראה מה נאמר ביהושע [י]ויאמר לעיני ישראל שמש (יהושע י יב-יג) בגבעון דם וירח בעמק אילון וידום השמש וירח עמד [י]ולא היה (שם י יד) כיום ההוא לפניו וג׳ נמצינו למידים שהצדיקים שולטים בכל העולם כולו.

דבר אחר האזינו השמים לפי שהיה משה קרוב לשמים לפיכך אמר האזינו השמים ולפי שהיה רחוק מן הארץ אמר ותשמע הארץ אמרי פי, בא ישעיה

מדותיו, עיין ספרי במדבר פי׳ מ״ב (ע׳ 48): 4 היה ר׳ בניה אומר וכו׳, רש״י, מכירי הושע ב׳ כ״ג, וילקוט שמעוני שם ר׳ תקי״ט, ועיין למעלה פי׳ קנ״א (עמו׳ 205, שורה 5), תנחומא ר״ש האזינו: 11 ר׳ יהודה בן חנניה, בספרו אהבת ציון על ירו׳ פסחים פ״ה ע״א משתדל ר׳ דוב בער ראטנער להוכיח שר׳ יהודה זה הוא אחי ר׳ יהושע בן חנניה עיי״ש: 12 דוממים, עיין ע״ז כ״ה ע״א, ועוד בספר אגדות היהודים לר׳ לוי גינזבורג ח״ו עמו׳ 25, שם ע׳ 46, ועוד שם ע׳ 160: 16 שהצדיקים שולטים וכו׳, למעלה פי׳ מ״ז (ע׳ 106, שורה 5): 17 לפי שהיה וכו׳, רד״ק ישעיה א׳ ב׳, תנחומא א׳ האזינו סי׳ ב׳, פ״ז, מכירי ישעיה

1 לא שינו—בניכם ובנותיכם] ל׳ א | אתם] ל׳ מ — 2 ואתם—בנותיכם] ל׳ ה | ועל בנותיכם] ובנותיכם ד — 3 שאתם] תהו ה | תשנו את] לשנות ה | מדותיכם אמבטלד, מדתכם ר ה — 4 היה] ל׳ הט׳ | היה—אומר] אמר ר׳ בנאה ט׳ | בניה א, בנאה מבטלד, בנייא ר | אומר] אומר מנין אתה אומר ה | שאדם מתחייב בדין ה, שאדם מתחייב דין אמ, שאדם מתחייב רבטלד — 5 אין פושטים רהבטל, אין עושין ר, אינו פושט ה | יד—עדיו אמ, יד אלא עדיו תחלה ר, תחלה אלא עדיו ה, יד אלא עדיו בטל, יד אלא עדים ד, אלא עדיו ט׳ | תהיה בו בראשונה אמט׳, וג׳ ר, תהיה—בראשונה להמיתו בטלד — 6 ממשמשים אמהט, שמשמשין רב, שממשמשין ל, שמשתמשין ד, וממשמשין ט׳ | כך] ל׳ ד | בזמן שאין] כשאין ט׳ | בזמן] בשעה ה — 7 עושים—מקום] ל׳ ר | מקום] הקב״ה ה | ועצר את השמים בטה, וג׳ ר, ל׳ אמ, ועצר השמים דל — 8 ואחר—מהרה] ל׳ ט׳ | כך אמהרבל, ל׳ טד | פורעניות] פורענות ד | ממשמשות ובאות אמהר ל, משתמשת ובאה ד, משמשת ובאה ב, ממשמשת ובאה ט | שנאמר בטלדה, ל׳ אמר | מהרה] בהם ד — 9 שישראל] ל׳ א | של מקום] ל׳ ה | אענה] ואענה א — 10 ואומר—בארץ] ל׳ ט׳ | ואומר אמה, והארץ תענה רבל, ואת הארץ והארץ יענה את הדגן ט — 11 ד״א—אומר] ל׳ ט׳ | היה] ל׳ ה | חנניה] חנינה ה — 12 שאמר משה] שהיה משה אומר ה, שאמר משה וישעיהו ט׳ | ואדברה] ל׳ דט׳ | השמים ושמי השמים] שמים ושמי שמים ר | דוממים] שותקין ה | ובשעה שאמר] ל׳ ט׳ — 13 שאמר] שהיה אומר ה | היתה] היו בט | אשר עליה] מה שעליה ה | דוממים מרבטלד, דוממת א, שותקין ה | תמיה] תמה מ — 14 הדבר אמבטלד, לדבר זה ה, דבר ר | צא—נאמר] הרי הוא אומר ה | לעיני אמהלד, לעיני כל ב ט — 15 וירח בעמק אילון] ל׳ ר | וידם] ואומר וידם אמ | וירח—וג׳] ל׳ ה | וירח עמד] וג׳ ר — 16 לפניו וג׳ א, וג׳ ר, ל׳ לר, לפניו ואחריו בט | נמצינו למדים מרבטל, נמצינו א, הא מלמד ה — 17 ד״א—בלשון מרובה] מה ראה ישעיה לומר שמים ללמדך שכל דברי נביאים שוין משה אמ׳ האזינו השמים וישעיה אמר שמעו שמים משה אמר ותשמע הארץ וישעיה אמר והאזיני ארץ אמ׳ ר׳ עקיבה מלמד—כאדם שמדבר עם חבירו ואמ׳ האזינו השמים וראה את הארץ רחוקה ואמר ותשמע הארץ אבל ישעיה שהיה בארץ התחיל לומר שמעו שמים שהיו רחוקים ממנו ואחר כך אמר והאזיני ארץ שהיתה קרובה לו ד״א משה פתח להם בלשון מרובה האזינו השמים כ | לפיכך] ל׳ רהט׳ | אמר] היה אומר ה — 18 ולפי] לפי ה | שהיה—

ישעיה א ב וסמך לדבר °שמעו שמים שהיה רחוק מן השמים והאזיני ארץ שהיה קרוב לארץ. דבר אחר לפי שהשמים מרובים פתח להם בלשון מרובה ולפי שהיתה הארץ מועטת פתח לה בלשון מועט ותשמע הארץ אמרי פי בא ישעיה וסמך לדבר שמעו שמים והאזיני ארץ ליתן את המרובה למרובים ואת המעוטה למעוטים וחכמים אומרים אין הדבר כן אלא בזמן שבאים העדים ומעידים אם נמצאו דבריהם מכוונים כאחד עדותם קיימת ואם לאו אין עדותם קיימת כך אילו אמר משה האזינו השמים ושתק היו שמים אומרים לא שמענו אלא בהאזנה ואילו אמר ותשמע הארץ אמרי פי היתה הארץ אומרת לא שמעתי אלא בשמיעה בא ישעיה וסמך לדבר שמעו שמים והאזיני ארץ ליתן האזנה ושמיעה לשמים והאזנה ושמיעה לארץ.

דבר אחר האזינו השמים ואדברה, על שם שניתנה תורה מן השמים שנאמר שמות כ כב °אתם ראיתם כי מן השמים דברתי עמכם. ותשמע הארץ אמרי פי, שם כד ז שעליה עמדו ישראל ואמרו °כל אשר דבר ה׳ נעשה ונשמע. דבר אחר האזינו השמים שלא עשו ישראל מצות שניתנו להם מן השמים ואלו הן מצות שניתנו להם בראשית א יד מן השמים עבור שנים וקביעות חדשים שנאמר °והיו לאותות ולמועדים ולימים ושנים. ותשמע הארץ, שלא עשו מצות שניתנו להם בארץ ואלו הן מצות שנתנו להם בארץ לקט שכחה ופיאה תרומה ומעשרות שמטים ויובלות.

דבר אחר האזינו השמים שלא עשו כל מצות שניתנו להם מן השמים ותשמע הארץ אמרי פי שלא עשו כל מצות שניתנו להם בארץ. משה העיד בהם בישראל דברים ל יט שני עדים שהם קיימים לעולם ולעולמי עולמים שנאמר °העידותי בכם היום את

הארץ] שהיתה הארץ רחוקה ט׳ | אמר אמרט, היה אומר ה, לפיכך אמר בלד — 1 לדבר] לדבר ואמר ד | מן השמים] ל׳ א | שהיה] לפי שהיה מ — 2 לארץ] מן הארץ מ | ד״א] ד״א האזינו השמים ה | שהשמים] שהיו שמים ר | פתח] לפיכך פתח א | להם אמה,ר, בהם בטלד | מרובה] א מוסיף <האזינו השמים>, ה מוסיף <ותשמע הארץ אמרי פי> | ולפי—מועטת] לפי שהארץ יחידית ה — 3 לה] ל׳ א, בה ב | בלשון] לשון א | מועט] יחידי ה | ותשמע—פי] ל׳ ה — 4 שמעו] ואמר שמעו ד | ליתן] נתן א | המרובה] האמור במרובה ה | למרובים אמר, במרובים בטלדה | המעוטה] האמור בממועט ה, והמועט ט׳ — 5 למעוטים] במועטים ה, למועטת ט׳ | וחכמים] אחרים ה | אלא—אין עדותם קיימת] לה״ד לשני עדים שבאו להעיד בזמן שדבריהם שוין עדותן קיימת ואם אין דבריהם שוין אין עדותן קיימת ה | שהעדים [כשהעדים טכ] באים ומעידים [מעידים ט״ד] רבטלד | בזמן שבאים העדים אמ — 6 כאחד] כאחת ב, ל׳ ט׳ | אין עדותם קיימת] עדותן בטלה כ — 7 ושתק מרטלה, ושותק בד, ואדברה ושתק א | בהאזנה מבטלד, אזינה ה, באזנה א, בלשון האזנה ט׳, בהנאתה ר | ואילו אמר מה, ל׳ ארבטלדכ — 8 הארץ] ארץ ר | אמרי פי] ל׳ ד, ה מוסיף <ושתק> | בשמיעה] שמיעה ה — 9 ליתן] נתן א | האזנה] אזינה ה | והאזנה] ואזינה ה — 10 על—תורה בטלד, על שום—תורה ר, על שם תורה שניתן להם ה, שלא עשו ישראל מצות שנתנו להם אמ | מן השמים אבטר, משמים רל — 12 ישראל ואמרו] וקבלו את התורה ואמרו ה | ואמרו] וקבלו ואמרו ר — 13 שלא עשו] שעשו ה | ישראל אמר, ל׳ בטל ד | מצות שניתנו] את המצות שניתן ה | ואלו הן—השמים ארלד, ואלו הן בט, ל׳ מט׳, ומה ניתן להם מן השמים ה — 14 וקביעות] וראשי ה | ולמועדים—ושנים מהלדט׳, ולמועדים אבט, ל׳ ר — 15 שלא עשו] שעשו ה | מצות שניתנו להם] את המצות שניתן ה | בארץ] מן הארץ הט׳ | ואלו—בארץ מר, ואלו הן אט, ואלו הן מצות בני, ל׳ לדט׳ — 16 תרומה א מרב, תרומות טלד, חלה ובכורים תרומה ה — 17 ד״א—בארץ] ל׳ ט׳ | כל מצית אבטל, כל המצות רמ, את המצות ה | ותשמע—פי אמה, ותשמע הארץ ט, ל׳ רבלד — 18 שלא טאמה, ולא רבלר | כל מצות ארבל, מצות ט, כל המצות מ, את המצות ה | בארץ] מן הארץ ז | העיד] מעיד ה | בישראל רבטלדה, בהם בישראל מ, להם לישראל א — 19 שהם—

שם, ת״י ות״י: 5 אם נמצאו וכו׳, רש״י ישעיה א׳ ב׳: 6 כך אילו אמר משה וכו׳, עיין פ״ז: 13 שלא עשו, במ״ת גורס שעשו והעיר ר׳ דוד הופמאן שם לפי הגרסה ההיא שהברייתא הראשונה מדברת כשישראל עושין רצונו של מקום, והשניה כשאין עושים ואין נראה, אלא גרסת רוב כ״י והדפוס עיקר, ואולי שתי ברייתות מתאימות לפנינו, וחלוקות רק בסגנונן דהאחת מטעימה המצות שנתנו מן השמים עבור שנים וכדומה והשניה מזכירה אותן בדרך כלל יחדי — שלא עשו וכו׳, מובא בהשגות הרמב״ן על ספר המצות שרש ראשון: 18 משה וכו׳, רש״י, פ״ז, ת״י ות״י, מכירי מלאכי ג׳ ה׳, קאבאק גנזי נסתרות ח״ד ע׳ 62,

השמים ואת הארץ והקדוש ברוך הוא העיד בהם את השירה שנאמר °ועתה דברים לא יט
כתבו לכם את השירה הזאת אין אנו יודעים עדותו של מי קיימת אם של הקדוש
ברוך הוא אם של משה כשהוא אומר °וענתה השירה הזאת לפניו לעד הא שם לא כא
של הקדוש ברוך הוא מקיימת של משה ולא של משה מקיימת את של הקדוש ברוך
הוא ומפני מה העיד בהם משה בישראל שני עדים שהם חיים וקיימים לעולם ולעולמי
עולמים. אמר אני בשר ודם ולמחר אני מת מה אם ירצו ישראל לומר לא קבלנו את
התורה מי מכחישם לפיכך העיד בהם שני עדים שהם חיים וקיימים לעולם ולעולמי
עולמים והקדוש ברוך הוא העיד בהם את השירה אמר השירה תעיד בהם מלמטה
ואני מלמעלה ומנין שהמקום קרוי עד שנאמר °וקרבתי אליכם למשפט והייתי מלאכי ג ה
עד ממהר ואומר °ואנכי היודע ועד נאם ה׳ ואומר °ויהי ה׳ אלהים בכם ירמיה כט כג מיכה א ב
לעד ה׳ מהיכל קדשו.

(ב) יערף כמטר לקחי, אין לקחי אלא דברי תורה שנאמר °כי לקח טוב משלי ד ב
נתתי לכם תורתי אל תעזובו ואומר °קחו מוסרי ואל כסף ואין מוסר אלא שם ח י
דברי תורה שנאמר °שמע בני מוסר אביך ואל תטוש תורת אמך ואומר שם א ח
°שמעו מוסר וחכמו ואל תפרעו ואומר °החזק במוסר אל תרף ואומר משלי ח לג שם ד יג
°קחו עמכם דברים ושובו ואין דברים אלא דברי תורה שנאמר °את הדברים הושע יד ג דברים ה יט
האלה דבר ה׳ אל כל קהלכם.

ועיין עוד במ״ת: 6 ולמחר אני מת, השוה כעין זה גם בספר החצוני ברוך ב׳ י״ט ב׳: 9 ואני מלמעלה, היינו שני עדים, מהערת ר׳ דוד הופמאן במ״ת: 12 יערף וכו׳ עד ומפנקים אותם, מובא במנורת המאור לאלנקוה ח״ג ע׳ 242. — אין וכו׳ עד נתתי לכם, מובא בספר הזכרון: — אין לקחי וכו׳, פ״ז, תענית ז׳ ע״א, אותיות דרבי

עולמים] ל׳ ה | שני] ל׳ ט׳ | שנאמר—לעולם ולעולמי עולמים] ל׳ בטלד ונמצא באמה | שנ׳—ואת הארץ אמ, ל׳ ה — 1 והקב״ה אמ, והמקום ה | העיד—השירה א, העיד את השירה מ, מעיד בהם בעד אחד ה | שנאמר—הזאת אמ, ל׳ ה — 2 אין אמ, ואין ה | עדותו—קיימת אמ, איזו עדות מכחשת של מי ה | הקב״ה א, מקום מכחשת של משה מ. הקב״ה מקיימת של משה מ — 3 אם של משה א, אם של משה מכחשת של מקום ה, ואם של משה מקיימת של הקב״ה מ | הא אמ, הוי ה — 4 הקב״ה אמ, מקום ה | מקיימת אמ, מכחשת ה, וכן בסמוך | הקב״ה אמ, מקום ה — 5 שני עדים א, בשני עדים ה, את השמים ואת הארץ שני עדים מ | שהם—עולמים אמ, ל׳ ה | חיים וקיימים] קיימין כ | ולעולמי עולמים] ולעלמי עלמייא כ — 6 אמר אמרבט, אלא אמר משה ה, אמר להם ד, ל׳ ל | אני בשר ודם אמטד, בשר ודם אני ה, אני בשר ודם אני רבלב | ולמחר אמר, למחר בטלדכה | מה—לומר] ואם יאמרו ישראל ט׳ | מה—ישראל אמרל, שאם ירצו ה, אם ירצו ד, אם ירצו ישראל בט, מה ירצו ישראל כ | לומר] ל׳ ל — 7 התורה] ה מוסיף <ולא שמענו את המצות> | מכחישם אמר, בא ומוכיחן ה, בא ומכחישם בטלדכ | לפיכך העיד מרבט׳לדכ, העיד א, לפיכך העמיד ט׳, לכך העמיד ט׳ | בהם אמהרכ, להם בטל, עליהם ד | שני עדים—העיד בהם] ל׳ כ | חיים וקיימים אמה, קיימים רבטלד | לעולם—עולמים] לעולם ועד ט׳, ה מוסיף <לכך נאמר העידתי בכ׳ היום את הש׳ ואת הא׳> — 8 והקב״ה—השירה] ומפני מה המקום מעיד בהם בעד אחד ה | והקב״ה אמ, והמקום רבלד, והק׳ ט׳, והב״ה ט׳ | השירה] ד מוסיף <שנאמר למען תהיה לי השירה הזאת לעד בבני ישראל> | אמר השירה תעיד אמ, אלא אמר המקום תהא השירה מעידה אמר שירה תעיד בטלד, שירה העיד כ | מלמטה אמ, למטה הלט, למטן בדכ — 9 ואני] ואני מעיד בהן ה | מלמעלה אמ, למעלן בלדהכ, למעלה ט, ובה נוסף <לכך נאמר וענתה השי׳ הז׳ (לכ׳) [לפ׳] לעד> ה | ומנין] מנין ר | שהמקום קרוי] שנקרא הקב״ה ה | עד] עד ממהר ד | וקרבתי אליכם למשפט והייתי עד ממהר מהבטל, והייתי עד ממהר במכשפים א, וקרבתי לכם למשפט והייתי עד ממהר ד, וקרבתי אליכם—ממהר וגו׳ רכ — 10 ואומר רבטלד, ואמר ה, ל׳ אמ | ואנכי—נאם ה׳ רה, ואנכי היודע ועד טלד, ל׳ אמ, כי היודע ועד ב | ויהי—קדשו ה, והיה ה׳ אלהים לעד ה׳ בהיכל קדשו מא, ויהי ה׳ אלהים בכם לעד בטד, ויהי ה׳ בכם לעד מהכל קדשו סל׳ פס׳ ר, ויהי ה׳ אלהים בכם לעד ה׳ מהיכל ל — 12 דברי] ל׳ מ | כי לקח—תעזובו אבל, כי לקח טוב נתתי לכם ד, כי לקח טוב וגו׳ ר, כי לקח טוב נתתי לכם תורתי טה — 13 ואומר] וה״א ה | קחו] שמעו ה | מוסר] מוסרי ה — 14 ואל—אמך א, ל׳ רבטל | ואומר אמה, ל׳ רבטלדה — 15 שמעו מוסר וחכמו ואל תפרעו אמ, שמעו מוסר וחכמו רבטלה, שמע מוסר וחכמה ד | ואומר—תרף הט, וגו׳—תרף ר, החזק במוסר אל תרף ב, ל׳ א, ואומר החזק למוסר אל תרף מ, החזק במוסר ואל תרף ל, ואומר החזק במוסר ואל תרף ד | ואומר—דברים ושובו א, וה״א קחו עמכם דברים ה, קחו עמכם דברים רבטל, ואומר קחו עמכם דברים ושובו אל ה׳ דמ — 16 ואין

כמטר, מה מטר חיים לעולם אף דברי תורה חיים לעולם אי מה מטר מקצת עולם שמחים בו ומקצת עולם מצירים בו מי שבורו מלא יין וגרנו לפניו מצירים בו יכול אף דברי תורה כן תלמוד לומר תזל כטל אמרתי מה טל כל העולם שמחים בו כך דברי תורה כל העולם שמחים בהם.

כשעירים עלי דשא, מה שעירים הללו יורדים על העשבים ומעלים אותם
משלי ד ח ומגדלים אותם כך דברי תורה מעלים אותך ומגדלים אותך וכן הוא אומר °סלסליה
ותרוממך. וכרביבים עלי עשב, מה רביבים הללו יורדים על העשבים ומעדנים
שם א ט אותם ומפנקים אותם כך דברי תורה מעדנים אותך ומפנקים אותך שנאמר °כי לוית
שם ד ט חן הם לראשך ואומר °תתן לראשך לוית חן.

דבר אחר יערף כמטר לקחי היה רבי נחמיה אומר לעולם הוי כונס דברי תורה כללים יכול כדרך שאתה כונסם כללים תהא מוציאם כללים תלמוד לומר יערף כמטר לקחי, ואין יערף אלא לשון כנעני משל אין אדם אומר לחבירו פרוט לי סלע זה אלא ערוף לי סלע זה כך הוי כונס דברי תורה כללים ופורט ומוציא כטפים הללו של טל ולא כטפים הללו של מטר שהן גדולות אלא כטפים הללו של טל שהן קטנות.

כשעירים עלי דשא, מה שעירים הללו יורדים על עשבים ומפשפשים בהם כדי שלא יתליעו כך הוי מפשפש בדברי תורה כדי שלא תשכחם וכך אמר לו רבי

אמהטר, אין רבל | דברים] דבר א | דבריי] דבר א — 17 עמוד הקודם אל כל קהלכם אמד, וג׳ ר, ל׳ בט לה — 1 אי אמד, או רבטלה | מה] ל׳ ר | מטר] מטר זה ר, המטר הזה ה — 2 עולם רבטילד, העולם א מט׳, העם ה | בו] ל׳ ד | ומקצת עולם רבטילד, ומקצת אמ, ומקצת העם ה, ומקצת העולם ט׳ | מצירים אמה, עציבים רבטלד | בו] ה מוסיף <יוצאי דרכים מצירים בו מפרשי ימים מצירים בו טחי גגות מצירים בו> | מי] כי מי א | שבורו] שבורו וגתו ד | מלא יין] ל׳ ל | יין] מים ה | וגרנו אמ, וגתו וגורנו רבטלד, וכן גתו וגרנו ה | בו אמהרט, לו בלד | יכול] ל׳ ד — 3 טל] הטל הזה ה | כל העולם אמרטי, כל העם הזה ה, שכל העולם כולו ל, כל העולם כולו בטיד — 4 כך אמה, אף רבטלד | כל העולם אמרטי, כל העם ה, כל העולם כולו בטילד | בהם אמהרבט, בו לד — 5 על העשבים—ומגדלים אותם] ומגבלים העשבים ומעלים אותן ומגדלין אותן ה | העשבים אמט, עשבים רבלדם — 6 כך—ומגדלים אותך] ל׳ ט׳ | אותך אמה, לומדיהם ד, ל׳ רבל | אותך אמה, אותם רבטלד | וכן הוא אומר אמרבטל, שנ׳ ה, ת״ל ר | סלסליה] סלסלה ה — 7 וכרביבים] כרביבים א | העשבים אמהט, עשבים רבלד | ומעדנים] מעדנים ר — 8 ומפנקים אותם] ל׳ ט | ומפנקים] ומפרנקים ה | כך] וכן ד | אותך אמה, אותם רבר, אותו ל [וכן בס׳] | שנאמר אמה, וכן הוא אומר רבטלד | כי—חן] תתן לראשך לוית חן ואומר כי לוית חן הם לראשך ה — 9 לראשך] א מוסיף <וענקים לגרגרותיך> | ואומר—לוית חן] ל׳ א | ואומר מרד, ל׳ בטל — 10 ד״א—אלא כטפים הללו של טל שהן קטנות] ל׳ מ | יערף כמטר לקחי אה, ל׳ רבטלד | היה ר׳ נחמיה אומר אר [אלנקוה], ר׳ אומר ה, היה ר׳ יהודה אומר בטלד | לעולם] ל׳ ה | כונס] כולל א — 11 יכול—תהא מוציאם כללים א, יכול כשם שאתה כונס כללים כך תהא מוציא כללים ה, ומוציאן פרטים בט [אלנקוה], ומוציא כללים ל, ומוציאים כללים ד | תלמוד לומר אהרל, שנאמר בט — 12 ואין אדה, אין רבטל | יערף רבטלד, עריפה ה, לקח א | משל אין אדם] כאדם שהוא ה | אין] איך ד | אדם אומר אהד, אומר אדם בטל | פרוט—אלא] ל׳ ה — 13 זה ט׳א, זו רבטילד | סלע זה] את הסלע הזה ואין עריפה אלא פרוט לי ה | זה ט׳, זו רלדטי, ל׳ אב | הוי] תהא ד | ומוציא אה, ומוציאם רבטלד — 14 טלן מטר ה | שהן ארה, ל׳ בטלד | שהן קטנות] שהם קטנים ד, בה נוסף <לכך נאמר תזל כטל אמרתי> — 15 על עשבים—ומשלש ומרבע] על הדשאים ומדשנין אותן ומפטמין אותן כך תהא מפטם דברי תורה ושונה ומשלש ומרבע וכרביב׳ עלי עשב מה רביבים הללו יורדין על העשבין ומנקין אותן ומפשפשין אותן שלא יתליעו כך תהא מפשפש דברי תורה שלא תשכחם שכך אמר יעקב בר חנילאי לרבינו בוא ונפשפש את ההלכות הללו שלא יעלו חלודה ה | ומפשפשים בהם] ל׳ ן — 16 הוי—דברי תורה]

עקיבא בבית המדרש לר״א יעללינעק ח״ג ע׳ 14: 1 מה מטר וכו׳, רש״י, פ״ז, והשוה למעלה פיסקא מ״ח (ע׳ 110 שורה 13) ובציונים שם: 4 שמחים וכו׳, רש״י: 5 מה שעירים וכו׳, פ״ז, רש״י: 10 היה ר׳ נחמיה אומר וכו׳, רוקח הקדמה שורש התורה, מנורת המאור לאלנקוה ח״ג עמוד 242, ועיין בספר מנחת בכורים לכבוד ר׳ אריה שווארץ עמוד 10, ועיין למטה בפיסקא זו: 13 ערוף לי, השוה המלה מערופיא הרגילה בספרות ימי הבינים, ומה שהעירותי אודותיה בספרי שלטון עצמי של היהודים ע׳ 9; ור׳ דוד הופמאן במ״ת העיר כנראה הוא לשון פאניקים, (כלומר של צור וצדון) וכן בלשון סורי מערפנא הוא שלחני המחליף מעות, ועיין עוד במ״ע Jüd. Literaturblatt שנה י״ב חוברת מ״ח ע׳ 142, חוברת נ׳ ע׳ 200, וחוברת נ״ב ע׳ 267: 15 מה וכו׳ עד חלודה, מובא בפי׳ ר׳ ידעיה הפניני כ״י (ע): 16 ר׳ יעקב בר׳

יעקב ברבי חניליי לרבי בוא ונפשפש בהלכות כדי שלא יעלו חלודה. וכרביבים עלי עשב, מה רביבים הללו יורדים על עשבים ומנקים אותם ומפטמים אותם כך הוי מפטם דברי תורה ושונה ומשלש ומרבע.

דבר אחר יערף כמטר לקחי, רבי אליעזר בנו של רבי יוסי הגלילי אומר אין יערף אלא לשון הריגה שנאמר ועערפו שם את העגלה בנחל (דברים כא ד) על מה עגלה מכפרת על שפיכות דמים כך דברי תורה מכפרים על כל עבירות. כשעירים עלי דשא, ועל מה שעירים מכפרים על חטאות כך דברי תורה מכפרים על חטאות. וכרביבים עלי עשב, מה רביבים באים תמימים ומכפרים כך דברי תורה מכפרים על כל עונות ועבירות.

דבר אחר יערף כמטר לקחי, חכמים אומרים אמר להם משה לישראל שמא אין אתם יודעים כמה צער נצטערתי על התורה וכמה עמל עמלתי בה וכמה יגיעה יגעתי בה כענין שנאמר ויהי שם עם ה׳ ארבעים יום וארבעים לילה (שמות לד כח) ואומר ואשב בהר ארבעים יום וארבעים לילה (דברים ט ט) נכנסתי לבין המלאכים ונכנסתי לבין החיות ונכנסתי לבין השרפים שאחד מהם יכול לשרוף כל העולם כולו על יושביו כענין שנאמר שרפים עומדים ממעל לו (ישעיה ו ב) נפשי נתתי עליה דמי נתתי עליה כדרך שלמדתי אותה בצער כך תהיו למדים אותה בצער או כדרך שאתם למדים אותה בצער כך תהיו מלמדים אותה בצער תלמוד לומר תזל כטל אמרתי, תהו רואים אותה כאילו היא

חניליי, והעיר ר׳ דוד הופמאן שאולי הוא ר׳ יעקב בר קורשי הנזכר בהוריות י״ג ע״ב, רבו של רבי: 5 אלא לשון הריגה, למטה בפיסקא זו עמוד 338, שורה 6, תענית ז׳ ע״א: 10 אמר וכו׳, מובא במנורת המאור לאלנקוה ח״ג, עמוד 338: 13 נכנסתי וכו׳ עד שרפים עומדים ממעל לו, מכירי ישעיה ו׳ ב׳ (ע׳ 52):

דברי תורה הוי מפשפש בהם מ | בדברי תורה—תשכחם בהן כדי שלא יתליעו כך הוי תשכחם ב | כדי] ל׳ ט | וכך אמ, כך רבטילדע, כן טי | רבי יעקב בן חניליי] כן נראה לנסח על פי גרסת מ״ת שהבאתי למעלה בש״נ לשורה 15; והגרסות המקובלות כאן הן: רבי יעקב ברבי חנינה רמל דט², ר׳ יעקב ברבי חנני׳ בט¹, ר׳ חנינה א, ר׳ יעקב לר׳ חנניא ע, ר׳ יעקב בר חנינא [אלנקוה] — 1 לרבי] לר׳ אבא [אלנקוה] | בוא] בואו ל | בהלכות] בדברי תורה בהלכות ל, בהלכה א | כדי אמט, בשביל רבלד — 2 ומפטמים] ומפשפשים אותם ומפטמים ד — 3 הוי] היה מ | דברי אמ, בדברי רבטלד — 4 כמטר לקחי אמהט, ל׳ רבלד — 5 יערף] עריפה ה | אלא—עונות ועבירות ד״א יערף כמטר לקחי] ל׳ ל | הריגה] כפרה ה | את—בנחל] וגו׳ ר — 6 על] ל׳ ד | דברי תורה מכפרים] תורה מכפרת ה | כל עבירות רדהז, עבירות מבט, עבירה א, שפיכות דמים ד | כשעירים עלי דשא—מכפרים על חטאות] ל׳ ט | כשעירים עלי דשא רדבה, ל׳ אמ — 7 ועל—מכפרים אמ, מה שעירים באים על חטאין ומכפרים ה, מה שעירים הללו באים על חטאות ומכפרים רבד [ובם באין על חטאות] | חטאות א, חטא מ, חטאין ה, עבירות בד, כל חטאים ר, כל החטאים ז — 8 וכרביבים—ועבירות] ל׳ בטד ונמצא באמרה | רביבים] רביבים הללו ר | תמימים ה, תמידים ר, תדיר אמ | דברי תורה מכפרים] תורה מכפרת ה — 9 עונות ועבירות א מ, עבירות ר, פשעים ה — 10 יערף כמטר לקחי אמבה, יערף כמטר טר, יערף ר | חכמים אומרים אמר להם רבטלד, חכמים אומרים אמר ה, אמר להם אמ | משה] משה רבינו ר | שמא אין מז, שמא אי ר, שמא אבלד, אין ה, ל׳ ט | אתם יודעים מרבטלד, ל׳ א, אתם זהירים ה — 11 כמה צער—יגעתי בה] כמה עמלתי בתורה וכמה יגעתי בה וכמה צער נצטערתי עליה ה | התורה] דברי תורה א | וכמה יגיעה מרבטל, וכמה יגיעות א, ומה יגיעה ר | כענין] כמה ה — 12 ויהי—וארבעים לילה אמ, ואשב בהר ארבעים יום וארבעים לילה וכת׳ אחר אומ׳ ויהי שם עם ה׳ ארבעים יום וארבעים [לילה] ה, ויהי שם עם ה׳ וגו׳ ואשב בהר וג׳ ר, ויהי שם—ארבעים יום ואשב בהר ארבעים יום טב, ויהי שם עם ה׳ ארבעים יום וארבעים לילה ד, ויהי שם עם ה׳ ארבעים יום ל — 13 נכנסתי] ונכנסתי ד | החיות] גדודים ה — 14 שאחד] שכל אחד ואחד ה | כל אמ, את כל רלדה, את בטב | על יושביו] ל׳ ד | כענין אמר, ל׳ בטלדבה — 15 נפשי—דמי נתתי עליה] דמי נתתי עליה נפשי נתתי עליה ה | נפשי נתתי] נתתי נפשי ד | עליה] עליך ר [וכן בסמוך] | כדרך אמהר, כשם בטלד — 16 כך תהיו—אותה בצער] ל׳ טי | תהיו למדים אמהר, תהיו אתם למדים ד, תהו אתם למדים ט², תהו למדים אתם בל, תהיו מלמדים ס | למידים] לומדין מ | או—כך תהיו מלמדים אותה רבלט¹, או—כך תהיו מלמדים אותם ד, יכול כשם שאתם למידים אותה בצער כך תהו מלמדין אותה בצער ה, ומלמדין אותה בצער אמ — 17 מלמדים—אמרתי תהיו] ל׳ ט¹ | תהו—בסלע] תהו מוכרין אותה בזול לתלמידים הבאים אחריכם ה | תהו] תהיו ד | כאילו היא אמרל, כאילו בט, ל׳ ד —

בזול אחד משלש וארבע סאים בסלע. כשעירים עלי דשא, כשאדם הולך ללמוד
(ישעיה לד יד) תורה תחילה נופלת עליו כשעיר ואין שעיר אלא שד שנאמר °ופגשו ציים את
(שם יג כא) איים ושעיר אל רעהו יקרא ואומר °ושעירים ירקדו שם.

דבר אחר יערף כמטר לקחי, היה רבי בניה אומר אם עשית דברי תורה
(משלי ד כב) לשמם דברי תורה חיים לך שנאמר °כי חיים הם למוצאיהם ואם לא עשית דברי
תורה לשמם הם ממיתים אותך שנאמר יערף כמטר לקחי, ואין עריפה אלא לשון
(דברים כא ד; משלי ז כו) הריגה שנאמר °וערפו שם את העגלה בנחל ואומר °כי רבים חללים
הפילה ועצומים כל הרוגיה.

דבר אחר יערף כמטר לקחי, רבי דוסתי בן יהודה אומר אם כנסת דברי
(שם ה טו) תורה כדרך שכונסים המים בבור לסוף שאתה זוכה ורואה את משנתך שנאמר °שתה
מים מבורך ואם כנסת דברי תורה כדרך שכונסים מטר בבורות שיחים ומערות
(שם; שם ה טז) לסוף שאתה מנזל ומשקה אחרים שנאמר °ונוזלים מתוך בארך ואומר °יפוצו
מעיינותיך חוצה.

דבר אחר יערף כמטר לקחי, היה רבי מאיר אומר לעולם הוי כונס דברי תורה כללים שאם אתה כונסם פרטים מייגעים אותך ואי אתה יודע מה לעשות משל לאדם שהלך לקיסרי וצריך מאה זוז או מאתים זוז הוצאה אם נוטלם פרט מייגעים אותו ואינו יודע מה לעשות אבל מצרפם ועושה אותם סלעים ופורט ומוציא בכל מקום שירצה

1 כשעירים וכו׳, מובא במנורת המאור לאלנקוה ח״ג עמוד 243: 2 ואין שעיר אלא שד, תו״כ אחרי פרק ט׳ ה״ח (פ״ד ע״א): 4 היה ר׳ בניה אומר וכו׳, תענית שם, ובפ״ז מיבא מאמר כעין זה בשם ר׳ מאיר: 6 ואין עריפה וכו׳, למעלה בפיסקא זו, עמ׳ 337, שורה 5: 9 אם כנסת דברי תורה וכו׳, השוה למעלה פי׳ מ״ח (ע׳ 110, שורה 9), ועיין במ״ת ע׳ 185, ושם נשנה בשני סגנונים: 14 ר׳ מאיר אומר וכו׳, השוה למעלה פיסקא

1 אחד] ל׳ ט | וארבע] מארבע ל | סאים אמ, ל׳ רבט לד | כשאדם הולך—ושעירים ירקדו שם] נמצא במדרש תנאים אחר המלים יפוצו מעיינותיך חוצה (למטה שורה 13) | כשאדם הולך אמרבט, כאדם שהולך ד, כאדם הולך ל, אדם הולך ה — 2 תחילה אמה, תחילה בתחילה רבטלד | נופלת] והיא נופלת ה | כשעיר] כשיד הזה ה | ואין] ומנ׳ שאין ה | שד] שד ט², שֵד מ | ופגשו—ואומר אמה, שנאמר ופגשו ציים את איים ושעיר וגו׳ ואו׳ ר, ל׳ בטלד — 4 כמטר לקחי] ל׳ ר | עשית] למדת ה | דברי] ל׳ ה | תורה] ל׳ א — 5 לשמם] לשמה ה | חיים אמה, חיים הם מרבטלד | לך] לנפשך ה | למוצאיהם אבט, למוצאיהם ולכל [וכל ל] בשרו מרפא לד | ואם—לשמם] ואם לאו ה | דברי תורה] ל׳ טי — 6 הם אמ, דברי תורה רבטלד, סוף שדברי תורה ה | ממיתים] הורגים ה | ואין אמד, אין רבטלם | לשון אמהרם, ל׳ בטלד — 7 שם] ל׳ ד — 8 ועצומים כל הרוגיה אמ, ל׳ רבטלה, ועצומים הרוגיה ד — 9 דוסתי רב, דוסתאי אמטלד | בן ראמ, בירבי ה, ברבי טד, בר׳ בל | כנסת דברי תורה אמרבלט, דברי תורה כנסת ד, למדתה את התורה ה — 10 שכונסים] שמכנסים ה | המים אמ, את השעיר ה, מטר בטלד | בבור אמרבטל, לבור דה | לסוף שאתה—בבורות שיחים ומערות] ל׳ רבטלד ונמצא באמה, והשנויים בין הנסחאות האלו רשומים למטה | לסוף—משנתך אמ, סופך להיות שונה ורואה את משנתך ה — 11 ואם [א אס] כנכת דברי תורה אמ, ואם למדת את התורה ה | שכונסים] שמכניסים ה | מטר] את המטר ה — 12 מנזל] מטיל א | אחרים] לאחרים טי | ואומר] ל׳ רדבלט | יפוצו] יפוצו כל א — 14 היה ר׳ מאיר אמ, ר׳ נחמיה ה, היה ר׳ יהודה רבטל, ר׳ יהודה ד | לעולם הוי כונס מרבטל, הוי כונס א, לעולם הוי אדם כונס ד, זו כנסת ישי׳ הוי כונס ה [והעיר ר׳ דוד הופמאן שלדעתו צריך לקרות „זו כנסת ישיבה״ והכונה שבא ללמד היאך כונסין דברי תורה בישיבה] | תורה] ל׳ ב — 15 אתה אמה, ל׳ רבטלד | אותך אמה ט², אותו רבטי לד | ואי—לעשות] ואין אתה יכול לעמוד בהן ה | ואי אתה אמ, ואין אתה ט², ואין רבטילד | משל—ומוציא בכל מקום שירצה] משל אדם הולך לקסרין צריך למאה זוז או למאתים זוז הוצאה אם נוטלן הוא פרוטרוט הן מיגעין אותו ואינו יכול לעמוד בהן אל׳א מצרפן סלעים והוא פורע [הי׳ פורט] ומוציא בכל מקום שירצה ה | משל—ואינו יודע מה לעשות] ל׳ אל | לאדם] למלך ד — 16 שהלך בטר, הולך מ, והלך ר | וצריך] וצריך טי, ונצרך ט² | אם נוטלם מ, נוטלם רטב, נוטלים ד | אם] ל׳ ר | ואינו] ואין ד — 17 מצרפם אמר, אם מצרפם בטל, אם מצרפים ד | מצרפם] מצרפים ד | ועושה] ועושים א | אותם אבטל, אותו מרד | ופורט אמר, פורט בטלד —

וכן מי שהולך לבית איליים לשוק וצריך מאה מנה או שתי ריבוא הוצאה אם מצרפם סלעים מייגעים אותו ואינו יודע מה לעשות אבל מצרפם ועושה אותם דינרי זהב ופורט ומוציא בכל מקום שירצה. כשעירים עלי דשא, כשאדם הולך ללמוד תורה תחילה אינו יודע מה לעשות עד ששונה שני ספרים או שני סדרים ואחר כך נמשכת אחריו כרביבים לכך נאמר כרביבים עלי עשב.

דבר אחר יערף כמטר לקחי, מה מטר זה יורד על האילנות ונותן בהם מטעמים לכל אחד ואחד לפי מה שהוא בגפן לפי מה שהוא בזית לפי מה שהוא בתאנה לפי מה שהיא כך דברי תורה כולה אחת ויש בה מקרא ומשנה תלמוד הלכות והגדות. כשעירים עלי דשא, מה שעירים הללו יורדים על העשבים ומעלים אותם ויש מהם אדומים ויש מהם ירוקים ויש מהם שחורים ויש מהם לבנים כך דברי תורה יש בהם בני אדם חכמים בני אדם כשרים בני אדם צדיקים בני אדם חסידים.

דבר אחר מה מטר זה אי אתה רואה לו עד שבא וכן הוא אומר ויהי עד מ״א יח מה
כה ועד כה והשמים נתקדרו בעבים כך תלמיד חכמים אין אתה יודע מה הוא עד שישנה מדרש הלכות והגדות או עד שיתמנה פרנס על הציבור.

זו (ע׳ 336, שורה 10): 1 לבית איליים, השוה מאמרו של ר׳ שמואל קליין במאנאטססריפט שנה נ״ד ע׳ 24, ולפיו בית אלנים הוא יריד של בוטנים, ועיין ג״כ מה שכתב באכער במ״ע Z. A. W. שנה כ״ט ע׳ 148 והלאה, והערתו של ר׳ שמואל קליין במ״ת ע׳ 252: 3 כשאדם וכו׳, מובא במנורת המאור לאלנקוה ח״ג ע׳ 243: 5 כרביבים, פירש ר׳ דוד הופמאן דרביב האמור כאן הוא כשב המתגדל בבית ואינו הולך לרעות באגם וכן הוא בלשון ערב (ربيب): 6 מה

1 וכן מי–שירצה] וכן ההולך לבית ־האיל״ס וצרך ל־מאה מנה או לשתי רבוא של יציאה אם נוטלן הוא פרוטרוס הן מיגעים אותו ואינו יכול לעמוד בהן אלא מצרפן דינר זהב והוא פורט ומוציא בכל מקום שירצה ה | שהולך רמ, שהוא הולך א, שהלך בטלד | לבית איליים ר, לבית אייליס ם, לבית המדרש או לאיים א, לבית המדרש מ, לבית אילגיס בטלד, לבית האילס ה [ע׳ 185, ש׳ 17] | לשוק–שירצה] ל׳ מ | לשוק אטד, פ׳ שוק ר, שוק בל | הוצאה ה, ל׳ רבטלד — 2 מצרפם] מצרפים ד | ואינו א, ואין רבטלד | מצרפם א, אם מצרפם רבט, אם מצרפם ועושה אותם סלעים לד | ועושה רבטד, ועושין אל — 3 ופורט אבל, פורט רטד | כשעירים וכו׳ עד וכרביבים עלי עשב] מובא במ״ת למעלה לפני המלים „ד״א וכו׳ ר׳ בניה אומר״ | עלי דשא] עלי דשא וכרביבים ד | כשאדם הולך אמר, כשאדם שהולך בטל, כאדם שהולך ד, אדם הולך ה — 4 תחילה אה, בתחילה מרבטד, תחילה בתחילה ל | אינו–לעשות] והיא קשה עליו כשעיר ה | עד–סדרים] מה יעשה קורא שני ספרים ושונה שני סדרים ה | ספרים–סדרים אמ, סדרים–ספרים רבטלד | או שני סדרים] עד כאן נמצא מכ״י ר — 5 כרביבים] כרביב ה | עשב] בה נוסף <ד״א יערף כמטר לקחי מה המטר הזה יורד על העשבים ומעלה אותן מהן ירוקין מהן אדומין ומהן שחורים ומהן לבנים כך תורה יש בה מדרש ויש בה הלכות ויש בה קולין ויש בה חומרין ויש בה גזירות שוות ויש בה דינין ויש בה תשובות> [ועיין למטה שורה 9] — 6 מטר זה] המטר הזה ה | בהם] ל׳ ה — 7 לכל] בכל ה | מה שהוא אמהט, מה שהם לד, משהו ב | בגפן–בתאינה לפי מה שהוא] ל׳ א | מה שהוא מהט, מה שהן לד, משהו ב [וכן בסמוך] | בתאנה לפי מה שהוא מט, בתאנה לפי משהו ב, בתאנה לד, בתאנה לפי מה שהוא בתמרה לפי מה שהוא ה — 8 דברי] ל׳ ה | כולה אחת אמ, כולם אחת בטלד, ל׳ ה | ויש] יש ה | בה אמהבל, בהם רט | מקרא–והגדות א, מקרא–משנה הלכות ואגדות מד, מקרא משנה ומדרש והלכות והגדות בלט, בני אדם חכמים בני אדם נבונים בני אדם חסידים בני אדם צדיקים ה [ועיין למטה בפנים שורה 11] — 9 כשעירים אמד, ד״א כשעירים בטל | העשבים אמט, עשבים ד, עלי עשב בל | אותם] אותו ל — 10 מהם אמ, בהם בט לד [וכן בכל הענין] | אדומים–ירוקים אמ, ירוקים ויש מהן אדומים בטד, ירוקים ל | ויש מהם לבנים] ל׳ ד — 11 בני אדם חכמים–חסידים אמ, רבני תורה חכמ׳ ויש בהן כשרים ויש בהן צדיקים ויש בהן חסידים ב, לבני תורה חכמים ויש מהן כשרים ויש בהם צדיקים ויש בהם חסידים ל, רבנים חכמים ויש בהם כשרים ויש בהם צדיקים ויש בהם חסידים ט, יש בהם רבנים יש בהם כשרים יש בהם חכמים ויש בהם צדיקים ויש בהם חסידים ד — 12 ד״א וכו׳] [במ״ת מובאה ברייתא זו אחר הברייתא המתחלת „לא כמטר הזה שבא״] | ד״א אמבל, ד״א יערף כמטר לקחי ה | מטר זה אמבט, המטר הזה הלד | רואה לו א, רואה מ, רואהו בטלד, תר לו ה | שבא] שהוא בא ה | וכן הוא אומר] שנאמר ה — 13 והשמים נתקדרו בעבים אמ, והשמים התקדרו עבים ורוח בל, והשמים התקדרו בעבים ורוח ט, ל׳ ה | תלמיד חכמים א, כל חכם מן החכמים א׳, תלמידי חכמים בלד, תלמיד חכם מט, אדם הולך ללמוד תורה ה | אין–הציבור] אין את תר לו עד שהוא שומע מדרש הלכות ואגדות עד שהוא נעשה אדם גדול בישראל ה | אין אטבל, אי מד | מה הוא אמט, מה הן הב, מהו ל, מהם ד — 14 מדרש הלכות והגדות מ, מדרש תלמוד ואגדות א, משנה הלכות והגדות [ואגדות טד] בטלד —

דבר אחר יערף כמטר, לא כמטר זה שבא מן הדרום שכולו לשדפון וכולו לירקון וכולו לקללה אלא כמטר זה שבא מן המערב שכולו לברכה. היה רבי סימיי אומר מנין שכשם שהעיד בהם משה בישראל שמים וארץ כך העיד בהם ארבע רוחות השמים שנאמר יערף כמטר לקחי זו רוח מערבית שהוא ערפו של עולם שכולו לברכה, תזל כטל אמרתי, זו רוח צפונית שהיא עושה את הרקיע נקיה כזהב, כשעירים עלי דשא, זו רוח מזרחית שמשחרת את הרקיע כשעירים, וכרביבים עלי עשב, זו רוח דרומית שמארגת את הרקיע כרביב.

דבר אחר יערף כמטר לקחי, וכן היה רבי סימיי אומר לא נאמרו ארבע רוחות אלו אלא כנגד ארבע רוחות השמים צפונית בימות החמה יפה ובימות הגשמים קשה דרומית בימות החמה קשה ובימות הגשמים יפה מזרחית לעולם קשה מערבית לעולם יפה צפונית יפה לחטים בשעה שמכניסים שליש וקשה לזיתים בשעה שחונטים דרומית קשה לזיתים בזמן שמכניסים שליש ויפה לחטים בשעה שחונטים. וכן היה ר׳ סימיי אומר כל בריות שנבראו מן השמים נפשם וגופם מן השמים וכל בריות שנבראו מן

1 זה אמ, הזה בטלדה | שבא] שהוא בא ה | וכולו לירקון אמ, כולו לירקון בטלד, ולירקון ה — 2 וכולו אמה, כולו בטלד | זה אמ, הזה בטלד | שבא] שהוא בא ה | מן המערב] בה נוסף <(מארכו) [מערפו] של עולם> | שכולו] וכולו א | לברכה] ברכה ה | היה ר׳ סימיי וכו׳] [מובא במ״ת למטה אחר המלים אכן כאדם תמותון (שור׳ 4, ע׳ 341)] | היה ר׳ סימיי אמבלד, ר׳ סימאי ט, ד״א היה ר׳ סימאי ה — 3 מנין מה, מנין אתה אומר בטלד, ל׳ א | שכשם אמ בטל, כשם דה | בהם אמ, ל׳ בטלדה | בישראל אמה, לישראל בטלד | שמים וארץ] את השמים ואת הארץ ה | כך] ל׳ ל | בהם אמה, להם בטלד — 4 השמים] ל׳ ה | שנאמר מהבלד, תלמוד לומר אט | זו אמבטה, זה לד [וכן בכל הענין] | שהוא ערפו] שהיא באה (מארכו) [מערפו] ה | שהיא ל, שהוא אמבטד — 5 לברכה] ברכה ד ה | שהיא עושה אה, שהוא עושה מ, שעושה דבלט | את הרקיע אמד, את השמים מ, את הרוח טבל | נקיה] נקי ה — 6 שמשחרת א מבלט, שמשחיר ד, שהיא משחרת ה | כשעירים אמט[2], כשעיר בטילדה — 7 שמארגת] שהיא מארגת ה — 8 לקחי] ל׳ ד | וכן היה—ארבע רוחות השמים] מנין שאין הדברים אמורים אלא לתחיית המתים שנ׳ מארבע רוחות באי הרוח (יחזקאל ל״ז ט׳) ארבע רוחות ברא הקב״ה לשמש בהן את עולמו דרומית כנגד צפונית מערבית כנגד מזרחית ה | וכן מא, ל׳ דלבט | נאמרו] נאמר ד — 9 אלו אמ, הללו בטלד | צפונית—מערבית לעולם יפה] דרומית יפה בימות הגשמים וקשה בימות החמה צפונית יפה בימות החמה וקשה בימות הגשמים לעולם מערבית יפה לעולם מזרחית יפה] ה — 10 דרומית—ובימות הגשמים יפה] ל׳ ל | קשה] הגהתי על פי הגרסה במ״ת, המובאה למעלה על המשפט צפונית—לעולם קשה, ובכל הנסחאות האחרות הגרסה יפה, וכן בסמוך הגהתי יפה במקום קשה שהיא גרסת כל הנסחאות חוץ מה, ובכת״י ם נמצא „מערבית לעולם קשה, קשייא דהא לעיל כולה לברכה״ — 11 צפונית—יפה לחטים בשעה שחונטים] ל׳ ה | דרומית—בשעה שחונטים מטיל, ודרומית—בשעה שחונטים א, דרומית—שחונטים ודרומית קשה לזיתים בשעת שמכני׳ שליש ב, ל׳ טי — 12 וכן היה—אכן כאדם תמותון] [מובא במ״ת אחר המלים מארבע רוחות באי הרוח, עי׳ למטה שור׳ 8, ע׳341] | וכן] וכך ד — 13 אומר] אומר מנין אתה אומר ה | בריות שנבראו אבטל, הבריות שנבראו דמ.

מטר וכו׳, פ״ז: 2 מן המערב, פי׳ בכ״י ם „לשון עורף דורש יערף דהיינו אחר שהוא מערב״. ועיין למטה: 4 זו רוח מערבית וכו׳, פ״ז, ב״ב כ״ה ע״א בשם רב יהודה׳ — ערפו של עולם, כפירוש רש״י שם שהמערב קרוי אחור׳ — שכולו לברכה, שבא״י הוא הרוח המביא את הגשם מן הים התכוני, ועוד שהוא מקרר את האויר, והשוה ספרו של דלמן, Arbeit und Sitte in Palästina ח״א, ע׳ 246, ומאמרו של קליין במ״ע ZDMG 1914 עמ׳ 320, ועוד ברכות מ״ט ע״א, ערובין ס״ה ע״א, מגילה כ״ח ע״ב, ב״ב קמ״ז ע״א: 5 שהיא עושה את הרקיע נקיה כזהב, ומפני הקור שלו מוריד הטל, אבל אינו מביא גשם שהוא בא מן היבשה לצפון א״י, ובגמרא שם הגרסה „שמזלת את הזהב״, והגרסה שלפנינו נראה יותר עתיקה ומקורית: 6 רוח מזרחית, הבאה מן המדבר ומלאה אבק ומשחירה את הרקיע: 7 שמארגת וכו׳, השוה דלמן שם: 9 צפונית בימות החמה יפה וכו׳, עיין יומא כ״א ע״ב, ועל פי הגרסה בבבלי שם נשתבשה גרסת הספרי בדפוס׳ והגהתי על פי מ״ת והסברא, שבא״י רוח מערבית לעולם יפה שמביאה את הגשם, ולמעלה אמר שכולו לברכה, ולכן כשהיה נוטה עשן המערכה במוצאי יו״ט האחרון למזרח היו הכל שמחים כמסורת ר׳ יצחק בר אבדימי ביומא שם; ולפי הגרסה הנכונה והמקורית בברייתא שלפנינו אין סתירה בין דבריה לדברי ר׳ יצחק בר אבדימי, אלא שנוסחא משובשת נזדמנה להם בבבל והוכרחו להקשות ולתרץ כדרכם; ועיין עוד בויקרא רבה פ״כ סי׳ ג׳ — בימות החמה יפה ובימות הגשמים קשה, שהיא מקררת את האויר, ולכן בימי הקור קשה, ובימות החמה מביאה נחת מן החום; ולהפך ברוח דרומית החמימה, שבימות הגשמים היא יפה ומקובלת אבל בימות החמה קשה לסובלה: 10 מזרחית לעולם קשה, כמבואר למעלה שמשחירה את הרקיע באבק, ואין בה גשם שהיא באה מן המדבר, ולכן מצטערים הכל כשרואים עשן המערכה נוטה על פיה למערב במוצאי החג, עיין יומא שם; ועוד במכילתא בשלח פ״ד (ל׳ ע״ב, ה—ר ע׳ 103), וגטין ל״א ע״ב: 13 כל בריות וכו׳, מ״ת כאן, ולמעלה פסוק א׳,

הארץ נפשם וגופם מן הארץ חוץ מאדם זה שנפשו מן השמים וגופו מן הארץ לפיכך
אם עשה אדם תורה ועשה רצון אביו שבשמים הרי הוא כבריות של מעלה שנאמר
°אני אמרתי אלהים אתם ובני עליון כלכם לא עשה תורה ולא עשה רצון תהלים פב ו
אביו שבשמים הרי הוא כבריות של מטה שנאמר °אכן כאדם תמותון. וכן היה שם פב ז
רבי סימיי אומר אין לך פרשה שאין בה תחית מתים אלא שאין בנו כח לדרוש
שנאמר °יקרא אל השמים מעל ואל הארץ לדון עמו, יקרא אל השמים שם נ ד
מעל זה נשמה, ואל הארץ לדון עמו זה הגוף מי דיין עמו ומנין שאין מדבר אלא
בתחית המתים שנאמר °מארבע רוחות בואי הרוח ופחי בהרוגים האלה. יחזקאל לז ט

כי שם ה׳ אקרא, מצינו שלא הזכיר משה שמו של הקדוש ברוך הוא אלא
לאחר עשרים ואחד דבר ממי למד ממלאכי השרת שאין מלאכי השרת מזכירים את
השם אלא לאחר שלש קדושות שנאמר °וקרא זה אל זה ואמר קדוש קדוש קדוש ישעיה ו ג
ה׳ צבאות אמר משה דיי שאהיה בפחות משבעה כמלאכי השרת והרי דברים קל
וחומר ומה משה שהוא חכם חכמים וגדול שבגדולים ואבי הנביאים לא הזכיר שמו
של מקום אלא לאחר עשרים ואחד דבר המוזכיר שמו של מקום בחנם על אחת כמה

ע׳ 183 שורה 9, ועיין מכילתא דרשב״י ט״ו א׳ (ע׳ 59); בבלי סנהדרין צ״א ע״א, בראשית רבה פרשה ח׳ סי׳ י״א (עמ׳ 65), ויקרא רבה פ״ד סי׳ ה׳, ומאמר ר׳ סימאי מובא מן הספרי בכד הקמח, אבל, ב׳, ובמכירי תהלים פ״ב כ״א (כ״ח ע״ב): 5 אין לך פרשה וכו׳, מכירי תהלים נ׳ ט״ו (קל״ז ע״א): 7 זה נשמה וכו׳, עיין מ״ת ע׳ 183 שורה 16, מכילתא דרשב״י ט״ו א׳ (עמ׳ 59), סנהדרין צ״א ע״א, ויקרא רבה פ״ד סי׳ ה׳; ומובא מן הספרי בכד הקמח לר׳ בחיי אבל ב׳: 9 מצינו וכו׳, ת״י, פ״ז, ומובא בפי׳ ר׳ ידעיה הפניני כ״י (ע) עד בפחות מז׳ במלאכי השרת: 11 לאחר שלש קדושות, חולין צ״א ע״ב; מ״ת י״ד א׳ (ע׳ 71): 12 דיי שאהיה וכו׳, מובא בספר חסידים הוצ׳ וויסטינעצקי סי׳ תצ״ה (עמ׳ 139); לפי מנהג אשכנז אומרים בקדושה של שחרית נקדש וכו׳ שיש בו כ״א תיבות קודם שמזכירים את השם בפסוק קדוש קדוש וכו׳; וכן בתפלת המוכפים כ״א תיבות בנעריצך ונקדישך עד קדוש קדוש קדוש; ובנעריצך עד קק״ק יש פ״ה אותיות ואולי יש בזה רמז לנוסח הנמצא במדרש תנאים „אלא לאחר כ״א דבר שהם פ״ה אותיות״ ... „דיי להיות פחות משבעה במלאכי השרת״, וכבר העיר ר׳ דוד הופמאן שם שלענין התיבות היה משה אחד משבעה במלאכי השרת שהם מזכירים אחר שלש תיבות והוא אחר כ״א תיבות; אמנם לענין האותיות היה פחות מאחד משבעה שהם אומרים בי״ב אותיות והוא בפ״ה אותיות: 13 ומה משה וכו׳, השוה למעלה פיס׳ כ״ט (ע׳ 46). ספרי במדבר פי׳ קל״ד (ע׳ 180); ועיין עוד בספר אגדות היהודים לר׳ לוי גינצבורג ח״ה ע׳ 404, וח״ו עמ׳ 404 — חכם חכמים וכו׳, עיין למעלה פיסקא כ״ט (ע׳ 46. שורה 2), ובציונים שם, ועוד בספר אגדות היהודים לר׳ לוי גינצבורג

דבר שברייתו ה | נפשם וגופם] גופו ונפשו ה | בריות שנבראו] דבר שברייתו ה — 1 נפשם וגופם] גופו ונפשו ה | חוץ–מן הארץ] ל׳ ד | מאדם זה אב, מן האדם הזה בטלה, מן האדם מ | שנפשו–הארץ] שגופו מן הארץ ונפשו מן השמים ה — 2 אם עשה–שבשמים] כשהוא זוכה ה | אם אמ, ל׳ בטלדכ | כבריות של מעלה אמכ, כבריות של מעלן בלד, כבני מעלן ה — 3 לא עשה–מטה] ואם לאו הרי הוא כבני מטן ה | לא עשה] לא עשה אדם מ | ולא עשה אמ, ולא בטלד — 4 הרי–מטה אמ, ל׳ בל דכ | שנאמר] ל׳ כ | וכן] כן נראה לגרס על פי הנוסח המובא למטה והנסחאות המקובלות הן: וכך היה אמד, כך היה טלב, ל׳ ה — 5 אומר] אומר מנין אתה אומר ה | אין] שאין ה | פרשה] פרשה בתורה ה | תחית מתים אטלד, תחית המתים מב, לתחית המתים ה — 6 שנאמר] ד מוסיף <יקרא אל השמים מעל ואל הארץ לדון עמו> — 7 זה נשמה אמד, זו נשמה בטל, להביא את הנשמה ה | לדין עמו זה הגוף אמ, לדין עמו בט, לדון עמו דל, להביא את הגוף ואחר כך לדין עמו ה | מי דיין עמו אמבלד, מדיין עמו ט [מכילתא דרשב״י], לידיין עמו ה | ומנין–האלה] ל׳ ה — 8 ופחי בהרוגים האלה אמ, ל׳ בטלד — 9 מצינו א, מצאנו מ, נמצינו למדים בטלדע, מלמד ה | הקב״ה אמה, מקום בטלדע — 10 לאחר] אחר ע | דבר אבטל ד, דיבור מ, דבר שהן שמונים וחמש אותיות ה, ל׳ ע | ממי] וממי ה | שאין אמטד, מלמד שאין ה, למד שאין בלע | מלאכי השרת מזכירים אמהדע, מזכירים מלאכי השרת בלט | את השם] שמו של הקב״ה ה — 11 אלא לאחר–ואמר] עד שהן אומ׳ ה | קדוש–צבאות מטלד, קדוש קדוש ב, ל׳ א — 12 דיי] וויי ל | שאהיה פחות] להיות פחות אחד ה | בפחות משבעה] משבעה בפחות ע | כמלאכי] ממלאכי ה | והרי–ת״ל קרבן לה׳] ל׳ ל | דברים] הדברים ה — 13 שהוא–שבגדולים] שלא היה בעולם גדול ממנו ה | שהוא] ל׳ א | וגדול שבגדולים ואבי הנביאים אמ, וגדול גדולים בט, גדול שבגדולים לד | הזכיר] רצה להזכיר ה — 14 דבר] דיבור מ, בה נוסף <שהם שמונים וחמש אותיות> | המזכיר–וכמה על אחת כמה וכמה המזכיר שמו של הקב״ה בחנם א, על אחת כמה וכמה שלא יזכיר שמו של הקב״ה על חנם ה | בחנם בבה, בחנן ד, חנם מ —

וכמה. רבי שמעון בן יוחי אומר מנין שלא יאמר אדם לה' עולה לה' מנחה לה' שלמים (ויקרא א ב) אלא עולה לה' מנחה לה' שלמים לה' תלמוד לומר קרבן לה' והלא דברים קל וחומר ומה אלו שהם מוקדשים לשמים אמר הקדוש ברוך הוא לא יוחל שמי עליהם עד שיקדשו המזכיר שמו של הקדוש ברוך הוא חנם ובמקום בזיון על אחת כמה וכמה.

כי שם ה' אקרא, רבי יוסי אומר מנין לעומדים בבית הכנסת ואומרים ברכו את ה' המבורך שעונים אחריהם ברוך ה' המבורך לעולם ועד שנאמר כי שם ה' אקרא הבו גדל לאלהינו. אמר לו רבי נהוריי השמים דרך ארץ היא גוליירים מתגרים במלחמה וגבורים נוצחים. ומנין שאין מזמנים אלא בשלשה שנאמר כי שם ה' אקרא הבו גדל לאלהינו. ומנין שעונים אמן אחר המברך שנאמר הבו גדל לאלהינו. ומנין שאומרים ברוך שם כבוד מלכותו לעולם ועד שנאמר כי שם ה' אקרא ומנין לאומרים יהא שמו הגדול מבורך שעונים אחריהם לעולם ולעולמי עולמים שנאמר הבו גדל לאלהינו. ומנין אתה אומר שלא ירדו אבותינו למצרים אלא כדי שיעשה להם הקדוש ברוך הוא נסים וגבורות ובשביל לקדש את שמו הגדול (שמות ב כג-כד) בעולם שנאמר ויהי בימים הרבים ההם וימת מלך מצרים ואומר וישמע אלהים את נאקתם ויזכור אלהים את בריתו ואומר כי שם ה' אקרא הבו גדל לאלהינו. ומנין שלא הביא המקום פורענות ולא הביא עשר מכות על פרעה ועל מצרים אלא בשביל לקדש את שמו הגדול בעולם, שמתחלת הענין הוא (שם ה ב; שם ט כז) אומר מי ה' אשר אשמע בקולו ובסוף הענין הוא אומר ה' הצדיק ואני ועמי

1 רשב"י—על אחת כמה וכמה] ל' ה | עולה לה'] במלה זו מתחיל עוד קטע [נ'] מן הגניזה, וממשיך עד עמוד 344, שורה 7, ואין עול — 2 והלא אמ, והרי דב טנ' — 3 ומה] ומה אם נ' | שהם מוקדשים] שמוקדשים טי | הקב"ה אמ, המקום דלבטנ', הק' טי | לא יוחל מ, לא יחל א, אל יחל טבניד — 4 עיקדשו אטנ', שיקדישו בל, שקדשו ד | המזכיר אמנ'ט, המקדיש בל, המקדש ד | הקב"ה אמל, מקום בטדנ' | חנם] בחנם ד | ובמקום בזיון בטלד, במקומות בזיון מ, במקומות בזוזין נ', במקום בזיון א — 5 כי—אקרא מאבטל, ד"א כי—אקרא ד, אמר כי—אקרא נ', ל' ה | ר' יוסי] ר' יוסה ד, | לעומדים] לעומד ה | ואומרים לנ'מ, ואומ' בדאט'ה, ואומר טי — 6 שעונים אחריהם] והן עונין אחריו ה | שנאמר אמ, לכך נאמר ה, ת"לומר דלבט, ל' נ' — 8 ומנין—הבו גדל לאלהינו] ל' נ' | ומנין—כמה תקיפין (ע' 343, שורה 11)] ל' ה | בשלשה מבטד, לשלשה א, בשלש ל | שנאמר אמ, ת"ל בטלד — 9 הבו—לאלהינו אמ, ל' בטלד | ומנין—שנאמר] ל' ב | שעונים אמן א, לעונים אמן מטל, שעונים ד | שנאמר אמ, ת"ל בטלד — 10 ומנין—שנאמר כי שם ה' אקרא] ל' טי | שאומרים א, לאומר מזם, לאומ' טיב, לאומרים לנ', לאומר ברכו שהם עונים אחריו ד | שנאמר אמ, תלמוד לומר בטלד, אמר נ' — 11 אקרא אמדלנ', אקרא הבו גודל ט, אקרא הבו גודל לאלהינו ב | לאומרים נ'טי, לאומר בלד, לעונים טי, לעונים אמן אמ | יהא—הגדול בטלנ', יהא שמיה רבה ד, יהא שמיה רבא הגדול א, יהא שמיה רבא מ | מבורך אמנ'טבל, מברך ד | לעולם—עולמים נ'טבל, לעולם ועד א מ, לעולמי לעולמי עולמים ד — 12 שנאמר אמ, ת"ל בטלד, אמר נ' — 13 להם אמטנ', ל' בלדז | הקב"ה אמז, המקום נ', ל' בטלדם | וגבורות] ונפלאות ס | ובשביל אמ, בשביל בלדנ', ל' טם | לקדש] לגדל א | אח] ל' טם — 14 וימת מלך מצרים אמ, ל' בטלדנ' | ואומר אמ, ל' בטלדנ' — 15 ויזכור—בריתו א, ל' בטלדמ | ואומר—אקרא] ל' ל | ואומר] ואמר נ' — 16 המקום] הקב"ה א | ולא הביא] ל' ד | מכות אמנ', המכות בטלד — 17 בשביל לקדש אמנ', על שלא קידשו בט לד | את] ל' נ' | הגדול] ל' א | שבתחלת אמ, שבהתחלת נ'בטל, בתחלת ד | הענין אמטלד, ענין בנ' — 18 מי—אומר] ל' ב | הענין אמ, ענין נ'ל, ל' ד | הוא אומר אמנ'ט, הוא אמר ל, אמר ד —

ח"ו עמ' 404 : 1 רשב"י אומר וכו', פ"ז, תו"כ ויקרא פרשה ב' ה"ד (ד' ע"ג, רמא"ש עמו' 42), נדרים י' ע"ב ; בראשית רבה א' י"ב (עמוד 11), ועוד במחזור יניי (הוצ' ר' ישראל דאווידזאהן) עמוד 54, ובהערה שם קל"ט : 2 דברים ק"ו ומה אלו וכו', ב"ר פ"א סי' י"א (ע' 11): 5 מנין וכו', מכילתא בא, מסכת פסח פט"ז (י"ט ע"ב, ה—ר ע' 61), בבלי יומא ל"ז ע"א, ועיין עוד ברכות מ"ה ע"א, והברייתא מובאה מן הספרי ברוקח הלכות קדיש, ועוד שם בהלכות ברכות, ובספר חסידים סי' תתתתי"ז (עמוד 394) ובראב"ם: 7 א"ל ר' נהוריי וכו', ברכות נ"ג ע"ב, וסוף נזיר: — גולירים, מל"ר Galearius : 8 אלא בשלשה, משנה ברכות ריש פ"ז: 10 ברוך שם כבוד וכו', רש"י, ועיין תענית ט"ז ע"ב: 11 שעונים אחריהם וכו', ברכות ג' ע"א; והשוה הערתו של ר' דוד די סולו פול, בספרו The Kaddish ע' 50 :

הרשעים ומנין שלא עשה המקום נסים וגבורות על הים ובירדן ובנחלי ארנון אלא בשביל לקדש את שמו בעולם שנאמר °ויהי כשמוע כל מלכי האמורי אשר בעבר הירדן ימה וכל מלכי וגו׳ (יהושע ה א) וכן רחב אומרת לשלוחי יהושע °כי שמענו את אשר הוביש ה׳ את מי ים סוף מפניכם (שם ב י) תלמוד לומר כי שם ה׳ אקרא. ומנין שלא ירד דניאל לגוב אריות אלא בשביל שיעשה לו הקדוש ברוך הוא נסים וגבורות ובשביל לקדש את שמו הגדול בעולם שנאמר כי שם ה׳ אקרא, ואומר °מן קדמי שים טעם די בכל שולטן מלכותי ליהוון זיעין ודחלין מן קדם אלהא די דניאל (דניאל ו כז) ומנין אתה אומר שלא ירדו חנניה מישאל ועזריה לתוך כבשן האש אלא כדי שיעשה להם הקדוש ברוך הוא נסים וגבורות בשביל לקדש את שמו הגדול בעולם שנאמר °אתיא ותמהיא די עבד עמי אלהא עילאה שפר קדמי להחויא, ואומר °אתוהי כמה רברבין ותמהוהי כמה תקיפין (שם ג לב-לג).

ומנין שאין מלאכי השרת מזכירים שמו של הקדוש ברוך הוא מלמעלה עד שיזכירו ישראל מלמטה שנאמר °שמע ישראל ה׳ אלהינו ה׳ אחד (דברים ו ד) ואומר °ברן יחד כוכבי בוקר והדר °ויריעו כל בני אלהים (איוב לח ז), כוכבי בוקר, אלו ישראל (שם) שמשולים בכוכבים שנאמר °והרבה ארבה את זרעך ככוכבי השמים (בראשית כב יז), ויריעו כל בני אלהים, אלו מלאכי השרת וכן הוא אומר °ויבואו בני האלהים להתיצב על ה׳ (איוב א ו) סליק פיסקא

12 ומנין שאין מלאכי השרת וכו׳, חולין צ״א ע״ב, בראשית רבה ס״ה כ״א (ע׳ 739). סדר אליהו זוטא פ׳ כ״ה (עמוד 47), ועיין בספר אגדות היהודים לר׳ לוי גינצבורג ח״ה עמוד 24 הערה 66: 14 והדר ויריעו וכו׳, השוה מ״ת י״ד א׳ (ע׳ 71):

1 ומנין] מנין ד | וגבורות אמ. וגבורות לאבותינו בטל ד | ובירדן מני, ועל הירדן אבטלד | ובנחלי אמג׳, ועל נחלי בטלד – 2 את שמו אלט׳. שמו הגדול מ, את שמו הגדול נ׳, שמו בט״ד | כל מלכי–וגו׳ א, כל מלכי האמורי אשר בעבר הירדן ימה וגו׳ מ. כל מלכי האמורי והכנעני אשר על הים את אשר הוביש ה׳ את מי הירדן מפני בני ישראל עד עברם וימס לבבם ולא קמה בם עוד רוח באיש מפני בני ישראל נ׳, כל המלכים אשר בעבר הירדן ימה דלבט – 3 אומרת נ׳מב. אמרה אטלד | לשלוחי] לשלוהיו של א — 4 את–מפניכם לד, וג׳ אמג׳בט׳. ל׳ ט׳ | תלמוד לומר בטלד, אמר נ׳מ. ל׳ א — 5 ומנין מדלבט. מנין נ׳א | אריות] אריוותא א | בשביל אמ. כדי בטלדנ׳ | הקב״ה א, המקום נ׳דבלט׳, הק׳ ט׳, ל׳ מ — 6 ובשביל בטלד | את שמו הגדול אמג׳, את שמו לט׳, שמו בט׳ – 7 מלכותי] ומלכו נ׳ | ליהוון זיעין אמ, להוין זיעין בל, להוון זעין ט, דיין דקדמוהי זיעין נ׳, ליהוון זיעים ד | ודחלין–דניאל] וגו׳ אמ – 8 לחוך כבשן אמג׳בט, בתוך כבשן ל, לכבשן ד – 9 כדי] בשביל מ | הקב״ה אמ, המקום בטילג׳, הק׳ ט׳, ל׳ ד | את שמו הגדיל מג׳ט׳, את שמו א, שמו הגדול בלט׳, שמו ד – 10 ותמהיא] ותמיהיא ד | עמי–להחויא] ל׳ א | אלהא] אלה נ׳ | עילאה] שמיא נ׳ — 11 ואומר אמג׳, ל׳ בטדל | ותמהוהי כמה תקיפין] ל׳ א | תקיפין מטד. תקיפין וגו׳ בל, תקיפין מלכותיה מלכות עלם ושלטניה בכל דר ודר נ׳ — 12 ומנין] ומנין אתה אומר ה | השרת] שרת נ׳ | הקב״ה אמה, מקום נ׳, ל׳ בטלד | מלמעלה לנ׳ט׳, למעלה א, מלמעלן הבט׳, של מעלה ד – 13 שיזכירו ישראל א, שיזכיר ישראל מ, שישראל מזכירין נ׳, שמזכירין שמו ה, שמזכירין אותו ישראל ט, שמזכירים ישראל בל, שמזכירים שמו ישראל ד | מלמטה מדנ׳ל, מלמטן הב, למטה א | שמע–ואומר] ל׳ ה – 14 כוכבי] כל כוכבי ד | והדר–כוכבי בקר] ל׳ באמהבט; ונמצא בדלנ׳, ונראה שמפאת דמיון המלים נשמט בנסחאות האמורות, אמנם השוה למטה בח״נ לשורה 15 | אלו ישראל–השמים] ל׳ ה ונמצא בה׳ (עיין מ״ת עמ׳ 262), בשנויי נוסח כמפורט למטה – 15 שמשולים] שנמשלים מ | בכוכבים אמהבטילנ׳, לכוכבים ד, ככוכבים ט׳ | והרבה–שמים נ׳בדל, הרבה ארבה את זרעך וגו׳ מ, והרבה–שמים וכחול וגו׳ א, והרביתי את זרעך ככוכבי השמים (בראשית כ״ו ה׳) טה — 16 ויריעו–אלהים אמבל, והדר ויריעו כל בני אלהים ט׳, הדר ויריעו כל בני אלהים ט׳. ואחר כך ויריעו כל בני אלהים ה, בני אלהים דנ׳ | השרת אמהטל ד, שרת נ׳ב | וכה״א] שנ׳ נ׳ | וכן] לכן ט׳ | ויבואו–על ה׳ אבט ל, ויבאו בני האלהים ד, ויהי היום ויבאו בני האלהים מ, ויהי היום ויבאו בני האלהים להתיצב על ה׳ ויבא גם השטן בתוכם נ׳, (ויצאו) [ויבאו] בני אלהים לכך נאמ׳ כי שם ה׳ אקרא ה – 17 סליק פיסקא ד, ל׳ אבל –

שז.

(ד) הצור, הצייר שהוא צר את העולם תחלה ויצר בו את האדם שנאמר (בראשית ב ז) ויייצר ה׳ אלהים את האדם. תמים פעלו, פעולתו שלימה עם כל באי העולם ואין להרהר אחר מעשיו אפילו עילה של כלום ואין אחד מהם שיסתכל ויאמר אילו היו לי שלש עינים ואילו היו לי שלש ידים ואילו היו לי שלש רגלים ואילו הייתי מהלך על ראשי ואילו היו פני הפוכות לאחורי כמה היה נאה לי תלמוד לומר כי כל דרכיו משפט, יושב עם כל אחד ואחד בדין ונותן לו מה שהוא ראוי לו. אל אמונה, שהאמין בעולם וכראו. ואין עול, שלא נבראו בני אדם להיות רשעים אלא צדיקים וכן הוא אומר (קהלת ז כט) לבד ראה זה מצאתי אשר עשה האלהים את האדם ישר והמה בקשו חשבונות רבים. צדיק וישר הוא, מתנהג בישרות עם כל באי העולם.

דבר אחר הצור, התקיף. תמים פעלו, פעולתו שלימה עם כל באי העולם ואין להרהר אחר מעשיו אפילו עילה של כלום ואין אחד מהם שיסתכל ויאמר מה ראו אנשי דור המבול להשטף במים ומה ראו אנשי מגדל שנתפזרו מסוף העולם ועד סופו ומה ראו אנשי סדום להשטף באש וגפרית ומה ראה אהרן ליטול את הכהונה ומה ראה דוד ליטול את המלכות, ומה ראו קרח ועדתו שתבלעם הארץ תלמוד לומר כי כל דרכיו משפט, יושב עם כל אחד ואחד בדין ונותן לו מה שראוי לו. אל אמונה, בעל הפקדון. ואין עול, גובה שלו באחרונה שלא כמדת בשר ודם מדת הקדוש ברוך הוא מדת בשר ודם מפקיד אצל חבירו כיס של מאתים ויש לו אצלו מנה

1 הצייר וכו׳, פ״ז: 2 פעולתו שלימה וכו׳, פ״ז, ומובא באבודרהם סדר שחרית של חול: 3 אילו היו לי שלש עינים וכו׳, השוה בראשית רבה פר׳ י״ב סי׳ א׳ (ע׳ 98): 7 שלא וכו׳ עד אשר עשה האלהים, ילקוט קהלת ר׳ התקע״ח: 11 ד״א הצור וכו׳, פ״ז:

1 הצור אמ. הצור תמים פעלו בטלדה | הצייר] היוצר נ׳ | שהוא צר] שצייר ה | את] ל׳ ד | ויייצר—האדם] והושיב את האדם בתוכו ה | ויייצר אמג׳. וצר בטלד — 2 האדם] אדם נ׳ | האדם] בנ׳ נוסף <עפר מן האדמה וכול> | תמים פעלו—הצור התקיף] ל׳ מ | עם ג׳ה, על בטלד, ל׳ א | ואין—כלום] ל׳ ה — 3 אחר מעשיו] אחד ממדותיו ל | מעשיו אג׳, מידותיו בטד | עלה א. עילה ג׳, [נ״א עוולה] ז, עונה בלט, שנה ד | ואין—ויאמר] אין אדם בעולם שיאמ׳ ה | ויאמר] ואמר א | היו] היה א [וכן בסמוך] — 4 שלש] שלשה ד [וכן בסמוך] | ואילו לאג׳. אילו דטב [וכן בכל הענין] | ידים] רגלים ה | ואילו—רגלים] ל׳ א | רגלים] ידים אלו היו פני הפוכות לאחור ה — 5 ואילו—לאחורי] ל׳ ה | הפוכות א. הפוכים בטלדג׳ | היה נאה לי א, הייתי נאה ה, היה נאה דלבט | כי כל] הצור תמים פעלו כי כל ז — 6 עם—בדין] בדין עם כל אחד ואחד הם | עם] על ט | מה שהוא ראוי אג׳, את הראוי ה, שראוי בטלד — 7 ואין עול] עד כאן נמצא בכ״י ג׳ | שלא נבראו בני אדם] מגיד הכתוב שלא ברא המקום את בני אדם ה | נבראו א, ברא בטל, באו ד | רשעים בטלדה, רעים א | צדיקים אט׳, להיות צדיקים בטלדה — 8 וכה״א] שנ׳ ה | לבד—רבים ה, לבד—ישר ט, לבד זה מצאתי—רבים א, לבד ראה זה מצאתי בל, אשר עשה אלהים את האדם ישר והמה בקשו חשבונות רבים ד — 9 מתנהג א, שהוא מתנהג בטלד, שהוא נוהג ה — 11 ד״א אהטד, ל׳ בל | התקיף בטלד, הדיין ה, ל׳ א — 12 ואין—כלום] ל׳ ה | מעשיו אמל, ממעשיו ב, מידותיו ד | עילה א [נ״א עוולה] ז, עונה בטלד | ואין—ויאמר] אין אדם בעולם שיאמר ה — 13 ראו אנשי] ראה ה | להשטף אטה, שנשטפו ד, שישטפו בל, להשתטף מ | ומה ראו] ל׳ ה | אנשי מגדל אדט, דור הפלגה לה, דור הפלג׳ מגדל ב, אנשי המגדל מ | שנתפזרו אבטד, להתפזר הם, שיתפרדו ל — 14 ומה ראו] ל׳ ה | סדום אמה, סדום ועמורה בטלד | להשטף אמ, להשרף ה [נ״א בז], להשתטף בטלד | וגפרית] ובגופרית ל | ומה ראה—הארץ] קרח ועדתו שתבלעם הארץ אהרן ליטול כהונה ודוד ליטול מלכות ה | את] ל׳ ד — 15 המלכות] המלוכה ב | ומה] ואם ב | ראו אט׳, ראה בטלד | שתבלעם] שנתבלעם ב | תלמוד לומר] למה ה — 16 יושב—בדין] יושב בדין על כל אחד ואחד ה | בדין] ל׳ ד | מה שראוי אמ, את הראוי בטלדה — 17 הפקדון אמהל, פיקדון בטד | שלו אמ, את שלו בטלדה | שלא—גובה את שלו באחרונה צדיק וישר הוא] ל׳ ל | שלא—הקב״ה אמהז, שלא כמדת בשר ודם ב, שלא כמדתו מידת בשר ודם טד — 18 מדת בשר ודם אד, בשר ודם מ, מדת בער ודם אדם הט׳, אדם בט׳ | כיס של מאתים מ, כיס של ק״ק

כשהוא בא ליטול את שלו אומר לו צא מנה שיש לי בידך והילך את השאר. וכן פועל שעשה אצל בעל הבית ויש לו בידו דינר כשהוא בא ליטול את שכרו אומר לו צא דינר שיש לי בידך והי לך את השאר, אבל מי שאמר והיה העולם אינו כן אלא אל אמונה בעל הפקדון ואין עול גובה את שלו באחרונה. צדיק וישר הוא, כענין שנאמר °כי צדיק ה׳ צדקות אהב. תהלים יא ז

דבר אחר הצור, התקיף. תמים פעלו, פעולתם של באי העולם שלימה לפניו מתן שכרם של צדיקים ומחת פורענותם של רשעים אלו לא נטלו כלום משלהם בעולם הזה ואלו לא נטלו כלום משלהם בעולם הזה ומנין שלא נטלו צדיקים כלום משלהם בעולם הזה שנאמר °מה רב טובך אשר צפנת ליריאיך ומנין שלא תהלים לא כ נטלו רשעים כלום משלהם בעולם הזה שנאמר °הלא הוא כמוס עמדי חתום דברים לב לד באוצרותי אי מתי אלו ואלו נוטלים, כי כל דרכיו משפט למחר כשהוא יושב על כסא דין יושב עם כל אחד ואחד בדין ונותן לו מה שראוי לו. אל אמונה, כשם שמשלם לצדיק גמור שכר מצוה שעשה בעולם הזה לעולם הבא כך משלם לרשע גמור שכר מצוה קלה שעשה בעולם הזה בעולם הזה. וכשם שנפרע מרשע גמור על עבירה שעשה בעולם הזה לעולם הבא כך נפרע מצדיק גמור על עבירה קלה שעשה בעולם הזה בעולם הזה. ואין עול, כשאדם נפטר מן העולם באים כל מעשיו ונפרטים לפניו ואומרים לו כך וכך עשית ביום פלוני וכך וכך עשית ביום פלוני אתה מאמין בדברים הללו והוא אומר הן אומרים לו חתום שנאמר °ביד כל אדם איוב לז ז

7 ומחת פורענותם, וכן במכי׳ דרשב״י כ׳ כ׳ (ע׳ 114) „לשעבר לא הייתם יודעים מתן שכרן של צדיקים ומחרת פורענותן של רשעים״: 12 כשם שמשלם וכו׳. תענית י״א ע״א, ועיין עוד ירושלמי פאה פ״א ה״א (ט״ז ע״ב), שם סנהדרין ריש פ״י (כ״ז ע״ג): 18 והוא אומר — חתום, תענית שם, ועיין עוד בספר אגדות היהודים לר׳

א, מאתים בטדה | ויש לו אצלו מנה מ, ויש אצלו מנה א, ויש בידו מנה ד, יש בידו מנה בל, והוא חייב לו מנה ה — 1 כשהוא בא] כשבא ט | אומר] הוא אומר ה | צא אמה, הוצא בטלד | שיש לי בידך] שאת חייב לי ה | והי לך בטד, והילך אמ, והא לך ה | את] ל׳ ה | וכן פועל—והי לך את השאר] ל׳ בטלד ונמצא באמה — 2 אצל בעל הבית] מלאכה עם בעל הבית ה | ויש לו בידו מ, ויש לחבירו א, והוא חייב לו ד | דינר ה, דינר זהב אמ | אומר מ, אמ׳ א, הוא אומר ה — 3 שיש לי בידך אמ, שאתה חייב לי ה | והי לך את השאר אמ, והא לך השאר ה | שאמר] שהוא אמר ב | אלא הבטלד, ל׳ אמ — 4 בעל הפקדון אמה, ל׳ בטלד | כענין] כמו ה — 5 צדקות] וצדקות ד — 6 הצור] הצור תמים פעלו א — 7 ומחת הבל, ומתן מט, ומיתת א, ומאחר ד — 8 ואלו—בעוה״ז] ל׳ א | ומנין שלא נטלו צדיקים—ומנין שלא נטלו רשעים כלום משלהם בעולם הזה] ל׳ בטלד ונמצא באמה; והשנויים בין הנסחאות מפורטים למטה | צדיקים אמ, הצדיקים ה | כלום משלהם בעוה״ז מ, משלהם כלום בעוה״ז א, ל׳ א — 10 רשעים אמ, הרשעים ה — 11 נוטלים] באין ליטול את שכרן ה | כי כל—ואחד בדין מ, כי כל דרכיו משפט למחר הוא—ואחד בדין א, למחר כשהוא יושב על כסא הדין יושב—בדין ה, כי כל דרכיו משפט למהר כשהוא יושב בדין יושב עם כל אחד ואחד ט | כי כל דרכיו משפט למחר כשהוא יושב בדין יושב עם כל אחד ואחד בל, למחר כשהוא יושב בדין כי כל דרכיו משפט למחר כשהוא יושב בדין עם כל אחד ואחד ד — 12 מה שראוי מד, הראוי א, את הראוי בטלד | אל אמונה] אל אמונה ואין עול מגיד הכתוב ה — 13 שמשלם] שהוא נותן ה | לצדיק אמה, שכר צדיק בטד, שכר מצוה ל | מצוה אמלד, מצוה קלה בטה | כך—מרשע גמור על עבירה שעשה בעולם הזה לעולם הבא] ל׳ ל | משלם] הוא נותן ה — 14 שכר מצוה—מרשע גמור] ל׳ א | בעולם הזה] ל׳ ד | וכשם] ואין עול כשם מ | שנפרע] שהוא פורע ה | על עבירה א מ, על עבירה קלה ה, מעבירה בד, עבירה ט — 15 לעולם] בעולם ה | נפרע] הוא פורע ה | מצדיק גמור בטלד, מן הצדיק הגמור ה, מן הצדיק גמור אמ | קלה אמה, ל׳ בטלד — 16 בעוה״ז] ל׳ ד — 17 ונפרטים] ונפטרים ט׳ | וכך אמה, ל׳ בטלד | וכך וכך—פלוני א, וכך עשית ביום פלוני מ, כך וכך עשית במקום פלוני ה, ל׳ בטלד — 18 אתה—הללו אמ, ואי אתה מאמין לדברים הללו בטיד, ואין אתה מאמין לדברים הללו ט׳, אין אתה מודה על הדברים הללו ה | הן אמ, להן הין הין ה, הין בטל, הן יהן ד | אומרים לו אמ, והן אומ׳ לו הבט׳, והן הוא אומ׳ לו ט׳, והן והוא אומ׳ לו לך | חתום] טול וחתום והוא נוטל וחותם ה | ביד—מעשהו אמל, ביד כל אדם יחתם טדה, לדעת כל אנשי מעשהו ב —

יחתום לדעת כל אנשי מעשהו. צדיק וישר הוא, והוא מצדיק את הדין ואומר יפה נידנתי וכן הוא אומר °למען תצדק בדבריך. תהלים נא ו

דבר אחר הצור תמים פעלו כשתפסו את רבי חנינה בן תרדיון נגזרה עליו גזירה לישרף עם ספרו אמרו לו נגזרה עליך גזירה לישרף עם ספרך קרא המקרא הזה הצור תמים פעלו, אמרו לאשתו נגזרה על בעלך גזרה לישרף ועליך ליהרג קראה המקרא הזה אל אמונה ואין עול, אמרו לבתו נגזרה גזירה על אביך לישרף ועל אמך ליהרג ועליך לעשות מלאכה קראה המקרא הזה °גדול העצה ורב העליליה אשר עיניך פקוחות אמר רבי כמה גדולים צדיקים אלו שבשעת צרתם הזמינו שלשה פסוקים של צידוק הדין מה שאין כן בכל הכתובים, כיוונו שלשתם את לבם וצידקו עליהם את הדין עמד פילוסופוס על אפרכיא שלו אמר לו מרי אל תזוח דעתך ששרפת את התורה שממקום שיצאת חזרה לה לבית אביה אמר לו למחר אף דינך כיוצא באלו אמר לו בשרתני בשורה טובה שמחר יהא חלקי עמהם לעולם הבא. ירמיה לב יט

דבר אחר הצור תמים פעלו, כשירד משה מהר סיני נתקבצו ישראל אצלו אמרו לו רבינו משה אמור לנו מה היא מדת הדין למעלה אמר להם איני אומר לכם לזכות את הזכיי ולחייב את החייב אלא אפילו להחליף בדבר אל אמונה ואין עול

סליק פיסקא

שח.

(ה) שחת לו לא בניו מומם, אף על פי שהם מליאים מומים קרויים בנים

1 והוא] כשהוא ה | מצדיק] מצדיק עליו ה — 2 ואומר אמ טד, וכן הוא אומר ה, והוא אומר בל | נידנתי אה, נידונתי א', נודנתי מ, דנתוני בטלד | וכה"א] לקיים מה שנאמר ה | בדברך מהבט, בדבוריך ל, בדבריך תזכה בשופטיך ד — 3 ד"א–יהיה חלקי עמהם לעולם הבא] ל' ה | דבר אחר] ל' ט | הצור תמים פעלו אמ, ל' בטלד | חנינה אב לד, חנניה מט — 4 לישרף עם ספרו אמ, להשרף בספרו ז, לשרוף ספרו עליו בטד, לשרוף ספרו ל | נגזרה עליך גזירה אמ, גזירה נגזרה עליך בטל | לישרף עם ספרך מ, להשרף בספרך ז, עם ספרך א, לשרוף ספרך עליך בט, לשרוף ספרך ל | המקרא הזה אמל, מקרא זה בטי, מקרא הזה טי — 5 הצור–קראה המקרא הזה] ל' א | לישורף מ, לשרוף ספרו [להשרף בספרו ז] עליו בלמז [וכן בסמוך] — 6 קראה ברט, קראת מד, קראתה ל | המקרא הזה אמל, מקרא זה בטד — 8 אשר עיניך פקוחות אמ, ל' בכלד | אמר רבי בל ט, רבי אומר ד, א"ר מאיר אמ | כמה–הזמינו א, כמה גדולים הצדיקים האלו שבשעת צרותיהם הזמינו מ, גדולים מעשי אלו שבשעת צרתם נזדמנו (טי הצמיחו) ט, גדולים מעשי אלו שהם שבשעת צרתם הצמיחו ב, גדולים מעשים אלו שבשעת צרהם הצמיחו ל, גדולים מעשים אלו שהם בעת צרתם הצמיחו ד — 9 כן] כאן א — 10 את לבם] ל' א | וצדקו] והצדיקו א | פילוסופוס ט, פליסופוס בלד, פולפוס אמ [ובם הגרסא „עמד פליסופוס נראה שהוא לשון שררה ואע"ג דפוליפוס הוא לשון חכם בכאן הוא לשון שררה וממשלה לפי שהממונה על הפרכייא צריך להיות חכם להיות מנהיג בני המדינה אמ' מרי פי' פילופוס אמ' למלך] | אפרכיא אמ, הפרכיא בטלד, הפרכייא ם | מרי אמם, ל' בטלד — 11 תזוח] תזוז ד | שערפת] על ששרפת ד | שממקום מא, שמשעה טלדם, שמשעת ב | לה] ל' א — 12 דינך] אני דנך מ | שלמחר אמ, למחר בטל ד | יהא] יהיה ד | עמהם אמ, עם אילו בטלד — 13 לעוה"ב] לחיי העולם הבא ט — 14 ד"א] ל' ב | נתקבצו] באו ד | ישראל מה, מישראל א, כל ישראל בטלד — 15 לו] למשה מ | רבינו משה אה, משה רבינו מבטלד | מה–ו.דין] מדת הדין מה היא ה | היא אמד, היה ל, ל' בט | למעלה מדט', שלמעלן ה, למעלן בט'ל | איני אמם, אני איני בטלד | לכם אמה, ל' בטלדם — 16 לזכות] שהוא מזכה ה | ולחייב] ומחייב ה | ואין עול] ל' ב — 17 סליק פיסקא ד, ל' אבל — 18 בניו–ר' מאיר] יכול אפילו בנים מלאים מומים ת"ל (בניו לא) [לא בניו] מומם דברי ר' מאיר ה | בנים—

לוי גינצבורג ח"ה ע' 128: 3 ד"א כשתפסו וכו', עבודה זרה י"ח ע"א, מסכת שמחות פ"ח סי' י"ב (ע' 157), מדרש אלה אזכרה, סוף מסכת כלה, היכלות רבתי פ"ו: 10 עמד וכו', שהתנגד למעשה האפרכוס, ואולי צ"ל אפרכוס במקום אפרכיא: 14 נתקבצו וכו', כעין זה לקמן פי' שנ"ה ופי' שנ"ו: 16 לזכות את הזכיי, בלשון כבוד כלפי מעלה, ופירושו לזכות את החייב ולחייב את הזכיי. — אלא אפילו להחליף וכו', השוה למטה פי' שמ"ז:

18 אעפ"י וכו', למעלה פי' צ"ו (ע' 157, שורה 14)

דברי רבי מאיר שנאמר בניו מומם רבי יהודה אומר אין בהם מומים שנאמר לא
בניו מומם וכן הוא אומר °זרע מרעים בנים משחיתים אם כשמשחיתים ישעיה א ד
קרויים בנים אילו לא היו משחיתים על אחת כמה וכמה. כיוצא בו °חכמים המה ירמיה ד כב
להרע, והלא דברים קל וחומר ומה כשהם מרעים קרויים חכמים אילו היו מטיבים
על אחת כמה וכמה. כיוצא בו °בנים סכלים המה ומה כשהם סכלים קרויים שם
בנים אילו היו נבונים על אחת כמה וכמה. כיוצא בו °ויבאו אליך כמבוא עם יחזקאל לג לא
וישבו לפניך עמי ושמעו את דבריך, יכול שומעים ועושים תלמוד לומר
°ואותם לא יעשו והלא דברים קל וחומר ומה כשהם שומעים ואינם עושים קרויים שם
עמי אילו שומעים ועושים על אחת כמה וכמה.

משום אבא הדורס אמרו שחתו ישראל בכל לאוים שבתורה וכל כך למה שלא
ליתן פתחון פה לרשעים לומר כל זמן שאנחנו חוטאים לפניו אנו מצטערים לפניו למה
הדבר דומה לאחד שיצא ליצלב ואביו בוכה עליו ואמו מתחבטת לפניו זה אומר אוי
לי וזה אומר אוי לי אבל אין זה הווה אלא על אותו שיצא ליצלב וכן הוא אומר °אוי ישעיה ג ט
לנפשם כי גמלו להם רעה.

ובציונים שם: 1 ר׳ יהודה וכו׳ עד אילו שומעים ועושים על אחת כמה וכמה, מכירי ישעיה א׳ ד׳ (ע׳ 7). — ר׳ יהודה וכו׳ עד לא בניו מומם, רמא״ש מוחק, וכן נראה שהרי אין הבדל בין דברי ר״מ כאן לדברי ר״י, ולא בא בעל התוספת אלא לפרש הכתוב לפי דעת ר׳ יהודה האומר למעלה פי׳ צ״ו (ע׳ 157, שורה 14) אם נוהגים כבנים הרי אתם בנים ואם לאו אין אתם בנים. ולפי דעת בעל התוספת מפרש ר׳ יהודה אין בניו מומם שאין בהם מום, אבל אם היה בהם מום לא היו בניו. ומפני שנמצא המשפט בכל הנסחאות לא ראיתי למוחקו אעפ״י שמפריע את הענין, שהמאמר וכה״א וכו׳ נמשך ישר אל דברי ר׳ מאיר, ועיין הגרסה במ״ת „יכול אפילו מלאים מומים ת״ל (בניו לא) [לא בניו] מומם דברי ר׳ מאיר ר׳ יהודה אומר אפילו מלאים מומים וכו׳", ומפרש ר׳ דוד הופמאן בהערה שם (עמו׳ 188) שלפי גרסה זו נתחלפו שטות ר״מ ור״י: 3 כיוצא וכו׳ עד ואותם לא יעשו, מובא בילקוט ירמיה ר׳ רע״ג: 10 משום וכו׳, עד כי גמלו להם רעה, מובא במכירי ישעיה ג׳ ט׳ (ע׳ 27). — אבא הדורס, כן הגרסה במ״ת, ולקמן במ״ת ל״ג י״א (עמוד 215) הגרסה אבא הדרוס, ואולי שמו האמיתי הורדוס ומפני כבודו נשתנה לדהדורס. ועיין לקמן פיסקא שנ״ב. בציונים לזכרונו של י. נ. שמחוני (עמוד 191) מציע בר טוביה להזהו עם אבא כהן ברדלא ואין נראה. — בכל לאוים, שנאמר שחת לו לא, אלו הלאוים: 11 מצטערים,

מומם אמ, בנים דברי ר׳ מאיר שנאמר לא בניו מומם כ, שנאמר שחת לו לא בניו מומם ט׳, שנאמר שחת לו לא בניו מומם ד״ר מאיר לד, שנאמר שחת לו לא בניו ט׳ — 1 דברי ר׳ מאיר—לא בניו מומם] ל׳ ט׳ | ר׳ יהודה אמ ה, וכן היה ר׳ יהודה בט׳לדכ | אין—מומם] אפילו מלאים מומים לכך נאמר בניו מומם וה״א והיה במקום אשר יאמר להם (הושע ב׳ א׳) וה״א בנים סכלים המה (ירמיה ד׳ כ״ב) ומה אם בשעה שהם סכלים הן קרואין בנים אלו לא היו סכלים על אחת כמה וכמה ה — 2 וה״א אמה, ואומר בטלד, כיוצא בו כ | אם כשהם משחיתים אמכ, ומה אם בשעה שמשחיתים ה, אם כשמשחיתים ב ט׳לד, אם במשחיתים ט׳ — 3 כיוצא בו אמכ, כיוצא בדבר אתה אומר בטלד, וה״א ה — 4 והלא—ק״ו אמ כ, והרי—ק״ו בטלד, ל׳ ה | ומה] מה אם ה | כשהם] בשעה שהם ה | מרעים] סכלים ד | קרויים] הן קרואים ה | אילו] אם מ | היו מטיבים] לא היו מריעים ה — 5 כיוצא בו—אילו היו נבונים עאכו״כ] ל׳ בה ועי׳ למעלה בש״נ לשורה 1 | כיוצא בו אמ, כיוצא בו אתה אומר טלד | המה] המה ולא נבונים והרי דברים קל וחומר ד | ומה מ לדכ, אם א, ומה אם ט — 6 כיוצא בו אמט׳, כיוצא בו אתה אומר בטלדכ, וה״א ה | ויבאו בטלהכ, יבאו א, ובאו מ, ויבוא ד | כמבוא עם וישבו לפניך בטלבה, ל׳ אמ, כמבוא—לפניו ד — 7 ושמעו אמכ. ושמעים בטלדה | שומעים] יהוא שומעין ה | ת״ל—אילו שומעים ועושים] ל׳ ל — 8 ואותם לא יעשו הבבט׳, ואתם לא תעשו דט׳, ואתם לא יעשו ט׳, ואינם עושים מא | והלא—ק״ו אמכ, והרי—ק״ו בטד, ל׳ ה | ומה אמבכ, ומה אם הט | כשהם] בשעה שהם ה, כשאין כ | ואינם אמ, ואין כ, ולא בטלדה | קרויים] נקראו א — 9 עמי] בנים כ | שומעים ועושים] היו עושין ה — 10 משום—כי גמלו להם רעה] ל׳ מ | הדורס ה, הדורש א, דורש בטלדכ | בכל] כל ה | וכל כך למה] ל׳ ה | שלא] לא ד — 11 ליתן—לומר] יהיו הרשעים אומ׳ ה | כל—לפניו] בשעה שאנו הוטאין ה | שאנחנו א, שאנו בטלדכ | מצטערים] מצטעריב ה | לפניו] בה נוסף <שכן אליהוא אומ׳ לאיוב (איוב ל״ה ו׳—ח׳) אם חטאת מה תפעל בו אם צדקת מה תתן לו לאיש כמוך רשעך מה הוא אומ׳ אוי לרשע רע (ישעיה ג׳ י״א) | למה הדבר דומה א, מושלו מלה״ד ה, משל בטלדכ — 12 שיצא] שהוא יוצא ה | ליצלב] להצלב ה | ואביו א, והיה אביו ה, אביו בטלד | ואמו מתחבטת לפניו א, ואמו מתחבטת עליו הכ, אמו בוכה עליו ומתחבטת עליו בטד, ומתדבכת עליו ל | זה אומר אוי לי] ל׳ כ | זה אה, וזה בטלד — 13 לי] לו א (וכן בסמוך) | וזה—לי דה, וזה—לו א, ל׳ בטל | אבל—הווה] והלא אין ווי ה | אין זה דבטל, זה אינו

דור עקש ופתלתול, אמר להם משה לישראל עקמנים אתם פתלתנים אתם
ואין אתם הולכים אלא לאור למה הדבר דומה לאחר שהיה בידו מקל מעוקם ונתנו
לאומן לתקנו מתקנו באור ואם לאו מכוונו במעגילה ואם לאו מפסלו במעצד ומשליכו
יחזקאל כא לו לאור וכן הוא אומר °ונתתיך ביד אנשים בוערים חרשי משחית.

דבר אחר אמר להם משה לישראל במדה שמדדתם בה מדדתי לכם וכן הוא
ש"ב כב כז אומר °עם נבר תתבר ועם עקש תתפל, דור עקש ופתלתל סליק פיסקא

שט.

(ו) הלה׳ תגמלו זאת, משלו משל למה הדבר דומה לאחר שהיה עומד וצוהב כנגד בוליוטום בשוק אמרו לו השומעים שוטה שבעולם כנגד בוליוטום אתה עומד וצוהב מה אם רצה להכותך או לקרוע את כסותך או לחבשך בבית האסורים שמא את יכול לו אם היה קטרון שגדול ממנו על אחת כמה וכמה אם היה הפתקס שגדול משניהם על אחת כמה וכמה.

דבר אחר הלה׳ תגמלו זאת, משל למה הדבר דומה לאחר שהיה עומד וצוהב כנגד אביו בשוק אמרו לו השומעים שוטה שבעולם כנגד מי אתה עומד וצוהב כנגד אביך שמע כמה עמל עמל בך וכמה יגיעה ינע בך אם לא כבדתו לשעבר

לשון כבוד כלפי מעלה: 1 דור עקש וכו׳ עד סוף הפי׳, מובא במכירי תהלים י״ח נ״ב (נ״ז ע״ב), ובילקוט יחזקאל ר׳ שס״ב עד ומשליכו באור, פ״ז, ועיין בת״י: 5 במדה שמדדתם וכו׳, השוה למעלה פיסקא רצ״ו (עמוד 314, שורה 13) ובציונים שם:

7 הלה׳ תגמלו זאת וכו׳ עד עמי לא התבונן לעתיד, מכירי ישעיה א׳ ג׳ (עמוד 6 שורה 23), ובספר הזכרון מובא עד כמה יגיעה יגע בך: 8 בוליוטוס, בל״י βουλευτής: 10 קטרון, במדרש תנ׳ יותר מדויק קנטרון, והוא מל״ר centurio — הפרתקס, מל״י

אכ | הווה א, הורי הוי ב, חרוי הוי ל, הוי ט, הוהי הוי ד, צווח כ | על אותו א, על בטל, לאותו ז, ל׳ ד, לזה ה, על כ | ליצלב] להצלב ה | וכן–רעה] שנ׳ אוי להם כי נדדו ממני (הושע ז׳ י״ג) ה — 14 ע׳ הקו׳ להם] עליהם ל — 1 עקמנים אתם לאבטם, עוקמנין אתם מהכ, אתם עוקמנים ד | פתלתנים אמכט, פותלנין ה, פתלנין בלט², פתלתולים ד — 2 ואין אמ, אין בטלדהכ | הולכים] ל׳ ה | אלא] ל׳ ד | לאור] לאחור ט² | למה הדבר דומה אמ, משל בטלדכ, מושלו מלה״ד ה | מעוקם אמהכ, מעוקל בטד, עוקל ל | ונתנו] ונתן א, נתנו ט² — 3 לתקנו בטלדכ, לתקנו באור מ, לתקנו באות א, שיכונו ה | מתקנו באור בטלדהם, ותקנו בזור אמ, אם אינו מכוונו באוב ה | ואם לאו מכוונו במעגילה בטלדכ, מכוונו במגנין ה, מכוונו במעגלה מוטב אמ | ואם לאו מפכלו במעצד מדם, ואם לאו מפצלו במעצד אכ, ואם לאו מפסלו במצד בטלד | ומשליכו] ומשלימו ד — 4 לאור] באור כ | ונתתיך בטלד, ונתתים אמ, ונתנך ה — 5 ד״א אמבלה, ד״א דור עקש ופתלתול טד | להם] ל׳ ה | מדדתי] מודתי ב — 6 תתפל בטלד, תת׳ ה, תתפתל א מ | דור עקש ופתלתל אמטבל, ל׳ דה | סליק פיסקא ד, ל׳ אבל —

7 זאת] זאת עם א | משלו–דומה אמה, משל בטלדכ [זכרון] — 8 בוליוטוס לכ, בליוסטוס טד, ביליוטיס ב, בילוטין אמ, בליוכיס ם, בליוטין [זכרון], בולטוס ה [וכן בכמוך אלא ששם גרסת ד „בלאיוסטוס״] | בשוק] ל׳ כ | שוטה שבעולם] ל׳ [זכרון] | אתה] בשוק אתה א | עומד וצוהב] צוהב כנגד בולטוס את אומר ושומע ה — 9 וצוהב] ומצהיב מ | מה אם בטלדכ [זכרון], אם אמ, אילו ה | רצה בטלדכ [זכרון], ירצה אמ, רוצה ה | או לקרוע אמ, לקרע ה, ולקרע בטלדכ [זכרון] | את] ל׳ כ | או לחבשך אמה, ולחבשך בטלדכ [זכרון] | שמא–לו אמ, היית יכול לעמוד בו ה, את יכול לו ט לדכ [זכרון], יכול לו ב — 10 אם היה–שגדול משניהם עאכו״כ] ל׳ [זכרון] | אם היה בטלדכ, אלו היה ה, וכל שכן אם היה מ, כ״ש אם היה א | קטרון מבטלדכ, קינטרון ה, קרון א, נקיטרון ם | שגדול] שהוא גדול ה | ממנו אמהכ, הימנו ב טלד | אם–וכמה] ל׳ כ | אם] אלו ה | הפתקס בטילד, הפתבר ט², פינקס אמ, אפרכוס ה, והפיתקס ם | שגדול אמט, שהוא גדול ה, גדול בלד — 11 משניהם] ממנו ה | וכמה] בה נוסף <אלו היה פיליטקוס שהוא גדול ממנו על אחת כמה וכמה> — 12 ד״א בטדהכ [זכרון], ר׳ אומר ל, ד״א ר׳ אומר א, ד״א אומ׳ מ | משל לה״ד אמ, מושלו משל לה״ד ה, משל בטלדכ [זכרון] | עומד וצוהב בטלדכ [זכרון], עובר וצוהב ה, צוהב אמ — 13 בשוק אמה, ל׳ בטלדכ [זכרון] | אמרו [אומ׳ ה] לו השומעים אמה [זכרון], אמ׳ לו שומעים ט, אמרו לו בכ, אמר לו ד, אמ׳ לו ל | שבעולם] ל׳ [זכרון] | מי] אביך ה | עומד אמלכ [זכרון], יושב בטד, ל׳ ה | וצוהב בטלדכ [זכרון], ומצהיב אמ, צוהב ה — 14 שמע בטלד, אתה אומר ושומע אמה, ל׳ כ | כמה עמל–יגע בך] כמה יגע בך וכמה עמל בך ה | כמה עמל עמל אבטדכ, כמה עמל ויגעל,

צריך אתה לכבדו עכשיו שלא יהא כותב כל נכסיו לאחרים כך אמר להם משה לישראל אם אי אתם זכורים נסים וגבורות שעשה לכם הקדוש ברוך הוא במצרים הזכרו כמה טובות עתיד ליתן לכם לעולם הבא.

עם נבל ולא חכם, נבל לשעבר. ולא חכם, לעתיד לבוא. כיוצא בו °ישראל ישעיה א ג
לא ידע לשעבר, °עמי לא התבונן לעתיד, ומי גרם לישראל להיות מנובלים שם
ומטופשים שלא הוחכמו בדברי תורה וכן הוא אומר °הלא נסע יתרם בם, ימותו איוב ד כא
ולא בחכמה.

הלא הוא אביך קנך, שמעון בן חלפתא אומר שאם היה חלש מלמעלה וגבור מלמטה מי נוצח שמא את יכול לו וכל שכן שהגבור מלמעלה והחלש מלמטה
וכן הוא אומר °אל תבהל על פיך ולבך אל ימהר להוציא דבר לפני קהלת ה א
האלהים כי האלהים בשמים ואתה על הארץ.

הלא הוא אביך קנך, אמר להם משה לישראל חביבים אתם לו קנין אתם לו ואי אתם ירושה לו משל לאחד שהורישו אביו עשר שדות ועמד וקנה שדה אחת משלו והיה אוהב אותה מכל שדות שהורישו אביו וכן מי שהורישו אביו עשר פלטריאות ועמד וקנה פלטריא אחת משלו ואותה היה אוהב מכל פלטיריאות שהנחילו אביו כך אמר להם משה לישראל חביבים אתם לו קנין אתם לו ואי אתם ירושה לו.

ὑπατικός: 4 עם נבל וכו׳ עד ימותו ולא בחכמה, מובא בספר Pugio Fidei עמוד 927, ורמזתי על השנויים בשנויי נסחאות בסימן זה [פ״פ], ובילקוט ישעיה ר׳ רנ״ד מובא עד המלים בדברי תורה· — לשעבר וכו׳, פ״ז, רש״י: 6 שלא הוחכמו, אין ספק שזו היא הגרסה הנכונה, ופירושה שלא למדו דברי תורה, והגרסה היו בונים יש לפרש מלשון בינה וכעין זה פי׳ רמא״ש ״אל תקרי בניך אלא בוניך, ת״ח הלומדים ומבינים״, וגם כן בשה״ש רבה „אל תקרי בנות ירושלם אלא בונות ירושלם זו סנהדרי גדולה״. ועיין על כל זה סדר אליהו זוטא פי״ז (עמוד 21) הערה 47: 8 שמעון בן חלפתא וכו׳, שמות

כמה עמל ויגע עמל ב | וכמה] כמה כ | יגיעה מבטלד כ, ל׳ א | אם לא כבדתו מד, אמר לא כבדתו בט, אמרו לו כבדתו ל, אם כבדתו א, אלו לא היית מכבדו ד, אמרו לו כעסתו כ — 1 אתה דאמכ, אני בטל, היית ה | יהא כותב מבטלכ, יהיה כותב אד, יכתוב ה | לאחרים] לאחר ה | להם] ל׳ מ — 2 אם אי אבטל, אי מד, אם אין ה | זכורים מאדל, זוכרים בטכ, זהירין ה | נסים] כמה נסים ה | שעשה] עשה ה | הקב״ה אמבלט״כ, המקום ד, הק׳ ט׳ — 3 הזכרו] היו זהירין ה | טובות] נסים וגבורות ה | עתיד מא, שעתיד בטלדכ, הוא עתיד ה | ליתן—לעוה״ב] לעשות לכם בהי כנסתם לארץ ה | ליתן] לעשות כ | לעולם הבא בטלדכ, לעתיד לבא אמ — 4 ולא חכם נבל מא. ולא חכם עם נבל הבטל [פ״פ], ל׳ ד | כיוצא בו אמ, כיוצא בו אתה אומר בטד, כיוצא בדבר אתה אומר ל, וה״א ה | ישראל לא ידע אמ, ישראל לא ידע עמי לא התבונן ישראל לא ידע בטלדה — 5 עמי] ועמי ד | לעתיד אמד, לעתיד לבא ה בט, לעולם הבא ל [פ״פ] | ומי אמהל, מי בטד, ד״א מי ט׳ | לישראל] להם לישראל ד | להיות אמד, שיהו טל, שיהיו ב ד | מנובלים אמד, מנוולים בטלד — 6 הוחכמו בדברי תורה א, הוחכמו בתורה מ, החכימו בתורה ד, חכמו בדברי תורה [פ״פ], היו בונים בדברי תורה לט, היו בונים בדבר תורה ד, היו בזמן בדברי תורה ב — 8 שמעון בן חלפתא—ואתה על הארץ] בד, מובאה ברייתא זו אחר מאמרו של ר׳ מאיר למטה שורה 4, עמוד 350 | שמעון בן חלפתא אומר אמ, שמעון בן חלפתא אומר משמו ס, רבי שמעון בן חלפתא אומר משמו טלד, הוא אומר משמו ב, ד״א היה רבי שמעון בן יוחאי אומר ה | שאם היה] אם יהיה ה | מלמעלה אמט׳, למעלה ד, מלמעלן הבלט׳ — 9 מלמטה אמט׳, למטה ד, מלמטן הבלט׳ | שמא—לון] הוי אומר העליון ה | לשמור לו אמ | וכל שכן שהגבור מ, וכשהגבור א, וכל שכן שגבור בטלד, אין צורך לומר גבור ה | מלמעלה אמט׳. למעלה דמ, מלמעלן ט״בל | והחלש אבטלדה | מלמטה אמט׳, למטה דמ, מלמטן ט׳ בל, בה, נוסף <גבור חי העולמים מלמעלן ובריות מלמטן שנ׳ כי גבוה מעל גבוה שומר (קהלת ה׳ ז׳)> — 10 הוא] שלמה ה | ולבך—הארץ דט, ולבך אל ימהר בל, ל׳ מאה — 12 הלא] דבר אחר הלא ד | להם] ל׳ ה | לו אמהל, ל׳ דטב [וכן בסמוך שתי פעמים] | קנין מהט, וקנין א, קנינים בל, זקינים ד, וקינים מ — 13 משל] מושלו משל לה״ד ה | לאחד—מכל שדות שהורישו אביו] לבן מלכים שהוריש לו אביו עשר שדות וקנה לו עוד אחת לסגלתו והיתה חביבה עליו יתר מכל מה שהוריש לו אביו ה | אביו] לאביו ל | שדות] פלטרין ט׳ [ועל הגליון שדות] | אחת] אחד ד — 14 והיה אוהב אותה א, והיה אוהב אותה שדה מ, ואותה היה אוהב בטלד | שדות] השדות מ | שהורישו] שהנחילו ט׳ — 15 פלטריאות מט׳ל, פלטראות א, פלטיות ה, פלטיריאות ט׳, פלטוריות בד | ועמד וקנה מבטלד, וקנה אה | פלטריא מ, פלטירא ט,

קנך, זה אחד משלשה שנקראו קנין למקום, תורה נקראת קנין למקום שנאמר
°ה׳ קנני ראשית דרכו, ישראל נקראו קנין למקום שנאמר הלא הוא אביך קנך, משלי ח כב
בית המקדש נקרא קנין למקום וכן הוא אומר °הר זה קנתה ימינו. תהלים עח נד

הוא עשך ויכוננך, היה רבי מאיר אומר כרכא דכולא ביה כהנים מתוכו
נביאים מתוכו חכמים מתוכו סופרים מתוכו וכן הוא אומר °ממנו פנה ממנו יתד. זכריה י ד
רבי יהודה אומר עשך כוין כוין רבי שמעון בן יהודה אומר הושיבך על בסיסך הלעיטך ביזת שבעה עממים ונתן לך מה שנשבע לך והורישך מה שהבטיחך רבי דוסתיי בן יהודה אומר עשך כנונים כנונים מכפנים שאם תעלה אחת מהם על גבי חבירתה אי אתה יכול לעמוד סליק פיסקא

שי.

(ז) זכור ימות עולם, אמר להם הזכרו מה שעשיתי לדורות הראשונים מה שעשיתי לאנשי דור המבול ומה שעשיתי לאנשי דור הפלגה ומה שעשיתי לאנשי סדום.

בינו שנות דור ודור, אין לך דור שאין בו כאנשי דור המבול ואין לך דור שאין בו כאנשי סדום אלא שנדון כל אחד ואחד לפי מעשיו.

פל־טורה ד, פלוטרא בל, ל׳ אה | אחת מבטלד, אחד א, עוד אחת לסגלתו ה | ואותה היה אוהב מבטלד, והיה אוהבו א, יהיתה חביבה עליו ד | פלטיריאות מ, פלטראות א, פל־טרין ט, פלטוריות בל, פלטורדה ד, מה ה | שהנחילו] שהוריש לו ה — 16 ע׳ הקו׳ להם] ל׳ ה | לו א מהב, ל׳ ד, לו משלו ל, ל׳ ט | קנין הטי, קנויין א, קניינים מבטילד | ואי] ואין ה | לו אמהלב, ל׳ דט — 1 קנך—הר זה קנתה ימינו] ל׳ ה | קנין] קימין ב | למקום אמל, למקום ואלו הם בט, ואלו הם תורה וישראל ובית המקדש ד | תורה—למקום] ל׳ ל | תורה נקראת בטלר, תורה אמ | שנאמר] ל׳ מ — 2 ישראל נקראו מבטילד, ישראל אטי | קנין למקום] ל׳ טי | שנאמר] שכן הוא אומ׳ מ | הלא הוא] ל׳ ד — 3 נקרא קנין למקום] ל׳ טי | וכה״א א, שכן הוא אומר א, שנאמר בטלד — 4 כרכא] בכת״י ם גורס כרבא ומפרש „חרישה שהכל בה״ | דכולא] דכולה א | כהנים—סופרים מתוכו אמ, כהניו מתוכו לויין מתוכו מלכיו מתוכו נביאיו מתוכו חכמיו מתוכו סופריו מתוכו ומשניו מתוכו ה, כהניו מתוכו נביאיו מתוכו סופריו מתוכו דבט, כהניו מתוכו נביאיו מתוכו ל — 5 וכה״א] שנ׳ ה | יתד] בה נוסף <ממנו קשת מלחמה ממנו יצא כל נוגש יחדו> [ואחר זה נוסף שם ד״א רשב״י אומר אם יהיה חלש וכו׳, עיין למעלה שורה 8, עמוד 349, ובש״נ שם; ואחר המאמר ההוא נמצא „ד״א הוא עשך ויכ׳ הוא עשאך כונניות כונניות מבפנים שאם תעלה אחת מהם על גבי חברתה אי אפשר לך לחיות״], ועיין למטה שורה 8 — 6 ר׳—כוין כוין] ל׳ מ | ר׳ יהודה] ר׳ שמעון בן אלעזר ה | אומר] אומר הוא עשך ויכ׳ ה, ל׳ ב | עשך א, עשאך בטד, הוא עשאך ה, הוא עשך [פ״ז], עשאן ל | כוין כוין בלדם [פ״ז], כיוון כיוון ט׳, כיון כיון ט׳, סיון א, כוים כוים מבפנים שאם תסתם אחת מהם אי אפשר לך לחיות ה [ובכת״י ם מביא עוד הגרסה כנין כנין, ומפרש ל׳ כן עומד וסדור על חבירו] | שמעון] דוסתאי ה | אומר] אומר הוא עשך ויכ׳ ה, ל׳ א | הושיבך] הוא הושיבך ה | בסיסך] בסיס שלך ה | הלעיטך] הלעיניך ד — 7 ביזת שבעה עממים מ, ב״ז עממים א, בבת עמים ה | לך] ל׳ ל | מה] ל׳ ב | שהבטיחך] בה נוסף <שנ׳ ובתים מ׳ כל טוב (דברים ו׳ י״א)> | רבי דוסתאי—יכול לעמוד] נמצא בה למעלה אחר המלים אל תבהל על פיך, עי׳ ש״נ שם שורה 10, ע׳ 349 | ר׳ דוסתאי—אומר] ד״א הוא עשך ויכ׳ ה — 8 אומר] ל׳ ב | עשך א, עשאך מבטלד, הוא עשאך ה | כנונים כנונים] כונניות כונניות ה, כננים כננים ם | אחת] אחד ד | על גבי ה, מגב א, כנגד מ, על גב בטלד | אי—לעמוד] אי אפשר לך לחיות ה | אי אמבל, אין דט — 9 סליק פיסקא ד, ל׳ אבל —

10 אמר להם הזכרו א, אמר להם הזהרו מ, אמר להן הקב״ה היו זכורין ה, הזכרו ט, הזהרו בלד | לדורות הראשונים מה שעשיתי] ל׳ א | לדורות—המבול מה שעשיתי] ל׳ ל | לדורות הראשונים מ, בראשונים ה, בדורות הראשונים בטד — 11 לאנשי דור אמ, באנשי דור בטד, בדור ה | ומה שעשיתי] ל׳ א | ומה מה, מה בטד | לאנשי דור הפלגה מ, ולאנשי דור הפלגה א, בדור הפלגה ה, באנשי דור הפלגה בטלד | ומה אמה, מה בטלד | לאנשי אמ, באנשי הבטלד | סדום] סדום ועמורה ד — 12 לך] ל׳ ה | כאנשי—שאין בו] ל׳ ל | כאנשי דור אמבט, מאנשי דור ד, כדור ה | ואין] אין ב | לך] ל׳ ה | ואין לך דור שאין בו] ל׳ טי — 13 כאנשי סדום אמ, כאנשי דור הפלגה וכאנשי סדום בטלה, כדור הפלגה ואין

רבה פרשה כ״ד סי׳ א׳, קהלת רבה סוף פרשה ד׳, ילקוט קהלת ה׳ א׳ (רמז תתקע״א) בסטלד הגרסה או׳ משמו, ומבאר בפי׳ הספרי בכת״י ם „אר׳ יהודה דאיירי לעיל קאי״: 1 זה אחד משלשה וכו׳, מכילתא בשלח, מסכת שירה, פרשה ט׳ (מ״ג ע״ב, ה—ר 148), מכילתא דרשב״י ט״ו ט״ז (עמ׳ 69), פרקי דרבינו הקדוש בבא דארבעה, פרק קנין תורה ה״י, פרקי דרך ארץ פ״ב (סדר אליהו זוטא פ״יז) עמ׳ 20; פ״ז ע״ב, כלה רבתי פ״ח, סדר אליהו זוטא פ״ט (ע׳ 187), ועיין בהערת העורך במכילתא הוצ׳ הארוויטץ—רבין שם, ומובא בנחלות אבות לר׳ יצחק אברבנל סוף פ״ו (קושטא רס״ו): 4 עשך וכו׳, עיין חולין שם· — היה ר״מ אומר וכו׳, חולין נ״ו ע״ב, פ״ז, רש״י:
10 זכור ימות עולם וכו׳, פ״ז, רש״י:

שאל אביך ויגדך, אלו נביאים כענין שנאמר °ואלישע רואה והוא מ״ב ב יב
מצעק אבי אבי. זקניך ויאמרו לך, אלו זקנים כענין שנאמר °אספה לי במדבר יא טז
שבעים איש מזקני ישראל.

דבר אחר זכור ימות עולם, אמר להם כל זמן שהקדוש ברוך הוא מביא
עליכם יסורים הזכרו כמה טובות ונחמות עתיד ליתן לכם לעולם הבא.

בינו שנות דור ודור, זה דורו של משיח שיש בו שלשה דורות שנאמר
°יראוך עם שמש ולפני ירח דור דורים. תהלים עב ה

שאל אביך ויגדך, למחר עתידים ישראל להיות רואים ושומעים כשומעים
מפי הקדוש ברוך הוא שנאמר °ואזניך תשמענה דבר מאחריך לאמר ואומר ישעיה ל כא
°לא יכנף עוד מוריך והיו עיניך ראות את מוריך. זקניך ויאמרו לך, שם ל כ
מה שהראיתי לזקנים בהר כענין שנאמר °ואל משה אמר עלה אל ה׳ סליק פיסקא שמות כד א

שיא.

(ח) בהנחל עליון גוים, עד שלא בא אברהם אבינו כביכול היה הקדוש
ברוך הוא דן את העולם במדת אכזריות חטאו אנשי מבול הציפם כזיקים על פני המים
חטאו אנשי מגדל פיזרם מסוף העולם ועד סופו חטאו אנשי סדום שטפם בגפרית ואש
אבל משבא אברהם אבינו לעולם זכה לקבל יסורים והתחילו ממשמשים ובאים כענין
שנאמר °ויהי רעב בארץ וירד אברם מצרימה ואם תאמר מפני מה יסורים בראשית יב י
באים מפני חבתם של ישראל יצב גבולות עמים למספר בני ישראל. דבר

1 אלו נביאים, רש״י, פ״ז, והשוה ת״י: 4 ד״א זכור וכו׳, פ״ז – אמר להם וכו׳ עד ולא יכנף עוד מוריך, מובא בספר Pugio Fidei ע׳ 692, וציינתי השנויים בסימן זה [פ״פ]: 6 שיש בו שלשה דורות, כדברי ר״א מכילתא כוף בשלח (נ״ו ע״ב, ה–ר ע׳ 187), ומכילתא דרשב״י שם (עמוד 85), סנהדרין צ״ט ע״א, פסיקתא דר״כ זכור (כ״ט ע״א), ועיין עוד במדרש תהלים צ׳ סימן י״ז (קצ״ז ע״א); פסיקתא רבתי פיסקא א׳ (ד׳ ע״א), ועיין עוד לקמן פיסקא שי״ח (עמ׳ 363) ומה שהעיר קלוזנר בספרו משיח, ע׳ 28; ובאכער בספרו אגדות התנאים ח״א, ע׳ 103:

13 במדת אכזריות, מכילתא בשלח מסכת שירה פ״ג (ל״ז ע״א, ה–ר ע׳ 128) „עמי נהג במדת רחמים ועם אבותי נהג במדת הדין״, וכן בסדר אליהו זוטא פ׳ כ״ה (פרקי דר״א פ״ז) עמוד 46, „וכיון שנולד אברהם נתגלגלו רחמיו של הקב״ה״: 14 חטאו וכו׳, רש״י:

דור שאין בו כאנשי סדום אין דור שאין בו כקרח וכעדתו ה | שנדון–ואחד] כל אחד ואחד נדון ה | ואחד] ל׳ ט׳ | לפי] כפי א – 1 נביאים] הנביאים ט׳ – 2 מצעק] צועק מ | זקנים] החכמים ה | כענין] ל׳ מ – 4 כל זמן–עליכם] אמר להן הקב״ה בשעה שאני מביא עליכם יסורין ה | שהקב״ה מביא מ, שהביא הקב״ה א, שהמקום מביא בלט״ד, שהק׳ מביא ט׳ – 5 עליכם יסורים א [פ״פ], עליכם יסורים בעולם הזה מ, יסורים עליכם בטלד | הזכרו] היו זכירים ה | כמה–לבא] כמה שכר אני נותן לכם עליהם ה | לעולם הבא בטלד, לעתיד לבא אם – 6 שיש בו שלשה דורות] ל׳ ה | שנאמר] שנאמר בו ה – 7 ולפני–דורים בטלדה, וגו׳ מ, ל׳ א – 8 ויגדך] בה נוסף <מה שהשמיע לאבות> | למחר] ל׳ ה | רואים ושומעים] שומעים ה | כשומעים] ל׳ ה, כשומע מ – 9 הקב״ה אם, הב״ה [פ״פ], הקב״ה לעתיד לבא ה, הקודש בטלד | מאחריך לאמר] ל׳ ל | לאמר] ל׳ ב – 10 והיו–מוריך אמה, ל׳ בטלד – 11 שהראיתי אבטלד, שהראהו מ. שהראה את א | כענין] ל׳ ה | אל ה׳] בד נוסף <אתה ואהרן נדב ואביהו ושבעים איש מזקני ישראל> | סליק פיסקא ד, ל׳ אב –

12 עז–אבינו] זה אבינו אברהם מנ׳ אתה אומר שעד שלא עמד אבינו אברוהם ה | אברהם אבינו אם, אבינו אברהם בטלד | כביכול–אכזריות) היה הקב״ה נוהג עם כל באי העולם במדת אכזריות ה | כביכול] כבר ד | היה] ל׳ ב | הקב״ה א מ, המקום בטלד – 13 במדת אכזריות אם, באכזריות בטל, כאכזרי ד | חטאו] עמד ה [וכן בסמוך] | אנשי מבול א, אנשי המבול מ, דור המבול ד, אנשי דור המבול בטלד | כזיקים הט, בזיקים אמבלדם – 14 אנשי מגדל אבטלד, דור הפלגה ה, אנשי המגדל מ | פיזרם] ופזרן ה | אנשי סדום אמה, סדומיים בטלד | שטפם] ושרפן ה [ג״א שפטם ז] | בגפרית ואש אמה, באש וגפרית דטב, באש ובגופרית ל – 15 אבל–לעולם] כיון שעמד אבינו אברהם ה | לקבל יסורים] ליסורין ה | יסורין] ישראל א | והתחילו–ובאים] ל׳ ה | והתחילו ממשמשים אז, והתחילו יסורין ממשמשין מ, ממשמשין בלט, ממשמע ד – 16 אברם] אברהם ד | מפני מה] למה א | יסורים] היסורים ה – 17 מפני–ישראל] הוי אומר לטובתן של

אחר בהנחל עליון גוים, כשהנחיל הקדוש ברוך הוא עולם לאומות פירש תחומה
של כל אומה ואומה כדי שלא יהו מעורבים שילח בני גומר לגומר בני מגוג למגוג בני
מדי למדי בני יון ליון בני תובל לתובל פירש תחומן של אומות כדי שלא יכנסו לארץ
ישראל יצב גבולות עמים.

דבר אחר בהנחל עליון גוים, כשנתן הקדוש ברוך הוא תורה לישראל עמד
וצפה ונסתכל שנאמר °עמד וימודד ארץ ראה ויתר גוים ולא היתה אומה (חבקוק ג ו)
באומות שהיתה ראויה לקבל את התורה אלא ישראל יצב גבולות עמים.

דבר אחר בהנחל עליון גוים, כשהנחיל הקדוש ברוך הוא עולם לאומות
חלקם בניהם שנאמר °שם אשור וכל קהלה °שמה נסיכי צפון וכל צידוני (יחזקאל לב כב; שם לב ל)
°שמה אדום מלכיה ואם תאמר מי נוטל עשרם וכבודם של אלו הוי אומר אלו (שם לב כט)
ישראל יצב גבולות עמים.

דבר אחר בהנחל עליון גוים, כשהנחיל הקדוש ברוך הוא מן האומות יראי
חטא וכשרים שבהם, בהפרידו בני אדם, זה דור הפלגה שנאמר °ומשם הפיצם (בראשית יא ט)
ה׳ יצב גבולות עמים, רבי אליעזר בנו של רבי יוסי הגלילי אומר הרי הוא אומר
°ששים המה מלכות ושמונים פילגשים ששים ושמונים הרי מאה וארבעים (שיר השיר׳ ו ח)
אבותינו לא ירדו למצרים אלא בשבעים נפש שנאמר °בשבעים נפש ירדו (דברים י כב)

ישראל ה׀ חבתם] חובתן ל׀ יצב גבולות עמים] ל׳ ה׀ למספר בני ישראל אמטד, ל׳ בל׀ ד״א אמהט, ל׳ ב לד — 1 כשהנחיל—עולם לאומות] מלמד שביקש המקום להנחיל את העולם לאומות בהפרידו [כן הגרסא בה׳, אבל גרסת ה בדהל, ועיין מ״ת ע׳ 256] בני אדם בשעת הפלגה ה׀ ברוך הוא] ל׳ טי׀ עולם] העולם ד׀ לאומות אמבל, לאומות העולם ד, ל׳ ט׀ תחומה] תחומן לאומות העולם ד — 2 של כל] לכל הי [על כל ה]׀ כדי] ל׳ ה׀ יהו] יהיו ד׀ מעורבים אמה, מעורבבים בטלד׀ בני] ל׳ א׀ בני מגוג למגוג מ, ובני מגוג למגוג טיבל, בני מגון למגון א, ל׳ טידה׀ בני אמה, ובני בטלד [וכן בסמוך, ובני יון, ובני תובל] — 3 למדי] בטי נוסף <ובני מגוג למגוג>׀ בני תובל לתובל] ל׳ ה׀ פירש] קבע ה׀ של אומות] ל׳ ט׀ כדי] ל׳ ה — 4 ישראל] ל׳ ד׀ יצב גבולות עמים בטלד, ל׳ אמה — 5 כשנתן—ונסתכל] מלמד שביקש המקום להנחיל את התורה לאומות עמד וראה וצפה ונסתכל ה׀ הקב״ה אמל, המקום בטיד, הק׳ טי — 6 ונסתכל] ונשתכל מ׀ ראה—גוים אמדטי, ל׳ טיבלה׀ ולא—התורה] אמר איזו אומה בעולם יכולה לקבל את ההורה ולא מצא ה — 7 באומות אמ, בכל האומות בטלד׀ את התורה אמ, תורה בטלד׀ יצב—עמים אמבל, לכך נאמר למספר בני ישראל ה, שנאמר יצב—עמים טד — 8 כשהנחיל—בגיהנם] מלמד שהניח המקום חלקן של אומות בתוך גיהנם ה׀ הקב״ה אמ, המקום בטלד׀ עולם אמב, העולם טד, ל׳ ל׀ לאומות] לאומות העולם ט — 9 בגיהנם אמ, לגיהנם בטלד׀ שנאמר] ל׳ לב׀ שם אמה, שמה טלד, שמא ב׀ קהלה אמה; בטלד מוסיפים <עילם וכל המונה>׀ שמה—צידוני] ל׳ ה׀ נסיכי צפון] אמב, נסיכי צפון כולם טלד [מסורה]׀ צידוני אמ [מסורה], צדונים בטלד — 10 שמה—מלכיה מ, ואו׳ שמה—ומלכיה א, שמה אדום ומלכיה ה, שמה מדי בבל ואדום מלכיה וכל נסיכיה [ונסיכיה ט, נסיכיה ב:] בטלד׀ מי] ומי ה׀ וכבודם] ל׳ הטי׀ של אלו] של אלו והמונם ה׀ הוי אומר] ל׳ מב׀ אלו אהט, זה ב, ל׳ מלד — 11 יצב גבולות עמים אטלד, לכך נאמר למספר בני ישראל ה, יגנב גבולות עמים ב, שנ׳ יצב גבולות עמים מז — 12 בהנהל עליון גוים] ל׳ בט׀ כשהנחיל בטדה, כשנחל מא, ד״א כשהנחיל ל׀ הקב״ה אמ, המקום בטילדה, הק׳ טי — 13 וכשרים] כשרים א׀ זה—הפיצם ה׳ מה, זה—כענין שנ׳ ומשם הפיצם ה׳ א, זה לוט ויפרדו איש מעל אחיו (בראשית י״ג י״א) דבט, זה לוט שנאמר ויפרדו איש מעל אחיו ל — 14 הגלילי] ל׳ א — 16 אבותינו לא מהבטל, אבות ולא א, ואבותינו לא ד׀ למצרים] במצרים ד׀ שנ׳—

1 כשהנחיל וכו׳, ת״י, פ״ז: 5 ד״א וכו׳ עד ראויה לקבל את התורה אלא ישראל, מכירי חבקוק ג׳ ו׳, ויקרא רבה, ריש פ׳ י״ג; וע׳ עוד בס׳ אגדות היהודים למורי ר׳ לוי גינצבורג ח״ו ע׳ 31: 14 ר״א בנו של ריה״ג וכו׳, פ״ז, והשוה עוד שהש״ר פ״ו פסוק ששים המה מלכות, וע׳ עוד במדבר רבה פ״ט סי׳ י״ד, ובפי׳ הספרי כת״י ס מבאר „ששים המה מלכות היינו אומות שיש להן כתרי מלכות. ושמונים פלגשים שמונים משפחות שאין להם מלך. ורציתי לעמוד על מנינם ומצאתי בפ׳ בני נח גבי אלה תולדות בני נח חשיבי נ״ז אומות ואעפ״י כי לפי החשבון יש שם שבעים והיינו דכתי׳ מאלה נפרדו הגוים כשתסיר מהם אותם שנמנו ראשונה ונמנו ג״כ בניהם צריך שלא ימנו לו בן ראשון כגון בני יפת גומר ומגוג, ובני גומר אשכנז, אם תמנה לגומר אין ראוי למנות אשכנז וכן כולם תמצא שאין בהם אלא חמשים ושבעה עממין ועמון ומואב ועשו הרי ששים ובני הגר [ר״ל קטורה] י״ד משפחות, ובני ישמעאל שנים עשר נשיאים הרי כ״ו, ובאלופי החרי יושבי הארץ ובאלופי אדום יש קרוב למו, ואימים וסרני פלשתים ונסיכי מדין יעלו לשמונים וכולם נמשכים לע׳ אומות:

אבותיך וכן הוא אומר גבולות עמים, גבולי עמים אין כתוב כאן אלא גבולות עמים זכו אומות ליטול שני חלקים במספר בני ישראל סליק פיסקא

שיב.

(ט) כי חלק ה׳ עמו, משל למלך שהיה לו שדה ונתנה לעריסים התחילו עריסים גונבים אותה נטלה מהם ונתנה לבניהם התחילו להיות רעים מן הראשונים נטלה מבניהם ונתנה לבני בניהם חזרו להיות רעים יותר מן הראשונים נולד לו בן אמר להם צאו מתוך שלי אי איפשי שתהיו בתוכה תנו לי חלקי שאהיה מכירו כך כשבא אברהם אבינו לעולם יצאת ממנו פסולת ישמעאל וכל בני קטורה בא יצחק לעולם יצאת ממנו פסולת עשו וכל אלופי אדום חזרו להיות רעים יותר מן הראשונים וכשבא יעקב לא יצאת ממנו פסולת אלא נולדו כל בניו כשרים כענין שנאמר °ויעקב איש תם יושב (בראשית כה כז) אהלים מהיכן המקום מכיר את חלקו מיעקב שנאמר כי חלק ה׳ עמו יעקב חבל נחלתו ואומר °כי יעקב בחר לו יה ועדין הדבר תלי בדלא תלי ואין אנו יודעים (תהלים קלה ד) אם הקדוש ברוך הוא בחר ביעקב אם יעקב בחר בהקדוש ברוך הוא תלמוד לומר °ישראל לסגולתו ועדין הדבר תלי בדלא תלי ואין אנו יודעים אם הקדוש ברוך (שם)

3 משל למלך וכו׳ עד חבלים נפלו לי בנעימים, מכירי תהלים קל״ה ג׳ (קכ״ז ע״ב), ובילקוט שמעוני ירמיה ר׳ רפ״ח עד שלישי לאבות· — משל למלך, עיין ציגלר Königsgleichnisse עמ׳ 255· — ולא היתה וכו׳, השוה אגדות היהודים למורי ר׳ לוי גינצבורג, ח״ו ע׳ 31: 6 כך וכו׳, פ״ז: 7 יצאת ממנו פסולת וכו׳, לקמן פי׳ שמ״ג ולמעלה פי׳ ל״א (ע׳ 49, שורה 11) ובציונים שם: 11 תלי בדלא תלי, אודות הסגנון הזה עיין לקמן פי׳ של״ג ופי׳ שמ״ב, ספרי במדבר פי׳ צ״א (ע׳ 91), מכילתא דרשב״י י״ב י״ד (ע׳ 14) ושם הגרסה „בדלא דלי״, וע׳ בהערה שם; והשוה ריש כתובות „תלי תניא בדלא תניא״· — ואין אנו יודעים וכו׳, מ״ת י״ד ב׳ (ע׳ 73), והשוה ספרי שם

1 — אבותיך מ, ירדו אבותיך מצרימה א, ל׳ בטלדה וכה״א אמה, ל׳ בטל, דבר אחר ד | גבולות עמים אמ, יצב ה, יצב גבולות עמים בלד, ל׳ ט | גבולי אמ, גבול הבטלד | כתוב א, כתיב מטיל, כת׳ הטבי, כתב ד | גבולות אמ, גבלת ה, יצב גבולות בטלד — 2 שני] שני ה | חלקים בטלד, חלקים תחומין אמ, גבולות ם | במספר] למספר ה | סליק פיסקא ד, ל׳ אבל —

3 משל] מושלו מלה״ד ה | שהיה שהיתה ה | לעריסים מ בלד, לעריצים א, לאריסים כטה | התחילו—גונבים אותה] והיו גונבין אותה מלפניו ה | עריסים מ, עריצים א, העריסים בלד, האריסין ט — 4 גונבים מאב, גוטלים גונבים בל, נוטלים וגונבים טד | נטלה מהם] והוציאה מפניהם ה | לבניהם] לבניהם אחריהם ה | התחילו] חזרו ה | מן הראשונים] מאבותיהם ה | נטלה מבניהם—הראשונים אמ, ל׳ בטלדה — 5 נולד—בתוכה] כיון שנולד בן אמ׳ להן צאו מתוך ארצי אי אפשי תהיו בתוך שלי ה | נולד לו בן] ל׳ א — 6 שלי] חלקי מ | אפשי מ, אפשר אבלד | חלקי] את חלקי ה | כשבא—לעולם] כיון שעמד אבינו אברהם ה, אברהם כ | אברהם אבינו אטד, אברהם מ, אבינו אברהם בל — 7 יצאת אמ, ויצא ה, יצא בטלד | ישמעאל—פסולת] ל׳ ל | וכל בני אמהב, ובני טלד | קטורה] מ מוסיף <חזרו להיות רעים יותר מן הראשונים>, כ מוסיף <התחילו להיות רעים יותר מן הראשונים> | בא—אדום] ל׳ א | בא—לעולם] יצחק כ | בא דמ, כשבא בט, עמד ה, ל׳ ט³ | יצחק מבט׳, אבינו יצחק טדה | לעולם מטד, ל׳ בה | יצאת מ, יצא בטד, ויצא ה | ממנו] ל׳ כ | פסולת] ל׳ ה — 8 וכל אלופי אדום מהבלכ, אלופי אדום ד, ואלופיו ט | חזרו—הראשונים] ל׳ ה | וכשבא מבטל, בא א, כשבא ד, עד שבא כ, עמד ה | יעקב אמבטד, אבינו יעקב ה, יעקב אבינו ל | לא] ולא ה | יצאת אב, יצא מהטלד — 9 נולדו כל בניו] כל בניו נולדו כ | נולדו] נולדו לו מ | כל בניו כשרים] כלם צדיקים ה | כשרים] כשירים כמותו בטלדכ | כענין אמבכ, בעיניין ל, ל׳ הטלד | ויעקב] יעקב ד | יושב אהלים אמדל, ל׳ בטה, בה נוסף <אמר המקום לאומות צאו מתוך ארצי אי איפשי תהיו בתוך שלי תנו לי את חלקי שאהא מכירו> — 10 מהיכן—מיעקב] מאיכן שהכ״ר המקום את חלקו מאבינו יעקב ה | מכיר את] הכיר כ | שנאמר—נחלתו אמה, שנאמר כי יעקב בחר לו יה ישראל ואומר כי חלק ה׳ עמו יעקב חבל נחלתו ד, שנאמר כי— בחר לו יה כי חלק ה׳ עמו בל, שנאמר כי—יה ואומר—נחלתו ט — 11 נחלתו] בה נוסף <אמר להן הרי אתם בחלקו של יעקב מעתה> | ואומר] וה״א ה | הדבר [דבר כ] תלי [תלוי אמכ] בדלא תלי [תלוי כ] אמהכ, תלי בדלא תלי בטלד | ואין אנו—תלי בדלא תלי] ל׳ בטלדכ ונמצא באמה | ואין מה, אין א — 12 הקב״ה מא, יה ה | אם אה, ואם מ | בהקב״ה אמ, ביה ה — 13 ועדין—בחר לו ישראל לסגולתו] ל׳ א ונשלם בין השטים „ועדין אין אנו יודעים אם הקב״ה בחר ישראל לסגולתו ואם ישראל וגו׳ | תלי בדלא תלי ה, תלוי בדלא תלי מ | ואין מה, אין אבטלד | הקב״ה מה, המקום דט׳ט׳

הוא בחר לו ישראל לסגולתו ואם ישראל בחרו בהקדוש ברוך הוא תלמוד לומר
דברים יד ב °ובך בחר ה׳ אלהיך להיות לו לעם סגולה ומנין שאף יעקב בחר בו ביה
ירמיה י טז שנאמר °לא כאלה חלק יעקב. יעקב חבל נחלתו, אין חבל אלא גורל
תהלים טז ו יהושע יז ה שנאמר °חבלים נפלו לי בנעימים ואומר °ויפלו חבלי מנשה עשרה
שם יט ט [ואומר] °מחבל בני יהודה נחלת בני שמעון דבר אחר מה חבל זה משולש
משלי יז יז כך היה יעקב שלישי לאבות וקבל שכר כולם כשנולד אברהם מהו אומר °ואח
קהלת ד ט לצרה יולד וכשנולד יצחק מהו אומר °טובים השנים מן האחד וכשנולד
שם ד יב יעקב מהו אומר °והחוט המשולש לא במהרה ינתק סליק פיסקא

שיג.

(י) ימצאהו בארץ מדבר, זה אברהם משל למלך שיצא הוא וחיילותיו
למדבר הניחוהו חיילותיו במקום הצרות במקום הגייסות במקום הלסטים והלכו להם
נתמנה לו גבור אחד אמר לו אדוני המלך אל יפול לבך עליך ואל יהי עליך אימה של
כלום חייך שאיני מניחך עד שתיכנס לפלטרים שלך ווישן על מטתך כענין שנאמר
בראשית טו ז °ויאמר אליו אני ה׳ אשר הוצאתיך מאור כשדים. יסובבנהו, כענין
שם יב א שנאמר °ויאמר ה׳ אל אברם לך לך מארצך. יבוננהו, עד שלא בא אברהם
אבינו לעולם כביכול לא היה הקדוש ברוך הוא מלך אלא על השמים בלבד שנאמר
שם כד ז °ה׳ אלהי השמים אשר לקחני, אבל משבא אברהם אבינו לעולם המליכו על

בל, הק׳ ט׳ — 1 ואם אמהר, אם בטלכ | בחרו] בחר א | בהקב״ה אמהט״, להקב״ה דל, להב״ה ט״, להק׳ ט׳, להקדוש ב — 2 ובן] בך א | להיות לו לעם סגולה אמה, ל׳ בטל דכ, בה נוסף <הרי יה בחר ביעקב> | ומנין] מנין כ | יעקב] ביעקב מ | בו ביה אמ, לו ביה בט״, ביה כה, לו ביק׳ ל, לו ביעקב ט״, לו הקב״ה [בהקב״ה ט״] דט״ — 3 חלק יעקב אמהט״, חלק יעקב כי כ, חלק יעקב כי יוצר הכל הוא וישראל שבט נחלתו ה׳ צבאות שמו ד, חלק יעקב כי יוצר הכל הוא וישראל חבל נחלתו ט, חלק יעקב כי יוצר הכל הוא וישראל חבל נחלתו ה׳ צבאות שמו בל — 4 לין] ל׳ ד | ואומר—שמעון] ואומר מחבל בני יהודה נחלת בני שמעון ואומר ויפלו חבלי מנשה עשרה ה | ואומר א מד, ל׳ בטל — 5 ואומר] כן נראה להוסיף; ועיין בנוסחת ה למעלה בשנויים לשורה 4 | מחבל—שמעון בטלד, ל׳ אמ | דבר אחר אמ, דבר אחר יעקב חבל נח׳ ה, ל׳ בטלד | חבל] ל׳ ם — 6 כך היה] אף א | כשנולד—מהו אומר] כשעמד אבינו אברהם מה נאמר בו ה | כשנולד] משנולד מ | אומר] בא נוסף <טובים השנים מן האחד וכשנולד מהו אומר> | ואח] אח ט — 7 לצרה] למה ב | וכשנולד אמ, כשנולד בטלד, כשעמד ה | יצחק] יצחק אבינו ה, יעקב ב | מהו אומר] מה נאמר בו ה | וכשנולד יעקב אמ, כשנולד יעקב בטלד, וכשעמד אבינו יעקב ה — 8 מהו אומר] מה נאמ׳ ה | סליק פיסקא ד, ל׳ אב

9 אברהם אמ, אבינו אברהם ה, אברהם אבינו בטלד, בה נוסף <ובתהו ילל ישימון במקום צרות ובמקום גייסות ובמקום לסטים> | משל] מושלו מלה״ד ה — 10 למדבר] למלחמה ה | חיילותיו אמהד, חיילותיו והלכו להן בלט | במקום הצרות—במקום הלסטים] ל׳ ה | במקום] ובמקום ד וכן בסמוך | הגייסות בטלד, הגייסים אמ | הלסטים אמ, הליסטות ב טלד | והלכו להם אמהד, ל׳ בלט — 11 נתמנה] ונזדווג ה | אדוני המלך אמה, המלך ט, מלך בלד | אל יפול] אל תירא ואל יפול ה | לבך עליך] לבך מ | ואל—כלום] ואל תפול אימה עליך ה | יהי אמדט״, יהא בלט״ — 12 חייך מבטלד, ל׳ אה | שאיני] איני ה | שתיכנס—מטתך] שתהא בתוך מטתך עד שתהא בתוך פלטין שלך ה | שתיכנס] שאני מכניסך א | לפלטרים] לפלטורים דב | שלך] שלך בשלום מ | כענין] כך אמר לו הקב״ה לאברהם אבינו ה | כענין] כמו ה — 14 מארצך] ל׳ בטל ד | יבוננהו] (יסבבנהו) [יבוננהו] לכל באי העולם מנ׳ אתה אומר ה | עד] שעד ה | אברהם אבינו אמכ, אבינו אברהם בט לדה — 15 לעולם] ל׳ ה | כביכול] ל׳ ה | בלבד] ל׳ ה — 16 ה׳ אלהי—כענין שנאמר] ל׳ מ | אשר לקחני] ל׳ הט |

פי׳ צ״ז (ע׳ 158, שורה 16): 3 אין חבל אלא גורל, פ״ז, והשוה מדרש תהלים שם ט״ז ו׳ (ע״א): 5 מה וכו׳, בכת״י ם גורס מה זה משולש ומפרש, „נראה דקאי אדקרייה סגולה וחבלו וגורלו, דליכא למימר דקאי אמנשה דמה ענין שלש אצל מנשה": 6 כך היה יעקב וכו׳, פ״ז, רש״י:

9 משל למלך וכו׳, עיין ציגלר Königsgleichnisse ע׳ 82: 11 אל יפול לבך עליך, בהחלוץ ח״ד ע׳ 80 מביא ריה״ש ראיה מדרשה זו שבעל הספרי גרס יאמצהו במקום ימצאהו, וכן נוסח השומרונים, וחלק עליו פינליש ב„דרכה של תורה" ע׳ 190: 14 עד שלא בא וכו׳ עד מיד כלב יחידתי, מובא במכירי תהלים כ״ב י״ב (ע״ו ע״ב): 16 המליכו וכו׳, השוה אגדות היהודים למורי ר׳ לוי

השמים ועל הארץ כענין שנאמר °ואשביעך בה׳ אלהי השמים ואלהי הארץ. שם כד ב
יצרנהו כאישון עינו, אפילו בקש הקדוש ברוך הוא מאברהם אבינו גלגל עינו
היה נותן לו ולא גלגל עינו בלבד אלא אף נפשו שחביבה עליו מן הכל שנאמר °קח נא שם כב ב
את בנך את יחידך את יצחק והלא ידוע שהוא בנו יחידו אלא זו נפש שנקראת
יחידה שנאמר °הצילה מחרב נפשי מיד כלב יחידתי. תהלים כב כא
דבר אחר ימצאהו בארץ מדבר, אלו ישראל שנאמר °כענבים במדבר הושע ט י
מצאתי ישראל. ובתוהו ילל ישימון, במקום הצרות במקום הגייסות במקום
הלסטים. יסובבנהו, לפני הר סיני כענין שנאמר °והגבלת את העם סביב שמות יט יב
לאמר. יבוננהו, בעשרת הדברות מלמד שכשהיה הדיבר יוצא מפי הקדוש ברוך הוא
היו ישראל רואים אותו ומשכילים בו ויודעים כמה מדרש יש בו וכמה הלכה יש בו
וכמה קולים וחמורים יש בו וכמה גזירות שוות יש בו. יצרנהו כאישון עינו,
הולכים שנים עשר מיל וחוזרים שנים עשר מיל על כל דיבור ודיבור ולא היו נרתעים
לא מן הקולות ולא מן הלפידים.
דבר אחר ימצאהו בארץ מדבר, הכל מצוי ומסופק להם במדבר באר עולה
להם, מן יורד להם, שליו מצוי להם, ענני כבוד מקיפות עליהם. ובתוהו ילל

גינצבורג ח״ה ע׳ 252: 3 אלא אף נפשו וכו׳, במדבר רבה פרשה י״ז סי׳ ב׳, פסיקתא רבתי פיסקא בחדש השביעי, קע״א ע״א: 4 שנקראת יחידה, בראשית רבה פרשה י״ד סי׳ ט׳ (ע׳ 132), ויקרא רבה פרשה ד׳ סי׳ ח׳, במדבר רבה פרשה י״ז סי׳ ב׳, דברים רבה פרשה ב׳ סי׳ ל״ז, מדרש תהלים ק״ג סימן ד׳ (רי״ז ע״א), תנחומא שלח סימן י״ד, תנחומא ב׳ שם סימן כ״ז (ל״ו ע״ב), פסיקתא רבתי שם: 5 יחידה, המלה הזאת משתמשת לפעמים בהוראת מעלה יתירה כמבואר בספר Unbekannte jüd. Sekte לר׳ לוי גינצבורג, עמ׳ 315, הערה 2: 6 ד״א וכו׳, פ״ז, מכילתא בחדש פ״ט (ע״א ע״ב, ה–ר 235): 7 במקום הצרות וכו׳, עיין למעלה ריש פי׳ שי״ג בשנויי נסחאות מה שהבאתי ממ״ת (ה), רמא״ש מציע את ההגהה הצדורת במקום הצרות, עיין שם קל״ה ע״א הערה ד׳: 9 בעשרת הדברות, וכן בתרגום ירושלמי: 10 רואים אותו וכו׳, השוה ת״י, ומכילתא יתרו בחדש פ״ט (ה–ר עמ׳ 235), מ׳ שמואל פ״ט (ע׳ 74) ובס׳ אגדות היהודים לר׳ לוי גינזבורג ח״ו ע׳ 38: 12 הולכים י״ב מיל וכו׳, מכילתא שם; ועוד שם פרשה ב׳ (ע״א ע״ב, ה–ר עמוד 207), תוספתא ערכין פ״א ה״י (עמוד 543), ירושלמי גטין פ״א (מ״ג ע״ג), שבת פ״ח ע״ב, מדרש תהלים ס״ח ז׳ (קנ״ט ע״א), ת״י שמות כ׳ ב׳, לקמן פיסקא שמ״ד, מדרש עשרת הדברות, דבור ראשון, בבית המדרש לר״א יעללינעק חדר א׳ עמ׳ 69, ועיין עוד בספר אגדות היהודים למורי ר׳ לוי גינצבורג ח״ו ע׳ 38, הערה 210: 15 ענני כבוד וכו׳, וכן

אבל משבא] כיון שעמד ה | אברהם אבינו] אבינו אברהם ד | על השמים ועל הארץ] על הארץ ה — 2 בקש הקב״ה] המקום מבקש ה | הקב״ה אמט׳, המקום דט״ב ל | מאברהם אבינו א, מאברהם מ, מאבינו אברהם דה בלט | גלגל] אפלו גלגל ה — 3 היה נותן] הוא חוטטה ונותנה ה | ולא–נפשו] ל׳ ל | בלבד] בלבד נתן לו ד | נפשו אכ, זו נפשו מ, אפלו נפשו ה, אף נפשו הוא נותן לו ד, אפילו נפשו היה נותן לו בט | שחביבה–הכל] שהי׳ חביבה עליו ביותר ה | עליו אמד, לו בטל — 4 את בנך–יחידך אהבטל, וגו׳ מ, את בנך את יחידך אשר אהבת ד | והלא–בנו] וכי אין אנו יודעין שבנו הוא ה | ידוע א, בידוע מבטלד | זו נפש מבלד, זה נפש א, זו הנפש הט | שנקראת] שנקרא א — 5 יחידה] יחידה בעולמה ה, יחידית כ | שנאמר] וה״א ה — 6 דבר אחר אמהטד, ל׳ בל | שנאמר אמ, כענין שנאמר בטלד, ל׳ ה — 7 ישראל] אבותיכם ט׳, אבות ט׳, את ישראל ל | הצרות אמבטילד, צרות הט׳ | הגייסות אמבטילד, גייסות הט׳ — 8 הלסטים אמ, לסטים ה, לסטיות טל, לסטות בד | כענין] ל׳ ה | והגבלת–לאמר] ויתיצבו בת׳ ההר (שמות יט י״ז) — 9 בעשרת הדברות הד, בעשר דברות אמבטל | שכשהיה הדיבר] שכל דבור ודבור היה ה | שכשהיה אמ, שהיה בטלד | הדיבר בטילד, הדיבור מט׳, דבור א | הקב״ה אמה, הב״ה ד, הקודש בטל — 10 היו אמהבל, והיו טד | רואים אותו ומשכילים בו מ, רואים אותו ומשכלין בו א, מסתכלים בו ורואין אותו ה, מסתכלים בו בטלד | ויודעים] והיו יודעים ט׳ | כמה–וכמה הלכה יש בו] כמה עונש יש בו וכמה אזהרות יש בו ה | מדרש] מדרשים ד | הלכה אמ, הלכות בטלד | יש בו] ל׳ ט׳ — 11 קולים וחמורים אמ, קולין וחומרין ה, קלין וחמורים בטלד | גזירות שוות אמהבלד, גזרה שוה ט׳, ג״ש ט׳ | יש בו] בה, נוסף <וכמה דינים יש בו וכמה תשובות יש בו> | יצרנהו–וחוזרים שנים עשר מיל] ל׳ א — 12 הולכים–הלפידים] שאפלו נרתעין לאחוריהן שנים עשר מיל וחוזרין אחד עשר מיל לא היו נזוקים לא מקול הקול ולא מקול הלפידים ה | וחוזרים–מיל] ל׳ ל — 13 לא] ל׳ ט | מן אמ, מקול בטה, מקול הדיבר ל | ולא] ל׳ ט׳ | מן אמ, מקול בטלד — 14 מדבר] מדבר ובתוהו ד | מצוי אה, מצאוי מ, מצוי ומתוקן בטלד | באר] הבאר ה — 15 להם] ל׳ ה (וכן בסמוך בכל הענין) | מן] והמן

ישימון, במקום הצרות במקום הגייסות במקום הלסטים. יסובבנהו, בדגלים
שלשה מן הצפון שלשה מן הדרום שלשה מן המזרח שלשה מן המערב. יבוננהו
בשתי מתנות שכשהיה אחד מן האומות פושט ידו לקמוץ מן המן לא היה עולה בידו
כלום למלאות מים מן הבאר לא היה עולה בידו כלום. יצרנהו כאישון עינו,
במדבר י לה כענין שנאמר °קומה ה׳ ויפוצו אויביך וינוסו משנאיך.
הושע ב טז דבר אחר ימצאהו בארץ מדבר, זה לעתיד לבא שנאמר °לכן הנה אנכי
מפתיה והולכתיה המדבר ודברתי על לבה. ובתהו ילל ישימון, אלו
דברים ח טו ארבע מלכיות כענין שנאמר °המוליכך במדבר הגדול והנורא. יסובבנהו,
בזקנים. יבוננהו, בנביאים. יצרנהו כאישון עינו, משמרם מן המזיקים שלא
זכריה ב יב יזיקום כענין שנאמר °כי הנוגע בכם נוגע בבבת עינו סליק

שיד.

(יא) כנשר יעיר קנו, מה נשר זה אין נכנס לקינו מיד עד שהוא מטרף את
בניו בכנפיו בין אילן לחבירו בין סוכה לחבירתה בשביל שיתעוררו כדי שיהא בהם
כח לקבלו כך כשנגלה הקדוש ברוך הוא ליתן תורה לישראל לא נגלה עליהם מרוח
דברים לג ב אחת אלא מארבע רוחות שנאמר °ויאמר ה׳ מסיני בא וזרח משעיר למו, איזו
חבקוק ג ג היא רוח רביעית °אלוה מתימן יבוא. יפרוש כנפיו יקחהו, כענין שנאמר

ה ׀ יורד] עולה ד ׀ שליו] והסליו ה ׀ ענני] ועננני ה ׀ מקיפות עליהם אמ, מקיפין אותם ט״ה, מקיפות להם ב טילד — 1 במקום הצרות] ל׳ ב ׀ הצרות] צרות ה ׀ הגייסות אמבטילד, גייסות הט׳ ׀ הלסטים א, הלסטים מ, ליסטים ה, במקום הטנופת במקום ליסטיות בל, במקום הסנופת במקום ליסטות ט, במקום לסטות במקום הסנופת ד — 2 שלשה מן הצפון—המערב] שלשה בדרום שלשה במזרח ג׳ במערב ג׳ בצפון ה — 3 בשתי] בשני ב ׀ מתנות] מתנות טובות ה ׀ שכשהיה מ, כשהיה ה, מלמד שכשהיה בטלד ׀ מן האומות] מאומות העולם ה ׀ פושט ידו [את ידו ט׳] לקמוץ אט, פורש ידו לקמוץ בלז, פורש ידו לקבל ד, קומץ ה ׀ מן המן אמה, מן בטלדז ׀ לא] ולא ה ׀ עולה בידו] בידו עולה ד — 4 כלום] ל׳ ט׳ ׀ למלאות—כלום] ל׳ ט׳ ׀ למלאות מים] דולה ה ׀ הבאר] הביר ל ׀ לא] ולא ה ׀ היה עולה] היו עולים ד ׀ יצרנהו—משנאיך] ל׳ ה — 5 קומה—שנאמר לכן] ל׳ ל — 6 דבר אחר] ל׳ דה ׀ זה—על לבה] ל׳ ב ׀ זה לעתיד לבא אמט, הרי זו אמורה לימות המשיח ה, ל׳ ד ׀ לכן אמה, ל׳ דט — 7 המדבר] המדברה ד ׀ ודברתי על לבה אמ, ל׳ טדה ׀ אלו] אלה ב — 8 ארבע בטלדסה, ל׳ אמ ׀ כענין] ל׳ ה ׀ המוליכך—והנורא אמבטל, ואשוב ואשא עיני ואראה והנה ארבע מרכבות (זכריה ו׳ א׳) ה, המוליכך—והנורא נחש שרף ועקרב ד — 9 בזקנים] בנביאים ה ׀ בנביאים] בחכמים ה ׀ משמרם—יזיקום] ל׳ ה ׀ משמרם אמ, משמרהו בט, משמרתו לד, ל׳ כ ׀ שלא] כדי שלא מב — 10 יזיקום מאב, יזיקוהו בטלד ׀ כענין] כמו ה ׀ כי אבטלד, כל מה, כי כל כ ׀ בכם—עינו בד, בכם כנוגע [נוגע ה׳] בבת עינו ה, בכם כנוגע בבבת עינו ט, כנוגע בבת עינו ל, וגו׳ אמ ׀ סליק ד, ל׳ אבל —
11 מה—שיהא בהם] כדרך שאין הנשר הזה בא על קנו בת אחת אלא מפסיע מאילן לאילן ומסוכה לסוכה כדי שיעורו בניו ויהא בהם ה ׀ מה] על מה א ׀ אין] אינו מע ׀ שהוא] שיהא ע ׀ מטרף את בטל, מטיף ע, מצרף את ד, מעופף על א מ ׀ את בניו] ל׳ ז — 12 בכנפיו] בכפיו ע ׀ בשביל שיתעוררו אמ, כדי שיעורו [שיעירו ע, שיעידו ד] בניו בטלדע ׀ כדי שיהא [שיהיה א] בהם אמ, ויהא [ויהיה ע] בהן טבלע, ויהיה בבניו ד — 13 הקב״ה אמהע, המקום בטילד, הק׳ ט׳ ׀ עליהם] להם הע — 14 אחת אמהבטע, אחד לד ׀ מארבע אמהע, משתי בטד, משני ל ׀ שנאמר אמה, כענין שנאמר ב טלדע ׀ איזו] ואיזו ד — 15 כענין] כמו ה —

בת״י ובת״י: 1 הלסטים, לגרסת בלטד במקום הטנופת השוה ספרי במדבר פי׳ פ״ט (הורו׳ ע׳ 90 ש׳ 7) יכול יהיו אוכלים אותו מטונף ומלוכלך: 7 אלו ארבע מלכיות, פירש בכת״י ם שנרמזו במלים מדבר, ותהו, יליל, ישימון: 8 יסובבנהו בזקנים וכו׳ עד סוף הפיסקא, מכירי זכריה ב׳ י״ב (ע׳ 33): 10 בבבת עינו, מפרשו כלפי מעלה, וכעין זה אדר״נ נו״ב פרק מ״ד (ס״ב ע״א), מכילתא בשלח, מסכת שירה, פרשה ו׳ (ל״ט ע״א, ה—ר עמ׳ 135), ספרי במדבר פי׳ פ״ד (ע׳ 81), תנחומא בשלח סי׳ ט״ז:

11 מה נשר וכו׳, מכילתא דרשב״י י״ט ד׳ (ע׳ 94); פ״ז, רש״י, וגם בפירוש ר׳ ידעיה הפניני כ״י (ע) מובא עד וזרח משעיר: 13 כך כשנגלה וכו׳, למטה פיסקא שמ״ג ובציונים שם: 14 שנאמר ויאמר וכו׳, מסיני הרי אחת, משעיר הרי שנית, מהר פארן הרי שלישית, ורביעית אלה מתימן יבא; ואתא מרבבות קדש אינו מן המנין שלפי פירוש רבותינו אין זה מקום אלא ציור על המלאכים, ועיין לקמן פיס׳ שמ״ג:

°במדבר אשר ראית אשר נשאך ה' אלהיך. ישאהו על אברתו, כענין דברים א לא
שנאמר °ואשא אתכם על כנפי נשרים. דבר אחר כנשר יעיר קנו, זה שמות יט ד
לעתיד לבוא שנאמר °קול דודי הנה זה בא. יפרוש כנפיו, כענין שנאמר שיר השיר' ב ח
°אומר לצפון תני ולתימן אל תכלאי. ישאהו על אברתו כענין שנאמר ישעיה מג ו
°והביאו בניך בחצן סליק פיסקא שם מט כב

שטו.

(יב) ה' בדד ינחנו, אמר להם הקדוש ברוך הוא כדרך שישבתם יחידים בעולם הזה ולא נהניתם מן האומות כלום כך אני עתיד להושיב אתכם יחידים לעתיד ואין אחד מן האימות נהנה מכם כלום.

ואין עמו אל נכר, שלא תהא רשות לאחד משרי האומות לבוא ולשלוט בכם כענין שנאמר °ואני יוצא והנה שר יון בא °ושר מלכות פרס עומד לנגדי °אבל אגיד לך את הרשום בכתב אמת. דניאל י כ; שם י יג; שם י כא

דבר אחר ה' בדד ינחנו, עתיד אני להושיב אתכם נוחלים מסוף העולם ועד סופו וכן הוא אומר °מפאת קדים עד פאת ימה אשר אחד °מפאת קדים ועד פאת ימה ראובן אחד °מפאת קדים ועד פאת ים יהודה אחד מה תלמוד לומר אשר אחד ראובן אחד יהודה אחד שעתידים ישראל לטול אורך מן המזרח למערב על רוחב עשרים וחמשת אלפים קנים שיעורם שבעים וחמשה מיל. יחזקאל מח ב; שם מח ו; שם מח ז

---

6 אמר להם וכו', רש"י, פ"ז, רמב"ן כאן וגם ויקרא י"ח כ"ה, ובדרשתו לר"ה, הנדפסת בהצופה שנה ב' ע' 59, ת"א, ת"י, ות"י: 9 משרי האומות, מן המלאכים הממונים על האומות כמפורש בכתובים המובאים מיד: 12 עתיד וכו' עד שבעים וחמשה מיל, מובא בפי' רד"ק יחזקאל מ"ח כ': 13 מפאת וכו' עד שבעים וחמשה מיל, מובא בילקוט יחזקאל שם ר' שפ"ג: 14 מה ת"ל

1 אשר ראית–כענין שנאמר] ל' ה | אשר נשאך ה' אלהיך בטלד, וגו' אמ – 2 נשרים] נשרים וגו' אמ | ד"א–אל תכלאי] ל' ה | זה] ל' מ — 3 שנאמר אמ, כענין שנאמר בטלד | כענין שנאמר אדמ, ל' בטל — 4 ולתימן אל תכלאי אמ, ל' בטלד | כענין שנאמר אמה, ל' בטלד — 5 והביאו בניך בחצן–תנשאנה אמ, והביאו בניך בחצן ה, הביאי בניך מרחוק ט¹, הביאו בניך מרחוק ט², הביאו בניך בחוצן וגו' ל, והביאו בניך בחוצן וגומר ב, הביאי בניך בחוצן ד | סליק פיסקא ד, ל' אבל –

6 הקב"ה אמה [רמב"ן], המקום לישראל בט²לד, הק' לישראל ט¹ | שישבתם] שהייתם יושבים ה – 7 נהניתם] נהנים ה | מן האומות] מאומות העולם ה | להושיב אתכם [להושיבכם, רמב"ן], יחידים אמה [רמב"ן], להושיבכם בט²לד, להושיב אתכם ט¹ | לעתיד אמ, בעולם הבא ה, לעתיד לבוא בטלד [רמב"ן] – 8 אחד מן האומות] אומות העולם ה | מן] מכל א | נהנה אטלד [רמב"ן], נהנית מ, נהנים בה – 9 תהא] אתן ה | לאחד] אחד ל | משרי אמה [רמב"ן], מן בטלד | האומות מבטלד, אומות א, אומות העולם ה [רמב"ן] | לבוא ולשלוט] שימשול ה – 10 כענין] אלא כענין ה | ושר–לנגדי בטלדה, ואומר והנה שר מלכי פרס עומד לנגדי עשרים ואחד יום והנה מיכאל וגו' ואומר ונותרתי שם אצל מלכי פרס ואומ' אמ – 11 בכתב אמת אמד, ל' בטלה – 12 עתיד אני] אמר הקב"ה לישראל אני עתיד [רד"ק] | אני] הקב"ה ד | להושיב אמ [רד"ק], לעשות ה, להשים בטלד – 13 מפאת קדים–מה ת"ל אשר אחד ראובן אחד יהודה אחד ה, מפאת קדים ועד פאת צפונה דן אחד ויהודה אחד ואשר אחד והלא כבר נאמר [מ נאמר עד] מפאת קדים ועד פאת ים יהודה אחד ועל [א ואו' ועל] גבול יהודה ואומר ועל גבול מנשה מה ת"ל דן אחד ויהודה אחד ואשר אחד אמ, מקצה צפון וגו' עד פאת קדים הים דן אחד ועל גבול דן מפאת קדים עד פאת ימה אשר אחד ועל גבול אשר מפאת קדימה ועד פאת ימה נפתלי אחד מנשה אחד אפרים אחד ראובן אחד יהודה אחד בנימין אחד מה ת"ל יהודה אחד דן אחד אשר אחד ב, מפאת צפון מפאת צפונה ועד פאת קדים דן אחד ועל גבול דן מפאת קדים עד פאת ימה אשר אחד ועל גבול אשר מפאת קדימה עד פאת ימה נפתלי אחד מנשה אחד אפרים אחד ראובן אחד יהודה אחד בנימין אחד מה ת"ל יהודה אחד דן אחד אשר אחד ט, מפאת צפון ועד פאת ים דן אחד יהודה אחד אשר אחד ועד גבול ים מפאת קדים ועד פאת ים יהודה אחד ועל גבול יהודה מפאת קדים ועד פאת ים מנשה אחד נפתלי אחד מה תלמוד לומר יהודה אחד אשר אחד דן אחד [ל דן אחד יהודה אחד אשר אחד] דל, פאת קדים הים דן אחד מפאת קדים עד פאת ימה אשר אחד יהודה אחד וכן כולם [רד"ק] ובכת"י ם הגרסה דן אחד יהודה אחד אשר אחד – 15 שעתידים–למערב] שכל שבט ושבט עתיד ליטול את חלקו מתחלת המזרח עד סוף המערב אורך ה – 16 על רוחב אמה [רד"ק, עד רוחב בטלד, ברוחב [רש"י, יחזקאל] | וחמשת] וחמשה ה | אלפים] אלפי א | שיעורם]

ואין עמו אל נכר, שלא יהו בכם בני אדם עובדים עבודה זרה וכן הוא אומר °לכן בזאת יכופר עון יעקב. (ישעיה כז ט)

דבר אחר ה׳ בדד ינחנו, עתיד אני להושיב אתכם בנחת רוח בעולם. ואין עמו אל נכר, שלא יהו בכם בני אדם עסיקים בפרקמטיא של כלום שנאמר °יהי פיסת בר בארץ שיהיו חטים מוציאים גלוסקאות כמלא פיסה זו של יד. °ירעש כלבנון פריו שיהיו חטים שפות זו בזו ומשירות סולתן בארץ ואתה בא ונוטל ממנה מלא פיסת יד ובא כדי פרנסתך סליק פיסקא (תהלים עב טז; שם)

שטז.

(יג) ירכיבהו על במתי ארץ, זו ארץ ישראל שגבוהה מכל הארצות כענין שנאמר °עלה נעלה וירשנו אותה ואומר °ויעלו ויתורו את הארץ, ויעלו בנגב ויבא עד חברון ואומר °ויעלו ממצרים. ויאכל תנובת שדי, אלו פירות ארץ ישראל שהם קלים לאכול מפירות כל הארצות. ויניקהו דבש מסלע, כגון סכני וחברותיה מעשה שאמר רבי יהודה לבנו צא והבא לי קציעות מן החבית אמר לו אבה של דבש היא אמר לו השקע ידך לתוכה ואתה מעלה קציעות מתוכה. ושמן מחלמיש צור, אלו זיתים של גוש חלב, מעשה שאמר רבי יוסי לבנו בצפרי עלה והבא לנו זיתים מן העליה הלך ומצא את העליה שצפה בשמן סליק פיסקא (במדבר יג ל; שם יג כא; בראשי׳ מה כה)

שיעורין מ | שבעים וחמשה ה, חמשה ושבעים בטלד [רש״י, יחזקאל], שבעים וחמשה אלף [א אלפי] אמ — 1 יהו] יהיו ד | עובדים אמ, עובדי ה, שעובדים בטלד | וכן– יעקב] אלא כעין שנ׳ והאלילים כליל יחלף ונשגב ה׳ לבדו ביום ההוא (ישעיה ב׳ י״ז־י״ח) ה — 2 יעקב] בית יעקב א — 3 עתיד] אמר הקב״ה עתיד [פ״פ], אמר להם הקב״ה עתיד ה | בעולם] ובכבוד בעולם ה — 4 עסיקים אמה, שעוסקים דטיבל, העומדין טי, שעסוקים [פ״פ] | בפרקמטיא אמט, במין פרגמטיא ה, בפרגמטיא בלד | של] ל׳ ה | שנאמר אמ, כענין שנאמר בטלר, אלא כענין שנאמר ה — 5 שיהיו–מוציאים] שתהא כל חטה וחטה מוציאה ה | שיהיו דמ, שיהו א | מוציאים] בימות המשיח [פ״פ] | גלוסקאות] קלוסקיות מלמעלן ה | כמלא פיסה זו של יד אמ, כפיס הזו של יד ה, כמלא פיסת יד ד, כמלא פיסת של יד בטל, כמלא פיסת זו של יד [פ״פ] — 6 פריו] בה, נוסף <שתהא הרוח מנשבת בהן> | שיהו חטים] והן ה | בזו] לזו ה | ומשירות מה, ומסירות א, ונושרות בטלד | סולתן] פירותיהן ה | בארץ] ל׳ ה | ואתה–ממנה] ואדם נוטל ה — 7 ממנה מבלט, הימנה ד, פרסה א | פיסת יד אמ, הפס ה, פיסתו זו של יד ד, פיסת זו של יד בטל [פ״פ] | ובא כדי פרנסתך אמ, ויש בה כדי פרנסתו ופרנסת אנשי ביתו ה, כדי פרנסתך [פרנסתו טי] בטלד | סליק פיסקא ד, ל׳ אבל —

8 שגבוהה אמ, שהיא גבוהה בטלדה | כענין] ל׳ ה — 9 אותה] בה, נוסף <עלו זה בנגב (במדבר י״ג י״ז)> ה | ואומר אמ, ל׳ בטלר [וכן בסמוך] — 10 ויבא עד חברון אמ, ל׳ בטלדה | ואומר ויעלו ממצרים אמה, ויעלו ממצרים ויבאו ארץ כנען בטל, ל׳ ד — 11 שהם קלים אמה, שקלים בטלדם | מפירות אמטד, מכל פירות בל, ל׳ ה | כל אמבט, של כל ד, מכל לה — 12 כגון סכני מבמלד, זו סכנית ה [פ״ז], כגין סגני א | לבנו אה, לבנו בני מ, לבנו בסכני [בסכנית, פ״ז], בטלד [פ״ז] | לי אמהטד, לנו בל [פ״ז] | מן] מתוך ה [פ״ז] — 13 של] ל׳ א | היא אמר לו אמהט, ל׳ בלד | ואתה מעלה] ל׳ ב — 14 ושמן–צור] ל׳ ה — 15 בצפרי] בציפורי ד, בצפורין ה | והבא] והביא מ | לנו] לי א | זיתים ז,

וכו׳ עד מיל, רש״י יחזקאל מ״ח א׳ (הוצ׳ ר׳ אברהם לוי, ע׳ 110): 3 עתיד אני וכו׳ עד סוף הפיסקא, מובא בספר Pugio Fidei עמוד 837, וציינתי השנויים בסימן זה [פ״פ], מכירי תהלים ע״ב ל״ב (קע״ז ע״א): 5 שיהיו חטים וכו׳, כתובות קי״א ע״ב. ועיין עוד שבת ל׳ ע״ב, בראשית רבה פרשה ט״ו סי׳ ז׳ (עמוד 139), ירושלמי ברכות, ריש פ״י (י׳ ע״א), מדרש תהלים ק״ד סימן י״א (רכ״ב ע״א), ועיין במאנאטסשריפט שנה מ״ט ע׳ 22:

8 שגבוהה וכו׳, למעלה פי׳ כ״ג (ע׳ 33 שורה 15) ובציונים שם, רש״י, ופ״ז: 11 שהם קלים לאכול, רש״י, כתובות קי״ב ע״א, למעלה פי׳ ל״ז (עמ׳ 73, שורה 3): 12 כגון סכני וכו׳, פ״ז, רש״י, והשוה ירו׳ מעשר שני פ״ה ה״ב, ואיכה ר׳ פ״ג סי׳ ט׳, ועיין הערות ר׳ שמואל קליין בספרו Neue Beiträge zur Geschichte und Geographie Galiläas, עמוד 21, ובספר היובל לשווארץ עמוד 398 — מעשה שאמר וכו׳, ירושלמי פאה פ״ז ה״ד (כ׳ ע״ב): 14 אלו זיתים וכו׳, פ״ז, רש״י, השוה מנחות פ״ה ע״ב, ולקמן פי׳ שנ״ה — מעשה שאמר וכו׳, ירושלמי שם:

שיז.

(יד) חמאת בקר וחלב צאן, זה היה בימי שלמה שנאמר (מ"א ה ג) °עשרה בקר בריאים ועשרים בקר רעי ומאה צאן. עם חלב כרים ואילים, זה היה בימי עשרת השבטים שנאמר (עמוס ו ד) °ואוכלים כרים מצאן ועגלים מתוך מרבק. עם חלב כליות חטה, זה היה בימי שלמה שנאמר (מ"א ה ב) °ויהי לחם שלמה ליום אחד שלשים כור סלת. ודם ענב תשתה חמר, זה היה בימי עשרת השבטים שנאמר (עמוס ו ו) °השותים במזרקי יין.

דבר אחר ירכיבהו על במתי ארץ, זה בית המקדש שגבוה מכל העולם שנאמר (דברים יז ח) °וקמת ועלית אל המקום, ואומר (ישעיה ב ג) °והלכו עמים רבים ואמרו לכו ונעלה אל הר ה׳. ויאכל תנובות שדי, אלו סלי ביכורים. ויניקהו דבש מסלע ושמן מחלמיש צור, אלו נסכי שמן. חמאת בקר וחלב צאן עם חלב כרים, זו חטאת ועולה ושלמים תודה ואשם וקדשים קלים. עם חלב כליות חטה, אלו סלתות. ודם ענב תשתה חמר, אלו נסכי יין.

דבר אחר ירכיבהו על במתי ארץ, זו תורה, שנאמר (משלי ח כב) °ה׳ קנני ראשית דרכו. ויאכל תנובות שדי, זה מקרא. ויניקהו דבש מסלע, זו משנה. ושמן מחלמיש צור, זה תלמוד. חמאת בקר וחלב צאן עם חלב כרים, אלו קלים וחמורים וגזירות שוות ודינים ותשובות. עם חלב כליות חטה, אלו הלכות שהן גופה של תורה. ודם ענב תשתה חמר, אלו הגדות שהם מושכות לבו של אדם כיין.

דבר אחר ירכיבהו על במתי ארץ, זה העולם שנאמר (תהלים פ יד) °יכרסמנה חזיר מיער. ויאכל תנובות שדי, אלו ארבע מלכיות. ויניקהו דבש מסלע

1 זה היה וכו׳ עד במזרקי יין, רש״י, פ״ז, מכירי עמוס ו׳ ד׳: 7 שגבוה מכל העולם, למעלה פי׳ קנ״ב (ע׳ 206, שורה 8) ובציונים שם: 13 ד״א וכו׳ עד למחר הרי ישראל יורשים נכסיהם וכו׳, מכירי תהלים מזמור פ׳ כ״ח (כ״ג ע״ב), והמאמר הראשון עד מושכות לבו של אדם כיין, מובא גם בהקדמה למנורת המאור, ובמנורת

גרוגרות אמבטלד [פ״ז] | מן] מתוך ה [פ״ז] | ומצא] ומצאת א | שצפה בשמן] צפה [שצף, פ״ז] עליהן דבש ה [פ״ז] | בשמן] בדבש ד — 16 עמוד הקוד׳ סליק פיסקא ה, ל׳ אבל —

1 חמאת וכו׳ עד השותים במזרקי יין, מובא בטי׳ ובמ למטה אחר המלים „והם עריבים עליהם כשמן וכדבש״ (עמ׳ 360, שורה 2) | זה—בימי] אלו ימי ה וכן בכל הענין | היה] שהיה ל | שנאמר] ל׳ בהכ — 2 בריאים] מריאים טלכ | ועשרים—צאן בטלדכ, ל׳ אמה | ואילים] בד נוסף <בני בשן ועתודים> | זה] ל׳ ל — 3 ואוכלים אמכ, אוכלים בטלדה — 4 שנאמר—סלת] ל׳ כ | לחם] בימי א | ליום] לחם א — 5 שלשים כור סלת אמ, שלשים כור סלת ועשרים כור קמח ה, וגומ׳ בלד. ל׳ ט | תשתה] ישתה בל — 7 שגבוה] שהוא גבוה ה | העולם] העולם כלו ה — 8 אל המקום] ל׳ ד | ואומר—אל הר ה׳ בטלד, קומו ונעלה ציון (ירמיה ל״א ו׳) והלכו עמים רבים—אל הר ה׳ ה, ל׳ אמ — 9 סלי] ל׳ ה — 10 ושמן מחלמיש צור אמה, ושמן בט, ל׳ דל | חמאת בקר—אלו נסכי יין] ל׳ מ | עם חלב כרים] ל׳ ה, בד נוסף <ואילים בני בשן ועתודים> — 11 זו—ואשם] אלו חטאות ואשמות ה | ועולה] עולה ד | תודה ואשם א, ואשם ותודה בטלד, ותודה ואשם מ | וקדשים בטלדה, ושאר קדשים אמ — 12 סלתות] הסלתות ה — 13 זו בטלדכה, זה אמ | זה] זו מ — 15 וחלב—כרים] ל׳ ל | עם חלב כרים] ל׳ טיה | כרים] בד נוסף <ואילים בני בשן ועתודים>, בבט נוסף <ואילים ועתודים> — 16 אלו קלים—ותשובות] אלו הדינין והעבודות והטמאות והטהרות והעריות ה, ל׳ ב | ודינים אמ [מנורת המאור], ל׳ בטלדכ | אלו] אלו הן כ — 17 הלכות] ההלכות ה | גופה של] גופי כ [מנורת המאור] | תורה] מקרא [מנורת המאור] | הגדות] אגדות טי, האגדות ה | שהם מושכות לבו של אדם] שהן משכרות את האדם ה | שהם מושכות במלדכ — 18 לבו של אמ, לב בטילדכ, על לב טי — 19 זה—מיער] אלו האומות ה | העולם אמ, העולם הבא כ, העולם הזה בטלד —

ושמן מחלמיש צור, אלו מציקים שהחזיקו בה בארץ ישראל והם קשים להוציא מהם פרוטה כצור, למחר הרי ישראל יורשים נכסיהם והם עריבים עליהם כשמן וכדבש.

חמאת בקר, אלו הפיטקים והגמונים שלהם, עם חלב כליות, אלו כליריקים שלהם. ואילים, אלו קינטרונים שלהם. בני בשן, אלו בניפיקרין המוציאים מבין שניים. ועתודים, אלו סנוקליטים שלהם. עם חלב כליות חטה, אלו מטרניאות שלהם. ודם ענב תשתה חמר, למחר הרי ישראל יורשים נכסיהם ועריבים להם כשמן ודבש.

דבר אחר כליות חטה עתידה כל חטה וחטה שתהא כשתי כליות של שור גדול משקל ארבעה ליטרים בצפרי ואם תמה אתה על הדבר הסתכל בראשי לפתות מעשה ושקלו ראש שבלפת שלשים ליטרים בצפרי, ומעשה וקינן שועל בראש הלפת מעשה בשיחין בקלח של חרדל שהיו בו שלשה בדים ונפשח אחד מהם וסיככו בו סוכת יוצרים וחבטוהו ומצאו בו תשעה קבים חרדל אמר רבי שמעון בן חלפתא קלח

1 ושמן מחלמיש צור אמה, ל׳ בטלדכ | מציקים שהחזיקו] הבל׳שיים שבללן עם המלכות ובאו והחזיקו ה | בה] ל׳ ה | בא״י] בה נוסף <והוציאו אורתן מברתיהם> — 2 כצור] כצור הזה ה | למחר הרי] ובאחרונה ה | נכסיהם אמבטכ, את נכסיהם לד, את נכסיהן ומנחילין לבניהם ה | עליהם אמכ, להם בטלד, ל׳ ה | כשמן וכדבש מהט, כשמן ודבש אכל, כדבש ושמן בד — 3 חמאת אבטה, ד״א חמאת מלד | הפיטקים ב לד, הפיקטין ט, הפוקטים מ, איפטיקין ה, הפקטורין א, היפקטין ם | כיליריקים אמ, כליסרקים בל, בלירקין ט, כלירסין ה, כלים רקים ד [ורמא״ש גורס כליסרקין], כלי רקין ם — 4 ואילים] ל׳ מ | קינטרונין ה [ועיין עוד בשנוים למטה בסמוך], בני פקרים מ, בני פקדון א, בני פוקרים בטלד, לפיקרון ם | בניפקרים] כן נראה לגרס על פי נוסח כ״י מ המובא למעלה והגרסה במ״ת בסמוך; ואלו הן הגרסות המקובלות, בני פיקורין ה, קינטרינים ד, קוטרינגון בטל, קטרונים אמ | המוציאים מבין שניים ה, שמכינין מבין שיניהם ב, שממנין מבין שניהן ל, שמכישים מבין שיניהם ט, שמבינין מבין שניהם ם, המבינים שביניהם אמ, ל׳ ד — 5 סנוקליטים ה, סנקליטין [פ״ז], סרקנירקין אמבל, סרקנידקין ט, סנקנירקים ד | שלהם] ל׳ א | מטרניאות א, מטרנאות מ, מטרוניות בטלד — 6 ודם־חמר] ל׳ ה | ענב] ענבים ב | למחר הרי ישראל אמ, אלו ישראל שלמחר בטלד, ובאחרונה ישראל ה | נכסיהם א מבט, את נכסיהם לד, את נכסיהם ומנחילין לבניהן ה — 7 כשמן ודבש אדל, כשמן וכדבש מ, כיין וכדבש ה, כיין בט — 8 עתידה] עתידה שתהא ה | שתהא אמ, ל׳ ה, להיות בטלד | כליות] כליותיו ה — 9 גדול אמבט׳ד, הגדול הט׳ל | משקל] שהן משקל ה | ארבעה אמה, ארבע עשרה בלט, ארבעה עשר ד | ליטרים] לטרה ה, ליטרא ט² | בצפרי] בציפורי ד, בציפורין ה | ואם־הדבר מ, ואם תתמה אתה על הדבר א, ואל תתמה ה, ואל תתמה בדבר בטלד | הסתכל־מעשה] שהרי מעשה ה — 10 ראש] ראשה ה | שבלפת אמ, שללפת בטל׳ה, לפת ד | ליטרים] ליטרה ה | בצפרי א, בציפורי מבטל, של ציפורי ד, בציפורין ה | ומעשה־בראש הלפת] מעשה בשועל אחד שקינן בראש של לפת ושקלוה ששים ליטרין בליטרה של צפורין ה | וקינן] שקינן ד | בראש הלפת] בלפת ט׳ — 11 מעשה אמ, ומעשה בלט, ועוד מעשה ד, אמ׳ ר׳ יוסי בן חנינה ה | בשיחים ד, בשחין אמ, בשיחין בטלה | בקלח] באחד שהניח לו אביו קלח ה | שלשה מה, שלשת בטלד, ג׳ א | בדים אמה, כורין בטלד | ונפשח] ונפסח ט | וסיככו־יוצרים] ל׳ ה — 12 וחבטוהו אמט׳, וחבטו בט׳

המאור לאלנקוה ח״ג ע׳ 242: 1 אלו מציקים וכו׳, עיין במאמרו של ר׳ שמואל קליין בספרו Beiträge zur Geschichte und Geographie Galiläas ע׳ 13, הערה 1 ובספר Der Galiläische Amhaares לר׳ אברהם ביכלער ע׳ 35: 3 חמאת בקר וכו׳, פ״ז — הפיטקים, מל״י ὑπατικός ממונה של מלכות, וכן למעלה פיסקא ש״ט (ע׳ 348, שורה 10). — כליריקים, מל״י χιλίαρχοι שרי אלפים, ועיין מה שהציע ר׳ נחום ברילל בספר השנתי שלו, שנה א׳, ע׳ 176: 4 קינטרונים, מל״ר centurio, וכן הובא למעלה פי׳ ש״ט (ע׳ 348, שורה 10). — בניפיקרין, עיין בשנויי נסחאות וכבר העיר פערלעס בספרו Etymologische Studien עמוד 93, שהיא מן המלה הרומית beneficiarii, שמשמעו ממונים, והם מוציאים המאכל אף מפיו של האוכל, ור׳ דוד הופמאן העיר במ״ת שמפרש בני בשן נוטריקון מבין שנים, אבל מה שפירש עוד שהיא מל״י ἀπυχείρω שהוראתה חרתך וגם גזל, וכונתה על האכזרים כעין אלו הנזכרים בכפר מלחמות יוסף הכהן, ספר ה׳ פי״ג ד–ה „שבעלי המלחמה אכזרים חתכו את בטן האנשים היהודים שיצאו מירושלים ובלעו דינרי זהב, ובלתי ספק היו במלחמות בן כוזיבא ג״כ אכזרים כאלה״ והביא עוד מן התוספתא גטין פ״ג „אין מבליעין דינרי זהב בשעת המלחמה מפני סכנת נפשות״, כל זה אין נראה לי ענין לכאן ועיין עוד במילונו של קרויס ח״ב ע׳ 160: 5 סנוקליטים, מן המלה היונית σύγκλητος והוא סינאטור. וכבר העירו ר׳ שמואל קרויס ור׳ דוד הופמאן שנשתבש ברוב הגרסאות המנסחים סרקנירקין וכדומה: 8 ד״א כליות חטה וכו׳, עיין כתובות קי״א ע״ב, ות״י „אמר משה נביא אין נטרין הינון עמא בית ישראל מצוותא דאורייתא אתאמר עלי בנבואה דיהוון גרגירי חיטיהון היך כוליין דתורי״: 10 ומעשה וקינן וכו׳, בבלי שם, ירו׳ פאה פ״ז ה״ד (כ׳ ע״ב): 11 מעשה וכו׳, כתובות שם: 12 א״ר שמעון בן חלפתא וכו׳,

של כרוב היה בתוך ביתי והייתי עולה ויורד בו כעולה ויורד בסולם, דבר אחר ודם ענב תשתה חמר, שלא תהו יגיעים לא לדרוך ולא לבצור אלא אתה מביאה בעגלה ווקפה בזוית ומסתפק והולך ושותה ממנה כשותה מן הפיטס סליק פיסקא

שיח.

(טו) וישמן ישורון ויבעט, לפי שובע מרדים וכן אתה מוצא באנשי דור
המבול שלא מרדו בהקדוש ברוך הוא אלא מתוך מאכל ומשתה ומתוך שלוה ומה
נאמר בהם °בתיהם שלום מפחד וכו׳ בריתא כי היכי דכתיבא באלה הדברים. וכן איוב כא ט
מצינו באנשי מגדל שלא מרדו בהקדוש ברוך הוא אלא מתוך שלוה שנאמר °ויהי כל בראש׳ יא א
הארץ שפה אחת וכן מצינו באנשי סדום שלא מרדו אלא מתוך מאכל שנאמר
°ארץ ממנה יצא לחם וכו׳ מתני׳ וכן הוא אומר °חי אני נאם ה׳ אם עשתה איוב כח ה יחזקאל טז מח
סדום וכבר היה רבן גמליאל ורבי יהושע ורבי אלעזר בן עזריה ורבי עקיבה נכנסים
לרומי וכו׳ ברייתא באלה הדברים. וכן אתה מוצא באנשי מדבר שלא מרדו אלא מתוך
מאכל ומשתה שנאמר °וישב העם לאכול ושתה ויקומו לצחק מה נאמר בהם שמות לב ו
°סרו מהר מן הדרך. אמר לו הקדוש ברוך הוא למשה אמור להם לישראל כשאתם שם לב ח
נכנסים לארץ אי אתם עתידים למרוד אלא מתוך אכילה ושתיה ומתוך שלוה שנאמר

כתובות שם: 1 ד״א וכו׳, כתובות שם: 3 הפיטס, חבית, מל״י πίθος.
4 וכן אתה מוצא וכו׳, למעלה פי׳ מ״ג (ע׳ 92, שורה 17 והלאה) ובציונים שם, פ״ז, כל הענין: 5 ומתוך שלוה. כעין זה בספר מעין גנים איוב א׳ י״ד, ועיין גם בב״ר פרשה פ״ד סימן א׳ (עמוד 1003) „א״ר אחא בשעה שהצדיקים מבקשין לישב בשלוה בעולם הזה השטן בא ומקטרג״: 7 באנשי מגדל וכו׳, למעלה שם (עמוד 93, שורה 6): 10 וכבר היה וכו׳, למעלה שם פי׳ מ״ג (ע׳ 94, שורה 8), ועל ידי אשגרא הובא כאן אעפ״י שאין לו

לד, ל׳ ה | ומצאו בו] ונמצא בה ה | תשעה אמהט ד, תשע בל | חרדל] בה נוסף <ועציו סיכך בהן סוכת יוצרין> | בן] בר ל | חלפתא] חלפותא ב, זלפותא ל | קלח–ביתי מ, קלח של כרוב היתה בתוך ביתי א, קלח–היה בבית אבא ה, מעשה בקלח של כרוב שהיה בתוך שלנו בטלד – 1 והייתי–ויורד] והיינו עולים ויורדין ה | כעולה–בסולם] כסולם וכעולה לראש התאנה ה — 2 תהו] תהיו ד | לדרוך–לבצור] לבצור–לדרוך ה | אתה] ל׳ ה | מביאה] מביא דה | בעגלה–בזוית] עניבה אחת בקרון או בספינה ומניחה בזוית ביתו ה, בעגלה ענבה אחת וזוקפה בזוית ז — 3 בזוית] בחבית א | ומסתפק–ממנה אמ, ותהא שותה ממנה והולך ה, ומסתבק והולך בטלד | כשותה אמהד, כשותה והולך בטל | הפיטס] כן יש לגרס והגרסות של הנסחאות הן: הפיכטס מ, הפינטס א, הפיתום בל, הפיטום טד, הפיטוס ם, הפיטס הגדול ועצה מסיקו תחת תבשילו ה | סליק פיסקא ד, ל׳ אבל –

4 לפי שובע מרדים [מרדין א] אמ, לפי שבע הן רואין בל, לפי השבע הן מורדין ט, לפי שבען רואים ד, לעולם שלפי שבע רעים ה | באנשי דור המבול] בראשונים דור המבול ודור הפלגה וסדומיים ה — 5 בהקב״ה אמ, לפני המקום ב טיׄדל, במקום ה, לפני הק׳ טי | ומשתה אמד, משקה בל, ומשקין ה, ומתוך משקה ט | ומתוך שלוה] ל׳ ה, ושם נוסף <שנ׳ חמאת בקר וחלב צאן מה הוא אומר וישמן ישרון ויב׳> | ומה נאמר–סרו מהר מן הדרך] ל׳ ה | ומה אמ, מה בטלד — 6 בהם] ל׳ א | וכו׳–הדברים א, וכו׳ בריתא–כי היכא–הדברים מ, וכו׳ ט, וגומ׳ ברייתא באלה הדברים בל, כולה ברייתא באלה הדברים ד, ובד נוסף עוד כאן <וכן מצינו באנשי סדום שלא מרדו לפני המקום אלא מתוך מאכל ומתוך משקה ומתוך שלוה וכן הוא אומר חי אני נאם ה׳ עם עשתה סדום אחותך> [והשוה למטה בסמוך] — 7 מצינו] ל׳ ד | מגדל] מבול א | בהקב״ה אמ, לפני המקום בטלד | אלא] ל׳ ל | מתוך שלוה אמ, מתוך מאכל ומתוך משקה ומתוך שלוה בטלד | שנאמר אמ, מה נאמר בהן בטל, לכן הוא אומר ד — 8 וכן מצינו–אם עשתה סדום] ל׳ ד [ונמצא שם לפני הדוגמא של אנשי מגדול, ורשמתי השנויים כאן] | מצינו בטלד, ל׳ אמ | מרדו אמ, מרדו לפני המקום בטלד | אלא מתוך מאכל אמ, אלא מחוך מאכל ומתוך משקה ומתוך שלוה לד, אלא וגו׳ ב, וכו׳ ט | שנאמר–לחם אמ, באלה הדברים בל, ל׳ טד — 9 וכו׳ מתני׳ א, וגו׳ מ, ל׳ בטלד — 10 כדום אמ, סדום אחותך ד, סדום אחותך היא ובנותיה כאשר עשית בט, סדום אחותך היא ובנותיה ל | וכבר–באלה הדברים מ, וכבר–נכנסין ברומא וכו׳ ברית׳ א, ל׳ בטלד — 11 באנשי מדבר אמל, באנשי דור המדבר טד, באנשי המדבר ב | מרדו אמ, מרדו לפני המקום בטיׄל, מרדו לפני הק׳ טי, מרדו לפני הקב״ה ד — 12 ומשתה ארמ, ל׳ בטל | ויקומו לצחק] ל׳ ד — 13 לו א בטלד, ל׳ מה | להם אבטלד, ל׳ מה — 14 א׳

דברים לא כ °כי אביאנו אל האדמה אשר נשבעתי לאבותיו זבת חלב ודבש ואכל
ושבע ודשן ופנה אל אלהים אחרים, אמר להם משה לישראל כשאתם נכנסים
שם ח יב לארץ אין אתם עתידים למרוד אלא מתוך אכילה ושתיה ומתוך שלוה, שנאמר °פן
שם ח יג שם ח יד תאכל ושבעת °ובקרך וצאנך ירביון °ורם לבבך ושכחת את ה׳
אלהיך וכן אתה מוצא בבניו ובבנותיו של איוב שלא באה עליהם פורענות אלא מתוך
איוב א יח מאכל ומשתה שנאמר °עוד זה מדבר וזה בא ויאמר בניך ובנותיך
אוכלים ושותים יין בבית אחיהם הבכור והנה רוח גדולה, וכן אתה
עמוס ו ד מוצא בעשרת השבטים שלא גלו אלא מתוך מאכל ומשתה ושלוה שנאמר °השוכבים
שם ו ו שם ו ז על מטות שן °השותים במזרקי יין °לכן עתה יגלו בראש גולים וכן
אתה מוצא לימות המשיח שאין עתידים למרוד אלא מתוך אכילה ושתיה שנאמר
וישמן ישורון ויבעט ויטש אלה עשהו. משל לאחד שהיה לו עגל והיה
מפשפשו ומגרדו ומאכילו כרשינים בשביל שיהא חורש בו כשהגדיל העגל נתן בעליו
ירמיה כח יג עול עליו וקירטע ושיבר את העול ופסק את הסמלונים וכן הוא אומר °מוטות עץ
שברת ועשית תחתיהן מטות ברזל. שמנת בימי ירבעם, עבית בימי אחאב
כשית הכל בימי יהוא. דבר אחר שמנת בימי אחז, עבית בימי מנשה, כשית

אמל, אין בטדה | מתוך–שלוה] מתוך שלוה ה | ומתוך שלוה אמ, ל׳ בטלד — 1 אשר–ודשן הדבל | לאבותיו] כן נסחתי על פי הנמצא במקרא, ובנוסח הספרי שלפני הגרסה, לאבותיכם ד, לאבותם לט, לאבות׳ ב, לא׳ ה | זבת חלב ודבש] ל׳ ה — 2 אמר] וכך אמר ה | להם] ל׳ מ | לישראל] ל׳ ה | כשאתם–ומתוך שלוה] כן אמ | כשאהם] כשאתם עתידים ל — 3 אין בטה, אי ל ד | עתידים] ל׳ טי | מתוך–שלוה] מתוך שלוה ה — 4

קשר עם הענין שלפנינו: 11 משל לאחד וכו׳ עד ותמלא ארצו אלילים, מובא במכירי ישעיה ב׳ ה׳ (ע׳ 23). — שהיה לו עגל וכו׳, כעין זה ברכות ל״ב ע״א: 13 הסמלונים, חלק העול הניתן על צואר השור, והוא מל״י $\zeta\epsilon\acute{\upsilon}\gamma\lambda o\upsilon$, עיין במילונו של קרויס ח״ב עמוד 397: 14 שמנת וכו׳ עד בימי צדקיהו, מדרש שלשה וארבעה סי׳ י״ז: — שמנת וכו׳ עד ותמלא ארצו אלילים,

ובקרך וצאנך ירביון אמ, וב׳ טו׳ ד, ובקרך וצאנך ירביון מה נאמר בהם בטלד | את ה׳ אלהיך] ל׳ א. בה נוסף <וה״א בשבטים וישבו לאכל לחם וישב ראובן אל הבור (בראשית ל״ז כ״ט) וה״א בדור המדבר וישב העם לא׳ וש׳ ויק׳ לצ׳ מה צחק ציחקו עמדו ועשו את העגל הוי מתוך מאכל ומשתה מרדו מאחר המקום ועמדו ועשו את העגל> ואחר כך מובא המאמר המובא למטה „ר׳ שמעון בן יוחאי מושלו משל לה״ד לאחד שעשה לו עגל וכו׳ עד מוטות עץ שברת וכו׳ — 5 בבניו ובבנותיו של] בבני ה | באה אמה, באת בטל, באתה ד | עליהם אמהט, להם בלד — 6 מאכל ומשתה א ה, מאכל ומשתה ושלוה מ, אכילה ושתייה ומתוך שלוה דבלט | עוד–גדולה א, עוד–ושותים והנה רוח גדולה באה מ, עוד–ושותים יין והנה רוח גדולה באה ד, עוד–ושותים יין וכתיב והנה רוח גדולה בל, עוד–ושותים יין והנה [וכתיב והנה ל] רוח גדולה טבל, ויהי היום ובניו ובנותיו אוכלים ושותים יין והנה רוח גדולה באה הוי מתוך מאכל ומשתה באה עליהם פורענות ה | עוד] במקרא הגרסה עד — 7 אתה] את ב — 8 גלו] מרדו במקום ה | מאכל ומשתה ושלוה אמ, מאכל ומשתה ה, אכילה ושתייה ומתוך שלוה ב, אכילה ושתייה ומהוך שלוה טלד — 9 השותים–יין] ל׳ א | גולים] בה נוסף <הוי מתוך מאכל ומשתה מרדו מאחר המקום והגלה אותם מארצו> — 10 לימות אמם, בימות בטלד, למחר לימות ה | המשיח] משיח ב | שאין–למרוד] שאינן מורדין במקום ה | אכילה ושתיה א, מאכל ומשתה ה, אכילה ושתיה ושלוה מד, אכילה ושתיה ומתוך שלוה בלט | שנאמר אמ, מה נאמר בהם בטלד, שנאמר חמאת בקר וחלב צאן מהו אומ׳ ה — 11 משל–מוטות עץ שברת] ל׳ ה [ומובא שם למעלה לפני מאמר של בני איוב, ורשמתי השנויים כאן] | משל] ר׳ שמעון בן יוחאי מושלו משל לה״ד ה | לאחד] לאדם אחד ד | שהיה] שעשה ה | עגל] עגל אחד ה — 12 מפשפשו אהטילד, משפשפו בטי, מפטמו מב | ומגרדו טדה, ומגררו בלמ, ומגדח א, ל׳ כ | בשביל–בו] ל׳ ה | שיהא חורש] שיהיה חורשים ד | כשהגדיל אבטלד, משהגדיל מב, גדל ה | נתן] ונתן ה | בעליו] בעלו א, ל׳ כ — 13 עול עליו מה, עליו עול ל, עולו עליו ד, עליו העול בט״כ, עליו את העול טי, ל׳ א | וקירטע בטילדמ, וקיטע ט״כ, וקרטעו א, קירטע העגל ה | ושיבר] ופסק ל | את] ל׳ כ | ופסק] וקיצץ ה | הסמלונים ט, הסלמונין ז, הסמיניינים לד, הסמניינין בם, הסבניירים ה, המנינין א כ — 14 ועשית–ברזל בטלה, ועשית לך א, ועשית לנו מ, ל׳ ד | שמנת] שמנת עבית כשית אלו שלשה דורות שלפני המשיח שנ׳ ותמלא ארצם סוסים ותמלא ארצם כסף וזהב ותמלא ארצם אלילים ד״א שמנת עבית כשית שמנת ד — 15 כשית אמה, כסית בטלד [וכן בכל הענין] | הכל] ל׳ ה | ד״א–צדקיהו] ל׳ טי | דבר אחר אבלטיה, ר׳ אומ׳ מ, ד״א שמנת עבית

הכל בימי צדקיהו. דבר אחר שמנת עבית כשית, כשאדם שמן מבפנים עושה
כסלים מבחוץ וכן הוא אומר °כי כסה פניו בחלבו ויעש פימה עלי כסל. איוב טו כז
דבר אחר שמנת עבית כסית, אלו שלשה דורות שלפני ימות המשיח שנאמר
°ותמלא ארצו סוסים ואין קצה למרכבותיו ותמלא ארצו כסף וזהב ישעיה ב ז-ח
ואין קצה לאוצרותיו ותמלא ארצו אלילים למעשה ידיו ישתחוו
לאשר עשו אצבעותיו. ויטוש אלוה עשהו, וכן הוא אומר °כי שתים ירמיה ב יג
רעות עשה עמי. אמר להם הקדוש ברוך הוא במדה שמדדתם בי מדדתי לכם
°עזבתי את ביתי, נטשתי את נחלתי °ויטוש משכן שילה ואומר °כי שם יב ז / תהלים עח ס / ישעיה ב ו
נטשת עמך בית יעקב. דבר אחר ויטוש אלוה עשהו כענין שנאמר °ויביאני יחזקאל ח טז
אל החצר הפנימית והנה בין האולם ולמזבח כעשרים וחמשה איש
אחוריהם אל היכל ה׳ רבי דוסתי בן יהודה אומר אל תהי קורא ויטוש אלוה
עשהו וינבל אלא וינבל צור ישועתו כענין שנאמר °אל תנאץ למען שמך ירמיה יד כא
אל תנבל כסא כבודך.

(טז) יקניאהו בזרים, שהלכו ועשו דברים של זרות וכן הוא אומר °וגם את מ״א טו יג
מעכה אמו ויסירה מגבירה אשר עשתה מפלצת לאשרה.

מדרש שלשה וארבעה שם: 3 אלו ג׳ דורות וכו׳, השוה למעלה פיס׳ ש״י (עמוד 351, שורה 6) ובציונים שם: 6 וכה״א] נסחתי על פי אמ. וכעין זה בה, ורמא״ש הגיה כן על פי הענין, ועיין עוד במ״ע Jüd. Literaturblatt שנה י״א חוברת 49 ע׳ 196 ההגהות שהציע גאלדפאהן שם· — שתים רעות, ויטוש אלוה עשהו הרי אחד, וינבל צור ישועתו, הרי שנים: 7 אמר להם, זו דרשה אחרת, ואולי יש להוסיף ד״א ויטוש אלוה עשהו· — במדה שמדדתם וכו׳, למעלה פי׳ רצ״ו (ע׳ 314, שורה 13) ובציונים שם· וכאן פירושו נטשתי את נחלתי כנגד ויטוש אלוה עשהו וכו׳: 12 אלא וינבל וכו׳, הז״ר פירש לפי גרסת הדפוס „נ״ל דה״פ דישראל ניבלו וביזו להקב״ה כמ״ש רש״י א״כ אין צריך לקרות וינבל לחוד ואחר כך צור ישועתו אלא וינבל צור ישועתו שהש״י ניבל כביכול מכח שהגלה לישראל וכו׳״· ונראים דבריו, ובמובן זה פי׳ ג״כ ראזענצוויינ בספר תפארת ישראל לכבוד ר׳ ישראל לוי עמ׳ 222. ולפי דבריו רוצה לומר שאין לקרות וינבל ישראל צור ישעתו, אלא שהוא כביכול נבל עצמו, וגם על זה אפשר לומר אל תהי קורא אעפ״י שאין שום שנוי בנקוד או באותיות· ור׳ יעקב רייפמאנן בהמגיד שנה ט״ו חוברת ה׳ עמוד 38 הציע לגרס „אל תקרי וינבל אלא וינבלו צור ישועתו וכו׳ ר״ל אל תקרי וינבל להיות ישורון הפועל וה׳ הפעול אלא וינבלו להיות ה׳ הפועל וישורון הפעול; אמנם גאלדפאהן במ״ע Jüd. Literaturblatt שם מגיה צר ישועתו ומפרש צר מלשון צרה עי״ש: 14 שהלכו ועשו וכו׳, פ״ז:

כשית ד — 1 צדקיהו] חזקיה ד | דבר אחר אהדט, ר׳ אומ׳ מ, ל׳ בל | עבירת כשית] ל׳ א | כשאדם שמן אמ, כאדם ששמן בטילד, כאדם ששמנו ט׳, שמן אדם ה | עושה אמבלט, והוא נעשה ד, ועושה ד — 2 כי] ל׳ ל | כסל] כסיל ה — 3 ד״א—אלילים] ל׳ ה, ומובא שם בתחלת הדרש על הפסוק הזה ורשמתי השנויים פה — 4 ותמלא—אצבעותיו אמ, ותמלא ארצם סוסים ותמלא ארצם כסף וזהב ותמלא ארצם אלילים ה, ותמלא ארצו כסף וזהב וגומ׳ ותמלא ארצו אלילים בל, ותמלא ארצו כסף וזהב ותמלא ארצו אלילים טד — 6 וכן הוא אומר אמ, כענין שנאמר ה, נוטה שמים ויוסד ארץ ד, ותשכח ה׳ עושך נטה שמים ויסד ארץ בט, נטה שמים ויסד ארץ ל — 7 עשה עמי אמהד, עשה עמי אותי עזבו בטל | הקב״ה] ל׳ א ונמצא באי, המקום ה, במ נוסף <לישראל> | בי אמה, בה בטל, באותה המדה ה | מדדתי] אני מודד ה | לכם] בכם מ — 8 עזבתי] שנ׳ עזבתי ה | ויטוש] ואומ׳ ויטש ה | שילה] שילה וימאס באהל יוסף ה | ואומר—יעקב] ל׳ ל | ואומר אמה, ל׳ ב טד — 9 דבר אחר דה, ויאמר מ, ואומ׳ א, ל׳ בטל | כענין אמה, ל׳ בטלד | ויביאני] ובצאתם ה [ובמקרא: ויבא אתי] — 10 אל החצר] אל חצר בית ה׳ ה | והנה בין האולם ולמזבח אה, והנה—והמזבח א, והנה בפרתח השער בטלד [ובמקרא „והנה פתח היכל ה׳ בין האולם ובין המזבח״] | כעשרים—ה׳] כ״ה א | כעשרים] עשרים בט — 11 אחוריהם—ה׳] ל׳ ה | רבי—כבודך] ל׳ ה | תהי קורא] תיקרי ד | ויטוש—וינבל א, ויטוש—וינבל צור ישועתו מ, וינבל בטלד [ובכת״י ם מובא „וינבל אלא וינבל״, ומבארו „מלשון נבל ציץ פירוש כביכול הכחיש תוקפו שלא יוכל להושיע]״ — 12 ישועתו ב, ישועתי ד, ישועתו ט, ישועתו יקניאוהו בזרים אמל — 13 אל—כבודך בט, ואל—כבודך לד, וגו׳ אמ — 14 שהלכו ועשו] שהיו עושין ה | זרות] זירות ה | וכן הוא אומר מבטל, וגם הוא אומר אד, שנאמר ה | וגם—אמו אה. וגם מעכה אם אסא המלך ב, וגם את מעכה אמם מ, עם אם אסא המלך ל, וגם אם אסא ד — 15 ויסירה] הסירה ט | מפלצת [מפלצתה ד] לאשרה אבטלד, לאשרה מפלצת מ ה [וכן הגרסה בדהי״ב ט״ז י׳ עיין שם והשוה שנויי גרכאות פה] —

(ויקרא יח כב) בתועבות יכעיסוהו, זה משכב זכור וכן הוא אומר ואת זכר לא תשכב (מ"א יד כד) משכבי אשה תועבה היא ואומר וגם קדש היה בארץ.

(יז) יזבחו לשדים לא אלה, אילו היו עובדים לחמה וללבנה לכוכבים ולמזולות ולדברים שהם צורך לעולם והניה לעולם בהם לא היתה קנאה כפולה אלא הם עובדים לדברים שאין מטיבים להם אלא מריעים להם. לשדים, מה דרכו של שד נכנס באדם וכופה אותו. אלהים לא ידעום, שאין אומות העולם מכירים אותם. חדשים מקרוב באו, שכל זמן שאחד מן האומות רואה אותו אומר צלם יהודים הוא זה וכן הוא אומר (ישעיה י י) כאשר מצאה ידי לממלכות האליל ופסיליהם מירושלם ומשומרון מלמד שירושלם ושומרון מספקות דפוס לכל באי העולם. לא שערום אבותיכם, שלא עמדה שערת אבותיכם בפניהם. דבר אחר לא שערום אבותיכם שלא שערום אבותיכם לידע אם יש בהם צורך אם לאו. דבר אחר לא שערום אבותיכם אל תהי קורא לא שערום אבותיכם אלא לא שעום אבותיכם שאף על פי שמזבחים ומקטרים להם לא היו יריאים מהם כענין שנאמר (בראשית ד ה) ואל קין ואל מנחתו לא שעה סליק פיסקא

שיט.

(יח) צור ילדך תשי, אמר להם הקדוש ברוך הוא עשיתם אותי כאילו אני זכר

1 זה אמט. הרי זה ה, זו בלד — 2 רתועבה היא] ל' א, כי תועבה היא מ | בארץ] בארץ וגו' א — 3 יזבחו וכו' עד סוף הפיסקא, נמצא במ אחר פי' שי"ט, לקמן ע' 366, שורה 3 | יזבחו] ואומר יזבחו א | לא אלה] ל' ד, בה, נוסף <אמר המקום> | אילו [אליו, זכרון] היו עובדים אמכ [רא"ם, זכרון], אלו הם שעובדים דל, אילו עובדים בט | אילו—כפולה] אלו לדברים שמטיבים להם היו עושים הייתי אומר על אחת כמה וכמה שמצרים להם ה — 4 ולדברים אמכ, ודברים בטד [רא"ם, זכרון], דברים ל | שהם] שיש בהם [זכרון] | צורך—והניה] להניה [רא"ם] | לעולם אמ [זכרון], העולם דל, עולם בטכ | לעולם] ל' [זכרון] | היתה קנאה] היה הנאה ד | קנאה] הקנאה כ, קנאתו [רא"ם] | אלא] אילו ל, ל' א — 5 לדברים אמכ [רא"ם, זכרון], לדבר טלד, ל' ב | שאין—אלהים לא ידעום] ל' טי | שאין] שהן אין ב | לשדים] כשדים כ [רא"ם, זכרון] — 6 נכנס] להכנס כ | באדם אמהטיכ [רא"ם, זכרון], לאדם בלד | וכופה בטילדכ [רא"ם, זכרון], וכוסה אמ, הוא כופה ה | אותו] אותו על פניו ה | העולם] ל' ל | מכירים אמהכד, מכירות בטל — 7 שכל זמן] כיון ה, כל זמן [רא"ם] | שאחד אמהכ [רא"ם], שהיה אחד בטלד | אותו] ל' א | אומר אמטכ [רא"ם], הוא אומר ה, אמר בלד | צלם] גלילי [רא"ם] | יהודים אמה, יהודי בטלדכ [רא"ם] — 8 זה] ל' ד | וכה"א] שנ' ה | ופסיליהם—ומשומרון אמבט, ל' לד, וגו' [רא"ם] — 9 שירושלם ושומרון בטלדה [רא"ם], שמירושלם ומשומרון אמ, ירושלם ושומרון כ | מספקות] ל' כ | דפוס] טפסים ה | העולם] עולם כ — 10 שלא—בפניהם] דברים שלא עמדו עליהם שערותיהם של אבותיכם ה, ל' כ, ובה נוסף <וה"א ורוח על פני יחלוף תסמר שערת בשרי (איוב ד' ט"ו)> | ד"א—אם לאו] ל' ד | ד"א] ר' אומ' מ, ל' כ | לא שערים אבותיכם] ל' ט — 11 שלא שערום אבותיכם א, שלא שערו אבותיכם מ, לא שיערום אבותיכם בטלה, שלא שערום כ | לידע] ל' ה | אם לאו] ואם אין בהן צורך ה | ד"א—יריאים מהם] אלא מלמד שהיו מקריבין להן ואינן מרצין מידם ה | דבר אחר בטלדכ, ר' אומ' אמ — 12 תהי קורא] תיקרי ד | לא שערום אבותיכם א, לא שערום בטלדכ, ל' מ | אבותיכם] ל' טי — 13 שאעפ"י אמ, אעפ"י בטלדכ | שמזבחים אמטיכ, שמזבחים להם בטילד | ומקטרים] מקטרין ל | היו אמ, ל' בטלדב | מהם] ל' א | כענין שנאמר אמה, וכה"א בטלדכ — 14 סליק פיסקא ד, ל' אבל —

15 אמר להם—אם יולד זכר] נמצא בה אחר המאמר השני על כתוב זה, ז"א אחר המלים מרתישים כוח שלמעלה | להם] ל' מ | הוא] <לישראל> [פ"פ] | עשיתם אותי בטלדה, עשיתוני אמ | כאילו] כילו ל | אני] ל'

1 זה משכב וכו', רש"י, פ"ז: 3 יזבחו לשדים וכו' עד סוף הפיסקא, מובא בילקוט המכירי ישעיה י' י' (עמוד 76), אמנם ברא"ם ובספר הזכרון מובא עד נכנס באדם וכופה אותו — אילו וכו', פ"ז, רש"י: 5 מה דרכו של שד, השוה תו"כ אחרי פרק ט' ה"ח (פ"ד ע"א), והשוה ת"א ות"י: 6 שאין וכו', רש"י: 7 שכל זמן וכו', פ"ז, רש"י, וגם ברא"ם מובא עד באי העולם: 10 שלא עמדה וכו', רש"י: 12 אל תהי קורא וכו', עיין מה שהעיר הח' ראזענצווייג בספר תפארת ישראל לכבוד ר' ישראל לוי, ע' 250:

15 אמר להם וכו' עד שנצטער בך כענין שנאמר חיל כיולדה, מובא בספר Pugio Fidei ע' 844 וציינתי

מבקש לילד אילו הייתה חיה יושבת על המשבר לא הייתה מצטערת כענין שנאמר
°כי באו בנים עד משבר וכח אין ללדת אילו הייתה חולה ומבכירה לא הייתה מ״ב יט ג
מצטערת כענין שנאמר °כי קול כחולה שמעתי צרה כמבכירה אילו היו שנים ירמיה ד לא
במעיה לא הייתה מצטערת כענין שנאמר °ויתרוצצו הבנים בקרבה אילו היה בראשי׳ כה כב
זכר שאין דרכו לילד ומבקש לילד לא היה צער כפול ומכופל כענין שנאמר °שאלו ירמיה ל ו
נא וראו אם יולד זכר.

צור ילדך תשי, שכחתם אותי בזכות אבותיכם וכן הוא אומר °הביטו אל ישעיה נא א
צור חצבתם ואל מקבת בור נקרתם.

דבר אחר צור ילדך תשי, כל זמן שאני מבקש להיטיב לכם אתם מתישים
כח של מעלה, עמדתם על הים ואמרתם °זה אלי ואנוהו בקשתי להיטיב לכם שמות טו ב
חזרתם בכם ואמרתם °נתנה ראש ונשובה מצרים עמדתם לפני הר סיני ואמרתם במדבר יד ד
°כל אשר דבר ה׳ נעשה ונשמע בקשתי להיטיב לכם חזרתם בכם ואמרתם לעגל שמות כד ז
°אלה אלהיך ישראל הוי כל זמן שאני מבקש להטיב לכם אתם מתישים כח שם לב ד
של מעלה.

ותשכח אל מחוללך, רבי מאיר אומר אל שהחיל בך אל שנצטער בך כענין
שנאמר °חיל כיולדה רבי יהודה אומר שעשך מחילים מחילים. דבר אחר ותשכח תהלים מח ז
אל מחולליך, אל שהחיל שמו עליך מה שלא החיל על כל אומה ומלכות וכן הוא
אומר °אנכי ה׳ אלהיך אשר הוצאתיך מארץ מצרים רבי נחמיה אומר אל שמות כ ב

השנויים בסימן זה [פ״פ]: 7 שכחתם וכו׳, כלומר שכחתם אותו זכיות אבותיכם וכן פירש בעל ז״א· ורמא״ש מציע לגרס שכחתם את זכות אבותיכם, ומפרש שכחתם דרכי אבותיכם: 9 כל זמן וכו׳ עד של מעלה, מובא בפירוש ר׳ ידעיה הפניני כ״י (ע)· — אתם מתישים כח של מעלה, השוה ויקרא רבה פרשה כ״ג סימן י״ב, ופסיקתא רבתי כ״ד (קכ״ה ע״א), „התשתם כח של יוצר״; איכה רבה פ״א סימן ל״ג, „ובזמן שאין עושין רצונו של הקב״ה כביכול מתישין כח גדול של מעלן״, במדבר רבה ריש פרשה ט׳ „א״ר יצחק הנואף הזה כביכול מרשל כח השכינה״, והשוה עוד לקמן פיסקא שמ״ו על הכתוב ואגודתו על ארץ יסדה: 16 שעשך מחילים מחילים, וכן בת״י ובת״י: 17 שהחיל שמו עליך, השוה למעלה פי׳ ל״א (ע׳ 53, שורה 14)· — וכה״א וכו׳, „הז״א פירש דהביא ראיה דהקב״ה יפחיד ויחיל לעתיד את העכו״ם שהם חזקים כאילות והיינו כשישראל עושין רצונו של מקום אבל כשאין עושין רצונו הוא להיפך ע״כ והוא דחוק ונראה שבא מגליון לתוך הספר ובא בעל הגליון לומר שכבר מצינו יחולל כמו יחיל וה״נ דכוותיה ואדלעיל דר״מ קאי ואולי קטיעה היא וצ״ל ד״א מחללך מוציאך מרחם וכה״א וכו׳, וכ״ה ברש״י ע״ש״, רמא״ש:

ה — 1 מבקש] ומבקש ד | לילד] לילד ואינו יולד ה | הייתה] היה א | חייה] חַיָּה (כן נקוד במ) | מצטערת] לה כח א — 2 כי–כענין שנאמר] ל׳ ל | וכח אין ללדת] ל׳ ד | אילו אמבט, ואילו ד, אם ה | הייתה] תהא ה | ומבכירה] ומבכרת ה | לא היתה] אינה ה — 3 כענין שנאמר] ל׳ ה | היו שנים] שנים היו מ — 4 אילו היה] אם היה ה — 5 ומבקש] והוא מבקש ה | לא–צער] אין זה צער ה | צער] צערו ד | כענין] ל׳ ה — 6 נא] ל׳ מ | יולד] יולד איש ד — 7 צור אמ, ד״א צור בטלדה | שכחתם] אמר להם הקב״ה שכחתם ה | בזכות] בזכיות ה | וכה״א] שנאמר ה | הביטו–נקרתם אמ, הביטו אל צור חוצבתם הביטו אל אברהם אביכם ה, הביטו אל צור חוצבתם [<וגומ׳> ל] הביטו אל אברהם אביכם [אבינו ב] ואל שרה תחוללכם בלד — 9 כל זמן] אמר להם הקב״ה בשעה ה | לכם א מהע, אתכם בטר, ל׳ ל | מתישים] כאילו מתישים ה — 10 כח] כח גדול ה | של מעלה] שלמעלן ה | ואמרתם] אמרתם לע | בקשתי–לכם] ל׳ ד — 11 בכם אמה, ל׳ ב טלדע | עמדתם] ובקשתי להיטיב אתכם חזרתם עמדתם ד | לפני אמהבט, על לדע | ואמרתם] אמרתם ע [וכן בסמוך] — 12 בקשתי] ובקשתי ד | לעגל] ל׳ הע — 13 הוי] ל׳ ע | כל זמן] בשעה ה | אתם] כאלו ה | כח של מעלה] כח גדול של מעלן ה — 14 מעלה אמטדע, מעלן בל — 15 ותשכח–מחילים מחילים ד״א] ל׳ מ | אל שהחיל] שחל ה, שהוחיל א, שהתחיל טי | אל שנצטער] ונצטער ה — 16 יהודה] מאיר ד | שעשך א, שעשאך בטר, שעשה אותך ה, עשאך ל | מחילים] ל׳ א | מחילים מחילים] בה נוסף <שאם תעלה אחת מהן על גבי חברתה אי אפשר לך לחיות ד״א ותשכח אל מח׳ שהוא חולל כל העולם כולו בעבורך שנ׳ קול ה׳ יחולל אילות> — 17 אל] ל׳ ה | שהחיל בטל, שהיחיל אה ד, שהוחל מ | החיל לט, חיל ב, הוחיל ד, היחל ה, הוחל אם | על כל אמה, שמו על כל בטלד | ומלכות] ולשון ט, בה נוסף <ביום מתן תורה> | וכה״א] שנ׳ ה — 18 אשר–מצרים א, אשר הוצאתיך מ, ל׳ בטלדה | רבי] ד״א ותשכח אל מח׳

(תהלים כט ג-ט) עשך חולים על כל באי העולם בשעה שאי אתה עושה את התורה וכן הוא אומר °קול ה׳ על המים עד קול ה׳ יחולל אילות. דבר אחר ותשכח אל מחולליך, אל שמוחל לך על כל עוונותיך סליק פיסקא

שכ.

(יט) וירא ה׳ וינאץ, רבי יהודה אומר ממה שהנאם משלו מנאצים לפניו רבי מאיר אומר מכעס בניו ובנותיו והלא דברים קל וחומר ומה בזמן שמכעיסים קרויים בנים אילו לא היו מכעיסים על אחת כמה וכמה.

(כ) ויאמר אסתירה פני מהם, אמר הקדוש ברוך הוא הריני מסלק שכינתי מביניהם. אראה מה אחריתם, ואדע מה סופם. דבר אחר הריני מוסרם ביד ארבע מלכיות שיהו משעבדים אותם. אראה מה אחריתם, אדעה מה בסופם. כי דור תהפוכות המה, דור הפוך דור תהפוך אין כתוב כאן אלא דור תהפוכות הפכפנים הם פורנים הם. בנים לא אמון בם, בנים אתם שאין בכם אמונה, עמדתם
(שמות כד ז; תהלים פב ו) על הר סיני ואמרתם °כל אשר דבר ה׳ נעשה ונשמע, °אני אמרתי אלהים
(שמות לב ד; תהלים פב ז) אתם כיון שאמרתם לעגל °אלה אלהיך ישראל אף אני אמרתי לכם °אכן כאדם
תמותון הכנסתי אתכם אל ארץ אבותיכם ובניתם לכם בית הבחירה ואמרתי שלא

ר׳ ה | אל] ל׳ ה — 1 עשך א, שעשאך בטלר, עשאך מ, עושה אותך ה | על–העולם] ל׳ ה | העולם] עולם א | שאי] שאין ה | את התורה אמ, רצונו ה, בתורה בטלד | וכן–איילות] ל׳ ה — 2 עד אמ, וג׳ עד בל, ל׳ טד | דבר אחר בטלדה, ל׳ אמ — 3 אל שמוחל] מוחל לך שהו מוחל ה | סליק פיסקא ד, ל׳ אבל —

4 וירא] וכה״א וירא ל | ממה אמבטר, מה ל, מפני ה | שהנאם משלו] כן נראה לגרס ועיין בהערות, ובנסחאות המקובלות הגרסות: שהגאים שלו א, שנאים משלו מ, ענוגים שלו ה, שהנאים לו טיבל, שהם נאים לו דטי | לפניו] בה, נוסף <מפני שהו מאריך פנים עם הרשעים והם מרבים בחאט> | ר׳ מאיר אומר] אמ׳ ר׳ מאיר אין לך בכל מלכים שמלך שהיו ימיו קלים ומלכותו קלה כזמרי שבכל המלכים הוא אומ׳ ויתר דברי ירבעם וכל אשר עשה (ע׳ מ״א י״ד י״ט) ויתר דברי אחאב וכל אשר עשה (שם כ״ב ל״ט) ובזמרי הוא אומ׳ ויתר דברי זמרי וכל אשר עשה וקשרו אשר קשר (עיי״ש ט״ז כ׳) כל עצמו לא מלך אלא שבעת ימים בתרצה אמור מעתה ה [ועיין בהערות ר׳ דוד הופמאן במ״ת ע׳ 196] — 5 והלא–וחומר] ל׳ ה | והלא אמ, והרי בטלר | ומה] ומה אם ה | בזמן–על אחת כמה וכמה] בשעה שאין מכעיסין הן קרואין בנים ובנות אלו לא היו מכעיסין על אחת כמה וכמה ה | שמכעיסים] שמכעיסים לפניו ב — 6 קרויים] קרואים מ — 7 הריני] הרי אני א | שכינתי] את שכינתי ה — 8 מביניהם אמה, מביניכם דבט, מבניהם ל | אראה מה אחריתם] ל׳ ה | ואדע מה אמ, אדע מה בטלד, להודיע מה יהיה ה | סופם אמ, בסופם בטה, בסופהון ל, בסופיהון ד | ד״א–מלכיות שיהו] ל׳ ב | מוסרם טלדה, מוכרן אמ | ביד ארבע מלכיות] למלכיות ה — 9 שיהו–בסופם] והן מצערין אותן ומשנקין אותן להודיעם מה יהיה בסופן ה | משעבדים אותם בטלר, משתעבדים א, משועבדין מ | אראה–בסופם מ, אראה–ואראה מה סופן א, ל׳ בטלד —

10 דור הפוך–פורנים הם] אמ׳ להן הקב״ה הפכנין אתם חזרנין אתם אין בכם אמונה של כלום ד״א כי דור תה׳ המ׳ ר׳ אומ׳ דור תהפוך אין כת׳ כן אלא דור תהפוכות הפכפכנין אתם במדה שמדדתם באותה המדה אני מודד לכם שנ׳ בני אפרים נושקי רומי קשת הפכו ביום קרב (תה׳ ע״ח ט׳) מה נאמ׳ בהן (ישע׳ ס״ג י׳) ויהפך בהם לאויב ה | דור–דור תהפוכות] ל׳ ל | כתוב אמ, כתי׳ בטלד | אלא] כי אם ד — 11 פורנים בלד, חזרנים אמ, פרדנין ט | בנים אתם–אמונה] אמ׳ להם הקב״ה הפכנין אתם חזרנין אתם אין בכם אמנה של כלום ה | בכם] בהם כ — 12 על אמ, לפני בטלדכה | אני אמרתי אמ, אף אני אמרתי בטלכ, אני אמרתי לכם ד, אני אמרתי לכם אני אמרתי אלהים אתם ה — 13 כיון שאמרתם] חזרתם בכם ואמרתם ה | שאמרתם] שאמרו ד | לעגל] ל׳ ה | אף] ל׳ ה — 14 תמותון] בה, נוסף <בנים לא אמ׳ בם אמ׳ להם הקב״ה הפכנין אתם חזרנין אתם אין אתם מאמינים בדבריכם> | הכנסתי אתכם אבטלד, והכנסתי

4 שהנאם, כן נראית הגרסה הנכונה, וברוב הנסחאות נכתב ביו״ד אחר האל״ף להורות על הצר״י כמו שנמצא הרבה פעמים בספר הזה והנאם הוא בנין הפעיל משרש נאה, כלומר ממה שנתן להם יופי ונאות הם מנאצים לפניו, ואף שהשרש זה אין נמצא בבנין הפעיל במקום אחר נראה לי לקיים הגרסה המקובלת כאן, ועיין מה שהעירותי בענין זה בספר השנה להאקדמיא האמריקאית שנת 2–1931, עמ׳ 39: 5 והלא דברים ק״ו וכו׳, למעלה פי׳ צ״ו (עמוד 157, שורה 14) וציונים שם: 7 אמר הקב״ה וכו׳, פ״ז, רש״י, ת״י ות״י: 11 פורנים, פי׳ ר׳ נחום ברילל מל״י πονηροί ועיין בספר השנתי שלו שנה א׳ ע׳ 219 ושנה ח׳ עמוד 67: — בנים וכו׳ עד גלה יגלה מעל

תהיו גולים ממנו לעולם כיון שאמרתם °אין לנו חלק בדוד אף אני אמרתי ש״ב כ א
°וישראל גלה יגלה מעל אדמתו. עמוס ז יז

רבי דוסתי בן יהודה אומר אל תהי קורא לא אמון בם אלא לא אמן בם שלא היו רוצים לענות אמן אחר הנביאים בשעה שהיו מברכים אותם וכן הוא אומר °למען ירמיה יא ה הקים את השבועה אשר נשבע לאבותיכם לתת להם ארץ זבת חלב ודבש כיום הזה ולא היה בהם אחד שפתח פיו וענה אמן עד שבא ירמיה וענה אמן שנאמר °ואען ואומר אמן ה׳. שם

(כא) הם קנאוני בלא אל כעסוני בהבליהם. יש לך אדם עובד לצלם דבר הרואה אותו אבל הם עובדים לבבואה ולא לבבואה בלבד אלא להבל זה שעולה מן הקדירה כענין שנאמר כעסוני בהבליהם.

ואני אקניאם בלא עם. אל תהי קורא בלא עם אלא בלוי עם אלו הבאים מתוך האומות ומלכיות ומוציאים אותם מתוך בתיהם, דבר אחר אלו הבאים מברבריא וממרטניא ומהלכים ערומים בשוק אין לך אדם בזוי ופגום בעולם אלא המהלך ערום בשוק. בגוי נבל אכעיסם. אלו המינים וכן הוא אומר °אמר נבל בלבו אין אלהים. תהלים יד א

(כב) כי אש קדחה באפי. כשהפורענות יוצאה מלפני אין יוצאה אלא באף ומנין אף בתוך גיהנם שנאמר ותיקד עד שאול תחתית. ותאכל ארץ ויבולה,

אדמתו, מכירי תהלים פ״ב כ״ב (כ״ח ע״ב): 9 לבבואה, פ״ז, מ״ת ל״ב י״ז (ע׳ 195). ועיין חולין מ״א ע״ב, עבודה זרה מ״ז ע״א, ונרמז על מאמר זה ברמב״ם מורה נבוכים ח״ג פ׳ מ״ו: 11 בלוי עם, וכן בת״י, במ״ת גורס בבלויי עם (עיין בשנויי נסח׳) ופירש ר׳ דוד הופמאן בהערה שם „בספרי איתא כאן: אלו הבאים מבין האומות ומלכיות ומוציאים אותם מתוך בתיהם ע״כ וג״ל דצ״ל אלו הבלולים בין האומות ומלכיות וכו׳ ורמז על האמור לעיל פסוק י״ד על צד 193 הערה כ״, ושם נמצאה הברייתא „אלו הבלשיים שבללו עם המלכות״, „כנראה הם ישראלים שנשתמדו והיו מסייעים למלכות להציק את ישראל״. ולי נראה פי׳ בלוי עם, נבלי עם והם הבאים מאומות רחוקות ומוציאים את ישראל מתוך בתיהם, ובענין אל תקרי, עיין במאמרו של הח׳ ראזענצווייג בס׳ תפארת ישראל לכ׳ ר׳ ישראל לוי, ע׳ 243. — אלו הבאים וכו׳, יבמות ס״ג ע״ב, פ״ז: 15 כשהפורענות וכו׳, פ״ז:

אתכם מב, נכנסתם ה | אל ארץ–לעולם] לארץ ישראל אמרתי שאין אתם גולים ממנה לעולם בניתם בית המקדש אמרתי שאינו חרב מכם לעולם ה | ובניתם לכם מב, ובניתי לכם אבלט, ונתתי לכם ד, ובניתם כ | בית] את בית ל | ואמרתי אמ, אמרתי בטל ב, אמרתי לכם ד | שלא אמ, לא בטדב, אל ל — 1 תהיו] תהו] ט | ממנו אמבב, ממנה טלד | כיון שאמרתם] חזרתם בכם ואמרתם ה | כיון] וכיון א | אין–בדוד אמט לדב, אין אנו חלק בדוד ב, מה לנו חלק בדוד ולא נחלה בבן ישי (מ״א י״ב ט״ז) ה | אף] ואף ה | אמרתי אמ, אמרתי לכם בטלדהב — 3 ר׳ דוסתי–אומר] ד״א בנים לא אמן בם ר׳ אליעזר בנו של ר׳ יוסי הגלילי אומ׳ ה | תהי קורא] תיקרי ד | אלא לא אמן בם] ל׳ א | שלא–הנביאים] מנ׳ אתה אומ׳ שלא רצו ישראל לאמר אחר הנביאים אמן ה — 4 בשעה–שמברכים] בשמברכין ט׳ | בשעה שהיו ה, שהיו אמ, בשעה בטלד | וכה״א] שנ׳ ה | למען] ולמען א — 5 הקים] אקים א | אשר–הזה ה, אשר נשבע ה׳ לאבותינו לתת לנו ארץ זבת חלב ודבש בלטי, אשר נשבע לאבותינו לתת לנו ארץ זבת חלב ודבש ט׳, אשר נשבע ה׳ לאבותיכם לתת לנו–ודבש ד, ל׳ אמ — 6 ולא–וענה אמן] מנ׳ אתה אומ׳ שלא רצה אחד מהן לפתוח את פיו ולאמר אמן עד שפתח ירמיהו את פיו ואמ׳ אמן ה | בהם אחד אמ, אחד מהם בטלד | וענה אמ, ועונה בטלד — 8 כעסוני בהבליהם ד, ל׳ אמהבטל | יש לך–כעסוני בהבליהם] וכי יש לך עובד את הצלם אלא דבר שהו רואהו והם לא עבדו אלא את הבוביה ולא את הבוביה בלבד אלא את ההבל שהוא יוצא מקדירה שנ׳ כעסוני בהבליהם ה | עובד] העובד לטי — 10 כענין אמדב, ל׳ לט — 11 תהי קורא אמה, תיקרי טלד, תקרא ב | אל תהי קורא–בלוי עם] ל׳ א | בלא עם] כן ה | בלוי עם] בבלויי עם ה | אלו–בתיהם דבר אחר] ל׳ ה — 12 מתוך אמ, מבין בטלד | האומות] אומות ב | מתוך בתיהם] מבתיהם מ | מברבריא] מברברניא ל — 13 וממרטניא טל, וממרטניא מב, ומטונס וממורטניא ד, וממטרפיא א, ומאיטליה ה | ומהלכים אמבלט, שהן מהלכין ה, שמהלכים ד | ערומים] ערום ב | אין–בשוק] ל׳ ד, שאין לך משוקץ ומתועב ומבוזה לפני המ׳ יותר ממי שמהלך ערום בשוק ה — 14 אלו המינים] ר׳ אליעזר אומר [אלו המינים] ה | אלהים] בה, נוסף <השחיתו והת׳> — 15 כי] ואו׳ כי א | כשהפורענות] מלמד כשהפורענות ה | מלפני אמ, מלפני הקב״ה ה, מן העולם בלד, לעולם ט | אין דטי אמ, אינה בלהטי | באף] בה, נוסף <שנ׳ עלה עשן באפו (תהלים י״ח ט׳)> — 16 ומנין] מנין ד | בתוך גיהנם]

זו ארץ ישראל, ותלהט מוסדי הרים, זו ירושלם כענין שנאמר °ירושלם הרים סביב לה. דבר אחר ותאכל ארץ ויבולה, זה העולם ומלאו, ותלהט מוסדי הרים אלו ארבע מלכיות ואומר °והנה ארבע מרכבות וגו׳ סליק פיסקא

תהלים קכה ב; זכריה ו א

שכא.

(כג) אספה עלימו רעות. הריני מכנים ומביא עליהם כל הפורעניות כולם כאחת. דבר אחר הריני כונסם כולם לתוך מצודה ומביא עליהם כל פורעניות כלם כאחת. דבר אחר אסוף עלימו רעות אין כתיב כאן אלא אספה שיהו כל פורעניות כלות והם אינם כלים וכן הוא אומר חצי אכלה בם, חצי יכלו אותם אין כתיב כאן אלא חצי אכלה בם חצי כלים והם אינם כלים. דבר אחר חצי אכלה בם אלו חצי רעב וכן הוא אומר °בשלחי את חצי הרעב הרעים בהם.

יחזקאל ה טז

(כד) מזי רעב ולחומי רשף, שיהיו מוזאים ברעב ומושלכים בחוצות וכן הוא אומר °והעם אשר המה נבאים להם יהיו מושלכים בחוצות ירושלם.

ירמיה יד טז

וקטב מרירי, לפי דרכך אתה למד שכל מי שהשד בו הוא מיריר.

ושן בהמות, אל תהי קורא ושן בהמות אשלח בם, אלא ושן בהמות

בגיהנם ל | ותיקד] ותוקד ל — 1 כענין] ל׳ ה — 2 לה] בד׳ נוסף <וה׳ סביב לעמו> | זה העולם ומלאו אמ, זה העולם בטלד, אלו האומות ה — 3 ואומר—מרכבות וגו׳ אמ, שנאמר ואשא עיני והנה ארבע מלכיות יוצאות מבין שני ההרים וההרים הרי נחשת ד, שנאמר ואשא עיני והנה ארבע מרכבות יוצאות ארבע מלכיות יוצאות מבין שני ההרים וההרים ד׳הרי נחשת ט׳, שנאמר ואשא עיני ואראה והנה ארבע מרכבות יוצאות מבין—נחשת ט׳, ואשא עיני ואראה ארבע מרכבות יוצאות ארבע מלכיות יוצאות מבין—נחשת ב, ואשא עיני והנה ארבע מלכיות יוצאין מן שני ההרים וההרים הרי נחשה ל, שנאמר ואשא עיני והנה ארבע מרכבות יוצאות מבין שני ההרים וההרים הרי נחשת ד, שנ׳ ואשוב ואשא עיני ואראה והנה ארבע מרכבות ה | סליק פיסקא ד, ל׳ אבל —

4 הריני] אמר הקב״ה הריני ה, חרים ל | מכניס א מטלד, מכנס ה, נכנס ב | ומביא] ל׳ ה | עליהם] עלימו ב, ל׳ ה | כל—כאחת] כל פורעניות שבעולם ומביאן עליהם בת אחת ה | הפורעניות מל, פורעניות אב, הפורענות ט ד — 5 כאחת בטלד, כאחד אמ | דבר אחר—כלם כאחת] ל׳ בטלד | דבר אחר אמ, דבר אחר אס׳ על׳ אמ׳ הקב״ה ה | כונסם אמ, מכנסן ה | כולם מ, כאלו א, ל׳ ה | לתוך מצודה מ, מצודה לתוך מצודה א, במצודה ה — 6 אסוף] אוסיף ה | עלימו] עליכם מ | כתיב טילד, כת׳ הטיב, כתי׳ אם | כאן] ל׳ ה | אספה] בה, נוסף <הרי זו מדת רחמים כלפי ישראל> | שיהו כל] ל׳ ה | פורעניות אמה, הפורעניות טלד, פורענות ב — 7 כלות] כלות כאחד מ | והם אינם כלים] והגוף קיים ה | והם אינם] ואין הם מ | וכן הוא אומר] ל׳ ה | חצי בטלדה, חצצין חצי אמ ובא נמשך קו תוך המלה חצצין לומר שיש למוחקה] | יכלו] מכלין ה | כתיב טילד, כת׳ הטיב, כתי׳ אמ — 8 חצי—אינם כלים] פורעניות כלות והגוף קיים ה | חצי אמל, שיהו חצי דטב — 9 אלו] הרי אלו ה, ל׳ ט׳ | רעב אמהטד, הרעב בל | בהם אלד, בכם מבה, ל׳ ט — 10 מוזאים אט, מואזים מ, מאזין ב, מוזרים ה, מוכאבין ל, מאווים ד, מאוסים ז | בחוצות] באשפות מפני החרב הדבר והרעב ה | וכה״א] כענין שנאמר ה — 11 והעם] העם ט | אשר בטלדה, ל׳ אמ | להם אמ, לכם בטלדה | ירושלם בטלד, ירושלם מפני הרעב והחר׳ ה, ל׳ אמ — 12 דרכך אתה למד בטל, דרכנו אתה למד ד, הדבר אתה למד אמ, דרכנו למדנו ה | שהשד בלר, שהשיד ה, שהשוד אמ, שהשם ט׳, שחש ט׳ | בו] נכנס בו ה | הוא מיריר ה, מוריד אמ, מורר בל, מורד טז, מודד ד, מוריד ס — 13 אל תהי—אלא ושן בהמות אשלח בם] ל׳ ה | תהי קורא אמ, תקרי בטלד | ושן—בם] ל׳ מ | אשלח

4 הריני מכניס וכו׳, פ״ז: 8 חצי כלים וכו׳, למעלה פיסקא מ״ג (עמוד 99, שורה 4), סוטה ט׳ ע״א, רש״י: 10 שיהיו וכו׳, פ״ז: 12 לפי דרכך וכו׳, רש״י, פ״ז, והשוה למעלה פיסקא שי״ח (עמוד 364, שורה 5). — מיריר, המבארים נדחקו בפתרון המלה, והמעתיקים שבשו הגרסה, ולדעתי פשוט שמריר פירושו „מוריד ריר״ והוא סימן אחד לשטות (ש״א כ״א י״ד), ונכתב מיריר בשני יודי״ן כי כן דרך הספרי בהרבה מקומות לציין על צר״י ביו״ד, ומפני זה נבוכו המעתיקים. וכבר בארתי את המאמר באופן זה לפני שנים אחדות בספר השנה של האקדימיה האמיריקאית שנה 3—1932, ע׳ 51; ואח״כ באו לידי הצלומים של פי׳ הספרי בכת״י ר׳ דוד ששון, ומצאתי סעד לדברי בפירושו, ואע״פ שגרסתו מוריד, מפ׳ „מל׳ ויורד רירו על זקנו שיוצאין מפיו רירין״: 13 אל תהי קורא וכו׳, עיין במאמרו הנזכר של ראזענצווייג, בס׳ תפארת ישראל לר׳ ישראל לוי, ע׳ 228. — אלא ושן בהמות, צריך לנקד בְהֵמוֹת, לומר לא שיושלח בהם מגפה של בהמות רוצחות, אלא שתנתן בהם רוח של בְהֵמוֹת ויתאוו ויתחממו על כל עבירות, ועיין מאמרו של ר׳ אברהם צבי פערלס בבית תלמוד שנה א׳ ע׳ 114:

אשלח בם שיהו מתחממים ומחזרים על כל עבירות. דבר אחר שיהא אחד מהם מתחמם ומושך עצמו ומעלה נמי ומת והולך בה. דבר אחר ושן בהמות אשלח בם, שתהא בהמתו נושכתו ומעלה נמי ומת והילך בה אמרו מעשה היה שרחלים נושכים וממיתים.

עם חמת זוחלי עפר, שיהיו מוזחלין בעפר, רבי אומר אלו עכנים שאין שלטונם אלא בעפר.

(כה) מחוץ תשכל חרב, מיכן אמרו בשעת מלחמה כנס את הרגל ובשעת
רעב פזר את הרגל וכן הוא אומר °אם יצאתי השדה והנה חללי חרב ואם ירמיה יד יח
באתי העיר והנה תחלואי רעב ואומר °אשר בשדה בחרב ימות, ואשר יחזקאל ז טו
בעיר רעב ודבר יאכלנו.

ומחדרים אימה, היה רואה את החרב שהיא באה לשוק אם יכול לברוח ולהמלט ממנה אז חדרי לבו נוקפים עליו נמי ומת והולך בה.

דבר אחר מחוץ תשכל חרב על מה שעשו בחוצות ירושלם וכן הוא אומר
°כי מספר עריך היו אלהיך יהודה ומספר חוצות ירושלם שמתם ירמיה יא יג
מזבחות לבשת. ומחדרים אימה, על מה שעשו בחדרי חדרים וכן הוא אומר
°הראית בן אדם אשר זקני בית ישראל עושים בחשך איש בחדרי יחזקאל ח יב
משכיתו ואומרים אין ה׳ רואה אותנו עזב ה׳ את הארץ. גם בחור גם
בתולה, הא ותרה לאלו אלא יונק עם איש שיבה וכן הוא אומר °גם איש עם ירמיה ו יא

2 ומושך. עיין מאמרו של ר׳ אברהם צבי פערלס (בית תלמוד שם) המבאר את המאמר במושך ערלה וכן פי׳ ר׳ דוד הופמאן במ״ת: 7 מעשה היה וכו׳, השוה ירו׳ תענית פ״ג ה״ו (ס״י ע״ד) ונרמז על זה בתוס׳ ב״ק ג׳ ע״א ד״ה ושן: 5 עכנים, כמובנו הפשוט נחשים, מל׳ עכנא הנמצא הרבה פעמים בדברי רבותינו: 7 בשעת וכו׳, פ״ז, ב״ק ס׳ ע״ב, רות רבה פר׳ א׳ סי׳ ד׳: 13 על מה וכו׳, רש״י, פ״ז: 18 הא ותרה, כעין זה למעלה פי׳ א׳ (ע׳ 6, שורה 1):

בם אבל, ל׳ טד | ושן בהמות אשלח בם] כן נראה לגרס, והגרסות המקובלות הן: ושן בהמות אשלח בהם מ, ושן בחמות בהם א, ושן בהם [בחס ט׳] אשלח בם טד, ושן בהם אשר בם כל — 1 מתחממים] מהמים ה | ומחזרים אמה, ומתחזרים בטלד | על כל] אחר ה | ד״א—ומושך עצמו ומעלה נמי ומת והולך בה] נמצא בה, למטה שורה 00, עיין בשנויי נסחאות שם | אחד] כל אחד מ — 2 נמי אבלד, גמי מ, נימה א׳, נומי ט׳, נימי ט׳ [וכן בסמוך] | ד״א—ומת והולך בה] ל׳ ד — 3 ומעלה] והיא מעלת ה | ומת והולך בה] והוא מת בה ה | בה] לו א | אמרו מעשה היה א, וכבר היה מעשה ה, וכבר אמרו מעשה היה בטלד, אמרו מעשה שהיה מ | שרחלים א, שהיו רחלים ה, רחלים מ, שהרחלים בטלד — 4 נושכים] נושכות ביהודה ה, ושם נוסף עוד <ד״א ושן בהמות אשלח בם שיהא רואה החרב רודפת אחריו בשוק והוא יכול לברוח מפניה למלט את נפשו ממנה וחדרי לבו נופלים לפניו והוא מת בה ד״א ושן בהמות אשלח בם שיהא נושך את עצמו והיא מעלת נומי והוא מת בה> — 5 שיהיו מוזחלין בעפר] ל׳ ה | שיהיו] מלמד שהן א | מוזחלין] מזוחלין מ | רבי אומר אמהב, דבר אחר טד, ל׳ ל | עכנים אמ, עבינין בל, עכינין ט, עשנים ד, הכנים ה [פ״ז] — 7 חרב] בה נוסף <ומ׳ אי׳> | בשעת מלחמה] בשעת דבר ובשעת מלחמה ה | כנס] כנוס א | ובשעת אמה, בשעת בטלד — 8 רעב] הרעב א | וכה״א] שנ׳ ה | ואם—רעב בטלדה, ל׳ אם — 9 רעב] בה נוסף <חרב מבחוץ ורעב ודבר מבית> | ואומר] שנ׳ ה | ימות בטלד, ימותו ה, יפולו אם | ואשר—יאכלנו בטלד, ואשר בעיר בדבר וברעב יתמו ה, ל׳ אם — 11 ומחדרים אימה—והולך בה] ל׳ ה [ועיין שם למעלה בפסוק הקודם] | היה בטלד, הנה אם | את] ל׳ ד | אם בטלד, או אם | לברוח] ליברח א — 12 ממנה אמבל, הימינה ד, ל׳ ל | אז ד או אמל, אין ב, אומ׳ ט | נוקפים מטלד, נקספין א, נופקין ב, נקפין ם | נמי ומת מ, במאימות א, ומת בטלדם — 13 ירושלם אמה, ל׳ בטלד | וכה״א אמ, שנ׳ בטלדה — 14 ומספר חוצות—לבשת ה, ואומ׳ מספר—לבשת מ, ומספר חוצות ירושלם בט, ל׳ לד, ואומ׳ מספר—שמינם מספר לבשת א — 15 בחדרי חדרים] בחדרים ה | וכה״א] שנ׳ ה — 16 הראית בן אדם אמ, ויאמר אלי הראית כן אדם ה, ל׳ בטלד | אשר] מה ה, ל׳ א | איש—משכיתו מט, איש בחדרי משכבתו ב, ל׳ לד, איש בחדר משכיתו ה, איש בחדרי משכיתו ביביתו א — 17 ואומרים—הארץ מ, ואומר—הארץ א, ואומר עזב ה׳ את הארץ ואין ה׳ רואה דל, ואומר עזב ה׳ את הארץ אין ה׳ רואה בט, ל׳ ה — 18 הא—ימים] ל׳ מ | הא ותרה הל, הוותרה ד, היא ויתרה א, היא ותרה ב, הא ויתרא ס, ל׳ ט | לאלו אבד, בכל אלו ה, ל׳ ל, לא אלו בלבד ט | אלא] ל׳ ד | וכה״א] ואומ׳ ט׳ | גם אלדה, כי גם בט —

אשה ילכדו זקן עם מלא ימים. דבר אחר גם בחור אתם גרמתם לי לשלוח
במדבר יא כח יד בבחירי וכן הוא אומר °ויען יהושע בן נון משרת משה מבחוריו. גם
בתולה, מלמד שהיו מנוקים מן החטא כבתולה זו שלא טעמה טעם חטא מימיה. יונק,
מלמד שהיו יונקים דברי תורה כיונק זה שיונק חלב מדדי אמו. עם איש שיבה, אל
תהי קורא איש שיבה אלא איש ישיבה מלמד שכולם ראוים לישב בישיבה וכן הוא
מ״ב כד טז אומר °הכל גבורים עושי מלחמה וכי מה גבורה עושים בני אדם ההולכים
בגולה ומה מלחמה עושים בני אדם זקוקים בזיקים והנתונים בשלשלאות אלא גבורים
תהלים קג כ אלו גבורי תורה כענין שנאמר °ברכו ה׳ מלאכיו גבורי כח עושי דברו.
במדבר כא יד עושי מלחמה, שהיו נושאים ונותנים במלחמתה של תורה שנאמר °על כן יאמר
מ״ב כד טז בספר מלחמות ה׳ ואומר °והחרש והמסגר אלף חרש אחד מדבר והכל
שותקים. והמסגר, הכל יושבים לפניו ולמדים הימנו אחד פותח ואחד סוגר לקיים
ישעיה כב כב מה שנאמר °ופתח ואין סוגר וסגר ואין פותח סליק פיסקא

שכב.

(כו) אמרתי אפאיהם, אמרתי באפי איה הם. אשביתה מאנוש זכרם,
תהלים קכד א-ב אמרתי לא יהיו בעולם אבל מה אעשה להם °לולי ה׳ שהיה לנו בקום עלינו
אדם. דבר אחר אמרתי באפי איה הם אשבית מאנוש זכרם שלא יהיו בעולם
ישעיה א ט אבל מה אעשה °לולי ה׳ צבאות הותיר לנו שריד. דבר אחר אמרתי

1 ד״א גם בחור אבט. דבר אחר דל, ל׳ מ, גם בחור אמר להן הקב״ה ה — 2 יד] ידי ה | בבחירי בטלדה. בבחור א מ | וכה״א] שנ׳ ה | מבחוריו] מבחוריו וגו׳ מ — 3 מלמד שהיו] מנין שיהיו ד, אמר להם הקב״ה הייתי סבור שתהוו ה | מנוקים] נקיים ה | מן החטא] ל׳ ה | זו] זאת ד | חטא] חאט ה | מימיה אמה. ל׳ בטלד — 4 מלמד שהיו אמ, אמר להם הקב״ה הייתי סבור שתהו ה. שיהיו ד, שהיו בט ל | כיונק זה] כתינוק הזה ה | שיונק–אמו] יונק חלב מדדיה שלאמו ה | מדדי] ל׳ מ | אל–ישיבה] ל׳ א — 5 תהי קורא מבל, תיקרי דט. תקרא ה | שכולם אמה. שיהיו כולם ב טלד | לישב בישיבה] לישיבה ה — 6 הכל אמבט. כולם ה. ל׳ ל | עושי מלחמה] עושין ט | ההולכים בגולה ד, המהלכין בגולה בטל, שהולכין בגולה ה, ל׳ אמ — 7 זקוקים בטם, זקיקין ל, הזוקים ד, ההולכים בגולה והזוקקים מ, ההולכים בגולה וזקיקים א, שהולכין בגולה והן זקיקין ה | והנתונים אמ, ונתונין ה, נתונים בט, נותנין ר, ונתונים ד | גבורים ה, הכל גבורים בטלד, ל׳ אמ — 8 אלו גבורי תורה מה, גבורי תורה א, גבורי מלחמתה של תורה בטלד, במלחמתה של תורה ט׳ | כענין שנאמר אמה, וכה״א בטלד | דברו] בד נוסף <לשמוע בקול דברו> — 9 עושי מלחמה בטלה, עושים מלחמות מ, ועושין מלחמות א, עושי מלחמות ד | שנאמר אמ, כענין שנ׳ ה, וכה״א בטלד — 10 והחרש מהבטל, ואת החרש א, החרש ד | אלף] בד נוסף <הכל גבורים עושי מלחמה ויביאם מלך בבל גולה בבלה> | חרש] חורש ד, החרש ה | אחד] ל׳ ל, שאחד ה — 11 והמסגר אמלה, מסגר בט | הימינו] ממנו ה | אחד פותח ואחד סוגר בטלה, אחר שפותח אין סוגר ד, אחד פותח ואחד סוגר סוגר אחר סוגר ואחד פותח אמ — 12 כליק פיסקא ר, ל׳ אבל —

13 אמרתי] אני אמרתי ה — 14 אמרתי אמהבטז, ל׳ רד | לא] שלא ה | יהיו אמה, יהו בטלדז | לולי–משה בחירו] לולי משה בחירו ה | לולי אמ, לולי ה׳ שהיה לנו יאמר נא ישראל לולי בטלד — 15 אדם] אדם רע ד | דבר אחר–הותיר לנו שריד] ל׳ בטלד ונמצא באמה והשניים ציינתי למטה | אמרתי באפי איה הם אמ, ל׳ ה | שלא יהיו אמ, אמרתי שלא יהו ה — 16 אבל אמ, ל׳ ה | אעשה אמ, יעשה להם ה | ד״א–לפניו א, ד״א אמרתי באפי איה הם אשבית מאנוש זכרם לולי משה בחירו עמד בפרץ לפניו להשיב חמתו מהשחית מ, ד״א אשבית מ׳ זכ׳ אמרתי שלא יהו בעולם מה ייעשה להם לולי ה׳ שהיה לנו יאמר נא ישראל לולי ה׳ שהיה לנו בקום עלינו אדם ה, ד״א אמרתי אפאיהם לולא ויאמר להשמידם לולא

4 אל תהי קורא וכו׳, בענין אל תהי קורא זה ע׳ מאמרו של הח׳ ראזענצווייג בס׳ תפארת ישראל לכבוד ר׳ ישראל לוי, ע׳ 234: 6 וכי מה גבורה וכו׳, גטין פ״ח ע״א, ירושלמי נדרים פ״ו (מ׳ ע״א), שם סנהדרין פ״א (י״ט ע״א), סדר עולם רבה פ׳ כ״ה (ע׳ 112), ויקרא רבה פרשה י״א סי׳ ז׳, שהש״ר ח׳ י״א, פסוק כרם היה לידידי, תנחומא נח סי׳ ג׳, שם שמיני סי׳ ט׳, והשוה בראשית רבה פרשה מ״א סי׳ ב׳ (ע׳ 404), ובשנויי נסחאות שם, ועיין עוד בספר אגדות היהודים למורי ר׳ לוי גינזבורג ח״ו ע׳ 379, ומובא בילקוט מ״ב ר׳ ר״נ עד גבורי תורה:

13 אמרתי וכו׳, רש״י, פ״ז, רמב״ן, תרגום ירושלמי, ות״א: 14 לולי וכו׳, בברייתא זו ובאלה שאחריה דורש לולא של לולא כעס אויב אגור ברמז על פסוקים

אפאיהם לולי שנאמר °ויאמר להשמידם לולא משה בחירו עמד תהלים קו כג
בפרץ לפניו.

(כז) לולי כעס אויב אגור, מי גרם להם ליפרע מאלו כעס אומות שהיה
כנוס בתוך מעיהם. אגור אין אגור אלא כנוס שנאמר °דברי אגור בן יקה ואומר משלי ל א
°ישימות עלימו ירדו שאול חיים כי רעות במגורם בקרבם. תהלים נה טז

פן ינכרו צרימו, בשעת צרתם של ישראל אומות העולם מנכרים אותם
ועושים עצמם כאילו אין מכירים אותם מעולם וכן מצינו שבקשו לברוח כלפי צפון
לא היו מאספים אליהם אלא היו מסגירים אותם כענין שנאמר °כה אמר ה׳ על עמוס א ט
שלשה פשעי צור ועל ארבעה לא אשיבנו על הסגירם גלות שלימה
לאדום בקשו לברוח לדרום והיו מסגירים אותם שנאמר °כה אמר ה׳ על שלשה שם א ו
פשעי עזה על הגלותם גלות שלמה להסגיר לאדום בקשו לברוח למזרח
והיו מסגירים אותם שנאמר °כה אמר ה׳ על שלשה פשעי דמשק בקשו לברוח שם א ג
למערב והיו מסגירים אותם שנאמר °משא בערב ביער בערב תלינו אורחות ישעיה כא יג
דדנים בשעת טובתם של ישראל אומות העולם מכחישים להם ועושים עצמם כאילו
הם אחים וכן עשו אמר ליעקב °יש לי רב אחי יהי לך אשר לך וכן חירם אמר בראשית לג ט
לשלמה °מה הערים האלה אשר נתת לי אחי. מ״א ט יג

פן יאמרו ידינו רמה ולא ה׳ פעל כל זאת, כמו שאמרו אותם השוטים
°הלא בחזקנו לקחנו לנו קרנים. עמוס ו יג

האחרים המתחילים במלה זו: 3 מי גרם וכו׳, פ״ז, רש״י, ת״א: 6 בשעת צרתם וכו׳, פ״ז, מכירי עמוס ו׳ י״ג (ע׳ 60), והשוה ילקוט שמעוני עמוס א׳ א׳: 7 כשבקשו ישראל לברות וכו׳, פסיקתא דר״כ פסקא י״ם (אנכי אנכי הוא מנחמכם, קל״ח ע״א), איכה רבתי פרשה א׳ סי׳ נ״ו פסוק שמעה כי נאנחה, ובילקוט עמוס ר׳ תקל״ט מובא עד נתת לי אחי: 12 דמשק, סוף הכתוב דורש „על דושם בחרצות הברזל את הגלעד״: 14 בשעת טובתם וכו׳, לקמן פי׳ שנ״ו (ע׳ 000, שורה 00): 17 פן יאמרו וכו׳, במ״ת נוסף כאן „שלא יהו אומות העולם אומרים אנו עצמינו פרענו מהם״, וכעין זה גרסת פסיקתא זוטרתא „פן יאמרו אומות העולם ידינו רמה ולא ה׳ פעל כל זאת, אנחנו פרענו להם מעצמנו״:

משה בחירו ז, אמרתי אפא׳ אמרתי באפי איהם אשביתה מאנוש זכרם אמרתי לא יהיו בעולם אבל מה אעשה להן לולי ויאמר להשמידם—בחירו ב, דבר אחר [ל׳ ל] לולי [לולא ד] ויאמר להשמידם לולי [לולא ד] משה בחירו ט לד — 3 מי—מעיהם] אמר הקב״ה מי גרם לי כעסן שלאומות שהוא אגור בתוך מעיהן ה | להם] ל׳ ב | אומות מ, של אומות בטלד, אויב א — 4 בתוך אמ, לתוך ב טלד | יקה אה, יקא מבטלד — 5 ישי] ישיא ה | ירדו—בקרבם דה, ל׳ אמ, ירדו—במגורם בט, ירדו חיים שאול וגר׳ ל — 6 מנכרים] רואים ה — 7 עצמם אמהכ, אותם בטלד | אין] שאין ה | אין—מעולם] אין מנכרין אותם ומסגירין אותם כ | מעולם אמה, בעולם בטלד | וכן—להסגיר לאדום] ל׳ כ | מצינו] אתה מוצא ה | שבקשו—דדנים] בשעה שגברו אומות העולם על ישראל בקשו לברוח למערב ולא הניחו להן שנ׳ משא בערב ביער בערב תלינו בקשו לברוח לדרום ולא הניחו להן שנ׳ כה אמר ה׳ על שלשה פשעי עזה בקשו לברוח למזרח ולא הניחו להן שנ׳ כה אמר ה׳ על שלשה פשעי דמשק בקשו לברוח לצפון ולא הניחו להן שנ׳ כה אמר ה׳ על שלשה פשעי צר ה | שבקשו אמ, כשבקשו בלט, כשבקשו ישראל דמ׳ — 8 לא—אלא מ, לא היו מאספין [אי מכסין] עליהם אלא א, ל׳ בטלד — 9 ועל—לאדום אמ, ל׳ בטלד — 10 לדרום מ, בדרום א, כלפי דרום בטלד | והיו אמל, היו בטד | על—לאדום מ, ל׳ אבטלד — 11 בקשו—דמשק] ל׳ אמ | למזרח ב, כלפי מזרח בטלד — 12 דמשק] בב נוסף <בקשו לברוח לדרום ולא הניחום שנ׳ על שלשה פשעי עזה בקשו לברוח לצפון ולא הניחו אותן שנ׳ על שלשה פשעי צור> — 13 למערב אמכ, כלפי מערב בטלד | ביער—דדנים ד, ביער בערב טב, ל׳ אמלכ — 14 בשעת] ובשעת טדכ | טובתם] שמחתן ה | של ישראל] ל׳ כ | מכחישים להם אמבלט, מכחישים אותן כ, רואין אותן ה, מכחשים להם ד | עצמם אמהט׳, אותם בטלדכ — 15 אחים] אחיהן ה | וכן—לי אחי] שכן חירם אומר לשלמה מה הערים—לי אחי וכן עשו אמר ליעקב—לך ה | אמר] ל׳ מ | יש לי רב מבטלכ, ויאמר עשו יש לי רב א, ל׳ ד | אשר לך] ל׳ ב, וגר׳ כ — 17 פן—זאת אמ, ולא ה׳ פעל כל זאת ה [פ״ז], ל׳ בטלדכ | כמו מ, כשם ה, לא כמות בטלד, ל׳ א | השוטים בטלדה, השבטים אמ —

(כח) כי גוי אובד עצות המה, רבי יהודה דורשו כלפי ישראל רבי נחמיה דורשו כלפי אומות העולם רבי יהודה דורשו כלפי ישראל איבדו ישראל עצה טובה משלי ח יד שנתנה להם, ואין עצה אלא תורה שנאמר °לי עצה ותושיה, ואין בהם תבונה, אין אחד מהם שיסתכל ויאמר אמש אחד ממנו רודף מן האומות אלף ושנים יניסו רבבה ועכשיו אחד מן האומות רודף ממנו אלף ושנים יניסו רבבה. אם לא כי צורם מכרם. רבי נחמיה דורשו כלפי האומות איבדו האומות שבע מצות שנתתי להם, ואין בהם תבונה, אין אחד מהם שיסתכל ויאמר עכשיו אחד ממנו רודף מישראל אלף ושנים יניס׳ רבבה לימות המשיח אחד מישראל רודף ממנו אלף ושנים יניסו רבבה. אם לא כי צורם מכרם, מעשה בפולמוס שביהודה שרץ דיקריון אחד אחר בן ישראל בסוס להרגו ולא הגיעו עד שלא הגיעו יצא נחש ונשך לו על עקבו אמר לו לא תהיו סבורים לומר מפני שאנו גבורים נמסרו בידינו אם לא כי צורם מכרם סליק פיסקא

שכג.

(כט) לו חכמו ישכילו זאת, אילו הסתכלו ישראל בדברי תורה שנתתי להם דברים ד מד לא שלטה בהם אומה ומלכות ואין זאת אלא תורה שנאמר °וזאת התורה אשר שם משה. דבר אחר לו חכמו ישכילו זאת, אילו הסתכלו ישראל במה שאמר להם יעקב אביהם לא שלטה בהם אומה ומלכות ומה אמר להם קבלו עליכם מלכות שמים והכריעו זה את זה ביראת שמים והתנהגו זה עם זה בגמילות חסדים.

1 ר׳ נחמיה] ר׳ יהודה ור׳ נחמיה ר׳ יהודה ה | דורשו] דורשה ה – 2 דורשו] דורשה ה | אומות העולם] האומות ד | דורשו] דורשה ה – 3 להם] להם מהר סיני ה | ותושיה טלד, ותושיה א:י בינה אמ, ותושיה שניתנה להן ב | ואין בהם תבונה] ל׳ אמ – 4 אחד מהם אמבטל, בהם אחד ד, בהם דעת ה | אמש] אתמול ה | אחד] היה אחד ה | מן האומות] מאומות העולם ה | יניסו] מניסים ה | יניכו רבבה] רבבות ד – 5 ועכשיו–יניסו רבבה מ, ועכשיו–רודף מהם אלף ושנים יניסו רבבה א, אבל עכשו אינו כן אלא אחד מאומות העולם רודף ממנו אלף ושנים מניסים רבבה ה, עכשיו אחד מן האומות רודף ממנו אלף ושנים יניסו רבבה וכה״א לו חכמו ישכיל׃ זאת יבינו לאחריתם איכה ירדף אחד אלף ושנים יניסו רבבה אם לא כי צורם מכרם וה׳ הסגירם [פ״פ], ל׳ בטלד | אם לא כי צורם–ממנו אלף ושנים רבבה] ל׳ א | אם לא–סליק פיסקא] ל׳ [פ״פ] – 6 ר׳ נחמיה] רב נחמן ט׳ | דורשו] דורשה ה | האומות מהטד, אומות העולם ב, אומות ל | אי דו האומות הדט, איבדו אומות ב, שאבדו מ, ל׳ ל | שנתתי להם] שנצטוו בהן בני נח ה – 7 אחד מהם מ, בהם אחד בטלד, בהם דעת ה | שיסתכל ויאמר בטלד, מסתכל ואומר מ, להסתכל ולומר ה | עכשיו] אתמול ה | ממנו] ל׳ ד | מישראל] ממנו ד – 8 יניסו] מניסים ה | לימות המשיח] אבל למחר לימות המשיח אינו כן אלא ה | רודף] ירדף מ | יניסו אמבלט, מניסים ה, ל׳ ד – 9 מעשה בפולמוס–מכרם] נמצא בה בפסוק ל, עמוד 199, ורשמתי השנוים כאן | מעשה] ומעשה ד | ביהודה אמה, שביהודה בטלד | שרץ דקריון [דקריין] אחד בטלדמ, שרדף וקריון אחד א, שהיה דיקריון אחד רודף ה [ובכ״י ם הגרסה דקכיון] | אחר בן ישראל הדבטל, אחד מישראל אמ – 10 ולא הגיעו] ייגעו ולא הגיעו בו ה | עד שלא הגיעו] ל׳ ט | הגיעו] יגיעו בל | ונשך לו אמ, וכרך לו לדם, וכרך לאחד ט, וכרך ב, ונכרך ה | אמר לו אמ, אמר לו בבקשה ממך אמור לפלוני דבר אחר [אחד ט] בטלד, אמ׳ לו אל תהרגני עד שאומ׳ לך דבר אחד אמ׳ לו ה [ובכת״י ם הג׳ אמר לו כלו׳ הישראלי לדקכיון אמ׳ לפולפוס] – 11 תהיו אמטד, תהו הב, תהי ל | מפני] בשביל ה | שאנו] שאתם ה | גבורים] גומרים ד | נמסרו בידינו] ונמסרו בידינו אמ, ונמסרו בידינו ב טלד, אנו מסורים בידכם ה | אם לא–סליק פיסקא] ל׳ ט׳ | אם לא אמבלט׳, אלא אם לא דה | מכרם] מכרם וה׳ הסגירם ד –

12 אילו–שנתתי להם לא שלטה בהם אומה ומלכות] ל׳ [פ״פ] | הסתכלו אמה, ניסכלו ב, נסתכלו טלד | שנתתי אמה, שניתנה בטלד – 13 ואין זאת–אומה ומלכות] ל׳ בטלד ונמצא באמה [פ״פ]. בפ״ז חסר כל שאר המאמר ונשאר רק „אין זאת אלא תורה שנאמר וזאת התורה אשר שם משה לפני בני ישראל״. שאר השנויים בין הנסחאות רשמתי למטה. ובכת״י ם מובא המשפט „אלו נסכתלו במה שאמ׳ להם יעקב אביהם״ | ואין] שאין ה | אשר–ישראל] ל׳ ה [פ״פ] – 14 הסתכלו] נסתכלו ם [פ״פ] – 15 אמר אמה [פ״פ], אמרה בטלד | מלכות אמה, עול מלכות בטלד – 16 עם] את ד –

1 ר׳ יהודה וכו׳ עד והתנהגו זה עם זה בגמילות חסדים. מובא בספר Pugio Fidei עמוד 933, וציינתי השנוים בסימן זה [פ״פ]: 2 איבדו ישראל וכו׳. ת״י, פ״ז: 9 בפולמוס שביהודה, זו מלחמת בן כוזיבא. ופולמוס היא כידוע מלה יונית πόλεμος מלחמה. – דיקריון, שר עשרה פרשים מל״ר Decurio.
13 ואין זאת וכו׳, עבודה זרה ב׳ ע״ב: 15 קבלו

(ל) איכה ירדוף אחד אלף, אם לא עשיתם את התורה היאך אני עושה הבטחתכם שהייתם מבקשים שאחד מכם ירדף אלף מן האומות ושנים יניסו רבבה ועכשיו אחד מן האומות רודף אלף מכם ושנים מהם יניסו רבבה.

אם לא כי צורם מכרם וה׳ הסגירם, איני מסגיר אתכם על ידי עצמי אלא על ידי אחרים וכבר היה מעשה שהזבובים מסרו אותם ביהודה, רבי חנינה איש טיבעין אומר משל לאחד שאמר לחבירו עבד קירי אני מוכר לך אבל אני איני כן אלא מוכר אני ומסגיר אני מיד [דבר אחר וה׳ הסגירם אני מוסר] אתכם כטמאים ביד טהורים או [אינו] אלא כטהורים ביד טמאים הא אין מסגירים אלא טמא שנאמר °והסגיר הכהן את הנגע שבעת ימים. ויקרא יג ד

(לא) כי לא כצורנו צורם, לא כתוקף שאתה ניתן לנו אתה נותן להם שכשאתה נותן לנו את התוקף אנו מתנהגים עמהם במדת רחמים וכשאתה נותן להם את התוקף הם מתנהגים עמנו במדת אכזריות הורגים ממנו ושורפים ממנו וצולבים ממנו. ואויבנו פלילים, כתבת בתורה שאויב לא דן ולא מעיד °והוא לא אויב לו יעידנו (במדבר לה כג) °ולא מבקש רעתו ידיננו (שם) ואתה מניתה עלינו אויבים עדים ודיינים.

(לב) כי מגפן סדום גפנם, רבי יהודה דורשו כלפי ישראל רבי נחמיה

עליכם וכו׳, עיין אלבוגען, Die Religionsanschauungen der Pharisäer ע׳ 28: 6 אבל אני וכו׳, נסחתי על פי פירושו של ר׳ דוד הופמאן במדרש תנאים עמוד 199 הערה ג׳, וז״ל „עבד קירי אני מוכר לך פי׳ קירי ל״י καιρός מועד קבוע ומדובר והנה המוכר עבד אינו מסגירו לקונה מיד אלא מוסרו במועד קבוע ומדובר בשעת המכירה אבל הקב״ה אמר אני מוכרני מיד ומסגירני מיד ומ״ש בספרי אח״כ כטמאים ביד טהורים הוא דרש אחר שדרש לשון הסגר״: ור׳ יוסף פערלעס במאנאטשריפט שנה ל״ז ע׳ 376, גורס עבד סקירי, עבד הנגנב ע״י סקריקון ומוכרים אותו בחשאי ואין נראה, ועיין בשנויי נסחאות: 7 ד״א וכו׳, החסרון ניכר, והשלמתי על פי הענין, ודרשה זו אינה תלויה במשל הבא לפניה: 10 לא כתוקף וכו׳, פ״ז: 13 והוא לא אויב וכו׳, סנהדרין כ״ט ע״א, השוה ספרי זוטא ל״ה כ״ג (ע׳ 334): 14 ואתה מניתה עלינו אויבים וכו׳, וכן בת״א ות״י ותרגום ירושלמי, רש״י: 15 ר׳ יהודה וכו׳,

1 אם—הבטחתכם] אמ׳ להן הקב״ה אלו קיימתם את התורה הייתי עושה לכם הבטחתי ה — 2 הבטחתכם אמבט, הבטחתם לד | שהייתם—מכם] והייתם אומ׳ הרי אחד ממנו ה | שהייתם אמ, הייתם בטלד | שאחד אמ, שיהא אחד בטלד | ירדף אמ, רודף בטלדה | אלף מן האומות אמ, מן האומות אלף ה, אלף בטלד | ושנים] או שנים ל | יניסו] מניסים ה — 3 ועכשיו—יניסו רבבה] ל׳ ט | ועכשיו אמ, אבל עכשיו אינו כן אלא ה, עכשיו בלד | מן האומות] מאומות העולם | אלף מכם אמ. מכם אלף הבל, אלף ד | מהם אמ, ל׳ ב טלדה | יניסו] מניסים ה | רבבה] רבבה מכם א — 4 איני—אחרים] אמ׳ להן הקב״ה לא תהו סבורים שאני מוסר אתכם ביד שונאיכם ביד ערילים ביד טמאים אלא אני עצמי מוסר ומסגיר ה — 5 מסרו אותם] מוסרים ה | ר׳ חנינה—שבעת ימים] ל׳ מ | ר׳ חנינה איש טבעין אל, ר׳ חנגיה איש טבעין בט, ר׳ יהודה איש טבעים ד, ר׳ חנינה בן גמליאל ה, ר׳ חנניא איש טבעים ז — 6 אומר משל] משלו משל למה הדבר דומה א | לאחד] אדם ה | שאמר] אומ׳ ה | קירי לד, קרי אבט, בעל קרי ה | אבל—ומסגיר אני מיד] ל׳ ה | כן] עושה כן ש [במלה זו מתחיל הקטע ש] | אלא מוכר אני ומסגיר אני מיד] כן נראה לגרס על פי הענין, והגרסות המקובלות הן: מוכר אני מיד ומסגירני מיד א, מוכר אני מיד ומסגיר אני מיד בטל, מוכרני מיד ומסגירני מיד ד — 7 מיד] אתכם מיד ש | ד״א—אני מוסר] המוסגר חסר בכל הנסחאות והשלמתי על פי הענין | אתכם—טהורים בטלד, כטמאים ביד טהורים ש, ל׳ א. שלא תהו סבורים שאני מוסר אתכם כטהורים ביד טמאים אלא כטמאים ביד טהורים ה — 8 או—ביד טמאים א, ל׳ בטלדשה | אינו] כן נראה להוסיף על פי הענין וחסר בכל הנסחאות | הא אין א, מנין שאין ש, ומנין שאין בטלדה | מסגירים] מסגיר ש | טמא אהבטל, טמאים ד, כטמאים ש — 9 שבעת ימים א, טמא הוא ה, שבעת ימים שנית בלד, וג׳ ש, ל׳ ט — 10 אתה נותן להם—וכשאתה נותן להם] ל׳ ש — 11 שכשאתה—במדת רחמים אמ, שאם הבאת עלינו תוקף אנו נוהגים עמהם במדת רחמים ה, ל׳ טלד, כשאתה נותן לנו את התוקף ב | אנו מתנהגים—הם] ל׳ ב | וכשאתה אמ, וכשאת ה, כשאתה בטלד — 12 התוקף] תוקף ט׳ | הם מתנהגים] מתנהגין הן ש | ושורפים אמדש, וצולבים בטלה | וצולבים אמדש, ושורפים בטלה — 13 כתבת בתורה מ, כתוב בתורה א, הכתבת לנו בתורה ש, כתבת בלט, כתבת לנו ד, אמ׳ ישראל לפני הקב״ה רבון העולמים הכתבתה בתורה ה | שאויב אבטלד, שהאויב ש, שלא יהא אויב ה, אויב מ | והוא אמבטל, שנאמר והוא דשה — 14 יעידנו—ידיננו] ל׳ ה | ואתה אמשהר, אתה בטל | מניתה אמבטלד, ממנה ש, העמדת ה | אויבים] אויבינו ב — 15 ר׳ יהודה] ר׳ יהודה ור׳ נחמיה ר׳ יהודה ה | דורשו] דורשה [וכן בסמוך] | ר׳ נחמיה] רב נחמן ט׳ —

דורשו כלפי אומות העולם רבי יהודה אומר וכי מגפן סדום אתם או ממטעתה של ירמיה ב כא עמורה אתם והלא אי אתם אלא ממטע קדש שנאמר °ואנכי נטעתיך שורק כולו זרע אמת. ענבימו ענבי רוש, בניו של אדם הראשון אתם שקנסתי עליו מיתה ועל תולדותיו הבאים אחריו עד סוף כל הדורות. אשכלות מרורות למו, מיכה ז א הגדולים שבכם מרתם פרושה בהם כאשכול ואין אשכול אלא גדול שנאמר °אין אשכול לאכול בכורה אותה נפשי.

(לג) חמת תנינים יינם, החסידים ויראי שמים שבכם חמתם כתנינים. וראש פתנים אכזר, שיהו ראשים שבכם כפתן זה שהוא אכזרי. דבר אחר חמת תנינים יינם, שהמתונים ויראי חטא שבכם חמתם כתנינים. וראש פתנים אכזר, ראשים שבכם כפתן זה שהוא אכזרי. רבי נחמיה דורשו כלפי אומות העולם ודיי מגפן של סדום אתם וממטעתה של עמורה אתם תלמידיו של נחש הקדמוני אתם שהטעה את אדם וחוה. אשכלות מרורות למו, שהגדולים שבכם מרתם פרושה בהם כנחש, שם אשכלות מרורות למו ואין אשכול אלא גדול שנאמר °אין אשכול לאכול סליק פיסקא

שכד.

(לד) הלא הוא כמוס עמדי, רבי אליעזר בנו של רבי יוסי הגלילי אומר תהלים עה ט כוס שהיה כמוס ומחוכר יכול דיהה תלמוד לומר °חמר יכול שאין בו אלא חציו תלמוד

1 אומות העולם אמבטל, האומות דהש | אומר אמטל ד, דורשה כלפי ישראל כי מגפן סדום גפנם ה, דורשו כלפי ישראל אומר ב | מגפן אמ, מגפנה של בטלדשה | אתם] גפנם ר"ל אתם מ, ל' ש | ממטעתה אמה, ממטעה בטלשר – 2 אתם אבטשר, ל' מהל | אי] אין הש | אלא] ל' א | קדש בטדמאש, אמת ה, ל' ל – 3 כולו–אמת] ל' ה | כולו מבלטי, כולה ר, כלו אטיש | הראשון אמדט, ל' הבל | שקנסתי–הבאים אחריו] שלא נצטווה אל"א על מצוה אחת בל"א תעשה ועבר עליה ראה כמה מיתות נקנסו לו ולדורותיו ולדורות ה | שקנסתי עליו אמ, שקנס עליכם בטלד – 4 ועל] על ש | תולדותיו אמ, כל תולדותיו בטלדש – 5 הגדולים אמ, שהגדולים בטלדש, אמר להן הקב"ה הגדולים ה | שבכם] שבהם א | מרתם אמ טילד, מדתן ב, מרירתן ה, מררתך טי | פרוסה–כאשכול] כנוסה בתוך מעיהם כנחש ה | בהם] בכם ד | ואין אמדש, אין בלט, ומנין שאין ה – 6 בכורה אותה נפשי אמדש, ל' הבט, בכורה ל [באם נמצא כאן מאמר ר' נחמיה המובא למטה שורה 10] – 7 החסידים אמ, שהחסידים בטלדש, הכשרים ה | ויראי שמים אמ, ותלמידי חכמים ה, והכשרים בטלד ש | כתניגים] קשה כתנין ה – 8 שיהו ראשים אמ, הראשים ה, אלא שהראשים טי, אלא הראשונים לד, אלא הראשונים טי, וראשים ש, אלו שהראשים ב, אלו הראשים ז | כפתן זה] ל' ש | זה אמ, הזה בטלדש | שהוא אכזרי א, שהוא אכזר מ, אכזרי בטלדה, אכזרים ש | ד"א–כפתן זה שהוא אכזרי] נמצא בה בסוף מאמר ר' נחמיה, ורשמתי השנויים כאן | ד"א] ל' ה – 9 שהמתונים אמ, אמ' להן המתונים ה, המתונים בטלדש | ויראי חטא אמ, יראי חט בטדש, יראי חטא ל, ויראי חאט ה | כתנינים] קשה כתנין ה – 10 שבכם–שהטעה את] המלים האלו אי אפשר לקרותן בקטע מפני קלקולו | ראשים אמ, הראשים ה, הראשונים בל, ראשונים ט, אלא שהראשונים ד | זה אמ, הזה בטלדה | שהוא אכזרי אמ, אכזרי ה, ל' בטלד | דורשו בטלד, דורשה ה, היה דורשו מ, היה דורש א | אומות העולם אמל, האומות בטדה | ודיי אמ, בודאי דט, כי מג' סד' גפ' אמר להם הקב"ה ודאי ה, אמ' בודאי ל, אומ' בודאי ב | מגפן אמ. מגפנם של הב, מגפנה של לט, מגפו של ד – 11 וממטעתה מה, וממטעה בטלד, וממעטה א | אתם] ל' ה | תלמידיו] ענבימו ענ' רוש אמ' להן תלמידיו ה | הקדמוני] ל' ה – 12 וחוה אמבט, וחוה והוציא אותן מגן עדן ובלבל כל העולם כולו ה, ואת חוה לד | שהגדולים–כנחש] ל' ל | שהגדולים אמבטד. אמ' להן הגדולים ה | מרתם אד, מרתו בט', מרתך טי, מררתם מ, מרירתן ה | פרושה בטד, פקורה [אולי צ"ל פקודה] אמ, כנוסה ה | בהם] בתוך מעיהן ה – 13 אשכלות–למו אמבט, ל' דה | ואין] ומנין שאין ה, אין מ | סליק פיסקא ד, ל' אבל פי' ש –

14 אליעזר] אלעזר מ | הגלילי] ל' ה | אומר] בה נוסף <מג' אתה אומ' הלשון הזה לשון נוטריקון הוא כוס עמוס למאוסים אלו שמאסו בדברי תורה> ה – 15 כוס–חמר] שנ' כי כוס ביד ה' יכול שוליהם ר"ל חמר ה | שהיה] שהוא

ס"ז: 3 שקנסתי וכו', השוה ספר החצוני עזרא ד' ג' ז': 5 ואין אשכול אלא גדול, השוה משנה סוף סוטה „משמת יוסי בן יועזר איש צרדה ויוסי בן יוחנן איש ירושלם בטלו אשכולות", ועיין עוד חולין צ"ב ע"א, „אשכולות אלו ת"ח":

14 ר"א וכו' עד כך כשתפסק הפורענות מן ישראל אין עתידה לחזור להם, מובא בילקוט תהלים ר' תתי"ג, והשוה עוד מדרש תהלים ע"ה ד' (ק"ע ע"א): 15 כוס שהיה וכו', דורש את הכתוב כי כוס ביד ה' ויין חמר מלא מסך ויגר מזה אך

לומר מלא מסך, יכול שאינו חסר אפילו טיפה אחת תלמוד לומר ויגר מזה מאותה
טיפה שתו ממנה דור המבול ודור הפלגה ואנשי סדום ופרעה וכל חילו סיסרא וכל
המונו סנחריב וכל אנפיו נבוכדנצר וכל חילו ומאותה טיפה עתידים לשתות כל באי
העולם עד סוף כל הדורות וכן הוא אומר °ועשה ה' צבאות לכל העמים בהר ישעיה כה ו
הזה משתה שמנים משתה שמרים יכול שמנים שיש בהם צורך ושמרים שאין
בהם צורך תלמוד לומר שמנים ממוחים שמרים מזוקקים שמנים שאין בהם
כלום אלא פקטים וכן הוא אומר °כוס זהב בבל ביד ה' משכרת כל הארץ ירמיה נא ז
מה דרכו של זהב לאחר שנשבר יש לו רפואה כך כשתפסק הפורענות מן האומות
עתידה לחזור להם וכשמגיעה אצל ישראל מהו אומר °ושתית אותה ומצית ואת יחזקאל כג לד
חרשיה תגרמי מה דרכו של חרס זה לאחר שנשבר אין לו רפואה כך כשתפסק
הפורענות מן ישראל אין עתידה לחזור להם. חתום באוצרותי, מה אוצר זה
חתום ואין מגדל פירות כך מעשיהם של רשעים אין מגדלים פירות אם אמרת כן

שמריה ימצו ישתו כל רשעי ארץ (תהלים ע"ה ט')׃ – דיהה, עיין בשנויי נסחאות, וז"ל הז"ר, הביאו רמא"ש, „נ"ל דה"ג יכול דיהה ת"ל חמר פי' יין שאינו אדום כדאיתא בנדה פ"ב דיהה הימנו טהור, וגם גי' דוחה יש לפרש נדחה ממראיתו ע"כ", והעיר רמא"ש ול"נ לפרש דוחה כמו נודף שנדחה טעמו וריחו וכ"נ ממדרש שוחר טוב (תהלים שם) ועיין בילקוט תהלים שם" אמ:ם לפי עניות דעתי אין ספק שצדק בעל ז"ר בהגהתו וסמך מצאתי לדבריו בגרסת כ"י ש דידה: 1 שאינו חסר אפילו וכו', לומר שעד ימות המשיח לא יהיה שום פורענות על האומות; ואולי יש להגיה יכול חסר אפילו טפה וכו' וסמך לגרסה זו במ"ת ששם הנוסח יכול אפילו חסר טפה: 5 משתה שמנים וכו' עד מזוקקים, מובא בילקוט ישעיה ר' רצ"ד׳ – ושמרים שאין בהם וכו', אולי צריך לומר ושמרים שיש בהם צורך: 8 מה דרכו וכו', ילקוט ירמיה ר' של"ה: 9 ושתית וכו', ילקוט יחזקאל ר' שס"ב: 11 מה אוצר זה וכו' עד סוף הפי', מובא במכירי תהלים ל"א כ"ז (ק' ע"ב), ומקצתו בפירוש רד"ק שם בשם מדרש רבה: 12 מגדלים פירות וכו', אדר"נ נו"א פ"מ

ש | דיהה] כן גורס בז"ר, ובמקורות הגרסות דידה ש, דוחה בטלד, רותח אמ | שאין בו—חציו בטלד, שאינה אלא חצי יינם אם, חציו ה | ת"ל—טיפה אחת] ל' א — 1 מסך] ל' ה | יכול—ויגר מזה] יכול אפלו חסר טיפה אחת ת"ל חתום יכול ששתו כולו ת"ל ויגר מזה הא לא שתו ממנו אלא טיפה אחת בלבד ה | שאינו מ, שאין ב טלדש | אפילו] אלא מ — 2 ממנה] ל' שטי | דור המבול מ, דור אנוש דור המבול ה, אנשי דור המבול בטלדש, ל' א | ודור אם, דור ה, ואנשי דור בטלדש | ואנשי] אנשי ה | סדום אמה, סדום ועמורה בטלדש | חילו] המונו ל — 3 המונו] רכבו ה, חילו ל | סנחריב—חילו בלטש, סנחריב—נבוכד נצר וכל המונו ה, וכל אגפיו נבוכדנצר [ונבוכד נצר א] חילו אם, נבוכדנצר וכל חילו סנחריב וכל אגפיו ד | ומאותה—כל הדורות] מאותו הטיפה הן שותין והולכין עד שיחיו המתים <ואימתי הן עתידין לשתות כולו למחר כשתבוא גאולה לישראל שנ' וכל קרני רשעים אגדע (תהלים ע"ה י"א) אם כך עשת הטיפה מה יעשה הכוס אם כך יעשה הכוס מה יעשה הדלי אם כך יעשה הדלי מה יעשו נהרות אם כך יעשו נהרות מה יעשו אוצרות שנ' הבאת אל אוצר' שלג אשר חשכתי לעת צר (איוב ל"ח כ"ב) קרב זה קרבו של פרעה שנ' ופרעה הקריב (שמות י"ד י') ומלחמה זו מלחמתו שלגוג שנ' ויצא ה' ונלחם בגוים ההם (זכריה י"ד ג')> ה | לשתות] ל' מ — 4 לכל] בהר הזה לכל מ | בהר—שמרים] ל' ה — 5 הזה אמבט, ההוא טלדש | שמרים אמטי, שמרים שמנים ממוחים מזוקקים ד, שמרים שמנים ממוחים שמרים מזוקקים ובלע המות לנצח וגו' ב, שמרים שמנים ממוחים שמרים מזוקקים ובלע המות לנצח ומחה ה' ש | שמנים—שאין בהם צורך מה, שמנים—ושמנים שאין בהם צורך א, שמרים שאין בהם צורך ושמנים [ושמרים ש] שיש בהן צורך שבטי, יכול שירים שיש בהן צורך או שמנים שיש בהן צורך ל, יכול שמרים שיש [שאין טי] בהן צורך טיטי, יכול שמנים שיש בהן צורך ד | שמנים—מזוקקים מטב, שמנים ממחים שמנים מזקקים לש אהטי — 6 שמנים—פקטים] מה שמרים אינן כלום אלא מבוקעים ה | בהם כלום אם, כלום דבר ד, בהם כלום דבר בט לש — 7 משכרת כל הארץ אם, ל' ה, ואומר כוס אחותך תשתי העמוקה והרחבה תהיה לשחוק [לצחוק ד, שחוק ל] וללעג הרבה מהכיל [בט ל' תהיה—מהכיל; בב ל' וללעג—מהכיל] בטלדש — 8 מה—לחזור להם] מה ראה למשול פורענותן שלאומות בכוס הזה שלזהב אלא מה הכוס הזהב הזה אם נשבר משבריו עושין כלום כן משהתחיל פורענתן שלאומות אינה פוסקת לעולם ה | רפואה] תקנה שטי | כשתפסק] כשתפסוק ד | הפורענות אמרש, פורענות טבל — 9 להם בטלדש, ל' א מ | וכשמגיעה א, וכשמגיע מבטל, וכשבאת ה, כשמגעת רטי | אצל ישראל] לישראל | מהו אומר] אינו כן אלא ה | ושתית—ומצית] ל' ה | אותה—חתום ואין] [ש לקוי כאן ואי אפשר לקרותו] — 10 חרשיה] חרסיה ד | תגרמי] ל' ב | מה—רפואה] מה החרס הזה אם נשבר אין לשבריו רפואה ה | מה בטלד, ל' אם | זה אם, ל' בטלד | כשתפסק] כשתפסוק ד — 11 הפורענות מטלד, פורענות אב | מן ישראל] מישראל אטי | אין] ל' ד | להם בטלד, ל' אם | אוצר זה] האוצר הזה ה — 12 חתום—פירות] מל"א אינו עושה ה | ואין] אין ב | מגדל] מקבל ש, מגדלת כ | רשעים אמהשדט, ישראל בל |

ישעיה ג יא מאבדים היו את העולם וכן הוא אומר אוי לרשע רע כי גמול ידיו יעשה לו
שם ג י אבל מעשיהם של צדיקים עושים פירות ופירי פירות וכן הוא אומר אמרו צדיק
כי טוב כי פרי מעלליהם יאכלו. דבר אחר מה אוצר זה חתום ואין חסר
כלום כך צדיקים לא נטלו כלום ממה שלהם בעולם הזה ומנין שלא נטלו צדיקים
תהלים לא כ כלום ממה שלהם בעולם הזה שנאמר מה רב טובך אשר צפנת ליראיך,
ומנין שלא נטלו רשעים כלום ממה שלהם בעולם הזה שנאמר הלא הוא כמוס
עמדי, אימתי אלו ואלו נוטלים למחר כשתבוא גאולה לישראל שנאמר לי נקם ושלם

סליק פיסקא

שכה.

(לה) לי נקם ושלם, אני נפרע מהם בעצמי לא על ידי מלאך ולא על ידי
שמות ג י, מ״ב יט לה שליח כענין שנאמר ועתה לך ואשלחך אל פרעה ואומר ויצא מלאך ה׳ ויך
במחנה אשור.

דבר אחר לי נקם ואשלם אין כתיב כאן אלא לי נקם ושלם, משלם אני שכר
ישעיה סה ו מעשיהם שעשו אבותיהם לפני בעולם הזה וכן הוא אומר לא אחשה כי אם
ירמיה טז יח שלמתי ואומר ושלמתי ראשונה משנה עונם וחטאתם.

אין מגדלים—יאכלו] אינן עושין פירות שאילו היו עושין פירות לא היה העולם יכול לעמוד בהן אבל הצדיקים מעשיהן עושין פירות ופירי פירות שנ׳ אמרו צדיק כי טוב כי פרי מעלליהם יאכלו אוי לרשע רע ד, ה | אם אמרת כן] אנו אמרינון ש — 1 היו אמ, ל׳ בטלד, הן כ — 2 עושים אמב, מגדלים בטלד | וכה״א אמד, שנ׳ שלבט, ונאמר כ — 3 כי—יאכלו בטלד, ל׳ מ, וג׳ ש, כי פרי א | ד״א] ד״א חתום באצרותי ה | זה] הזה ה | חתום] מלא | ואין] ואינו דה — 4 נטלו] אלו נטלו ה | כלום ממה שלהם] משלהם כלום ולא אלו נטלו משלהם כלום ה | ממה שלהם אמ, משלהם בטלדש | ומנין—ליריאיך] ל׳ ל | ומנין—הזה] ל׳ טש | ומנין] מנ׳ ה | צדיקים] הצדיקים ה, ל׳ א — 5 כלום ממה שלהם] משלהם כלום ד, ממה שלהם מ, ממעשיהם א, משלהם בר | בעולם הזה ל׳ א; בב נוסף <ורשעים לא נטלו כלום משלהן בעולם הזה> | שנאמר—בעולם הזה] ל׳ מ | אשר צפנת ליריאיך] ל׳ ה, וג׳ ש — 6 שלא נטלו רשעים] ורשעים לא נטלו ל | רשעים] הרשעים ה, ל׳ אש | כלום ממה שלהם]: [כן נראה לגרס על פי המובא למעלה, והגרסות המקובלות הן: כלום משלהם בטלד, משלהם כלום ה, כלום רשעים משלהם א — 7 עמדי] עמדי חתום באוצרותי ד | נוטלים] עומדין ליטול את שכרן ה | גאולה] הגאולה טש | לישראל אמה, ל׳ בטלדש | שנאמר] לכך נאמר ה — 8 סליק פיסקא ד, ל׳ אבלש —

9 לי נקם ושלם טדה, ל׳ אמבלש | אני] אמ׳ הקב״ה אני ה | נפרע—בעצמי מ, [מוכן אין] ליפרע מהן בעצמי א, בעצמי פורע מהם ואיני פורע מהם ד, בעצמי פורע מהם איני פורע מהם לט, מעצמי פורע מהם ואיני פורע מהם ש, עצמי פורע מהן ה, בעצמי פורע מהן איני מהן ב | לא על ידי מלאך ולא על ידי שליח אמדבלט, איני מוסרן לא בידי מלאך ולא בידי שליח ה, לא על ידי מלאך ולא על ידי שרף ולא על ידי השליח ש — 10 כענין שנ׳] לא כשם שנ׳ ה | לך אמה, לכה בטלדש | פרעה] בה נוסף <ולא כשם שנ׳ בסיסרא מן השמים נלחמו (שופטים ה׳ כ׳)> | ואומר] ולא כשם שנ׳ בסנחריב ה | ויך במחנה אשור] ל׳ ה, ושם נוסף <אלא אני בעצמי פורע מהן איני מוסרן לא בידי מלאך ולא בידי שליח> — 12 דבר אחר אמה, ל׳ בטלדש | אין—ושלם] ל׳ ש | כתיב מבלדש, כת׳ הטי, כת׳ בטי | משלם—אבותיהם] אמ׳ הקב״ה כבר שילמתי לאומ׳ העולם שכר מצוה קלה שעשו ה | מעשיהם שעשו אבותיהם בטל, שכר מעשיהם—אבותיהם מ, להם שכר מעשיכם כה עשו אבותיהם א, מעשים שעשו אבותיהם ד, ממעשים שעשו אבותי ש — 13 וכה״א א מ, ואומר בלד, שנאמר טה, ל׳ ש | לא—שלמתי אמ, לא—שלמתי ושלמתי אל חיקם בטדש, ולא—שלמתי אל חיקם ל, הנה כתובה לפני ומדותי פעולם ראשונה ה — 14 ואומר] ל׳ הש | עונם וחטאתם ד, עונם וחטאתם וג׳ ש, וג׳ מ, ל׳ א, עונם וחטאתם על חללו את ארצי בט, עונם וחטאתם על חללם את אדמתם ל —

(ס׳ ע״ב), תוספתא פאה פ״א ה״ג (עמוד 18), ירושלמי שם פ״א ה״א (ט״ז ע״ב), בבלי קדושין מ׳ ע״א, והשוה גם בראשית רבא ל״ג א׳ (עמוד 300): 4 כך צדיקים וכו׳, ספר חסידים סי׳ תר״ד, הוצ׳ וויסטינעצקי—פריימאנן סי׳ ל׳ (ע׳ 28), ועיין עוד בהצופה שנה ה׳ ע׳ 189, ועיין פ״ז: 6 ומנין שלא נטלו וכו׳, השוה למעלה פי׳ ש״ז (ע׳ 345, שורה 7): 7 למחר כשתבא גאולה, עיין בתרגומים:

10 כענין שנאמר תרמסנה וכו׳, כלומר שדריסת הרגל כנוי אל ההצלחה ומוט הרגל כנוי אל ההשפלה,

לעת תמוט רגלם, כענין שנאמר °תרמסנה רגל רגלי עני פעמי דלים. ישעיה כו ו

כי קרוב יום אידם, אמר רבי יוסי אם מי שנאמר בהם כי קרוב יום אידם, הרי פורעניות ממשמשות ובאות מי שנאמר בהם °ומרוב ימים יפקדו על אחת כמה וכמה. שם כד כב

וחש עתידות למו, כשהקדוש ברוך הוא מביא פורענות על האומות מרעיש עליהם את העולם וכן הוא אומר °יעופו כנשר חש לאכול ואומר °האומרים ימהר יחישה מעשהו למען נראה ותקרב ותבואה וכשהקדוש ברוך הוא מביא יסורים על ישראל אין מביא עליהם מיד אלא ממתין הא כיצד מוסרם לארבע מלכיות שיהו משתעבדים בהם וכן הוא אומר °אל תירא כי אתך אני נאם ה׳ להושיעך סליק פיסקא (חבקוק א ח; ישעיה ה יט; ירמיה א ח)

שכו.

(לו) כי ידין ה׳ עמו, כשהקדוש ברוך הוא דן את האומות שמחה היא לפניו שנאמר כי ידין ה׳ עמו, וכשהקדוש ברוך הוא דן את ישראל כביכול תהות היא לפניו שנאמר ועל עבדיו יתנחם ואין נחמה אלא תהות שנאמר °כי נחמתי כי עשיתים ואומר °נחמתי כי המלכתי את שאול למלך. (בראשית ו ז; ש״א טו יא)

כי יראה כי אזלת יד, כשרואה כליה שלהם על השביה שהיו כולם מהלכים דבר אחר כי יראה כשנתייאשו מן הגאילה. דבר אחר כי אזלת יד ואפס עצור ועזוב כשרואה שתכלה פרוטה מן הכים שנאמר °וככלות נפץ יד עם קדש (דניאל יב ז)

רמא״ש: 2 אמר ר׳ יוסי וכו׳, השוה למעלה סוף פי׳ מ״ג (ע׳ 102, שורה 1) כעין זה בשם רשב״י: 5 כשהקב״ה וכו׳ עד סוף הפיסקא, מובא במכירי ישעיה ה׳ י״ט (ע׳ 46): 11 שמחה היא לפניו, השוה ספרי במדבר פי׳ קי״ז (ע׳ 134, שורה 15): 12 תהות היא לפניו, וכן בת״י „ועל בשתא יגזר על עבדוי יהא תהן קדמוי״: 15 כשרואה וכו׳, פ״ז – על השביה, פי׳ מן השביה, ואולי צריך להגיה כן: 16 כשנתייאשו מן הגאולה, פ״ז. סנהדרין צ״ז ע״א: 17 שתכלה פרוטה מן הכים, שם:

1 כענין] כמי ה | רגלי–דלים אמדש, ל׳ הבלט – 2 אם] את ל, ומה אם ש. מה אם ה | מי אהטלדש, מה מ, ל׳ ב | שנ׳ אמהטדש, שאמ׳ בל – 3 הרי פורעניות אש לטיד. היו פורעניות מ, הרי פורענות טב׳. הרי הן ה | ממשמשות ובאות אמטילד, ממשמשין ובאין ה, ממשות ובאות ש, ממשמשת ובאות ב, משמשות ובאות ט׳ | ומרוב] מרוב דם – 5 כשהקב״ה אמש, מלמד כשהקב״ה ה, כשהמקום בטלדכ | מביא אמהדשכ. מביא עליהן בל ט | פורענות] פורעניות ד | האומות] אומות העולם הכ | מרעיש–העולם] מביאה עלידם בת אחת ה – 6 עליהם–לארבע מלכיות] ל׳ ש | וכה״א אמכ. שנ׳ הדבלט – 7 יחישה] ויחישה ד | וכשהקב״ה א, וכשהמקום מרטיבלכ, וכשק׳ ט׳, אבל כשהוא ה – 8 יסורים] פורענות ט | אין–ממתין א, אין מביא עליהן אלא ממתין מ, אינו מביאה אלא במותן ה, אין ממתין להם טב, אין ממיתין להם דל, אין מביא אלא ממתין כ | הא כיצד–להושיעך] שנ׳ ואתה אל תירא עבדי יעקב מלמד שהוא מוסרן למלכיות והן מצערין אותן ומשנקין אותן להודיען מה יהיה בסופן שנ׳ ויסרתיך למשפט ה | כיצד] כאיזה צד ד | לארבע] ביד ארבע מ – 9 שיהו משתעבדים] שישתעבדו כ | משתעבדים אמ, משועבדים לד, משעבדין בט | נאם ה׳ אמ ונבא נמשך קו תוך המלה נאם, ועגול סביב ה׳] – 10 להושיעך אמד, להושיעך ולהצילך בטל | סליק פיסקא ד, ל׳ אבל –

11 כשהקב״ה–לפניו] מלמד שהיא שמחה לפני המקום כשהוא דן את האומות ה | כשהקב״ה מט׳, וכשהקב״ה א, כשהק׳ ט׳, כשהמקום בלדש | לפניו] לפניו בשמחה ב – 12 שנאמר–עמו] ל׳ ה | כי ידין–שנאמר] ל׳ אם | וכשהקב״ה] כן נראית הגירסה בהתאם אל המובא למעלה בסמוך, אעפ״י שהמשפט חסר באמ, והגרסות המקובלות הן: כשהמקום בט׳, וכשהמקום דש, וכשהוא ל, כשהוא ה, וכשהק׳ ט׳ | את] ל׳ ד | כביכול] ל׳ ש | תהות היא ב, תהות הוא טש, יש תהות לד, כאלו תיהות ה – 13 נחמה אלא תהות] תהות אלא נחמה בל | נחמה] יתנחם ה | תהות] תחרות מ | שנאמר] כת׳ ב | כי עשיתים] אשר עשיתי וג׳ ש – 14 למלך] בה נוסף <מה הוא אומר וינחם ה׳ על הרעה (שמות ל״ב י״ד)> – 15 כשרואה כליה–מהלכים אם, שראה שהלכו בגולה ה, כשרואה הכל מהלכים לפניו שתכלה בגולה בטלדש – 16 כי יראה א, כי יראה וג׳ מ, כי יראה כי אזלת יד ה, ל׳ בטלדש | כשנתייאשו אמשל, שראה שנתייאשו ה, כשיתייאשו במד | ד״א–ועזוב אם, ד״א כי יראה כי אזלת יד ה, ל׳ בטלדש – 17 כשרואה שתכלה–כל אלה] שראה שכלתה פרוטה מידן

תכלינה כל אלה. דבר אחר כי יראה כי אזלת יד כשרואה שאין בהם בני
תהלים קו כג אדם שמבקשים עליהם רחמים כמשה שנאמר ויאמר להשמידם לולי משה
בחירו. דבר אחר כי יראה כשרואה שאין בהם בני אדם שמבקשים עליהם רחמים
במדבר יז יג כאהרן שנאמר ויעמד בין המתים ובין החיים ותעצר המגפה. דבר אחר
כי יראה, כשרואה שאין בהם בני אדם שמבקשים עליהם רחמים כפינחס שנאמר
תהלים קו ל ויעמד פינחס ויפלל. דבר אחר כי יראה כי אזלת יד ואפס עצור
ועזוב, אפס עצור ואפס עזוב ואין עוזר לישראל סליק פיסקא

שכו.

(לז) ואמר אי אלהימו, רבי יהודה דורשו כלפי ישראל ורבי נחמיה דורשו כלפי אומות העולם רבי יהודה אומר עתידים ישראל שאומרים להם לאומות העולם היכן הפיטקים והגמונים שלכם סליק פיסקא

שכח.

(לה) אשר חלב זבחימו יאכלו, שהיינו נותנים להם אפסניות ועושים להם דונאטיבי ומעלים להם סלניא. יקומו ויעזרוכם, יקומו ויעזרו אתכם אין כתיב כאן אלא יקומו ויעזרכם רבי נחמיה אומר זה טיטוס הרשע בן אשתו של אבפסיינוס

שלישראל שנ׳ ואשמע את האיש לבוש הבדים ה | כשרואה אמ, ל׳ בטלדש | שתכלה מ, כשתכלה אבטל ד, ל׳ ש | מן הכיס] בכיס ש | שנאמר] וכן הוא או׳ ש — 1 כי יראה—כשרואה] ל׳ ש | כשרואה—כמשה] שראה שאין להם אחד כמשה שיעמד ויתפלל עליהם ה | בני אדם אמ, אדם בטלד, ל׳ ש — 2 שמבקשים אמ, שמבקש בטלד ש | רחמים] ל׳ שב — 3 דבר אחר] ל׳ א | כשרואה מ, שאתה רואה א, כשהוא רואה דבלטש, שראה ה | בהם—כאהרן] להם אחד כאהרן שיעמד ויתפלל עליהם ה | בני אדם אמל, אדם ט, ל׳ דבש | שמבקשים—כאהרן] כן יש לגרס בהתאם אל המשפט הקודם, ואף על פי שהגרסות המקובלות שונות במשפט זה ואלו הן: שמבקש עליהם כאהרן בד, כאהרן שמבקש עליהם רחמים אמ, שמבקש עליהם רחמים כאהרן טל, שמבקש עליהם שנ׳ כאהרן ש — 4 שנאמר] ל׳ ש | ותעצר המגפה אמ, ל׳ בטלדה, וג׳ ש — 5 כשרואה—כפינחס] כן נראית הגרסה הנכונה בהתאם אל המשפטים הקודמים, ובנסחאות המקובלות נמצאות גרסות אלו: שראה שאין להם אחד כפינחס שיעמוד ויתפלל עליהם ה, וכפינחס שמבקש עליהם רחמים אמ, שאין בהם אדם שמבקש עליהם כפינחס בטד, שאין בהם בני אדם שמבקש עליהם רחמים כפינחס ל — 6 ויפלל אמבטל, ויפלל ותחשב לו לצדקה ה, ויפלל ותעצר המגפה ד | דבר אחר—שנ׳] ל׳ ש | כי—ואפס עזוב מ, ד״א—ואפס עצור ועזוב א, כי אין עוזר שנאמר ואפס עצור ועזוב ד, ל׳ בטלה — 7 ואין עוזר לישראל בטלד, ואין עצור לישראל מ, ואין עצות לישראל א, כביכול ואין עוזר וסומך לשונאיהן שלישראל ה | סליק פיסקא ד, ל׳ אבל —

8 רבי יהודה] ר׳ יהודה ור׳ נחמיה ר׳ יהודה ה | דורשו] דורשה ה [וכן בכל הענין] — 9 אומות העולם אמט²ל, האומות השד, אומות ט¹ב | אומר—שלכם] דורשה כלפי ישראל ואמ׳ אי אלהימו אשר חל׳ זב׳ יא׳ עתידין הן ישראל לאמר לאומ׳ העולם היכן האלוהות והלגיונות והקסריות שלכם ה | עתידים—שאומרים אמ, עתידין ישראל אומרים ט, ישראל שאומרים בלדש | להם] ל׳ ש | לאומות] אומות מ — 10 הפיטקים] מפקיטין ש | והגמונים] וההגמונים ש | סליק פיסקא ד, ל׳ אבל —

11 שהיינו אמ, שהיו בטלהז, שיהו ד, שהייתם ש | נותנים] מעלים ה | אפסניות] אנונה ה, אפסנונית ס | ועושים] ושוקלין ה — 12 דונאטיבי ט², דונאטובי ד, דואנטובי ב, דונא טובה ל, דיני טובי אמ, דילא טומה ה, דונא טיבא ט¹, דואנטובי ש, דינאסטיבא ס | סלניא אמטס, מלניא ל, סלמא ב, קלניא דש, סולדיא ה | אין—אשר חלבן] ל׳ ש | כתיב מבט¹לד, כת׳ ט²ה — 13 ויעזורכם ה, ויעזורוכם אמבטלד | נחמיה] נחמן ט¹ | אומר] דורשה כלפי האומות ואמ׳ אי אלהימו ד | זה אמה, ל׳ בטלד | הרשע אמה, ל׳ בטלד —

7 סליק פיסקא, לפי הענין אין כאן סילוק אבל לפי סדר הכתובים יש כאן סילוק פיסקא אע״ג דקמסיים ואזיל דברי ר׳ יהודא, רמא״ש:

10 הפיסקים, מובא לעיל ע׳ 360, שורה 3, עי״ש:

11 אפסניות, מל״י *ὀψωνία*, מס: 12 דונאטיבי, מל״ר donativa, מתנות בעבור אנשי החיל. — סלניא, לדעתי יש לקרות סלריא, והיא מל״ר salarium, שכר שנותנת המלכות, עיין במילונו של קרויס, ח״ב עמוד 397, שמביא מאדר״נ נו״ב פי״ז „שהיתה מלכות מעלה לו סלרין:״ ור׳ דוד הופמאן אחז בגרסת מ״ת סולדיא, ומפרש מל״ר solidus, והוא שם מטבע: 13 ויעזרכם, בלשון יחיד כלפי מעלה לפי דרשת ר׳ נחמיה המובאה מידי — ר׳ נחמיה וכו׳, לפי דרכו מפרש הכתוב על אומות העולם שאומרים

שנכנס לבית קדש הקדשים וגדר שתי פרכות בסייף ואמר אם אלוה הוא יבוא וימחה.
אשר חלב זבחימו יאכלו, אמר הללו משה הטעם ואמר להם בנו לכם מזבח
והעלו עליו עולות והסכו עליו נסכים כענין שנאמר °את הכבש אחד תעשה (במדבר כח ד)
בבקר ואת הכבש השני תעשה בין הערבים, יקומו ויעזרכם יהי
עליכם סתרה, על הכל הקדוש ברוך הוא מוחל על חילול השם פורע מיד

סליק פיסקא

שכט.

(לט) ראו עתה כי אני אני הוא, זו תשובה לאומרים אין רשות בשמים. האומר שתי רשויות בשמים משיבים אותו ואומרים לו והלא כבר כתוב ואין אלהים עמדי. או בענין שאין בו כח לא להמית ולא להחיות ולא להרע ולא להטיב תלמוד לומר ראו עתה כי אני אני הוא אני אמית ואחיה, ואומר °כה אמר ה׳ מלך (ישעיה מד ו) ישראל וגואלו ה׳ צבאות אני ראשון ואני אחרון ומבלעדי אין אלהים.

דבר אחר אני אמית ואחיה, זה אחד מארבע הבטחות שניתן להם רמז לתחית המתים. אני אמית ואחיה, °תמות נפשי מות ישרים, °יחי ראובן (במדבר כג י; דברים לג ו) ואל ימות, °יחיינו מיומים, שומע אני מיתה באחד וחיים באחד תלמוד לומר (הושע ו ב) מחצתי ואני ארפא, כדרך שמכה ורפואה באחד כך מיתה וחיים באחד.

כן לישראל, וזהו טיטוס הרשע שחרף וגדף כלפי מעלה – טיטוס וכו׳, עיין גטין נ״ו ע״ב, אדר״נ נו״א פ״א (ב׳ ע״ב), ובנוסח יותר קרוב אל זה של הספרי בנו״ב פ״ז (י׳ ע״ב), בראשית רבה פרשה י׳ סי׳ ז׳ (עמ׳ 82), ויקרא רבה פרשה כ׳ סי׳ ה׳, ופרשה כ״ב סי׳ ג׳. במדבר רבה פרשה י״ח סימן כ״ב. מדרש תהלים קכ״א סימן ג׳ (רנ״ג ע״ב), פסיקתא דר׳ כהנא, אחרי מות (קע״ב ע״א), פדר״א פ׳ מ״ס, תנחומא א׳ אחרי מות סי׳ ד׳, תנחומא ב׳ שם סי׳ ה׳ (ל״א ע״א): 5 על חילול השם וכו׳, השוה יומא פ״ו ע״א, ומכילתא יתרו פ״ז (ס״ט ע״א, ה—ר ע׳ 228), ובציונים שם:

8 האומר שתי רשויות וכו׳, מכילתא בשלח, מסכת שירה, פ״ד (ל״ז ע״ב, ה—ר ע׳ 130), שם יתרו מסכת בחודש פרשה ה׳ (ס״ו ע״ב. ה—ר עמוד 220): 12 שניתן להם רמז וכו׳, וכן הכתוב מבואר במכילתא בא, מסכת פסח, פרשה י״ב (י״ב ע״ב, ה—ר 40): 13 מות ישרים, וגומר ותהי אחריתי כמהו – יחי ראובן ואל ימות, ואל ימות לעולם הבא. לקמן פיס׳ שמ״ז, וסנהדרין צ״ב ע״א, מ״ת ע׳ 202, פדר״א פרק ל״ד: 14 שומע אני וכו׳, פ״ז, סנהדרין צ״א ע״ב, פסחים ס״ח ע״א, ומובא מן הספרי במכירי הושע ו׳ ב׳, ועיין עוד בקהל״ת רבה על הכתוב והארץ לעולם עומדת (א׳ ג׳) סי׳ ג׳, והשוה בראשית רבה ריש פ׳ צ״ה, עמוד 1186:

1 שנכנס אמה, נכנס בטלד | קדש מהבט, קדשי אל, קודשי ד | הקדשים–וימחה] וכו׳ ט | וגידר] וגדד ה | שתי פרכות אבל, שני פרכות מ, שתי הפרוכות ה, את הפרכות ד | בסייף] בסוף א | ואמר] הוא או׳ א, וחירף וגידף ואמ׳ ה | וימחה] ויעמד לבניו ה – 2 משה] משה רבן מ | הטעם] הטעה אותם ה | בנו] בנה ש | לכם] ל׳ הש – 3 עליו] לכם מ | והסכו–הערביים] ל׳ ה | והסכו אמבט, הסכו ל, ונסכו ד | אחד] האחד ד – 4 ואת הכבש–הערבים אמש, ל׳ בטלד – 5 על הכל] מה שצוה אותם ועל הכל ה | הקב״ה אמ, המקום ה, הוא דל, אדון ט, אדם ב | מוחל] מותר ה | פורע מבטד, הוא פורע הל, פורע להם א – 6 סליק פיסקא ד, ל׳ אבל –

7 זו אמבטש, זאת לד | לאומרים] לאומר הל | רשות] מלכות ה | בשמים] לשמים א, בה נוסף <משיבין אותו ואומרין לו ראו עתה כי אני אני הוא> – 8 שתי רשויות בשמים ט, שתי רשויות הן ה, יש רשות בשמים מ, אין רשות לשמים א, אין רשות בשמים דבלש | אותו] לו ה | ואומרים] ואומר ד | והלא כבר כתוב א, והלא כתוב מ, ל׳ בטלדש | ואין] אין ל – 9 או–ת״ל] ואומ׳ ש | כענין–כח אמ, האומ׳ יש מלכות בשמים אבל אין בו כוח ה, שמא אין יכול בלד | לא להמית ולא להחיות אמ, לא להחיות ולא להמית בטלד | ולא להרע–להטיב אמ, לא להרע–להטיב במלד, ל׳ ה | תלמוד לומר] משיבין אותו ואומ׳ לו ה – 10 ראו–אני אני הוא אמל, ראו עתה וג׳ טב, ל׳ ד | ואומר–יחיינו מיומים] ל׳ ה | ואומר–ואחיה] ל׳ ש | ואומר אמטר, ל׳ בל – 11 אני–אלהים ר, אני ראשון ואני אחרון בטל, ואומר אני ה׳ ראשון ואת אחרונים אני הוא אמ – 12 ד״א–המתים] ל׳ א | ד״א מר, ל׳ בטל | זה–הבטחות מ, זה אחד מן הכתובים ש, זה אחד ט, זה אחר ב, זה ר – 14 יחיינו] ואומ׳ יחיינו ש | שומע אני] ד״א אני אמית ואחיה שומע אני ד | שומע–מיתה וחיים באחד] ל׳ ט | שומע–מיתה באחד וחיים באחד] יכול שהוא ממית את זה ומחיה את זה ה | וחיים] והחיים ד | כדרך] אד, כשם מ, מה ה – 15 שמכה] מכה ה | ורפואה] וההורג ש | כך] אף ה –

ואין מידי מציל, אין אבות מצילים את הבנים לא אברהם מציל את ישמעאל ולא יצחק מציל את עשו אין לי אלא אבות שאין מצילים את הבנים אחים את אחים מנין תלמוד לומר °(תהלים מט ח) אח לא פדה יפדה איש לא יצחק מציל את ישמעאל ולא יעקב מציל את עשו ואפילו נותן אדם לו כל ממון שבעולם אין נותנים לו כפרו שנאמר °(שם) אח לא פדה יפדה איש ויקר פדיון נפשם יקרה היא נפש זו שכשאדם חוטא בה אין לה תשלומים סליק פיסקא

של.

(מ) כי אשא אל שמים ידי, כשברא הקדוש ברוך הוא את העולם לא בראו אלא במאמר ולא בראו אלא בשבועה ומי גרם לו לישבע מחוסרי אמנה הם גרמו לו לישבע שנאמר °(תהלים קו כו) וישא ידו להם להפיל אותם במדבר °(יחזקאל כ ה) אני נשאתי ידי אל הגוים וגו׳.

ואמרתי חי אנכי לעולם, שלא כמדת בשר ודם מדת הקדוש ברוך הוא מדת בשר ודם הפיטקי נכנס לתוך אפרכיא שלו אם יכול ליפרע מן הפיטקי שלו הוא נפרע ואם לאו אין יכול ליפרע אבל מי שאמר והיה העולם אינו כן אם אינו נפרע מן החיים נפרע מן המתים, אם אינו נפרע בעולם הזה נפרע לעולם הבא סליק פיסקא

שלא.

(מא) אם שנותי ברק חרבי, כשפורענות יוצאה מלפני קלה היא כברק אף

1 אבות] האבות ט׳ | אבות מצילים] מצילין אבות א | מציל] ל׳ ל [וכן בסמוך] – 2 עשו] עשו מידי ה | אבות–מצילים אבטלד, שאין אבות מצילים מ, האבות שאין מצילים ש, אבות ה | ולא] אין ש | אחים מדבלכ, אחיהם ה, האחים א – 3 מנין] ל׳ ל, מנין שלא יצילו כ | ת״ל–איש] ל׳ ה | לא פדה] פדה לא ד [וכן בסמוך] – 4 עשו] בה נוסף <שנ׳ אח לא פדה יפדה איש> | ואפילו–כפרו] מפני מה ה | נותן אדם אמ, נותן ש, נותנים בטלדכ | שנאמר] עד כאן נמצא בכ״י ב – 5 איש אמ, איש ולא יתן לאלהים כופרו דלט | נפשם אמה, נפשם וחי לעולם ד, וגו׳ לט | נפש זו] הנפש ט | זו] ל׳ א, בה נוסף <לכל באי העולם> | שכשאדם] שמשעה שאדם ה – 6 סליק פיסקא ד, ל׳ אל –

7 כשברא–העולם א, כשברא המקום את העולם מ, מלמד כשברא הקב״ה את עולמו ה, כשבראו הקב״ה לד, כשבראו המקום ט, כשברא הקב״ה את עולמו ט׳ – 8 אלא] כי אם ד | במאמר] בשבועה א, במאמר שנ׳ בדבר ה׳ שמים נעשו (תהלים ל״ג ו׳) ה | ולא–בשבועה] ל׳ ה | בראו אלא אמ, ל׳ טלד | בשבועה] במאמר א | לישבע] שישבע א, להשבע ה | הם גרמו לו] עושין אותו ה – 9 לישבע טלד, להשבע ה, ל׳ אמ, בה נוסף <שנ׳ כי אשא אל שמ׳ ידי ואין נשיאה אלא שבועה שנ׳> | וישא ידו] ואשא ידי ל | במדבר] במדבר ולהפיל זרעם בגוים לד | אני–וגו׳ מ, אנו נשאתי ידי אל כל הגוים לכם מסביב והמה כלימתם ישאו א, ואשא ידי לזרע בית יעקב (יחזקאל כ׳ ה׳) ה, ל׳ טלד – 11 ואמרתי] אמרתי מ | שלא כמדת בשר ודם–הקב״ה אמה, שלא כמדת הקב״ה מדת בשר ודם טלדש | מדת] ל׳ מ – 12 הפיטקי–אין יכול ליפרע] כשאדם יוצא מאפרכיה שלו אם אינו גובה אפרכיה שלו אינו נפרע לעולם ה | הפיטקי ד, קפטקי מ, הפקטי אם, היפקטי לט׳. הפיקטי ש, היפטקי ט׳ | אפרכיא אמש, הפרכיא לדם | מן הפיטקי שלו מ, מן הפקטי שלו א, מאיפקטי ש, מאיפסקי ל, מכל ד, מהיפטקי ט | הוא נפרע אמ, ל׳ טלדש – 13 ואם] אם מ | אינו נפרע] אלא אם אינו גובה ה | נפרע] גובה הוא ה – 14 בעולם הזה] מן החיים בעולם הזה א | נפרע] נפרע הוא ה | לעולם מה, בעולם מדלטש, על שילם ט׳ | סליק פיסקא ד, ל׳ אלש –

15 כשפורענות] מלמד שהפורענות ה | מלפני] מלפניו ה | היא] ל׳ ה | כברק] בה נוסף <שנ׳ אם שנותי ברק

1 ואין מידי מציל וכו׳, עד סוף הפיס׳, מובא במכירי תהלים מ״ט סי׳ י״ב (קל״ד ע״ב), פ״ז, ועיין סנהדרין ק״ד ע״א, מדרש תהלים מ״ו א׳ (קל״ו ע״ב), ובספר אגדות היהודים למורי ר׳ לוי גינצבורג ח״ה ע׳ 419, הערה 118:

7 כשברא וכו׳, פ״ז, מדרש תהלים ק״ו סי׳ ע״ו (פ״ה ע״ב), וכו׳ עד וישא ידו מובא בילקוט יחזקאל ר׳ שנ״ח:

11 שלא כמדת וכו׳, פ״ז, רש״י: 12 הפיטקי, כעין זה למעלה עמ׳ 360, שורה 3 — אפרכיא, מפורש למעלה ע׳ 43, שורה 7:

15 כשפורענות וכו׳, פ״ז, רש״י, והשוה מכילתא בשלח, מסכת שירה, פרשה ד׳ (ל״ח ע״א, ה–ר עמ׳ 131), ודברים רבה פרשה ה׳ סימן ד׳, מ״ת ל״ב מ״א (ע׳ 203);

על פי כן ותאחז במשפט ידי. אשיב נקם לצרי הרי אחד ולמשנאי אשלם
הרי שנים. דבר אחר אשיב נקם לצרי אלו כותיים שנאמר °וישמעו צרי יהודה — עזרא ד א
ובנימן. ולמשנאי אשלם, אלו המינים וכן הוא אומר °הלא משנאיך ה' — תהלים קלט כא
אשנא ובתקוממיך אתקוטט סליק פיסקא

שלב.

(מב) אשכיר חצי מדם, וכי איפשר להם לחצים שישתכרו מדם אלא הריני
משכיר את אחרים ממה שחצי עישים. וחרבי תאכל בשר, וכי איפשר לחרב
שתאכל בשר אלא הריני מאכיל אחרים ממה שחרבי עושה וכן היא אומר °ואתה
בן אדם אמור לצפור כל כנף ואומר °ואכלתם חלב לשבעה ושתיתם
דם ואומר °בשר גבורים תאכלו ואומר °ושבעתם על שלחני סוס ורכב — יחזקאל לט יז
ואומר °חרב לה' מלאה דם הודשנה מחלב מפני מה כי זבח לה' בבצרה — ישעיה לד ו
וטבח גדול בארץ אדום. מדם חלל ושביה. ממה שעשו בחללי עמי וכן הוא
אומר °מי יתן ראשי מים ועיני מקור דמעה ואבכה יומם ולילה את — ירמיה ח כג
חללי בת עמי. ושביה, ממה שעשו בשבי עמי וכן הוא אומר °והיו שובים — ישעיה יד ב
לשוביהם ורדו בנוגשיהם.

מראש פרעות אויב, כשהקדוש ברוך הוא מביא פורענות על האומות אין

ועיין עוד תנחומא משפטים כימן ה': 1 אשיב וכו' עד הרי שנים, עיין בשנויי נסחאות, שאין זה אלא הוספה המובאה מגליון אל תוך הספר: 2 הרי שנים, פי' הז"ר שהקב"ה משלם להם כפול כ כתיב ומשנה שברון שברם; רמא"ש — אלו כותיים וכו', פ"ז: 3 הלא משנאיך וכו', הכתוב הזה נדרש על המינים בשבת קט"ז ע"א. ועוד באדר"נ נו"א פרק ט"ז (ל"ב ע"ב):

5 וכי וכו', פ"ז, ומובא גם בחזקוני, ואודות קשר פסוק זה עם הכתוב ביחזקאל שם עיין במכילתא בא פרשה י"ב (י"ב ע"ב, ה—ר עמוד 40, שורה 19): 6 ממה וכו', רש"י, פ"ז, ס' הזכרון: 15 כשהקב"ה וכו', רש"י, פ"ז:

חרבי> | אעפ"י כן אמ, ואעפ"כ טד, אע"פ ש, אעפ"י ל, ואם עשו תשובה מחזירה למקומה שנ' ה — 1 ידי] בה נוסף <או שומע אני שהוא מחזירה ריקם ת"ל אש' חצי מדם ועל מי הוא מחזירה על אומות העולם שנ' אשיב נקם לצרי ולמ' אש'> | אשיב—דבר אחר] ל' אמה ד, ונמצא בטלש ונראה שנוסף מגליון ואינו מעיקר הספרי, עיין למעלה בפרשות ראה וכי תצא הרבה הוספות כעין זו (לדוגמא ע' 145, שורה 1) — 2 כותיים] הכתים ה | צרי] שרי דש — 3 ובנימן אמה, ובנימן כי בני הגולה [גולה ט'] בונים ההיכל [היכל ט'] וגר טד, ובני כי בני הגולה —ההיכל ל, ובנימן—היכל ש | וכה"א] שנאמר ה — 4 ובתקוממך אתקוטט אמה, וג' תכלית שנאה שנאתים וג' ש, תכלית שנאה שנאתים לאויבים היו לי טלד | סליק פיסקא ד, ל' אלש —

5 וכי אמה, וכי היאך טלדש | להם אמ, ל' הטלדש | שישתכרו] להשתכר ה | מדם מהל, מהם א, בדם דט | אלא] אלא אמר הקב"ה ה | הריני—אחרים ה, משכיר את אחרים אמ, הריני משמר אחרים ש, הריני משכר אחרים טם, הרי אני משכיר אחרים ל, הריני משכר לאחרים ד — 6 שחצי] שחצים מ | עושים] עושות ה | וכי אמה, וכי היאך טלדש — 7 אלא הריני אמטדש, אלא אמר הקב"ה הריני ה, אלא הרי אני ל | אחרים] את אחרים ה, לאחרים [חזקוני] | עושה] הורג [חזקוני] | וכה"א אמ, כענין שנאמר טלשר, שנ' ה | ואתה] ל' ד — 8 אמור] כה אמר ה' אמור ה | כנף אמהש, כנף ולכל עוף [העוף ל] השמים הקבצו ובאו האספו מסביב [האספו מסביב ל' טל] אל זבחי אשר אני זובח טלד | ואומר—ושתיתם דם] ל' ה | ואומר אמ, ל' טלדש | חלב] לחם ל | ושתיתם דם אמ, ושתיתם דם וג' ש, ושתיתם דם לשכרון טלד — 9 ואומר אמ, ל' טלדשה | גבורים] אכזרים מ | תאכלו אמ, תאכלו ואכלתם חלב לשבעה ה, תאכלו .דם נשיאי הארץ תשתו טל דש | ואומר—ורכב] ל' ה, וג' ש | ואומר אמ, ל' טלדשה | סוס ורכב אמ, חלב ודם טלד — 10 ואומר אמ, ל' טלדש ה | הודשנה—אדום] וירדו ראמים עמם ה | מפני מה אמ, למה טלדש — 11 וטבח—אדום אמדש, ל' לט | ממה] מה ה | בחללי—פורענות על האומות] [קטע ש נתקלקל כאן ואי אפשר לקרותו] | וכה"א] שנא ה — 12 מי—בת עמי] מדם חלל ל | ועיני—עמי] ל' ה | יומם ולילה] לילה ויומם מ — 13 ממה] מה ה | בשבי הל [זכרון], בשבויי טדש, בשביה את אמ | עמי] עמי שנ' כל שוביהם החזיקו בם (ירמיה נ' ל"ג) ה | וכן הוא] מהו ה — 14 ורדו בנוגשיהם אמ, ל' טלדשה — 15 מראש] ד"א מראש ה | כשהקב"ה וכו'] בה נמצא הדרש השני המתחיל „ד"א" קודם דרש הזה | כשהקב"ה אמה,

מביא עליהם שלהם לבדם אלא שלהם ושל אבותיהם מנמרוד ואילך, כשמביא טובות על ישראל מביא עליהם שלהם ושל אבותיהם מאברהם ואילך.

דבר אחר מראש פרעות אויב, מה ראו ליתלות בראש פרעה כל פורעניות מפני שהיה תחילה לשעבודם של ישראל סליק פיסקא

שלג.

(מג) הרנינו גוים עמו, למחר כשהקדוש ברוך הוא מביא גאולה לישראל אומות העולם מתרגזים לפניו ולא זו תחילה להם שכבר רגזו מקדם כענין שנאמר
שמות טו יד °שמעו עמים ירגזון.

דבר אחר הרנינו גוים עמו, עתידים אומות העולם להיות מקלסים לפני ישראל שנאמר הרנינו גוים עמו.

ישעיה מד כג ואף שמים וארץ שנאמר °רנו שמים כי עשה ה׳ הריעו תחתיות ארץ
שם נה יב מנין אף הרים וגבעות שנאמר °ההרים והגבעות יפצחו לפניכם רנה מנין
שם אף האילנות שנאמר °וכל עצי השדה ימחאו כף מנין אף אבות ואמהות שנאמר
שם מב יא °רנו יושבי סלע מראש הרים יצוחו.

כי דם עבדיו יקום ונקם ישיב לצריו, שתי נקמות נקם על הדם ונקם על החמס, מנין שכל חמס שחמסו אומות העולם את ישראל מעלה עליהם כאילו דם

כשהמקום טלדש — 1 לבדם—מביא עליהם שלהם אם, ושל אבותיהם ושל אבות אבותיהם מנמרוד ועד כאן וכשהוא מביא טובה לישראל הוא מביא שלהם ושלאבותיהם ושלאבות אבותיהם ד, אלא שלהן טל, אלא ש, ל׳ ד | ואילך] ועד כאן ה — 3 ד״א] ל׳ ה | מה—בראש פרעה] מגיד שאויביהם שלישראל ושונאיהם תלויין בראשו שלפרעה ומה ראו אויביהם שלישראל ושונאיהם ליתלות בראשו שלפרעה ה | ליתלות—כל פורעניות אם, כל הפורעניות ליתלות בראשו של פרעה טלד, כל הפורענות—של פרעה ש — 4 מפני—ישראל אם, מפני שפרעה הוא היה תחילה ששיעבד ישראל ה, מפני פרעה תחילה ששיעבד ישראל ל, מפני שפרעה—את ישראל טש, אלא מלמד שפרעה התחיל לשעבד בהם תחלה ה | סליק פיסקא ד, ל׳ אלש —

5 למחר—לפניו] עתידין אומות העולם להיות מתרגזין למחר כשתבוא גאולה לישראל שנ׳ ה׳ מלך ירגזו עמים (תהל׳ צ״ט א׳) ה | כשהקב״ה אם, כשהמקום טילדש, כשהק׳ טי — 6 ולא אמדלט, ואין ה, אין ש | זו טלדשה, זו בלבד אם | שכבר א מה, כבר טל, אלא שכבר דש | מקדם] מתחילה ש, מקודם ה | כענין] ל׳ ה — 8 עתידים—גוים עמו] ל׳ טי | עתידים] שעתידים ד | מקלסים] משבחים ה — 9 ישראל] בה נוסף <למחר כשתבא גאולה לישראל> — 10 ואף אם, ומניין אף ש, ומנין שאף טלדכ, אין לי אלא אומות העולם שמים וארץ מנין ה | הריעו—ארץ] ל׳ ה, וג׳ ש, בה נוסף <חמה ולבנה מנ׳ שנ׳ והיה אור הלבנה כאור החמה (ישעיה ל׳ כ״ו)> — 11 מנין—רנה] ל׳ ש | מנין אף הרים והגבעות] הרים וגבעות מנין ה | מנין אם, ומנין טלדכ וכן בכל הענין | אף] שאף כ | וגבעות] ל׳ ד | ההרים] כי בשמחה תצאו ובשלום תוב׳ ההרים ה | מנין אף האילנות אם, שדות מנ׳ שנ׳ יעלז שדי וכל אשר בו אילנות מנין ה, ומנין אף [שאף כ], האילנות טל כש, ל׳ ד — 12 וכל—כף] אז ירננו כל עצי היער (תהלים צ״ו י״ב) נהרות מנ׳ שנ׳ נהרות ימח׳ כף (שם צ״ח ח׳) מעינות מנ׳ ושרים כחוללים כל מעיני בך (שם פ״ז ז׳) מדברות מנ׳ שנ׳ ישושום מדבר (ישעיה ל״ה א׳) ה | מנין—ואמהות] אמהות מנין ה | אף] שאף מ — 13 סלע] בה נוסף <נביאים מנ׳ שנ׳ מראש הרים יצוחו צדיקים מנ׳ שנ׳ רננו צדיקים בה׳ (תהלים ל״ג א׳) ישרים מנ׳ שנ׳ לישרים נאוה תהלה (שם) חסידים מנ׳ שנ׳ יעלזו חסידים בכבוד (שם קמ״ט ה׳) ישראל מנ׳ שנ׳ ובאו ורננו במרום ציון (ירמיה ל״א י״א)> | ומראש—יצוחו ד, וג׳ ש, ל׳ אמטל — 14 ישיב לצריו אמש, ל׳ לטה, ישיב ד | ונקם טלדשה, נקם אם — 15 מנין שכל חמס] ל׳ כ | מנין אם, מנין אתה אומ׳ ה, ומנין את אומר טלדש | שכל] כל ש | חמס] חמס וחמס ה | שחמסו או״ה]

5 למחר וכו׳, רש״י, פ״ז, והשוה מכילתא בשלח, מסכת שירה, פרשה ט׳ (מ״ב ע״ב, ה–ר ע׳ 146), ומדרש תהלים ריש מזמור צ״ט (רי״ב ע״א): 8 הרנינו גוים עמו וכו׳ עד מראש הרים יצוחו, מכירי ישעיה מ״ד כ״ג, ושם נ״ה י״ב, ובילקוט שמעוני שם ר׳ שט״ו: 14 כי דם עבדיו וכו׳ עד אל עמק יהושפט, מכירי יואל ד׳ ב׳ (עמ׳ 29). ועוד שם ד׳ כ״א (ע׳ 54). — שתי נקמות וכו׳, רש״י, פ״ז, ובספר הזכרון מובא עד ונקם על החמס: 15 מנין וכו׳ עד שפכו דמם כמים, מכירי תהלים ע״ט סי׳ ג׳ (כ׳ ע״א), וכל המאמר עד נתתי כפרך מצרים, מובא במכירי ישעיה מ״ג ג׳ (ע׳ 136):

נקי שפכו שנאמר °וקבצתי את כל הגוים והורדתים אל עמק יהושפט (יואל ד)
ונשפטתי עמם שם על עמי ישראל °מצרים לשמה תהיה ואדום (שם ד יט)
למדבר שממה, מחמס בני יהודה אשר שפכו דם נקי בארצם באותה
שעה °ויהודה לעולם תשב וירושלם לדור ודור ונקיתי דמם לא (שם)
נקיתי וה׳ שוכן בציון.

וכפר אדמתו עמו, מנין שהריגתם של ישראל ביד אומות העולם כפרה להם
לעולם הבא שנאמר °מזמור לאסף אלהים באו גוים בנחלתך נתנו את (תהלים עט א)
נבלת עבדיך שפכו דמם כמים. דבר אחר וכפר אדמתו עמו, מנין אתה
אומר שירידתם של רשעים לגיהנם כפרה היא להם שנאמר °נתתי כפרך מצרים (ישעיה מג ג)
כוש וסבא תחתיך מאשר יקרת בעיני נכבדת ואני אהבתיך.

היה רבי מאיר אומר כל היושב בארץ ישראל ארץ ישראל מכפרת עליו שנאמר
°העם היושב בה נשוא עון עדין אין אנו יודעים אם פורקים (שם לג כד)
עונותיהם עליה ואם נושאים עוונותיהם עליה כשהוא אומר וכפר אדמתו עמו הוי
פורקים עונתיהם עליה ואין נושאים עוונותיהם עליה, וכן היה רבי מאיר אומר כל הדר בארץ
ישראל וקורא קרית שמע שחרית וערבית ומדבר בלשון הקדש הרי הוא בן העולם הבא.

אמרת גדולה שירה זו שיש בה עכשיו ויש בה לשעבר ויש בה לעתיד לבוא
ויש בה בעולם הזה ויש בה לעולם הבא סליק פיסקא

6 שהריגתם וכו׳, עיין ת״י, פ״ז, סנהדרין מ״ז ע״א, מדרש תהלים מזמור ע״ט סימן ג׳ (ק״פ ע״ב): 9 נתתי וכו׳. השוה ברכות ס״ב ע״ב: 11 היה ר״מ אומר וכו׳, השוה כתובות קי״א ע״א ופסחים קי״ג ע״א ועיין עוד תו״כ בהר סוף פ״ו (ק״ט ע״ג), ומובא בילקוט ישעיה ר׳ של״ס; ובכ״י נ׳ מן הגניזה נמצא בלשון הזה „מיכאן היה ר׳ מאיר אומר כל היושב בארץ ישראל ארץ ישראל מכפרת לו שנ׳ העם היושב בה נשוא עון וקורא קריאת שמע שחרית וערבית ומדבר בלשון הקדש מבושר הוא שיש לו עולם הבא: 12 עדין וכו׳, אודות סגנון זה עיין בהערה למעלה פי׳ שי״ב (עמוד 353, שורה 13): 14 וכן וכו׳ עד העוה״ב, מובא בפי׳ ר׳ ידעיה הפניני כ״י (ע)· — היה ר״מ אומר

שאומ׳ העולם חומסין ה | את ישראל] מישראל ה, על ישראל כ | מעלה] מעלה הקב״ה ה, ומעלה כ — 1 שנאמר] בה נוסף <מחמס אחיך יעקב (עובדיה א׳ י׳)> | אל—ישראל אמ, אל—אתם [עמם ט] שם טל, אל עמק יהושפס ש, את עמק—שם ד, ל׳ ה — 2 מצרים—בארצם טד, מהו אומר מצרים לשמה תהיה ה, מצרים לשמה—ואדום למדבר שממה תהיה—בארצם ל, ל׳ ש — 3 אשר שפכו—בארצם אמ | באותה שעה] ל׳ ה — 4 וירושלם לדור ודור [דור א] אמ, וג׳ לדהש — 5 וה׳ שוכן בציון אמ, מפני מה וה׳—בציון ה, ל׳ טלדש — 6 וכפר—עמו] ל׳ ה ושם נוסף כאן המאמר המתחיל „מנ׳ אתה אומר שירידתן״ עיין למטה שורה 00 | מנין אמ, מנין אתה אומר טלדשכה | שהריגתם של] שהריגת א, שמסירתן ש | ביד או״ה] בעולם הזה ה | להם אמ, היא להם טלדכ, היא ש, על עונותיהם ה — 7 לעוה״ב] לעתיד לבא ה | נתנו—עבדיך אמהטכ, ל׳ לדש — 8 שפכו דמם כמים טלד, שפכו—כמים וג׳ שכ, שמו את ירושלם לעיים אמ, שפכו—כמים ובסוף הענין מהו אומ׳ עזרנו אלהי ישענו ה | ד״א—עמו] ל׳ ה | אדמתו—א״י מכפרת עליו] כאן נתקלקל קטע ש ואי איפשר לקרותו | מנין וכו׳] בה נמצא מאמר למעלה לפני המאמר מנין שהריגתם וכו׳ — 9 שלרשעים] שלאומות ה | לגיהנם אמ, בתוך גיהנם ה, בגיהנם טלד | היא] ל׳ ה | להם אמ, לישראל לעולם הבא ל, להם לישראל בעולם [לעולם כ] הבא טדכ, לכם ס, על נפשותיהן שלישראל בעולם הזה ה | נתתי—תחתיך] כי אני ה׳ אלהיך מפני מה ה | נתתי אמטכ, ונתתי לד — 10 כוש וסבא] ל׳ טל | מאשר—אהבתיך אמה, מאשר—אהבתיך ואתן אדום [אדם ל] תחתיך טלד — 11 היה—אומר] ד״א וכפר אדמתו עמו מיכן שאמ׳ ה — 12 עדין אמ, ואדין ה, ועון ד, ועדין לט | הדבר אמה, דבר ל ד, ל׳ ט | תלי בדלא תלי ה, תלוי אמ. תלי בדלא תלי כי ארצם מלאה אשם מקדוש ישראל ועון דבר תלי בדלא תלי ועדיין ד, תלי בדלא תלי כי מלאה הארץ אשם ישראל ועדיין ט׳, תלי בדלא תלי כי מלאה הארץ אשר מקדוש ישראל ועון דבר תלוי בדלא תלוי ועדיין ל, תלי בדלא תלי כי מלאה הארץ מקדוש ישראל ועון דבר תלי בדלא תלי ועדיין ט׳ — 13 עליה טלדשה, עליהם א, ל׳ מ | ואם אמדש, אם טל | עליה] עליהם א [וכן בסמוך] | כשהוא אומר—פורקים עונתיהם עליה] וכשהוא אומר כי ארצם מלאה אשם מקדוש ישראל הוי שפורקין עונותיהם עליה ד | הוי] הרי ד — 15 הרי—הבא] מבושר הוא שיש לו חלק לעולם הבא ד | הוא] זה ט׳ — 16 אמרת] מצינו למדים ד | גדולה] שגדולה ה | שירה זו מ [רמב״ן], השירה הזו ה, שירה אהלטש [ובא׳ נוסף <זו של האזינו]> | לשעבר] בה נוסף <ויש בה לימות המשיח> — 17 ויש בה בעולם הזה אמט [רמב״ן], ויש—לעולם הזה הל, ויש בה של עולם הזה ש, ל׳ ד | לעולם] של עולם ש | סליק פיסקא ד, ל׳ אש, סליק שירתא ל —

שלד.

(מד) ויבא משה, נאמר כאן ויבא משה ונאמר להלן וילך משה אי איפשר
דברים לא א לומר ויבא משה שכבר נאמר וילך משה ואי איפשר לומר וילך משה שכבר
נאמר ויבא משה, אמור מעתה בא דיותיכוס שלו והרשות נתנה ביד אחר.
וידבר את כל דברי השירה הזאת באזני העם, מלמד שהיה משקעם
באזניהם.
במדבר יג טז הוא והושע בן נון, למה אני צריך והלא כבר נאמר ויקרא משה
להושע בן נון יהושע מה תלמוד לומר הוא והושע בן נון להודיע צדקו של יהושע
שומע אני שצפת דעתו עליו משנתמנה ברשות תלמוד לומר הוא והושע בן נון,
הושע בצדקו אף על פי שנתמנה פרנס על ישראל הוא הושע בצדקו כיוצא בו אתה
שמות א ה אומר ויוסף היה במצרים וכי אין אנו יודעים שיוסף היה במצרים אלא להודיע
צדקו של יוסף שהיה רועה את צאן אביו ואף על פי שנתמנה מלך במצרים הוא יוסף
ש״א יג יד בצדקו כיוצא בו ודוד הוא הקטן וכי אין אנו יודעים שדוד הוא הקטן אלא להודיעך
צדקו של דוד שהיה רועה את צאן אביו, ואף על פי שנתמנה מלך על ישראל, הוא
דוד בקטנו סליק פיסקא

שלה.

(מו) ויאמר אליהם שימו לבבכם לכל הדברים אשר אנכי מעיד
בכם היום, צריך אדם להיות לבו ועיניו ואזניו מכוונים לדברי תורה וכן הוא אומר

1 נאמר—שכבר נאמר ויבא משה] ולהלן הוא אומ׳ וילך משה ה | ונאמר] נאמר ל | ויבא—ואי איפשר לומר] ל׳ טי | וילך משה] ויבא משה ל — 2 ויבא משה] ל׳ ל | לומר] ל׳ ל — 3 אמור מעתה מטלדש, מעתה א, מלמד ה | בא דיותיכוס א, דיותיכוס מ, בא דייתיכוס לד, בא דאתיכוס ש, דיתיקוס ט, שהוא בא ובידו הכוס ה [ועיין בהערת הופמאן שם] | והרשות] הרשות ש | נתנה] (נותנה) [נתונה] ה — 4 וידבר אמט, וידבר משה לד — 6 למה—יהושע שומע אני] יכול ה | למה מ [ראב״ם], ולמה טל דש — 7 להושע—יהושע] ליהושע אמ | מה—נון] ל׳ טי | מה] ומה ד | להודיע אמ, להודיעך [ראב״ם], ללמדך טלד ש — 8 שצפת אמלטי, שספה ה, שצפתה [ראב״ם], שצפה דש, שתזוח טי | דעתו] רוחו ה | משנתמנה ברשות] משנכנס לגדולה ה | ברשות—צדקו של יוסף] קטע ש נתקלקל כאן — 9 הושע בצדקו טלד [ראב״ם], הוא יהושע עד שלא נכנס לגדולה והוא יהושע משנכנס לגדולה ה, יהושע א, הוא יהושע מ | אעפ״ין] שאעפ״י ה | ישראל אמ, הציבור טל דשה [ראב״ם] | הושע טד, יהושע ה, והושע אל, ל׳ מ | כיוצא] וכיוצא ה — 10 להודיע—צאן אביו] הוא יוסף עד שלא נכנס לגדולה והוא יוסף משנכנס לגדולה ה — 11 שהיה אמה, היה ל, יוסף שהיה טד | ואע״פ] שאף על פי ה | שנתמנה אמה, שנעשה טלדש | במצרים] על כל ארץ מצרים ה, על ישראל טי | הוא יוסף אמהטי, הרי הוא טילשר — 12 בצדקו אמהטיד, בקוטנו טי, בצדקתו ל | כיוצא—בקטנו] ל׳ טי | כיוצא] וכיוצא ה | בו אמ, בו אתה אומר טלדש | להודיעך—אביו] הוא דוד עד שלא נכנס לגדולה הוא דוד משנכנס לגדולה ה | להודיעך] להודיע מ — 13 שהיה אמ, ודוד היה ל, דוד היה דשטי | ואעפ״ין] שאעפ״י ה, אע״פ ש | שנתמנה אמה, שנעשה טילדש | ישראל] כל ישראל ה | הוא] ל׳ ל — 14 בקטנו] בצדקו ה | סליק פיסקא ד, ל׳ אלש —
15 לכל—היום אמ, ל׳ רדש, לכל הדברים ל — 16 צריך] מיכן אמרו ה | להיות—מכוונים] לכוון לבו ועיניו

וכו׳, ירושלמי שבת פ״א (ג׳ ע״ג), שם שקלים סוף פ״ג (מ״ז ע״ג), ובמדרש מעשה תורה (בית המדרש לר״א יעללינעק ח״ב ע׳ 92) איתא „ג׳ נוחלים העוה״ז והעוה״ב הדר בארץ ישראל וכו׳״: 15 ע׳ הקו׳ ומדבר בלשון הקדש וכו׳, השוה למעלה פי׳ מ״ו (ע׳ 104, שורה 6) וציונים שם: 16 ע׳ הקו׳ אמרת וכו׳, פ״ז, רמב״ן, ור׳ בחיי:

1 נאמר כאן וכו׳, השוה פ״ז ריש וילך, ורש״י כאן, וסוטה י״ג ע״ב, ועיין גם בת״י: 3 דיותיכוס, השוה למעלה פיסק׳ כ״ז (ע׳ 44, שורה 2), וכבר העיר הח׳ פערלעס בספרו Etymologische Studien שנגזרה מן המלה היונית διάδοχος, שהוראתה ממלא מקום וכן פירש ר׳ דוד הופמאן במ״ת: 6 הוא וכו׳ עד פרנס על ישראל, מובא בראב״ם, וגם בילקוט שמואל ר׳ קכ״ד: 7 להודיע צדקו וכו׳, רש״י, פ״ז: 8 שומע אני וכו׳, נראה שהגרסה הנכונה היא זו שבמה״ג „יכול שטפה רוחו עליו״, ופירושה „יכול עברה ונתגדלה רוחו כשטף מים״ ועל זה העירני ידידי הח׳ ר׳ שלום שפיגל, וטעיתי בכתבי בספר השנה לאקדימיה האמיריקאית שנה 5—1934, ע׳ 215 שגרסת מה״ג מוטעת היא: 10 וכי אין אנו יודעים וכו׳, שמות רבה פ״א סי׳ ז׳, רש״י שמות א׳ ה׳: 11 שנתמנה מלך וכו׳, השוה ספר אגדות היהודים למורי ר׳ לוי גינצבורג, ח״ה ע׳ 350, הערה 234: 16 צריך אדם וכו׳, רש״י, פ״ז:

יחזקאל מד ה °בן אדם ראה בעיניך ובאזניך שמע אל אשר אני דובר אליך, ושמת לבך אל מבוא הבית קל וחומר ומה בית המקדש שנראה בעינים ונמדד ביד צריך אדם שיהו לבו ועיניו ואזניו מכוונים דברי תורה שהם כהררים התלויים בשערה על אחת כמה וכמה.

אשר תצום את בניכם לשמר, אמר להם צריך אני להחזיק לכם טובה שתקיימו את התורה אחרי אף אתם צריכים שתחזיקו טובה לבניכם שיקיימו את התורה אחריכם מעשה שבא רבינו מלדיקיא ונכנס רבי יוסי ברבי יהודה ורבי אלעזר בן יהודה וישבו לפניו אמר להם קרבו לכם אני צריך להחזיק לכם טובה שתקיימו את התורה אחרי אף אתם צריכים שתחזיקו טובה לבניכם שיקיימו את התורה אחריכם אילו אין משה גדול ואילולא אחרים קבלו תורה על ידו לא היתה שוה [אנו] על אחת כמה וכמה לכך נאמר אשר תצום את בניכם סליק פיסקא

שלו.

(מז) כי לא דבר רק הוא מכם, אין לך דבר ריקם בתורה שאם תדרשנו שאין בו מתן שכר בעולם הזה והקרן קיימת לו לעולם הבא תדע שכן שהרי אמרו למה נכתב °ואחות לוטן תמנע °ותמנע הייתה פלגש לפי שאמרה בראשית לו כב שם יב

1 ובאזנך שמע, בנסחאות אחרות נוסף כאן ושים לבך, ע׳ בשנויי נסחאות, וכן הובא הכתוב גם ברש״י כאן: 2 ק״ו וכו׳, מובא בילקוט יחזקאל ר׳ ש״פ: 3 כהררים התלויים בשערה, השוה משנה חגיגה סוף פ״א: 5 אמר להם וכו׳, פ״ז: 9 אילו וכו׳, כלומר, אין לנו גדול במשה, ואף על פי כן לולי קבלו אחרים תורתו ממנו מה הייתה שוה, אנו על אחת כמה וכמה. והמעתיקים שבשו את כל המאמר:

12 אין לך וכו׳, רש״י; והשוה חולין ס׳ ע״ב: 14 ואחות לוטן תמנע וכו׳, עיין ספרי במדבר פי׳ קי״ב (ע׳ 120); סנהדרין צ״ט ע״ב:

ואזניו ה | להיות אמ, שיהיה דל, שיהו שט | לבו—ואזניו מ, עיניו ואזניו ולבו א, עיניו ולבו ש, עיניו ולבו ואזניו ט²רש׳ אזניו ועיניו ולבו ט¹ | לדברי אמדשט, דברי ל, לשמוע דברי ה | תורה] בה נוסף <ואם לאו אין בידו> | וכה״א] ואם לאו אין בידו כגון שנ׳ ביחזקאל ה — 1 בן אדם—הבית אמ, בן אדם שים לבך וראה בעיניך ובאזנך שמע ה, בן אדם ראה בעיניך ובאזנך שמע ושים לבך אל כל [לכל הדברים ט] אשר אני דובר אליך ושמת לבך [וש׳ לב׳ ל׳ ש] לכל מבוא [למבא טש] הבית ולכל [ל׳ ש] מוצאי המקדש שטלד, [ובמסורה: בן אדם שים לבך וראה בעיניך ובאזניך שמע את אשר אני מדבר אליך—ושמת לבך למבוא הבית בכל מוצאי המקדש. וברש״י כאן הובא הכתוב בנוסח זה „בן אדם ראה בעיניך ובאזניך שמע ושים לבך״] — 2 קל וחומר אמ, והרי דברים ק״ו שטלד, ל׳ ה | בעינים] לעינים ש — 3 אדם] ל׳ ה | שיהו] שיהא מ | לבו—ואזניו מה, עיניו ולבו ואזניו אשטלד | מכוונים] שוים א | דברי] לדברי ד | התלויים] תלוין ה | בשערה אמהט, בסערה לשד — 4 וכמה] בה נוסף <מיכן צריך אדם לכוון לבו ועיניו ואזניו לשמוע דברי תורה ואם לאו אין בידו כלום> — 5 את בניכם לשמר אמ, את בניכם ה, ל׳ טלשד | לכם טובה אמהטד, טובה של | לכם טובה—שתחזיקו] ל׳ ט²ש — 6 שתקיימו משטד, שתתקיימו ל, שנתקיימו א | אחרי—שיקיימו את התורה] ל׳ ד | שתחזיקו אמה, להחזיק ט¹ל — 7 אחריכם] במא נוסף <אתם צריכים> | מלדקיא ה, מן לדיקיא אמ, מלודקיא שלטד | ונכנס] נכנס ה | ר׳ יוסי—ור׳ אלעזר בן יהודה] ר׳ אלעזר בר׳ שמעון ור׳ יוחנן בן ברוקה ה, ר׳ יוסף—ר׳ אלעזר בן עזריה א — 8 קרבו לכם מד, קרבו לכן וקרבו לכן ל, קרבו לכן קרבו לכן ש, קרבו לכאן טא, קרובו לכאן קרובו לכאן לא זז מקרבן עד שקרבן לפני רגליו ה | אני צריך אמ, צריך אני דשלט, אמר להם צריכים אנו ה | לכם טובה—שתחזיקו] ל׳ ד | שתקיימו] שקיימתם ה — 9 שתחזיקו אמ, להחזיק הדלטש | לבניכם] לדורות הבאים אחריכם ה | שיקיימו אמט, שהן מקיימין ה, שיתקיימו ד, שתקיימו לש | אילו—אשר תצום את בניכם] אז אינו אלא משה רבן של כל הנביאים שאלולי אחרים שקיימו את תורתו מה היתה תורתו שוה ה | אין] לא היה ש — 10 גדול אמ, גדול הוא דלט, גדול הדור ז, ל׳ ש | ואלולא אחרים קבלו] כן נראה לגרס, והשוה מ״ת, והגרסות המקובלות הן „ואילו אחר יקבלנו אמטלדז, אי אילו אחר יקבלנו ש״ | תורה על ידו א, תורה מ, תורתו טשדלז | לא אמשז, ולא טלד | היתה] היה ש | שוה אמ, תורתו שוה טלשדז | אנו] כן נראה להוסיף וחסר בכל הנסחאות — 11 לכך—בניכם אמ, לכך—תצום שלה, ל׳ ט | סליק פיסקא ד, ל׳ אלש —

12 כי לא דבר—לידבק בו] כי הוא חיי׳ אפלו דבר קל שבתורה שאת אומ׳ למה נכתב יש בו חיים בעולם הזה ואריכות ימים לעולם הבא כגון ואחות לוטן תמנע וכי מה היה לוטן אלא אחד מן השלטונות שנ׳ בהן אלוף לוטן אלוף שובל (בראשית ל״ו כ״ט) מהו אומר ותמנע היתה פלגש לאליפז בן עשו אמרה הואיל ואיני כדאי להנשא לו לאשה אהיה לו לשפחה ה | ריקם—לפי שאמרה] הקטע ש נתקלקל כאן, | בתורה] מן התורה ט | שאם תדרשנו] שתדרשנו מ — 13 לו] לך מ | תדע שכן]

איני כדיי שאהא לו לאשה אהא לו פלגש וכל כך למה להודיעך חבתו של אברהם
אבינו היו שלא רוצים מלכות ושולטנות ורצים להדבק בו והלא דברים קל וחומר
ומה עשו שאין בידו אלא מצוה אחת שכבד את אביו היו מלכים ושלטונים רצים
להדבק בו על אחת כמה וכמה שהיו רצים להדבק ביעקב הצדיק שקיים את התורה
בראשית כה כז כולה שנאמר °ויעקב איש תם יושב אהלים.

ובדבר הזה תאריכו ימים, זה אחד מן הדברים שהעושה אותם אוכל
פירותיהם בעולם הזה ואריכות ימים לעולם הבא ומפורש כאן בתלמוד תורה בכבוד
שמות כ יב אב ואם מנין תלמוד לומר °כבד את אביך ואת אמך למען יאריכון ימיך
דברים כב ז בשלוח הקן כתוב °שלח תשלח את האם ואת הבנים תקח לך למען
ישעיה נד יג ייטב לך והארכת ימים בהבאת שלום כתוב °וכל בניך למודי ה׳ ורב
שלום בניך סליק פיסקא

שלז.

(מח) וידבר ה׳ אל משה בעצם היום הזה, בשלשה מקומות נאמר
בראשית ז יג בעצם היום הזה נאמר °בעצם היום הזה בנח מלמד שהיו דור נח אומרים
כך מכך אם אנו מרגישים בו אין אנו מניחים אותו ולא עוד אלא אנו נוטלים
כשילים וקרדומות ומבקעים עליו את התיבה אמר הקדוש ברוך הוא הריני מכניסו
שמות יב יז בחצי היום וכל מי שיש בידו למחות יבוא וימחה ומה ראה לומר במצרים °בעצם

ל׳ ט | תרע] תרע לך ל — 1 איני] אין אני ד | שאהא אמ, שאהיה טלדש | אהא אמ, אהיה טלדש | פלגש אמ, לפילגש טלדש | להודיעך] להודיע א | חבתו אמ, שבחו טלדש — 2 אבינו אמדש, ל׳ טל | שלא—ושלטנות ורצים אמ, שהיו מלכים ושולטונים מתאוים טלדש | והלא—ושלטונים רצים לידבק בו] ל׳ ל | והלא אמ, והרי טשדה | דברים] הדברים ה — 3 ומה אמטד אם ש, מה אם ה | עשו] עשו הרשע ה | שאין אמלט, שלא היה שה | שכבד] על ידי שהיה מכבד ה | ושלטונים] ושלטנות ה | רצים ה, רוצים אמ, מתאוים טשד — 4 שהיו רצים לה, שהיו רוצים טש, שיהיו רוצין מ, שרוצין א, יהו רצים ה | ביעקב הצדיק מטלשד, עם יעקב א, באבינו יעקב ה | את התורה אמה, כל התורה לט, את כל התורה שד — 5 שנאמר] כענין שנאמר מ | יושב אהלים אמ, וג׳ ש, ל׳ טלדה — 7 ואריכות ימים] והקרן קיימת לו ה | כאן הטש, כן אמלד | בתלמוד] לתלמוד ה | תורה] בה נוסף <מלמד שהיא מארכת ימיו שלאדם שנ׳ ארך ימים בימינה (משלי ג׳ ט״ז)> | בכיבוד אמה, וכיבוד טלדש — 8 ת״ל] שנ׳ ה | למען ימיך טלדש, וג׳ א, ל׳ מ — 9 כתוב א, כתי׳ מ, מנין שנ׳ ה, מנין ת״ל טד, מנין ש | ואת הבנים—ימים] ל׳ שה | תקח—ימים ד, תקח—ייטב לך טל, תקח לך וג׳ מ, ל׳ א — 10 בהבאת שלום] בהבאת שלום בין אדם לחבירו ה | כתוב א, כתי׳ מ, מנין ת״ל ש, מנין שנ׳ ה, ל׳ טלד | ורב שלום בניך אמהדש, ל׳ לט — 11 סליק פיסקא ד, ל׳ אשל —

12 בשלשה] בארבעה ה | נאמר טלשד, הוא אומ׳ ה, כתו׳ א | נאמר—בנח מ, בא נח א, נאמר בנח בעצם היום הזה דש, נאמר כנח בעצם היום הזה בא נח טל, בנח הוא אומ׳ בעצם היום הזה כאברהם הוא אומר בעצם היום הזה במצרים הוא אומ׳ בעצם היום הזה וכאן הוא אומ׳ בעצם היום הזה ה — 13 מלמד—נח אמ, מה ראה לומר בנח בעצם היום הזה אלא אמר הקב״ה אם נכנס נח לתיבה בלילה עכשו כל דורו ה, לפי שהיו בני דורו ש — 14 כך מכך טה, מכך וכך לש, כך וכך ד, ל׳ אמ | אם—מניחים אותו] לא היינו יודעים בו שאלו היינו יודעים לא היינו מניחים אותו להיכנס ה | אם אמל, אין ש, ל׳ טד | אותו] בו ש | אנו טלדשא׳, ל׳ אמ, שהיינו ה — 15 וקרדומות] וקרדומין ה | ומבקעים עליו ה, ומבקעים טשלד, ומפקיעים לו מ, ומפקיעים בהם א | את] ל׳ ט | הקב״ה אמה, הק׳ ט׳, המקום ט²שלד | מכניסו אמה, מכניסו לתיבה טשלד — 16 וכל מין] ומי ה | בידו א, בו מהטשלד | למחות אמ, כוח ה, כח למחות טשלד | וימחה] בה נוסף <שנ׳ בעצם היום הזה בא נח מה ראה באברהם לומר בעצם היום הזה אלא אמר הקב״ה אם מל אברהם עצמו בלילה עכשו כל דורו אומר אילו ראינוהו לא הנחנוהו לכך אמר הקב״ה בעצם היום הזה גמול אב׳ ודי רגשה ליה ימלל> | ומה] מה

1 אין אני כדיי וכו׳, השוה בראשית רבה פרשה מ״ה סי׳ א׳ (ע׳ 448) „אמר מוטב תהא בתי שפחה בבית זה ולא מטרונה בבית אחר״; רש״י בראשית ל״ו כ״ב: 6 זה אחד מן הדברים וכו׳, משנה ריש פאה; ועיין בירושלמי שם ט״ו ע״ד; ובבבלי קדושין מ׳ ע״א:

12 בשלשה מקומות וכו׳, רש״י; פ״ז: מדרש שלשה וארבעה סי׳ ל״ג ושם גורס בארבעה מקומות ומונה גם את אברהם שנימול בעצם היום; ועיין בספר אגדות היהודים למורי ר׳ לוי גינצבורג ח״ו ע׳ 151, הערה 904: 13 שהיו וכו׳, בראשית רבה פרשה ל״ב סי׳ ח׳ (ע׳ 294); והשוה עוד שם פ׳ מ״ז סי׳ ט׳ (ע׳ 476): 14 כך מכך, לשון שבועה.

היום הזה יצאו כל צבאות ה׳ לפי שהיו מצריים אומרים כך מכך אם אנו מרגישים בהם אין אנו מניחים אותם ולא עוד אלא שאנו נוטלים סייפים וחרבות והורגים אותם בהם אמר הקדוש ברוך הוא הריני מוציאם בחצי היום וכל מי שיש בידו למחות יבוא וימחה ומה ראה לומר כאן בעצם היום הזה לפי שהיו ישראל אומרים כך מכך אם אנו מרגישים בו אין אנו מניחים אותו אדם שהוציאנו ממצרים וקרע לנו את הים והוריד לנו את המן והגיז לנו את השליו ועשה לנו נסים ונבורות אין אנו מניחים אותו אמר הקדוש ברוך הוא הריני מכניסו למערה בחצי היום וכל מי שיש בידו למחות יבוא וימחה לכך נאמר וידבר ה׳ אל משה בעצם היום הזה לאמר סליק פיסקא

שלח.

(מט) עלה אל הר העברים הזה, עליה היא לך ואינה ירידה.

הר העברים הזה, שנקרא ארבעה שמות הר העברים הר נבו הר ההר ראש הפסנה, ולמה קורים אותו הר נבו שנקברו בו שלשה נביאים הללו שמתו שלא מידי עבירה ואלו הם משה אהרן ומרים.

אשר בארץ מואב מלמד שהראהו שלשלת המלכים שעתידים לעמוד מרות המואביה: אשר על פני יריחו, מלמד שהראהו שלשלת הנביאים שעתידים לעמוד

עיין למעלה פי׳ א׳ (ע׳ 3, שורה 4): 3 בחצי היום, השוה מכילתא דרשב״י י״ב נ״א (ע׳ 30); ירושלמי פסחים פ״י ה״ו (ל״ז ע״ד); ועיין עוד למעלה פי׳ קכ״ח (ע׳ 86, שורה 11) וציונים שם: 5 אדם שהוציאנו וכו׳, כל הסגנון נמצא נ״כ למעלה פי׳ ט׳ (ע׳ 17, שורה 7); ולמטה פי׳ של״ט: 7 אמר המקום וכו׳, עיין פירוש המשניות לרמב״ם, מבוא לסדר זרעים:

10 עליה וכו׳, פ״ז; לקמן פי׳ שנ״ז; ספרי זוטא כ״ז י״ב (ע׳ 319); מ״ת כאן ולקמן ל״ד א׳ (ע׳ 323): 11 שנקרא וכו׳, פ״ז; למעלה פי׳ ל״ז (ע׳ 12, שורה 6); ספרי זוטא כ״ז י״ב (ע׳ 318); מדרש שלשה וארבעה סי׳ ל״ב: 12 ולמה וכו׳, פ״ז. — שלשה נביאים, דריש נבו לשון נבואה, מהר״ם. — שמתו וכו׳, והשוה ב״ב י״ז ע״א: 14 מלמד וכו׳, למטה פי׳ שנ״ז. —

ה | הזה—ה׳ אמ, הזה השט, ל׳ לד | לפי—אומרים] אלא אמ׳ הקב״ה אם מוציא אני את ישראל ממצרים בלילה המצרים אומ׳ ה — 1 מצרים—שיש בידו למחות יבא] קטע ש, לקוי כאן | כך מכך ה, כך וכך טל, מכך ומכך ד, ל׳ אם | אם אנו—מניחים אותם] לא היינו יודעים בהם שאלו היינו יודעין בהם לא היינו מניחין אותן לצאת ה — 2 שאנו אמט, שהיינו ה, הרי אנו ל, ל׳ ד | סייפים] סייפות ט | וחרבות] ומגנים ה — 3 והורגים אותם בהם אמ, ועושים עמהם מלחמה ה, ואנו הורגים בהם דל, ואנו הורגים ט | אמר] לכך אמ׳ ה | הקב״ה אמהטל הק׳ ט¹, המקום ד | וכל מי] ומי ה — 4 בידו א, בידם מ, לו כח ה, בו כח טלד | למחות] ל׳ ה | וימחה] בה נוסף <שנ׳ בעצם היו׳ הזה הו׳ ה׳ את בני ישראל מא׳ מצ׳> | ומה] מה ה | כאן מטדש כן א, במשה הל | לפי—אומרים] אלא אמ׳ הקב״ה אם נכנס למערה בלילה עכשו ישראל אומ׳ ה — 5 כך מכך ה, מכך וכך א, ל׳ מש, מכך ומכך דל, מכך וכך ט | אם—בו] לא היינו יודעים בו שאלו היינו יודעים בו ה | אם] שאם א | אין אנו] לא היינו ה | אותו] אותו להכנס ה — 6 והוריד לנו—השליו אמ, והוריד לנו את המן והעלה לנו את הבאר והגיז לנו את השליו ה, והוריד לנו את התורה והוריד לנו את המן—השליו דטל, והוריד לנו את התורה והגיז לנו את השליו והוריד לנו את המן ט², ונתן לנו את התורה והוריד—המן והעלה לנו את הבאר והגיז—השליו ש | ועשה] ונעשה ש | נסים] כמה נסים ה — 7 וגבורות] וגבורות על ידו ש | אין אנו] לא היינו ה | אותו] אותו להכנס ה | אמר הקב״ה אמ, לכך אמר הקב״ה ה, אמר המקום ט²שלד, אמר הק׳ ט¹ | למערה] ל׳ ה | בחצי היום] ל׳ ט — 8 וכל מי] ומי ה | בידו למחות אמ, בו כוח הדטש, בו כח למחות ל | וידבר—משה אמהט, ל׳ ד — 9 סליק פיסקא ד, ל׳ אלש —

10 אל—הזה] ל׳ ה, אל הר העברים הזה הר נבו ל | עליה] אמ׳ לו הקב״ה מעלה ה, | ואינה ירידה לך ה — 11 הזה אמ, ל׳ טשלדה | בה ובפ״ז נוסף <דורשי רשומות אומ׳ הר שעלו בו עיברים: הר נבו, הר> | שנקרא אמ, שהוא קרוי לדטש, שנקראו לו ה | העברים] עברים ה | הר ההר] ל׳ ש — 12 ולמה—אותו] ד״א ה | ולמה] למה ש | קורים אותו] נקרא שמו ט | שנקברו] שמתו ה [פ״ז] | נביאים מהז [פ״ז], מתים טשלד, ל׳ א | שמתו] ל׳ ש — 13 שלא מהטש, ולא א, לא לד | מידי] מתחת ידי ה | עבירה] ל׳ ש | ואלו הם אמ, זה לד, ל׳ הטש — 14 מלמד—הזונה] ל׳ טשלד, ונמצא בה, בשנוי קל, ובאמ הגרסה „מלמד שהראהו שלשה מלכים העתידים לצאת מרחב הזונה״: | שלשלת] כן יש לגרס, על פי המובא במ״ת לקמן ל״ד א׳, ועיין

מרחב הזונה: וראה את כל ארץ כנען, רבי אליעזר אומר אצבעו של הקדוש ברוך הוא היא היתה לו מטטרון למשה והראהו כל קריי ארץ ישראל עד כאן תחומו של אפרים עד כאן תחומו של מנשה רבי יהושע אומר משה בעצמו ראה אותה הא כיצד נתן כח בעיניו של משה וראה מסוף העולם ועד סופו סליק פיסקא

שלט.

(ג) ומת בהר אשר אתה עולה שמה, אמר לפניו רבונו של עולם למה
אני מת לא טוב שיאמרו טוב משה ממראה משיאמרו טוב משה משמועה לא טוב
שיאמרו זה משה שהוציאנו ממצרים וקרע לנו את הים והוריד לנו את המן ועשה
לנו נסים וגבורות משיאמרו כך וכך היה משה כך וכך עשה משה אמר לו כלך
משה גזירה היא מלפני שהיא שוה בכל אדם שנאמר °זאת התורה אדם כי במדבר יט יד
ימות באהל ואומר °וזאת תורת האדם ה׳ אלהים. אמרו מלאכי השרת לפני ש״ב ז יט
הקדוש ברוך הוא רבונו של עולם למה מת אדם הראשון אמר להם שלא עשה פיקודיי
אמרו לפניו והרי משה עשה פיקודיך אמר להם גזירה היא מלפני שוה בכל אדם
שנאמר זאת התורה אדם כי ימות באהל.

והאסף אל עמיך, אצל אברהם יצחק ויעקב אצל עמרם וקהת אצל מרים ואהרן אחיך.

למטה בספרי פי שנ״ז ובשנויי נוסחאות שם: — 1 רא״א] בה מובאין דברי ר׳ יהושע לפני דברי ר״א | אצבעו—היתה לו א, אצבעו של מקום—לו מ, אצבעו שלהקב״ה היתה ה, באצבעו של משה היה [היתה ט[1]] טל, באצבעו מראה לו ש, באצבעו היה מראה ד, אצבעו של הב״ה נעשה [רמב״ן שמות] — 2 מטטרון אמטשד, מטטרון מראה ל, מטטרונו ה | למשה] של משה ה | והראהו—מנשה] מלמד שהיה מראה אותו כאלו באצבע ואומרת זה חלקו של יהודה זה חלקו של בנימין זו ארץ אפרים וזו ארץ מנשה ה | והראהו] והראה לו ט[1] | כל קריי אמ, את כל טלה, כל ש — 3 בעצמו ראה] היה רואה בעצמו אותה ש | בעצמו אמ, הוא בעצמו הטל, בעצמו הוא ד — 4 הא אמה, ל׳ טשלד | נתן] מלמד שנתן ה | כח אמלד בו כח ט, המקום כח ש, הקב״ה כח ה | וראה] עד שראה ה | מסוף—סופו] תחומי ארץ ישראל תחום כל שבט ושבט ה | סליק פיסקא ד, ל׳ אלש —

5 אמר—משמועה לא טוב שיאמרו] מלמד שאמ׳ משה לפני הקב״ה רבון העולמים למה אני מת מוטב שיהו אומ׳ משה במראה ולא משה במשמע מוטב שיהו אומ׳ ה — 6 טוב] מוטב ש | משיאמרו טוב] מטוב ד — 7 זה טלד, זהו ש, זה הוא ה, ל׳ אמ | וקרע—כי ימות באהל ואומר וזאת] כ״י ש, לקוי כאן | את המן אמ, את התורה ואת המן טל, את התורה והגיז לנו את השליו ד, את המן והגיז לנו את השליו ה — 8 נסים] כמה ניסים ה | משיאמרו טלד, משיאמר א, שיאמרו מ, ואל יהו אומ׳ ה | היה משה—עשה משה אמ, כך וכך עשה משה הוציאנו ממצרים וקרע לנו את הים והוריד לנו את המן והגיז לנו את השליו ועשה לנו כמה נסים וגבורות ה, כך וכך עשה ט, כך וכך עשה כך וכך וכך אמר לד | אמר לו אדט[1], לו ל, אמר לו הקב״ה ט[2]ה, אמר לו משה מ | כלך—באהל] ומת בהר אשר אתה עלה שמה גזרה שוה היא בכל אדם ה — 9 שהיא אמ, ל׳ טלד | זאת אמט[2], וזאת לד, ל׳ ט[1] — 10 ואומר—כי ימות באהל] ל׳ ה | ואומר] ל׳ ל | וזאת ט [מסורה] זאת אמלד — 11 הקב״ה] הק׳ ט[1] | אמר להם אטד, ל׳ מל | עשה] שמר ש [וכן בסמוך] — 12 אמרו לפניו אמ, ל׳ טשלד | פיקודיך] <למה מת> א — 13 שנאמר—באהל] ל׳ ט | זאת התורה מ, וזאת התורה שלד | באהל אמ, ל׳ ד, באהל וזאת תורת האדם ה׳ אלהים לש — 14 אצל אברהם וכו׳, כאן מתחיל קטע $ג_5$, של הגניזה ונמשך עד המלים דושנה של ירחו, לקמן פי׳ שנ״ב | אצל מרים] כאן מתחיל עוד הפעם הקטע $ג_1$, של הגניזה ונמשך עד המלים הרוצצות אביונים וג׳ וחזר למטה | ויעקב אמ, ויעקב אבותיך טשלד, ויעקב אבותיך ד״א והאסף אל עמך ה | עמרם וקהת אמ, קהת ועמרם אבותיך לד. קהת ועמרם טש, קהת ועמרם ד״א והאסף אל עמך ה | מרים ואהרן אחיך בהר ההר מה, אהרן ומרים אחיך טשלד, מרים ואהרן בהר

שלשלת, כן יש להגיה, ובמ״ת הגרסה שלשת: והכונה על כל מלכות בית דוד שהם יוצאי חלציה של רות אם המלכות. — שלשלת הנביאים, ספרי במדבר פי׳ ע״ח (הור׳ ע׳ 74); ספרי זוטא שם ט. כ״ט, ע׳ 263; מגילה י״ד ע״ב; במדבר ר׳ סוף פ״ח; ועיין עוד בספר אגדות היהודים למורי ר׳ לוי גינצבורג: 1 ר״א אומר וכו׳, פ״ז; ספרי במדבר ריש פי׳ קל״ו ע׳ 182); וברמב״ן שמות י״ב י״ב מובא בלשון הזה „כמו שאמר בספרי אצבעו של הקב״ה נעשה מטטרון למשה והראהו כל ארץ ישראל״: 2 מטטרון, עיין מה שכתבו בפתרון המלה הזאת זאקס בספרו Beiträge ח״א ע׳ 108; לוי במלונו ח״ג פ״ז ע״א; באכער בספרו אגדות התנאים ח״א פ״ז, וטעאדאר במנחת יהודה לבראשית רבה ע׳ 35 וקרויסם במלונו ח״ב ע׳ 331; ונראה שנגזרה מן המלה היונית μητάτωρ ופירושו „מורה דרך״:

5 אמר לפניו וכו׳, פ״ז: 7 זה משה, השוה למעלה פי׳ של״ז: 9 שוה בכל אדם וכו׳, שבת נ״ה ע״ב: 14 אצל אברהם וכו׳, פ״ז:

כאשר מת אהרן אחיך, מיתה שחמדת לה ומהיכן חימד משה מיתתו של אהרן בשעה שאמר לו הקדוש ברוך הוא °קח את אהרן ואת אלעזר בנו [במדבר כ כה] °והפשט את אהרן את בגדיו [שם כו] אלו בגדי כהונה הלבישם לאלעזר וכן שני וכן שלישי אמר לו היכנס למערה ונכנס עלה למיטה ועלה פשוט ידיך ופשט פשוט רגליך ופשט קמוץ פיך וקמץ עצום עיניך ועצם באותה שעה אמר משה אשרי מי שמת במיתה זו לכך נאמר כאשר מת אהרן אחיך מיתה שחמדתה לה

סליק פיסקא

שמ.

(נא) על אשר מעלתם בי. אתם גרמתם למעול בי. על אשר לא קידשתם אותי, אתם גרמתם שלא לקדש אותי.

°כאשר מריתם פי [במדבר כז יד], אתם גרמתם למרות פי. אמר לו הקדוש ברוך הוא למשה לא כך אמרתי לך °מה זה בידך [שמות ד ב] °השליכהו ארצה [שם ג] והשלכת מה אותות שבידך לא עכבתה דבר הקל הזה היה לך לעכבו ומנין שלא נפטר מן העולם עד שצררה לו הקדוש ברוך הוא בכנפיו שנאמר °לכן לא תביאו את הקהל הזה [במדבר כ יב]

סליק פיסקא

1 מיתה וכו׳, רש״י; פ״ז; אדר״נ נו״א פרק י״ב (כ״ה ע״א); נו״ב פרק כ״ה (כ״ו ע״א); ספרי במדבר סוף פי׳ קל״ו (ע׳ 183); ספרי זוטא שם סוף חוקת (ע׳ 315); מדרש פטירת אהרן בבית המדרש לר״א יעללינעק ח״א ע׳ 95: 11 הפשיטו וכו׳ עד סוף הפיסקא, מובא בילקוט במדבר ר׳ תשס״ד:

8 אתם גרמתם וכו׳, רש״י; פ״ז; ובספר הזכרון מובא עד למרות פי: 12 דבר הקל הזה, לדבר אל הסלע במי מריבה ובלי להכותו: 13 לכן וכו׳, רמא״ש מציע לגרס ע״פ פ״ז „מלמד שלא יצא מן העולם עד שצררה הקב״ה לנשמתו בכנפיו שנ׳ כי מנגד תראה את הארץ ולהלן הוא אומר אשר נלחם אבי עליכם וישלך את נפשו מנגד ויצל אתכם״; ועיין הגרסה בה בשנויי נוסחאות:

ההר א, אהרן אחיך ג$_1$, אהרן ומרים אחיך ג$_5$ — 1 שחמדת לה מטדלש, שחמדת בה ג$_5$א, שנתחמדתה לה ה, שנתאוית וחמדת בה ג$_1$ | ומהיכן טשאמהג$_1$ג$_5$, מהיכן לד | מיתתו] מיתה ג$_5$ — 2 בשעה—ברוך הוא] לפי שהוא אומ׳ ה | בשעה] אלא בשעה ג$_1$ | הקב״ה אמ, המקום דש, ל׳ טלג$_1$ג$_5$ | בנו וכו׳ עד סוף הפיסקא] ל׳ ט^1 — 3 בגדיו] בגדיו וג׳ מה עשה משה ש | אהרן את בגדיו] אר אהרן וגו׳ ויעש משה כאשר דבר ה׳ וגו׳ ויפשט משה וגו׳ ג$_5$ | אלו—לאלעזר] מלמד שהיה משה מפשיטו לבוש ראשון ומלבישו לאלעזר ה, מלמד שהיה מפשיט לאהרן לבושו [פ״ז] | אלו אמ, הפשיטו טשלדג$_5$ג$_1$ | הלבישם אמ, והלבישו ל, והלבישן דטשג$_1$ג$_5$ — 4 וכן שני וכן שלישי שלדטג$_5$, וכן כולן אמ, וכן השני וכן השלישי ובאחרונה הלבישו בגדי מיתה ה, וכן שיני ושלישי עד שמונה ג$_1$ | אמר] ואמר מ | היכנס] אהרן אחי היכנס ה | למערה] למערבי ה | ונכנס] נכנס ש | עלה] ועלה ג$_1$ | פשוט ידיך ופשט] פשוט ידיך ג$_1$ | פשוט רגליך—ועצם אמדטג$_1$, אמץ את עיניך ואימץ פשוט את רגליך ופשט ה, קמוץ פיך וקמץ עצום עיניך ועצם ל, פשוט—וקמץ עמוץ עיניך ועמץ ש, רגליך ופשט—ועצם ג$_5$, פשוט רגליך ופשט עמוץ עיניך ועמץ [פ״ז] — 5 באותה—במיתה זו] אמ׳ לו אהרן אחי אשריו לאדם שמת במיתה זו ה | אמר] נתאוה משה ואמ׳ ג$_1$ — 6 אחיך] אחיך בהר ההר מ | שחמדתה לה] שנתחמדה.ה ה, שחמדתה ג$_1$ג$_5$ — 7 סליק פיסקא ד, ל׳ שלאג$_1$ג$_5$ —

8 אתם גרמתם] מי גרם לכם אתם גרמתם לכם ה | בי] בי ישי׳ ג$_1$ | אתם גרמתם—אותי אמג$_1$ג$_5$ [זכרון] לא אתם—אותי ה, אתם גרמתם לי שלא לקדש אותי לשט, ל׳ ד | אתם גרמתם אמדג$_1$ג$_5$ [זכרון] אתם גרמתם לי טלש, לא אתם גרמתם לכם ה — 10 פי אמטג$_1$ג$_5$ [זכרון] את פי השלד | אמר לו—היה לך לעכבו] הלא את הוא משה שאמרתי לך ויאמר ה׳ אליו מזה בידך ויאמ׳ השל׳ ארצה והרי הדברים קל והומר ומה אם נסים הראשונים שהיו קשים לא עיכבת מהם הדבר הזה שהוא קל צריך היית לעכבו ה | למשה אמשג$_5$, משה טלד, למשה משה ג$_1$ — 11 כך אמג$_1$ג$_5$, ל׳ טשלד | מה זה] מזה ג$_5$ | בידך] בידך ויאמר משה ג$_1$ | והשלכת אמ, השלכתו מידך ג$_5$׳ וגו׳ ותשליכהו ארצה ויהי לנחש ג$_1$, והשלכתו מידך טלד | מה אותות] במלים אלו נגמר קטע ש | מה אמ, ומה ג$_1$ג$_5$שטדל | אותות] אותיות א — 12 הזה אמג$_5$, ל׳ טג$_1$לד | היה אמג$_5$דל, לא היה ט, ל׳ ג$_1$ | ומנין—הזה] מנ׳ אתה אומ׳ שלא יצא משה מן העולם עד שצררה בכנפו שנ׳ כי מנגד תראה את הארץ ה, כי מנגד תראה את הארץ מלמד שלא יצא מן העולם עד שצררה הקב״ה לנשמתו בכנפיו [פ״ז] — 13 שצררה] שצרה א | לו הקב״ה] בהקב״ה א | לו] ל׳ מ | הקב״ה מט^{2}דל הק׳ ג$_5$ט^1, ל׳ ג$_1$ — 5 בכנפיו] ל׳ אמ | הזה] הזה וגו׳ ג$_1$ | סליק פיסקא ד, ל׳ ג$_1$ג$_6$אל —

שמא.

(נב) כי מנגד תראה את הארץ ושמה לא תבא, נאמר כאן ושמה לא תבוא ונאמר להלן °ושמה לא תעבור אי איפשר לומר ושמה לא תעבור, שהרי כבר נאמר ושמה לא תבא, ואי איפשר לומר ושמה לא תבא שהרי כבר נאמר ושמה לא תעבור אמר משה לפני הקדוש ברוך הוא אם איני נכנס לה מלך אכנס לה הדיוט אם איני נכנס לה חי איכנס לה מת, אמר לו הקדוש ברוך הוא ושמה לא תבוא ושמה לא תעבור לא מלך ולא הדיוט לא חי ולא מת סליק פיסקא וסליק סידרא

דברים לד ד

1 תבא אמהט^{1}דג$_{1}$ג$_{5}$, תעבור לט^{2} | נאמר—תבא] ל׳ ט, נאמר כאן ושמה לא תעבר ל | נאמר כאן] כת׳ אחד או׳ ה — 2 ונאמר להלן] וכת׳ אחד או׳ ה | תעבור] תבא טל | אי אפשר—שהרי כבר נאמר ושמה לא תעבר] ל׳ ה, שכבר נאמר לא תבא א — 3 תעבור אמדג$_{1}$, תבא טלג$_{5}$ — 4 שהרי כבר] שכבר ג$_{1}$ [וכן בסמוך] | תבא אמדג$_{1}$, תעבור טלג$_{5}$ [וכן בסמוך] | תעבור אמדג$_{1}$, תבא טלג$_{5}$; בג$_{1}$ג$_{5}$, נוסף כאן <ומה [ג$_{5}$ מה] תלמוד לומר ושמה לא תבוא ומה ת״ל ושמה לא תעבור>; בדטל, נוסף <ומה ת״ל ושמה לא תבוא ושמה לא תעבור> | אמר משה] מלמד שאמ׳ משה ה | לפני הקב״ה דט^{2}, לפני הק׳ ט^{1}, לפני הקב״ה רבונו של עולם ל, לפני המק׳ ב״ה ג$_{1}$, לפני המקום ג$_{5}$, לפני הקב״ה רבון העולמים ה, ל׳ אמ | אם איני—איכנס לה מת] הואיל ונזרת עלי שלא אעבור מלך אעבור הדיוט שלא אעבור חי אעבור מת שלא אעבור בארץ אעבור במחילה ה — 5 איני] אין אני ג$_{5}$ט^{2} | לה אמג$_{1}$ג$_{5}$, בה טלד [וכן בכל הענין] | אם איני אמט, אם אין ג$_{5}$, ואם איני ג$_{1}$לד — 6 הקב״ה אמט^{2}לד הקב״ה משה ה, הק׳ ג$_{5}$ט^{1}, המקום ב״ה ג$_{1}$ | ושמה] תעבור ג$_{1}$ | תבוא] שמה הט | תעבור] תבוא ג$_{1}$ | לא אמהג$_{1}$, ולא טלדג$_{5}$ — 7 מת] בה נוסף <לא בארץ ולא במחילה> | סליק פיסקא וסליק סידרא ד, וזאת הברכה ג$_{1}$, ל׳ ג$_{5}$טל —

1 נאמר כאן וכו׳, עד סוף הפיסקא, לקמן פי׳ שנ״ז: 6 לא חי ולא מת, מכילתא בשלח מסכת עמלק פרשה ב׳ (נ״ה ע״ב; ה—ר ע׳ 183); ספרי במדבר פי׳ ע״ח (ע׳ 75); שם פי׳ קל״ה (ע׳ 182); מ״ת למעלה ג׳ כ״ו (ע׳ 17):

פרשת "וזאת הברכה".

שמב.

(לג, א) וזאת הברכה אשר ברך משה, לפי שאמר משה לישראל דברים
קשים תחילה °מזי רעב ולחומי רשף, מחוץ תשכל חרב °ובחורב הקצפתם דברים לב כד—כה / שם ט ז—ח
את ה׳ ממרים הייתם חזר ואמר להם דברי ניחומים וזאת הברכה אשר ברך
משה, וממנו למדו כל הנביאים שהיו אומרים לישראל דברים קשים תחילה וחוזרים
ואומרים להם דברי ניחומים ואין לך בכל הנביאים שהיו דבריו קשים כהושע
תחילת דבריו אמר להם °תן להם ה׳ מה תתן תן להם רחם משכיל וחזר הושע ט יד
ואמר להם דברי ניחומים °ילכו יונקותיו ויהי כזית הודו וריח לו כלבנון, הושע יד ז—ח
ואומר ישובו יושבי בצלו יחיו דגן ויפרחו כגפן ואומר °ארפא משובתם שם ה—ו
אהבם נדבה, אהיה כטל לישראל יפרח כשושנה וכן יואל אמר להם
°שמעו זאת הזקנים והאזינו כל יושבי הארץ ההיתה זאת בימיכם ואם יואל א ב—ד

---

1 לפי שאמר וכו׳, ילקוט מיכה ר׳ תק״ם; מכירי עמוס ט׳ י״ג (ע׳ 79); שם הושע י״ד ה׳ (ע׳ 9), ועוד שם מיכה ג׳ ב׳ (ע׳ 16); ועיין עוד מכירי עמוס ג׳ ב׳ ושם ד׳ א׳; ועיין פסיקתא דר״כ וזאת הברכה (קצ״ז ע״א); השנויים ממכירי עמוס מובאים בשנויי נוסחאות בציון כ^1; אלה ממכירי הושע בציון כ^2; ואלה ממכירי יונה בציון כ^3:

1 אשר—משה אל, אשר—משה איש האלהים ג$_1$, ל׳ הדטג$_5$ | לפי—תחילה] לפי שהוא מקנתרן בראשו שלענין ה | שאמר אט, שאמר להם לדכ — 2 תחילה טלד, לכתחלה כגון מ, כנון א, מתחילה ג$_5$כ, מכתחלה ג$_1$ | מזי רעב—ממרים הייתם אמט^3, מזי רעב—ממרים הייתם עם לט, מזי רעב—ובחרב הקצפתם ממרים הייתם ג$_5$, מזי רעב ולחומי רשף וקטב מרירי מחוץ מחוץ—את ה׳ ממרים הייתם עם ה׳ ג$_1$, מזי רעב—תשכל חרב ומהדרים אימה ובחורב הקצפתם ממרים הייתם ד, ל׳ ה, מזי רעב ולחומי רשף מחוץ תשכל חרב ומהדרים אימה וממרים הייתם כ$_1$, מזי רעב ולחומי רשף ומחוץ תשכל חרב ובחורב הקצפתם ממרים הייתם עם ה׳ כ$_2$, מזי רעב מחוץ תשכל חרב ממרים הייתם ובחורב הקצפתם כ$_3$ — 3 חזר—ניחומים] לפיכך הוא חוזר ומברכן בסופו וזאת הב׳ ד״א וזאת הבר׳ זאת וזאת הן וכבשיהן לפי שהיה מוכיח את ישראל בראשו של ספר אלה הדברים לפיכך הוא חוזר ואומ׳ להן דברי נחמות בסופו וזאת הברכה ה | דברי] דברים של ט^3 [וכן בכל הענין] | ניחומים אמג$_1$טכ$_2$, נחומין ג$_5$, תנחומין לכ$_1$כ$_3$, נחמים ד | אשר ברך משה] בט^3 מובא הדוגמא של יואל לפני המלים וממנו למדו כל הנביאים: | וממנו—תחילה] וכל הנביאים למדו ממשה להיות מוכיחין את ישראל דברים קשים מתחלה ה — 4 וממנו טלדכג$_1$ג$_5$ ממנו אמ | כל הנביאים אג$_5$ג$_1$מטכ$_2$, כל נביאים ד, כל הנביאים כולם לט^{2}כ$_1$כ$_3$ | שהיו—ונגש חורש בקוצר] וכו׳ כמו שכתוב בהושע בפסוק ארפא משובתם כ$_3$ | שהיו—החסיל והגזם] וכו׳ כ$_1$ | לישראל אמג$_1$טכ$_2$, להם לישראל לדג$_5$ | תחילה טלד, מתחלה ג$_1$ג$_5$, לכתחלה אמ, בתחלה כ$_2$ | והוזרים—ניחומים] ל׳ ה — 5 ניחומים אמכ$_2$, נחמ׳ ג$_5$, נחמות טלדכג$_1$ג$_5$, שאין אמ, אין ה | בכל הנביאים ל׳ ה | שהיו—כהושע] שאמר דברים קשים מתחלה כיוצא בהושע שנ׳ ה | קשים] ל׳ כ$_2$ — 6 תחילת דבריו אמר טלדג$_1$ג$_5$, בתחלת דבריו מה אמר אמ, תחלת דבריו ואמ׳ כ$_2$, ל׳ ה | תן] תתן ל | תן להם רחם משכיל אמ, תן—משכיל ושדים צומקים ג$_1$ד, ל׳ טלהג$_5$; בה נוסף <הוכה אפרים שרשם יבש ימאסם אלהי> ה, מה תתן להם ה׳ כ$_2$ | וחזר אמהל, חזר טדג$_1$ג$_5$כ$_2$ — 7 דברי ניחומים אמג$_5$ג$_1$כ$_2$, נחמות לטד, דברי נחמות ה | ילכו—ויפרחו כגפן ואומר] ל׳ ה | ילכו] שנאמר ילכו כ$_2$ | וריח לו כלבנון ואומר אמג$_5$, ל׳ לדטכ$_2$, וכת׳ ג$_1$ — 8 יחיו—כגפן] ל׳ ג$_1$כ$_2$ | יחיו] יודו ד | ואומר אמ, ל׳ טלדהכ$_2$, וגו׳ ג$_1$ — 9 אהבם—כשושנה] ל׳ כ$_2$ | אהבם נדבה] נדבה וגו׳ ג$_1$ | יפרח כשושנה] ילכו יונקותיו ישובו יושבי בצלו ה | אמר להם אמכ$_2$, אומ׳ בנבואתו דברים קשים ג$_1$, אמר טלדג$_5$ה, אמר דברים קשים מתחלה ה — 10 הזקנים] הכהנים ה | והאזינו—אכל הארבה] ל׳ ג$_5$ | והאזינו—אבותיכם טדג$_1$, והאזינו—ההיתה זאת א, והאזינו כל יושבי הארץ ההיא וגו׳ ל, והאזינו כ$_2$, ל׳ ה —

בימי אבותיכם, עליה לבניכם ספרו ואומר יתר הגזם אכל הארבה (יואל ב כה) וחזר ואמר להם דברי ניחומים, °ושלמתי לכם את השנים אשר אכל הארבה (עמוס ד א) הילק החסיל והגזם וכן עמוס אמר להם °שמעו הדבר הזה פרות הבשן אשר בהר שומרון העושקות דלים הרוצצות אביונים האומרות (שם ט יג) לאדוניהם הביאה ונשתה וחזר ואמר להם דברי ניחומים °הנה ימים באים (מיכה ג ב) ונגש חורש בקוצר וכן מיכה אמר להם °שנאי טוב ואהבי רע גוזלי ואומר (שם ג) °ואשר אכלו שאר עמי ועורם מעליהם הפשיטו וחזר ואמר להם דברי (מיכה ז יח–כ) ניחומים °מי אל כמוך נושא עון ועובר על פשע לשארית נחלתו לא החזיק לעד אפו כי חפץ חסד הוא, ישוב ירחמנו יכבוש עוונותינו ותשליך במצולות ים כל חטאתם, תתן אמת ליעקב חסד לאברהם (ירמיה ז לד) אשר נשבעת לאבותינו מימי קדם וכן ירמיה אמר להם °והשבתי מערי יהודה ומחוצות ירושלם קול ששון וקול שמחה וחזר ואמר להם דברי (שם לא יב) ניחומים °אז תשמח בתולה במחול יכול משאומרים להם דברי ניחומים חוזרים (ירמיה נא סד) ואומרים להם דברי תוכחות תלמוד לומר °ואמרת ככה תשקע בבל ולא תקום מן הרעה אשר אני מביא עליה עד הנה דברי ירמיהו הוי משאומרים להם דברי ניחומים אין אומרים להם דברי תוכחות.

(בראשית מט כח) וזאת הברכה, הרי זו מוסיף על ברכה ראשונה שברכם יעקב אביהם °וזאת אשר דבר להם אביהם ויברך אותם נמצינו למידים שממקום שסיים יעקב אבינו לברך את ישראל משם התחיל משה לברכם שנאמר וזאת הברכה אשר

1 ספרו אמהטג$_1$כ$_2$, ספרו ובניכם לבניהם ל, ספרו ובניכם לבניהם ובניהם לדור אחר ד | ואומר אמג$_1$, ל׳ לטדהכ$_2$ | אכל הארבה אמטל, אכל הארבה וגו׳ ג$_1$, אכל הארבה ויתר הארבה אכל הילק ויתר הילק אכל החסיל ד, אכל הארבה הקיצו שכורים ובכו ה, ל׳ כ$_2$ — 2 והזר אמה, חזר טלדג$_1$ג$_5$כ$_2$ | להם הטלדג$_1$ג$_5$כ$_2$ | ל׳ אמ | דברי [דב׳ ג$_5$] ניחומים אמלכ$_2$ג$_5$, דברים ניחומים ג$_1$טה, דברי נחמות ה | ושלמתי] שנאמר ושלמתי כ$_2$ | אשר—והגזם טלד, אשר אכל הארבה וגו׳ ג$_1$, ל׳ ג$_5$א, והיה ביום ההוא יטפו ההרים עסים (יואל ד׳ י״ח) ה — 3 אמר להם אמכ$_2$, אמר לטד, אומר להם ג$_1$, אמר דברים קשים מתחילה ה | שמעו] שמעו את ד — 4 אשר—ונשתה דג$_5$, אשר בהר שומרון אלו בתי דינין שלהם העושקות—אביונים ה, אשר בהר שמרון מ, וגומ׳ ל, אשר בהר שמרון העושקות—אביונים וג׳ ג$_1$, ל׳ אמכ — 5 וחזר אמהדכ$_1$, חזר לטג$_5$ג$_1$כ$_2$ [ובזה מסיים קטע ג$_1$] | ניחומים] נחמות ה | הנה ימים—הפשיטו וחזר ואמר להם דברי ניחומים] ל׳ לטמד | הנה אה, לכן הנה ג$_5$כ | באים א, באים נאם ה׳ ג$_5$הכ — 6 בקוצר] וכו׳ למעלה בספר הושע בפסוק ארפא משובתם כ$_1$ | אמר] למטה בפסוק שונאי טוב כ$_2$ | אמר להם אג$_5$כ$_3$, אמר דברים קשים מתחלה ה | גוזלי ואומר א, ל׳ ג$_5$הכ$_3$ — 7 ועורם—הפשיטו א, וג׳ ג$_5$כ$_3$, אז יזעקו אל ה׳ ה | וחזר] חזר כ$_3$ — 8 ניחומים אכ, ניחו׳ ג$_5$, נחמה ה | ועובר—מימי קדם דג$_5$, ועובר על פשע ישוב ירחמנו—לאברהם ל, ועובר על פשע ישוב—עונותינו תתן אמת ליעקב ט, ישוב ירחמנו תתן אמת ליעקב הכ$_3$, ל׳ א — 11 אמר להם טלכ$_3$, אמר מאדג$_5$, אומר דברים קשים מתחלה ה — 12 ומחוצות—שמחה] וגו׳ כג$_3$ג$_5$ | וקול שמחה אמה, ל׳ מ, וקול שמחה וגו׳ ל, וקול שמחה קול חתן וקול כלה כי לחרבה תהיה הארץ ד | וחזר מהדלט[1], חזר ג$_5$ט^{2}כ$_3$, קרא וחזר א — 13 ניחומים] נחמ׳ ה | במחול אמלג$_5$כ$_3$, במחול בחורים וזקנים יחדו ד, במחול ורויתי נפש הכהנים דשן ה, במחול וג׳ ט | יכול—ת״ל מ, יכול מי שאומ׳—ת״ל א, יכול משאומ׳ להם דברי תוכחות ואמ׳ להן דברי נח׳ חזר ואמ׳ להם דברי תוכחות ת״ל ה, יכול משאומר׳ להן דברי נחומ׳ חוזרין ואו׳ [ואומרים כ$_3$] להם דברי תוכחות ג$_5$כ$_3$, יכול משאמרו [משאמרת ט^2] להם דברי ניחומים חוזרים ואומרים [חזרת ואמרת ט^2] להם דברי תוכחות ת״ל [ת״ל ל׳ ל] טל, אבל אומות העולם מי שאמרו להם דברי ניחומים חזרו ואמרו דברי תוכחות ד — 14 ואמרת—ירמיהו אמ, ואמרת ככה—מפני הרעה—אשר אנכי מביא עליה וייעפו—ירמיהו ד, אמרת ככה תשקע בבל וג׳ [בבל ולא ג$_5$] טג$_5$, והיה ככלותך לקרוא את דברי הספר הזה תקשר עליו אבן ואמרת ככה תשקע בבל ולא תקום ה, ואמרת ככה תשקע בבל וגו׳ כ$_3$, ל׳ ל — 15 הוי—דברי תוכחות מ, הוי—נחמות אין אומרים דברי תוכחות א, הוי משאמר להן דברי תוכחות וחזר ואמר להן דברי נחמות לא חזר ואמר להן דברי תוכחות אלא דברי נחמ׳ ה, הוי משאמרו [משאמרתם ט^2] להם דברי ניחומים אין חוזרין ואומרים להם דברי תוכחות טג$_5$, ל׳ ל, הוי משאומר להם לאומות דברי ניחומים חוזר ואומר להם דברי תוכחות ד, הוי משאומרין להם דברי ניחומין אין חוזרין דברי תוכחות כ$_3$ — 17 וזאת אמ, ד״א וזאת לטדהג$_5$ | הרי זו אמ, זו ה, זה טלדג$_5$, ו״ו ס | מוסיף ברכה מוספת ה | ברכה לדט, הברכה אמהג$_5$ל, אבינו ט, אביו ד, בה נוסף <דכת׳> — 18 יעקב אבינו אמטדג$_5$, אבינו יעקב הל — 19 את ישראל אמלג$_5$, את בניו דט, ל׳ ה | התחיל] מתחיל לג$_5$ | משה] משה רבינו

ברך: וזאת הברכה הרי זה מוסיף על ברכה ראשונה ואיזו היא °תפלה תהלים צ א
למשה איש האלהים ועדין הדבר תלוי אין אנו יודעים אם תפילה קודמת לברכה
אם ברכה קודמת לתפילה כשהוא אומר וזאת הברכה הוי תפילה קודמת לברכה,
ואין ברכה קודמת לתפילה.

אשר ברך משה, אילו אחרים ברכו את ישראל כדיי היא ברכתם אלא ברכם
משה נמצינו למידים שכדיי משה שיברך את ישראל וכדיי ישראל שברכם משה.

איש האלהים, זה אחד מעשרה שנקראו איש האלהים משה נקרא איש
האלהים תפלה למשה איש האלהים אלקנה נקרא איש האלהים °ויבא איש ש״א ב כז
האלהים אל עלי שמואל נקרא איש האלהים שנאמר °הנה נא איש האלהים שם ט ו
בעיר הזאת דוד נקרא איש האלהים שנאמר °במצות דוד איש האלהים נחמיה יב כד
שמעיה נקרא איש האלהים שנאמר °ויהי דבר ה׳ אל שמעיה איש האלהים מ״א יב כב
לאמר עדוא נקרא איש האלהים שנאמר °והנה איש האלהים בא מיהודה שם יג א
בדבר ה׳ אליהו נקרא איש האלהים שנאמר °איש האלהים תיקר נא נפשי מ״ב א יג
אלישע נקרא איש האלהים שנאמר °הנה נא ידעתי כי איש אלהים קדוש שם ד ט
הוא מיכה נקרא איש האלהים שנאמר °ויגש איש האלהים ויאמר אל מלך מ״א כ כח
ישראל אמוץ נקרא איש האלהים שנאמר °ואיש אלהים בא אליו לאמר דה״ב כה ז
המלך אל יבא עמך צבא ישראל.

לפני מותו, וכי עלתה על דעתך שלאחר מותו היה משה מברך את ישראל,

2 ועדין הדבר תלוי וכו׳, למעלה פי׳ שי״ב (ע׳ 353, שורה 11); וציונים שם: 3 הוי תפלה קודמת וכו׳, פסיקתא דר״כ שם: 7 זה אחד מעשרה וכו׳, פ״ז; סדר עולם רבא פ״כ (הוצ׳ רטנר מ״ר ע״ב); אדר״נ נו״ב פרק ל״ז (מ״ח ע״א); ועיין בספר אגדות היהודים לר׳ לוי גינצבורג ח״ו ע׳ 167; אמנם לפי המסורה נקראו י״א איש האלהים, ועל אלה הנזכרים כאן יש להוסיף את חנן בן יגדליהו (ירמיה ל״ה ד׳); וכבר העיר על זה בילקוט שמואל ר׳ צ״א, ועיין ברד״ף: 12 עדוא, עיין למעלה פי׳ קע״ז (ע׳ 222, ש׳ 2); ובסדר עולם רבא פ״כ (הוצ׳ רטנר מ״ג ע״א, ובהערה שם כ״ט): ובסנהדרין צ״ט ע״ב; ובהערת ר׳ דוד האפפמאנן למ״ת כאן: 14 שנאמר ויגש וכו׳, ועיין בסדר עולם רבא פ״כ מ״ג ע״ב, ובקדמוניות היהודים ליוזיפוס ח׳, י״ד, ח׳ שזה היה מיכיהו וכן נראה ממה שאמרו בתוספתא סנהדרין פי״ד הט״ו „המותר על דברי נביא כחבירו של מיכה״, משמע שפירשו איש האלהים בכתוב זה על מיכה, עיין שם מ״א כ׳ ל״ה: 16 אמוץ וכו׳, נביא היה כמבואר במגילה י״ד ע״א, ועיין רש״י ורד״ק דה״ב כ״ה ז׳; וסדר עולם רבא פ״כ מ״ג ע״ב:

ה | לברכם אמ, מברך וז׳ הב׳ ה, וברכם טלד, ומברכן ג$_5$ — 1 וזאת הברכה וכו׳] בה נמצא מאמר זה לפני המאמר „הרי זה מוסף על ברכה ראשונה שברכם יעקב וכו׳״ | וזאת הברכה אמ, ד״א וזאת הברכה ה ל׳ טלדג$_5$ | הרי זה טלדג$_5$, זאת אמ, זו ה | היא אמ, זו ה, זו תפילה שנאמר טלדה, זו זו תפילה שנאמר ג$_5$ — 2 ועדין—ואין ברכה קודמת לתפלה] אבל איני יודע איזה יקדום אם תפלה קודמת לברכה אם ברכה קודמת לתפלה וכשהוא אומר וזאת הברכה הוי תפלה קודמת לברכה ה | ועדין] ועדן ג$_5$ | הדבר תלוי אמ, דבר תלי בדלא [בדלי ג$_5$] תלי טלדג$_5$ | אין מלטג$_5$, ואין דא | לברכה אמ, את הברכה ג$_5$, הברכה טלד — 3 אם ברכה קודמת] ל׳ ל | אם אמ, ואם ג$_5$טד | לתפילה אמד, את התפילה טלג$_5$ | הוי] הרי ג$_5$ | לברכה אמ, את הברכה לדט^{2}ג$_5$, הברכה ט^1 — 5 אשר ברך משה טה, ל׳ אמלדג$_5$ | כדיי היא ברכתם—ברכם] ראוים היו לכך על אחת כמה וכמה שבידבן משה ה | היא] הוא לט | ברכם] משה אמ, שבא משה וברכם טלדג$_5$ — 6 שכדיי אמטל, שכדיי היה דג$_5$, שראוי היה ה | שיברך אמ, לברך טלדה | וכדיי] וראוים היו ה | שברכם אמ, שיברכם טלדג$_5$, להתברך מפי ה — 7 משה נקרא איש האלהים] ל׳ מ — 8 תפלה—האלהים אמה, תפלה למשה ג$_5$, שנאמר וזאת הברכה אשר ברך משה איש האלהים [אלהים לן לד, שנאמר משה איש האלהים ט | אלקנה—אל עלי א, אלקנה—שנאמר ויבא [ויצא ה]—אל עלי [<זה אלקנה> ה] מהטג$_5$, אלקנה—אלהים שנאמר ויבא אלקנה איש האלהים לפני עלי ל, ל׳ ד | האלהים] אלהים ל, וכן בכל הענין — 9 נא ה, ל׳ אמטלדג$_5$ — 10 במצות] ואחיהם לנגדם להלל להודות במצות א — 12 עדוא מג$_5$, עדו אמ, לאעידו ל, ויעדוא ה | והנה איש אמדג$_5$, ואיש הטל | בא—ה׳] ל׳ א | בדבר] כדבר ד — 13 איש—נפשי אמ, תיקר נא נפשי בעיניך איש האלהים ה, איש אלהים תיקר נא נפשי בעיניך ד, איש האלהים תיקר—נפשי ונפש עבדיך אלה חמשים איש ט, תיקר—נפשי ונפש עבדיך אלה חמשים איש בעיניך ל | האלהים] אלהים אל — 14 הנה נא ידעתי] ל׳ ד | ויבא—שנאמר] ל׳ אמ — 15 ויגש ה, ויבא טלדג$_5$ | ויאמר ה, ל׳ טלדג$_5$ — 16 ישראל] בה נוסף <ויאמ׳ כה אמ׳ ה׳ יען אשר אמרו ארם אלהי הרים ה׳> | אמוץ אמהטג$_5$, אמון לד | אליו לאמר—ישראל ה, אלי לאמר—ישראל כי אין ה׳ עם אפרים מ, אליו אל יבא—ישראל א, אליו לאמר אל יבא—ישראל לט — 17 עלתה

מלאכי ג כג אלא מה תלמוד לומר לפני מותו סמוך למותו, כיוצא בו °הנה אנכי שולח
לכם את אליה הנביא לפני בוא יום ה׳ וכי עלתה על דעתך שלאחר ביאה
אליהו מתנבא להם מה תלמוד לומר לפני בא יום ה׳ סמוך לביאה סליק פיסקא

שמג.

(ב) ויאמר ה׳ מסיני בא וזרח משעיר, מגיד הכתוב שכשפתח משה לא
פתח בצרכם של ישראל תחילה עד שפתח בשבחו של מקום משל ללוטייר שהיה
עומד על הבמה ונשכר לאחד לדבר על ידיו ולא פתח בצרכי אותו האיש תחילה
עד שפתח בשבחו של מלך אשרי עולם ממלכו אשרי עולם מדיינו עלינו זרחה חמה
עלינו זרחה לבנה והיו אחרים מקלסים עמו ואחר כן פתח בצרכו של אותו האיש
וחזר וחתם בשבחו של מלך אף משה רבינו לא פתח בצרכי ישראל עד שפתח
בשבחו של מקום שנאמר ויאמר ה׳ מסיני בא ואחר כך פתח בצרכם של ישראל
ויהי בישורון מלך חזר וחתם בשבחו של מקום אין כאל ישורון, ואף דוד
תהלים קמט א המלך פתח בשבחו של מקום תחילה שנאמר °הללויה שירו לה׳ שיר חדש
שם קמט ד ואחר כך פתח בשבחם של ישראל °כי רוצה ה׳ בעמו וחזר וחתם בשבחו של
שם קנ א דה״ב ו יד מקום °הללו אל בקדשו ואף שלמה בנו פתח בשבחו׳ של מקום תחילה °אין

אמה, תעלה טלדג$_5$ | שלאחר] לאחר ה | מותו אמ, המיתה ה, מיתה טלרג$_5$ — 1 אלא–לומר] ואם כן למה נאמר ה | אלא] ל׳ ג$_5$ | למותו אמ, למיתה הלג$_5$, למיתתו טד | בו אמג$_5$, בו אתה אומר טלה, וה״א ה — 2 אליה אטלדג$_5$, אליהו מה | יום ה׳ אמה, יום ה׳ הגדול והנורא והשיב לב אבות על בנים (אבות וגו׳ ג$_5$) ל׳ דג$_5$, יום—על בנים ולב בנים על אבותם ט | עלתה אמ, עלת לדהג$_5$, תעלה ט | על דעתך אמ, על דעתינו טלהג$_5$ | שלאחר] לאחר ה | ביאה טלדג$_5$, הביאה ה, ביאת יום ה׳ אמ — 3 אליהו–להם] ל׳ ה | אליהו מתנבא אמ, היה אליהו מתנבא טלדג$_5$ | להם אמט[1], להם לישראל ט[2]לדג$_5$ | מה תלמוד לומר אדג$_5$, ומה ת״ל טלמ, ואם כן למה נאמר ה | לביאה] לביאתו ד | סליק פיסקא ד, ל׳ אלג$_5$ —

4 מגיד הכתוב] מלמד ה | שכשפתח–בצרכם] שלא רצה משה לתבוע צורכיהן ה — 5 בצרכם אמטג$_5$, לצורכם לד | עד] אלא עד ל | בשבחו] לשבחו ל | של מקום] של הקב״ה ה | משל אמ, משל למה הדבר דומה טלדג$_5$, מושלו מלה״ד ה | ללוטייר אמ, לליטאר ס, ללאיטור דל, ללאיטר ט, לניטור ה (בג$_5$ נטשטשה המלה ואי אפשר לקרותה) — 6 עומד טלדהג$_5$, עובר אמ | הבמה] הבהמה ט[2] | ונשכר ד, ונדרך ל, ונזכר אמהטג$_5$ס | לאחד לדבר על ידיו טלדג$_5$, לאחד שיבוא וידבר על ידיו ה, לדבר בצרכי אדם אחד אמ | ולא טלדג$_5$ה, לא אמ | פתח בצרכי] רצה לתבוע צרכו ה | של אותו אמהג$_5$, שלאותו טלד — 7 עד שפתח] אלא פתח ה | מלך] מלך תחילה ד | אשרי] התחיל מקלסו ואומר אשרי ה | עולם אמט, עולה לדג$_5$, העולם ה | ממלכו] מי בתוכו ה | עולם ה | מדיינו מטג$_5$, ממנהיגנו א, מי דיינו ה, מראיני לד — 8 והיו–עמו אמ, והיו הכל–עמו טדג$_5$, והיו הכל מקלסים ה | ואחר כן א, אחר כן מ, וחזר ה, ואחר כך טלדג$_5$ | פתח] ופתח ה | בצרכו של מהלג$_5$, בצרכי דט, ל׳ מ | של אותו האיש אמלג$_5$, של איש ה, אותו האיש דט — 9 אף–ישראל] וכן את מוצא שלא רצה משה לתבוע צרכיהן של ישראל תחלה ה | בצרכי אמל, בצורכם של דג$_5$, בצורכו של ט | עד שפתח] אלא פתח ה — 10 בשבחו] בכבודו ל | של מקום] של הקב״ה ה | שנאמר] ל׳ ה | בא] בא וזרח ד | כך] כן מ | פתח] ל׳ ה — 11 אין כאל–פתח בשבחו של מקום] ל׳ ל | ויהי בישורון מלך אמט, שנ׳ ויהי בישורון ל, שנאמר ויהי בישורון מלך דג$_5$, וזאת ליהודה וללוי אמר לבנימן אמר וליוסף אמר ה | חזר אמל, וחזר הטדג$_5$ | של מקום] של הקב״ה ה | אין–של מקום תחילה] ל׳ ל | אין] שנאמר אין ד | ואף דוד] וכן את מוצא בדוד ה | ואף אמ, אף טדג$_5$ — 12 המלך אמ, מלך ישראל טדג$_5$, ל׳ ה | פתח אמ, שלא רצה לתבוע צרכיהן של ישראל תחלה אלא פתח ה, לא פתח בצורכם של ישראל תחילה עד שפתח דג$_5$ | של מקום] של הקב״ה ה | תחילה] ל׳ ג$_5$ | הללויה] ל׳ ה | שיר חדש] <תהלתו בקהל חסידים> ל — 13 ואחר–בשבחם [בצרכיהן ה] אמה, וחזר וחתם בצורכו ד, וחזר–בצורכן ט, וחזר ופתח בשבחן ל, וחזר וחתם בשבחן ג$_5$ | כי רוצה אמה, שנאמר כי רוצה טלדג$_5$ | וחזר] ל׳ ה — 14 הללו–בקדשו אמ, הללויה הללו–בקדשו ה, שנאמר הללויה–בקדשו ג$_5$, רוממות אל בגרונם ט, ל׳ לד | ואף–תחילה מ, ואף–חתם בשבחו של מקום תחלה א, אף שלמה לא פתח בצרכן של ישר׳ תחלה עד שפתח בשבחו של מקום ג$_5$, ואף שלמה לא פתח בצרכן של ישר׳ עד שפתח בשבחו של מקום ט, וכן את מוצא בשלמה בנו שלא רצה לתבוע צרכיהן של ישראל תחלה אלא פתח בשבחו של הקב״ה תחלה ה, ל׳ לד | אין כמוך–ובארץ אמ, ויאמר ה׳ אלהי ישראל אין כמוך ה, מי

1 סמוך למיתתו, רש״י; פ״ז:

4 מגיד וכו׳, רש״י; פ״ז; ברכות ל״ב ע״א; מובא בילקוט מלכים ר׳ קצ״ב וילקוט תהלים ר׳ תתפ״ח: 5 משל וכו׳, השוה ציגלר ע׳ 111. — ללוטייר, פירשו מל״י [illegible] מליץ וסנגור: 6 במה, כידוע מל״י [illegible], המקום

כמוך אלהים בשמים ובארץ שומר הברית והחסד ואחר כך פתח בצרכם של ישראל °רעב כי יהיה בארץ וחזר וחתם בשבחו של מקום °קומה ה׳ (שם כה; שם מא) אלהים לנוחך ואף שמנה עשרה ברכות שתיקנו נביאים הראשונים שיהו ישראל מתפללים בכל יום לא פתחו בצרכם של ישראל עד שפתחו בשבחו של מקום האל הגדול הגבור והנורא קדוש אתה ונורא שמך ואחר כך מתיר אסורים ואחר כך רופא חולים ואחר כך מודים אנחנו לך.

ויאמר ה׳ מסיני בא, כשנגלה המקום ליתן תורה לישראל לא מרוח אחת נגלה אלא מארבע רוחות שנאמר ויאמר ה׳ מסיני בא, וזרח משעיר למו, הופיע מהר פארן, ואיזו היא רוח רביעית °אלוה מתימן יבא. (חבקוק ג ג)

דבר אחר כשנגלה הקדוש ברוך הוא ליתן תורה לישראל לא בלשון אחד אמר להם אלא בארבעה לשונות שנאמר ויאמר ה׳ מסיני בא זה לשון עברי וזרח משעיר למו זה לשון רומי הופיע מהר פארן זה לשון ערבי °ואתה מרבבות קדש זה לשון ארמי.

דבר אחר ויאמר ה׳ מסיני בא, כשנגלה הקדוש ברוך הוא ליתן תורה

שעליו עומד המדבר; עיין צינלר שם: — קדוש אתה וכו׳, כן היה נוסח ברכת קדושת השם בא״י, עיין ברבעון האנגלי שנה י׳ ע׳ 694, מה שהדפים רש״ז שעכטר מן הגניזה: 1 ואחר כך מתיר אסורים, עיין גרסת מ״ת בשנויי נוסחאות; ונראה ברור שבימי מסדר הברייתא היתה קבועה ברכה אהת בי״ח בחתימה מתיר אסורים: 5 רופא חולים, כן היא נוסח החתימה של ברכת רפאנו לפי מנהג בני א״י, עיין בנסמן למעלה ברבעון האנגלי: 7 כשנגלה וכו׳, פ״ז; שה״ש זוטא א׳ ד׳ (ע׳ 12); שמות רבא פ״ה סי׳ ט׳; כפתור ופרח פ״ו (ע׳ 118); ולמעלה פי׳ שי״ד (ע׳ 356, שורה 13); והשוה פסיקתא זוטרתא כאן ולמעלה על הכתוב כנשר יעיר קנו (הוצ׳ באבער נ״ז ע״א), שמשמע לפי גרסתו שרוח רביעית נרמז בכתוב ואתא מרבבות קדש, וכן גרסת מ״ת: 9 ואיזו היא וכו׳, עיין בהערה שם לפי׳ שי״ד: 10 כשנגלה וכו׳ עד שפרקום ונתנום לישראל לכך נאמר ה׳ מסיני בא, מנורת המאור: 11 זה לשון ארמי, „פי׳ הז״א משום דואתה הוא לשון ארמי, תרגומו של ובא; ולי נראה דרבבת קדש שם מקום הוא ואולי הוא מריבת קדש דדברים ל״ב ונקרא כן ע״ד כנוי כבוד א״נ מקום אחר שנקרא כן ע״ש חניות ישראל״, רמא״ש: 14 כשנגלה וכו׳, רש״י; פ״ז; ת״י; רמב״ן; רא״ם; מכירי תהלים קל״ח סי׳ ב׳ (קל״ב ע״ב) מכילתא יתרו מסכת בחדש פרשה ה׳ (ס״ז ע״א; ה—ר ע׳ 221); עבודה זרה ב׳ ע״א; שמות רבה פרשה כ״ז סי׳ ט׳; במדבר רבה פרשה י״ד סי׳ י׳; פסיקתא דרב כהנא פסקא בחדש (מ״ג ע״ב); פסיקתא

אל כמוך שומר הברית והחסד לעבדיך ההולכים לפניך בכל לבם לד, שומר הברית—לבם ט, אין כמוך שומר הברית ג$_{5}$ — 1 פתח—של ישראל] הוא אומר ה | פתח] ל׳ ל — 2 רעב אמה, שנ׳ רעב טלדג$_{5}$ | וחזר—מקום] ובאחרונה הוא אומ׳ ה | וחזר אמד, חזר טלג$_{5}$ | מקום] הק׳ ג$_{5}$ | קומה אה, שנאמר קומה מלד, שנאמר ועתה קומה טג$_{5}$ | ה׳— לנוחך מג$_{5}$, ה׳ לנוחך א, ה׳ אלהים לנוחך ה׳ אלהים אל תשב פני משיחך ה, קומה אלהים למנוחתך ל, קומה ה׳ אלהים למנוחתך ט, קומה ה׳ למנוחתך ד — 3 ואף] וכן את מוצא ה, אף ט^{1} | ברכות אמהג$_{5}$, ל׳ טלד | שתקנו] שקבעו ה | נביאים אמ, חכמים טלדג$_{5}$, חכמים ונביאים ה | הראשונים אמלדג$_{1}$, ל׳ טה | שיהו—בכל יום אמ, שיהו—מתפללים טלדג$_{5}$, ל׳ה — 4 לא—בצרכם] שלא רצו לתבוע צורכיהם ה | של ישראל אמ, של ישראל תחלה טלדג$_{5}$ה | עד—אנחנו לך] אלא פתחו בשבחו של הקב״ה ברוך אתה ה׳ אלהינו ואלהי אבו׳ א׳ אב׳ א׳ יצ׳ וא׳ יעקב ובשניה הוא אומ׳ תחית המתים ובשלישי׳ הוא אומ׳ קדושת השם ואחר כך הוא אומ׳ גאלינו ה׳ אלהינו גאולה שלימה מלפניך ובאחרונה הוא אומ׳ ועתה א׳ מודים אנחנו לך ה | האל אמט, שנ׳ האל דג$_{5}$, שנאמר מי אל כמוך נושא האל ל — 5 קדוש—שמך טדג$_{5}$, קדוש ונורא שמך ל, ל׳ אמ | ואחר כך—מודים אנחנו לך טלד, ואחר כך מתיר אסורים וכו׳— מודים אנחנו לך ג$_{5}$, ואחר כך רופא חולים מתיר [א ומתיר] אסורים ומודים [מ ומודים אנחנו לך] אמ — 7 ויאמר—יבא] ל׳ א, במה, מובא המאמר כאן אבל בשאר הנסחאות טלדג$_{5}$, מקומו אחר המאמר „לא בלשון אחד וכו׳״, המובא למטה בסמוך | ויאמר מה, ד״א ויאמר טלדג$_{5}$ | כשנגלה—מסיני בא] ל׳ ל | המקום מד, הקב״ה ג$_{5}$הט^{2}, הק׳ ט^{1} | לא—נגלה] לא נגלה להם מרוח אחת ה | אחת] אחד ד — 8 רוחות מה, רוחות נגלה דט, רוחות הוא נגלה ג$_{5}$ | וזרח—יבא] זו רוח צפונית וזרח משעיר למו זו רוח מזרחית הופיע מהר פארן זו רוח דרומית ואתה מרבבות קודש זו רוח מערבית ה | וזרח—פארן מ, ל׳ טדג$_{5}$ — 9 ואיזו היא מג$_{5}$, ואיזו זו ד, ואיזה ט^{1}, ואיזהו ט^{2} | רביעית מט, רביעית כמה שנ׳ לד, רביעית כמו שנ׳ ג$_{5}$ | ד״א מ, ד״א [ויאמר א] ה׳ מסיני בא אה, ד״א ויאמר ה׳ מסיני בא טלדג$_{5}$ — 10 כשנגלה] מלמד כשנגלה ה | הקב״ה] המק׳ ג$_{5}$, הק׳ ט^{1} | לא—להם] לא נתנה להן בלשון אחת ה — 11 אמר להם אמ, נגלה להם טלדג$_{5}$ | בארבעה] בארבע ד | שנאמר אמה, ל׳ טלדג$_{5}$ | עברי] הקדש ה — 12 ואתה—קודש טדג$_{5}$ה, ואתא—קודש ל, אלה מתימן יבא מ, יבא א — 14 ד״א וכו׳] במ״ת מאמר זה מקומו למטה אחר המאמר „הרעיש כל העולם כולו״ המובא למטה בסמוך | כשנגלה] מלמד כשנגלה ה | הקב״ה

לישראל לא על ישראל בלבד הוא נגלה אלא על כל האומות, תחילה הלך אצל בני
עשו אמר להם מקבלים אתם את התורה אמרו לו מה כתוב בה אמר להם °לא (שמות כ יג)
תרצח אמרו כל עצמם של אותם האנשים ואביהם רוצח הוא שנאמר °והידים ידי (בראשית כז כב)
עשו °ועל חרבך תחיה הלך אצל בני עמון ומואב אמר להם מקבלים אתם את (שם כז מ)
התורה אמרו לו מה כתוב בה אמר להם °לא תנאף אמרו לו כל עצמה של ערוה (שמות שם)
להם היא שנאמר °ותהרין שתי בנות לוט מאביהן הלך אצל בני ישמעאל (בראשית יט לו)
אמר להם מקבלים אתם את התורה אמרו לו מה כתוב בה אמר להם °לא (שמות שם)
תגנוב אמרו לו כל עצמם אביהם ליסטים היה שנאמר °והוא יהיה פרא אדם (בראשית טז יב)
וכן לכל אומה ואומה שאל להם אם מקבלים את התורה שנאמר °יודוך ה׳ (תהלים קלח ד)
כל מלכי ארץ כי שמעו אמרי פיך יכול שמעו וקבלו תלמוד לומר °ועשיתי (מיכה ה יד)
באף ובחימה נקם את הגוים אשר לא שמעו לא דיים שלא שמעו אלא
אפילו שבע מצות שקבלו עליהם בני נח לא יכלו לעמוד בהם עד שפרקום כיון
שראה הקדוש ברוך הוא כך נתנם לישראל, משל לאחד ששילח את חמורו וכלבו
לגרן והטעינו לחמור לתך ולכלב שלש סאים היה החמור מהלך והכלב מלחית
פרק ממנו סאה ונתנו על החמור וכן שיני וכן שלישי כך ישראל קבלו את
התורה בפירושיה ובדקדוקיה אף אותם שבע מצות שלא יכלו בני נח לעמוד בהם

אמה, הק׳ ט^{1}ג$_5$, המקום ט^{2}לדכ (ראם) | ליתן תורה] ל׳ א | תורה] התורה כ — 1 לישראל] ל׳ ג$_5$כ | לא על—כל האומות] חיזר על כל אומות העולם שיקבלו את התורה ולא רצו לקבל שנ׳ ה׳ מסיני בא ה | האומות] אומ׳ הע׳ ג$_5$כ, אומות העולם (ראם) בא, נוסף <נגלה> | תחילה אמ, בתחילה טלדג$_5$כ (ראם), ל׳ ה | הלך—עשו] נגלה על בני עשו הרשע ה — 2 עשו טלדג$_5$כ (ראם), שעיר אמ | אמר] ואמר ד | מקבלים אתם] תקבלו א | את] ל׳ כ | אמרו—ועל חרבך תחיה] ולא רצו ונומר (ראם) | מה] ומה ה | כתוב] כתי׳ מכ — 3 אמרו אה, אמרו לו מט^{2}לכ, אמרו לפניו ט^1, אמרו לפניו [לו ג$_5$] רבונו של עולם דג$_5$ | כל—תחיה] כל עצמן שלאותן האנשים לא הבטיחן אביהם אלא על החרב שנ׳ ועל חרבך תחיה היאך אנו יכולים לקבל את התורה ולא רצו לקבל ה | עצמם] עצמן ד | אותם האנשים] אותו ד | האנשים] אנשים כ; וכאמ נוסף <אין להם תקומה אלא ברציחה> | ואביהם אמ, אביהם טלדג$_5$כ — 4 ועל חרבך אמ, ועל כך הבטיחו אביו שנאמר על [ועל ג$_5$] דלג$_5$, ועל [על כ] כך הבטיחו אביו ועל [על ט^2] טכ | הלך אצל אמג$_5$כ (ראם), הלך לו אצל טד, נגלה על ה | עמון ומואב טלדג$_5$הכ (ראם), עמון אמ | אמר אמהטכ (ראם), ואמר דלג$_5$ | מקבלים אתם] תקבלו א | אתם] אתם עליכם ה | את] ל׳ כ | אמרו לו] ל׳ מ — 5 מה כתוב] ומה כתוב כ | בה] בו ד | אמר להם] ל׳ ט | אמרו לו אמהלכ, אמרו לפניו ט^1, אמר להן ט^2, אמרו לפניו רבונו של עולם דג$_5$ (ראם) | כל עצמה—להם היא] כל עצמן שלאותם האנשים אינן באין אלא מטפה של זנות ה | כל אמ (ראם), ל׳ טלדג$_5$כ — 6 להם אמד, שלהם טלג$_5$כז (ראם) | מאביהן] מאבידם ד | מאביהן] בה נוסף <היאך אנו יכולים לקבל את התורה ולא רצו לקבל> | הלך אצל אמלג$_5$כז (ראם), נגלה על ה, הלך ומצא דט | ישמעאל] בה נוסף <ועל בני קטורה> — 7 מקבלים אתם מהרטי לג$_5$כ (ראם), אתם מקבלים ט^2, תקבלו א | את] ל׳ כ | כתוב] כתי׳ מ, כתיב כ | אמר להם אהלדג$_5$כ (ראם), ל׳ טמ — 8 אמרו לו אמהט^{2}כ אמרו לפניו ט^1, אמרו לפניו רבונו של עולם דלג$_5$ (ראם) | כל—לסטים היה] כל עצמן של אותן האנשים אינן חיין אלא מגניבה וגזל ה | כל עצמם אמטלג$_5$, כל עצמו דכז, ל׳ (ראם) | אביהם ליסטים היה טלדג$_5$כ (זכרון), של לסטות להם היא ואביהם לסטים היה אמ, של אביהם לסטים הוא ז | אדם] בה נוסף <היאך אנו יכולין לקבל את התורה ולא רצו לקבל> בא נוסף <ידו בכל> — 9 וכן לכל—ער שפרקום ונתנום לישראל שנ׳ ה׳ מסיני בא] ל׳ ה | וכן—מקבלים א, וכן לכל אומה ולשון שא״ל אם מקבלין מ, לא היתה אומה באומות (בין האומות כ) שלא הלך ודיבר ודפק [הלך ודפק כ] על פתחה מה אם [מה ד, אם כ] ירצו ויקבלו [יקבלו ג$_5$, לקבל כ] טלדג$_5$כ | שנאמר אמ, וכה״א טלדג$_5$, וכן דוד אומר כ — 10 תלמוד לומר אמ, ת״ל ואותם לא יעשו ואומר טלג$_5$, ת״ל ואותם לא תעשו ואומר דט^3, ת״ל ואותם לא ואומר כ — 11 את ארט, את כל מ, על כל ל | אשר לא שמעו] ל׳ ג$_5$ | לא—שמעו אמ, ל׳ לטדג$_5$ — 12 אפילו] ל׳ ט^1 | בני—שפרקום] פרקום ט^3 | כיון—נתנם אמ, ונתנום טלדג$_5$ — 13 את] ל׳ א | וכלבו אמג$_5$, ואת כלבו טלד — 14 לחמור אמ, לחמורו טלדג$_5$ | ולכלב אמ, ולכלבו טלדג$_5$ | היה אמ, והיה טלדג$_5$ | והכלב מלחית טלדג$_5$, וכלב מלחית מ, מלהיות א — 15 כך אמ, אף כך ט^{1}ג$_5$, אף כאן ט^2, אף כן לד — 16 בפרושיה ובדיקדוקיה] כפירושיה וכדיקדוקיה ל | שלא יכלו—וקבלום

רבתי פסקא כ״א (צ״ט ע״ב), כל הענין; תנחומא וזאת הברכה סי׳ ד׳; פדר״א פרק מ״א; מדרש עשרת הדברות בבית המדרש לר׳ אהרן יעללינעק, חדר א׳ ע׳ 68; ועיין עוד בספר אגדות היהודים לר׳ לוי גינצבורג ח״ו ע׳ 30; 17 וכן לכל אומה וכו׳ ילקוט תהלים ר׳ תתפ״ז: 13 משל לאחד וכו׳ ויקרא רבה פרשה י״ג סי׳ ב׳; ועיין ב״ק ל״ח ע״א: 14 מלחית, אודות מלה זרה זו עיין במ״ע Jüd. Zeitschrift לר׳ אברהם

ופרקום באו ישראל וקבלום לכך נאמר ויאמר ה׳ מסיני בא וזרח משעיר
למו.

דבר אחר וזרח משעיר למו, כשעומד הקדוש ברוך הוא ליפרע משעיר
עתיד להרעיש את העולם כולו על יושביו כדרך שהרעיש במתן תורה שנאמר °ה׳ שופטים ה ד
בצאתך משעיר בצעדך משדה אדום ארץ רעשה גם שמים נטפו גם
שחקים יזלו מים ואומר °ואחרי כן יצא אחיו וידו אוחזת בעקב עשו בראשית כה כו
ויקרא שמו יעקב אמר להם הקדוש ברוך הוא אין כל אומה ולשון נכנסת
ביניכם. משל למלך שהיה מבקש ליתן מתנה לאחד מבניו והיה המלך מתירא מפני
אחיו ומפני אוהביו ומפני קרוביו מה עשה אותו הבן עמד ופרכס את עצמו וספר
את שערו אמר לו המלך לך אני נותן מתנה כך כשבא אברהם אבינו לעולם יצא
ממנו פסולת ישמעאל ובני קטורה חזרו להיות רעים יותר מן הראשונים וכשבא
יצחק יצא ממנו פסולת עשו וכל אלופי אדום חזרו להיות רעים יותר מן הראשונים
וכשבא יעקב לא יצא ממנו פסולת אלא נולדו כל בניו תמימים כענין שנאמר
°ויעקב איש תם יושב אהלים אמר לו הקדוש ברוך הוא לך אני נותן את בראשית כה כז
התורה לכך נאמר ה׳ מסיני בא וזרח משעיר למו.

דבר אחר מסיני בא כשנגלה הקדוש ברוך הוא ליתן את התורה הרעיש
כל העולם על יושביו שנאמר °קול ה׳ על המים ואומר קול ה׳ בכח באותה תהלים כט ג

ניינר שנה ד׳ ע׳ 122: 6 ואומר—ביניכם] הגר״א מוחק, ולדעתי נראה הגהת רמא״ש ע״פ הפ״ז „וזרח משעיר למו כענין שנאמר ואחרי וכו׳״, ופירושו שלא תמשול אומה אחרת בין עשו ליעקב אלא תיכף לירידת ארום יעלה ישראל: 9 מה עשה אותו הבן, לתת עילה וסיבה לאביו לתת לו מתנה בלי לעורר קנאה עליו בלב אחיו: — ופרכס, כידוע מלש״י (״) ζαπεπκα, ופירושו לצבוע את עצמו, להנאות את פניו: 10 כך כשבא אברהם אבינו וכו׳, למעלה פי׳ ש״ב, ופי׳ ל״א (ע׳ 49, שורה 11) ובציונים שם: 1 כשנגלה וכו׳, מכילתא ריש יתרו (נ״ז ע״א; ה—ר ע׳ 188); שם מסכת בחדש פ״א (ס״ב ע״א, ה—ר ע׳ 205); שם פ״ה (ס״ז ע״א; ה—ר ע׳ 221); זבחים קט״ז ע״א; ובסגנון שונה פסיקתא רבתי פיסקא כ׳ (צ״ה ע״א) מכירי תהלים כ״ט פי׳ י״ב (צ״ג

אמ, שקיבלו עליהם בני נח לא [ולא ט] יכלו לעמוד בהם עד שפרקום ונתנום לישראל טלדג$_5$ — 1 ויאמר—למו א, וזרח משעיר מ, ויאמר ה׳ מסיני בא טלדג$_5$ — 3 וזרח משעיר למו א, וזרח משעיר מ, ויאמר ה׳ מסיני בא טלד, ה׳ מסיני בא ה | כשעומד—ביניכם] מלמד כשם שהרעיש הקב״ה את השמים ואת הארץ ביום מתן תורה כך הוא עתיד להרעיש בו את כל העולם כולו ביום שיפרע בו משעיר שנ׳ ה׳ בצאתך משעיר בצ׳ משדה אדום ארץ רעשה הר׳ נז׳ מפני ה׳ מה ת״ל זה סיני מפני ה׳ אלהי ישראל אלא מלמד כשם שהרעיש הקב״ה את השמים ואת הארץ ביום מתן תורה כך הוא עתיד להרעיש בו את כל העולם כולו ביום שיפרע בו משעיר ה | כשעומד מ, כעומד א, כשעתיד טלדג$_5$ | הקב״ה אמ, המקום טלד, הק׳ ג$_5$ — 4 את אמ, כל טלדג$_5$ | כולו על יושביו] ל׳ א | כולו מלדט^2, ל׳ ג$_5$ט^1 | על] ואת מ | שהרעיש] שעשה ד | במתן אמ, בשעת מתן טלדג$_5$ — 5 בצעדך—מים ד, בצעדך משדה אדום א, בצעדך משדה אדום ארץ רעשה מ, ל׳ טלג$_5$ — 6 ואומר אמג$_5$ז, ל׳ טלד | בעקב—יעקב דמג$_5$ל בעקב עשו ט, ל׳ א — 7 הקב״ה אמ, הק׳ ט^1, המקום ט^{2}לד | ולשון אמט, ואומה לד, ל׳ ג$_5$ — 8 ביניכם מ [נ״א בז], ביניהם א, לתוכם טלד, בהם ג$_5$ | משל למלך אמ, מושלו מלה״ד למלך ה, ד״א משל להלך טלג$_5$, ד״א משל למה הדבר דומה לאחד ד | שהיה] שהיה לו בנים הרבה והיה ה | ליתן] לתת מ | מבניו] מהן ה | המלך אמ, ל׳ דטלג$_5$ה | מתירא] מתביש ה | מפני אחיו אמ, מאחיו טלדג$_5$ה — 9 ומפני אוהביו—קרוביו] ומכל קרוביו ה | ומפני אמדג$_5$, מפני טל | אותו הבן] ל׳ ה, ושם נוסף <גילה [אצ״ל גילח] את ראשו ה | ופרכס טד, ופירכס אמהל | וסיפר את שערו] ל׳ ה, ופרסם את צערו א | וסיפר] ופירס מ — 10 אמר—מתנה] ואמ׳ לזה אני נותן מתנה ה | כשבא] עמד ה | אברהם אבינו אמט, אבינו אברהם לדג$_5$ה | לעולם יצא] ויצא ה — 11 חזרו—הראשונים אמדלג$_5$, ל׳ טה | וכשבא אמ, עמד אבינו ה, כשבא טלד — 12 יצא] ויצא ה | אלופי אדום ט^{2}לדג$_5$ה, בני אדום אמ, אלפיו ט^1 | חזרו—הראשונים אמג$_5$, ל׳ טלדה — 13 וכשבא—תמימים אמ, אבל יעקב לא נמצא בו פסולת טלדג$_5$, עמד אבינו יעקב ולא יצא ממנו פסולת אלא נולדו לו כלם צדיקים ה | כענין] ל׳ ה | לו] ל׳ ה — 14 הקב״ה אמ, המקום ט^{2}לדה, הק׳ ג$_5$ט^1 | לך] לאומות לאלו ה — 15 ה׳—למו א, מסיני בא וזרח משעיר מ, ויאמר—בא טלדג$_5$ | ה׳ מסיני בא ה — 16 ד״א—בא אמ, ד״א ה׳ מסיני בא ה, ל׳ טלדג$_5$ | את התורה אמ, תורה לישראל טלדהג$_5$כ — 17 כל אמהג$_5$ל, את ד, את כל ט, ל׳ כ | העולם אמכ, העולם כולו הלדג$_5$ט | על יושביו] ל׳ א | ואומר—בכח אמ, קול ה׳ בכח קול ה׳ בהדר קול ה׳ שובר ארזים קול ה׳ חוצב קול ה׳ יחיל מדבר קול ה׳ יחולל אילות ה, אל הכבוד הרעים טלדג$_5$כ | באותה שעה אמה, כיון [וכיון כ] ששמעו

שעה נתקבצו כל האומות אצל בלעם אמרו לו כמדומים אנו הקדוש ברוך הוא (בראשית ט טו) מחריב את העולם במים אמר להם °לא יהיה עוד המים למבול אמרו לו (תהלים כט יא) מה הקול הזה אמר להם °ה׳ עוז לעמו יתן ואין עוז אלא תורה שנאמר °עמו (איוב יב טז) עוז ותושיה׳ אמרו לו אם כן °ה׳ יברך את עמו בשלום. (תהלים כט יא)

הופיע מהר פארן, ארבע הופעות הם ראשונה במצרים שנאמר °רועה (תהלים פ ב) ישראל האזינה נוהג כצאן יוסף יושב הכרובים הופיעה שניה בשעת מתן תורה שנאמר הופיע מהר פארן שלישית לימות גוג ומגוג, שנאמר °אל (שם צד א) נקמות ה׳ אל נקמות הופיע רביעית לימות המשיח שנאמר °מציון מכלל (שם נ ב) יופי אלהים הופיע.

ואתא מרבבות קדש, שלא כמדת הקדוש ברוך הוא מדת בשר ודם מדת בשר ודם כשהוא עושה משתה לבנו וכשהוא שמח בחופתו מראה הוא את גנזיו ואת כל אשר לו אבל מי שאמר והיה העולם אינו כן אלא ואתא מרבבות קדש ולא כל רבבות קודש.

דבר אחר ואתא מרבבות קדש, מלך בשר ודם יושב בתוך פלטיא שלו יש בה בני אדם נאים ממנו בני אדם משובחים ממנו בני אדם גבורים ממנו אבל מי שאמר והיה העולם אינו כן אלא ואתא מרבבות קדש אות הוא (שמות טו ב) בתוך רבבות קודש וכשנגלה על הים מיד הכירוהו שנאמר °זה אלי ואנוהו

אומות העולם את הקולות דכ, כיון ששמעו כל הקולות ג$_5$ל, כיון ששמעו כל אומות העולם את הקולות ט — 1 נתקבצו] נתכנסו ה | כל האומות מל, הכל א, האומות א^1, כולם ד, כל אומות ג$_5$, כל אומות העולם ה, ל׳ טכ | בלעם] בלעם בן בער ה, בלעם הרשע כ | כמדומים אנו אמטלכ, כמדומים אנחנו ג$_5$ד, תאמר ה | הקב״ה אמ, שהמקום דטכ, שהקב״ה לה, שהק׳ ג$_5$ — 2 מחריב—במים א, מחריב את כל העולם במים מ, מביא מבול על עולמו ומחריבו כשם שעשה לראשונים ה׳ למבול ישב ה, מאבד את עולמו טלדכ, מאבד עולמו ג$_5$ | אמר להם—עוז ותושיה] אמר להם לאו היום הוא מולך בעולמו היום הוא מישב את עולמו שנ׳ וישב ה׳ מלך לעולם תורה הוא נותן לעמו שבח הוא נותן לבניו שכר טוב ליריאיו שנ׳ ה׳ עוז לעמו יתן ה | לא אמ, כבר נאמר ולא ג$_5$כ, והלא כבר נאמר ולא טלד | המים למבול] מבול כ — 3 מה הקול הזה אמ, הקול הזה מהו טלדג$_5$, ומהו הקול הזה כ —

ע״א): 3 אלא תורה, מכילתא בשלח מסכת שירה ריש פ״ג (ל״ז ע״ב, ה—ר ע׳ 126); ויקרא רבה פרשה ל״א סי׳ ה׳; מדרש משלי כ״א כ״ב (מ״ה ע״א); שיר השירים רבה פרשה א׳ פסוק ג׳ סי׳ א; מדרש תהלים מזמור ח׳ סי׳ ד׳ (ל״ט ע״א); ועוד שם סוף מזמור כ״ח (קט״ו ע״ב); פסיקתא דרב כהנא, וזאת הברכה, (ר׳ ע״א); מדרש עשרת הדברות, בבית המדרש לר״א יעללינעק חדר א׳ ע׳ 69: 5 ארבע הופעות וכו׳, פ״ז; מדרש שלשה וארבעה, פרק ארבעה, סי׳ ל״ג; מכירי תהלים נ׳ סי׳ ט׳ (קל״ז ע״א); ילקוט תהלים ר׳ תשנ״ט ור׳ תתכ״ח; לפי הפ״ז ובמ״ת הופעה השלישית היא לנקום נקם מאדום, והרביעית היא של גוג ומגוג; ומובא במנורת המאור לאלנקוה ה״ג ע׳ 331: 14 מלך בשר ודם וכו׳, פסיקתא דרב כהנא, פיסקא בחודש, (ק״ח ע״א); ושם פיסקא וזאת הברכה (ר׳ ע״א); תנחומא ברכה סי׳ ה׳; ועיין גם כן צינלר ע׳ 309: 16 אות הוא וכו׳, חגיגה ט״ז ע״א; מכילתא בשלח מסכת שירה פרשה א׳ (ל״ה ע״א, ה—ר ע׳

5 ארבע—הופיע מהר פארן] ל׳ א | הופעות] הופיעות כ | ראשונה] הופעה הראשונה ה, הראשונה כ | במצרים] זו של מצרים ה — 6 שניה] הופעה השניה ה | בשעת מתן] במתן ט^3 | בשעת] זו של ה — 7 שלישית] הופעה השלישית ה, ל׳ א | לימות גוג ומגוג] זו של אדום ה, וכעין זה בפ״ז „השלישית זו נקמה שעתיד הקב״ה להופיע על אדום לרעה שנאמר וכו׳״: | ומגוג] ל׳ א — 8 רביעית] הופעה הרביעית ה | לימות המשיח] זו של גוג ה, [וכעין זה בפ״ז „זו הופעה של גוג ומגוג״: | לימות] בימי ג$_3$, (ובתהלים ר׳ תתכ״ח לימי) — 10 ואתא אמטלד, ואתה ג$_5$ה [מסורת] | הקב״ה מדת בשר ודם אמטלד, בשר ודם מדת הקב״ה [הק׳ ג$_5$] הג$_5$ | מדת אמדלט^1, מלך הט^2, ל׳ ג$_5$ — 11 לבנו] ל׳ ה | וכשהוא אמה, הוא טלדג$_5$ | מראה הוא אמה, מראהו ג$_5$, מראה לו טלד | את גנזיו אמ, את בגדיו ה, כל גנזיו טלדג$_5$ — 12 ואת כל אמה, וכל טלדג$_5$ | מי—העולם] הקב״ה ה | ואתא אמ, ואתה ה, ל׳ טלדג$_5$ — 13 ולא—קדש מהטלג$_5$, ולא כל דברות קודש [אלנקוה] ל׳ אד — 14 ד״א—קדש אמטלג$_5$, ל׳ הד | יושב] יש ה | בתוך פלטיא א, בתוך פלטין ה, בתוך מפליא מ, בפמיליא ג$_5$, בפמליא טלע [אלנקוה], בתוך פמליא ד | שלו טלדהג$_5$ע, ל׳ אמ — 15 יש בה—בתוך רבבות קדש] גבורים ממנו נאים ממנו משובחים ממנו יכול אף מי שאמר והיה העולם כן ת״ל ואתה מרבבת קדש ניכר הוא אות בתוך רבבות קדש ה | ממנו אמט^{2}ג$_5$עז [אלנקוה], ל׳ ט^{1}לד | בני אדם משובחים—גבורים ממנו אמ, יש בה בני אדם ארוכים [ארוכים ממנו ט^2] יש בה בני אדם גוצים [גוצים ממנו ט^2] יש בה בני אדם גבורים [גבורים ממנו ט^2] ט, בני אדם קבוצים ממנו בני אדם מכוערין ממנו ג$_5$, יש [ויש ד] בה בני אדם קמצין [קווצין ד] יש [ויש דז] בה בני אדם גיבורים ממנו [גבורים ד] לדעז, יותר קווצים ממנו יותר גבורים ממנו [אלנקוה] — 17 וכשנגלה—וארוממנהו] ל׳ ה —

אלהי אבי וארוממנהו כך היו אומות העולם שואלים את ישראל ואומרים להם מה °דודך מדוד שכך אתם מומתים עליו כענין שנאמר °על כן עלמות (שיר השירים ה ט; שם א ג) אהבוך ואומר °כי עליך הורגנו כל היום כולכם נאים כולכם גבורים בואו (תהלים מד כג) ונתערבה יחד וישראל אומרים נאמר לכם מקצת שבחו ואתם מכירים אותו °דודי (שיר השירים ה י–טו) צח ואדום, ראשו כתם פז, עיניו כיונים על אפיקי מים, לחייו כערוגת הבשם, ידיו גלילי זהב, שוקיו עמודי שש, חכו ממתקים וכולו ממתקים כיון ששמעו אומות העולם נאותו ושבחו של הקדוש ברוך הוא אמרו להם נבא עמכם שנאמר °אנה הלך דודך היפה בנשים אנה פנה דודך ונבקשנו (שם ו א) עמך מה ישראל אומרים להם אין להם חלק בו, °אני לדודי ודודי לי הרועה (שם ו ג) בשושנים.

מימינו אש דת למו, כשהיה הדבור יוצא מפי הקדוש ברוך הוא היה יוצא דרך ימינו של הקדוש ברוך הוא לשמאל ישראל ועוקב את מחנה ישראל שנים עשר מיל על שנים עשר מיל וחוזר ובא דרך ימינם של ישראל לשמאלו של הקדוש ברוך הוא והקדוש ברוך הוא מקבלו בימינו וחוקקו בלוח והיה קולו הולך מסוף העולם ועד סופו שנאמר °קול ה׳ חוצב להבות אש. (תהלים כט ז)

מימינו אש דת למו, מגיד שדברי תורה משולים באש מה אש נתנה מן השמים כך דברי תורה נתנו מן השמים שנאמר °אתם ראיתם כי מן השמים (שמות כ כב) דברתי עמכם מה אש חיים לעולם כך דברי תורה חיים לעולם מה אש קרוב לה

120): 1 אומות העולם וכו׳, פ״ז; מכילתא בשלח מסכת שירה פרשה ג׳ (ל״ז ע״א, ה—ר ע׳ 127) בשם ר״ע; שהש״ר פ״ה פסוק ט׳; ושם פרשה ז׳ פסוק א׳ סי׳ ב; ועיין מה שהעיר בזה החכם ר׳ א. ה. וויים בדו״ד ח״ב ע׳ 133: 11 כשהיה וכו׳, פ״ז; פרקי דר׳ אליעזר סוף פ׳ מ״א; מדרש שמואל פ״ט סי׳ ד׳ שיר השירים רבה פרשה א׳ פסוק ב׳, בשם רשב״י; מכירי תהלים מזמור כ״ט סי׳ כ״ה (צ״ד ע״א): 13 י״ב מיל וכו׳, השוה למעלה פי׳ שי״ג (ע׳ 355, שורה 12) ובציונים שם: 14 מקבלו בימינו וכו׳, מכילתא יתרו ריש פרשה ט׳ (ע״א ע״א; ה—ר ע׳ 235): 16 מגיד הכתוב וכו׳, פ״ז; מכילתא דרשב״י י״ט י״ח (ע׳ 100) ע״ש; מדרש מנין (נדפס באוצר מדרשים כ״י לר׳ שלמה אהרן ווערטהיימר) סי׳ נ׳. — מה אש וכו׳, עד ובעטיפתם בשוק, מובא בספר מוסר לר״י אבן עקנין, ע׳ 6: 17 אף דברי תורה חיים וכו׳, השוה למעלה פי׳ מ״ח (ע׳ 110, שורה 13) ובציונים שם: 18 קרוב לה וכו׳, מכילתא יתרו מסכת

1 כך—ואומרים להם] מה אומ׳ העולם אומ׳ לכנסת ישראל ה | כך אמטג$_5$ע, וכן ד, ל׳ ל | שואלים אמע, משאלים טלד — 2 שכך—אני לדודי ודודי לי] אלו היית כאורה וכבודה בת נאים היה הדבר כן על אחת כמה וכמה שאת נאה וכבודה בת נאים מי יראך ולא ישבחך מה כנסת ישראל אומ׳ לאומות העו׳ דוד׳ נאה ומשובח ממגי אם אומר לכם מקצת שבחו שמא מכירים אתם אותו דודי צח ואדום ראשו כתם פז עיניו כיונים לחיו כערוגת הבושם שוקיו עמודי שש חכו ממתקים (מג׳) [מכאן] אתה אומ׳ כשראו אותו על הים לא הוצרך אחד מהם לשאול איזה הוא אלא כולן פתחו פיהן ואמ׳ זה אלי ואנוהו ה | שכך] כך ג$_5$ | שכך אתם] שאתם ע | עליו אמ, עליו שכך [וכך ע] אתם נהרגים עליו טלדג$_5$ע | כענין] ל׳ ט — 4 ונתערבה יחד אמ, והתערבו עמנו טלדג$_5$ע | אומרים אמע, אומרים להם טלדג$_5$ | ואתם] ואין אתם ג$_5$ | מכירים] ל׳ א | אותו ל׳ ע — 5 ואדום אמ, ואדום דגול מרבבה טלדג$_5$ע | עיניו—ממתקים] וג׳ ג$_5$ | על אפיקי מים] ל׳ דע — 6 וכולו ממתקים אמ, ל׳ טלד — 7 נאותו אדג$_5$ע, ניאותו מ, נויו ט, נתאוו ל | של הקב״ה אמד, של מי שאמר והיה העולם לט, למי שאמ׳ והיה העו׳ ג$_5$, כלם ע | אמרו להם א, אמרו לו מ, אומ׳ [ואומרים אמר ט^2, אומר לד] להם לישראל טלדג$_5$ע — 8 אנה פנה—עמך אמג$_5$, וג׳ מ, ל׳ לד — 9 מה ישראל אמ, וישראל טלדג$_5$ע | להם אמ, לכם טלדג$_5$ע | הרועה בשושנים אמ, ל׳ טלדג$_5$ — 11 כשהיה] שכשהיה ה | הדיבור אמט^{2}כ, הדיבר ט^{1}דלג$_5$ה, הקול [אלנקוה] | הקב״ה אמלכ, הגבורה הד, הקודש ט [אלנקוה], הק׳ ג$_5$ — 12 דרך ימינו] מימינו לכ | הקב״ה אמה, קודש טלדכ [אלנקוה], קב״ה ג$_5$ | לשמאל אמ, לשמאלם של טלדג$_5$ה, לשמאל של כ | ועוקב אמהג$_5$, ועוקף טלדכ, ותוקב [אלנקוה] — 13 על—מיל טלדג$_5$הכ, ל׳ אמ | דרך ימינם] מימינם ה | של ישראל] לישראל ג$_5$ | לשמאלו] לשמאלן ה, לשמאל ט^2 — 14 הקב״ה אמ, ישראל ה, מקום דלט^{2}ג$_5$כ, הק׳ ט^1 | בימינו מטלכ, בימין אה, לימינו דג$_5$ | בלוח] על הלוחות ה — 15 שנאמר] כענין שנאמר מ — 16 מימינו—למו לטאמ, מימינו ג$_5$, אש דת למו ד | מגיד—משולים באש] ל׳ ה, למה נמשלו ד״ת לאש ע | מגיד אמ, מגיד הכתוב טלדג$_5$ | משולים אמ, נמשלו טלדג$_5$ | אש] האש ה — 17 כך] אף מע | שנאמר—עמכם] ל׳ ה — 18 מה] ד״א מה ה | כך אמה, אף טלדג$_5$ע | מה אש—ממיתים אותו] ד״א מה האש כל המשתמש כה חם לו פירש ממנה צן לו כך כל המתעסק בדברי תורה יש לו חיים פירש מדברי תורה אין לו חיים ה | לה אדם ג$_5$ט^1,

אדם נכוה רחוק ממנה צונן כך דברי תורה כל זמן שאדם עמל בהם חיים הם לו פרש מהם ממיתים אותו מה אש משתמשים בה בעולם הזה ולעולם הבא כך דברי תורה משתמשים בהם בעולם הזה ולעולם הבא מה אש כל המשתמש בה עושה בגופו רושם כך דברי תורה כל המשתמש בהם עושה בגופו רושם מה אש עמלים בה ניכרים בין הבריות כך תלמידי חכמים ניכרים בהלוכם ובדבורם ובעטפתם בשוק. אש דת למו, אלולא דת שנתנה עמה אין אדם יכול לעמוד בה

סליק פיסקא

שמד.

(ג) אף חובב עמים, מלמד שחבב המקום את ישראל מה שלא חבב כל אומה ומלכות.

כל קדושיו בידיך, אלו פרנסי ישראל שנותנים את נפשם על ישראל
במשה הוא אומר °ועתה אם תשא חטאתם ואם אין מחיני נא מספרך שמות לב לב
אשר כתבת בדוד הוא אומר °הלא אני אמרתי למנות בעם. והם תכו דה״א כא יז
לרגליך, אף על פי שאנוסים אף על פי שלוקים אף על פי שבזווים. ישא
מדברותיך, מקבלים עליהם ואומרים °כל אשר דבר ה׳ נעשה ונשמע. שמות כד ז

דבר אחר אף חובב עמים מלמד שלא חלק להם הקדוש ברוך הוא חיבה

לאדם אט^{2}ע, לה לדם — 1 כך] אף ע | פרש] ליפרש ד | ממיתים] מיד ממיתים ל | מה אש—בעולם הזה ולעולם הבא] ל׳ ה | מה] ומה ל | משתמשים טלדג$_{5}$ע, הכל משתמשים א, כל משתמשים מ | בה] ממנו ע | ולעולם הבא אמג$_{5}$, בעולם הבא טלדע, וכן בסמוך — 3 כך] אף אע | בהם] ל׳ ל | בעולם הזה] לעולם הזה א | מה] ומה ד — 4 בה אמטל, בו דג$_{5}$ע | בגופו] ל׳ ע | כך—עמלים בה ניכרים בין הבריות] ל׳ ע | כך דברי תורה—מה אש עמלים [בני אדם שעמלים ג$_{5}$], בה אמג$_{5}$, כך דברי תורה מה אש בני אדם שעמלים בה ט, אף בני אדם העמלים [שעמילים ד] בה לד, כך כל הגיאות בדברי תורה בטלו חיין מן העולם שכך היה הלל אומ׳ ודי ישתמש בתגא חלף הא כל הגיאות בדברי תורה בטלו חיין מן העולם ד״א מה האש כל המשתמש בה ה — 5 ניכרים אמג$_{5}$, ניכרים הם דטל | כך—נכרים] אף ד״ת כל המשתמשין בהן ניכרים בין הבריות שכן ת״ח ניכרים ע | ניכרים] ניכרים בין הבריות הע | בהלוכם—בשוק] בהליכתן בעטיפתן בדיבורן ה | בהילוכם ובדיבורם אמדג$_{5}$, בדבורן ובהילוכן טל — 6 אלולי דת א, אלמלא דת מטדג$_{5}$עם, ל׳ ל, שאלולי ה | שנתנה אה [נ״א בז], ניתנה מטלדג$_{5}$עם | אין אדם] לא היה העולם ה | לעמוד] לעמול ה — 7 סליק פיסקא ד, ל׳ אלג$_{5}$ —

8 המקום אמהט^{2}לד, הק׳ ט^{1}ג$_{5}$ | מה—ומלכות] מכל אומות העולם ה — 9 ומלכות] ולשון ט — 10 פרנסי] פרנסיהן של ה | שנותנים—ישראל מא, שהן נותנין נפשן על ישראל ה, שנותנין נפשם על יש׳ ג$_{5}$, העומדים על ישראל ונותנים עליהם נפשם ד, העומדים על ישראל ונותנים נפשם עליהן [עליה ט^{2}] ט, העומדים על ישראל ונפשם נותנין עליהן ל — 11 במשה הוא אומר אמג$_{5}$, כגון שנ׳ במשה ה, במשה מהו אומר טלד | ואם—כתבת א, וג׳ ג$_{5}$, ואם אין מחיני נא טלדה, ל׳ א — 12 בדוד הוא אומר] וכגון שנ׳ בדוד ה | הלא—בעם ה, הלא אמרתי למנות בעם אני חטאתי [מ וגו׳] אמ, ואני הוא אשר חטאתי והרע הרעתי ואלה הצאן מה עשו ל, הנה אנכי חטאתי ואני העויתי ואלה הצאן מה עשו תהי נא ידך בי ט, אני הוא אשר חטאתי—ג$_{5}$, אני הוא חטאתי ואני העותי ואלה הצאן נה עשו ד [ובמסורה „הלא אני אמרתי למנות בעם ואני הוא אשר חטאתי והרע הרעותי ואלה הצאן מה עשו] | והם—נעשה ונשמע] ל׳ ט — 13 אעפ״י שאנוסים—שבזוזים] אפילו חוטאים ומרגיזים ה | שאנוסים לדג$_{5}$, אנוסים אמ | שבזוזים ג$_{5}$, שבוזזין אותם ג, בזויין ל, שבזויי׳ ז, ששבוים ד, שנזונין א, שנזוזין מ — 14 מקבלים—ואומרים אמ, שקבלו עליהן כל דברי תורה ואמ׳ ה, מקבלין הן תורתך עליהם וכה״א ג, מקבלין עול תורתך עליהם וכה״א לדג$_{5}$ — 15 שלא חלק—לישראל] שחלק הקב״ה כבוד לישראל יתר מכל אומות העולם ה | להם אמג$_{5}$, ל׳ טלדג | הקב״ה אמט^{2}לדז, הק׳

בחודש ריש פ״ד (ס״ה ע״א) ה—ר (215); מכילתא דרשב״י שם; והשוה תוספתא חגיגה פ״ב ה״ו (ע׳ 234); אדר״נ נו״א פ׳ כ״ח (מ״ג ע״ב) ובהערת רש״ז שכטר שם: 1 כך ת״ח נכרים וכו׳, מכילתא דרשב״י שם: 6 אלמלא וכו׳, השוה ביצה כ״ה ע״ב:

8 מלמד וכו׳, למעלה פי׳ צ״ז (ע׳ 159, שורה 1); ולקמן סוף פיסקא זו; רש״י; פ״ז. — אלו פרנסי וכו׳, פ״ז; והשוה ב״ב ח׳ ע״א: 13 אעפ״י שאנוסים וכו׳, השוה למעלה פי׳ צ״ז (ע׳ 158, שורה 17) בשנויי נוסחאות, נוסח כ״י ר; ועיין בת״י: — אעפ״י וכו׳, השוה למעלה בשנויי נוסחאות לפי׳ צ״ז (ע׳ 158, שורה 17) גרסת כ״י ר: 14 מקבלים וכו׳, פ״ז; ועיין ברש״י. — מלמד וכו׳, מובא

לאומות העולם כדרך שחלק לישראל תדע לך שכן שהרי אמרו גזילו של נכרי
מותר ושל ישראל אסור וכבר שלחה מלכות שני סרדיטיאות ואמרה להם לכו
ועשו עצמכם יהודים וראו תורתם מה טיבה הלכו אצל רבן גמליאל לאושא וקראו
את המקרא ושנו את המשנה מדרש הלכות והגדות בשעת פטירתם אמרו להם
כל התורה נאה ומשובחת חוץ מדבר אחד זה שאתם אומרים גזילו של גוי מותר
ושל ישראל אסור ודבר זה אין אנו מודיעים למלכות.

כל קדושיו בידיך, אלו גדולי ישראל שמתמשכנים על ישראל וכן הוא
אומר ביחזקאל °ואתה שכב על צדך השמאלי ואני נתתי לך את שני יחזקאל ד ד—
עונם למספר ימים וכלית את אלה ושכבת על צדך הימני. והם תכו
לרגליך, אף על פי שהם מכעיסים ואף על פי שהם חוטאים. ישא מדברותיך,
מקבלים עליהם עול תורתך °כל אשר דבר ה׳ נעשה ונשמע. שמות כד ז

דבר אחר אף חובב עמים מלמד שחיבב הקדוש ברוך הוא את ישראל
מה שלא חיבב כל אומה ומלכות. כל קדושיו בידיך, אלו נפשותיהם של צדיקים
שהן נתונות באוצר שנאמר °והיתה נפש אדוני צרורה בצרור החיים את ש״א כה כט
ה׳ אלהיך. והם תכו לרגליך, ואפילו הם נרתעים לאחוריהם שנים עשר מיל

במנורת המאור לאלנקוה ח״ג ע׳ 333: 1 שהרי אמרו וכו׳, השוה ב״ק קי״ג ע״א, וירושלמי ב״ק פ״ד ה״ג (ד׳ ע״ב): 2 וכבר שלחה וכו׳, ירושלמי שם, ובבלי ל״ח ע״א; ואודות המאורע עיין במאנאטשריפט שנה 1881 ע׳ 493; ובספר אגדות התנאים לבאכער ח״א ע׳ 82 (בתרגום עברי ח״א ע׳ 57); ואודות הגרסה לאושא עיין הערתי בספר השנה להאקדימיה האמיריקאית שנה 5—1934, ע׳ 215: 7 שמתמשכנים וכו׳, השוה שבת ל״ג ע״ב: 12 מלמד שחבב וכו׳, למעלה ריש פיסקא זו: 13 נפשותיהם של צדיקים וכו׳, ספרי במדבר פי׳ קל״ט (ע׳ 185); ספרי זוטא כ״ז י״ב (ע׳ 319); והשוה עוד מכילתא בשלח מסכת שירה ריש פ״ט (מ״ב ע״א, ה—ר ע׳ 145); ספרי במדבר פי׳ מ׳ (ע׳ 44); וספרי זוטא ו׳ כ״ו (ע׳ 248): 15 נרתעים, למעלה פי׳ שי״ג (ע׳ 355, שורה 12) וציונים שם:

ג$_5$ט^1 | שחלק] שחלק להם א — 1 העולם] ל׳ ל | תדע לך—למלכות] דתנינן תמן שור שלישראל שנגח שורו שלנכרי פטור ושלנכרי שנגח שורו שלישראל חייב בת ישראל לא תילד את הנכרית אבל נכרית מילדת בת ישראל בת ישראל לא תניק בנה של נכרית אבל נכרית מניקה בנה שלישראלית ברשותה גזילו של ישראל אסור [גזילו של גוי מותר אבידתו של ישראל אסורה] ואבידתו שלגוי מותרת אמרו מעשה ששילחה מלכות שני אסטרולוגין אמרו להן לכו ולמדו תורתן שליהודים ובואו והודיעונו מה כתוב בה הלכו להן אצל רבן גמליאל לאושא ולמדו ממנו מדרש הלכות ואגדות הגיע זמנן ליפטר אמר׳ לו רבינו כל תורתכם נאה ומשובחת היא חוץ מדבר הזה שאתם אומ׳ שור שלישראל שנגח שור שלנכרי פטור ושלנכרי שנגח שור שלישראל חייב בת ישראל לא תילד את הנכרית אבל נכרית מילדת את בת ישראל בת ישראל לא תניק בנה שלנכרית אבל נכרית מניקה בנה שלישראלית ברשותה גזילו שלישראל אסור ואבדתו של [גוי] מותרת הדבר הזה אין אנו מודיעין למלכות באותה השעה עמד רבן גמליאל ונתפלל עליהם ובקשו דבר ממה שהיה בידם ולא מצאו ה | לך] ל׳ מ | שכן אטג$_1$, שכן הוא דמג$_5$, ל׳ ל — 2 סרדיטיאות אמ, סרוטיאות ל, סרדיוטות ט, סרדיטיות ג$_1$, סרדיטאות ג$_5$ד | ואמרה לג$_5$, ואמר אמטדג$_1$ — 3 יהודים אמ, גרים טלדג$_5$, ל׳ ג$_1$ | תורתם אמ, תורתם שלישראל טלדג$_1$, ג$_5$ | הלכו אמג$_5$ג$_1$, הלכו להם טלד | רבן גמליאל] רשב״ג א | לאושא מטלד, באושא ג$_1$ג$_5$, באושה א — 4 המקרא] המגלה א | אמרו—למלכות] וכו׳ כדלעיל ט — 5 התורה אמ, תורתכם לדג$_1$ג$_5$ | זה שאתם אומרים אמ, ל׳ לדג$_1$ ג$_5$ | גזילו] ל׳ א — 6 למלכות אמג$_1$, אותו למלכות לדג$_5$ — 7 כל] וכל ד | הוא אומר] ל׳ ל — 8 ואתה] ל׳ ד | על—השמאלי] וג׳ ג$_5$ | השמאלי אמטלג$_1$, הימני דה, בדל נוסף <ושמת עון בית ישראל עליו>; בט נוסף <ונשאת את עון בית ישראל עליו>; בג$_1$, נוסף <ושמת את עון בית ישראל וגו׳> במא נוסף <ונשאת וג׳> | ואני [ואומר ואני ג$_1$]—שני עונם למספר ימים [הימים ג$_1$] הג$_1$, ואומר ואני—עונם דט, ואומר ואני—עונם ונומ׳ ל, ונתתי לך משנה עונם מא — 9 וכלית—הימני ט, וכלית—הימני וגו׳ לג$_1$, וכלית על צדך השמאלי ד, וכלית את אלה וג׳ ג$_5$, וכלית את אלה ה, וכלית וג׳ מ, אינו אומר וכלית אלא א — 10 אף—מדברותיך] ל׳ ג$_1$ | אף—חוטאים] אפילו אנוכים ובזוזים ה | ואף—חוטאים מא, ל׳ טלדג$_5$ — 11 מקבלים—תורתך אמג$_5$טז, מקבלים—יראתך לד, שקבלו עליהן את כל דברי תורה ואמ׳ ה — 12 ד״א—ומלכות] ל׳ ג$_5$ | שחיבב—ומלכות] שלא כחיבה שחבב המקום את ישראל חבב את אומות העולם ה | הקב״ה אמלט^{2}ג$_1$, המקום ד, הק׳ ט^1 — 13 מה שלא—ומלכות לדג$_1$, מה שלא—ולשון ט^1, מה שלא—ולשון ומלכות ט^2, מכל אומה ולשון אמ | נפשותיהם] נשמתן ה — 14 שהן נתונות מ, שהן נתונות עליהן א, שנתונות [שניתנת ד] עמו טלדג$_1$ג$_5$, שהן צרורות במרום ה | שנאמר] שכן אביגיל אומ׳ לדוד ברוח הקדש ה — 15 ואפילו הם נרתעים אמ, אפילו נרתעין ה, אעפ״י שהן [שהין ט^1] נרתעים טלג$_5$, אעפ״י שהיו ישראל נרתעים ג$_1$, אעפ״י שנרתעים ד —

שמות כד ז וחוזרים שנים עשר מיל. ישא מדברותיך, מקבלים עליהם °כל אשר דבר ה׳
נעשה ונשמע סליק פיסקא

שמה.

(ד) תורה צוה לנו משה, ציווי זה אינו אלא לנו אינו אלא בעבורנו וכן
מ״א ח כ הוא אומר °ואבנה הבית לשם ה׳ אלהי ישראל בית זה למה לארון ואומר
שם כא °ואשים שם מקום לארון הוי ציווי זה אינו אלא לנו אינו אלא בעבורנו.

דבר אחר תורה צוה לנו משה, וכי ממשה רבינו אנו אוחזים את התורה
והלא אבותינו זכו בה שנאמר מורשה קהילת יעקב, שומע אני ירושה לבני
דברים כט ט מלכים ירושה לבני קטנים מנין תלמוד לומר °אתם נצבים היום כלכם דבר
אחר [מורשה קהלת יעקב] אל תהי קורא מורשה אלא מאורשה, מלמד
משלי ו כז–כט שהתורה מאורשה היא לישראל ואשת איש לאומות העולם וכן הוא אומר °היחתה
איש אש בחיקו ובגדיו לא תשרפנה אם יהלך איש על הגחלים ורגליו
לא תכוינה, כן הבא אל אשת רעהו לא ינקה כל הנוגע בה.

דבר אחר אל תהי קורא מאורשה אלא מורשה מלמד שהתורה מורשה
לישראל משל למה הדבר דומה לבן מלכים שנשבה כשהוא קטן למדינת הים אם
מבקש לחזור אפילו לאחר מאה שנה אינו בוש לחזור מפני שהוא אומר לירושתי
אני חוזר כך תלמיד חכם שפירש מדברי תורה והלך לו לדברים אחרים אם מבקש
לחזור אפילו לאחר מאה שנה אינו בוש לחזור מפני שהוא אומר לירושתי אני
חוזר לכך נאמר מורשה קהלת יעקב סליק פיסקא

1 וחוזרים] על ג$_1$ | מיל] בג$_1$, נוסף <על כל דבור ודבור וחוזרין> | ישא–ונשמע] ל׳ ג$_5$ | מקבלים עליהם **אמ**, שקבלו עליהם את כל דברי תורה ואמ׳ **ה**, ל׳ טלד, מקבלים הן עליהן עול תורתך ואומרים ג$_1$ — 2 סליק פיסקא ד, ל׳ **א**לג$_1$ג$_5$ —

3 ציווי זה] הצווי הזה **ה** | בעבורנו] בשבילנו ד | וכן הוא–בעבורנו] וכן משה אומ׳ ועשו ארון עצי שטים (דברים י׳ ג׳) וכן שלמה אומ׳ ואשים שם מקום לארון (מ״א ח׳ כ״א) הוי הציווי הזה אינו אלא לנו אינו אלא בעבורנו **ה**, ל׳ ל — 4 ואבנה הבית ג$_5$, ויבנה הבית טלד, ויבנה בית **אמ**ג$_1$, ויבנה שם בית [אלנקוה] | לארון **אמ**, ל׳ טלדג$_1$ג$_5$, לשום שם ארון הברית [אלנקוה] | ואומר **אמ**, ל׳ טלדג$_1$ [ב ג$_5$ נקרע הגיר כאן] דכתיב [אלנקוה] — 5 ואשים **אמ**, וישם טלדג$_1$ [אלנקוה], [בג$_5$ נקרע הגיר כאן] | הוי ט², הווי אומר **מ**, האי **א**, הר׳ טילדג$_1$ג$_5$ [אלנקוה] — 6 ד״א–היום כלכם] ל׳ **ה** | ד״א ר׳ אומ׳ **מ** | תורה צוה לנו משה טלדג$_1$ג$_5$ [אלנקוה], ל׳ **אמ** | ממשה רבינו **מ**, משה רבינו **א**, ממשה טלדג$_1$ג$_5$ [אלנקוה] — 7 והלא **אמ**טלד [אלנקוה], והרי ג$_1$ג$_5$ | זכו **אמ**טלד, זכו לנו ג$_1$ג$_5$? [אלנקוה] | ירושה לבני מלכים] ל׳ **א** | לבני] לבנים **א** — 8 קטנים] זקנים ג$_1$ | מנין] ל׳ ג$_1$ג$_5$ | דבר אחר **אמ**, ל׳ הטלדג$_1$ג$_5$ — 9 מורשה קהלת יעקב] כן נראה להוסיף ע״פ הגהת רמא״ש: | תהי קורא **אמה**, תיקרי טדלג$_1$ג$_5$ | מאורשה **אמ**ג$_5$, מאורסה טלדהג$_1$ | מלמד **אמה**ג$_1$, ל׳ טלדג$_5$ — 10 מאורשה היא **מ**, מאורשה **א**, ארוסה **ה**, מאורסה היא טלדג$_5$, מאורסה ג$_1$ | ואשת **אמ**, וכאשת טלדהג$_1$ג$_5$ | העולם] ל׳ **ה**, ושם נוסף <ומנ׳ שהתורה ארוסה לישראל שנ׳ וארשתיך לי לעולם וארשתיך לי באמונה (הושע ב׳ כ״א) ומנ׳ שהיא כאשת איש לאומות> **ה** | וכה״א **אמ**ג$_1$טלד, כה״א ג$_5$, שנ׳ **ה** — 11 ובגדיו–תשרפנה] וגו׳ ג$_1$ | ורגליו לא תכוינה] וגו׳ ג$_1$ — 12 לא–בה] כל הנוגע בה לא ינקה **ה**, ל׳ ג$_1$ — 13 ד״א–לכך נאמר] ל׳ **ה**, ד״א מורשה אפילו יחיד שבישראל שלמד דברי תורה ופירש למקומות אחרים אינו בוש שיחזור שכן הוא אומ׳ לירושת אבותי אני חוזר מושלו מלה״ד לבן מלכים שהלך למדינת הים אפילו לאחר מאה שנה אינו בוש שיחזור שכן הוא אומר למלכות אבותי אני חוזר **ה** | ד״א **א**, ר׳ אומ׳ **מ**, מורשה קהלת יעקב טל, ל׳ ג$_1$ג$_5$ | אל תהי–מורשה **אמ**ג$_1$, ל׳ טלג$_5$ | מלמד שהתורה מורשה לישראל **אמ**, ל׳ טלג$_1$ג$_5$ — 14 לה״ד **אמ**, ל׳ טלג$_1$ג$_5$ | מלכים] מלך ל׳ | אם מבקש טלג$_1$ג$_5$, וכשמבקש **אמ** — 15 אפילו לאחר **אמ**, לאחר ג$_1$ג$_5$, אחר טל | שנה **אמ**, שנים לטג$_1$ג$_5$ — 16 כך–אני חוזר **מ**, ל׳ **א**טלג$_1$ג$_5$ — 17 לכך נאמר **אמ**ג$_1$ג$_5$, ל׳ טל | מורשה קהלת יעקב] ל׳ **ט** | סליק פיסקא] הוספתי על פי דפוס דיהרנפורט, וחסר בכל הנסחאות —

3 ציווי וכו׳, פ״ז; מנורת המאור לאלנקוה ח״ג ע׳ 337: 9 אל תהי קורא מורשה אלא מאורשה, עיין במ״ת; והשוה פסחים מ״ט ע״ב: 10 ואשת איש וכו׳, השוה סנהדרין נ״ט ע״א: 14 לבן מלכים וכו׳, שמות רבה פ׳ ל״ג סי׳ ז׳; ועיין ציגלר Königsgleichnisse ע׳ 445:

שמו.

(ה) ויהי בישורון מלך, כשישראל שוים בעצה אחת מלמטה שמו הגדול משתבח מלמעלה שנאמר ויהי בישורון מלך, אימתי בהתאסף ראשי עם ואין אסיפה אלא ראשי עם שנאמר °ויאמר ה׳ אל משה קח את כל ראשי (במדבר כה ד) העם. דבר אחר כשהנשיא מושיב זקנים בישיבה של מטה שמו הגדול משתבח מלמעלה שנאמר ויהי בישורון מלך אימתי בהתאסף ראשי עם ואין אסיפה אלא זקנים שנאמר °אספה לי שבעים איש מזקני ישראל. (במדבר יא טז)

יחד שבטי ישראל, כשהם עשוים אגודה אחת ולא כשהם עשוים אגודות אגודות, וכן הוא אומר °הבונה בשמים מעלותיו ואגודתו על ארץ יסדה. (עמוס ט ו) רבי שמעון בן יוחי אומר משל לאחד שהביא שתי ספינות וקשרם בהוגנים ובעשתות והעמידן בלב הים ובנה עליהם פלטרין כל זמן שהספינות קשורות זו בזו פלטרין קיימים פרשו ספינות אין פלטרין קיימים כך ישראל כשעושים רצונו של מקום בונה עליותיו בשמים וכשאין עושים רצונו כביכול אגודתו על ארץ יסדה וכן הוא אומר °זה אלי ואנוהו כשאני מודה לו הוא נאה וכשאין אני מודה לו (שמות טו ב) כביכול בשמו הוא נאה. כיוצא בו °כי שם ה׳ אקרא כשאני קורא בשמו הוא (דברים לב ג) גדול ואם לאו כביכול וכו׳ כיוצא בו °ואתם עדי נאם ה׳ ואני אל כשאתם (ישעיה מג יב)

1 כשישראל וכו׳ עד ראשי עם. ילקוט עמוס ר׳ תקמ״ח: 2 אימתי בהתאסף וכו׳, מדרש שמואל ה׳ ט״ו (ל״ב ע״א): 7 כשהם וכו׳, מ״ת כאן, ולמעלה י״ד א׳ (ע׳ 72); והשוה ספרי שם פי׳ צ״ו (ע׳ 158, שורה 1) וציונים שם; פ״ו; וכל המאמר עד אין אני אל, מובא במכירי ישעיה מ״ג י״א (ע׳ 141), ומקצתו גם במכירי עמוס ט׳ ו׳ (ע׳ 73): 9 רשב״י וכו׳ עד יושב בשמים, מדרש שמואל ה׳ ט״ו (ע׳ 62) ילקוט עמוס שם; ומקצתו גם בילקוט ישעיה ר׳ שי״ז; אגדות התנאים לבאכער ח״ב ע׳ 140, הערה 1, (תרגום עברי ח״ג ע׳ 97, הערה 22). — משל לאחד וכו׳, פ״ז: 13 כשאני מודה וכו׳, השוה מכילתא בשלח, מסכת שירה, פרשה ג׳ (ל״ז ע״ב; ה—ר ע׳ 128); מדרש שמואל שם: 15 כשאתם עדיי וכו׳, פסיקתא דרב כהנא, פיסקא בחדש, (ק״ב ע״ב) בשם תני רשב״י; אגדות התנאים של באכער שם:

1 כשישראל וכו׳] בה מובא המשפט של הנשיא מושיב זקנים לפני זה של קח את כל ראשי העם | כשישראל—ראשי העם] ראשי מגיד הכת׳ כשהראשים נכנסין ליטול עצה מלמטן מלכות שמים מתקיימת בהן מלמעלן שנ׳ ראשי ואין ראשי אלא גדולים שנ׳ ויאמר ה׳ אל משה קח את כל ראשי העם ה | שוים] ל׳ ג$_5$ | מלמטה] מלמטן ג$_1$ — 2 מלמעלה אמט, למעלה לדג$_5$, מלמעלן ג$_1$ — 3 ואין—שנאמר ויהי בישורון מלך אימתי בהתאסף ראשי עם] ל׳ ד | ואין] אין ג$_5$ | ויאמר—ראשי העם] ויאמר ה׳ אל משה אספה לי ט^2, אספה לי שבעים איש ט^1 | העם] העם וגו׳ מ — 4 כשהנשיא מושיב טלג$_1$ג$_5$ה, כשהקב״ה מביא אמ מושב [רמב״ן] | זקנים בישיבה של מטה טג$_1$ג$_5$, [רמב״ן] זקנים בישיבה מלמטה ל, ישיבת זקנים מלמטן ה זקנים מלמטה אמ | שמו הגדול] שמו הגדול ב״ה ג$_1$ — 5 ויהי—ראשי עם לג$_5$, בהתאסף ראשי עם ג$_1$, ויהי בישורון מלך אימתי בהתאסף ה, ויהי בישורון מלך בהתאסף ראשי עם ט, ויהי בישורון מלך אמ | ואין—זקנים] ואין בהתאסף אלא לשון סנהדרין ה — 7 כשהם] שתהו ה | אגודה] אגודות ג$_1$, [עד כאן נמצא בכ״י ג^1] | כשהם] ל׳ ה — 8 וכן—יסדה] אלא כענין שנ׳ ויתקבצו בני בנימין אחרי אבנר ויהיו לאגודה אחת (ש״ב ב׳ כ״ה) | וכן [כן ב] הוא אומר טלדג$_5$ב כשהוא אומר אמ | הבונה—מעלותיו] ל׳ כ | מעלותיו אמט, מעליותיו לד, מעל׳ ג$_5$ — 9 רבי—משל] מושלו מלה״ד ה | משל] משל למה הדבר דומה מ | לאחד—ספינות] לב׳ ספינות ט^3 | לאחד אמג$_5$כ, לאדם טלד, למלך ה | שתי—יסדה] ספינות וחיברן זו לזו במסמרים ובהגנים ובנה עליהן פלטין כל זמן שהספינות קיימות פלטין קיימת נשתברו הספינות אבדה פלטין כך כל זמן שישראל עשויין אגודה אחת מלכות שמים [מתקיימת] בהן מלמעלן שנ׳ הבונה בשמים מעלותיו ואגודתו על ארץ יסדה ה | וקשרם] קשורו׳ ט^3 | בה :גים טכ, בהגונים ד, בהגנונין ל, בנינים מ, בגינים א, [ג$_5$ נקרע כאן ואי אפשר לקרות המלה] — 10 והעמידן—פלטרין] ובנו עליהן פלטרין והעמידום על גביהן ט^3 | והעמידן—עליהם] והעמיד על גביהן כ | בלב הים אמ, על גביה לדג$_5$ | פלטרין אטג$_5$כ, פלטורין מ, פלטירים לד | כל זמן—אין פלטרין] ל׳ ג$_5$ | זו בזו אמ, ל׳ טלדכ — 11 ישראל כשעושים] כשישראל עושין ט — 12 בונה—רצונו של מקום] ל׳ ט^2 | בונה עליותיו בשמים מ, עליותיו א, עליותיו בשמים ג$_5$לט^{1}ט^3 עליותם בשמים ד, על בשמים כ | כביכול אמכ, של מקום דט^{3}לג$_5$, ל׳ ט^1 | אגודתו אמ׳ ואגודתו טלדג$_5$, ל׳ כ | ארץ] הארץ א — 13 וכן הוא—סליק פיסקא] ל׳ ה | וכן הוא אומר אמ, כיוצא בו [בדבר ט^3] אתה אומר טלדכ, כיוצא בו ג$_5$ — 14 כביכול] כויכול ג$_5$ | כיוצא בו—הוא [שהוא א] גדול ואם לאו כביכול וכו׳ [וכו׳ ל׳ א] מא, כול׳ ג$_5$ל, ל׳ טדכ — 15 כיוצא—סליק פיסקא] ל׳ ט, ונמצא בט$^?$ | כיוצא—אין אני אל] ל׳ א | כיוצא בו מג$_5$, כיוצא בו אתה אומר לד [בט^3 מתחיל הציטט במשפט זה, ולכן גורס „ד״א כשאתם

תהלים קכג א עדיי אני אל וכשאין אתם עדיי כביכול איני אל כיוצא בו °אליך נשאתי את עיני היושבי בשמים אילמלא אני כביכול לא היית יושב בשמים ואף כאן אתה אומר יחד שבטי ישראל כשהם עשוים אגודה אחת ולא כשהם עשוים אגודות אגודות סליק פיסקא

שמז.

(ו) יחד שבטי ישראל יחי ראובן ואל ימות. וכי מה ענין זה לזה משל למלך שבא אצל בניו לפרקים כשהוא נפטר מבניו היו בניו וקרוביו מלוים אותו אמר להם בניי שמא צורך יש לכם לומר שמא דבר יש לכם אמרו לי אמרו לו אבה אין לנו צרך ואין לנו דבר אלא שתתרצה לאחינו הגדול כך אילמלא שבטים לא נתרצה המקום לראובן לכך נאמר יחד שבטי ישראל יחי ראובן ואל ימות.

יחי ראובן ואל ימות והלא מת הוא אלא מה תלמוד לומר ואל ימות לעולם הבא.

דבר אחר יחי ראובן במעשה יוסף ואל ימות במעשה בלהה. רבי חנניה בן גמליאל אומר לעולם אין מחליפים לא זכות בחובה ולא חובה בזכות חוץ משל
ש״ב טז יג ראובן ומשל דוד שנאמר °ושמעי הולך בצלע אף על פי כן °ההר לעומתו
שם
מ״א יא כז °שלמה בנה את המילוא אף על פי כן סגר את פרץ עיר דוד אביו
וחכמים אומרים לעולם אין מחליפים לא זכות בחובה ולא חובה בזכות אלא נותנים שכר על המצות ועונשים על העבירות ומה תלמוד לומר יחי ראובן ואל ימות

וכו׳״] | ואתם—ואני אלי] ל׳ ט^3 — 1 וכשאין—כביכול איני אל [כביכול וכו׳ כ] ט^{3}כ ואם—וגומ׳ מ, וכשאין אתם עדיי אין אני אל ד, וכשאין אתם עדיי כו׳ ל, [בג$_5$ נקרע הנייר] | כיוצא בו אמג$_5$ט^3, כיוצא בו אתה אומר ל, כיוצא בדבר אתה אומר ד — 2 אילמלא [אם אילמלא ל] אני כביכול לג$_5$, אם למלי אני כביכול אמ, אילמלא אני דט^3 | לא— בשמים זט^3, לא הייתי יושב בשמים ד, כול׳ ג$_5$, ל׳ אמל | ואף כאן אמל, אף כאן ג$_5$, אף כן ד — 3 עשוים] ל׳ א | ולא—אגודות אגודות] הניר נקרע בג^5, ואי אפשר לקרותו — 4 אגודות אגודות א, שתי אגודות מ, אגודות אגודות יחד שבטי ישראל לד | סליק פיסקא ד, ל׳ אל —

5 יחד שבטי ישראל ה, ל׳ אמטלד [פ״ז] | לזה] אצל זה מ — 6 משל] מושלו מלה״ד ה | שבא—לכך נאמר—יחי ראובן ואל ימות] שהלך אצל בניו לפרקים והיו מלוין אותו והוא פוטרן מלוין אותו והוא פוטרן אמ׳ להן אביהם בני שמא יש לכם דבר או שמא יש לכם עסק אמ׳ לו אבה אין לנו דבר ואין לנו עסק אלא הרי אנו מפייסין אותך בשביל שתתרצה לאחינו הגדול כך אלולי השבטים לא נתרצה המקום לראובן לכך נאמר יח׳ שב׳ יש׳ יחי ראובן ואל ימות שאלולי השבטים לא נתרצה המקום לראובן ה — 7 שמא דבר—אמרו לו] ל׳ ט | צורך אמג$_5$, כלום צורך לד | לומר אמ, ל׳ לדג$_5$ | אמרו לי אמ, ל׳ ג$_5$לד — 8 כך מ, ל׳ אטלד — 9 שבטים] ל׳ א | לראובן אמלד, ל׳ טג$_5$ | יחד—ישראל] ל׳ ג$_5$ | יחי—במעשה בלהה] ל׳ ה — 11 יחי—ימות ג$_5$, ל׳ אמטלד | והלא] והרי ג$_5$ | אלא] ל׳ ג$_5$ — 13 חנניה אטג$_5$ה, חנינא אדל — 14 מחליפים] מחלפים א | חוץ—דוד] אלא בראובן ודוד יחי ראובן במעשה יוסף ואל ימות במעשה בלהה ה — 15 ומשל דוד שנ׳] ל׳ ה | ומשל] ושל א | אעפ״י כן ההר לעומתו ה, ההר לעומתו א, ההר ואעפ״י כן ההר לעומתו מ, ההר לעומתו ואעפ״י הר לעומתו ג$_5$, ההר לעומתו ואעפ״י כן ההר לעומתו טל, ההר לעומתו הלוך ויקלל ויסקל באבנים לעמתו ועפר בעפר ואף על פי כן הר לעומתו ד — 16 המילוא] בית המילוא ד | אעפ״י כן ה, ל׳ אמטלד | פרץ] ל׳ ד — 17 לעולם אין מחליפים טלג$_5$ה, אין מחליפים אמ, אין מחליפין לעולם ד — 18 שכר אמה, מתן שכר טלדג$_5$ | המצות] הזכות ה | ועונשים על העבירות] ונפרעין על החובה ה | ומה] הא מה ה, מה ג$_5$ | תשובה] ב ה, נוסף <יחי ראובן ואל

5 וכי מה וכו׳, פ״ז: 6 משל למלך וכו׳, ציגלד Königsgleichnisse ע׳ 411: 12 לעוה״ב, רש״י; פ״ז; ת״י; סנהדרין צ״ב ע״א; ולמעלה פי׳ שכ״ט (ע׳ 379, שורה 14); וציונים שם; ועיין בספר אגדות היהודים למורי ר׳ לוי גינצבורג ח״ו ע׳ 154: 13 במעשה יוסף וכו׳, פ״ז; ופירושו שבזכות מעשה יוסף נמחל לו מעשה בלהה: 15 ההר לעומתו. פי׳ הז״א צלע היינו אשה, ז״א מעשה בת שבע; ואעפ״כ הר לעומתו פי׳ זכות שעשה בהר היא לעומת בת שבע; וזכות של הר היא ששלמה סגר פרץ עיר דוד, משמע שפרץ דוד פרצות בחומה כדי שיכנסו ישראל לרגל וזכות זו עמדה לו נגד עון של בת שבע. ועיין סנהדרין ק״א ע״ב וילקוט שמואל שם ר׳ קנ״א; אבל בפ״ז פירש הר מעשה אביגיל שלא נגע בה ונאמר בה ויורדת בסתר ההר (ש״א כ״ה כ׳): 17 וחכ״א וכו׳, מובא במגן אבות לרשב״ץ פ״ד סוף משנה כ״ה; ועוד ברוקח סי׳ רט״ז; ובספר חסידים סי׳ מ״ג:

שעשה ראובן תשובה, רבן שמעון בן גמליאל אומר מוצל היה ראובן מאותו החטא
ולא נזקק לאותו מעשה איפשר מי שעתיד לעמוד בראש שבטים בהר עיבל ואומר דברים כז כ
°ארור שוכב עם אשת אביו נזקק לאותו מעשה ומה תלמוד לומר °כי עלית בראשית מט ד
משכבי אביך שתבע עלבון אמו. ויהי מתיו מספר, בעולם הזה שימיו מספר
אבל לעתיד לבא יחי ראובן ואל ימת.

דבר אחר ויהי מתיו מספר, גבורים בכח גבורים בתורה גבורים בכח
שנאמר °מתיך בחרב יפולו וגבורותיך במלחמה. גבורים בתורה שנאמר ישעיה ג כה
°גבורי כח עשי דברו ואומר °בארה בנו אשר הגלה תגלת פלאסר תהלים קג כ / דה״א ה ו
מלך אשור הוא נשיא לראובני סליק פיסקא

שמח.

(ז) יחי ראובן ואל ימות וזאת ליהודה וכי מה ענין זה לזה לפי שעשה
יהודה מה שעשה ועמד ואמר °צדקה ממני כיון שראה ראובן שהודה יהודה בראשית לח כו
עמד אף הוא והודה הוי אומר יהודה גרם לראובן שעשה תשובה
עליהם הכתוב אומר °אשר חכמים יגידו ולא כחדו מאבותם, להם לבדם איוב טו יח–יט
נתנה הארץ ולא עבר זר בתוכם.

שמע ה׳ קול יהודה, מלמד שנתפלל משה על שבטו של יהודה ואמר
לפניו רבונו של עולם כל זמן ששבטו של יהודה שרוי בצער ומתפלל לפניך אתה

1 שעשה ראובן תשובה, למעלה פי׳ ל״א (ע׳ 52, שורה 10). — רשב״ג וכו׳, שבת נ״ה ע״ב; בראשית רבה פרשה צ״ח סי׳ ד׳ (ע׳ 1254); פ״ז: 6 גבורים וכו׳, פ״ז: 7 מתיך בחרב יפולו וגבורתך וכו׳, הרי שמתים הוא כינוי לגבורים ומצינו לשון גבורה גם בתורה שנאמר גבורי כח עושי דברו וכי תימא מנ״ל לדרוש תרתי דהיינו גם בתורה דילמא הכא בכח כפשטיה וכדחזינן שהיו בני ראובן גבורים שהיו הולכים בראשי גייס:ת הילכך מייתי קרא דבדברי הימים דמוכיח שהיו ג״כ גבורים בתורה, מפי׳ רד״ף:

11 שראה ראובן וכו׳, פ״ז; רש״י; סוטה ז׳ ע״ב; ב״ק צ״ב ע״א; מכות י״א ע״ב; ירושלמי סוטה פ״א ה״ד (ט״ז ע״ד); בראשית רבה שיטה חדשה פרשה צ״ז (ע׳ 1216); תנחומא ב׳ וישב סי׳ י״ז (צ״ד ע״ב); ועיין אגדות היהודים לר׳ לוי גינצבורג ח״ו ע׳ 155 הערה 922: 15 מלמד וכו׳,

ימת והלא מת הוא אלא ואל ימת לעולם הבא מיכן לתחית המתים מן התורה> — 1 ראובן] ל׳ ג$_5$ | רבן—עלבון אמו] ל׳ ה | מוצל היה אמז, מוצל לט, ניצל ג$_5$ד | מאותו] מן אותו ג$_5$ — 2 מי שעתיד אמ, שהוא עתיד טלד, מי שהוא עתיד ג$_5$ | שבטים] השבטים א | בהר עיבל] ל׳ א | ואומר] ולומר א — 3 נזקק [ונזקק טלד], לאותו מעשה טלדג$_5$, יבא לידו אותו מעשה אמ | ומה] מה אג$_5$ — 4 עלבון אמ, עלבונה של טלדג$_5$ | ויהי—דבר אחר ה, ויהי מתיו מספר בעולם הזה שימיו מספר מ, שימיו מספר א, ל׳ טלדג$_5$ — 6 גבורים] וגבורים ה — 7 שנאמר מלדג$_5$, מנ׳ ה, ל׳ א — 8 ואומר] ואת א | תגלת] ובמסורה הגרכה תלגת: | פלאסר] פלנאסר ה [מסורה] — 9 לראובני] לראובן א | סליק פיסקא] נמצא ב ד, אחר המלים יחי ראובן ואל ימות, והנהתי על פי הענין, ובכל שאר הנוסחאות חסר, ובהגהות ז״א מכ״י ז, נמצא „וכן בכ״י מוחק מלת סליק פיסקא באופן כי שניהם בדבור אחד נאמרו״: —

10 יחי] ד״א יחי ז | וכי—צדקה ממני ה, וכי מה ענין זה לזה אלא כשעשה יהודה אותו מעשה דתמר עמד יהודה והודה שנ׳ צדקה ממני מ, וכי מה ענין זה לזה אלא כשעשה יהודה אותו מעשה דתמר והודה שנ׳ ויכר יהודה ויאמר צדקה ממני א, וכי מה ענין זה לזה לפי שכשעשה יהודה אותו מעשה עמד יהודה והודה שנ׳ ויכר יהודה ויאמר צדקה ממני ג$_5$, ל׳ טלד | כיון שראה אמה, ראה טלדג$_5$ — 11 שהודה יהודה אמ, את יהודה שעמד והודה טלדג$_5$, שעמד יהודה והודה ה — 12 עמד—והודה אמ, אף הוא עמד והודה ה, אף הוא הודה דלטג$_5$, ב א נוסף <שנ׳ ויכר יהודה ויאמר צדקה> | הוי אומר אמ, הוי טהג$_5$, הוי מי גרם למי ד, הוי מי גרם ל | שעשה [שיעשה א] תשובה אמ, לעשות תשובה ה, שהודה במעשה טלד, שהודה במעשיו ג$_5$ — 13 הכתוב אומר] מפורש בקבלה ה | ולא כחדו מאבותם] מה שכר נטלו על כך ה | להם לבדם נתנה הארץ [ארץ ד] —בתוכם טלד, להם לבדם ניתנה הארץ ה, ל׳ אמ, להם לבדם וג׳ ג$_5$ — 15 שבטו: של] שבט ה | ואמר—עולם] שמע ה׳ קול יהודה ה | ואמר אמ, אמר טלדג$_5$ — 16 כל זמן] בשעה ה | ששבטו של יהודה טלדג$_5$, ששבט יהודה ה, שאדם אמ | שרוי בצער טלדג$_5$, שרוי בצרה אמ, נכנס בצער ה | ומתפלל לפניך טדג$_5$, מתפלל לפניך ל, ומתפלל אמ, יהא מתפלל לפניך ה | אתה—מתוכה טג$_5$, אתה—אותן [אותנו ד] מתוכה לד, מעלה אתה אותו מתוכה מ, אתה עונה מתוכה א, ותהא מעלה

מעלה אותו מתוכה. ואל עמו תביאנו, שיקבר עם אבות בארץ רבי יהודה אומר וכי עצמות יוסף בלבד העלו ישראל ממצרים והלא כל שבט ושבט העלה עצמות שבטו ממצרים שנאמר (שמות יג יט) והעליתם את עצמותי מזה אתכם שאין תלמוד לומר אתכם מה תלמוד לומר אתכם שכל שבט ושבט העלה עצמות שבטו ממצרים ומה תלמוד לומר ואל עמו תביאנו שנקבר עם אבות בקבורתם רבי מאיר אומר הרי הוא אומר (בראשית נ ה) בקברי אשר כריתי לי בארץ כנען אני נקבר בה ואין אחר נקבר בה ומה תלמוד לומר ואל עמו תביאנו שנקבר עם אבות בארץ. ידיו רב לו, בשעה שהרג את עשו. ועזר מצריו תהיה, בעמידתו לפני יוסף.

וזאת ליהודה מלמד שנתפלל משה על שבטו של שמעון אמר לפניו רבונו של עולם כל זמן ששבטו של שמעון שרוי בצער ומתפלל לפניך אתה מעלה אותו מתוכה. ואל עמו תביאנו, שקרבו עמו לברכה שנאמר (שופטים א ג) ויאמר יהודה לשמעון אחיו עלה אתי בגורלי. ידיו רב לו, בשעה שנאמר (בראשית לד כה) ויקחו שני בני יעקב שמעון ולוי. ועזר מצריו תהיה, כענין שנאמר (שם לה ה) ויסעו ויהי חתת אלהים על הערים אשר סביבותיהם ולא רדפו אחרי בני יעקב.

וזאת ליהודה, מלמד שנתפלל משה על דוד מלך ישראל אמר לפניו רבונו של עולם כל זמן שדוד מלך ישראל שרוי בצער ומתפלל לפניך אתה מעלה אותו

אותו מתוכו ה — 1 שיקבר אם, שיכנס ה, שנקבר טלדג$_5$ | בארץ] לקבורה ה, [בגליון ט¹ בקבורה] | ר׳ יהודה—עם אבות בארץ] ר׳ מאיר אומ׳ אינו צריך והלא כבר נאמר בקברי אשר כר׳ לי בא׳ כנ׳ שמה תק׳ אני נקבר שם אין אחר נקבר שם הא מה ת״ל ואל עמו תבי׳ שיכנס עמהם לארץ ר׳ [יהודה] אומ׳ אינו צריך והלא כבר נאמר כי השבע הש׳ את בני יש׳ לאמר והלא כל שבט ושבט העלה עצמות שבטו עמו הא מה ת״ל ואל עמו תבי׳ שיכנס עם אבות לקבורה ה — 2 וכי—בלבד] וכי בלבד עצמות יוסף ג$_5$ | ישראל אם, בני ישראל טלדג$_5$ | והלא ג$_5$אמט, והרי דל | העלה אם, העלו טלדג$_5$ — 3 שנאמר והעליתם—ממצרים] ל׳ טלדג$_5$, ונמצא ב אם | שאין ת״ל אתכם מה ת״ל אתכם] כן נראה לגרס, וב א, הגרסה שאין ת״ל מזה מה ת״ל מזה, אמנם ב א, „שאין ת״ל מזה מה ת״ל״, ונשלם ב א¹, „מה ת״ל אתכם״ — 5 ומה] מה ג$_5$ | בקבורתם אם, בקבורה ט²לדג$_5$ס, בארץ ט¹ — 6 ר׳ מאיר טלג$_5$ד, רבי אם [ועיין למעלה בגרסת ה, ששם גם כן מובא בשם ר׳ מאיר] — 7 ואין אחר טלדג$_5$, ואין אחרים נקברין אם | ומה] הא מה ל — 8 בשעה שהרג] בהרינתו ה | בעמידתו אמה, בעמדו טלדג$_5$ — 10 וזאת אם, ד״א וזאת טלדג$_5$ה | שבטו של] שבט ה | שמעון המדלג$_5$, יהודה אם [וכן בסמוך] | אמר לפניו—מתוכה] שמע ה׳ קול יהודה ואין שמע אלא שמעון שנ׳ כי שמע כי שנו׳ אנ׳ (בראשית כ״ט ל״ג) בשעה ששבט שמעון נכנס בצרה יהא שבט יהודה מתפלל לפניך ותהא מעלה אותו מתוכה ה — 11 בצער אמדג$_5$, בצרה טל | ומתפלל לפניך אמט, ל׳ לדג$_5$ — 12 לברכה] לנחלה ה — 13 בגורלי אמה, בגורלי ויפלו [ואומר ויפלו זג$_5$] חבלים מנחלת [מחבל נחלת ג$_5$] בני יהודה לנחלת בני שמעון טלדג$_5$ז | בשעה] בשכם ה — 14 שנאמר אמהג$_5$ט, שאמר לד | כענין שנאמר מלדג$_5$, כענין א׳ ל׳ ט, שנ׳ ה — 15 על—יעקב דג$_5$, על הערים אשר סביבותיהם אם, ל׳ טלה — 16 וזאת אם, ד״א וזאת טלדג$_5$ה | על דוד] על ידי דוד ה | מלך ישראל—שנתפלל משה על מלכי בית דוד] ל׳ ד, וב ה, מובאה הברייתא של מלכי בית דוד לפני זו של דוד מלך ישראל | מלך ישראל אמה, ל׳ טלג$_5$ | אמר—עולם] ל׳ ה — 17 כל זמן—מתוכה] בשעה שדוד מלך ישראל נכנס לצרה יהא מתפלל לפניך ותהא מעלה אותו מתוכה ה | מלך ישראל] ל׳ ג$_5$ |

פ״ז; ועיין ברש״י: 1 שנקבר וכו׳, ספר חסידים, הוצ׳ וויסטינעצקי־פריימאנן, סי׳ ט״ו (ע׳ 19): 2 העלה עצמות שבטו וכו׳, מכילתא בשלח פתיחא דמסכת ויהי (כ״ד ע״ב, ה—ר ע׳ 80); ירושלמי סוטה פ״א (י״ז ע״ג); פסיקתא דר״כ סוף ויהי בשלח (צ״ה ע״א) בשם ר״מ; בראשית רבה סוף ויחי (ע׳ 1295); רש״י שמות י״ג י״ט: 8 בשעה שהרג וכו׳, מובא בתוס׳ גטין נ״ה ע״ב ד״ה ביהודה; מדרש תהלים י״ח ל״ב (פ׳ ע״א); ירושלמי כתובות פ״א ה״ה (כ״ה ע״ג); שם גטין פ״ה ה״ו (מ״ז ע״ב); ילקוט סוף ויחי רמז קס״ב; ילקוט שמואל ר׳ קס״ג; והשוה בבלי סוטה י״ג ע״א ושם מסופר שחושים בן דן הרג את עשו; אמנם לפי ספר היובלים פרק ל״ח פסוק ב׳ הרג יעקב את עשו על פי בקשת יהודה מפני שיהודה לא היה יכול להכות את דודו; וכן גמצא גם בספר צואות י״ב שבטים, צואת יהודה ט׳ ג׳; ועיין בספר אגדות היהודים לר׳ לוי גינצבורג ח״ה ע׳ 372: 10 מלמד וכו׳, פ״ז; רש״י; וכעין זה בת״י וברמב״ן; פסיקתא דר״כ וזאת הברכה (קצ״ז ע״ב); מדרש תהלים מזמור צ׳ סי׳ ג׳ (קצ״ג ע״ב); ועיין עוד בספר אגדות היהודים לר׳ לוי גינצבורג ח״ו ע׳ 155 הערה 923; ודורש שמע לשון שמעון, כן מבואר בפי׳ הספרי כת״י ס: 16 מלמד וכו׳, פ״ז:

מתוכה. ואל עמו תביאנו שתחזירו אל אחיו בשלום. ידיו רב לו בשעה שהרג את גלית. ועזר מצריו תהיה בשעה שאמר °(תהלים קכא א) אשא עיני אל ההרים מאין יבא עזרי.

וזאת ליהודה, מלמד שנתפלל משה על מלכי בית דוד אמר לפניו רבונו של עולם כל זמן שמלכי בית דוד שרוים בצער ומתפללים לפניך אתה מעלה אותם מתוכה. ואל עמו תביאנו זה יאשיהו שנאמר °(מ"ב כב כ) הנני אוסיפך אל אבותיך. ידיו רב לו, זה מנשה שנאמר °(שם כא טז) וגם דם נקי שפך מנשה הרבה מאד לסוף מה נאמר בו °(דה"ב לג יג) ויתפלל אליו ויעתר לו. ועזר מצריו תהיה, זה יהושפט שנאמר °(שם יח לא) ויזעק יהושפט וה' עזרו סליק פיסקא

שמט.

(ח) וללוי אמר, למה נאמר לפי ששמעון ולוי שניהם שתו בכוס אחד שנאמר °(בראשית מט ז) ארור אפם כי עז ועברתם כי קשתה אחלקם ביעקב ואפיצם בישראל משל לשנים שלוו מן המלך אחד פרע למלך וחזר והלוה את המלך ואחד לא דיו שלא פרע אלא חזר ולוה כך שמעון ולוי שניהם לוו בשכם כענין שנאמר °(בראשית לד כה) ויקחו שני בני יעקב שמעון ולוי אחי דינה איש חרבו ויבואו על העיר בטח ויהרגו כל זכר לוי פרע מה שלוה במדבר שנאמר °(שמות לב כו) ויעמד משה בשער המחנה ויאמר כה אמר ה' שימו איש חרבו על ירכו ויעשו בני לוי כדבר ה' וחזר והלוה את המקום בשטים שנאמר °(במדבר כה יא) פינחס בן אלעזר בן אהרן הכהן השיב את חמתי מעל בני ישראל בקנאו את קנאתי בתוכם ולא כליתי את בני ישראל בקנאתי שמעון לא דיו שלא פרע אלא חזר ולוה

10 למה נאמר בו וכו', פ"ז בשם ר' שמעון בן אלעזר; פי' ריב"א [נדפס עם פי' בעלי התוספות]; ועיין בספר אגדות היהודים לר' לוי גינצבורג ח"ו ע' 155' הערה 924: 12 משל וכו', השוה ציגלר Königsgleichnisse ע' 249:

1 שתחזירו—בשלום אמ, שרוי בצער טלג$_5$, עומד בצרה אמ — 1 שיחזור אצל אחיו בשלום ה, שתחזירו אצל [אל ט^1] אחיו לשלום טלג$_5$ | בשעה שהרג את גלית] שלא ירד אחר עמו למלחמה בשעה שהרג את גלית ה — 2 גלית] גלית הפלשתי ל | בשעה—עזרי] כמו שנ' עזרי מעם ה' מאין יבא עזרי אמט, ל' ג$_5$ל — 4 וזאת אמ, ד"א וזאת הג$_5$טל | מלכי] מלכות א | אמר—עולם] ל' ה | אמר לפניו טלג$_5$, ואמר לפניו א, ל' מ — 5 כל זמן—מתוכה] בשעה שמלכי בית דוד נכנסים בצרה יהיו מתפללין לפניך ותהא מעלה אותן מתוכה ה — 6 מתוכה] ממנו מ | יאשיהו אמה, יאשיה לדג$_5$, חזקיהו ט | הנני—אבותיך] ונאספת אל קברת אבותיך לשלום ה — 7 שנאמר] ל' ה | הרבה מאד אמטל, ל' ג$_5$ה, הרבה מאד עד אשר מלא את ירושלם פה לפה לבד מחטאתו אשר החטיא את יהודה לעשות הרע בעיני ה' ד | לסוף—ויעתר לו] ל' ה — 9 עזרו] ב ד, נוסף <ויסיתם אלהים ממנו> | סליק פיסקא ד, ל' אלג$_5$ —

10 למה נאמר—בכוס אחד] ר' שמעון בן אלעזר אומר בכל מקום הוא מזכיר שמעון ולוי כאחת ששניהן שתו בכוס אחד ה | למה נאמר טלדג$_5$, ל' אמ | שניהם—אחד אג$_5$, שתו בכוס אחד מלט, בכוס אחד שתו ד — 11 ועברתם—בישראל ד, ועברתם ג$_5$, ל' אמהטל — 12 משל] מושלו מלה"ד ה | פרע] לווה מן המלך ופרע ה | פרע] פורע מ | למלך טלדג$_5$, את המלך אמ | את] מן ד | ואחד] ואחד לוה מן המלך ה | דיו] די מ — 13 פרע] פרע את המלך ט | חזר] חוזר א | לוו] לוו מן המקום איכן לוה לוי מן המקום ה | כענין—זכר] ל' ג$_5$ | כענין שנאמר אטלד, שנאמר מ, ל' ה — 14 שמעון ולוי אחי—זכר ד, שמעון ולוי אמט^1, ל' ה, שמעון ולוי אחי דינה לט^2 — 15 לוי—שלוה] ופרע למלך איכן פרע לוי למקום ה — 16 ויאמר—ה' אמ, ויאמר מי לה' אלי ויאספו אליו כל בני לוי ד, ויאמר ג$_5$, ויאמר מ' לה' אלי וגומ' ל, ויאמר מ' לה' אלי ט, ל' ה — 17 וחזר והלוה] איכן הלוה לוי ה | המקום] הק' ג$_5$ | פינחס—בני ישראל בקנאתי ד, פינחס בן אלעזר בן אהרן הכהן ג$_5$ט, וירא פינחס בן אלעזר ה, פינחס בן אלעזר הכהן ל, פינחס—את חמתי מ, פינחס בן אלעזר א — 19 ולוה] ב ה, נוסף <איכן לוה

שם יד שנאמר °ושם איש ישראל המוכה אשר הכה את המדינית זמרי בן סלוא נשיא בית אב לשמעוני לכך נאמר וללוי אמר.

תומיך ואוריך לאיש חסידיך, מי שעתיד ללבוש אורים ותומים. לאיש חסידיך, למי שנעשו לו חסדים על ידי בניך. אשר נסיתו במסה, הרבה נסיונות נסיתו ונמצא שלם בכל נסיונות. תריבהו על מי מריבה, סקיפנטים
במדבר כ י נסתקפת לו, אם משה אמר °שמעו נא המורים אהרן ומרים מה עשו סליק פיסקא

שנ.

(ט) האומר לאביו ולאמו לא ראיתיו, עלת על לב שלוי עובד עבודה
שמות לב כו זרה והלא כבר נאמר °ויעמד משה בשער המחנה אלא זה אבי אמו מישראל, ואת אחיו לא הכיר, זה אחי אמו מישראל. ואת בניו לא ידע, זה בן בתו מישראל. כי שמרו אמרתך, במצרים. ובריתך ינצרו, במדבר דבר אחר כי שמרו אמרתך במצרים ובריתך ינצרו במרגלים סליק פיסקא

שנא.

(י) יורו משפטיך ליעקב, מלמד שכל הוריות אינן יוצאות אלא מפיהם
דברים כא ה שנאמר °ועל פיהם יהיה כל ריב וכל נגע. ריב אלו ריבי פרה וריבי עגלה וריבי סוטה. נגע אלו נגעי אדם ונגעי בגדים ונגעי בתים. ותורתך לישראל, מלמד ששתי תורות ניתנו לישראל אחת בפה ואחת בכתב שאל אנגיטוס הגמון את רבן גמליאל אמר לו כמה תורות ניתנו לישראל אמר לו שתים אחת בפה ואחת בכתב. ישימו קטורה באפך, זו קטורת שלפני לפנים וכליל על מזבחך

שמעון מן המקום בשטים> — 1 ישראל—לשמעוני דג$_5$, ישראל המוכה מהט, איש ישראל אשר הוכה ל, ל׳ א — 2 לכך נאמר אמג$_5$, דבר אחר טד, למה נאמר ל, ל׳ ה — 3 מי שעתיד אמד, למה שראוי ה, שעתיד ט^1, מה שעתיד ט^{2}ג$_5$ל | לאיש—בניך] ל׳ א — 4 אשר—במסה] ל׳ א | בניך] בניו ז | הרבה—בכל נסיונות] בכל שנסיתו עמד בנסיונו ה | הרבה—ניסיתו מ, נסיונות א, הרבה ניסיתו טלדג$_5$ [רמב״ן] — 5 סקיפנטים לדג$_5$, הסקיפנטים אמ, תסקופים ט, סיקה פנטיון ה, סקיפים [רמב״ן] שקיפסים ס — 6 נסתקפת לו טלג$_5$ [רמב״ן], נסתקפה לו ד, נספקת לו א, נתקפת לו מ, נסתפקתה ס, נעשה לאחיו ה | אם משה אמר] אמר משה ד | סליק פיסקא ד, ל׳ אלג$_5$ —

7 עלת על לב א, עלה על לב מ, וכי עלת על לב טלדג$_5$, וכי עלת על דעתך ה | שלוי] ששבט לוי ה | עובד] עבר אג$_5$ — 8 זרה] בה נוסף <היה> | והלא—המחנה] ומה ת״ל האו׳ לא׳ ולא׳ ה | אלא] ל׳ ה — 9 אחי אמו טלדג$_5$ה, אחיו מאמו אמ — 10 במצרים] במצות ד | במדבר—ינצרו] ל׳ א | במדבר מטלדג$_5$, על הים ה | ד״א—במרגלים מג$_5$, ד״א כי שמרו אמרתך במדבר ובריתך ינצורו במצרים טל, ד״א כי שמרו אמרתך במילה ובריתך ינצורו במרגלים ה, ל׳ ד — 11 סליק פיסקא ד, ל׳ אל —

12 מלמד—מפיהם] שיהו כל ההוריות נתונות על פיהם ה | הוריות טלג$_5$ד, הוראות אמ — 13 וריבי עגלה—סוטה מטלג$_5$, ועגלה וריבי סוטה א, וריבי עגלה ערופה וריבי סוטה ה, וריבי סוטה וריבי עגלה ד — 14 נגע טדג$_5$ה, כל נגע לם, כענין שנ׳ וכל נגע א | בגדים—בתים אהטלג$_5$ס, בתים—בגדים מד | ותורתך] ותורה ד — 15 מלמד—ואחת בכתב] ל׳ ה | לישראל אמג$_5$, להם לישראל טלד | בפה אמ, על פה טלדג$_5$ | בכתב] בא, מובא כאן המאמר ישימו וכו׳ עד כליל תהיה: | אנגיטוס אמט, אנגיטים לדג$_5$, אגריפס ה | הגמון אמטדג$_5$, ההגמון לה — 16 ר״ג] רבן יוחנן בן זכאי ה | ניתנו לישראל מד, ניתנו לכם מן השמים ה, יש לכם א, נתנו לכם ג$_5$ט, ניתנו להן לישראל ל | בפה—בכתב טלדג$_5$ — בעל פה—בכתב אמה, 17 בכתב] בה,

2 לכך נאמר וכו׳, לרמז על דרש זה נכפל השם וללוי אמר: 3 מי שעתיד וכו׳, רש״י; פ״ז: 5 סקיפנטים, מל״י συκοφαντία עלילה, לומר בעלילה באת עליו; ונסתקפה פעל נגזר מן השם סקיפנטים וכעין זה למעלה פי׳ רמ״ב (ע׳ 272, שורה 5); ועיין עוד במ״ת כ״ב י״ד (ע׳ 139) מזדקף לה ל׳ עלילה;

7 עלת על לב וכו׳, פ״ז; יומא ס״ו ע״ב; ועיין ברש״י: 10 במצרים וכו׳, פ״ז; רש״י; ורמב״ן; ועיין בהערת רמא״ש לפסיקתא רבתי, פיסקא ה׳ (כ״א ע״א):

12 מלמד וכו׳, השוה יומא כ״ו ע״א; פ״ז: 13 אלו ריבי פרה וכו׳ השוה למעלה פי׳ קנ״ב (ע׳ 206, שורה 1): 14 אלו נגעי אדם, שם: 15 ששתי תורות וכו׳, משמע שגורס ותורותיך, וכעין זה בשומרוני, פשיטא, ואולי גם בת״י, ועיין במ״ע Jüd. Zeitschrift לר׳ אברהם גייגר שנה ד׳ ע׳ 101: 17 זו קטורת וכו׳, פ״ז:

זו מנחת כהן שנאמר °וכל מנחת כהן כליל תהיה. דבר אחר ישימו קטורה באפך, זו קטורת שלפני לפנים. וכליל על מזבחך, אלו איברי עולה סליק פיסקא (ויקרא ו טז)

שנב.

(יא) ברך ה׳ חילו, בנכסים מיכן אמרו רוב כהנים עשירים הם משום אבא הדרוס אמרו הרי הוא אומר °נער הייתי גם זקנתי לא ראיתי צדיק נעזב (תהלים לז כה) וזרעו מבקש לחם זה זרעו של אהרן. ופעל ידיו תרצה, שמרצה את ישראל לאביהם שבשמים. מחץ מתנים קמיו, שכל מי שמעורר כנגדו על הכהונה מיד נופל.

דבר אחר מחץ מתנים קמיו, זה קרח, ומשנאיו מן יקומון, זה עוזיהו.

(יב) לבנימן אמר ידיד ה׳, חביב בנימן שנקרא ידיד למקום שהרבה אוהבים למלך וחביב מכולם מי שהמלך אוהבו. ששה הם נקראו ידידים הקדוש ברוך הוא נקרא ידיד שנאמר °אשירה נא לידידי. אברהם נקרא ידיד שנאמר (ישעיה ה א) °מה לידידי בביתי בנימן נקרא ידיד שנאמר לבנימן אמר ידיד ה׳ שלמה (ירמיה יא טו) נקרא ידיד שנאמר °וישלח ביד נתן הנביא ויקרא את שמו ידידיה ישראל (ש״ב יב כה) נקראו ידידים שנאמר °נתתי את ידידות נפשי בית המקדש נקרא ידיד שנאמר (ירמיה יב ז) °מה ידידות משכנותיך יבוא ידיד בן ידיד ויבנה בית ידיד לידיד יבואו ישראל (תהלים פד ב) שנקראו ידידים בני אברהם שנקרא ידיד ויבנו בית המקדש שנקרא ידיד בחלק בנימן שנקרא ידיד להקדוש ברוך הוא שנקרא ידיד.

3 ברך וכו׳ עד זה זרעו של אהרן, רמב״ן; מכירי תהלים מזמור ל״ז סי׳ ל״א (קט״ו ע״ב); וילקוט שמעוני שם ר׳ תש״ל. — בנכסים, השוה ספרי במדבר פי׳ מ׳ (ע׳ 44, שורה 2). — מיכן וכו׳, פ״ז: והשוה יומא כ״ו ע״א. — כל מי שמעורר וכו׳, השוה רש״י ות״י שפירשו על החשמונאים. — אבה הדרוס, עיין למעלה פי׳ ש״ח (ע׳ 347, שורה 10); ובשנויי נוסחאות כאן: 5 שמרצה וכו׳, פ״ז: 9 חביב וכו׳, פ״ז: 10 ששה וכו׳ עד יבא ידיד בן ידיד וכו׳, מכירי ישעיה ה׳ א׳ (ע׳ 38, שורה 11); ורובו גם במכירי תהלים מזמור פ״ד סי׳ ב׳ (ל׳ ע״א): מנחות נ״ג ע״א; מדרש תהלים פ״ד סי׳ א׳ (קפ״ה ע״ב); אדר״נ נו״ב פרק מ״נ (ס״א ע״א); פ״ז: 12 מה לידידי וכו׳, השוה פתיחא לאיכה רבתי סי׳ כ״ד (י״ג ע״ב); ועיין עוד בספר אגדות היהודים לר׳ לוי גינצבורג ח״ה ע׳ 207 הערה 4:

גוסף <אמ׳ לו וכי נאמ׳ ותורותיך לישראל אמ׳ לו אע״פ כן שתים שנ׳ ותורת לישראל> ה | לפנים אמהג$_5$ס [פ״ז], ולפנים טלד | וכליל—כליל תהיה אמג$_5$, וכליל על מזבחך זו מנחת כהן שהיא כליל לאשים ה [וכעין זה בפ״ז וכליל על מזבחך אלו מנחות שאינן נאכלין שנאמר וכל מנחת וכו׳], ל׳ למד — 1 ד״א—איברי עולה אג$_5$, ד״א—שלפני ולפנים—איברי עולה ד, רבי אומ׳ ישימו—איברי עולה ה, וכליל על מזבחך אלו איברי עולה טלד — 2 סליק פיסקא ד, ל׳ אלג$_5$ —

3 משום] ל׳ ה | אבה הדרוס ה, אבא דורש אמטם [רמב״ן], אב הדורש לג$_5$, רב הדורש ד, אתה דורש שר העולם כ, אבא החרש [פ״ז] — 4 אמרו אמג$_5$לט^{3}, אומר ה, ל׳ טד | הרי הוא אומר אמ, ל׳ טלדג$_5$ה | נער] הרי הוא אומר נער א | גם אמכ, וגם לדג$_5$ | לא [ולא כ, מסורה]—לחם, אמד, לא רא׳ כ, ל׳ טלה — 5 שמרצה—שבשמים] מלמד שהן מקריבים קרבנות ומרצין המקום על ישראל ה — 6 שכל אמ, כל טלדהג$_5$ | מי—מיד נופל] שיבוא ויעורר כנגדו על הכהונה יהא נופל לפניו ה | שמעורר] שעורר ג$_5$ | כנגדו על הכהונה לדג$_5$, על הכהונה ט, עליו בכהונה אמ — 9 חביב] אשריך ה | שנקרא] שנקראת ה | למקום—אוהבו] ל׳ א | שהרבה] הרבה ה — 10 וחביב—אוהבו] בג$_5$, נקרע כאן הגייר | וחביב מכולם] האהוב שבכולם ה | מי שהמלך מה, זה עוזיהו לד, זה ט^{2}, זה שנקרא ט^{1} | ששה—ידידים טלדג$_5$כ, ל׳ ה | הקב״ה וכו׳] במ״ת סדר המשפטים: הקב״ה, אברהם, ישראל, בית המקדש, שלמה, בנימן | הקב״ה—מה לידידי בביתי] ל׳ ג$_5$ — 11 שנאמר—בנימן נקרא ידיד] ל׳ א | אברהם—בביתי מטה [מכירי ישעיה], ל׳ לד, [וב ד, ובמכירי תהלים מובא, למטה עיין בשנוים] — 12 לבנימן אמר ידיד ה׳ אמה, ידיד ה׳ ישכון לבטח ל, ידיד ה׳ ישכון לבטח עליו טד — 13 וישלח—הנביא אמטל, ויקרא שמו ידידיה ה, ויקרא את שמו ידידיה ד׳ וב טלד ,גוסף <ואומר וה׳ אהבו> — 14 נתתי טלדה, ונתתי אמ | נתתי—נפשי אמטה, נתתי—נפשי בכף אויביה לד — 15 משכנותיך] בד, ובמכירי תהלים גוסף כאן <אברהם נקרא ידיד שנאמר מה לידידי בביתי> | בן ידיד אמהט, ל׳ לדג$_5$ | יבואו מהא^{1}, ויבאו טלדג$_5$, ל׳ א — 16 ידידים] ל׳ א | בני—שנקרא ידיד] ל׳ ה | אברהם אמס, אב טלדג$_5$ | בחלק] בתוך חלקו של ה — 17 להקדוש—ידיד ה׳] ל׳ ה | להקב״ה] להק׳ ט^{1} | שנקרא ידיד] ל׳ טל, וב טלדג$_5$, גוסף <לכך נאמר ידיד ה׳> —

יחזקאל לד כה **ישכון לבטח עליו.** אין בטח אלא רחצן וכן הוא אומר °וישבו במדבר
לבטח וישנו ביערים.

חופף עליו כל היום, זה בנין ראשון, כל היום זה בנין אחרון, ובין
כתיפיו שוכן, בנוי ומשוכלל לעתיד לבוא. דבר אחר חופף עליו בעולם הזה,
כל היום לימות המשיח, ובין כתיפיו שכן בנוי ומשוכלל לעתיד לבא וכן אתה
מוצא באברהם שראה אותו בנוי וראה אותו חרב וחזר וראה אותו בנוי שנאמר
בראשית כב יד °ויקרא אברהם שם המקום ההוא ה׳ יראה הרי בנוי, אשר יאמר היום
בהר הרי חרב ה׳ יראה בנוי ומשוכלל לעתיד לבוא, וכן אתה מוצא ביצחק
שם כז כז שראה אותו בנוי וראה אותו חרב וחזר וראה אותו בנוי שנאמר °ראה ריח
בני הרי בנוי כריח שדה הרי חרב אשר ברכו ה׳, בנוי ומשוכלל לעתיד
תהלים קלג ג לבוא שנאמר °כי שם צוה ה׳ את הברכה חיים וכן אתה מוצא ביעקב
בראשית כח יז שראה אותו בנוי וראה אותו חרב וראה אותו בנוי שנאמר °ויירא ויאמר מה
נורא המקום הזה הרי בנוי, אין זה, הרי חרב, כי אם בית אלהים וזה
שער השמים, הרי בנוי ומשוכלל לעתיד לבא.

סוף דהי״ב **ובין כתיפיו שכן,** בין חרב בין שאינו חרב וכן הוא אומר °כל ממלכות
הארץ נתן לי ה׳ אלהי השמים. דבר אחר ובין כתיפיו שכן, מה שור
זה אין בו גבוה מכתיפיו כך בית המקדש גבוה מכל העולם וכן הוא אומר
דברים יז ח °וקמת ועלית אל המקום ואומר °והלכו עמים רבים לכו ונעלה אל הר
ישעיה ב ג

1 אין אמטל, ואין דג$_5$ה | רחצן אמה, רוחצן טג$_5$, יישוב לד, במ נוסף <פי׳ הוא תרגום מבטח> | וכה״א אמ, שנאמר דהלט, כן הוא אומ׳ ג$_5$, וב ה, נוסף <וישב׳ לבטח בארצ׳ (ויקרא כ״ו ה׳) ואומ׳> | וישבו] ישבו מ — 2 וישנו ביערים] ל׳ א — 3 ובין] בין א, וכן בכל הענין — 4 לעתיד לבא] לימות המשיח ט | ד״א—לעתיד לבא מ, ל׳ אלד, ד״א חופף עליו—ומשוכלל לעולם הבא ט, וב ה, מובא לפני הברייתא של „בנין ראשון—בנין אחרון״, ונוסחו שם „חופף וכו׳ ומשוכלל לעולם הבא״, וכעין זה בשער הגמול לרמב״ן „חופף עליו כל היום בעולם הזה כל היום לע״ל ובין כתפיו שכן בנוי ומשוכלל לעולם הבא״; וגם בכת״י ס, מובא המאמר, „חופף עליו כל היום, בעולם הזה״ — 6 באברהם] באבינו אברהם ה | וחזר וראה מהג$_5$, ראה א, וראה טלד | שנאמר אמהל, ל׳ טדג$_5$ — 8 הרי חרב אמהטל, ל׳ ג$_5$ד | בנוי אמהט, הרי בנוי לדג$_5$ | לעתיד לבוא] לעולם הבא ט — 9 שראה—לבוא] ל׳ ג$_5$ | וכן—את הברכה חיים] ל׳ ט | וראה אותו חרב וחזר [וחזר ל׳ א]—שנאמר אמה, ומשוכלל לעתיד לבוא ד, וראה אותו חרב וראה אותו בנוי ומשוכלל לעתיד לבוא ל | ראה ריח—הברכה חיים] ל׳ ל — 10 הרי בנוי] כריח שדה בנוי שנאמר לריח ניחוח ד | כריח שדה] שדה ד | חרב] בד נוסף <שנאמר לכן בגללכם ציון שדה תחרש> | אשר—הברכה חיים] ל׳ ל | בנוי אטלדג$_5$ הרי בנוי מה — 11 שנאמר] וה״א ה | ביעקב] באבינו יעקב ה — 12 שראה—בנוי] ל׳ ג$_5$ | וראה אותו חרב] והרוס א, וחרב ט[1] | וראה [וחזר וראה ה] אותו בנוי מה, ובנוי אט[1], וראה אותו בנוי ומשוכלל לעולם הבא ד, וראה אותו בנוי ומשוכלל לעתיד לבא ט[2]ל | שנאמר מה, ל׳ אטלדג$_5$ | ויירא] ל׳ א — 13 הזה אהלג$_5$, ל׳ טמ, הזה אין זה כי אם בית אלהים ד | וזה שער השמים אמ, ל׳ טלדג$_5$ה — 14 ומשוכלל לעתיד לבא הטל, ומשוכלל לעולם הבא דג$_5$, ל׳ אמ — 15 ובין] בין א, וכן בסמוך | כל—השמים אמ, כה אמר כורש מלך פרס לדג$_5$, כה אמר כורש מלך פרס כל ממלכות ט, כה אמר כורש מלך פרס מי בכם בכל עמו ה׳ אלהיו עמו ויעל בין חרב בין שאינו חרב ה — 16 מה—מכתיפיו] אין לך באדם הזה גבוה מבין כתיפיו ה — 17 גבוה אמט[1] [זכרון], נאה לדג$_5$, גובה ט[2] | גבוה] גבוה ונאה ז | העולם] הארצות א, העולם כולו ה | וכן הוא אומר אמ, שנאמר טלדהג$_5$ — 18 אל המקום] ל׳ אה | ואומר—הר ה׳] קומו ונעלה ציון (ירמיה ל״א ו׳) והלכו עמים רבים (ישעיה ב׳ ג׳) ר׳ שמעון אומר בית המקדש שבשילה בתוך חלקו של יוסף היה שנ׳ ויטש משכן שלה (תהלים ע״ח ס׳) וימאס באהל יוסף (תהלים ע״ח ס״ז) ויבחר את שבט יהודה (שם ס״ח) ויבן כמו רמים מקדשו (שם ס״ט) ה | והלכו עמים רבים אמטל, ל׳ דג$_5$ | אל הר ה׳]

1 אלא רחצן, למטה פ״י שנ״ו: 3 זה בנין ראשון וכו׳, פ״ז; זבחים קי״ח ע״ב; רבינו בחיי: 4 בנוי ומשוכלל וכו׳, השוה בראשית רבה סוף פ״ב (ע׳ 18); ופסיקתא דרב כהנא פיסקא קומי אורי, (קמ״ה ע״א). — בעוה״ז וכו׳, מובא בתורת האדם לרמב״ן בשער הגמול: 6 באברהם וכו׳, בראשית רבה פרשה נ״ו סי׳ י׳ (ע׳ 608); והשוה ת״י בראשית כ״ב ט״ו, ועיין עוד בספר אגדות היהודים למורי ר׳ לוי גינצבורג ח״ה ע׳ 253 הערה 249: 8 ביצחק וכו׳, בראשית רבה פרשה ס״ה סי׳ כ״ג (ע׳ 744); והשוה תנחומא ב׳ תולדות סוף סי׳ י׳ (ס״ו ע״ב); ועיין עוד בהגהת רמא״ש לפסיקתא רבתי פיסקא ל׳, קמ״א ע״ב, הערה י״ד: 11 ביעקב וכו׳, בראשית רבה פרשה ס״ט סי׳ ז׳ (ע׳ 797); תנחומא ב׳ ויצא סי׳ ט׳ (ע״ו ע״א): 15 בין חרב וכו׳, פ״ז: 16 מה שור וכו׳ עד מכל העולם, מובא בספר הזכרון: 17 בית המקדש גבוה וכו׳, למעלה פי׳ ל״ז (ע׳ 73 שורה 11) וציונים שם; ועיין זבחים נ״ד ע״ב:

ה׳, אינו אומר גד מן המזרח ודן מן המערב אלא עמים רבים. רבי אומר בכל התחומים הוא אומר וירד הגבול ותאר הגבול וכאן הוא אומר °ועלה הגבול גיא יהושע טו ח בן הינום אל כתף היבוסי מנגב היא ירושלם, מלמד שבית הבחירה היה בנוי בחלקו של בנימין רבי מאיר אומר בית הבחירה היה בנוי בחלקו של בנימין וכראש תור יוצא מחלקו לחלקו של יהודה שנאמר ובין כתיפיו שכן, ומה אני מקיים °לא יסור שבט מיהודה זו לשכת הגזית שנתונה בחלקו של יהודה בראשית מט י שנאמר °וימאס באהל יוסף ובשבט אפרים לא בחר ויבחר את שבט תהלים עח סז—סח יהודה אבל בית הגדול היה בנוי בחלקו של יוסף בשילה. [רבי יהודה אומר בית המקדש בתוך חלקו של יהודה היה] שנאמר °ואתה בית לחם אפרתה מיכה ה א צעיר להיות באלפי יהודה ואין אפרתה אלא בית לחם שנאמר °ותמת בראשית לה יט רחל ותקבר בדרך אפרת היא בית לחם רבי מאיר אומר בחלקו של בנימין בנה מתה שנאמר °ואני בבואי מפדן בארץ כנען בדרך בעוד כברת בראשית מח ז ארץ לבא אפרתה מתה עלי רחל ואין אפרתה אלא בית לחם שנאמר °ואתה בית לחם אפרתה שומע אני בחלקו של יוסף בנה תלמוד לומר °הנה מיכה ה א תהלים קלב ו שמענוה באפרתה מצאנוה בשדה יער במי שנמשל בחייתו יער ואיזה זה בנימין שנאמר °בנימין זאב יטרף זכה בנימין שתשרה שכינה בחלקו וכן אתה בראשית מט כז מוצא כשחלק יהושע ארץ ישראל לשבטים הניח דושנה של יריחו חמש מאות

1 רבי אומר וכו׳ עד זכה בנימין שתשרה שכינה בחלקו, מכירי תהלים מזמור קל״ב סי׳ י״ד (קכ״ד ע״ב): 2 ועלה הגבול וכו׳ עד ואתה בית לחם אפרתה, מובא במכירי מיכה ה׳ א׳: 3 שבית הבחירה וכו׳ עד את הר ציון אשר אהב, מובא במכירי תהלים ע״ח סי׳ פ״ז (י״ח ע״ב): 4 בחלקו של בנימין, מכילתא יתרו, מסכת בחדש, פרשה ד׳ (ס״ה ע״ב, ה—ר ע׳ 216); סוטה ל״ז ע״א; יומא י״ב ע״א; זבחים נ״ד ע״ב; שם קי״ח ע״ב; אדר״נ נו״א פרק ל״ה (נ״ב ע״ב); ירושלמי מגילה פ״א הי״ד (ע״ב סוף ע״ג); בראשית רבה פרשה צ״נ סי׳ ו׳ (ע׳ 1156); ושם פרשה צ״ט סי׳ א׳ (ע׳ 1272); ולמעלה פי׳ ס״ב (ע׳ 178, שורה 9) וציונים שם: 6 זו לשכת הגזית, זבחים נ״ד ע״ב; בראשית רבה פרשה צ״ו (שיטה חדשה) ע׳ 1219; אדר״נ נו״א פרק ל״ה שם: 8 ר׳ יהודה אומר וכו׳, הוספתי את המוסגר על פי השערת רמא״ש „שבלי ספק הברייתא שלפנינו קטיעה וחסר דעת האומר שביהמ״ק בחלקו של יהודה נבנה״, ודעתו נוצאתי במ״ת, עיין שם, ולמעלה בשנויי נוסחאות: 11 בחלקו של בנימין, ובניגוד לזה עיין תוספתא סוטה פרק י״א הי״א (ע׳ 316); ועיין עוד בראשית רבה פרשה פ״ב סי׳ י׳ (ע׳ 988, בחלופי נוסחאות, ובמנחת יהודה); מדרש שמואל פרשה י״ד; וברמב״ן בראשית שם: 14 שומע אני וכו׳, בראשית רבה פרשה צ״ט סי׳ א׳ (ע׳ 1273): 15 ואיזה זה בנימין, מובא בכפתור ופרח פרק י׳ (ע׳ 221), וז״ל „וכן אמרו בספרי בחלקו של בנימין מתה״: 16 וכן אתה מוצא וכו׳, אדר״נ שם; ועיין עוד

כי יש יום קראו נוצרים בהר אפרים א — 1 אינו—מלמד שבית הבחירה היה בנוי בחלקו של בנימין] ל׳ מ | אינו—רבים] ל׳ ט | אינו אומר אדג$_5$, או אינו אומר ל, ד״א ובין כתיפיו שכן או אינו אלא ה | מן המזרח] במזרח ה | מן המערב] במערב ה — 2 התחומים] התחום ה | וכאן] ובסוף התחום ה | ותאר] וירד ה | הגבול—ירושלם] ל׳ ג$_5$ — 3 אל—ירושלם] ל׳ א | אל ה, ל׳ טלד | מנגב] כן הגרסה במסורה, בה, הגרסה מנגד, וב טלד ל׳ | הבחירה אהט^{2}ל, הבירה ט^{1}דג$_5$ | היה] ל׳ ל — 4 בחלקו אטלדג$_5$, בנובה חלקו מ, בתוך חלקו ה | ר׳ מאיר—בנימין אמ, ר׳ יהודה אומ׳ בית המקדש בתוך חלקו של יהודה היה ה — 5 וכראש אמהט^{1}, ובראש ט^{2}לדג$_5$ | יוצא] נכנס ה | מחלקו אמ, מחלקו של יהודה ה, מחלקו של בנימין טלדג$_5$ | לחלקו] לתוך חלקו ה | יהודה] בנימין ה | שנאמר] לכך אמ׳ ה | ומה—זכה בנימין שתשרה שכינה בחלקו וה״א הנה שמענוה באפרתה ר׳ יהודה אומר בית המקדש בתוך חלקו של יהודה היה שנ׳ אפרתים מבית לחם יהודה (רות א׳ ב׳) ר׳ שמעון אומר בתוך חלקה שלבנה שלמי שמתה באפרתה ומי מתה באפרתה רחל שנ׳ ואני בבאי מ״פ מתה עלי יכול שתהא כל העיר בתוך שלו ת״ל [ובין] כתפיו שכן בית המקדש בתוך שלו ושאר כל העיר בתוך חלקו של יהודה ומה אני מקיים לא יסור שבט מיהודה ומ׳ מ׳ רג׳ יורש חקים זו היתה לשכת הגזית שהיתה בתוך חלקו שליהודה ה | ומה אני מקיים אכ, אלא מה אני מקיים מ, ומה תלמוד לומר טלדג$_5$ — 6 שנתונה אמ, שניתנה טלדג$_5$ — 7 שנאמר—אלא בית לחם] ל׳ א | ובשבט [ובאהל ל] אפרים [בנימין ד] לא בחר מלד, ל׳ ט — 8 יהודה מ, יהודה ציון אשר אהב ט, יהודה ואת הר ציון אשר אהב ג$_5$לד | אבל—בנימין זאב יטרף] ל׳ מ | בשילה] ל׳ כ | ר׳ יהודה וכו׳ עד של יהודה היה] הוספתי על פי הענין ועיין בהערות — 10 באלפי יהודה] וגומ׳ ל — 11 בנימין אז, ל׳ טלד — 12 מתה] מתה באפרת א — 13 מתה—הנה שמענוה באפרתה] ל׳ א | בארץ—אפרתה ט^{2}ל, וג׳ לבא אפרתה ט^{1}, וגומ׳ ד — 14 בנה טג$_5$, זה בנה לד | תלמוד לומר] כן נראה לגרס, וב טלדג$_5$, הגרסה שנאמר — 17 כשחלק] בשחלק ד, בשעה שחילק ה | ארץ ישראל לשבטים] את הארץ ה, את הארץ לשבטים ג$_5$ | הניח—בן קנז] נטל חמש מאות אמה על חמש מאות אמה מדשנה שליריחו ואמ׳ יהיה זה למי שיבנה בית המקדש בתחומו

אמה על חמש מאות אמה ונתנו לבני יונדב בן רכב חלק בראש והיו אוכלים אותו ארבע מאות וארבעים שנה שנאמר (מ"א ו א) ויהי °בשמונים שנה וארבע מאות שנה צא מהם אותן ארבעים שנה שהיו ישראל במדבר נמצאו אוכלים אותו ארבע מאות וארבעים שנה וכששרת שכינה בחלקו של בנימן עמדו ופנו אותו מלפניהם שנאמר (שופטים א טז) °ובני קיני חותן משה עלו מעיר התמרים את בני יהודה.

(במדבר י כט) °ויאמר משה לחובב בן רעואל המדיני חותן משה וכי עלת על לב שאמר משה ליתרו בוא וניתן לך חלק בארץ והלא כבר נאמר (שם) °לכה אתנו והטבנו לך מה תלמוד לומר (שם) °כי ה׳ דבר טוב על ישראל זו דושנה של יריחו שהיו אוכלים אותה בני בניו של יתרו קודם שנבנה בית הבחירה לשבטים (שם ל) °ויאמר אליו לא אלך אמר לו למחר כשתחלק ארץ ישראל לשבטים איזה שבט מכם שיתן לי כרם אחד בתוך שלו או תלם אחד בתוך שלו אלא הריני הולך לארצי ואוכל פירות מארצי ואשתה יין מכרמי וכן אתה מוצא בישראל שהניחו מקום פירות ומאכל ומשתה והלכו לעדר במדבר ללמוד תורה מיעבץ וזהו עתניאל בן קנז.

הרי הוא אומר (ש"ב כד כד) °ויקן דוד את הגורן ואת הבקר בכסף שקלים חמשים ובמקום אחר הוא אומר (דהי"א כא כה) °ויתן דוד לארנן במקום שקלי זהב שש מאות אי איפשר לומר שקלי זהב שכבר נאמר שקלי כסף ואי איפשר לומר שקלי כסף שכבר נאמר שקלי זהב אמור מעתה בכסף קנה וזהב שקל אי איפשר לומר חמשים שכבר נאמר שש מאות ואי איפשר לומר שש מאות שכבר נאמר חמשים אמור מעתה כיון שראה דוד מקום שראוי לו לבנות בית הבחירה עמד וכנס חמשים שקלים מכל שבט ושבט נמצאו שש מאות שקלים מכל השבטים.

ומפני מה זכה בנימן שתשרה שכינה בחלקו משל למלך שבא אצל בניו לפרקים וכל אחד ואחד אומר אצלי הוא שורה קטן שבכולם אמר איפשר שמניח

ר׳ שמעון אומ׳ דשנה שליריחו ניתן לבני קני חותן משה שנ׳ ובני קני חותן משה עלו מעיר התמ׳ (שופ׳ א׳ ט״ז) אמרו משתחלק ארץ ישראל איזה שבט שיקבל עליו שיתן לי בית תומן עפר בתוך שלו אלא הריני הולך לתוך ארצי ואוכל פירות מתוך שדיי ושותה יין מתוך כרמיי וכן את מוצא שהניחו פירות ארץ ישראל פירות מאכל ומשקה והלכו להם לערד מדבר להיות חמורים ליעבץ ואיזה הוא יעבץ זה עתניאל בן קנז ה — 1 אמה —אותו ארבע מאות] ל׳ ל | על—אמה) ל׳ א | חמש מט, ארבע ד | ונתנו אמ, ונתנה דג$_{5}$, ונתנוהו ט | חלק בראש טדג$_{5}$, חלק מורש א, ל׳ מ — 2 בשמונים] בשמונה ל, צא—שנה] ל׳ א — 3 צא] יבא ל | אותן] ל׳ מ | ישראל] אוכלין ל — 4 וכששרת] וכששרתה מט | ופנו אמט, ופינו לדג$_{5}$ — 5 את בני יהודה אמ, וגו׳ טל, ל׳ דג$_{5}$ — 6 ויאמר—שש מאות שקלים מכל השבטים] ל׳ מ | וכי אר, ל׳ טל | עלת] עלתה א — 7 בארץ א, בארץ ישראל טלד | מה אל, ומה טד | לכה—לך] כי ה׳ דבר טוב על ישראל ט | כי—ישראל] לכה אתנו והיטבנו לך ט — 8 שנבנה א, שיבנה טלד | הבחירה] הבירה ג$_{5}$ | לשבטים] ל׳ א — 9 ויאמר—אלך] ל׳ ט — 10 בתוך שלו] משלו ט | בתוך שלו] ל׳ א | ואשתה] ושותה א — 11 שהניחו א, כשהניחו טלד | ומאכל א, מאכל טלד | והלכו א, והלכו להם טלד | ללמוד אט, הלכו ללמוד לד | וזהו א, מי היה יעבץ זה טל, מי היה יעבץ זה היה ד — 12 הרי הוא אומר—שש מאות מכל השבטים] ל׳ ה | הרי א, וכן טלד | שקלים חמשים טלד, ג׳ שקלים א — 13 זהב—שכבר נאמר שקלי] ל׳ ל | שכבר אטל, שהרי כבר ד — 14 בכסף—שקל א, בזהב שקל ובכסף קנה טלד | אי אט, ואי לד | לומר] ל׳ א — 15 כיון—מכל השבטים ט[2], כיון—בית הבירה—מכל השבטים ט[1], כיון—שראוי לבנות לו בית הבחירה עמד וכינס חמשה שקלים—בכל השבטים ל, כיון—שראוי לו לבנות בית הבחירה—חמשה שקלים—מכל השבטים ד, ג׳ מכל שבט ושבט שש מאות לכל השבטים א — 18 ומפני—היה להם רחמים על אחיהם] מפני מה לא שרתה השכינה אלא בתוך חלקו של בנימן שכל השבטים נולדו בחוצה לארץ ובנימין נולד בארץ ישראל וכל השבטים נשתתפו במכירתו שליוסף ובנימין לא נשתתף במכירתו שליוסף לפיכך זכה שתשרה שכינה בחלקו שנ׳ לבנימין אמר ידיד ה׳. מה ראה בית המקדש להיות בתוך חלקו שלבנימין אלא אמ׳ הקב״ה איני כונה בית המקדש אלא שיתפללו בני לפני בתוכו ואני מתמלא עליהם רחמים היאך אני שורה בתוך חלקן שלאלו והן לא נתמלאו רחמים על אחיהם, ד״א מה ראה בית המקדש להיות בתוך חלקו של בנימין מושלו מלה״ד למלך שבא אצל בניו לפרקים אמ׳ להן עשו לי סעודה זה אומ׳ אצלי וזה אומ׳ אצלי אמ׳ הקטן שבהם אפשר שאבא מניח את אחי הגדולים ושורה אצלי מה עשה עמד לו מן הצד פניו קפושות ונפשו עגומה עליו אמ׳ להן אביהן בני אין אתם רואין את אחיכם הקטן שעמד לו מן הצד פניו קפושות ונפשו עגומה עליו אלא הואיל וכך תהא סעודה משלכם ולינה בתוך שלו כך אמ׳ הקב״ה לשבטים יהו קרבנות משלכם ובית המקדש בתוך חלקו של בנימין ה | ומפני אמ, מפני טלד | שבא אצל טלד, שבאו אצלו אמ — 19 לפרקים] ולפרקים ד | וכל אמ, כל טלד | אומר אמט, אמר לד | הוא] ל׳ א —

ספרי במדבר פי׳ ע״ח (ע׳ 73), ופי׳ פ״א (ע׳ 82); ולמעלה פי׳ ס״ב (ע׳ 128), ובציונים שם: 6 ויאמר וכו׳, רמא״ש מגיה על פי הפ״ז בהוספת המלים וכן אתה מוצא והגר״א מוסיף ואומר, ובכל המקורות חסר. ולדעתי ברור שלפנינו ברייתא שניה המשמשת כעין ד״א לזו שלפניה, ונוספה מגליון אל תוך הספרי, ועיין בכ״י מ שכל זה חסר שם; ועוד שמפריע את הענין ולכן הדפסתי הברייתות האלה באותיות קטנות: 11 עתניאל בן קנז, תמורה ט״ז ע״א: 14 אי אפשר לומר חמשים, למעלה פי׳ ס״ב (ע׳ 128, שורה 15), ספרי במדבר פי׳ מ״ב (ע׳ 48); זבחים קט״ז ע״ב; מדרש שמואל פרשה ל״ב; במדבר רבה פרשה י״א סי׳ י״ט: 18 משל למלך וכו׳, פ״ז:

אבה אחיי הגדולים ושורה אצלי עמד לו ופניו כבושות ונפשו עגומה אמר ראיתם בני הקטן שעמד ופניו כבושות ונפשו עגומה עליו עכשיו המאכל והמשתה יהיה משלכם ולינתי אצלו כך אמר הקדוש ברוך הוא בית הבחירה יהיה בחלק בנימן וקרבנות מכל השבטים. דבר אחר מפני מה זכה בנימן שתשרה שכינה בחלקו שכל השבטים נולדו בחוצה לארץ ובנימן נולד בארץ דבר אחר כל השבטים היו במכירתו של יוסף ובנימן לא היה במכירתו אמר הקדוש ברוך הוא אם אני אומר לאלו שיבנו לי בית הבחירה כשהם מתפללים לפני איני מתמלא רחמים עליהם שלא היה להם רחמים על אחיהם. דבר אחר מפני מה זכה בנימן שתשרה שכינה בחלקו משל למלך שהיו לו בנים הרבה משהגדילו הלך כל אחד ואחד תפש את מקומו קטן שבהם היה אביו אוהבו אוכל ושותה עמו נשען עליו ויוצא נשען עליו ונכנס כך בנימן הצדיק קטן שבשבטים היה והיה יעקב אביו אוכל ושותה עמו נשען עליו ויוצא נשען עליו ונכנס אמר הקדוש ברוך הוא מקום שסמך צדיק זה ידיו אני משרה שכינתי שנאמר ובין כתיפיו שכן סליק פיסקא

שנג.

(יג) **וליוסף אמר מבורכת ה׳ ארצו**, מלמד שארצו של יוסף מבורכת מכל הארצות: **ממגד שמים מטל**, שיהא טל מצוי לה בכל שעה: **ומתהום רובצת תחת**, מלמד שהיא מרבצת מעיינות.

(יד) **וממגד תבואות שמש**, מגיד שארצו של יוסף פתוחה לחמה ואין לך פירות יפים ומתוקים בעולם אלא הרואים את החמה וכשם שפתוחה לחמה כך פתוחה ללבנה שנאמר **וממגד גרש ירחים**.

16 מלמד וכו׳, רש״י:

1 אבה] אבי א | הגדולים] גדולים ד | אצלי] עמי ד | עמד לו אם, הלך ועמד לד, עמד והלך ט | ופניו אדט, בפנים ל, פניו מ | כבושות טלד, מבויישות אם | אמר—בני קטן—כבושות ט[2], אמר—כבושות ט[1], אמר המלך ראיתם בני הקטן פניו מבויישות מ, אמר המלך לבניו א[1], ראה אותו אביו שעמד ופניו כבושות ונפשו עגומה עליו ד, ראה אותו—עגומה אמ׳ ראיתם בני קטן קטן שעמד לפני ופניו כבושות ונפשו עגומה עליו ל — 2 המאכל והמשתה אם, מאכל ומשתה טלד — 3 הבחירה] הבירה ט[1] | בחלק אם, בחלקו של טלד — 5 שכל אם, מפני שכל טז, מלמד שכל לד | בארץ אם, בארץ ישראל טלד | ד״א אמט[1], ד״א מפני מה זכה בנימן שתשרה שכינה בחלקו לט[2]ד | כל אמד, מפני שכל ט[1]לז, שכל ט[2] — 6 ובנימן] ובנימן הצדי׳ א | במכירתו אם, במכירתו של יוסף טד, של יוסף ובנימין לא היה במכירתו של יוסף ל | הקב״ה] הק׳ ט[1] | אם אני אם, אני טלד — 7 לי אם, ל׳ טלד | הבחירה] הבירה ט[1] | כשהם מתפללים מ, כשמתפללים א, לא כשיהיו [כשהיו ט[2]] מתפללים דטל [ועל הגליון בט[1] לכשיהיו] | מתמלא אמז, מבקש טלד | רחמים עליהם אם, עליהם רחמים איני [אני ט] משרה שכינתי בחלקם טלד — 8 שלא—רחמים אם, שלא היו רחמנים טלד | ד״א—ובין כתפיו שכן] ד״א מה ראה בית המקדש להיות בתוך חלקו של בנימין מושלו מלה״ד למלך שהיו לו בנים הרבה משהגדילו הלך כל אחד ואחד תפס את מקומו והיה הקטן שבהם אוכל ושותה עמו ומסתמך עליו ויוצא ומסתמך עליו ונכנס כך היה אבינו יעקב מסתמך על בנימין אמר המקום במקום שסמך צדיק זה את ידיו שם אני שורה לכך נאמ׳ ובין כת׳ שכן ה | מפני—בחלקו] ל׳ ט[1] | שכינה] השכינה ד — 9 למלך] למלך בשר ודם א | תפש אמט, ותפש לד — 10 קטן] וקטן ל | שבהם אם, שבכולם טלד | אוכל אמט, אוכל עמו לד | נשען עליו ויוצא—ונכנס ט[1]לד, נשען עליו—נשען עליו ט[2], ונשען עליו יוצא ונכנס ונשען עליו מ, ונשען עליו א — 11 שבשבטים מד, שלשבטים טל, שבאחיו א | היה] ל׳ א | והיה] ל׳ מ | אביו אם, אבינו טלד | אוכל אם, אוכל עמ׳ טלד — 12 נשען עליו ויוצא—ונכנס טלד, ונשען עליו ויוצא ונכנס ונשען עליו מ, ונשען עליו א | הקב״ה] הק׳ ט[1] | זה ידיו מ, עליו א, זה ידיו שם טלד — 13 שנאמר אם, לכך נאמר טלד | סליק פיסקא ד, ל׳ אל —

15 מלמד—ארצות] אין לך בכל הארצות מבורכת כארצו של יוסף ה | מבורכת] מתברכת ט — 15 הארצות] ארצות ד | שמים מטל] ל׳ ד | שיהא טל מצוי לה טל, שיהא טל בה אם, שהטל מצוי לה ה — 16 שהיא—מעיינות אמה, שיהא מרובצת במעיינות ל, שמרובצת במעיינות ט[1], שהיא מרובצת במעיינות ט[2] — 17 שארצו של יוסף אה, של יוסף, מ, שהיא טלד | ואין—כך אם, שאין לך פירות יפים וטעומים מפירות שהם פתוחים לחמה כשם שהם פתוחים לחמה כך ה, וכך טלד — 19 פתוחה אם, הם

(טו) ומראש הררי קדם, מלמד שהררי יוסף קודמים להררי מקדש והררי מקדש קודמים להררי ארץ ישראל: וממגד גבעות עולם, מלמד שאבות ואמהות קרוים הרים וגבעות שנאמר אלך לי אל הר המור ואל גבעת הלבונה (שיר השירים ד ו).

(טז) וממגד ארץ ומלואה, מלמד שארצו של יוסף מליאה ואינה חסירה כל ברכה רבי שמעון בן יוחי אומר אדם מעמיד ספינתו בחלקו של יוסף אין צריך חוץ ממנה כלום.

ורצון שוכני סנה, שעשה רצון מי שנגלה על משה בסנה. תבואתה לראש יוסף, הוא בא בראש למצרים, והוא יבוא בראש לעתיד לבוא.

ולקדקד נזיר אחיו, למי שריחקוהו אחיו ועשאוהו נזיר.

(יז) בכור שורו הדר לו, מלמד שניתן לו הוד למשה והדר ליהושע שאילו ניתן הוד ליהושע לא היה העולם יכול לעמוד בו: וקרני ראם קרניו, שור כחו קשה אבל אין קרניו נאות ראם קרניו נאות אבל אין כחו קשה ניתן ליהושע כחו של שור וקרנו של ראם.

בהם עמים ינגח, וכי כל העמים כיבש יהושע והלא לא כבש אלא שלשים ואחד מלכים מלמד שכבש מלכים ושולטונים שהיו מסוף העולם ועד סופו: יחדיו אפסי ארץ וכי כל הארצות כבש יהושע והלא לא כבש אלא פרטום זה קטן אלא כל מלכים ששעבד היו מלכים ושולטונים, רבי יהודה אומר וכי שלשים ואחד מלכים שעיבד כולם היו בארץ ישראל כדרך שעושים ברומי עכשיו שכל מלך ושלטון

1 מלמד וכו׳, רש״י; ורמא״ש פי׳ שהם קודמים בפירות והשוה ת״א ות״י. — והררי מקדש וכו׳, השוה למעלה פי׳ ל״ז (ע׳ 70, שורה 6): 3 קרוים הרים וכו׳, ת״י א׳ וב׳; וכן נדרש פסוק זה על האבות בשהש״ר שם; וגם בשה״ש זוטא שם (ע׳ 31); והשוה עוד ירושלמי סנהדרין פ״י ה״א (כ״ז ע״ד) „כי ההרים ימושו זה זכות אבות, והגבעות תמוטנה זו זכות אמהות״: 8 הוא בא וכו׳, עיין גרסת מ״ת בחלופי נוסחאות, והשוה לקמן פי׳ שנ״ה; ועיין עוד במאנאטש־יפט שנה 1914 ע׳ 414, מה שהעיר מורי ר׳ לוי גינצבורג שם; והערת הח׳ בער במ״ע ZDMG שנה ט׳ ע׳ 792; ובספר Parteipolitik להח׳ ר׳ אבינדור אפטוביצר, ע׳ 253: 11 שור כחו קשה וכו׳, מובא בדרשת רמב״ן לר״ה, הצופה ח״א ע׳ 149; רש״י: 14 וכי כל וכו׳ עד ועד סופו, רמב״ן: 15 יחדיו וכו׳ עד מלכים ושלטונים, רמב״ן: 16 פרטום, פירש ר׳ דוד הופמאן בהערה למ״ת ע׳ 218 מל״י ςοσϕάροος חלק, והיא מעין ל״ר Pars, Partis וכן פירש ר׳ שמואל קרויסם במילונו חלק ב׳ ע׳ 488 אבל ר׳ עמנואל לעוו העיר שם שיש לקרות „והלא לא כבש אל פרטם זה הקטן״, ולפי דבריו אין כאן מלה לועזית כלל: 17 ר׳ יהודה אומר וכו׳, למעלה פי׳ ל״ז (ע׳ 72, שורה 14)

פתוחים ה, היא פתוחה טלד — 1 מלמד—להררי ארץ ישראל] הררי בית המקדש קודמים להרי יוסף והררי יוסף קודמין להררי ארץ ישראל ה | קודמים—והררי מקדש] ל׳ ט — 2 קודמים] קדומים אמ | מלמד—ונבעות] אלו האבות והאמהות שנמשלו בהרים ובגבעות ה — 3 ואל] אל ד — 4 מלמד—ביכה] מה אוצר הזה מלא ואינו חסר כלום כך ארצו של יוסף אינה חסרה כלום ה | ואינה אט, ואין לד — 5 יוחי] אלעזר ה | בחלקו] בתוך ארצו ה | אין—כלום] ואינה חסירה חוצה לה כלום ה — 7 מי] מישראל ד | על משה בסנה אמהט[2]לז, עליו בסנה ט[1], על הסנה ד | 8 הוא בא] הבא ה | למצרים טלד, עכשו ה, תחלה מא | והוא יבא] בא ה, ל׳ א — 9 למי—אחיו] ל׳ ל | למי שרחקוהו אמ, שריחקוהו ט, אילו שרחקוהו ד | ועשאוהו נזיר אמ, ועשו אותו נזיר ה, ועשאוהו נזיר ס, ועשאוהו בכור לד — 10 מלמד—לו] ניתן ה | למשה—הוד] ל׳ ל — 11 לא היה העולם ה, אין העולם אמ, אין כל העולם טלד | שור—אבל אין כחו קשה] הרימן הזה נאה בקרניו אבל אין בו כוח השור כחו יפה אבל אינו נאה בקרניו ה | שור] שור זה מ — 12 אבל אין] ואין מ [וכן בסמוך] | ראם—כחו קשה] ראם אין כחו קשה וקרניו נאות א | ניתן—ראם] נותן ליהושע קרנו וכחו של שור וקרניו של ראם ל — 13 וקרנו של ראם] וזיויו של רימן ה — 14 כל העמים ה, כמה עמים אמט, מה עמים טד — 15 מלכים אמהט[2]ד, מלך ט[1]ל | מלמד] אלא ה, אלא מלמד ל | ושולטונים—ועד סופו] שולטים מסוף העולם ועד סופו ה | ושולטונים לד, ושלטונות אט, ושלטנות מ | שהיו] ל׳ אמ — 16 כל הארצות ה, כמה ארצות מטלד, מה ארצות א [רמב״ן] | והלא לא כבש אמהט [רמב״ן] ל׳ לד | אלא—ושולטונים] אלא שכיבש מלכים שולטים בכל הארצות ה | אלא] ל׳ ד | פרטום] קרמון א — 17 ששעבד ז [רמב״ן] שהעביד אמ, שעיבד טלד | היו אלז [רמב״ן], בה טד, ל׳ מ | מלכים ושולטונים טלדז, מלכים ושלטנות [ושולטונים א] גדולים אמ | ר׳ יהודה—לא עשיתי כלום] ל׳ ה — 18 שעיבד ט[1]לד, ששעבד ט[2], ל׳ אמ | שעושים אמז, שעובדים דלט | עכשיו] ל׳ ט —

שלא קנה ברומי פלטוריות וחוילות אומר לא עשיתי כלום כך כל מלך ושלטון שלא קנה פלטירות וחוילות בארץ אומר לא עשיתי כלום.

והם רבבות אפרים, לפי שלא מפורש לנו עשרם של כנעניים מה היה תלמוד לומר °ויאמר אדני בזק שבעים מלכים בהונות ידיהם ורגליהם שופטים א ז מקוצצים היו מלקטים תחת שולחני והלא דברים קל וחומר ומה אדני בזק שאינו ראוי לימנות עם מלכי כנען היו לו שבעים מלכים מלקטים תחת שולחנו הא למוד וראה מה היה עשרם של כנעניים: והם אלפי מנשה. שאין מפורש לנו כמה הרג יהושע בכנענים ת״ל °וזבח וצלמונע בקרקר ומחניהם עמם שופטים ח י כחמשה עשר אלף כל הנותרים מכל מחני בני קדם והנופלים מאה ועשרים אלף הרי מאה ושלשים וחמשה אלף לקיים מה שנאמר והם רבבות אפרים והם אלפי מנשה סליק פיסקא

שנד.

(יח) ולזבולון אמר, למה נאמר לפי שנאמר °ומקצה אחיו לקח חמשה בראשית מז ב אנשים ויציגם לפני פרעה ולא נתפרשו שמותם וזה אחד מהם.

שמח זבולון בצאתך, מלמד שהיה זבולון סרסור לאחיו והיה לוקח מאחיו ומוכר לגוים ומן הגוים ומוכר לאחיו: ויששכר באהליך, מלמד ששבטו של יששכר משתבח בתורה שנאמר °ומבני יששכר יודעי בינה לעתים וכן מצינו דה״א יב לג

וציונים שם: 3 לפי וכו׳, מובא בילקוט יהושע ר׳ ל״ז. — שאין מפורש וכו׳, מובא ברמב״ן, ועיין רש״י ות״י:

12 למה נאמר וכו׳, רש״י שם וכאן; והשוה לקמן פי׳ שנ״ה, ועיין בראשית רבה פרשה צ״ה סי׳ ד׳ (ע׳ 1190), ושם מפורש שיוסף לקח לפני פרעה את החלשים שבאחיו ואלה שנכפלו שמותיהם כאן הם, לפי המדרש ההוא, הגבורים, וז״ל המדרש „כל מי שכפל שמו בברכתו היה גיבור וכל מי שלא כפל לא היה גיבור, יהודה שכפל שמו היה גיבור שנ׳ וזאת ליהודה ויאמר שמע ה׳ קול יהודה לפיכך לא העמיד אותו לפני פרעה, וכגון נפתלי שנאמר ולנפתלי אמר נפתלי שבע רצון וכו׳ לפיכך לא העמיד אותן לפני פרעה והשאר שלא כפל שמותן לא היו גיבורים לפיכך העמידן לפני פרעה״; אבל בבבלי ב״ק צ״ב ע״א מבאר כתנא דידן, ומפרש „ומקצה אחיו לקח חמשה אנשים מאן נינהו חמשה א״ל הכי א״ר יוחנן אותן שהוכפלו בשמות, יהודה נמי איכפולי מיכפל א״ל למילתיה הוא דאיכפל וכו׳״ וכן מובא גם כן בב״ר לפי כ״י ו׳ שהוא העיקר עיין שם ע׳ 1233; וכן בת״י; ועיין במנחת יהודה שם ע׳ 1190; ובילקוט כ״י מובא מאמר זה בבראשית סי׳ קנ״ג וז״ל שם „אית דאמרי איפכא לפי שנ׳ ומקצה אחיו לקח חמשה אנשים ולא נתפרשו שמותם אותן שהוכפלו שמותן לקח״: 16 משתבח בתורה וכו׳, רש״י וספרי במדבר פי׳ נ״ב (ע׳ 54); תנחומא ב׳ נשא סי׳ כ״ב (י״ח ע״ב); והשוה עוד ב״ק י״ז ע״א; פסיקתא דר״כ פיסקא א׳ (ט׳ ע״א); שהש״ר פרשה ו׳ פסוק ד׳ (יפה את רעיתי); ספרי זוטא ז׳ י״ח (ע׳ 252);

1 שלא קנה] שאין קונה א | וחוילות] כן נראה לגרס, והגרסות המקובלות הן: וחיילות טד, וחיילות בארץ ישראל ל, וחוליות א, ל׳ מז | אומר—וחוילות] ל׳ א, ועל הגליון „ברומי לא עשה ולא כלום כך לשעבר כל מלך ושלטון שלא היה קונה פלטורית וחוליות״ | כך—כלום] ל׳ דל, ונמצא בטמ — 2 וחוילות] עיין למעלה, והגרסות כאן הן: וחוליות מ, וחיילות ט | אומר—כלום] לא עשה ולא כלום א — 3 לפי—לנו] אעפ״י שלא פירש לנו ה | שלא] שאין א | מה היה ת״ל אמ, מנ׳ אנו למדים אותם מארוני בזק שנ׳ ה, ומה ת״ל טלד — 4 בהונות—מלקטים] מלקטים לחם אמ — 5 והלא מאט[3], והרי דלט | ומה—כנען] ומה אם מי שאין דרכו להמנות עם מלכי כנען ה — 6 ראוי אמ, כדי טלד | היו לו מא, היו דה, ל׳ טל | מלכים אמה, מלכים בהונות ידיהם ורגליהם מקוצצים טלד | מלקטים תחת שולחנו אמה, היו מלקטים תחת שולחנו ט, היו וגומ׳ ל, מלקטים תחת שולחני ד — 7 הא אמה, בוא ד, בא טל | למוד] ל׳ ל | מה היה—כנעניים אמ, עושרם של כנעניים מה היה טלד, מה היה עשרן של מלכי כנען ה | שאין—והם אלפי מנשה] ל׳ ד | שאין א, אין מ, אעפ״י שלא ה, לפי שלא ל [רמב״ן] לפי שאין ט | מפורש] פירש ה [רמב״ן] — 8 כמה הרג יהושע אלט [רמב״ן], כמה הכה יהושע מ, יהושע מה שהכה ה | ת״ל אמט [רמב״ן] מנ׳ אנו למדין אותה מזבח וצלמונע שנ׳ ה, שנא׳ ל | בקרקר] בקרקור וגו׳ ה | ומחניהם—מאה ועשרים אלף אמ, ל׳ הטל [רמב״ן] — 10 הרי מה, הוי א, הכל טל [רמב״ן] | לקיים מה שנאמר ה, לכך נאמר אמטל [רמב״ן] —

12 למה נאמר] ל׳ ה | שנאמר] שהוא אומר ה — 13 שמותם] בשמותם ה | וזה] זה ד — 14 לאחיו] בין אחיו לאחרים ה | והיה אמה, היה טל, ל׳ ה | לוקח] לוקח ומוכר לוקח א — 15 לגוים] לאחרים ה | ומן הגוים טלד, לוקח מגוים אמ, ולוקח מאחרים ה — 16 ויששכר—בחלקו של יששכר] ל׳ ה | בתורה טלדה, בדברי תורה מ, בדברי תורה בכל מקום א | ומבני]

שאביו משבחו שנאמר[ט] וירא מנוחה כי טוב דבר אחר וישׂשכר באהליך מלמד שבית הבחירה היה ראוי ליבנות בחלקו של יששכר. בראשית מט טו

(יט) עמים הר יקראו, מנין אתה אומר שהיו אומות ומלכיות מתכנסות ובאות לפרגמטיא של ארץ ישראל והיו אומרים הואיל ונצטערנו ובאנו לכאן נלך ונראה פרגמטיא של יהודים מה טיבה מיד עולים לירושלם ורואים את ישראל שעובדים לאל אחד ואוכלים מאכל אחד לפי שהגוים לא אלוהו של זה אלוהו של זה ולא מאכלו של זה כמאכלו של זה והם אומרים אין יפה להדבק אלא באומה זו. מנין אתה אומר שאין זזים משם עד שמתגיירים ומקריבים זבחים ועולות תלמוד לומר שם יזבחו זבחי צדק.

כי שפע ימים ינקו, שנים נוטלים בשפע ונותנים בשפע ואלו הם ים ומלכות. ים נותן בשפע ונוטל בשפע מלכות נותנת בשפע ונוטלת בשפע.

דבר אחר כי שפע ימים יינקו, זה ימה של חיפה שגנוז לצדיקים לעתיד לבוא מנין אתה אומר שאין ספינה אובדת בים הגדול וצרור של כסף ושל זהב ואבנים טובות ומרגליות וכלי זכוכית וכל כלי חמדה שאין הים הגדול מקיאה לימה של חיפה שגנוז לצדיקים לעתיד לבוא תלמוד לומר כי שפע ימים ינקו: אמר רבי יוסי פעם אחת הייתי מהלך מכזיב לצור ומצאתי זקן אחד אמרתי לו פרנסתך

מכגי ד — 1 שנאמר] ל׳ אמ — 2 הבחירה] הבירה ט^1 | היה ראוי] ראוי היה ט | ליבנות] להיות בנוי ל, להיות ס — 3 מנין—ובאות] לפי שאומות העולם מניחין מדינותיהם ובאין ה | מנין אמטל, ומנין ד | ומלכיות אמט, ומלכים ד, מלכיות ל — 4 לפרגמטיא לדה, לפרק מטיא אמט | א״י] בה נוסף <ומוצאים כל ישראל בירושלם> | והיו אמה, והם טלד | הואיל ונצטערנו—שם יזבחו זבחי צדק] הואיל והטרחנו כל הדרך הזו בואו ונעלה לירושלם ונדע [ונדר ה$_1$] פרנמטיא של יהודים מהיא [מה היא ה$_1$] והיו עולין לירושלים ומוצאים את כל ישראל בירושלם כולם אוכלים מאכל אחד וכולהם שותין משקה אחד וכולהם מתפללין לאל אחד אבל אומות העולם אינו כן אלא שלא כמאכלו שלזה מאכלו שלזה ולא כמשקיו שלזה משקיו שלזה ושלא כאלוהו שלזה אלוהו שלזה והיו אומרין אין יפה להדבק אלא באומה הזאת ולא היו זזין משם עד שהם מתגיירים ומקרבין זבחים למקום שנ׳ שם יזבחו זבחי צדק ה — 5 פרגמטיא] פרקמטיא אט | יהודים] יהודה א | מה] ומה ל | מיד עולים אמ, ועולים ד, עולים טל | את דטל, ל׳ אמ — 6 לא אלוהו של זה לא אלוהו של זה] אלוהו של זה אלוהו של זה ט^1 | אלוהו טלד, כאלוהו אמ — 7 כמאכלו] מאכלו ט — 8 שמתגיירים מט, שמתגרים לד, שמלמדים א | ומקריבים אמז, ובאים ומקריבים טלד — 9 שם] ושם ד — 10 נוטלים בשפע ונותנים אמל, נותנים בשפע ונוטלים ה, נותנים בשפע ט^1, נוטלים בשפע ט^2, נוטלים בשפע ונוטלים בשפע ד | ואלו הם אמ, ל׳ טלד | ים ומלכות אמטד, הים והמלכות ה, ים מלכות ל — 11 ים] הים ה | נותן אמה, נוטל טלדם | ונוטל אמה, ונותן טלדם | ומלכות] והמלכות ה | נותנת—ונוטלת אמה, נוטלת—ונותנת טלד — 12 זה] זו ד | של חיפה ה [רמב״ן, כפתור ופרח], של חפו אמ, של יפו טלד | שגנוז—ימים יינקו] שאין לך צרור של כסף וזהב וספינה אבידה בים עד שהוא מביאו ומשליכו לים של חיפה שהוא משמרתו שלים הגדול והוא מתוקן לצדיקים לעתיד לבא ה | לעתיד לבא אמד, לעולם הבא טל [כפתור ופרח] — 13 שאין ספינה אובדת אמ, שכל ספינות שאובדות טלד | וצרור] וצרורות ד | ושל זהב] וזהב ט^1 — 14 וכלי זכוכית אמ, וזכוכית [כפתור ופרח] ל׳ טלד | שאין הים [ים מ] הגדול מקיאה אמ, שהים הגדול מקיאם טלד — 15 חיפה ה, חפו אמ [רמב״ן, כפתור ופרח] יפה טלד | לעתיד לבא אמד, לעולם הבא טל | ת״ל מטלד, שנ׳ א [כפתור ופרח] | א״ר יוסי—שגנוז לצדיקים לעתיד לבא] ד״א כי שפע ימ׳ יינקו זה חלזון אמ׳ ר׳ יוסי פעם אחת הייתי עולה מעכו ליפו ופגע בי זקן אחד ושאל בשלומי והייתי מכיר אותו אמרתי לו בני הפרנסה מנין אמ׳ לי מחלזון הזה אמרתי לו בני מצוי הוא אמ׳ לי רבי השמים שהרבה מקומות בים שהוא מושלך בהן בהרים וסממיות מקיפות אותו וכל מי שהוא בא ונוטל ממנו הן נושכות אותו ומת ונימוק במקומו אמ׳ ר׳ יוסי אמ׳ לו [ל׳ ה$_1$] בני ניכר הוא זה שהוא מתוקן לצדיקין לעתיד לבא ה — 16 מהלך] מהלך בדרך ט | אמרתי א, ואמרתי מ, ושאלתיו בשלום אמרתי טלד, ושאלתי בשלומו אמרתי [פ״ז] —

בראשית רבה פרשה צ״ח סי׳ י״ב (ע׳ 1262); מ״ת ע׳ 218; אגדת בראשית פרק פ״ג (ע׳ 161): 2 מלמד וכו׳, לפי שהיו בעלי תורה, רמא״ש בשם ז״ר: 3 שהיו אומות וכו׳, השוה בראשית רבה (ע׳ 1263); רש״י; פ״ז: 6 לא אלוהו וכו׳, השוה ספר אגדות היהודים למורי ר׳ לוי גינצבורג ח״ו ע׳ 101, הערה 573: 10 שנים, וכו׳, פ״ז; ורמא״ש מציין לקהלת רבה פרשה א׳ סי׳ ד׳, ואולי יש קשר בין שני המאמרים. — כי שפע וכו׳ עד כי שפע ימים יינקו, מובא בספר כפתור ופרח פרק י׳ (ע׳ 214); ובתורת האדם לרמב״ן שער הגמול. — זה ימה של חיפה, ראה הערתו של ר׳ שמואל קליין בכתבי האוניברסיטה כרך א׳ עמוד 5: 16 א״ר יוסי וכו׳, פ״ז; עיין שבת כ״ו ע״א ״אלו ציידי חלזון מסולמות של צור ועד חיפה״:

במה אמר לי מחלזון אמרתי לו וכי מצוי הוא אמר לי השמים שיש מקום בים שמוטל בהרים וסממיות מקיפות אותו ואין לך אדם שהולך לשם שאין סממיות מכישות אותו ומת ונימק במקומו אמרתי ניכר הוא שגנוז לצדיקים לעתיד לבא וספוני טמוני חול, ספוני זו חלזון טמוני זו טרית חול זה זכוכית. לפי ששבטו של זבולון מתרעם לפני המקום ואומר לפניו רבונו של עולם לאחיי נתת ארצות ולי נתת ימים לאחיי נתת שדות וכרמים ולי נתת חלזון אמר לו לסוף שאני מצריכם לידך על ידי חלזון זה אמר לפניו רבונו של עולם מי מודיעני אמר לו סימן יהא בידך שכל מי שגונבך לא יהא בפרגמטיא שלו כלום סליק פיסקא

שנה.

(כ) ולגד אמר למה נאמר לפי שנאמר °ומקצה אחיו לקח חמשה בראשית מז ב
אנשים ולא נתפרשו שמותם וזה אחד מהם.

ברוך מרחיב גד, מלמד שתחומו של גד מרחיב והולך כלפי מזרח: כלביא שכן, מלמד שהוא סומך לספר שכל מי שהוא סומך לספר נמשל לאריות: וטרף זרוע אף קדקוד, טרף זרוע, לשעבר, אף קדקד, לעתיד לבא.

(כא) וירא ראשית לו, הוא בא בראש תחילה והוא יבוא בראש לעתיד לבא.

כי שם חלקת מחוקק ספון, זו קבורתו של משה שנתונה בחלקו של גד והלא לא מת אלא בחלקו של ראובן שנאמר °עלה אל הר העברים הזה הר דברים לב מט
נבו ואין נבו אלא חלקו של ראובן שנאמר °ובני ראובן בנו וגו' ואת נבו במדבר לב לז

4 ספוני זו וכו', מגילה ו' ע"א; רש"י; פ"ז; ת"י. — זו חלזון וכו', כן הגרסה גם במגלה שם, אבל במ"ת, ופ"ז, הגרסה ספוני זו טרית, טמוני זה חלזון, וכעין זה בת"י מן טריתא וחלזונא מזכיר טרית לראשונה. — לפי ששבטו וכו', מגילה שם: 9 למה נאמר וכו', למעלה פי' שנ"ד, וציונים שם: 11 מלמד וכו', רש"י; רמב"ן; פ"ז; וכן למטה אצל דן: 12 מלמד וכו', רש"י; פ"ז: 14 הוא בא בראש תחילה, שעברו חלוצים לפני בני ישראל בכניסתם לארץ; ורמא"ש מפרש ע"פ הגרסה בפ"ז שהם באו בתחלה ובראש אל דוד (דהי"א י"ב ט'); והשוה למעלה פי' שנ"ג ובמ"ת שם ע' 218 שורה ד'; וכן ת"י „היכמא דהוה עאיל ונפיק ברישי עמא בעלמא הדין כן יהוי עאיל ונפיק לעלמא דאתי": 16 בחלקו של ראובן, לקמן פי' שנ"ז; אדר"נ נו"ב פרק כ"ה (כ"ו ע"א); ירושלמי סוטה סוף פ"א (י"ז ע"ג); תוספתא שם פ"ד ה"ח (ע' 300); בבלי י"ג ע"ב; ספרי במדבר פי' ק"ו (ע'

1 במה אמ, במה היא ל, במה הוא טד | אמר] ואמר מ | וכי מצוי הוא אמ [פ"ז], ומי מצוי טלד | שיש מקום בים אמ [פ"ז], מקום בים טלד — 2 בהרים] בין הרים ט[2] | וסממיות אלטם [פ"ז], וסממות מ, וסמומיות ד | מקיפות— שאין סממיות אמ [פ"ז], ל' טלד — 3 ונימק] ל' א | אמרתי אמ, אמרתי השמים טלד [פ"ז] | ניכר טמד, נכר א, נזכר לד | לעתיד לבא אמטז [פ"ז], לעולם הבא לד — 4 וספוני טמוני חול דט[1], ושפוני טמוני חול מ, ל' אהט[2]ל | ספוני] שפוני מ | זו חלזון] זו טרית ה [פ"ז] | זו טרית] זה [זו פ"ז] חלזון ה [פ"ז] | זה] זו אמ — 5 לפני המקום מטלד, לפני הקב"ה א, על הקב"ה ה | ואומר אמהד, אמ' לט | לאחיי נתת ארצות ולי נתת ימים] ל' א — 6 ולי נתת ימים לאחיי נתת שדות וכרמים] ל' ד | חלזון טלד, את החול הזה ה, חלזון וזכוכית אמ | לסוף אמל, חייך ה, ל' דט — 7 לידך] לך ה | על ידי חלזון זה אמט[1]לד, על ידי חלזון ט[2], בחול לזכוכית ה | לפניו] לו ה | רבונו של עולם] ל' ה | מי] וכ' מי ה | סימן יהא [יהיה א] בידך אמ זה סימן ט, זה סימן יהיה בידך לד, ל' ה — 8 שכל] כל ה | שגונבך לד, שגונבו ט, שהוא נוגבך ה, שנוטל ממך בלא דמים אמ | לא יהא ט, אל יהא מוצא ה, לא יהיה לו מ, לא יהיה אלד, לא יועיל ז | בפרגמטיא] בפרקמטיא מ, פרקמטיא א | כלום טלדה, ברכה אמ סליק פיסקא ד, ל' אל —

9 למה—שנאמר] לפי שהוא [אומר] ה | למה נאמר] ל' א — 10 ולא נתפרשו—טהם אמ, ולא נתפרשו בשמותם—מהם ה, וזה אחד מהם ט, ל' לד — 11 מלמד] מגיד ה | כלפי] עד כלפי ה — 12 שהוא סומך [סמוך א] אמ, שהוא שרוי על ה, שהיה סמוך ט, שהיה סומך לד | שכל—לספר מ, שכל מי שהוא סמוך לספר א, שכל מי שהוא (משול) [שרוי] על ספר ה, ל' טל, לפיכך ד | לאריות אמ, כאריות טדה, באריות ל — 13 אף קדקוד טרף זרוע אמה, ל' טלד | לשעבר אמה, על שעבר טלד | לעתיד לבא אמה, לעולם הבא טלד — 14 הוא בא—לעתיד לבא] הבא בראש עכשיו בא בראש לעתיד ה | בא] ל' לס | לעתיד לבא אמ, לעולם הבא טלד — 15 זו קבורתו טל, זה קבורתו אמה | בחלקו של] בחלקת ד | גד] ראובן ל — 16 והלא אמה, והוא טד — 17 ואין נבו—ואת בעל מעון וגו' א, ואין נבו אלא בחלקו—ואת בעל מעון וגו' מ, ואין נבו—ובני

ואת בעל מעון וגו׳ ומה תלמוד לומר כי שם חלקת מחוקק ספון מלמד שהיה משה מוטל בכנפי שכינה בארבעת מילים מחלקו של ראובן וחלקו של גד ומלאכי השרת מספידים עליו ואומרים יבוא שלום ינוח על משכבו וזה אחד מן הדברים שנבראו בערב שבת בין השמשות ואלו הם קשת ומן באר וכתב ומכתב והלוחות ופי האתון ופי הארץ וקברו של משה ומערה שעמד בה משה ואליהו ומקלו של אהרן ושקדיה ופרחיה ויש אומרים אף בגדי אדם הראשון, ויש אומרים אף כתנות והמזיקים, רבי יאשיה אומר משום אביו אף האיל והשמיר רבי נחמיה אומר אף האור והפירדה רבי יהודה אומר אף הצבת וכן הוא אומר צבתא בצבתא תתעבד צבתא קדמייתא מאי הוית הא לוו ברייה הות אמרו לו והרי יכול לעשותה בדפוס ולהתיכה בתוכו הא לוו ברייה הות.

ויתא ראשי עם, שעשה את התורה תוים תוים דבר אחר מלמד שעתיד משה ליכנס בראש כל חבורה וחבורה בראש חבורה של בעלי מקרא ובראש חבורה של בעלי משנה ובראש חבורה של בעלי תלמוד, ונוטל שכר עם כל אחד ואחד וכן הוא אומר ⁰לכן אחלק לו ברבים, ואת עצומים יחלק שלל. (ישעיה נג יב)

צדקת ה׳ עשה, וכי מה צדקה עשה משה בישראל והלא כל ארבעים

ראובן כגו ה, ל׳ טלד — 2 מוטל אמה, מוטל מת טלד | בכנפי אמהט[2], בנפי ט[1]לד | שכינה] השכינה ה | בארבעת מילים אמ, מארבעת מילים ט[2], ארבעת מילין ט[1], ארבעה מילים לד, ל׳ ה — 3 מספידים טלדה, סופדים אמ | עליו] אותו ד | ינוח על משכבו טל, ויגוח על משכבו ד, ינוח על משכבו הולך נכוחו א, וינוחו על משכבותם הולך נכוחו מ, ל׳ ה | וזה] זה ט | מן הדברים אטלד, מדברים מ, מעשרה דברים ה — 4 בערב] ערב א | קשת — הא לא ברייה הות] הקשת והמן והשמיר והכתב והמכתב והלוחות ופתיחת פי הארץ שבלעה את הרשעים ופתיחת פי האתון שקוללת את הרשע ׳ומערה שעמד בה משה ואליהו וקבורתו של משה שהיא אחד מעשרה דברים שנבראו בערב שבת בין השמשות ה | קשת ומן טל, הקשת והמן ד, קשת ושמיר מ, קשת ושמיר ושית א | באר] הבאר ד | וכתב ומכתב אמט, והכתב והמכתב ד, וכתב ל — 5 והלוחות אמלד, ולוחות ט | ופי הארץ] ל׳ ד — 6 ושקדיה אמל, שקידיה טד | בגדי אמ, בגדו של טלד — 7 אף כתנות והמזיקים [המזיקים ט] אמ, אף הכתונת והמזיקים טל, הכתונת ומזיקים ד | אומר אמ, אמר טלד — 8 אומר טלד, אומר משום אביו אמ | האור] האיל ט[1] — 9 תתעבד] מתעבד ט | צבתא קדמייתא אמט[1], קמייתא לד, קדמיתא ט[2] | מאי הוית מד, מה הוות לט[1], מת [מאין א[1]] הוא א, במה הוות מתעבדא ט[2] | הא לוו] כן יש להגיה על פי הגרסה הנכונה של התוספתא הנמצאת בערובין לפי כ״י ערפורט; ובחגיגה בכ״י וויען ובדפוס, ובמקורות הספרי נמצאות גרסות אלו: לא ברייה הוות ד, הא לא ברייה הות מ, לאו ברייה הות א, הא לאיי בריה הות ט[1]ל, הא לא אתביריא הות ט[2] | אמרו—תוים] ל׳ ל | אמרו אמ, אמר טד | והרי] ל׳ ט — 10 לעשותה] לעשות ד | הא] הוי ט | לוו ברייה הות] כן נראה להגיה גם כאן ובמקורות נמצאות גרסות אלו: לא ביריה הות ד, לאו ביריא הות ט, בריה [מ בריא] היתה אלא על ידי אדם היתה אמ — 11 שעשה—דבר אחר] ל׳ א | שעשה] מלמד שעשה מ | תוים תוים ה, תוין תוין מ, תוין תוין סימני׳ סימני׳ זס, תזין תזין ט[2], תיין תיין ט[1], תיין ד, אתין ותוין [פ״ז] | ד״א] ל׳ מ | שעתיד משה אמטה, שעשה משה ל, שהייתה משה עתיד ד — 12 בראש—וחבורה] בין חבורה לחבורה ה | חבורה וחבורה אמטי העם וחבורה [חבורה ד] וחבורה לד | חבורה] כל חבורה ל | ובראש חבורה של בעלי משנה] ל׳ ט | ובראש אמה, בראש לד — 13 ובראש אמה, בראש טלד | ונוטל אמה, וליטול טלד | שכר עם כל אחד ואחד אמה, כל [עם כל ט] אחד ואחר שכר טלד — 14 ואת—שלל מד, ל׳ אל, וגו׳ ט — 15 צדקת] ואומר צדקת א | צדקה עשה משה אמ, עשה משה צדקה ה, צדקה [צדקות ד] עשה טלד | בישראל] עם ישראל ה | ארבעים] אותן ארבעים ה —

105); מ״ת לקמן ל״ד ה׳ (ע׳ 225): 3 יבוא שלום וכו׳, על פי הכתוב בישעיה נ״ז ב׳: 4 שנבראו בע״ש וכו׳, אבות פ״ה מ״ו; מכילתא בשלח, מסכת ויסע, פרשה ה׳ (נ״א ע״א, ה—ר ע׳ 171); אדר״נ נו״ב פרק ל״ז (מ״ח ע״א); פסחים נ״ד ע״א; פרקי דר״א פרק י״ט ופל״א; תנחומא וירא סי׳ כ״ג; ת״י במדבר כ״ב כ״ח; מדרש מעשה תורה שער עשרה, בבית המדרש לר״א יעללינעק ח״ב ע׳ 100; ובספר אגדות היהודים לר׳ לוי גינצבורג ח״ה ע׳ 109, הערה 99, וח״ו ע׳ 16 הערה 94: 7 כתנות, וכתב הז״ר אפשר דהיינו כתונת פסים של יוסף ע״כ ופשטיה משמע דאכתנות עור של אדם קאי ועיין בב״ר פ״כ, רמא״ש. — וכה״א וכו׳, פסחים שם: 8 צבתא וכו׳ תוספתא ערובין פי״א (ח) ה׳ כ״ג (ע׳ 154); שם חגיגה פ״א ה״ט (ע׳ 233); ירושלמי סוף ערובין; ומקור המאמר במשנה אבות פ״ה מ״ו. 9 מאי הוית, פירושו מהיכן היתה: 11 מלמד וכו׳, פ״ז; וילקוט ישעיה ר׳ של״ח; והכתיב לכן אחלק לו ברבים וכו׳ נדרש על משה גם בסוטה י״ד ע״א: 15 וכי מה וכו׳, פ״ז:

שנה שהיו ישראל במדבר באר עולה להן ומן יורד להם ושליו מצוי להם וענני
כבוד מקיפות אותם אלא שאמר °כי יהיה בך אביון. דברים טו ז
צדקת ה׳ עשה, מלמד שצדקה תלויה בדין תחת כסא הכבוד שנאמר
°כה אמר ה׳ שמרו משפט ועשו צדקה. ישעיה נו א
(כב) ולדן אמר, למה נאמר לפי שנאמר °ומקצה אחיו לקח ולא בראשית מז ב
נתפרשו שמותם וזה אחד מהם.
דן גור אריה, מלמד שסמוך לספר וכל מי שסמוך לספר נמשל לאריות.
יזנק מן הבשן, מה זינוק זה יוצא ממקום אחד ונחלק לשני מקומות כך שבטו
של דן נוטל לו חלק בשני מקומות וכן הוא אומר °ויצא גבול בני דן מהם, יהושע יט מז
ויעלו בני דן וילחמו.
(כג) ולנפתלי אמר, למה נאמר לפי שנאמר ומקצה אחיו לקח חמשה
אנשים ולא נתפרשו שמותם וזה אחד מהם. נפתלי שבע רצון, מלמד שהיה
נפתלי שמח בחלקו בימים ובדגים ובספינות. ומלא ברכת ה׳, זו בקעת גינוסר.
רבי אומר זה בית דין של טבריה ועליו הוא אומר °רצון יריאיו יעשה. ים, תהלים קמה יט
זה ים של סופני. ודרום, זה ימה של טבריה. ירשה, מלמד שנטל מלא חבל
חלקו בדרום.
(כד) ולאשר אמר, למה נאמר לפי שנאמר °ומקצה אחיו לקח חמשה בראשית מז ב
אנשים ולא נתפרשו שמותם וזה אחד מהם.
ברוך מבנים אשר, אין לך בכל השבטים שנתברך בבנים כאשר. יהי

2 שאמר כי יהיה וכו׳, ותלה הכתוב זכות הרבים בו עיין אבות ה׳ ט״ז וכ״א; והגר״א הגיה „שלימד תורה לישראל שנאמר וצדקה תהיה לנו כי נשמור לעשות וכו׳״: 3 מלמד וכו׳, פ״ז; והשוה למעלה פי׳ רע״ז, ע׳ 295: 5 למה נאמר וכו׳, למעלה ריש פי׳ שנ״ד והערה שם: 7 מלמד וכו׳, למעלה ריש הפיסקא: 8 מה זינוק זה וכו׳, פ״ז; רש״י; ועיין בהערת רמא״ש: 11 למה נאמר וכו׳, למעלה ריש פי׳ שנ״ד, ובהערה שם: 12 מלמד וכו׳, פ״ז; ועיין ברש״י: 14 בית דין של טבריה, העיר ר׳ דוד הופמאן ששם היה הסנהדרין בסוף ימי רבי (ע׳ ר״ה ל״א ע״ב); ובמ״ת אינו גורס רבי אומר, ומדייק ר׳ דוד הופמאן מכאן שהספרי נסדר אחרי מות רבי, ולדעתי אין כאן שום ראיה, ואולי הביא רבי רמז חזוק לבית דינו מן הכתוב על חלק נפתלי שבו נמצא: 15 זה ים וכו׳, בשם ר״ע בתוספתא ב״ק פ״ח הי״ח (ע׳ 363); ובירושלמי ב״ב פ״ה (ט״ו ע״א); ועיין עוד ב״ק פ״א ע״ב. — ים של סופני, כן הגרסה גם בתרגום יונתן, ובתוספתא ב״ק לפי גרסת כ״י ערפורט; אבל בכ״י וויען הגרסה סובבי, ובדפוס סוכני, עיי״ש; ובתוספתא בכורות פ״ז ה״ד, ע׳ 542, הגרסה „נהר היוצא ממערת פמיים ועובר בימה של סופני״; אבל בירושלמי ב״ב הגרסה „ים של סמכו״: 17 למה נאמר וכו׳, למעלה ריש פי׳ שנ״ד: 19 אין לך וכו׳, פ״ז;

1 שהיו ישראל במדבר] ל׳ אם | שהיו] שעשו ה | באר עולה להם ומן יורד להם] המן יורד להם והבאר עולה להם ה | עולה להם—ושליו] ל׳ אם | ומן ל, והמן ד, מן ט² | ומן—מצוי להם] שליו מצוי להם מן יורד להם ט¹ | ושליו] והשליו ה — 2 אלא—אביון] וכי מה עשה משה עם ישראל אלא שהכתיב להם בתורה לא תאמץ את לבבך ועושה צדקה בליבב שלם על אחת כמה וכמה ה | שאמר אמט, שנאמר לד — 3 צדקת אמל, ד״א צדקת טד | שצדקה תלויה אמה, שהצדקה קשורה טלדם — 5 למה—שנאמר] לפי שהוא אומר ה | ולא נתפרשו שמותם אמה, ל׳ טלד — 6 וזה] זה ט — 7 שסמוך לספר] ששרוי על ספר ה | וכל] שכל ה | שסמוך לספר] שהוא שרוי על ספר ה | נמשל] משול ה | לאריות אמד, כאריות טלה — 8 זינוק זה] הזינוק הזה ה | לשני מקומות טלד, לשבעה מקומות אם, לשנים ה | כך—חלק] נטלו בני בו חלקם ה — 9 וכן הוא אומר] שנאמר ה | ויצא—מהם] ל׳ ה — 10 וילחמו] וילחמו עם לשם וילכדו אותה ואולם ליש שם העיר לראשונה ה — 11 למה—שנאמר] לפי שהוא אומר ה | חמשה אנשים ולא נתפרשו שמותם הא¹, חמשה אנשים וכו׳ כאמור לעיל מ, ל׳ אטלד — 12 מלמד בחלקו] ל׳ ה — 13 ובספינות אמה, ובפרגיות ט², וכפניות ט¹לד | גינוסר] גניסר שהיא בתוך חלקו שלנפתלי ה — 14 רבי אומר—טבריה] ד״א ומלא ברכת ה׳ זה בית המדרש הגדול של טבריה שהוא מלא ברכה שהוא בתוך חלקו שלנפתלי ה | רבי אומר טלד, ד״א רבי אומר אם, דבר אחר ז | טבריה] בכל המקורות חוץ מה נכתב טבריא: | ועליו אמט, ועוד לד — 15 זה ים—ודרום] ל׳ א | של סופני מטד [תוספתא] צפוני ל, סינפו ה, של סבני ז | זה ימה מטלד, זה ים א, זה ה | שנטל—בדרום אם, שהוא מושך מלא חבל חלקו בדרום ה, שנתנו לו מלא חבל חלקו בדרום טז, שנתנו לו חלק [חלקו ד] בדרום מלא חבל לד — 17 למה—שנאמר] לפי שהוא אומר ה | למה נאמר] ל׳ ל | לקח—בשמותם א¹ם, לקח—שמותם ה, וכו׳ א, ל׳ טלד — 19 לך] ל׳ א | בכל השבטים] ל׳ ה [רמב״ן] |

רצוי אחיו, שהיה מתרצה לאחיו בשמן אנפקינון ובקיבלאות והם מרצים לו בתבואה.

דבר אחר יהי רצוי אחיו. כשעשה ראובן אותו מעשה הלך אשר וסיפר לאחיו ונזפו בו ואמרו לו כך אתה מדבר באחינו הגדול וכשהודה ראובן על המעשה נתרצו לו אחיו לכך נאמר יהי רצוי אחיו.

דבר אחר יהי רצוי אחיו כשהיו שבטים מתייחסים זה אומר שלי היא לויה וזה אומר שלי היא לויה אמר להם אם מראובן הכתוב מייחס שלי היא לויה ואם מבנימין הכתוב מייחס של לוי היא לויה ריצה את אחיו באותה שעה לכך נאמר יהי רצוי אחיו.

דבר אחר יהי רצוי אחיו. אין בכל הארצות שמשמטת בשביעית כארצו של אשר. וטובל בשמן רגלו. מלמד שארצו של אשר מושכת שמן כמעין

שנתברך] מבורך ה — 1 שהיה—לאחיו אטלד, שהיה מרצה לאחיו מ, שהיה מרצה את אחיו ה | אנפיקנון אמ, אנפקנין ל, אנפיקינון ט, אנפיקין ד, אנפקינון ס, אמפקנון ה, אמפקנין ה$_1$ | ובקיבלאות מ, ובקלאות א, ובקבליות ה, ובקיפלאות טלדס | לו] אותו ה — 3 ד״א—לכך נאמר יהי רצוי אחיו] ד״א יהי רצוי אחיו לפי שעשה ראובן מה שעשה והלך אשר והגיד לאחיו דבבו אותו אחיו ולא בקשו להתרצות לו אלא אמרו לו כך היית צריך לדבר על אחינו הגדול כיון שעמד ראובן והודה חזר להתרצות לו וריצה את אחיו לכך נאמר יהי רצוי אחיו ה — 4 ונזפו בו לד, ונזפו לו ט, נזפו בו אחיו אמ | ואמרו לו] ל׳ א | כך אמלז, כך אחינו טד — 5 המעשה אמ, מעשיו טלד — 6 ד״א—לכך נאמר יהי רצוי אחיו] ד״א יהי רצוי אחיו לפי שהיו השבטים מתיחסים זה אומר שלי היא הכהונה וזה אומ׳ שלי היא הכהונה אמ׳ להם אשר אם לראובן המקום מונה שלי היא הכהונה ואם לבנימין המקום מונה שללוי היא הכהונה וריצה את אחיו לכך נאמר יהי רצוי אחיו ה | כשהיו] וכשהיו ל | שבטים אמ, ישראל טלדז | מתייחסים] מתייחשים א | היא] הוא ד, וכן בסמוך — 7 לויה] ל׳ מ | וזה—לויה] ל׳ א | אמר להם אמז, ל׳ טלד | שלי היא] לי היא ל, שלו היא ס | מראובן] מראות א, ממני ל — 8 ואם—של לוי היא לויה] ל׳א | מבנימין מזס, ממני טלד | של לוי מס [נ״א בז], שלי טלדז — 9 לכך—אחיו] ל׳ אמ — 10 ד״א—כארצו של אשר] מובא בה, למעלה אחר המלים והם מרצים לו בתבואה | אין אלדם, אין לך מטה | שמשמטת] משמטת ה | בשביעית אמ, שביעית טלדם, ל׳ ה — 11 מלמד אמטל, ל׳ ד, מגיד ה | כמעין] כנהר ה —

רש״י; רמב״ן: 1 שהיה וכו׳, רש״י; פ״ז. — אנפיקנון, מל״י ομφάκινον שמן העשוי מזיתים בלתי מבושלות, עיין מלונו של קרויסס ח״ב ע׳ 74. — ובקיבלאות, איני יודע לפרשה, ומובא גם בתוספתא נגעים פ״ח ה״ג (ע׳ 628, שורה 14), ושם נראה פירשו מין עוף: 3 כשעשה ראובן וכו׳, כעין זה בספר חסידים, הוצ׳ מקיצי נרדמים, סי׳ תתקע״ב (ע׳ 239) ובשו״ת הגאונים מן הגניזה, לר׳ לוי גינצבורג, ח״ב ע׳ 326; ובספר אגדות היהודים שלו ח״ה ע׳ 307. 6 כשהיו שבטים וכו׳, לפי הגרסה הנכונה שהבאתי בפנים המאמר מפורש, אם מראובן מונים השבטים אם כן העשירי הוא אשר והלויה שלו, ואם מבנימן מונים אחורנית אם כן הלויה של לוי והמבארים נדחקו מאד בפירושו ועיין בראב״ן סי׳ ק״י וז״ל „וגם שאלני הא דתניא בספרי בפרשת וזאת הברכה יהי רצוי אחיו וגומר כשהיו ישראל מתייחסים זה אומר שלי הלוייה וכו׳ והשבתי לו במחלוקת קרח היה המעשה כדכת׳ ואנשים מבני ישראל ר״ן וגו׳ ומכל השבטים היו זה אומר שלי היא הלוייה קדושת לוייה ששבטי הוא המעשר שאמר יעקב אבינו וכל אשר תתן לי עשר אעשרנו לך וכל שבט ושבט היה אומר כן ואמר להם שבט אשר לשבטים אם מראובן הכתב מייחסן כלומר שיש להתחיל המניין מראובן ולקדש עשירי שלו היא הבכורה של לוי לפי שקדושת לוייה היא הבכורה ואין בכור מוציא בכור ויש לך לסלק ד׳ בכורות של ד׳ אימהות ראובן יוסף דן וגד וישארו ח׳ שבטים וכשתמנה שמעון לוי יהודה יששכר זבולון בנימין נפתלי אשר הרי ח׳ ויש לך לחזור לשמעון הרי ט׳ ולוי העשירי קדש ואם ממני הכתוב מייחם שיש לכם לחשוב אחורנית ולהתחיל המיניין ממני שאני אחרון במנין שבטים על דברי הימים שכן מנויין שם ראובן שמעון לוי ויהודה יששכר זבולון דן יוסף ובנימן נפתלי גד ואשר ובמיניין אחור אין לסלק הבכורות דבמנין אחור האחרונים הם ראשונה וכי תחשבו לאחור מאשר יהיה לוי העשירי קדש וכזה הדבר ריצה את השבטים שהודו לו״ והעירני ידידי ר׳ יצחק ריבקינד שכעין זה הביא אזולי בספרו פני דוד על וזאת הברכה שמצא בכ״י בשם ר׳ אליעזר מגרמיזא; ועיין בקדמוניות היהודים לר׳ אברהם עפשטיין ע׳ 97 ובספר השנתי לר׳ נחום ברילל שנה ד׳ ע׳ 130; ובספר האבלים ל״ב ג׳: 10 שמשמטת, הגר״א הגיה שמפרנסת, ורמא״ש העיר „וכתב הז״ר ואחריו הז״א שלא היתה תבואה גדילה שם רק אילנות ולא היו צריכין לחרוש ולזרוע ע״כ ויונתן תרגם ומספק להון מזוני בשני שמיטתא וכן תרגם הירושלמי יהי מרעי לאחוי בשמיטא וכן משמע בברכת יעקב שארץ אשר מבורכת ברוב פירות עיי״ש בתרגום יונתן ובפסוק באשרי כי אשרוני בנות בתרגום יונתן שם ונראה דצריך לגרוס שמספקת בשביעית: 11 שארצו וכו׳, פ״ז; רש״י; בראשית רבה (שיטה חדשה) פרשה צ״ז (ע׳ 1223); אגדת בראשית פרק פ״ג (ע׳ 162); ובעיקר הדברים עיין בספר Die Flora der Juden להח׳ לעוו, ח״ב ע׳ 289; ובס׳ Der Ölbaum in Palästina zur Zeit der Mishnah להח׳ גאלדמאנן, ע׳ 6, ובספר Talmudische Archäologie ח״ב ע׳ 216:

מעשה שנצטפצפו אנשי לודקיא בשמן ומינו להם פולימוטוס אחד אמרו לו לך וקח לנו שמן במאה ריבוא הלך לו לצור אמר להם שמן במאה ריבוא אני צריך אמרו לו לך לגוש חלב הלך לו לגוש חלב אמר להם שמן במאה ריבוא אני צריך אמרו לו לך אצל פלוני הלך לביתו ולא מצאו אמרו לו הרי הוא בשדה הלך ומצאו שעוזק תחת הזית אמר לו שמן במאה ריבוא אני צריך אמר לו המתן עד שאגמור את הזית משגמר את הזית ונטל את כליו והיה ממשמש ובא אמר פומליטוס איפשר שיש לזה שמן במאה ריבוא דומה שצחקו בי יהודים כיון שבא לביתו קרא לשפחתו אמר לה בואי ורחצי את רגלינו מלאת ספל שמן ורחצה רגליהם לקיים מה שנאמר וטובל בשמן רגלו. נתן לפניו לחם ואכל ושתה לאחר שאכל ושתה עמד ומדד לו שמן במאה ריבוא אמר לו רצונך שוב אמר לו אין לי מעות אמר לו טול ואני אבוא עמך ואטול את מעותיי עמד ומדד לו שמן בשמונה עשרה ריבוא אמרו לא הניח אדם זה לא גמל ולא חמור בארץ ישראל שלא משכו עמו הכירו אנשי לודקיא וקדמו לפניו שלשת מילים וקילסו לפניו קילוס גדול אמר להם לא תקלסו לי קילוס זה אלא לאדם זה שהכל שלו ולא עוד אלא שאני חייב לו שמונה עשרה ריבוא לקיים מה שנאמר °יש מתעשר ואין כל מתרושש והון רב.

משלי יג ז

(כה) ברזל ונחשת מנעליך, מלמד שארצו של אשר היא היתה מנעלה

1 מעשה וכו׳, רש״י; פ״ז; מנחות פ״ה ע״ב. — שנצטפצפו, פי׳ ר׳ אברהם נייגר במ״ע Jüd. Zeitschrift שלו שנה ט׳ ע׳ 20 מל׳ עומדים צפופים כלומר שנדחקו לשמן וכבר קדמו בזה מהר״ם עיי״ש. — פולימוטוס, פירשו מל״י ἐπιμελητής ממונה עיין ספר השנתי לר׳ נחום ברילל, שנה א׳ ע׳ 177; ובמלוגו של קרויסס ח״ב ע׳ 459; ובמ״ת גורם בומיטוס ולפי הגרסה ההיא פירש ר׳ דוד הופמאן שהיא ל״י εὐμήστος איש חכם מאד; והעיד שאולי צ״ל פלומיטוס, והיא מל״י πολυμήστος חכם גדול: 3 לגוש חלב, השוה למעלה פי׳ שט״ז (ע׳ 358, שורה 14). — שארצו וכו׳,

1 שנצטרכו אמט, שנצטפצפו לד, שנצטרפו ם, שנצטקצקו ה [ובגליון $ה_1$, נמצא „טעה הסופר שנצטרכו אנשי״] | בשמן אמלד, לשמן טהם | להם אמהט [רש״י; פ״ז] שלהם לד | פולימוטוס א, פומליטוס ם, פומילטס ל, פולמרכוס ט, פומיליום ד, פולימילטיש [פ״ז], בומיטוס ה | לך—במאה רבוא טלד, צא וקח—במאה רבוא אם, שמן במאה רבוא הבא לנו ה — 2 הלך לו לצור אמט, והלך לו לצור לד, בא לתחום צר ה | צריך] מבקש ה — 3 אמרו לו—אני צריך] ל׳ ל | לך לגוש חלב] עלה לגוש חלב ואת מוצא ה, לך אצל פלוני לגוש חלב ט[1] | הלך לו לגוש חלב ד, הלך לגוש חלב ט, ל׳ אם, עמד ועלה לגוש חלב ה | אמר] ואמר אם — 4 צריך] מבקש ה | פלוני] ה, מוסיף <ואת מוצא> | לביתו] לבקש [בביתו ה | אמרו לו] אמ׳ לו אשתו ה | הרי הוא אהטל, הנה ם, הרי ד — 5 הלך—הזית] הלך אחריו לשדה ומצאו אדם זקן מתגיו חגורים יושב ועוסק תחת הזית ה | שעוזק אט[2]לד, עוזק ם, שהיה עוזק ט[1] | הזית] זית ל | צריך] מבקש ה — 6 שאגמור] שאני גומר ה | הזית אמד, ל מוסיף <ואביא>, ט מוסיף <ואבוא>, ה מוסיף <ואני בא ונותן לך> | משגמר—והיה ממשמש ובא] כיון שגמר מלאכתו לבש את כליו והתחיל ממשמש לפניו והולך ה | משגמר טלד, גמר אם | הזית אמט[1], זיתיו ט[2]לד | ונטל את כליו אם, נטל הכלים ד, נטל את הכלים טל — 7 פומליטוס אם, פומליטס ל, פומיליום ד, פולמרכוס ט, אותו בומיטוס בלבו ה | איפשר—יהודים] דומה ששיחקו בי היהודים לזה שמן במאה רבוא שיתן לי ה | שיש] ל׳ א | דומה] דומה לי א | בי] בו ד | יהודים] היהודים א — 8 שבא] שנכנס ה | קרא] אמר ה | אמר לה—ורחצה רגליהם] מלאי לנו את הספל שמן ונדיח את רגלינו מילת להם את הספל שמן ורחצו רגליהם ה | את] ל׳ ד | מלאת מטל, במלא ד, ל׳ א | ספל אמד, את הספל ט, הספל ל — 9 רגליהם א, את רגליהם ם, להם רגליהם טלד | נתן—במאה רבוא] כיון שאכלו ושתו אמ׳ לו רצונך ליתן לך שמן במאה רבוא אמ׳ לו הן עמד ומד לו שמן במאה רבוא ה — 10 שאכל ושתה לטם, שאכל ושבע א, אכילה ד | שמן] ל׳ ל | במאה] מאה ם | שוב] ליטול עוד ה — 11 לי מעות] בידי ה | אבוא עמך] בא ה, אבוא ט[1] | את מעותיי טלד, מעותי אם, את השאר ה | ומדד] ומד ה — 12 שמן—רבוא] עוד בשתים עשרה רבוא ה | ריבוא] מאות ריבוא ד | אמרו] אמ׳ ר׳ שמעון בן יוחאי מעיד אני עלי את השמים ואת הארץ ה, ל׳ א | לא—שלא משכו עמו] שלא הניח אותו בומיטוס גמל וחמור בארץ ישראל עד שמשכו עמו ללדקיה טעונים שמן ה | אדם זה אם, אדם ההוא ל, אותו אדם ט[2], ההוא אדם ט[1]ד | לא גמל ולא חמור טלד, לא חמור ולא גמל אם — 13 הכירו—מה שנאמר] יצאו אנשי לדקיה מהלך שלשת מילין וקילסו אותו אמ׳ להן אותו בומיטוס לא אותי תקלסו אלא לזקן הזה שאחרי שהכל משלו ואני חייב לו עוד שתים עשרה רבוא וקראו עליו הפסוק הזה ה | וקדמו] קדמו ם | מילים] לונין ם — 14 לא אמל, אל טד | לי אם, ל׳ טלד — 15 חייב לו] קניתי עוד א | ריבוא] מאות ריבוא ד — 16 מתעשר] מפזר ל | ואין כל—והון רב טה, ואין כל אם, ונוסף עוד ד — 17 מלמד—

של ארץ ישראל. וכימיך דבאך, מלמד שכל ארצות דובאות כסף לארץ ישראל
(בראשית מז יד) כענין שנאמר °וילקט יוסף את כל הכסף וגו׳.

(כו) אין כאל ישורון, ישראל אומרים אין כאל ורוח הקודש אומרת אל
(שמות טו יא; דברים לג כט) ישורון, ישראל אומרים °מי כמוכה באלים ה׳ ורוח הקודש אומרת °אשריך
(שם ו ד) ישראל מי כמוך ישראל אומרים °שמע ישראל ה׳ אלהינו ה׳ אחד ורוח
(דה״א יז כא) הקודש אומרת °ומי כעמך ישראל גוי אחד ישראל אומרים °כתפוח בעצי
(שה״ש ב ג) היער ורוח הקודש אומרת °כשושנה בין החוחים ישראל אומרים °זה אלי
(שם ב ב; שמות טו ב) ואנוהו ורוח הקודש אומרת °עם זו יצרתי לי ישראל אומרים °כי תפארת
(ישעיה מג כא; תהלים פט יח) עוזמו אתה ורוח הקודש אומרת °ישראל אשר בך אתפאר. רוכב שמים
(ישעיה מט ג) בעזרך, כשישראל ישרים ועושים רצונו של מקום רוכב שמים בעזרך וכשאין עושים רצונו כביכול ובגואתו שחקים. ובגאותו שחקים, נתקבצו כל ישראל אצל משה אמרו לו רבינו משה אמור לנו מה היא מדת כבוד למעלה אמר להם מן השמים התחתונים אתם יודעים מה היא מדת כבוד למעלה משל למה הדבר דומה לאחד שאמר מבקש אני לראות כבודו של מלך אמרו לו לך למדינה ואתה רואה אותו נכנס וראה וילון פרוס על פתח המדינה ואבנים טובות ומרגליות קבועות בו ולא יכול לזוז עיניו ממנו עד שנפל אמרו לו אם וילון פרוס על פתח

פ״ז; ועיין ברש״י: 1 שכל וכו׳, למעלה פי׳ מ״ב (ע׳ 91, שורה 2); רש״י; ויק״ר פרשה ל״ה סי׳ ח׳: 4 מי כמוכה וכו׳, לקמן פי׳ שנ״ו; מכילתא בשלח, מסכת שירה, פרשה ג׳ (ל״ז ע״א, ה—ר ע׳ 126); מכילתא דרשב״י שם ט״ו ב׳ (ע׳ 60); שהש״ר פרשה ב׳ פסוק ט״ז סי׳ א׳; שה״ש זוטא שם (ע׳ 16); פ״ז. — אל ישורון, השוה אגרות היהודים לר׳ לוי גינצבורג ח״ה ע׳ 313 הערה רפ״ב; ועיין גם כן בראשית רבא פ׳ ע״ז סי׳ א׳ (ע׳ 910): 10 כשישראל וכו׳, השוה למעלה פי׳ שמ״ו: 12 נתקבצו וכו׳, כעין זה למעלה סוף פי׳ ש״ז (ע׳ 346, שורה 14; ולקמן פי׳ שנ״ו; ועיין בפ״ז; והשוה חולין ס׳ ע״א: 15 וילון, מל״י βῆλον, סדין תלוי באויר כמין פרוכת להבדל בין מקום למקום:

של ארץ ישראל] ל׳ ט[2] | מלמד אמה, ל׳ טלד | מנעלה] מנעולה הט[1]ם — 1 מלמד—ישראל] ל׳ ט[2] | מלמד אמטל, ל׳ דה | שכל] שיהו כל ה | ארצות אמלט, הארצות דה | דובאות] דאבות א, דואבות ס — 2 כענין שנאמר טלדה, לקיים מה שנאמר אמ — 3 אין כאל טלדה, אין כאל ישורון אמ | ורוח הקדש אומרת] והמקום אומ׳ להן ה; אל אמלד, אלא ה, ל׳ ט, ישראל ס — 4 אומרת] משיבה אותם ה | אשריך—כמוך] מי כעמך ישר׳ גוי אחד ט[1] — 5 ישראל—גוי אחד] ל׳ ט[1] — 6 אומרת] משיבה אותם ואומ׳ ה | ומי [מי ט]—אחד אמט, מי כעמך ישראל גוי אחד בארץ ל, ומי—אחד בארץ ישראל אומ׳ דודי צח ואדום דגול מרבבה (שה״ש ה׳ י׳) ורוח הקדש משיבה אותם ואומ׳ מה יפו פעמיך בנעלים בת נדיב (שם ד׳ ב׳) ה, מי כעמך ישראל ד | אומרים] אומר ט[2]ד — 7 היער] היער כן דודי בין הבנים ה | אומרת אמ, אומרין ל, או׳ ט[1], אומר ט[2], משיבו ד, משיבה אותן ואומ׳ ה | החוחים] בה נוסף <כן רעיתי בין הבנות ישראל אומ׳ מי כה׳ א׳ בכל ק׳ אליו (דברים ב׳ ז׳) ורוח הקדש משיבה אותן ואומ׳ כי מי גוי גדול אשר לו א׳ קרובים אליו> | אומרים] אומר ד — 8 אומרת] משיבה אותן ואומרת ה | — 9 אתה] ל׳ ד | אומרת] משיבה אותן ואומ׳ ה — 10 ישרים ועושים אמלה, עושים טה | מקום] הקב״ה ה | וכשאין אהטד, וכשאין ישראל לט — 11 כביכול אלט[1]ד, של מקום כביכול מט[2], של הקב״ה ה | ובגאותו שחקים ה, ל׳ אמטלד — 12 אצל משה] למשה ט[2] | משה] משה רבינו ה | אמרו אמה, ואמרו טלד | רבינו משה אטלד, משה רבינו מה | מה היא מדת אמהט[1], מה היה מדת ט[2], מי היה ממירת לד | כבוד] הדין ט | למעלה אטל, הקב״ה מ, של מעלה הד | אמר להם— ובגאותו שחקים] אמ׳ להם אין כאל ישורון מה אם שמים התחתונים אין אדם יכול להסתכל בהן כל שכן במדת כבודו אין אתם צריכין לשאול כות גדול שלמעלן מושלו מלה״ד לאחד שהיה מבקש לראות פניו שלמלך אמ׳ לו השומעים לך למדינתו ואתה רואהו כיון שהגיע לפתח המדינה ראה וילון אחד פרוס על פתח המדינה ואבנים טובות ומרגליות קבועות בו ולא הספיק לזון את עיניו ממנו עד שנפל לו על פניו אמ׳ לו השומעים ומה אם בוילון שהוא פרוס על פתח המדינה לא יכולתה לעמוד להסתכל כשתגיע למדינה עצמה על אחת כמה וכמה כשתגיע לפתח פלטין על אחת כמה וכמה כשתכנס לתוך פלטין על אחת כמה וכמה כך אמ׳ משה לישראל מה אם שמים התחתונים כך אם אתם צריכין לשאול כוח גדול שלמעלן ה— 13 השמים אמ, ל׳ טלד | כבוד למעלה אט[2]לד, בבודו מ, כבוד של מעלה ט[1] | למה הדבר דומה אמ, ל׳ טלד — 14 כבודו] פניו ד | לך אמ, היכנס טלד | ואתה רואה] וראה ל — 15 אותו אמ, ל׳ טלד | נכנס וראה אמ, נכנס למדינה וראה טד, ל׳ ל | המדינה אמ, מדינה טלד — 16 ולא—שנפל אמ, ולא יכול לזון עיניו [את עיניו ט[1]] ממנו עד שנפל [שנפל לארץ ט[1]] ט, ל׳ לד | אם וילון—מהם מ, אם וילון פרוס על פתח ושהמרגליות בו לא—מהם א, כשראית וילון פרוס על פתח מדינה [<ואבנים

המדינה ושם אבנים טובות ומרגליות לא יכולת לזון עיניך מהם עד שנפלת אילו נכנסת במדינה על אחת כמה וכמה לכך נאמר ובגאותו שחקים.

שנו.

(כז) מעונה אלהי קדם, שלשה ספרים נמצאו בעזרה אחד של מעונים ואחד של היא היא ואחד נקרא ספר זעטוטים באחד כתיב מעון אלהי קדם ובשנים כתיב מעונה אלהי קדם, בטלו חכמים את האחד וקיימו השנים, באחד כתיב תשעה היא ובשנים כתיב אחת עשרה היא בטלו חכמים את האחד וקיימו את השנים באחד כתיב וישלח את זעטוטי בני ישראל, ואל זעטוטי בני ישראל, ובשנים כתיב °וישלח את נערי בני ישראל °ואל אצילי בני ישראל בטלו חכמים את האחד וקיימו את השנים. ומתחת זרועות עולם, מלמד שארץ ישראל היא תקפה של עולם. ויגרש מפניך אויב, אלו שברחו לאסיא. ויאמר השמד, אלו יושבי ארץ ישראל. שמות כד ה שם יא

(כח) וישכן ישראל בטח, אין בטח אלא רחצן וכן הוא אומר °וישכן במדבר לבטח. בדד, לא כבדד שאמר משה °ה׳ בדד ינחנו ולא כבדד שאמר ירמיה °מפני ידך בדד ישבתי אלא כבדד שאמר אותו רשע, °הן עם לבדד ישכון. יחזקאל לד כה דברים לב יב ירמיה טו יז במדבר כג ט

עין יעקב, בברכה שברכם יעקב אביהם שנאמר °והיה אלהים עמכם. אל ארץ דגן ותירוש, בברכה שברכם יצחק אביהם שנאמר °ויתן לך האלהים מטל השמים. אף שמיו יערפו טל כענין שנאמר °הרעיפו שמים ממעל. בראשית מח כא בראשית כז כח ישעיה מה ח

(כט) אשריך ישראל מי כמוך, ישראל אומרים °מי כמוך באלים ורוח שמות טו יא

---

3 שלשה ספרים וכו׳, ירושלמי תענית פ״ד ה״ב (ס״ח ע״א); מסכת סופרים פ״ו ה״ד: 5 ובשנים כתוב י״א היא, עיין אדר״נ נו״א פל״ד, נו״ב פל״ח (נ״א ע״א): 7 ואל זעטוטי וכו׳, השוה ב׳ מגילה ט׳ ע״א: 10 אלו שברחו וכו׳, פ״ז ושם הגרסה, „ויגרש מפניך אויב אלו שבמחבואות ויאמר השמד אלו שבורחין בשאר מקומות״, ועיין בגרסת מ״ת בשנויי נוסח׳; והגהתי על פי הענין, ולפי נוסחי הכת״י: 12 אלא רוחצן, למעלה פי׳ שנ״ב: 16 שברכם יצחק וכו׳, ובת״י „מעין ברכתא דבריך יתהון יעקב״; וכענין זה גורם רש״י, עיי״ש:

טובות ומרגליות קבועות בו> ט[1]] לא יכולת לזון עיניך ט, ראה לא יכולת [<לזון> ד] עיניך לד — 1 שנפלת] שנפלת לארץ ט — 2 במדינה א, למדינה ט, למדינה עצמה וראית פני מלך [מלך עצמו ט[2]] טלד, בא נוסף <אילו ראית המדינה עצמה> —

3 נמצאו] נפתחו ט, מצאו ה ׀ אחד של—זעטוטים] ספר מעונו וספר זעטוטי וספר היא ה ׀ מעונים אמט, מעוננים ל, מעוני ד ׀ נקרא] שנקרא ד — 4 כתיב] מצאו ה [וכן בסמוך] ׀ אלהי אט, אלקי מל, ל׳ ד — 5 בטלו—השנים] קיימו השנים ובטלו אחד ה — 6 בטלו אמט, ובטלו ד, ביטלו ל׳ — 7 באחד כתיב—אצילי בני ישראל בטלו חכמים את האחד וקיימו את השנים ט, באחד כתי׳ וישלח את זעטוטי בני ישראל ואל זעטוטי ובשנים כתיב וישלח את ואל אצילי בני ישראל ובטלו חכמים—השנים א, באחד מצאו וישלח את זעטוטי בני ישראל ובשנים מצאו וישלח את נערי בני ישראל קיימו שנים וביטלו אחד באחד מצאו תשע היא ובשנים מצאו אחת עשרה היא קיימו שנים ובטלו אחד ה, ל׳ טלד [עד כאן נמצא בכ״י א] — 9 ומתחת] מתחת ד — 10 שארץ ישראל היא] עד כאן נמצא בכ״י א ׀ שברחו לאסיא ה, יושבי א״י מלט, שברחו לא״י ד — 11 יושבי ארץ ישראל] הגהתי על פי הענין ועיין למעלה בסמוך בש״נ והגרסות המקובלות הן: שברחו לאסיא טל, שברחו לאסי״א ד, שעלו לראשי ההרים ט, שנמצאו במחבואות ד״א ויגרש מפניך אויב אלו שנמצאו בארץ ישראל ויאמר השמד אלו שנמצאו בהרים ה — 12 וכה״א] שנאמר ה ׀ וישכן [וישבו ט[2]] במדבר לבטח טל, וישכן לבטח במדבר ד, כי ישבו במדבר בטח וישנו ביערים ט, וישב׳ לבטח בא׳ [וישבתם לבטח בארצכם] (ויק׳ כ״ו ה׳) ואומ׳ וישכן במדבר לבטח וישנו בערים [צ״ל ביערים] (יחזקאל ל״ד כ״ה) ה — 13 לא ט, ולא טלד ׀ משה—ינחנו] בלעם הן עם לבדד ישכון ה — 14 מפני—ישבתי] איכה ישבה בדד ה ׀ אלא טה, ולא מלד ׀ אותו—ישכון] משה ה׳ בדד ינחנו ה — 16 בברכה] כברכה לט[1] [וכן בסמוך] ׀ שנאמר] ל׳ לה ׀ עמכם] עמדי ל — 17 בברכה—שנאמר] כענין שנאמר ה ׀ שברכם] אשר ברכן ל ׀ אביהם] ל׳ ל ׀ כענין [כמו ה] שנאמר מה, ל׳ טלד —

הקדש אומרת אשריך ישראל. אשריך ישראל נתקבצו כל ישראל אצל משה אמרו לו רבינו משה אמור לנו מה טובה עתיד הקדוש ברוך הוא ליתן לנו לעתיד לבא אמר להם איני יודע מה אומר לכם אשריכם מה מתוקן לכם. משל לאדם שמסר את בנו לפידגוג והיה מחזרו ומראה אותו ואומר לו כל האילנות הללו שלך כל הגפנים הללו שלך כל הזיתים הללו שלך כשיגע להראותו אמר לו איני יודע מה אומר לך אשריך מה מתוקן לך כך אמר משה לישראל איני יודע מה תהלים לא כ אומר לכם אשריכם מה מתוקן לכם. °מה רב טובך אשר צפנת ליראיך. אשריך ישראל מי כמוך עם נושע בה׳ עם שאין ישועתו אלא בשכינה, ישעיה מה יז ש״ב כב ג °ישראל נושע בה׳ תשועת עולמים. מגן עזרך, כענין שנאמר °אלהי צורי אחסה בו מגיני וקרן ישעי. ואשר חרב גאותך, אמר לו הקדוש ברוך הוא משה עתיד אני ליתן להם לישראל אותו זיין שניטל מהם בחורב כענין שמות לג ו שנאמר °ויתנצלו בני ישראל את עדים מהר חורב, בשבועה נשבעתי ישעיה מט יח ועתיד אני להחזירו להם כענין שנאמר °חי אני נאם ה׳ כי כולם כעדי תלבשי ותקשרים ככלה. ויכחשו אויביך לך, בשעת טובתם של ישראל אומות העולם מכחשים להם ועושים אותם כאילו הן אחים וכן עשו אמר ליעקב בראשית לג ט מ״א ט יג °יש לי רב אחי יהי לך אשר לך וכן חירם אמר לשלמה °מה הערים האלה אשר נתת לי אחי.

יהושע י כד ואתה על במותימו תדרוך כענין שנאמר °ויקרא יהושע אל כל

1 נתקבצו—אשר צפנת ליראיך] כיון שראה משה מה מתוקן לצדיקים לעתיד לבוא אמר להם איני יודע מה לומר לכם אלא אשריכם מה מתוקן לכם מושלו מלה״ד למלך שהיה משיא את בנו והיה עומד בחופתו ומראה אותו אמ׳ לו בני כל השדות הללו שלך כל הכרמים הללו שלך כל הזתים הללו שלך כל הפלטיות הללו שלך נתינע המלך מטראה אותו אמר לו בני איני יודע מה לומר לך אלא כל מה שאת רואה בעיניך בעולם הרי הוא שלך כך כיון שראה משה מה מתוקן לצדיקים לעתיד לבא אמ׳ איני יודע מה לומר לכם אלא אשריכם מה מתוקן לכם ה — 2 אמור לנו] ל׳ ל | הקב״ה] המ׳ ט[1] | ליתן] לתת מע | לעתיד לבא מ, לעולם הבא טלדע — 3 מה אומר לכם] עד שאמר להם ע | מתוקן] מותקן ט[1] | משל] ל׳ ע | לאדם] למה הדבר דומה למלך בשר ודם מ, לאחד ע — 4 לפידגוג מט, לפידגוג אחד לדע | מחזרו] מחזקו ע | האילנות] המדינות מ — 5 כל הגפנים—כל הזתים הללו שלך] ל׳ ל | הזיתים] זיתים ט[2]ע | כשיגע טלדע, משינע מ | אמר מטע, אומר ל, אמור ד — 7 לכם מ, ל׳ טלד | ליראיך] ליראיך וגו׳ ד — 8 אשריך—תשועת עולמים] ל׳ ה | עם—בשכינה] ל׳ ט[2] | אשריך—נושע בה׳ מל, עם נושע ט[1]ד | בשכינה] בה׳ ט[1] | ישראל—עולמים מ, ל׳ טלד | מגן עזרך—וקרן ישעי מז [פ״ז] כענין שנאמר אלהי—ישעי לט, כענין שנאמר —אחסה בו ד, מגן עזרך כמו שנ׳ ה׳ עזי ומגיני בו בטח לבי ונעזרתי (תהלים כ״ח ז׳) ה — 10 אמר לו—ותקשרים ככלה] מלמד שנתפלל משה שיחזור להן הזיין שנטל מהן בחורב שנ׳ ועתה הורד עדיך מעליך (שמות ל״ג ה׳) (ויצלו) [וינצלו] בני ישראל את עדים אין כת׳ אלא ויתנצלו בני ישראל ומנין שנשבע הקב״ה שהוא עתיד להחזירו להם שנ׳ חי אני נאם ה׳ כי כלם כעדי תלבשי ה | הקב״ה] הק׳ ט[1] — 11 עתיד אני] אני עתיד מ | להם] ל׳ ט | שניטל מ, שנוטל טלד — 12 בשבועה טלד, שבועה מ — 13 ועתיד מט, שעתיד ד, עתיד ל | להחזירו] להחזיר ט | להם] לכם ט[1] | ה׳] ה׳ אלקים מ — 14 ויכחשו—אשר נתת לי אחי] ל׳ ה — 16 יש לי—אשר לך מ, ויאמר עשו יש לי רב [רב אחי ט] לט, אחי יהי לך אשר לך ד | חירם] חירם מלך צור מ | לשלמה] לשלמה המלך מ — 17 האלה] ל׳ ד — 18 שנאמר] שנאמר ביהושע ה | ויקרא—המלכים האלה ה, ויקרא יהושע—אנשי המלחמה וגו׳ מ, ויקרא—קציני וגו׳ ט (וכעין זה בפ״ז, ואתה על במותימו תדרוך, אלו צוארי

1 ישראל אומרים וכו׳, למעלה פי׳ שנ״ה. — נתקבצו וכו׳, השוה למעלה סוף פי׳ ש״ז (ע׳ 346, שורה 14); ופי׳ שנ״ה; וכל המאמר עד אשריך מה מתוקן לך מובא בפי׳ ר׳ ידעיה הפניני כ״י (ע): 3 משל לאדם וכו׳, כעין זה למעלה פי׳ י״ט (ע׳ 31, שורה 6): 8 שאין ישועתו אלא וכו׳, פ״ז: 10 אמר לו וכו׳ עד כי כולם כעדי תלבשי, מובא במכירי ישעיה מ״ט י״ח; ועיין עוד שבת פ״ח ע״א; שיר השירים רבה פרשה א׳, פסוק ג׳ סי׳ ב׳; שם פרשה ד׳ סי׳ ב׳; ופרשה ח׳ סי׳ ה׳; פסיקתא דרב כהנא, נחמו, (קכ״ד ע״ב) פסיקתא רבתי פיסקא י׳ (ל״ז ע״א); שם פיסקא כ״א (ק״ג ע״א); ופיסקא ל״ג (קנ״ד ע״א); שמות רבה פרשה מ״ה סי׳ ב׳; ושם פרשה נ״א סי׳ ח׳; במדבר רבה פרשה ט״ז סי׳ כ״ד; מדרש תהלים ק״נ סי׳ ח׳ (רי״ח ע״א); פדר״א פ׳ מ״ז; תנחומא תצוה סי׳ י״ב; ושם פ׳ שלח סי׳ י״נ; איכה רבתי פתיחא כ״ד; ועוד פרשה ב׳ פסוק י״ג (מה אעידך): 14 בשעת טובתם וכו׳, למעלה פי׳ שכ״ב (ע׳ 371, שורה 6): 18 כענין שנאמר וכו׳, רש״י, ת״י, פ״ז:

איש ישראל ויאמר אל קציני אנשי המלחמה ההלכוא אתו קרבו שימו את רגליכם על צוארי המלכים האלה.

שנז.

(לד, א) ויעל משה מערבות מואב, עליה היא ואינה ירידה. מערבות מואב, מלמד שהראהו הקדוש ברוך הוא שלשלת המלכים העתידים לעמוד מרות המואביה זה דוד וזרעו. אל הר נבו, ראש הפסגה, מה פסגה זו מופרשת מן האשכול ואינה מופרשת כך קבורתו של משה מותאמת מן ההר ואינה מותאמת והגיא ביניהם.

אשר על פני יריחו, מלמד שהראהו שלשלת נביאים העתידים לעמוד מרחב הזונה.

ויראהו ה׳ את כל הארץ מלמד שהראהו ארץ ישראל מיושבת על שלוותה וחזר והראהו מציקים המחזיקים בה. את הגלעד, מלמד שהראהו בית המקדש מיושב על שלותו וחזר והראהו המחריבים לו ואין גלעד אלא בית המקדש שנאמר °גלעד אתה לי ראש הלבנון. (ירמיה כב ו)

עד דן, מלמד שהראהו ארץ דן מיושבת על שלותה וחזר והראהו מציקים המחזיקים בה. דבר אחר עד דן מלמד שהראהו שבטו של דן עובד עבודה זרה כענין שנאמר °ויקימו להם בני דן את הפסל, (שופטים יח ל) וחזר והראהו גואל ישראל שעתיד לעמוד הימנו ואיזה זה זה שמשון בן מנוח.

(ב) ואת כל נפתלי, מלמד שהראהו ארץ נפתלי מיושבת על שלותה וחזר

3 עליה וכו׳, למעלה פי׳ של״ח; ובציונים שם: 4 מלמד וכו׳, פ״ז; מ״ת כאן ולמעלה פי׳ של״ח ובמ״ת שם ל״ב מ״ט (ע׳ 206): 5 מה פסגה וכו׳, פ״ז: 8 מלמד שהראהו ארץ וכו׳, פ״ז; רש״י; ועיין ספרי במדבר פי׳ קל״ה וקל״ו (ע׳ 182); ולמעלה פי׳ של״ח; מכילתא סוף בשלח (נ״ה ע״ב, ה–ר ע׳ 184) ושם כל הענין: 11 מציקים וכו׳, עיין בספר Der galiläische Amhaares לר׳ אברהם ביכלער, ע׳ 35; ובספר Beiträge, Geschichte u. Geographie Galiläas לר׳ שמואל קליין ע׳ 11 והלאה. — שלשלת הנביאים וכו׳, למעלה פי׳ של״ח ובציונים שם: 12 שנאמר נלעד וכו׳, ספרי במדבר סוף פי׳ קל״ד (ע׳ 181); למעלה פי׳ כ״ח (ע׳ 45, שורה 5) וציונים שם: 15 מלמד שהראהו וכו׳, פ״ז; רש״י: 17 ואיזה זה שמשון, וכן בת״י; ובמכילתא שם:

המלכים כענין שנאמר ויהי כהוציאם את המלכים האלה אל יהושע] ויקרא משה אל כל ישראל [<סליק פיסקא> ל] לד. בה נוסף עוד <ככת׳ בתורת משה ומה כתוב בתורת משה ואתה על במ׳ תדרך> —

3 עליה–ירידה] אמר לו הקב״ה מעלה היא לך זו אינה ירידה לך ה, ל׳ ל | עליה היא] עליה היא לך ט — 4 שהראהו] שהראה לו ה | הקב״ה] ל׳ ל | שלשלת המלכים לטה, שלשלת מלכים מ, המלכים ד, שלשה המלכים [פ״ז] | העתידים] שעתידים ד — 5 זו מהל, ל׳ טר | מופרשת טלדז [פ״ז], מפורשת מ, פרושה ה | מופרשת טלד [פ״ז], פרושה ה, מותאמת מז — 6 כן] כך היתה ה | מותאמת מן–ביניהם טלד [פ״ז], מותאמת בין שני ההרים הר מיכן והר מיכן והיא מותאמת ביניהן ה, מפורשת [מופרשת ז] מן ההר ואינה מותאמת והגיא ביניהם מז — 8 מלמד–מרחב הזונה מ, מלמד שהראה לו המקום שלשלת הנביאים–הזונה ה, מלמד שהראהו שלשה הנביאים שעתידין לעמוד מן רחב הזונה [פ״ז] ל׳ טלד — 11 והראהו–המחזיקים בה] ל׳ ה | מציקים המחזיקים בה] כן יש לגרס בהתאם אל המובא למטה, והגרסות המקובלות כאן הן: מציקים המחזיקים מ, מציקים המציקים לה טל, מציקים לה ד | את] ואת ד | הגלעד] במ, נוסף <ואין גלעד אלא בית המקדש שנאמר גלעד אתה לי ראש הלבנון> | בית–המחריבים לו] ארץ גלעד יושבת בשלותה וחזר וראה אותה מסיקים רודים בה ה | והראהו–לו] כן נראה לגרס ובכ״י מ, הגרסה והראהו–בו, ובפ״ז והראהו–אותה, וב לט, והראהו מציקין המחריבים לו וב ד, והראהו מציקים לה ד | ואין–הלבנון] ל׳ מ — 14 שהראהו] שהראהו המקום ה | מיושבת על שלותה] יושבת בשלותה ה | והראהו–בה] וראה אותה מסיקים רודים בה ה — 15 המחזיקים בה [לה ד] מד, המציקים בה [לה ט] טל | שבטו מה, זרעו טלד | עובד מה, שהוא עובד ט2לד, שעובד ט — 16 כענין] ל׳ מ | ויקימו] ויקומו ד | את הפסל] את פסל מיכה אשר עשו מ | והראהו] וראת אותו מעמיד ה | גואל ישראל] אותו גואל מ, גואל לישראל ה — 17 שעתיד–הימנו] ל׳ ה | שעתיד] שהוא עתיד ט2 | ואיזה זה זה טלד, זה ה, ל׳ מ | בן מנוח] ל׳ ד — 18 שהראהו] שהראה לו המקום ה | ארץ] את כל ארץ ל | מיושבת] יושבת ה | על שלותה] בשלותה ט —

והראהו מציקים המחזיקים בה. דבר אחר מלמד שהראהו ברק בן אבינועם שעשה (שם ד ו) מלחמה בסיסרא וחיילות שעמו נאמר כאן ואת כל נפתלי ונאמר להלן °ותשלח ותקרא לברק בן אבינועם מקדש נפתלי. ואת ארץ אפרים, מלמד שהראהו ארץ אפרים יושבת על שלותה וחזר והראהו מציקים המחזיקים בה. דבר אחר ואת ארץ אפרים, מלמד שהראהו יהושע בן נון עושה מלחמה (במדבר יג ח) בכנענים נאמר כאן ואת ארץ אפרים ונאמר להלן °למטה אפרים הושע בן נון. ומנשה, מלמד שהראהו ארץ מנשה יושבת על שלוותה וחזר והראהו מציקים המחזיקים בה. דבר אחר ומנשה מלמד שהראהו גדעון בן יואש שעשה מלחמה במדין ועמלק. דבר אחר לפי שהיה אפרים צעיר סמכו הכתוב לג[דול] (שופטים ו טו) וכן הוא אומר °הנה אלפי הדל במנשה. ואת כל ארץ יהודה, מלמד שהראהו ארץ יהודה יושבת בשלוותה וחזר והראהו מציקים המחזיקים בה. דבר אחר ואת כל ארץ יהודה מלמד שהראהו דוד במלכותו נאמר כאן ואת כל (דה״א כח ד) ארץ יהודה ונאמר להלן °ויבחר ה׳ אלהי ישראל בי. עד הים האחרון, מלמד שהראהו פני כל המערב יושב על שלוותו וחזר והראהו מציקים המחזיקים בו. דבר אחר עד הים האחרון, אל תהי קורא עד הים האחרון אלא עד היום האחרון, מלמד שהראהו כל העולם כולו מיום שנברא ועד שיחיו המתים.

(ג) ואת הנגב, מלמד שהראהו דרום יושב על שלוותו וחזר והראהו מציקים המחזיקים בו, דבר אחר ואת הנגב מלמד שהראהו מערת המכפלה שאבות (במדבר יג כב) קבורים בה נאמר כאן ואת הנגב ונאמר להלן °ויעלו בנגב ויבא עד חברון. ואת הככר, מלמד שהראהו שלמה בן דוד שעושה כלים לבית המקדש נאמר

1 מלמד שהראהו וכו׳, רש״י; ת״י; פ״ז; מכילתא. — מלמד וכו׳, רש״י; פ״ז; ת״י; מכילתא שם: 4 מלמד שהראהו וכו׳, רש״י; פ״ז; ת״י; מכילתא שם: 10 וכן—במנשה] אולי יש לגרם משפט זה למעלה אחר המלים מדין ועמלק, וכן היא הגרסה בפ״ז וכן הגיהו מהר״ם ורמא״ש; והגר״א מחק המשפט ד״א וכו׳: 12 דוד במלכותו, מכילתא שם; פ״ז; רש״י; ת״י: 14 פני כל המערב, מכילתא שם; פ״ז; רש״י: 16 ועד שיחיו המתים, פ״ז; רש״י; וי״ת „עד דאצתדי בית מוקדשא בתראה״; והשוה ספר החצוני ברוך ב׳, פרק נ״ט ו׳; ועיין עוד בספרי במדבר פי׳ קל״ט (ע׳ 186); מ״ת סוף האזינו (ע׳ 207); ועוד בספר תפארת ישראל לכבוד ר׳ ישראל לוי, ע׳ 222: 18 מערת המכפלה, מכילתא שם; פ״ז; רש״י: 20 שלמה בן דוד׳

1 והראהו טלד, והראה אותה מ, וראה אותה ה | מציקים] מסיקים ה | המחזיקים בה מט, רודין בה ה, לה ד, המציקין בה ל | שעשה מה, עושה טלד — 2 מלחמה] נקמה מ | בסיסרא וחיילות [ובחיילות מ] שעמו מה, בסיסרא ועם חיילותיו לט, עם סיסרא וחיילותיו ד — 3 ואת—המחזיקים בה] ל׳ ט[1] — 4 שהראהו] שהראה לו המקום ה | יושבת על שלותה מ, יושבת בשלותה ה, יושבים בשלותם ד, יושבת בשלותם ל, יושבים על שלותה ט[2] | והראהו—בה לט[2], והראה אותו—בה מ, מראה מסיקים בה ה, והראהו מציקים לה ד — 5 ואת ארץ אפרים] ל׳ ה | בן נון מה, ל׳ טלד | מלחמה בכנענים מה, מלחמות [מלחמה ט] עם הכנענים טלד — 6 אפרים] בד, נוסף <נאמר כאן ואת ארץ אפרים> — 7 ומנשה—ד״א] ל׳ לה | יושבת על שלוותה] כן יש לגרס בהתאם אל המובא למעלה ולמטה, והגרסות כאן הן: מיושבת על שלותה מ, יושבת בשלותה ד, בשלותה ט | והראהו] והראה אותו מ — 8 המחזיקים בה מ, המציקים לה ט, לה ד | שעשה טלד, שעושה מ, עושה ה — 9 במדין מה, עם מדין טלד | ד״א—במנשה] ד״א ומנשה לפי שהיה מנשה קטן שבכולן לפי כך סינפו הכת׳ לצד יהודה וה״א אלפי הדל במנשה ה | לג[דול] בטלד, ל׳, ובכ״י מ, נמצאים האותיות לג והשלמתי על פי הענין — 10 במנשה] בט, נוסף <ואנכי הצעיר בבית אבי> — 11 שהראהו] שהראה לו המקום ה | יושבת בשלוותה לה, מיושבת בשלותה מד, בשלותה ט | והראהו] וראה אותה ה | המחזיקים] רודים ה — 12 ואת—יהודה] ל׳ מ | דוד מטה, ארץ יהודה ודוד לד — 13 ויבחר—בי מ, ויבחר אלהי ישראל בי מכל בית יהודה ד, ויבחר אלהי ישראל מכל בית [בבית ט] יהודה בית אבי לט, כי ביהודה בחר לנגיד (דהי״א כ״ח ד׳) ה — 14 פני] ל׳ ט | יושב] מיושבת מ | שלוותו] שלותה מ | וחזר] וחוזר ד — 15 בו] בה למ | אל—האחרון אמה, אל תהי קורא ט, ל׳ לד — 16 מלמד—המתים מ, מלמד—את כל העולם [העולם כולו לד] עד [עד יום לד] שיחיו המתים טלד, מלמד שהראה לו המקום משעה שברא את עולמו עד שיחיו המתים ה | שהראהו] שהראה לו המקום ה — 17 דרום—בו] ארץ הנגב יושבת בשלותה וחזר וראה אותה מסיקין רודים בה ה | יושב] מיושבת מ | שלוותו] שלותה מ — 18 בו] בה מ | ואת] ואת כל ל — 19 קבורים מה, שוכבין טלד | שהראהו] שהראה לו המקום | בן דוד] ל׳ ה | שעושה—לבית [בבית לד]

כאן ואת הככר ונאמר להלן °בככר הירדן יצקם המלך. בקעת ירחו, מ"א ז מו
מלמד שהראהו גוג וכל המונו שעתידים ליפול בבקעת יריחו דבר אחר מה בקעה
זו חיור כמות שהיא ושדה זרועה שעורים כמות שהיא כך הראהו כל העולם
כולו בבקעת יריחו. עיר התמרים מלמד שהראהו גן עדן וצדיקים מטיילים בה
שמשולים בתמרים וכן הוא אומר °צדיק כתמר יפרח. דבר אחר מלמד שהראהו תהלים צב יג
סמוכה מצדה גיהנם שהיא צרה מלמעלה ורחבה מלמטה וכן הוא אומר °ואף איוב לו טז
הסיתך מפי צר רחב לא מוצק תחתיה.

עד צוער, אלו מציקי ישראל כגון אלו הבלשים הדרים עם המלכות ועתידים
ליאבד עמהם.

(ד) ויאמר ה׳ אליו זאת הארץ, אמר לו לאבות נשבעתי בשבועה לך
הראיתיך בעיניך.

ושמה לא תעבור, נאמר כאן ושמה לא תעבור ונאמר להלן °ושמה דברים לב נב
לא תבא מה תלמוד לומר ושמה לא תעבור אמר משה אם איני נכנס בה
חי אכנס בה מת אמר לו המקום ושמה לא תבא. אמר לפניו אם איני נכנס
בה מלך אכנס בה הדיוט אם איני נכנס לה חי אכנס לה מת אמר לו המקום
ושמה לא תעבור לא מלך ולא הדיוט לא חי ולא מת.

(ה) וימת שם משה, איפשר שמת משה וכותב וימת שם משה אלא
עד כאן כתב משה מיכן ואילך כתב יהושע רבי מאיר אומר הרי הוא אומר
ויכתוב משה את התורה הזאת איפשר שנתן משה את התורה כשהיא
חסירה אפילו אות אחת אלא מלמד שהיה משה כותב מה שאמר לו הקדוש
ברוך הוא כתוב כענין שנאמר °ויאמר אליהם ברוך מפיו יקרא אלי. רבי ירמיה לו יח

פ"ז; רש"י: 2 גוג וכל המונו, מכילתא שם; פ"ז; וי"ת „וית מליך דרומא דמתחבר עם מליך צפונא לחבלא ית ארעא". — מה בקעה זו וכו׳, מכילתא שם, וזה נוסח הברייתא שם „ד"א בקעת ירחו והלא ההדיוט רואה בקעת יריחו אלא מה בקעה זו מיושבת מלאה חטים כל שהוא שדה מלאה שעורים כל שהוא כך הראהו כל ארץ ישראל בבקעת יריחו": 10 אמר לו וכו׳, פ"ז: 12 נאמר כאן וכו׳, למעלה פי׳ שמ"א: 16 לא מלך וכו׳, מ"ת ג׳ פ"ז (ע׳ 19); ועיין בפי׳ שמ"א ובציונים שם; פ"ז: 19 איפשר וכו׳, רש"י; פ"ז; ב"ב ט"ו ע"א; מנחות ל׳ ע"א; וע׳ הערת ר׳ נחום ברילל בבית תלמוד שנה ב׳ ע׳ 15: 21 ר"א אומר וכו׳, סוטה י"ג ע"ב:

המקדש טלד, עוסק בכלי בית המקדש ה, שהוא עושה מלאכת בית המקדש מ — 2 גונ] גוג ומגוג ה | ד"א — יריחו] ל׳ ט[1] — 3 חיור ה, הר מ, ל׳ טלד — 4 בבקעת] בקעת ה | שהראהו] שהראה לו המקום ה | מטיילים] יושבים ה — 5 שמשולים בתמרים מ, שנמשלו בתמרה ה, ל׳ טלד | וכה"א שנ׳ ה | ד"א מלד, עד צוער טה | שהראהו] שהראה לו המקום ה — 6 סמוכה—גיהנם] גיהנם סמוכה לה ה | מצדה ט[2], מצירה ט[1]לד, מצורת מ | צרה ה, קצרה מטלד | מלמעלה] מלמעלן ה | מלמטה] מלמטן ה | וכן—תחתיה מ, שנ׳ ואף הסיתך מפי צר ה, וכה"א ערוך מאתמול תפתה גם הוא למלך הוכן העמיק הרחיב ט, וכה"א ל, וכה"א עיר התמרים ד — 8 עד] ד"א עד ט | אלו מציקי] מלמד שהראה לו המקום מצירי ה | כגון] ל׳ ה | הדרים—המלכות] שבללו עם המלכיות ה | ועתידים ליאבד] ועובדין לאבד ד — 10 אליו] אלי ד | לך מה, ולך טלד — 11 בעיניך] בט, נוסף <לאמר מה ת"ל אמר לו צא ובשר לאבות ואמור להם שבועה שנשבעתי לכם קיימתיה לבניכם: הראיתיך בעיניך> — 12 נאמר—ושמה לא תעבור] ל׳ ל — 13 משה] מ, מוסיף <לפני הקב"ה רבונו של עולם> | איני נכנס מט[2], לא אכנס ט[1], אני איני נכנס לד | תבא] ל, מוסיף <מה תלמוד לומר ושמה לא תבא> | איני נכנס] לא אכנס ט[1] — 14 אם איני נכנס בה חי אכנס בה מת מ, ל׳ דלט | המקום] הק׳ ט[1] — 16 לא] ולא ל — 17 איפשר—כענין שנאמר] עד כאן כתב משה מיכן ואילך כתב יהושע תאמר אפשר שמשה חי וכותב וימת שם משה הוי עד כאן כתב משה מכאן ואילך כתב יהושע ר׳ מאיר אומר אינו צריך והלא כבר נאמר ויכתוב משה את התורה הזאת וכו׳ שנתנה להם חסרה אפילו אות אחת אלא כל מה שהיה הקב"ה אומר לו היה כותב כגון שנאמר בברוך ה | וכותב מל, וכתב ט, וכתיב ד — 18 כתב] עד כאן נמצא בכ"י מ — 19 התורה ד, התורה הזאת טל — 20 כותב] כותב בדמע ט | הקב"ה לד, הק׳ ט[1], הב"ה ט[2] — 21 כתוב ד, כותב ל, ל׳ ט | ר׳ אליעזר אומר—ואומרת מת משה] ר׳ אליעזר הגדול אומר שנים עשר מילין על שנים עשר מילין כנגד מחנה ישראל היתה בת קול נשמעת ואי מת משה ואי מת משה אם אין הדבר כן וכי מי מודיען לישראל שנים עשר מיל על שנים עשר מיל שמת משה אלא שמע מינה בת קול יוצאה בכל מחנה

אליעזר אומר בת קול יוצאת מתוך המחנה שנים עשר מיל על שנים עשר מיל
והיתה מכרזת ואומרת מת משה סמליון אמר וימת שם משה. ומנין אתה
אומר מחילה היתה יוצאה מקבורתו של משה לקבורתם של אבות נאמר כאן
וימת שם משה ונאמר להלן °שמה קברו את אברהם ואת שרה אשתו, בראשית מט לא
ויש אומרים לא מת משה אלא עומד ומשרת למעלה נאמר כאן שם ונאמר
להלן °ויהי שם עם ה׳. שמות לד כח

עבד ה׳, לא בגנותו של משה הכתוב מדבר אלא בשבחו שכך מצינו
בנביאים הראשונים שנקראו עבדים שנאמר °כי לא יעשה ה׳ אלהים דבר עמוס ג ז
כי אם גלה סודו אל עבדיו הנביאים. על פי ה׳, כשהמקום נוטל נשמתם
של צדיקים נוטלה מהם בנחת רוח משלו משל למה הדבר דומה לאחד נאמן
שהיה בעיר והיו הכל מפקידים אצלו פקדון וכשבא אחד מהם לתבוע את שלו
היה מוציא ונותן לו לפי שידע היכן הוא וכשבא לשלח ביד בנו ביד עבדו ביד
שלוחו הופך תחתונים על העליונים לפי שאינו יודע היכן הוא כך כשהמקום
נוטל נשמתם של צדיקים נוטלה בנחת וכשהוא נוטל נשמתם של רשעים מוסרה
למלאכים רעים למלאכים אכזריים כדי שישמטו את נשמתם וכן הוא אומר °ומלאך משלי יז יא
אכזרי ישולח בו ואומר °תמות בנוער נפשם. איוב לו יד

(ו) ויקבור אותו בגיא אם נאמר בגיא, למה נאמר בארץ מואב ואם
נאמר בארץ מואב למה נאמר בגיא לומר שמת משה בתוך נחלתו של ראובן
ונקבר בשדה נחלתו של גד.

ולא ידע איש את קבורתו יש אומרים אף משה אינו יודע מקום קבורתו

ישראל לאמר שמת משה ה — 1 מתוך] בתוך ט — 2 והיתה טל, והיא ד | סמליון—משה] תניא סאמילון אומר וימת משה ספרא רבא דישראל ה | ומנין—ויהי שם עם ה׳] ויש אומרים משה רבינו לא מת אלא עומד ומשרת למעלן כת׳ הכא וימת שם משה וכת׳ התם ויהי שם עם ה׳ מה להלן עומד ומשרת למעלן אף כאן עומד ומשרת למעלן, ד״א וימת שם משה יש אומ׳ מחילה היתה יוצאת מקבורתו של משת לקבורתן של אבות נאמ׳ כאן וימת שם ולהלן הוא אומר שמה קברו את אברהם:| ומנין טל, מנין ד — 3 לקבורתם] לקבורתו ד — 4 ואת שרה אשתו ד, ל׳ טל — 5 לא מת משה] משה לא מת כ — 7 עבד ה׳] ל׳ כ | בשבחו] ה, מוסיף < שנאמר לא כן עבדי משה (במדבר י״ב ז׳) שכן מצינו באברהם יצחק ויעקב שנקראו עבדים שנאמר זכור לאברהם ליצ׳ ולי׳ עבד׳ (שמות ל״ב י״ג) | שכך—שנקראו] ושאר כל הנביאים נקראו ה — 9 כשהמקום—תמות בנוער נפשם] ל׳ ה, ועיין שם ברייתא הקרובה לזו בסגנונה — 10 משלו—דומה] ל׳ ע | משלו לד, ל׳ ט — 12 שידע] שהיה יודע ע | הוא] ל׳ ע | ביד עבדו לדע, ל׳ ט — 13 תחתונים] התחתונים ע | שאינו יודע] שאינן יודעין ט[1] | כשהמקום] כשהמקום דטע, המקום כשהוא ל — 14 בנחת טלע, בנחת רוח ד | וכשהוא נוטל] וכשנוטל ט[1] — 15 למלאכים—אכזריים] למלאכים אכזרים ומלאכים רעים ע | וכה״א] ל׳ ע — 16 בו ט, בם לד | נפשם] ט, מוסיף < זה אחד משלשה אתים שהיה ר׳ ישמעאל דורש בתורה וכי אחרים קברו אותו והלא הוא קבר את עצמו כיוצא בו זאת תורת הנזיר יביא אותו (במדבר ו׳ י״ג) יביא את עצמו ואין אחרים מביאים אותו כיוצא בו אתה אומר והשיאו אותם עון אשמה (ויקרא כ״ב ט״ז) וכי אחרים משיאים אותם והלא הן משיאין את עצמם> — 17 ויקבור—לכך נאמר ולא ידע איש את קבורתו] ל׳ ה, ועיין בהמובא שם | אם נאמר בגיא טל, ל׳ ד —

1 שנים עשר מיל וכו׳, עיין למעלה פי׳ שמ״ד ובציונים שם: 2 סמליון וכו׳, פי׳ ר׳ נחום ברילל בספר השנתי שלו שנה ד׳ ע׳ 98, מל״י [illegible]αλεον, ופירושו רמז לדבר, והוא מפרש שהיתה בתקול אומרת וימת משה וכן גורס רד״ף בהדיא; וכעין זה גם במ״ת: 5 לא מת וכו׳, סוטה שם; פ״ד; ספר חסידים, הוצ׳ וויסטינעצקי־פריימאנן, סי׳ תתתע״ג, ע׳ 313. — לא מת וכו׳ עד עבדיו הנביאים, מכירי עמוס ג׳ ז׳ (ע׳ 17): 7 שכך מצינו וכו׳, השוה למעלה פי׳ כ״ז (ע׳ 43, שורה 11): 9 כשהמקום וכו׳, השוה אדר״נ נו״א פרק י״ב (כ״ה ע״ב); פ״ז ;ועיין עוד בספר אגדות היהודים לר׳ לוי גינצבורג ח״ו ע׳ 160, הערה 950; והמאמר עד אכזרי ישולח בו מובא בפי׳ ר׳ ידעיה הפניני כ״י (ע): 14 מוסרה וכו׳, מ״ת למעלה ל״ג ג׳ (ע׳ 212); ספרי במדבר פי׳ מ׳ (ע׳ 44); ושם פ׳ קל״ט (ע׳ 185); ספרי זוטא ו׳ כ״ז (ע׳ 299); שם כ״ז י״ב (ע׳ 319); שבת קנ״ב ע״ב; קהלת רבה פרשה ג׳ פסוק כ״א; ועיין עוד בספר צוואות השבטים, צוואת אשר פרק ו׳ פסוק ג׳; ובמכילתא בשלח מסכת דויהי ריש פ״ד (מ״ב ע״א, ה—ר ע׳ 145): 18 שמת משה וכו׳, פ״ז; ולמעלה פי׳ שג״ר ובציונים שם: 19 י״א וכו׳, סוטה י״ד ע״א:

במדבר יב ג שנאמר ולא ידע איש את קבורתו ואין איש אלא משה שנאמר °והאיש משה עניו מאד וכבר שלחה מלכות בית קיסר שני סרדיוטות אמרו לכו וראו קבורתו של משה היכן היא הלכו ועמדו למעלה וראו אותו למטה ירדו למטה וראו אותו למעלה נחלקו חציים למעלה וחציים למטה עליונים ראו אותו כלפי מטה ותחתונים ראו אותו כלפי מעלה לכך נאמר ולא ידע איש את קבורתו.

(ז) ומשה בן מאה ועשרים שנה. זה אחד מארבעה שמתו בן מאה ועשרים שנה ואלו הם משה והלל הזקן ורבן יוחנן בן זכיי ורבי עקיבה משה היה במצרים ארבעים שנה ובמדין ארבעים שנה ופירנס את ישראל ארבעים שנה הילל הזקן עלה מבבל בן ארבעים שנה ושימש חכמים ארבעים שנה ופירנס את ישראל ארבעים שנה רבן יוחנן בן זכיי עסק בפרגמטיא ארבעים שנה ושימש חכמים ארבעים שנה ופירנס את ישראל ארבעים שנה רבי עקיבה למד תורה בן ארבעים שנה ושמש את החכמים ארבעים שנה ופירנס את ישראל ארבעים שנה שש זוגות ששנותיהם שוות רבקה וקהת לוי ועמרם יוסף ויהושע שמואל ושלמה משה והלל הזקן ורבן יוחנן בן זכיי ורבי עקיבה.

לא כהתה עינו. מלמד שעיניהם של מתים כהות: ולא נס לחה. רבי אליעזר בן יעקב אומר אל תהי קורא לא נס לחה אלא לא נס לחה עכשיו כל הנוגע בבשרו של משה לחה פורחת אילך ואילך.

2 וכבר שלחה וכו׳ סוטה י״ג ע״ב; והשוה אגדות היהודים לר׳ לוי גינצבורג ח״ו ע׳ 163, וע׳ 410; והמאמר עד המלים ולא ידע איש מובא בפי׳ ר׳ ידעיה הפניני כ״י (ע): 6 זה אחד וכו׳, מובא במפתח הר״ן ברכות כ״ה ע״ב; מגן אבות לרשב״ץ פ״ז מי״ז; פ״ז; ספר יוחסין, הוצ׳ פריימאנן, ע׳ 21; ובמנורת המאור לאלנקוה ח״ד ע׳ 595: 7 משה היה במצרים וכו׳, בראשית רבא סוף ויחי (ע׳ 1294) ומה״ג שם (ע׳ 771) כל הענין; שמות רבא פ״א סי׳ ל״ב; וסי׳ ל״ה; תנחומא שם סי׳ ח׳ וסי׳ י׳: 9 הלל הזקן עלה מבבל וכו׳, חופת אליהו רבא ערך ארבעה סי׳ כ״ג; וע׳ בספר דור דור ודורשיו לאייזיק הירש וויס ע׳ 155 הערה א׳: 10 ר׳ יוחנן בן זכיי וכו׳, ר״ה ל״א ע״ב; סנהדרין מ״א ע״א: 7 ר״ע וכו׳, ומובא במפתח ברכות נ״ז ע״א; ובב״ר הגרסה עשה בור ארבעים שנה ולמד ארבעים שנה וכו׳; והשוה אדר״נ נו׳ א פ״ו (י״ד ע״ב) כתובות ס״ב ע״ב, נדרים נ׳ ע״א: 13 שש זוגות וכו׳, בראשית רבא סוף ויחי (ע׳ 1294); מדרש שלשה וארבעה פ׳ ששה סי׳ מ״ט (הוצ׳ ווערטהיימר מ״ז ע״א), ושם יש להגיה שמואל במקום שאול; פרקי דרבינו הקדוש סי׳ כ״ג; ומובא בתוס׳ יבמות ס״א ע״ב ד״ה וכה״א; מגן אבות לרשב״ץ דוראן פ״ד מ״ב; רמב״ן ומאירי יבמות שם; וכן בראב״ן סי׳ קי״ח. — רבקה, לפי סדר עולם רבא, פ״א חיתה קל״ג שנה, שהרי בת י״ד שנה היתה כשנשאת ליצחק, ועשרים שנה משנשאת עד שנולד יעקב הרי ל״ד שנה; ע״ז שנה היה יעקב בברחו מפני עשו (סדר עולם רבא ריש פ״ב), ועשרים שנה שהה עם לבן, י״ח חדשים יצא מארם נהרים ובא לסכות ועשה שם שמונה חדשים, ובו בפרק מתה רבקה, הרי קל״ג שנה, וכבר העיר כן מורי ר׳ אלכסנדר מארכס בהערה לסדר עולם רבא, (חלק האשכנזי ע׳ 4, הערה 34). וקהת חי גם כן קל״ג שנה (שמות ו׳ י״ח). — לוי, חי קל״ז שנה (שמות ו׳ ט״ז); וכן עמרם (שם כ׳). — יוסף ויהושע, שניהם מפורשים בכתוב יוסף בבראשית נ׳ כ״ו; יהושע, ביהושע כ״ד כ״ט. — שמואל, חי נ״ב שנה לפי סע״ר פי״ג ובכמה ציונים שהביא ר׳ דוב בער רטנר שם בהוצאתו (פ״ט ע״ב הערה י״ט); וגם שלמה חי נ״ב שנה, שי״ב שנה היה במלכו (סע״ר ל״א ע״ב, ובציונים שם הערה כ״ב) וארבעים שנה מלך (מ״א י״א מ״ב): 15 מלמד וכו׳ עד כהות, מובא בספר הזכרון: 16 אל תהי קורא וכו׳, מובא בתוס׳ ערכין ט״י ע״ב ד״ה אל תקרי; וכבר נתחבטו בפירוש מאמר זה בעל ז״א, ר׳ אליעזר אפרתי (בהמגיד שנה ה׳ חוברת כ״ד ע׳ 159) ור׳ יעקב לייב לעוויזאהן. האחרון מפרש שם

2 וכבר—ולא ידע איש את קבורתו] ל׳ ט | בית קיסר לע של בית קיסר ד | שני סרדיוטות אמרו ל, ל׳ ד, אמר להם ע — 3 היכן היא] ל׳ ע | היא ל, הוא ד — 4 חציים למעלה—למטה] חציין למטה וחציין למעלה ע | אותו] ל׳ ע — 5 ראו אותו] ל׳ ע — 6 שמתו בן לד, שחיו ה — 7 שנה לה, ל׳ ד | ורבן] רבן ה — 8 היה] עשה ה | ובמדין] ועשה במדין ה | ופירנס את ישראל] ומלך [יוחסין] ושמש את ישראל ה — 9 חכמים] את החכמים ה | ופירנס] ושמש ה — 10 שנה] ל, כופל עוד הפעם <הלל הזקן עלה מבבל בן ארבעים שנה ושמש חכמים ארבעים שנה ופירנס את ישראל ארבעים שנה> | עסק] עשה ה | בפרגמטיא] בפרקמטיא ט, פרגמטיא ה — 11 חכמים] את החכמים ה | ופירנס] ושמש ה | את ט, ל׳ לד | למד—ושמש את החכמים ארבעים שנה ה, [מפתח] למד תורה ארבעים שנה ד | ל׳ ד—שנה ושמש חכמים ארבעים שנה ל, שמש חכמים ארבעים שנה ולמד תורה ארבעים שנה ט — 12 ופירנס] ושמש ה — 14 והלל טל, הלל ד | ורבן טל, רבן ד — 15 מלמד—כהות] הא למדנו שעיניהם של מתים כהות ה | מלמד] מכאן [זכרון] | כהות ט [זכרון], כהה לד | ולא נס לחה טד, ל׳ ל, ולא נס לחה הא למדנו שלחיין של מתים נפסק ה | ר׳אב״י—אלא לא נס לחה] ל׳ ה — 16 בן יעקב] ל׳ ט | תהי קורא ט, תיקרי לד | אלא לא נס לחה טד, ל׳ ל — 17 הנוגע] מי שהוא נוגע ה | פורחת] בורחת ה —

(ח) ויבכו בני ישראל את משה הרי אחד, ויתמו ימי הרי שנים, בכי אבל משה הרי שלשה. שלשים יום אלו מה טיבם אלא מלמד שבכו אותו קודם למיתה שלשים יום. ומנין לימי נזירות שהם שלשים יום נאמר כאן ימי ונאמר להלן (במדבר ו ד) °ימי מה ימי האמור כאן שלשים יום אף ימי האמור להלן שלשים יום.

(ט) ויהושע בן נון מלא רוח חכמה, מפני מה כי סמך משה את ידיו עליו: וישמעו אליו בני ישראל אין לך משמע גדול מזה ויעשו כאשר צוה ה׳ את משה, ועדין לא ניתן מוראו עליהם שנאמר (יהושע ד יד) °בעת ההיא גדל ה׳ את יהושע באותה שעה ניתן מוראו עליהם.

(י) ולא קם נביא עוד בישראל כמשה בישראל לא קם אבל באומות העולם קם ואיזה זה זה בלעם בן בעור אלא הפרש יש בין נבואתו של משה לנבואתו של בלעם משה לא היה יודע מי מדבר עמו, ובלעם היה יודע מי מדבר עמו, שנאמר (במדבר כד טז) °נאם שומע אמרי אל משה לא היה יודע מתי מדבר עמו עד שנדבר עמו ובלעם היה יודע מתי מדבר עמו שנאמר ויודע דעת עליון, משה לא היה מדבר עמו אלא כשהוא עומד שנאמר (דברים ה כח) °ואתה פה עמוד עמדי ובלעם היה מדבר עמו כשהוא נופל שנאמר (במדבר כד ד) °מחזה שדי יחזה נופל וגלוי עינים משל למה הדבר דומה לטבחו של מלך ויודע כמה הוצאות יוצאות למלך על שולחנו.

1 ימין] ימי בכי ט ׀ הרי שנים] ל׳ ה ׀ בכי] ל׳ ט — 2 אלא מלמד] מגיד ה ׀ אותו] לו ה ׀ קודם—יום] שלשים יום קודם למיתתו ה — 3 ומנין—שהם] מנין לגלוח הנזיר שהוא מן התורה ה ׀ לימי נזירות] לגזירות ט[1] ׀ כאן] להלן ה — 4 להלן] כאן ה ׀ אף ימי האמור] אף ה — 5 בן נון] ל׳ ל ׀ מפני—כאשר צוה ה׳ את משה] אין משמע גדול מזה מפני מה כי סמך משה את ידיו עליו ה ׀ כי סמך משה ט, סמך משה ל, נסמך ד — 6 וישמעו—ישראל ט[1]ל, וישמעו אליו כל בני ישראל ט[2], ל׳ ד ׀ לך טד, לו ל — 7 ועדין טד, ואדין ה ׀ ניתן טה, נתן לד ׀ שנאמר—עליהם] מיכן ואילך ביום ההוא גדל ה׳ את יהושע (יהושע ד׳ י״ד) — 8 ניתן ט, נתן לד — 9 עוד] ל׳ ד ׀ בישראל לא קם טע, בישראל לא קם כמשה ה, ל׳ לד ׀ באומות העולם קם טלע, קם באומות העולם ה, באומות קם ד — 10 בן בעור] ל׳ ע ׀ אלא הפרש יש—על שולחנו] מה בין נבואתו שלמשה לנבואתו שלבלעם בלעם מידבר עמו והוא נופל שנ׳ נפל וג׳ עי׳ בלעם היה יודע אימתי המקום מדבר עמו שנ׳ מחזה שדי יחזה בלעם היה יודע מה עתיד לידבר עמו שנ׳ ויודע דע׳ על׳ משל לטבחו שלמלך שהיה יודע מה קרב על שלחנו שלמלך כך היה בלעם יודע מה עתיד לידבר עמו מה בין נבואתו שלבלעם לנבואתו שלמשה משה מידבר עמו והוא עומד שנ׳ ואתה פה עמוד עמדי משה מידבר עמו פה אל פה שנ׳ פה אל פה אדבר בו (במדבר י״ב ח׳) משה מידבר עמו פנים בפנים שנ׳ ודבר ה׳ אל משה פנים בפנים (ע׳ שמות ל״ג י״א) ה ׀ הפרש יש ט[1]ע, יש הפרש ד, שיש הפרש ט[2], הפרש ל — 11 בלעם] בלעם בן בעור ט[2] ׀ מי טלדע, מה ס [פ״פ] [וכן בסמוך] ׀ ובלעם] בלעם ע — 12 אל] ד, מוסף <יודע דעת עליון> ׀ מתי ע [פ״פ], מאימתי ל, מי טד, ׀ מדבר] ידבר ע ׀ עמו עד שנדבר] ל׳ [פ״פ] — 13 שנדבר טד, שמדבר ל ׀ מתי [פ״פ], אימתי טלדע ׀ מדבר ע [פ״פ], היה מדבר טלד, עמו טע, ל׳ דל — 14 אלא כשהוא טלע [פ״פ], עד שהוא ד — 15 היה] ל׳ ל ׀ מחזה] אשר מחזה ט[2] — 16 למלך על שלחנו] על שלחנו של מלך ט[1] —

חוברת ל״ו ע׳ 231, שאין „אל תקרי״ נמשך אל גם אלא אל לחה וכוונת ראב״י היא אל תיקרי לֵחָה אלא לָחֹה ור״ל שהמלה לחה אינה נמשכת אל עינו אלא אל משה ופירושו כל הנוגע בבשרו של משה לחה פורחת אילך ואילך; אמנם נראים בעיני דברי ראזענצוויינ בספר תפארת ישראל לכבוד ר׳ ישראל לוי (ע׳ 222) שלפי דבריו משתמשים לפעמים במבטא אל תהי קורא במקום שאין שום שנוי בקריאה אלא בדקדוק המלה, וכן הוא אומר כאן אל תהי קורא לא נס ל׳ עבר, אלא ל׳ בינוני, גם עכשו כל הנוגע בבשרו של משה לחה פורחת אילך ואילך; ועיין עוד בספר אגדות היהודים למורי ר׳ לוי גינצבורג ח״ו ע׳ 146: 2 הרי שלשה, לומר שלשה ימים לבכי, ע׳ מ״ק כ״ז ע״ב; והשוה שם כ״א ע״א שדורש את הכתוב ויתמו ימי בכי, וכו׳ רק לשני ימים; ועכשיו שואל אם כן מה טיבן של שלשים יום האמורים כאן, אלא ודאי שישראל בכו ויתפללו על משה ל׳ יום קודש פטירתו: 3 לימי נזירות וכו׳, נזיר פ״א ט״ג, ופ״ו מ״נ; ועיין בירושלמי שם פ״א (נ״א ע״ג); ובבבלי ה׳ ע״א; וגם בספרי במדבר פי׳ כ״ה (רמא״ש ח׳ ע״ב, הארויץ ע׳ 31 שורה 11 בחלופי נוסחאות); מסכת שמחות פרק ז׳ ה״כ (הוצ׳ היגער ע׳ 146); וע״ע שם פ״ו ה״ט (ע׳ 139): 6 אין לך, וכו׳ פ״ז: 2 ולא קם וכו׳ עד נופל וגלוי עינים, מובא בספר Pugio Fidei ע׳ 886; וחלק מן המאמר מובא גם בפי׳ ר׳ מנחם ריקאנאטי פרשה בלק; פ״ז; ובחלופי נוסחאות ציינתי השנוים מן הקטע בספר Pugio Fidei בסימן זה [פ״פ]. — בישראל וכו׳ עד וגלוי עינים, מובא בפירוש ר׳ ידעיה הפניני כ״י (ע): 10 זה בלעם, במדבר רבה ריש פ׳ בלק והשוה ר״ה כ״א ע״ב; ועיין עוד בספר אגדות היהודים לר׳ לוי גינצבורג ח״ו ע׳ 125. — אלא הפרש יש וכו׳, השוה ויק״ר פ״א סי׳ י״נ:

אשר ידעו ה׳ פנים אל פנים, למה נאמר לפי שנאמר °ויאמר הראיני שמות לג יח
נא את כבודך אמר לו בעולם הזה אי אתה רואה שנמשל בפנים שנאמר °לא שם לג כ
תוכל לראות את פני אבל אתה רואה בעולם הבא שנמשל באחורים שנאמר
°והסירותי את כפי וראית את אחורי אימתי הראהו סמוך למיתה הא למדת שם לג כג
שהמתים רואים.

(יא) לכל האותות והמופתים אשר שלחו ה׳ לעשות בארץ מצרים לפרעה ולכל עבדיו ולכל ארצו, למצרים בפני עצמה לפרעה בפני עצמו ולעבדיו בפני עצמם: ולכל היד החזקה, זו מכת בכורות. ולכל המורא הגדול, זו קריעת ים סוף רבי אלעזר אומר לכל האותות והמופתים ומנין אף לפני הר סיני תלמוד לומר ולכל היד החזקה, ומנין אף במדבר תלמוד לומר ולכל
המורא הגדול ומנין אף בשיבור הלוחות נאמר להלן °ואשברם לעיניכם דברים ט יז
וכאן הוא אומר אשר עשה משה לעיני כל ישראל סליק ספרי חזק ונתחזק

1 למה נאמר וכו׳, פ״ז: 4 אימתי הראהו, עיין בספר תמים דעים לר׳ משה תקו, נדפס באוצר נחמד שנה ג׳ ע׳ 61, שכתב „ובסוף ספרי תניא שהראה לו הקב״ה למשה בשעת מותו עוד זוהר כבודו יותר מכחיש (אולי צ״ל מבהיק) עד שאותו שראה בחייו היתה כאספקלריא שאינה מאירה״: 5 שהמתים רואים, ספרא ויקרא פרק ב׳, הוצ׳ וויים ד׳ ע״א, הוצ׳ רמא״ש ע׳ 37; ספרי במדבר פי׳ ק״ג (כ״ח ע״א, הורו׳ ע׳ 101); מ׳ תהלים כ״ב ל״ב (צ״ט ע״א); פרקי דר׳ אליעזר פל״ב; שמחות דר׳ חייה פ״ד ה״ב, הוצ׳ היגער ע׳ 226; רש״י תהלים כ״ב ל׳; ועיין ערובין כ״א ע״א; ואדר״נ נו״א פ׳ כ״ה (מ׳ ע״א): 8 זו מכת וכו׳, רמב״ן; פ״ז: 9 זו קריעת ים סוף, מובא באבודרהם סדר הגדה.

1 שנאמר טל, שאמר משה לפני הקב״ה רבון העולם ה, שהוא אומר ד | ויאמר] ל׳ ה — 2 אי—בפנים] שנמשל בפנים אין אתה רואה ה — 3 את טה, ל׳ לד | אבל—באחורים ט, אבל רואה אתה—באחורים ל, אבל אתה רואה—כאחורים ד, אבל לעולם הבא שנמשל באחור אתה רואה ה [ובכת״י ס, שנמשל לאחורים] — 4 אימתי—רואים אע״פ כן הראהו בשעת המיתה הא למדנו שכל המתים רואים ה — 7 עצמה לה [פ״ז], עצמם ט, עצמו ד | לפרעה—בפני עצמם] ל׳ ט[2] — 8 ולעבדיו ט[1]ד, ולכל עבדיו ה, לכל עבדיו ל | עצמם] ה, מוסיף <ולכל ארצו בפני עצמה> — 9 ים סוף] <ד״א ולכל המורא הגדול זו מתן תורה> [רמב״ן] | אלעזר לד, אליעזר הט [פ״ז] — 11 ומנין אף טל, ומנין ד, אין לי אלא במצרים מנין אף ה | ומנין] מנין ה | בשיבור הלוחות ה, בשברי הלוחות [לוחות לד] טלד — 12 סליק—ונתחזק ל, סליק מכילתא סיפרא וסיפרי תהלה לאל חי צורי ד —

Als Dr. Saul Horovitz, Seminarrabbiner am Jüdisch-Theologischen Seminar in Breslau, der Herausgeber des Siphre zutta und des Siphre zu Numeri (Corpus Tannaiticum, Sectio 3: Pars. 3, fasc. 1, 1917), mitten im Druck der Mechilta d'Rabbi Ismael (Corpus Tannaiticum, Sectio 3: Pars. 1, 1931) nach langer schwerer Krankheit am 2. April 1921 starb, hinterließ er ein Manuskript zum Siphre Deuteronomium, das er im großen ganzen für druckfertig hielt. Dr. Louis Finkelstein, Professor am Jewish Theological Seminary of America in New-York, erklärte sich bereit, das Manuskript abschließend zu redigieren und herauszugeben. Schon bei Beginn der Arbeit aber machte er die Feststellung, daß das zur Verfügung stehende handschriftliche Material weit reicher war als das benutzte — inzwischen hatte z. B. die Preußische Staatsbibliothek in Berlin ein sehr wertvolles vollständiges Manuskript des Siphre erworben —, und er hielt es für seine Pflicht, zunächst einmal den handschriftlichen Apparat zu vervollständigen und das Verhältnis der einzelnen Handschriften zu einander zu prüfen. Das Ergebnis veröffentlichte er in einer Untersuchung: Prolegomena to an Edition of the Sifre on Deuteronomy, die in den Proceedings of the American Academy for Jewish Research, 1931—1932, erschienen ist.
Unsere Gesellschaft würdigt es, daß sie die abgeschlossene Arbeit, deren schwierige Drucklegung sieben Jahre beansprucht hat, nunmehr vorlegen darf. Sie ist Herrn Professor Finkelstein für sein bedeutungsvolles Werk zu großem Danke verpflichtet.
Wir danken auch den Kindern des verewigten Dr. Horovitz für die Überlassung des Manuskripts.

Die Edition ist durch die finanzielle Unterstützung ermöglicht worden, die wir durch die Vermittlung des Rabbi Dr. H. G. Enelow s. A. von der Central Conference of American Rabbis sowie von Herrn Lucius N. Littauer zur Erinnerung an Dr. Enelow erhalten haben.
Der Aufgabe des Korrekturlesens haben sich, außer dem Herausgeber, Dr. Moses Sister sowie auch Dr. Alexander Guttmann und Dr. Arthur Spanier unterzogen.
Ihnen allen, wie auch Professor Elbogen für mannigfache Unterstützung, sei unser aufrichtiger Dank ausgesprochen.

Berlin, den 1. Oktober 1939

Gesellschaft zur Förderung der Wissenschaft des Judentums

Baeck

Siphre ad Deuteronomium

H. S. Horovitzii schedis usus

cum variis lectionibus et adnotationibus

edidit

Dr. LOUIS FINKELSTEIN

Berolini

In aedibus Jüdischer Kulturbund in Deutschland E.V.

Abteilung Verlag

MCMXXXIX

Corpus Tannaiticum

Sectio tertia

veterum doctorum ad Pentateuchum

interpretationes halachicas continens

Pars tertia

Siphre d'be Rab

Fasciculus alter

Siphre ad Deuteronomium

Berolini

In aedibus Jüdischer Kulturbund in Deutschland E.V.

Abteilung Verlag

MCMXXXIX

Sifre on Deuteronomy

Published originally

by the

Gesellschaft zur Förderung der Wissenschaft des Judentums

and now re-published by

The Jewish Theological Seminary of America

New York, 5729 (1969)

Printed and bound in Japan

New York and Jerusalem, 5753 (1993)

This volume is published with the support
of
THE MAXWELL ABBELL PUBLICATION FUND

Sifre on Deuteronomy

Made in the USA
Lexington, KY
02 February 2015